Calcul différentiel

Jean Fradette

8101, boul. Métropolitain Est, Anjou, Qc, Canada. H1J 1J9
Téléphone: (514) 351-6010 Télécopieur: (514) 351-3534

Calcul différentiel

Jean Fradette

Direction de l'édition :
Murielle Belley

Direction de la production :
Danielle Latendresse

Chargée de projet :
Chantal Quiniou

Conception graphique :
Dessine-moi un mouton

Réalisation technique :
Productions Maurice Paradis

L'auteur et l'Éditeur tiennent à remercier les consultants et les consultantes dont les noms suivent pour leurs judicieuses suggestions, leur grande disponibilité et leur professionnalisme :

- Jean-Marc Charron, *Collège André-Grasset*
- Robert Dufour, *Ph. D., Cégep Montmorency*
- Claire Fournier, *Cégep Saint-Jean-sur-Richelieu*
- Pierre Gagnier, *Collège Ahuntsic*
- Janique Gagnon, *Collège de la région de L'Amiante*
- Rony Joseph, *Cégep de Victoriaville*
- Carole Kougioumoutzakis, consultante en mathématiques
- Michel Laramée, *Cégep Édouard-Montpetit*
- Collette Messier, *Cégep du Vieux-Montréal*
- Lucie Nadeau, *Cégep Lévis-Lauzon* et *Cégep F. X. Garneau*
- Denis Racine, *Collège André-Grasset*
- Benoît Régis, *Collège de la région de L'Amiante*
- Jean-Marc Tourigny, *Cégep de Jonquière*
- Jacqueline Vachon, *Cégep de l'Abitibi-Témiscamingue*

8101, boul. Métropolitain Est
Anjou (Québec) H1J 1J9

Dépôt légal : 2e trimestre 2001
Bibliothèque nationale du Québec
Bibliothèque nationale du Canada

ISBN : 2-7617-1762-7
Imprimé au Canada
1 2 3 4 5 05 04 03 02 01

Avant-propos

S'approprier les concepts fondamentaux du calcul différentiel, à savoir la limite et la dérivée, tout en abordant le concept d'intégrale, élément clé du calcul intégral, n'est pas chose aisée pour un étudiant.

C'est pourquoi l'auteur de *Calcul différentiel* a privilégié une approche inductive, abordant ces concepts par le biais de cas particuliers et d'exemples concrets qui mènent ensuite aux situations générales et à la théorie.

Cet ouvrage a été conçu et rédigé avec le souci de mieux répondre aux besoins en constante évolution des étudiants du collégial. Pour ce faire, l'auteur a utilisé un langage aussi simple que possible, en amenant progressivement l'étudiant à se servir du langage mathématique, dont la rigueur permet de donner un sens précis aux choses et d'effectuer une analyse mathématique adéquate. De plus, l'ouvrage comporte de nombreux rappels des notions préalables afin de faciliter la transition de l'enseignement secondaire au cours de *Calcul différentiel*.

Certains exemples, exercices, problèmes, voire quelques sections entières, sont rattachés de façon particulière à la calculatrice graphique. Ils sont alors identifiés par une icône facile à reconnaître. Plusieurs des exercices nécessitant l'utilisation de la calculatrice graphique incitent l'étudiant à comparer les résultats obtenus à l'aide de la calculatrice graphique avec ceux qu'il a trouvés à partir d'une démarche algébrique.

Structure de chaque chapitre

Chaque chapitre est divisé en sections présentant les divers contenus théoriques à l'étude. Dans chacune des sections, on trouve :

- la présentation théorique des concepts et des méthodes principales du cours d'introduction au calcul différentiel ;
- les définitions, les règles fondamentales et les propositions, bien mises en évidence pour qu'elles soient faciles à repérer en tout temps ;
- de nombreux exemples avec leur solution et plusieurs graphiques permettant de mieux comprendre la théorie ;
- des capsules ***Attention !*** ciblant certains aspects auxquels les étudiants devraient prêter une attention particulière ;
- une série d'exercices variés par ordre croissant de difficulté et dont les réponses se trouvent à la fin du manuel. Il est à noter que la solution détaillée du premier de ces exercices est fournie à la fin du volume, de façon à permettre à l'étudiant de travailler de façon plus autonome.

Outre ces sections, le chapitre comprend les rubriques suivantes.

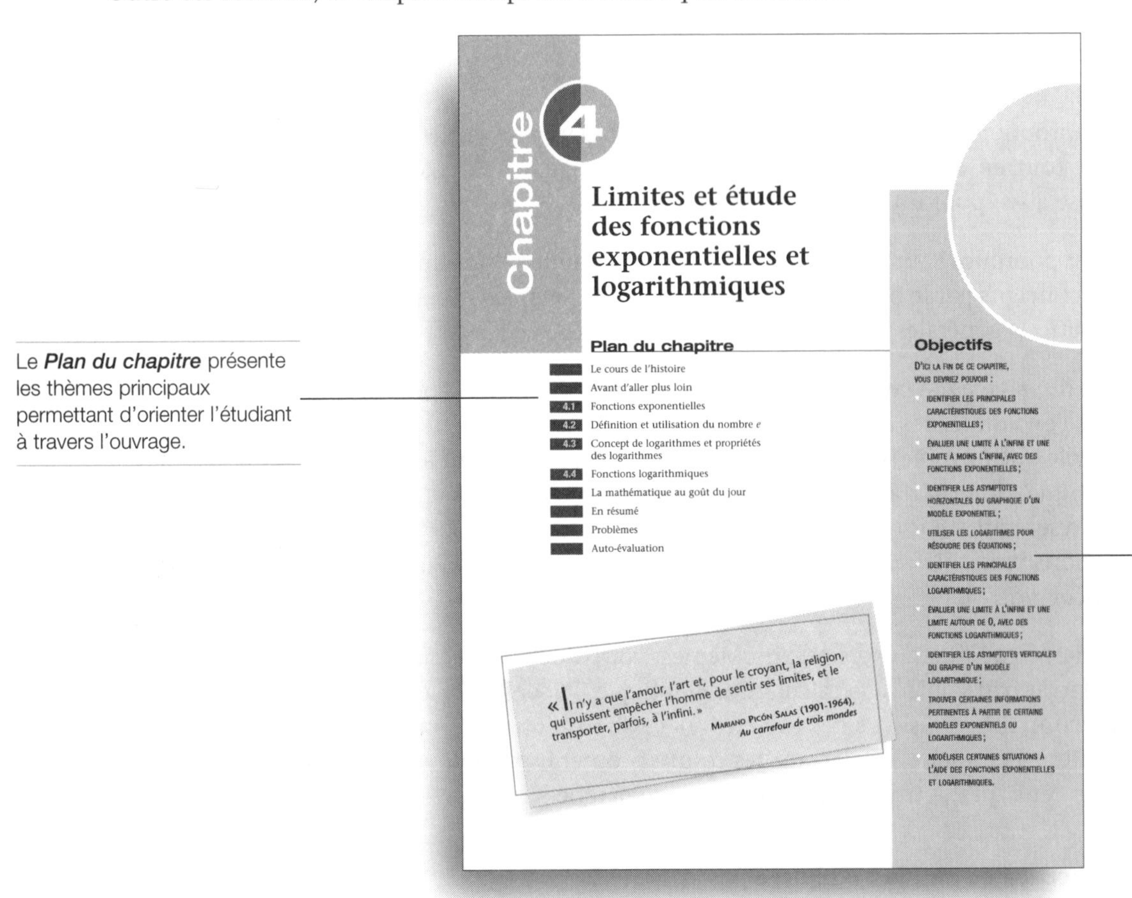

Chapitre 4

Limites et étude des fonctions exponentielles et logarithmiques

Plan du chapitre

- Le cours de l'histoire
- Avant d'aller plus loin
- 4.1 Fonctions exponentielles
- 4.2 Définition et utilisation du nombre *e*
- 4.3 Concept de logarithmes et propriétés des logarithmes
- 4.4 Fonctions logarithmiques
- La mathématique au goût du jour
- En résumé
- Problèmes
- Auto-évaluation

« Il n'y a que l'amour, l'art et, pour le croyant, la religion, qui puissent empêcher l'homme de sentir ses limites, et le transporter, parfois, à l'infini. »

MARIANO PICÓN SALAS (1901-1964), *Au carrefour de trois mondes*

Objectifs

D'ICI LA FIN DE CE CHAPITRE, VOUS DEVRIEZ POUVOIR :

- IDENTIFIER LES PRINCIPALES CARACTÉRISTIQUES DES FONCTIONS EXPONENTIELLES ;
- ÉVALUER UNE LIMITE À L'INFINI ET UNE LIMITE À MOINS L'INFINI, AVEC DES FONCTIONS EXPONENTIELLES ;
- IDENTIFIER LES ASYMPTOTES HORIZONTALES DU GRAPHIQUE D'UN MODÈLE EXPONENTIEL ;
- UTILISER LES LOGARITHMES POUR RÉSOUDRE DES ÉQUATIONS ;
- IDENTIFIER LES PRINCIPALES CARACTÉRISTIQUES DES FONCTIONS LOGARITHMIQUES ;
- ÉVALUER UNE LIMITE À L'INFINI ET UNE LIMITE AUTOUR DE 0, AVEC DES FONCTIONS LOGARITHMIQUES ;
- IDENTIFIER LES ASYMPTOTES VERTICALES DU GRAPHE D'UN MODÈLE LOGARITHMIQUE ;
- TROUVER CERTAINES INFORMATIONS PERTINENTES À PARTIR DE CERTAINS MODÈLES EXPONENTIELS OU LOGARITHMIQUES ;
- MODÉLISER CERTAINES SITUATIONS À L'AIDE DES FONCTIONS EXPONENTIELLES ET LOGARITHMIQUES.

Le ***Plan du chapitre*** présente les thèmes principaux permettant d'orienter l'étudiant à travers l'ouvrage.

La liste des ***Objectifs*** précise les connaissances et les habiletés que l'étudiant devrait avoir acquises après l'étude de chacun des chapitres.

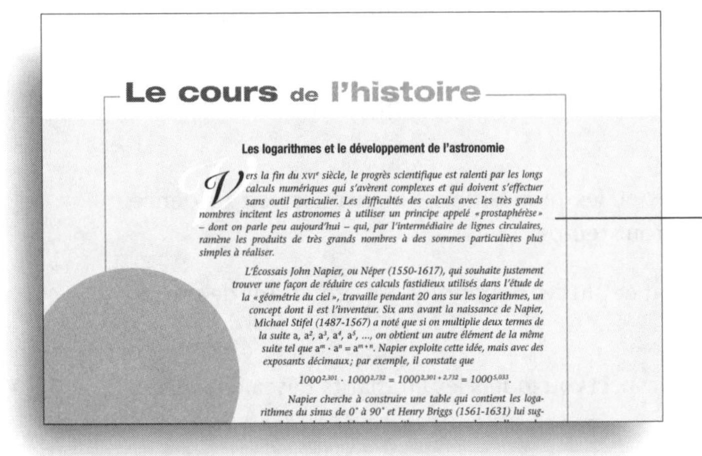

Le cours de l'histoire

Les logarithmes et le développement de l'astronomie

Vers la fin du XVIe siècle, le progrès scientifique est ralenti par les longs calculs numériques qui s'avèrent complexes et qui doivent s'effectuer sans outil particulier. Les difficultés des calculs avec les très grands nombres incitent les astronomes à utiliser un principe appelé « prostaphérèse » – dont on parle peu aujourd'hui – qui, par l'intermédiaire de lignes circulaires, ramène les produits de très grands nombres à des sommes particulières plus simples à réaliser.

L'Écossais John Napier, ou Néper (1550-1617), qui souhaite justement trouver une façon de réduire ces calculs fastidieux utilisés dans l'étude de la « géométrie du ciel », travaille pendant 20 ans sur les logarithmes, un concept dont il est l'inventeur. Six ans avant la naissance de Napier, Michael Stifel (1487-1567) a noté que si on multiplie deux termes de la suite a, a^2, a^3, a^4, a^5, ..., on obtient un autre élément de la même suite tel que $a^m \cdot a^n = a^{m+n}$. Napier exploite cette idée, mais avec des exposants décimaux; par exemple, il constate que

$$1000^{2,301} \cdot 1000^{2,732} = 1000^{2,301+2,732} = 1000^{5,033}.$$

Napier cherche à construire une table qui contient les logarithmes du sinus de 0° à 90° et Henry Briggs (1561-1631) lui sug-

La rubrique ***Le cours de l'histoire*** est centrée sur l'évolution de certains concepts mathématiques fondamentaux directement reliés au calcul différentiel et sur les mathématiciens qui ont donné naissance à ces divers concepts.

Il est fortement conseillé à l'étudiant de faire les exercices de la rubrique ***Avant d'aller plus loin*** avant d'entreprendre la lecture d'un nouveau chapitre, afin de vérifier :

- s'il maîtrise certains ***Préalables*** relatifs à divers concepts mathématiques déjà étudiés et nécessaires à la compréhension des notions à l'étude dans le chapitre;
- s'il maîtrise les éléments de ***Langages mathématique et graphique*** qui sont utiles à l'apprentissage qu'il aura à faire dans les pages suivantes.

Les réponses à ces exercices sont données à la fin de l'ouvrage. Ainsi, l'étudiant est en mesure d'évaluer ses connaissances et de demander, au besoin, l'aide d'une personne-ressource.

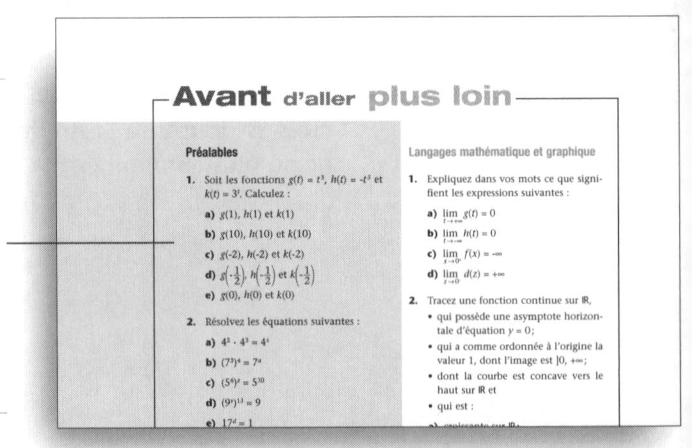

Avant d'aller plus loin

Préalables

1. Soit les fonctions $g(t) = t^3$, $h(t) = -t^3$ et $k(t) = 3^t$. Calculez :
   a) $g(1)$, $h(1)$ et $k(1)$
   b) $g(10)$, $h(10)$ et $k(10)$
   c) $g(-2)$, $h(-2)$ et $k(-2)$
   d) $g\left(-\frac{1}{2}\right)$, $h\left(-\frac{1}{2}\right)$ et $k\left(-\frac{1}{2}\right)$
   e) $g(0)$, $h(0)$ et $k(0)$
2. Résolvez les équations suivantes :
   a) $4^2 \cdot 4^3 = 4^x$
   b) $(7^3)^4 = 7^a$
   c) $(5^6)^z = 5^{30}$
   d) $(9^y)^{13} = 9$
   e) $17^d = 1$

Langages mathématique et graphique

1. Expliquez dans vos mots ce que signifient les expressions suivantes :
   a) $\lim_{t \to +\infty} g(t) = 0$
   b) $\lim_{t \to -\infty} h(t) = 0$
   c) $\lim_{x \to 0^+} f(x) = -\infty$
   d) $\lim_{z \to 0^-} d(z) = +\infty$
2. Tracez une fonction continue sur IR,
   - qui possède une asymptote horizontale d'équation $y = 0$;
   - qui a comme ordonnée à l'origine la valeur 1, dont l'image est $]0, +\infty$;
   - dont la courbe est concave vers le haut sur IR et
   - qui est :

façon générale, si FV représente la valeur finale du prêt, celle-ci est donnée par la formule :

$$FV = PV\,(1 + i)^n.$$

Si on fixe dans cette formule la valeur initiale du prêt PV en lui donnant la valeur de 3000 $ et le taux périodique i en lui donnant la valeur 0,08, la quantité FV est exprimée en fonction de n (une variable qui se trouve en exposant) par $FV = 3000 \cdot 1{,}08^n$. Dans ce chapitre, nous nous intéresserons de façon particulière à de telles fonctions appelées parfois modèles exponentiels.

Lois des exposants

Revoyons d'abord brièvement la façon de calculer une expression comprenant un exposant.

Comment **faire**?

Comment calculer un terme affecté d'un exposant rationnel ou irrationnel

La procédure de calcul d'un terme affecté d'un exposant dépend de la forme que possède l'exposant. Si on doit calculer a^n où a est un nombre réel et

- n est un exposant **entier positif supérieur à 1**, on doit multiplier le nombre a n **fois** par lui-même. Par exemple,

$$3^4 = 3 \cdot 3 \cdot 3 \cdot 3 = 81.$$

- n est un exposant **égal à 1**, on a simplement par convention $a^1 = a$.

4 **chapitre 4** Limites et étude des fonctions exponentielles et logarithmiques

La rubrique ***Comment faire?*** propose, pour un concept à l'étude, une démarche permettant de résoudre adéquatement un grand nombre d'exercices et de problèmes qui y sont reliés.

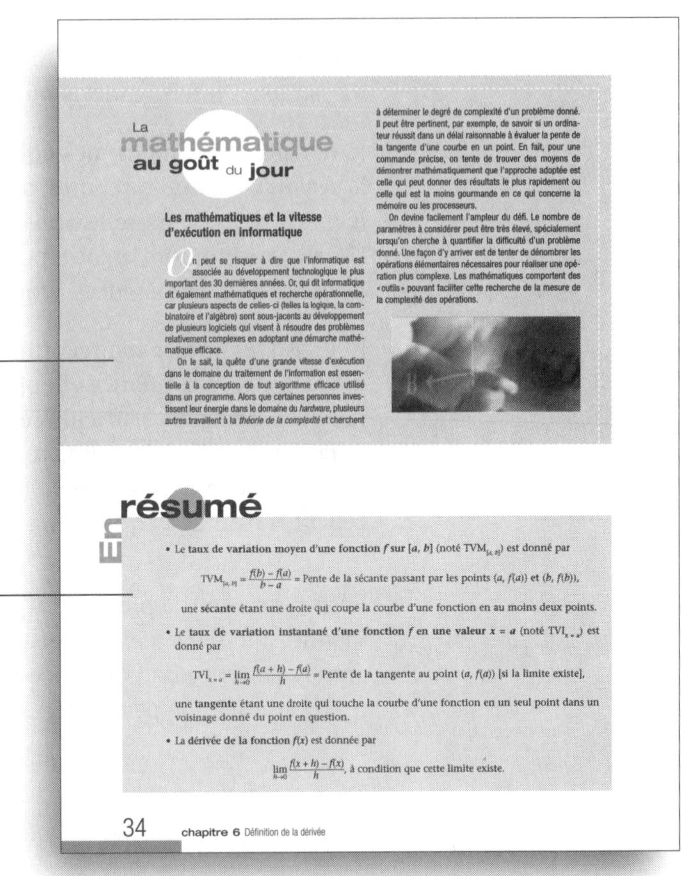
La **mathématique** au goût du jour

Les mathématiques et la vitesse d'exécution en informatique

On peut se risquer à dire que l'informatique est associée au développement technologique le plus important des 30 dernières années. Or, qui dit informatique dit également mathématiques et recherche opérationnelle, car plusieurs aspects de celles-ci (telles la logique, la combinatoire et l'algèbre) sont sous-jacents au développement de plusieurs logiciels qui visent à résoudre des problèmes relativement complexes en adoptant une démarche mathématique efficace.

On le sait, la quête d'une grande vitesse d'exécution dans le domaine du traitement de l'information est essentielle à la conception de tout algorithme efficace utilisé dans un programme. Alors que certaines personnes investissent leur énergie dans le domaine du *hardware*, plusieurs autres travaillent à la *théorie de la complexité* et cherchent à déterminer le degré de complexité d'un problème donné. Il peut être pertinent, par exemple, de savoir si un ordinateur réussit dans un délai raisonnable à évaluer la pente de la tangente d'une courbe en un point. En fait, pour une commande précise, on tente de trouver des moyens de démontrer mathématiquement que l'approche adoptée est celle qui peut donner des résultats le plus rapidement ou celle qui est la moins gourmande en ce qui concerne la mémoire ou les processeurs.

On devine facilement l'ampleur du défi. Le nombre de paramètres à considérer peut être très élevé, spécialement lorsqu'on cherche à quantifier la difficulté d'un problème donné. Une façon d'y arriver est de tenter de dénombrer les opérations élémentaires nécessaires pour réaliser une opération plus complexe. Les mathématiques comportent des « outils » pouvant faciliter cette recherche de la mesure de la complexité des opérations.

En résumé

- **Le taux de variation moyen d'une fonction f sur $[a, b]$** (noté $TVM_{[a,b]}$) est donné par

$$TVM_{[a,b]} = \frac{f(b) - f(a)}{b - a} = \text{Pente de la sécante passant par les points } (a, f(a)) \text{ et } (b, f(b)),$$

une **sécante** étant une droite qui coupe la courbe d'une fonction en au moins deux points.

- **Le taux de variation instantané d'une fonction f en une valeur $x = a$** (noté $TVI_{x=a}$) est donné par

$$TVI_{x=a} = \lim_{h \to 0} \frac{f(a + h) - f(a)}{h} = \text{Pente de la tangente au point } (a, f(a)) \text{ [si la limite existe]},$$

une **tangente** étant une droite qui touche la courbe d'une fonction en un seul point dans un voisinage donné du point en question.

- **La dérivée de la fonction $f(x)$** est donnée par

$$\lim_{h \to 0} \frac{f(x + h) - f(x)}{h}, \text{ à condition que cette limite existe.}$$

34 **chapitre 6** Définition de la dérivée

La rubrique ***La mathématique au goût du jour*** permet à l'étudiant de découvrir plusieurs domaines dans lesquels la mathématique joue un rôle parfois insoupçonné.

L'encadré ***En résumé*** fait ressortir l'essentiel du chapitre en présentant en quelques lignes les principaux concepts étudiés, de même que les règles fondamentales à connaître.

La rubrique ***Problèmes*** à la fin du chapitre permet à l'étudiant de situer les concepts étudiés dans de nombreux contextes choisis dans diverses disciplines. Les réponses à ces problèmes se trouvent toutes à la fin du manuel.

Une ***Auto-évaluation*** constituée d'une série d'exercices et de problèmes, parfois semblables à ceux qui figurent dans le chapitre, parfois présentés sous forme d'exercices de synthèse, permet à l'étudiant de vérifier l'atteinte des objectifs du chapitre. Les réponses à cette auto-évaluation se trouvent également à la fin du volume.

Problèmes

Section 4.1 (p. 106)
Fonctions exponentielles

1. Durant les 10 minutes qui précèdent une opération, un anesthésique est injecté par intraveineuse, et ce, de façon constante. Dès que l'opération commence, on cesse d'injecter l'anesthésique et la quantité de celui-ci dans le sang décroît de façon exponentielle. Tracez une esquisse du graphique de la fonction Q représentant la quantité d'anesthésique dans le sang de la personne opérée, en fonction du temps (en minutes) qui s'est écoulé depuis le début de l'injection.
2. Éva emprunte une somme de 12 000 $ remboursable dans 66 mois. Le taux d'intérêt composé annuel de 8 % est capitalisé deux fois par année. Trouvez la valeur finale de ce prêt.
3. Si j'emprunte 1365 $, déterminez lequel des deux taux fournis doit être privilégié si je souhaite que la valeur finale à rembourser dans trois ans soit la moins élevée possible.
   a) Un taux de 12 % capitalisé tous les six mois ou un taux de 12 % capitalisé chaque mois.
   b) Un taux de 4 % capitalisé tous les trois mois ou un taux de 4,5 % capitalisé tous les six mois.
   c) Un taux de 8 % capitalisé tous les trois mois ou un taux de 7,95 % capitalisé chaque mois.
4. Une population de 1500 personnes croît exponentiellement à un taux annuel de 4 %. Trouvez la taille de la population
   a) quatre ans plus tard.
   b) 14 ans plus tard.

130 **chapitre 4** Limites et étude des fonctions exponentielles et logarithmiques

Auto-évaluation

1. Vous prêtez à Charles une somme de 3550 $ pour une période de 5 ans et 6 mois. Combien Charles devra-t-il vous remettre à la fin du délai, si le taux d'intérêt composé annuel qui s'applique est de 9 % capitalisé chaque semaine ? Il y a en moyenne 52,18 semaines par année.
2. Résolvez chacune des équations suivantes :
   a) $7^{b-1} \cdot 7^b = \frac{7}{7^{4b}}$
   b) $9 = 8^t$
   c) $(8^z - 3)(7^z - 8) = 0$
   d) $8^{k+3} = \left(\frac{4}{9}\right)^{1-6k}$
   e) $1{,}1^{x+1} = 2{,}2^x$
   f) $2 \cdot 3^t = 4 \cdot 5^t$
   g) $\log_7 (y + 3) + \log_2 16 = 0$
   h) $\ln (5z - 2) - \ln (z + 3) = \ln 2$
3. Une personne qui pèse 75 kilos et qui souhaite perdre 7 kilos suit un régime amaigrissant. Le poids P (en kilogrammes) de cette personne durant le régime est donné par la fonction
5. Identifiez le domaine de chacune des fonctions suivantes et, à l'aide de limites pertinentes, identifiez toutes les asymptotes.
   a) $f(t) = \ln\left(\frac{1}{t^4}\right)$
   b) $g(x) = \log |x|$
   c) $k(z) = \log_{0,6} \sqrt{z}$
   d) $h(y) = \log (6^y)$
   e) $w(s) = (7)^{5^s}$
   f) $p(q) = \log_{1,1} (\log_{0,9} (12q))$
6. Soit les fonctions $f(t) = e^t$ et $g(t) = \ln t$. Trouvez les fonctions suivantes ainsi que leur domaine.
   a) $(f \circ g)(t)$
   b) $(g \circ f)(t)$
   c) $(f \circ f)(t)$
   d) $(g \circ g)(t)$
7. Le taux de croissance annuel de la valeur d'une œuvre d'art, payée 13 450 $ voilà un an, est de 14 %.
   a) Quelle sera la valeur de l'œuvre d'art dans deux ans ?
   b) Dans combien d'années la valeur de l'œu-

Remerciements

Je tiens d'abord à remercier les étudiants que j'ai croisés durant mes 14 années d'enseignement, tant au secteur de l'enseignement régulier qu'à celui de la formation continue. Ces étudiants m'ont parfois confirmé l'efficacité de certains aspects de mon approche pédagogique et m'ont, à d'autres moments, fait découvrir de nouvelles voies intéressantes par leurs interrogations ou leurs suggestions.

Je remercie également mes collègues des départements de mathématiques du Collège de la région de L'Amiante, du Collège de Sherbrooke et du Collège de Bois-de-Boulogne, de leurs conseils, leurs réflexions et leur accueil. Mes collègues du Collège universitaire de Hearst, en Ontario, m'ont permis, entre autres, de découvrir l'intérêt d'encourager le transfert des compétences acquises dans diverses disciplines.

Je tiens à exprimer ma reconnaissance à toute l'équipe de la maison d'édition CEC, qui m'a accordé sa confiance et apporté son aide et son soutien dans la réalisation de ce grand projet. Je remercie particulièrement les personnes avec qui j'ai travaillé en étroite collaboration et qui m'ont guidé tout au long du processus d'édition. Je pense à Julie Gauthier, Louise Bouchard, Murielle Belley et Chantale Quiniou. Je tiens également à souligner l'excellent travail de l'équipe de graphistes.

Enfin, parce que la préparation de ce manuel a demandé du temps, de l'énergie et certains sacrifices, je tiens à exprimer toute ma reconnaissance et mon amour à Johanne pour sa grande patience, sa confiance et son affection qui m'aident à progresser tant sur le plan professionnel que personnel.

Chapitre 1

Concept de fonction et graphiques

Plan du chapitre

« Dans l'esprit de finesse, les principes sont dans l'usage commun et devant les yeux de tout le monde. On n'a que faire de tourner la tête, ni de se faire violence; il n'est question que d'avoir bonne vue, mais il faut l'avoir bonne. »

BLAISE PASCAL (1623-1662), *Pensées*.

Objectifs

D'ICI LA FIN DE CE CHAPITRE, VOUS DEVRIEZ POUVOIR :

- DÉTERMINER ALGÉBRIQUEMENT LE DOMAINE DE CERTAINES FONCTIONS ;
- TROUVER ALGÉBRIQUEMENT ET GRAPHIQUEMENT LA RÉCIPROQUE D'UNE FONCTION ;
- ÉVALUER, À PARTIR D'UN GRAPHIQUE DONNÉ, LE DOMAINE, L'IMAGE, LES INTERVALLES DE CROISSANCE ET DE DÉCROISSANCE, LES EXTREMUMS RELATIFS, LES INTERVALLES DE CONCAVITÉ ET LES POINTS D'INFLEXION D'UNE FONCTION ;
- EFFECTUER ALGÉBRIQUEMENT LA COMPOSITION DE FONCTIONS ;
- TROUVER LA PENTE ET L'ÉQUATION D'UNE DROITE ;
- TROUVER ALGÉBRIQUEMENT LES DIVERSES CARACTÉRISTIQUES D'UNE FONCTION AFFINE OU D'UNE FONCTION QUADRATIQUE DONNÉE ;
- TROUVER ALGÉBRIQUEMENT LE DOMAINE ET L'ORDONNÉE À L'ORIGINE D'UNE FONCTION POLYNOMIALE OU D'UNE FONCTION DÉFINIE PAR MORCEAUX DONNÉE ;
- REPRÉSENTER UNE ESQUISSE GRAPHIQUE DE CERTAINES FONCTIONS AFFINES, QUADRATIQUES ET DÉFINIES PAR MORCEAUX ;
- RELIER LES NOTIONS DE FONCTIONS À DES MODÈLES MATHÉMATIQUES DE SITUATIONS CONCRÈTES ET TROUVER CERTAINES INFORMATIONS PERTINENTES À PARTIR DE CES MODÈLES ;
- UTILISER LA CALCULATRICE GRAPHIQUE COMME OUTIL D'APPROXIMATION DANS CERTAINES CIRCONSTANCES.

Le cours de l'histoire

D'où vient le concept de fonction ?

Voilà près de 2500 ans, les lieux géométriques tels que les cercles et les paraboles étaient les principaux liens fonctionnels traités par les Grecs. Le cercle était décrit comme l'ensemble de tous les points situés à une même distance d'un point fixe appelé centre. Cette définition ne permettait pas d'importantes manipulations mathématiques et faisait perdre de vue l'idée que le cercle peut être tracé de façon dynamique (dans le temps) par le déplacement de la pointe d'un compas. En fait, les Grecs de l'époque étaient très méfiants face aux raisonnements relatifs au mouvement et à l'établissement d'un lien entre la position et le temps.

Au Moyen Âge, la recherche d'une relation entre le temps et la position d'un mobile a obligé les gens à s'affranchir de l'approche statique des mathématiques et à se consacrer à la recherche d'une fonction. On avait, déjà à cette époque, des représentations graphiques de certains phénomènes dynamiques. Par exemple, la position des planètes dans le zodiaque au cours de l'année donnait de l'information sur la relation entre la position d'une planète du système solaire et le temps. Ces graphiques ne permettaient toutefois d'obtenir que des renseignements très approximatifs.

PUBLIPHOTO/EDIMEDIA

René Descartes (1596-1650)

René Descartes (1596-1650) s'est intéressé à l'expression de lois de correspondance. Il a apporté une contribution fondamentale aux mathématiques en traduisant en termes algébriques des liens fonctionnels définissant un lieu géométrique, ce qui a permis de délaisser l'approche instaurée par les Grecs, où tout s'exprimait sous l'angle de rapports. Grâce à cette approche beaucoup plus dynamique du lien fonctionnel, toutes les expressions mathématiques découlaient désormais d'une unique méthode de travail. Ce n'est qu'environ 70 ans après le décès de Descartes que le terme «fonction» (dans un sens qui s'apparente à celui qui est employé dans le présent manuel) est utilisé pour la première fois, par un dénommé Jean Bernoulli (1667-1748).

Avant d'aller plus loin

Préalables

1. Effectuez les calculs suivants, en tenant compte des priorités des opérations :

a) $(3-8)^2 + 3$

b) $3 - \frac{1+2}{6}$

c) $\sqrt{16-7} + 2$

d) $-\sqrt{3^2 + 4^2} + 5$

2. Simplifiez les expressions suivantes :

a) $(t^2 + 6t) - (5 + 3t^2)$

b) $\frac{2 + \frac{1}{x}}{x+1}$

c) $\frac{2}{x-4} + \frac{3}{x-3}$

d) $\frac{6}{x+7} \div \frac{2}{x-5}$

3. Résolvez les équations et les inéquations suivantes :

a) $2z + 3 = 5$

b) $7t + 8 \geq 0$

c) $\sqrt[3]{x+8} = 3$

d) $3w + 4 < -w + 6$

e) $4 = \frac{3}{1-x}$

f) $\frac{x+9}{3} \leq x - 1$

4. Calculez les expressions suivantes :

a) $\frac{7-(-4)}{4-(-3)}$

b) $\frac{-5-13}{-2-4}$

5. Complétez les égalités suivantes :

a) $(x+3)^2 = x^2 + \_\_\_\_ + 9$

b) $z^2 - 14z + 49 = (z - \_\_\_\_)^2$

c) $x^2 + 18x + \_\_\_\_ = (x + \_\_\_\_)^2$

Langages mathématique et graphique

1. Décrivez dans vos mots le contenu des ensembles suivants :

a) $\mathbb{N}$

b) $\mathbb{Z}$

c) $\mathbb{Q}$

d) $\mathbb{R}$

2. Rreprésentez les intervalles suivants sur une droite numérique :

a) [1, 17[

b)]3, 4[

c) -∞, 7[

d) [100, +∞

3. Tracez sur une feuille

a) deux droites perpendiculaires.

b) deux segments de droite qui sont symétriques par rapport à une droite verticale.

c) deux triangles qui sont symétriques par rapport à une droite oblique.

4. Tracez le graphique d'une fonction f

a) telle que $f(2) = 3$ et $f(0) = -1$.

b) dont l'ordonnée à l'origine est -2.

c) dont l'image est l'intervalle [3, +∞.

5. Quelle est la différence entre une variable et une constante ?

SECTION 1.1 Concept de fonction à une variable et graphique

Dans le présent chapitre, nous allons étudier le concept de fonction, qui est fondamental en mathématiques. Dans le langage courant, le mot fonction utilisé dans des phrases comme :

- Le prix de l'essence à la pompe est fonction du prix du baril des producteurs.
- Le coût d'une pizza ronde toute garnie est fonction de son diamètre.
- Pour ses vacances, elle décide de la durée de son voyage en fonction de son revenu annuel.

suggère une étroite relation entre deux quantités.

Par analogie, en mathématiques, une fonction sert à exprimer un lien de dépendance entre des quantités. Une fonction peut dépendre de plusieurs variables, mais dans le cadre d'un cours d'initiation au calcul différentiel et intégral, on n'étudie habituellement que les fonctions à une variable.

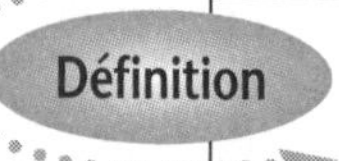

Une fonction à une variable est une règle de correspondance qui, à chaque élément d'un ensemble de départ *A*, associe au plus un élément dans un ensemble d'arrivée *B*.

Si une fonction (notons-la f) associe aux valeurs x de l'ensemble A au plus une valeur y de l'ensemble B, on écrit $f(x) = y$.

$$f : A \longrightarrow B$$
$$x \longrightarrow y = f(x)$$

Pour les fonctions utilisées dans ce manuel, l'ensemble de départ et l'ensemble d'arrivée seront l'ensemble des nombres réels R (on parle alors de **fonctions réelles**). La variable associée aux valeurs de l'ensemble de départ (précédemment baptisée x) est appelée la **variable indépendante** et la variable associée à l'ensemble d'arrivée (nommée ici y) est la **variable dépendante**.

Si $x = 7$ est une valeur de l'ensemble de départ pour laquelle la fonction f est définie, on dit que

$y = f(7)$ est **l'image** de 7 et, de même,

7 génère l'image $f(7)$ par la fonction f ou 7 est une **préimage** de $f(7)$.

Exemple 1

Soit la fonction $g(x) = y = x^2$, dont l'ensemble de départ et l'ensemble d'arrivée sont l'ensemble des nombres réels $\mathbb{R}$. Calculez, si elles existent, l'image de 20 et la ou les préimages de 100.

L'image de la valeur 20 est $g(20) = 20^2 = 400$.

On souhaite également trouver pour quelle(s) valeur(s) de x on a $g(x) = 100$ ou $x^2 = 100$.

Puisque $x = \sqrt{100} = 10$ ou $x = -\sqrt{100} = -10$, le nombre 100 possède deux préimages : 10 et -10.

La lettre avec laquelle une fonction est baptisée peut être différente pour chaque formule et chaque domaine de connaissances. Les lettres associées aux variables ne sont pas toujours x ou y.

Exemple 2

À 0 °C, la vitesse du son dans l'air est égale à 332 mètres par seconde (à la pression atmosphérique normale de 101,3 kilopascals). Chaque fois que la température augmente de un degré Celsius (à condition qu'elle se trouve entre 0 °C et 35 °C), les molécules d'air se déplacent plus rapidement et la vitesse du son dans l'air augmente de 0,6 mètre par seconde. Déterminez une formule permettant d'exprimer la vitesse du son dans l'air en fonction de la température de l'air, lorsque celle-ci se trouve entre 0 °C et 35 °C.

Notons par v la vitesse du son dans l'air en mètres par seconde (à la pression atmosphérique normale) et par t la température de l'air en degrés Celsius. Dans le contexte, la variable t est la variable indépendante.

Si $t = 0$, $v = 332$ m/s,

$t = 1$, $v = 332 + 0{,}6$ (car une hausse de un degré Celsius entraîne une augmentation de 0,6 mètre par seconde),

$t = 2$, $v = 332 + 0{,}6(2)$ (car deux hausses de un degré Celsius entraîne deux augmentations de 0,6 mètre par seconde) et

$t = 10$, $v = 332 + 0{,}6(10)$ (car 10 hausses de un degré Celsius entraîne 10 augmentations de 0,6 mètre par seconde).

La vitesse du son dans l'air (en mètres par seconde) est donc donnée par la formule $v(t) = 332 + 0{,}6t$ (en mètres par seconde), lorsque t se trouve entre 0 °C et 35 °C.

Il est courant de chercher à établir, à partir de l'analyse théorique ou expérimentale d'un phénomène précis, une formule pour définir ce phénomène. Toutefois, on ne peut pas exprimer certaines réalités par une fonction définie à l'aide d'une formule simple. Dans ces cas, on peut parfois utiliser des tables ou des tableaux.

Comment **faire**?

Comment construire un modèle mathématique

Il existe des situations concrètes (entre autres dans toutes les sciences auxquelles s'intéresse l'être humain) pour lesquelles deux quantités concernées semblent avoir un lien quantitatif. Chercher à construire un modèle mathématique, c'est rechercher une relation qui :

- décrit le lien de dépendance entre deux quantités;
- fournit une approximation acceptable des données expérimentales et
- permet de faire des prédictions suffisamment fiables pour de nouvelles données différentes de celles qui sont utilisées pour construire le lien.

Diverses étapes permettent de découvrir un modèle mathématique.

Étape 1 : *formulation mathématique du problème*

En fonction des observations effectuées, avant tout, on doit :

- identifier les principaux facteurs concernés;

- définir précisément les variables en jeu. Le simple fait de ne pas définir les variables concernées dès le début nuit souvent à la modélisation du problème;
- parfois formuler une hypothèse (par exemple, peut-on croire que le lien recherché est associé à une fonction affine ou quadratique?);
- formuler une structure mathématique, à l'aide d'une équation, par exemple.

Il peut y avoir des situations qu'on ne peut formuler mathématiquement. Les données fournies ne sont pas suffisamment nombreuses ou il n'est pas possible de définir un lien comme celui qu'on souhaiterait créer.

Étape 2 : *manipulation mathématique*

On résout ensuite le problème formulé mathématiquement à l'aide de méthodes algébriques, de calculs ou de théorèmes appropriés. Parfois, on ne peut le résoudre parce qu'on ne connaît pas de méthode pour y arriver ou parce que personne n'en a encore découvert une pour résoudre ce type de problème.

Étape 3 : *évaluation critique du résultat obtenu*

Lorsque c'est possible, il est toujours pertinent de vérifier si le ou les résultats obtenus sont crédibles dans le contexte, en se rappelant que les modèles mathématiques permettent de décrire des réalités de façon restreinte et que les résultats obtenus à partir de tels modèles sont parfois approximatifs.

Il est possible de représenter une fonction à l'aide d'un graphe cartésien (dans ce qui suit, on parlera plus simplement du graphe ou du graphique d'une fonction) et d'avoir un aperçu du « comportement global » de la fonction.

Exemple 3

Construisez le graphique de la fonction $f(x) = x^2$.

On a $y = x^2$. On construit un tableau de valeurs à partir de quelques nombres qu'on substitue à la variable x. On obtient alors :

x	-3	-2	-1	0	1	2	3
y	9	4	1	0	1	4	9

Le nombre de points d'un graphique d'une fonction réelle est très souvent infini et il est alors physiquement impossible de les construire tous. Pour avoir un aperçu de la forme générale d'un graphique, il suffit souvent de placer certains points dans un plan cartésien et de les joindre par une « courbe lisse ». Quelle forme doit-on toutefois donner à cette « courbe lisse » ? Doit-on réunir les points par des segments de droite ou plutôt les joindre par une courbe dessinée au hasard?

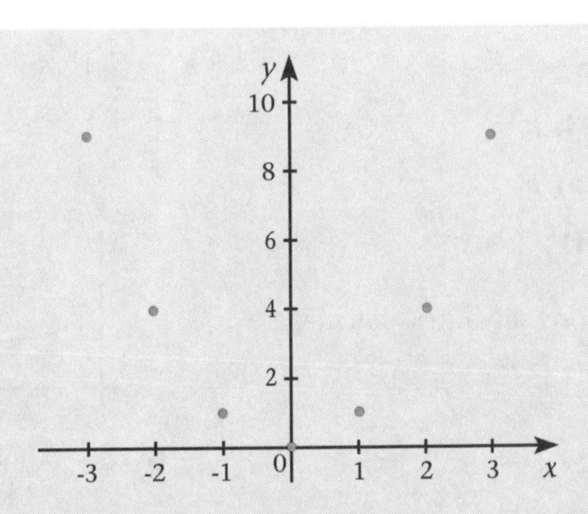

Nous verrons dans ce manuel que le calcul différentiel permet d'obtenir une grande précision et des certitudes quant au tracé graphique d'une fonction. Pour obtenir cette précision, il suffit pour l'instant de chercher simplement d'autres points. Entre les valeurs 0 et 1 de la variable indépendante, on peut obtenir les nouveaux couples suivants :

x	0	0,1	0,2	0,3	0,4	0,5	0,6	0,7	0,8	0,9	1
y	0	0,01	0,04	0,09	0,16	0,25	0,36	0,49	0,64	0,81	1

Dans l'intervalle [0, 1], on constate que chaque augmentation de 0,1 unité de la variable x donne lieu à une hausse de plus en plus importante de la variable y.

Cette observation et celles qui seraient faites si on répétait l'expérience pour d'autres intervalles semblent suggérer une courbe qui a l'allure suivante.

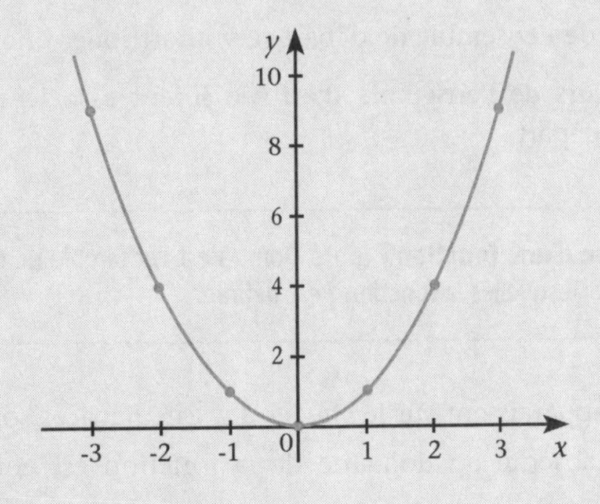

Exercices

1. Pour chacune des fonctions suivantes, calculez (si elles existent) les images de 5 et -7 ainsi que toutes les préimages de 0 et 3.

a) $f(m) = 6 + 5m$ **b)** $H(t) = \frac{t^2 - 4}{2}$ **c)** $s(z) = \frac{-2}{2 + z^4}$

2. Si $h(x) = x^2 - 3x$, calculez :

a) $h(0)$ **d)** $h\left(\frac{2}{3}\right)$

b) $h(12)$ **e)** $h(a)$

c) $h(-11)$ **f)** $h(s + t)$

3. Pour chacune des fonctions suivantes, calculez (si elles existent), les images de 2, 4 et -3 et les préimages de 1 et 4 :

a) $f(t) = 12$ **c)** $g(z) = \dfrac{z^2 + 5}{7}$

b) $f(x) = x$ **d)** $s(t) = \dfrac{t + 2}{3 + t}$

4. Parmi les graphiques suivants, déterminez lesquels sont associés à des fonctions.

a) **c)**

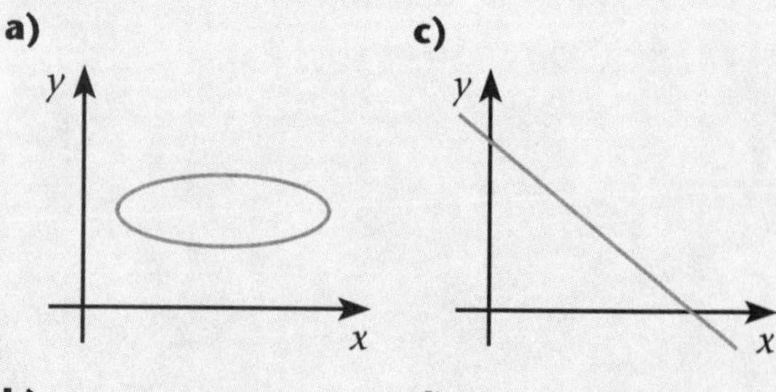

b) **d)**

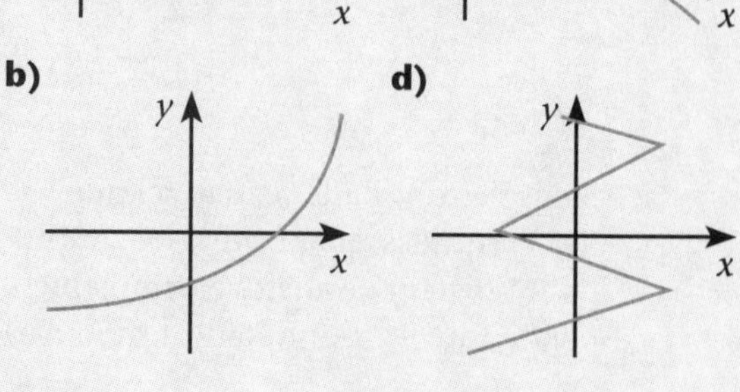

SECTION 1.2 Généralités sur les fonctions

Domaine et image d'une fonction

Pour définir une fonction, il faut préciser au préalable un ensemble de départ et un ensemble d'arrivée. Or, avec les fonctions réelles, il n'est pas sûr que :

i) chaque valeur de l'ensemble de départ se voit attribuer une valeur dans l'ensemble d'arrivée;

ii) toutes les valeurs de l'ensemble d'arrivée soient associées à au moins un des éléments de l'ensemble de départ.

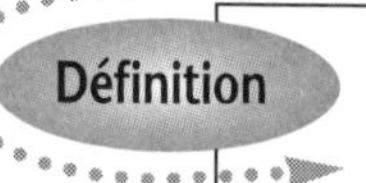

Le domaine d'une fonction *f* (noté Dom *f*) est l'ensemble de toutes les valeurs de l'ensemble de départ pour lesquelles la fonction *f* est définie.

Les fonctions qui apparaissent sur le clavier des calculatrices sont programmées de telle sorte que lorsqu'une valeur absente du domaine de la fonction est entrée sur la calculatrice, la fenêtre d'affichage indique une erreur. Par exemple, si on utilise la touche $\boxed{1/x}$ (associée à la fonction $g(x) = \frac{1}{x}$) avec la valeur 0, la calculatrice indique une erreur, la division $1 \div 0$ n'étant pas définie dans les réels.

Exemple 4

Trouvez le domaine des fonctions suivantes :

a) $g(z) = \dfrac{3}{z - 5}$

Avec un quotient, les situations problématiques sont celles pour lesquelles le terme au dénominateur est nul. Or, $z - 5 = 0$ si $z = 5$. Ainsi, Dom $g = \mathbb{R} \setminus \{5\}$.

b) $h(x) = \sqrt[4]{x + 6}$

Avec une racine quatrième, il est essentiel que le terme sous le radical soit non négatif (positif ou nul). Ainsi, $x + 6 \geq 0$ et donc $x \geq -6$. On a Dom $h = [-6, +\infty$.

c) $V(t) = \dfrac{3t^5 + 67}{\sqrt{4 - t}}$

La fonction V est définie à l'aide d'un quotient dont le numérateur est un polynôme qui est défini pour tous les nombres réels. Au dénominateur, le terme sous le radical doit être non négatif (car on doit en extraire la racine carrée) et non nul (car il est au dénominateur).

En conséquence, on a $4 - t > 0$ et donc $4 > t$.

Ainsi, Dom $V = -\infty, 4[$.

Définition

L'image d'une fonction *g* (notée Ima *g*) **est l'ensemble de toutes les valeurs *y* de l'ensemble d'arrivée pour lesquelles il existe une valeur x dans l'ensemble de départ telle que *g*(*x*) = *y*.**

Pour trouver l'image d'une fonction, il est parfois plus simple de construire d'abord le graphique de la fonction et de déduire les valeurs de la variable dépendante que peut prendre la fonction.

Ordonnée à l'origine et zéros d'une fonction

Lors du tracé d'un graphique, certains couples sont des points de repère intéressants pour favoriser une certaine précision. Ces points sont ceux qui coupent l'axe vertical (comme le point (0, 10) dans le graphique ci-dessous) ou l'axe horizontal (comme les points (-2, 0), (1, 0) et (2, 0) du graphique).

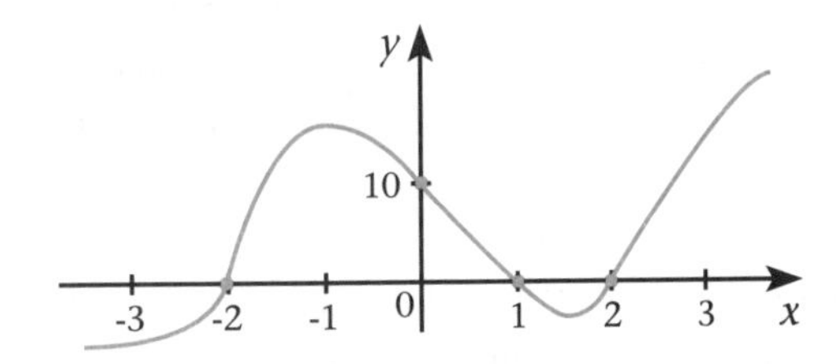

Définition

Pour une fonction *f*, si la valeur 0 est dans le domaine de *f*, l'ordonnée à l'origine est la valeur *f*(0). Un zéro d'une fonction *f*(*x*) est une valeur *a* qui vérifie l'équation *f*(*a*) = 0.

Une fonction ne peut avoir plus d'une ordonnée à l'origine (sinon, on va à l'encontre de la définition d'une fonction) et on parle donc de l'ordonnée à l'origine d'une fonction. Une fonction peut avoir plusieurs zéros.

Exemple 5

Trouvez l'ordonnée à l'origine et tous les zéros des fonctions suivantes, s'ils existent :

a) $h(t) = \frac{3 - t}{t^2}$

Le domaine de la fonction h est Dom $h = \mathbb{R} \setminus \{0\}$, car le dénominateur t^2 s'annule lorsque $t^2 = 0$, soit lorsque t = 0. La fonction h n'a donc pas d'ordonnée à l'origine.

On a $h(t) = 0$ si $\frac{3 - t}{t^2} = 0$, soit $3 - t = 0$ et donc $t = 3$. Il y a un seul zéro, qui est la valeur 3.

b) $s(t) = -\sqrt{t + 9}$

L'ordonnée à l'origine est le nombre $s(0) = -\sqrt{9} = -3$.

On a $s(t) = 0$ si

$$-\sqrt{t + 9} = 0$$

$$(-\sqrt{t + 9})^2 = 0^2.$$

$t + 9 = 0$ et donc $t = -9$. Il y a un seul zéro, qui est la valeur -9.

Lorsqu'une fonction f est exprimée par une formule algébrique, l'ordonnée à l'origine se trouve directement (grâce au calcul de $f(0)$), alors que la recherche des zéros peut être beaucoup plus laborieuse. Par exemple, pour la fonction $g(t) = 4t^{17} + 18t^3 - 22$, l'ordonnée à l'origine est $g(0) = -22$. Pour trouver les zéros, il faut résoudre l'équation $g(t) = 4t^{17} + 18t^3 - 22 = 0$. Des méthodes comme celle de Newton (présentée au chapitre 10) ou l'utilisation d'une calculatrice graphique permettent de trouver des approximations des zéros lorsqu'on ne peut trouver ceux-ci algébriquement.

Réciproque d'une fonction

Si on a une fonction f définie sur un ensemble de départ A vers un ensemble d'arrivée B, on peut créer une correspondance allant de B vers A en inversant simplement les couples (x, y) relatifs à la fonction f.

Soit la fonction $g(t)$. La relation réciproque de g, notée $g^{-1}(t)$, est définie par $g^{-1}(t) = s$ lorsque $g(s) = t$, où s est un élément de Dom g et t est un élément de Ima g.

Le passage entre une fonction et sa fonction réciproque (si elle existe) implique fondamentalement un transfert entre la variable indépendante et la variable dépendante; les couples de la forme (x, y) de la fonction deviennent les couples de la forme (y, x) pour la fonction réciproque.

Par exemple, si on prend la fonction f ci-dessous (tracée en couleurs), les couples (-2, 1) et (4, 6) de la fonction f deviennent respectivement les couples (1, -2) et (6, 4) relativement à la fonction réciproque (tracée en noir).

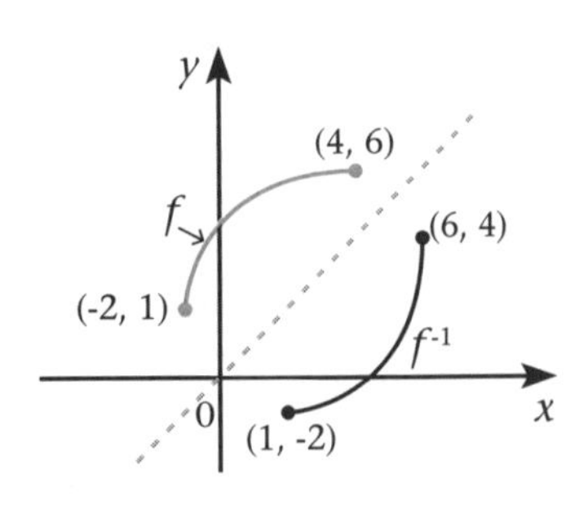

Si on se trouve dans un plan cartésien où la gradation est la même sur les deux axes, on obtient la fonction réciproque (si elle existe) en effectuant une réflexion de la courbe de la fonction f par rapport à la droite oblique $y = x$.

Exemple 6

Exprimez algébriquement la fonction réciproque (si elle existe) des fonctions données suivantes :

a) $v(t) = 3t + 7$

Écrivons $y = 3t + 7$ et inversons le rôle des variables y et t, pour obtenir $t = 3y + 7$.

Si on isole la variable y, on obtient $t - 7 = 3y$ et $\frac{t-7}{3} = y$.

Ainsi, la relation réciproque est $v^{-1}(t) = \frac{t-7}{3}$.

b) $C(q) = q^3 - 8$

Écrivons $y = q^3 - 8$ et inversons le rôle des variables y et q pour obtenir $q = y^3 - 8$.

Si on isole la variable y, on obtient $q + 8 = y^3$ et $y = \sqrt[3]{q+8}$.

La fonction réciproque est $C^{-1}(q) = \sqrt[3]{q+8}$.

Attention !

Il est essentiel de faire la distinction entre l'expression $f^{-1}(x)$ associée à la fonction réciproque d'une fonction f et l'expression $\frac{1}{f(x)}$. Si on prend, par exemple, la fonction définie par $v(t)= 3t + 7$, on obtient $v^{-1}(t) = \frac{t-7}{3}$, alors que $\frac{1}{v(t)} = \frac{1}{3t+7}$. Ces deux résultats sont différents.

Composée de fonctions

Une compagnie qui fabrique des disques compacts a des coûts de production C (en milliers de dollars) définis par $C(n) = 3n + 15$, où n est le nombre de disques compacts produits (en centaines de disques). Le nombre n de disques produits dépend lui-même du temps et on est en mesure de produire 400 disques compacts à chaque heure de travail; ainsi, $n(h) = 4h$, où h est le nombre d'heures de travail effectué. Comment pourrions-nous exprimer les coûts de production C en fonction du nombre h d'heures de travail?

Puisque n est défini par $n(h) = 4h$ et que C est défini par $C(n) = 3n + 15$, alors on peut écrire

$$C(n(h)) = 3\ (n(h)) + 15 = 3\ (4h) + 15 = 12h + 15.$$

Cela veut dire que si on travaille durant $h = 5$ heures dans cette usine, on peut utiliser la fonction trouvée à la ligne précédente et les coûts de production seront :

$$C(5) = 12(5) + 15 = 75 \text{ milliers de dollars, pour produire les disques compacts.}$$

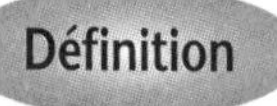

Soit les fonctions $y = f(x)$ et $x = g(t)$. La composée des fonctions f et g est la fonction définie par $(f \circ g)(t) = f(g(t))$, pour les valeurs de t telles que t est dans Dom g et $g(t)$ est dans Dom f.

Exemple 7

Soit les fonctions f et g définies par $f(x) = x^2$ et $g(x) = 3 - x$. Trouvez :

a) $(f \circ g)(5)$

On a $(f \circ g)(5) = f(g(5))$. On peut calculer d'abord $g(5) = 3 - 5 = -2$. On calcule ensuite $f(g(5)) = f(-2) = (-2)^2 = 4$.

b) $(f \circ g)(x)$

On a $(f \circ g)(x) = f(g(x)) = f(3 - x) = (3 - x)^2$.

c) $(g \circ f)(x)$

On a $(g \circ f)(x) = g(f(x)) = g(x^2) = 3 - x^2$.

Croissance, décroissance et extremums relatifs d'une fonction

Le graphique qui suit présente la fonction qui associe à certaines températures le volume d'une masse d'eau fixée. Dans l'intervalle [0 °C, 20 °C], on constate que la courbe descend sur l'intervalle]0 °C, 4 °C[et qu'elle monte sur l'intervalle]4 °C, 20 °C[. Le volume minimal est atteint à une température de 4 °C.

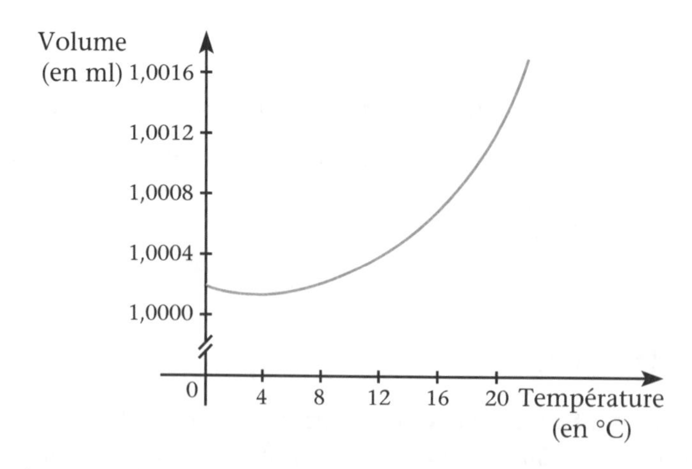

Ce qui précède explique que les lacs ne gèlent pas en profondeur même aux températures les plus froides en hiver. La température de l'eau au fond des lacs ne descend pas en dessous de 4 °C et l'eau plus froide, ayant une masse volumique $\dfrac{\text{Masse d'une quantité d'eau}}{\text{Volume qu'occupe l'eau}}$ plus petite, monte et gèle en surface.

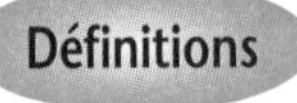

Définitions

Une fonction est **croissante sur un intervalle]*a*, *b*[** si la courbe associée à cette fonction monte à mesure que la valeur de la variable indépendante augmente dans l'intervalle]*a*, *b*[.

Une fonction est **décroissante sur un intervalle]*c*, *d*[** si la courbe associée à cette fonction descend lorsque la valeur de la variable indépendante augmente dans l'intervalle]*c*, *d*[.

Dans le présent manuel, nous allons découvrir des outils permettant de déterminer de façon très précise et sans avoir recours à un graphique les intervalles de croissance et de décroissance d'une fonction.

Définitions

Le nombre M est un **maximum relatif** d'une fonction f si on peut trouver un intervalle ouvert $]a, b[$ aussi petit qu'on veut :

- qui contient une valeur m telle que $M = f(m)$ et
- telle que $M \geq f(x)$ pour toutes les valeurs de x dans l'intervalle $]a, b[$ qui sont également dans le domaine de f.

Le nombre N est un **minimum relatif** d'une fonction f si on peut trouver un intervalle ouvert $]c, d[$ aussi petit qu'on veut :

- qui contient une valeur n telle que $N = f(n)$ et
- telle que $N \leq f(x)$ pour toutes les valeurs de x dans l'intervalle $]c, d[$ qui sont également dans le domaine de f.

Exemple 8

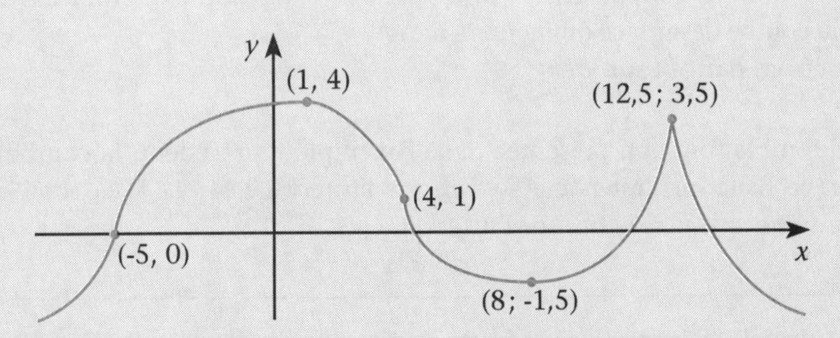

À partir du graphique ci-dessus associé à une fonction :

a) identifiez les intervalles de croissance et les intervalles de décroissance de la fonction.

La fonction est croissante sur l'intervalle -∞, 1[et sur l'intervalle]8; 12,5[. Elle est décroissante sur l'intervalle]1, 8[et sur l'intervalle]12,5; +∞ . Aux points (1, 4), (8; -1,5) et (12,5; 3,5), on estime que la fonction n'est ni croissante ni décroissante; les intervalles sont donc ouverts.

b) identifiez les **extremums relatifs** (expression utilisée pour désigner à la fois les minimums et les maximums relatifs) de la fonction, ainsi que les valeurs de x pour lesquelles les extremums relatifs sont obtenus.

La valeur 4 est un maximum relatif de la fonction, atteint lorsque $x = 1$.

La valeur -1,5 est un minimum relatif de la fonction, atteint lorsque $x = 8$.

La valeur 3,5 est également un maximum relatif de la fonction, atteint lorsque $x = 12,5$.

Attention !

On exprime les intervalles de croissance et de décroissance en fonction des valeurs de la variable indépendante et non en fonction de la variable dépendante. Par exemple, dans le graphique de l'exemple précédent, *on ne dira pas* que la fonction est décroissante de $y = 4$ à $y = -1{,}5$.

Concavité de la courbe d'une fonction et point d'inflexion

Dans un tube de très faible diamètre (grossi plusieurs fois ci-après pour qu'on distingue bien les différences qui sont présentées), on peut observer les deux situations suivantes :

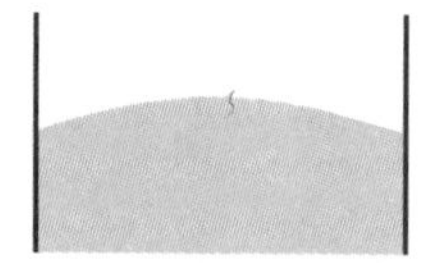

Le mercure qui se trouve dans un tube étroit a tendance à bomber de telle sorte que la hauteur du liquide au centre du tube est plus élevée que celle qui longe les rebords.

Nous dirons que la courbe d'une fonction est **concave vers le bas** sur un intervalle $]a, b[$ si sa courbure s'apparente à une portion de la courbe de surface du mercure dans un tube étroit, partout sur $]a, b[$.

Quant à l'eau qui se trouve dans un tube étroit, elle aura tendance à bomber dans le sens contraire du mercure.

La courbe d'une fonction est plutôt **concave vers le haut** sur un intervalle $]a, b[$ si sa courbure s'apparente à une portion de la courbe de surface de l'eau, partout sur $]a, b[$.

Si on reprend la fonction présentée dans l'exemple 8 précédent, la courbe de la fonction est concave vers le haut sur l'intervalle $-\infty, -5[$, sur l'intervalle $]4; 12{,}5[$ et sur l'intervalle $]12{,}5; +\infty$. La courbe est concave vers le bas sur l'intervalle $]-5, 4[$.

Définition Un **point d'inflexion** d'une fonction est un point du graphique en lequel la concavité de la courbe change de sens, pour passer de concave vers le haut à concave vers le bas ou l'inverse.

Dans le graphique de l'exemple 8, on trouve deux points d'inflexion : les points (-5, 0) et (4, 1). Le point (12,5; 3,5) n'est pas un point d'inflexion, puisque la courbe ne change pas de concavité en cet endroit.

Exercices

1. Construisez, si possible, le graphique d'une fonction possédant toutes les caractéristiques suivantes :

- le domaine de la fonction est IR et l'image de la fonction est $[-3, +\infty$;

- la fonction doit être décroissante sur l'intervalle -∞, -1[et être croissante sur l'intervalle]-1, +∞;
- la fonction possède un seul minimum relatif, qui est -3;
- la courbe doit être concave vers le haut sur l'intervalle -∞, -5[et concave vers le bas sur l'intervalle]-5, -3[;
- le point (-3, 0) est un point d'inflexion de la fonction.

2. Estimez le domaine et l'image des fonctions associées aux graphiques suivants :

a)

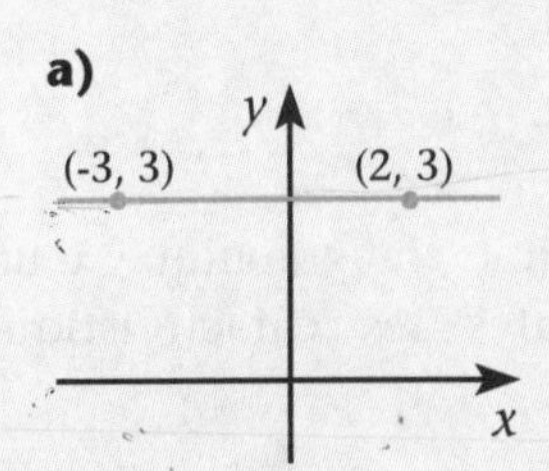

d)

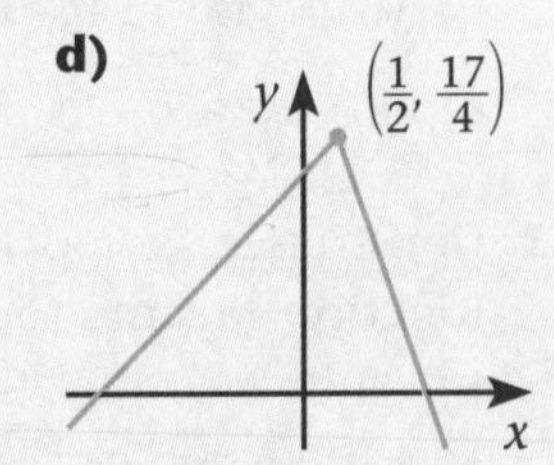

b)

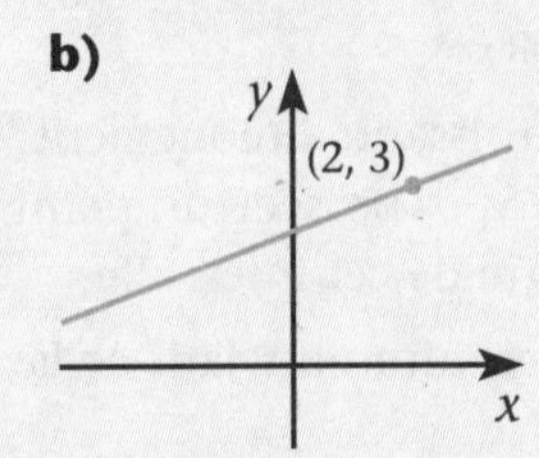

e)

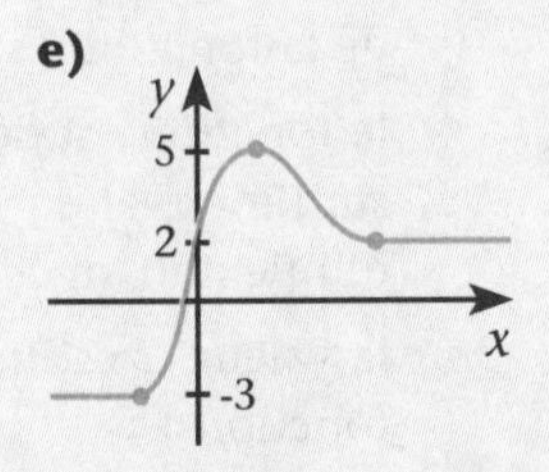

c)

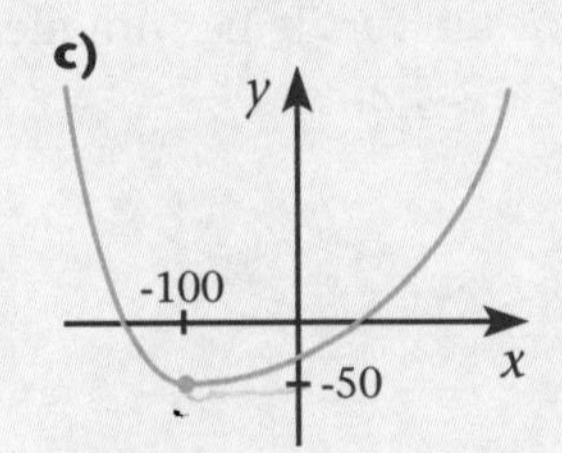

f)

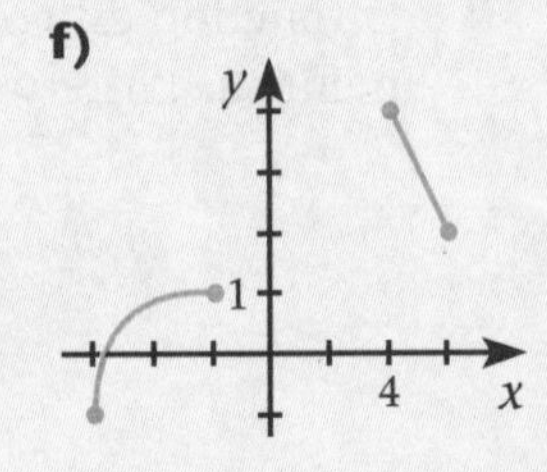

3. Trouvez algébriquement le domaine de chacune des fonctions suivantes :

a) $g(t) = t$

b) $f(x) = 4 + \dfrac{16}{x}$

c) $s(t) = \dfrac{-9}{4 + t}$

d) $M(q) = \dfrac{q^7 + 8}{q}$

e) $t(y) = \dfrac{y^2 + y}{y}$

f) $p(u) = \dfrac{7}{3}$

g) $k(y) = \sqrt{y}$

h) $j(e) = \sqrt{17 - e}$

i) $a(t) = \sqrt[3]{6t + 9}$

j) $d(v) = \sqrt[4]{7v + 12}$

k) $f(x) = \sqrt{\dfrac{x + 1}{x}}$

l) $m(t) = \sqrt[8]{\dfrac{t + 6}{t - 4}}$

4. À l'aide de la calculatrice graphique, tracez le graphe de chacune des fonctions suivantes et estimez le domaine de chaque fonction. Confirmez votre réponse algébriquement.

a) $f(x) = 7x - 4$

b) $h(i) = 89 + \dfrac{4}{i^2}$

c) $v(z) = \dfrac{z + 2}{1 - 3z}$

d) $f(x) = \sqrt{6 - 5x}$

e) $r(t) = \dfrac{34}{\sqrt{2t + 87}}$

f) $g(y) = \sqrt[3]{\dfrac{4}{2 + y}}$

5. Soit $f(x) = \sqrt{x - 2}$ et $g(x) = \sqrt{x + 5}$. Trouvez le domaine des fonctions suivantes :

a) f

b) g

c) $f + g$

d) $f - g$

e) $f \times g$

f) $\dfrac{g}{f}$

6. Trouvez, s'ils existent, l'ordonnée à l'origine et les zéros des fonctions suivantes :

a) $g(t) = t$

b) $f(x) = 4 + \dfrac{16}{x}$

c) $p(u) = \dfrac{7}{3}$

d) $j(e) = \sqrt{17 - e}$

e) $a(t) = \sqrt[3]{6t + 9}$

f) $d(v) = \sqrt[4]{7v + 12}$

g) $f(x) = \sqrt{\dfrac{x + 1}{x}}$

h) $m(t) = \sqrt[8]{\dfrac{t + 6}{t - 4}}$

7. À l'aide de la calculatrice graphique, tracez le graphe de chacune des fonctions de l'exercice nº 4 précédent. Estimez l'ordonnée à l'origine et les zéros de chaque fonction. Confirmez vos réponses algébriquement.

8. Déterminez si chacune des fonctions suivantes possède une fonction réciproque. Si oui, exprimez cette réciproque algébriquement. Si non, identifiez deux couples qui confirment que la réciproque n'est pas une fonction.

a) $g(t) = 10 - t$

b) $p(q) = 23$

c) $w(j) = 3j^2 - 1$

d) $p(z) = 7z^3 + 19{,}7$

9. Soit les fonctions f et g définies par $f(x) = 4x - 6$ et $g(x) = x^2$. Trouvez :

a) $(g \circ f)(1)$

b) $(f \circ g)(1)$

c) $(g \circ f)(-2)$

d) $(g \circ f)(x)$

e) $(f \circ g)(x)$

10. Si $f(r) = 5r + 6$ et $g(r) = 4r - 7$, définissez algébriquement les fonctions suivantes :

a) f^{-1}

b) g^{-1}

c) $f^{-1} \circ g^{-1}$

d) $g \circ f$

e) $(g \circ f)^{-1}$

11. Pour les fonctions associées aux graphiques suivants, déterminez les intervalles de croissance et les intervalles de décroissance, tous les extremums relatifs (s'ils existent) et les intervalles où la courbe est concave vers le bas et ceux où la courbe est concave vers le haut.

a)

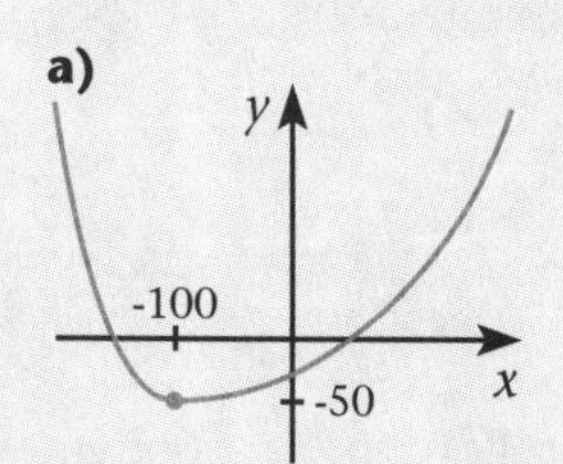

c)

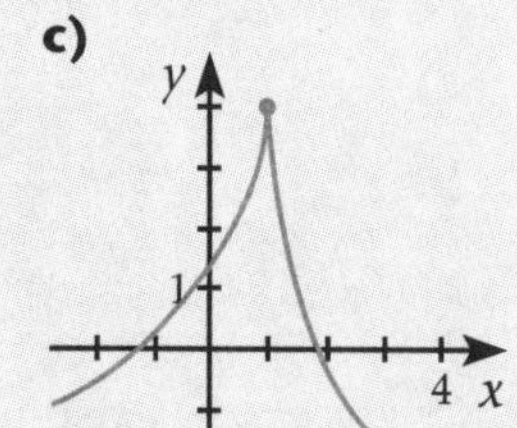

b)

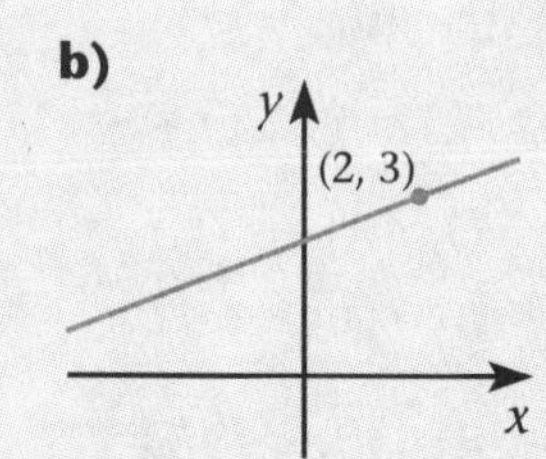

d)

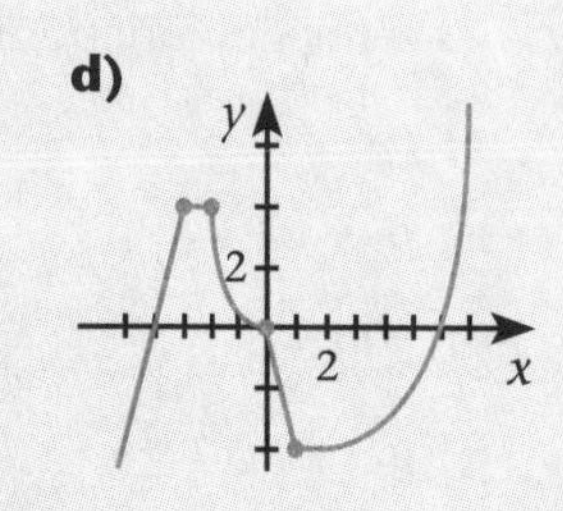

12. À l'aide de la calculatrice graphique, tracez le graphique de chacune des fonctions suivantes. Estimez les intervalles de croissance et les intervalles de décroissance, les maximums et les minimums relatifs, les intervalles où la courbe est concave vers le bas et ceux où elle est concave vers le haut. Estimez également les points d'inflexion.

a) $f(x) = 7x^2 - 4$

b) $g(t) = -45 + 14t - t^2$

c) $h(j) = j^5 + j^4$

13. Construisez, si possible, le graphique d'une fonction ayant toutes les caractéristiques suivantes :

- le domaine de la fonction est IR et l'image de la fonction est IR;
- la fonction est décroissante uniquement sur l'intervalle]-1, 5[et possède un point d'inflexion au centre de cet intervalle;
- la valeur -2 est un minimum relatif de la fonction;
- la fonction est concave vers le bas uniquement sur l'intervalle -∞, 2[.

SECTION 1.3 Pente et fonctions affines

Quand on circule sur les routes, il est fréquent de voir un panneau de signalisation routière comme celui qui se trouve ci-dessous. Le pourcentage annonce l'inclinaison (on parle aussi de déclivité) d'une descente à venir, pour que les conducteurs et conductrices de véhicules lourds puissent se préparer à freiner.

Un tel 14 % signifie que lorsque le véhicule avance de 100 mètres horizontalement (à vol d'oiseau), la variation de la hauteur est de 14 % de 100 mètres, soit 14 mètres.

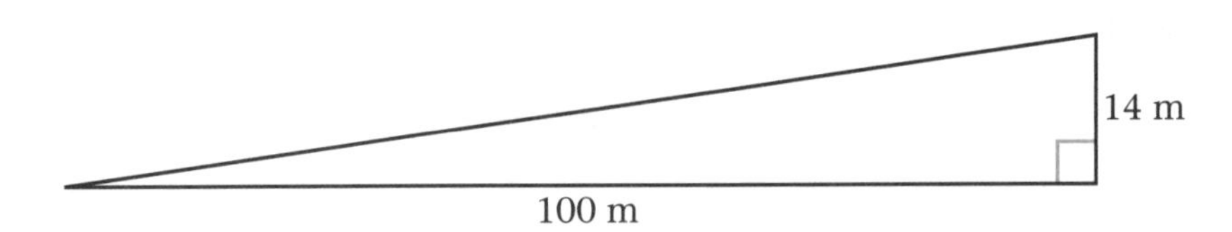

De même, on mesure l'inclinaison d'une droite tracée dans le plan cartésien. Prenons la droite d'équation $y = x$.

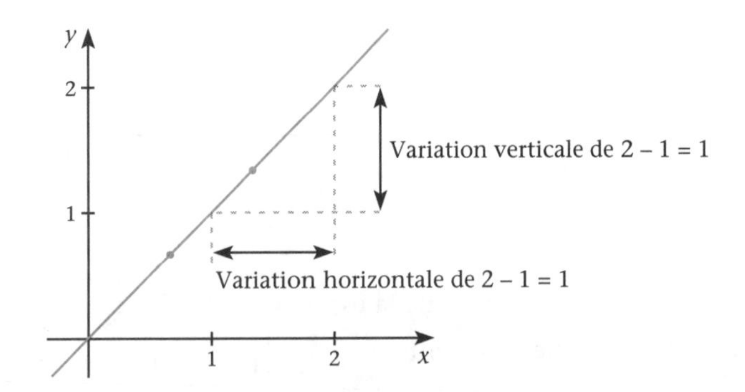

En utilisant les points (1, 1) et (2, 2), on obtient $\dfrac{\text{Variation verticale}}{\text{Variation horizontale}} = \dfrac{2-1}{2-1} = \dfrac{1}{1} = 1.$

Un autre choix de points sur la droite n'aurait pas modifié le rapport $\dfrac{\text{Variation verticale}}{\text{Variation horizontale}}$.

Définition

La **pente** (notée par la lettre m) d'une droite passant par les points (x_1, y_1) et (x_2, y_2) est donnée par

$$m = \frac{\Delta y}{\Delta x} = \frac{\text{Variation verticale}}{\text{Variation horizontale}} = \frac{y_2 - y_1}{x_2 - x_1}.$$

Exemple 9

Calculez la pente de la droite passant par les points (1, 2) et (3, 17).

Si on associe le point (1, 2) au couple (x_1, y_1) et le point (3, 17) au couple (x_2, y_2),

$$\text{on obtient la pente } m = \frac{y_2 - y_1}{x_2 - x_1} = \frac{17-2}{3-1} = \frac{15}{2} = 7{,}5.$$

Une pente m ayant, par exemple, une valeur de -5 signifie que $m = \dfrac{\text{Variation verticale}}{\text{Variation horizontale}} = -5 = \dfrac{-5}{1}$.

Dans ce cas, lorsque la variable indépendante augmente de 1 unité, on a une variation verticale de -5 et la variable dépendante diminue de 5 unités. D'une façon générale, si la pente m d'une droite a une valeur

- positive, la droite est croissante partout sur $\mathbb{R}$.
- nulle, la droite est horizontale et elle n'est ni croissante ni décroissante.
- négative, la droite est décroissante partout sur $\mathbb{R}$.

Exemple 10

Trouvez l'équation de la droite représentée dans le graphique suivant :

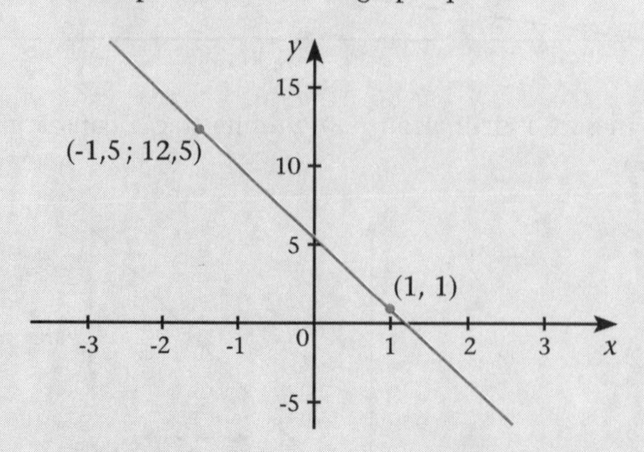

Cherchons une équation de la forme $y = mx + b$. En utilisant les deux points connus (-1,5 ; 12,5) et (1, 1), on obtient la pente $m = \frac{1 - 12,5}{1 - (-1,5)} = \frac{-11,5}{2,5} = -4,6$.

On a donc $y = -4,6x + b$. Pour trouver la valeur de b, on peut remplacer dans cette équation le point (1, 1) et on a :

$$1 = -4,6 \cdot 1 + b = -4,6 + b \text{ et donc } b = 5,6.$$

Par conséquent, $y = -4,6x + 5,6$ est l'équation recherchée.

Une fonction dont le graphique est associé à une droite non verticale est appelée une fonction affine.

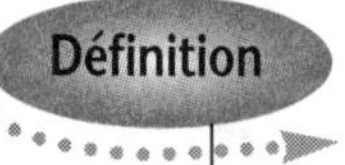

Une fonction affine ***f*** **est une fonction dont la règle peut s'écrire sous la forme** $f(x) = mx + b$**, où** m **et** b **sont des nombres réels.**

On dit qu'une fonction affine a un taux d'augmentation constant lorsque la pente m est positive et qu'elle a un taux de diminution constant lorsque la pente m est négative.

Exemple 11

Une grande entreprise a fait l'achat d'une nouvelle machine le 1er février 1998. Celle-ci a coûté 350 000 $ et sa valeur a diminué selon un taux constant qui fait en sorte que la valeur de la machine était de 305 000 $ le 1er février 2001.

a) Trouvez une formule donnant la valeur de la machine en fonction du nombre d'années écoulées depuis son achat.

Posons t = nombre d'années depuis l'achat le 1er février 1998 et V = la valeur (en dollars) de la machine en question. En 1998 (lorsque $t = 0$), la valeur de la machine était de 350 000 $; l'ordonnée à l'origine est donc 350 000. Le taux de dépréciation de la machine étant constant, on cherche une fonction affine. Avec une augmentation de la variable indépendante t de 3 ans, la valeur V varie de 305 000 \$ – 350 000 \$ = – 45 000 \$

et, par définition, la pente de la droite est forcément $\frac{-45\ 000\ \$}{3\ \text{ans}} = -15\ 000\ \$/\text{an}$.

On a $V(t) = mt + b = -15\ 000t + 350\ 000\ \$$.

b) Trouvez l'unique zéro de la fonction trouvée en (a) et interprétez le résultat obtenu.

On cherche t telle que $V(t) = 0$. On a donc $-15\ 000t + 350\ 000 = 0$ et donc $t = \frac{350\ 000}{15\ 000} = 23{,}33$.

Si le modèle utilisé continue à s'appliquer jusque-là, la valeur de la machine devrait devenir nulle au bout de 23,33 années, soit durant l'année 2021.

Exercices

1. Une coopérative agricole installée à Drummondville vend du maïs en grande quantité et le livre dans diverses villes du Québec, étant géographiquement bien située. La coopérative exige des frais fixes de transport de 150 \$ dès qu'un chargement est préparé et des frais de 0,075 \$ du kilomètre, selon la destination. Ces frais de livraison ne comprennent pas les coûts du maïs.

a) Trouvez une formule qui donne les frais de livraison (en dollars) en fonction de la distance parcourue (en kilomètres). On ne tient compte ici d'aucune taxe. Déduisez les frais de transport pour une livraison à Québec, sachant que la distance entre le point de départ et le point de livraison est de 153 kilomètres.

b) Trouvez la fonction réciproque de la fonction trouvée en (a) et utilisez celle-ci pour déterminer la distance entre Drummondville et Gaspé, sachant qu'une livraison à cet endroit a entraîné des frais de 215,18 \$.

2. Pour chacune des équations suivantes, trouvez (si possible) la pente de la droite ainsi que l'ordonnée à l'origine et le zéro, en considérant comme variable dépendante la variable y.

a) $y = 5x + 4$

b) $3x + 4y = 5$

c) $y - 17 = 0$

d) $2x - 6(y + 7) = 8$

e) $9 - x = 10$

f) $\frac{1}{2}x + \frac{7}{8}y = 2x + 3$

3. Dans le plan cartésien suivant, déterminez les droites qui auraient les équations suivantes, sachant que n_1 et n_2 sont des nombres réels négatifs non nuls et que p_1 et p_2 sont des nombres réels positifs non nuls. Si aucune droite ne correspond à l'équation, indiquez-le.

a) $x = n_1$

b) $y = n_1x + p_1$

c) $y = n_1x + n_2$

d) $x = p_1$

e) $y = p_1x + p_2$

f) $y = p_1x + n_1$

g) $y = n_1$

h) $y = p_1x$

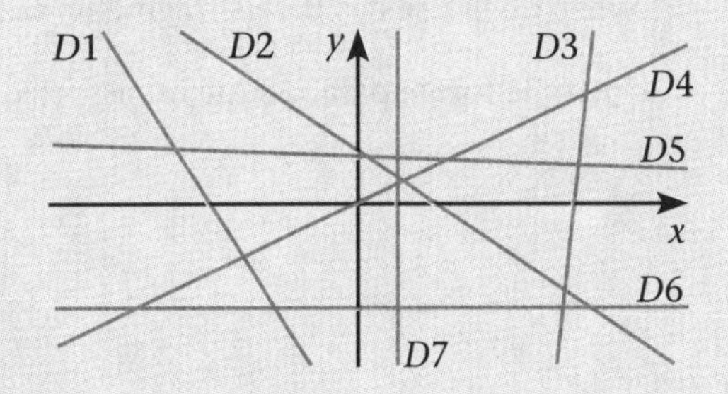

4. Soit le tableau de valeurs ci-dessous.

A	1	3	9	9,5
B	14	-9	-78	-83,75

a) Le tableau de valeurs est-il associé à une droite ?

b) Si la réponse en (a) est oui, exprimez B en fonction de la variable A.

c) Si la réponse en (a) est oui, exprimez A en fonction de la variable B.

5. Pour chaque groupe de points suivant, trouvez (si possible) la fonction affine associée à la droite qui passe par ces points.

a) (2, 1) et (4, 8)

b) (5, 3) et (-1, 8)

c) (4, -2) et (-2, -2)

d) (3, 4) et (3, -19)

e) (1, 3), (5, 5) et (-7, -1)

f) (2, -3), (5, -4) et (-7, 1)

6. À l'aide de la calculatrice graphique, tracez dans la même fenêtre d'affichage les droites d'équation suivantes :

a) $y = 7x$, $y = 7x + 4$ et $y = 7x - 9$. Estimez si les droites obtenues sont parfaitement parallèles et confirmez algébriquement votre réponse.

b) $y = 13x$, $y = 12{,}95x + 3$ et $y = 13{,}09x - 14$. Estimez si les droites obtenues sont parfaitement parallèles et confirmez algébriquement votre réponse.

7. À l'aide de la calculatrice graphique, tracez dans la même fenêtre d'affichage les droites d'équation suivantes :

a) $y = 2x$ et $y = -0{,}46x + 3$. Estimez si les droites obtenues sont parfaitement perpendiculaires et confirmez algébriquement votre réponse.

b) $y = -4x$ et $y = 0{,}25x + 3$. Estimez si les droites obtenues sont parfaitement perpendiculaires et confirmez algébriquement votre réponse.

SECTION 1.4 Fonctions quadratiques, fonctions polynomiales et fonctions définies par morceaux

Fonctions quadratiques

Lorsqu'on lance en l'air un feu d'artifice, avec un certain angle, le trajet que parcourt le projectile a une forme parfaitement parabolique. En fait, une fois que le projectile explose en plein vol, le centre de masse des divers fragments continue de suivre une trajectoire parabolique.

Une telle forme parabolique est associée à une fonction dite quadratique.

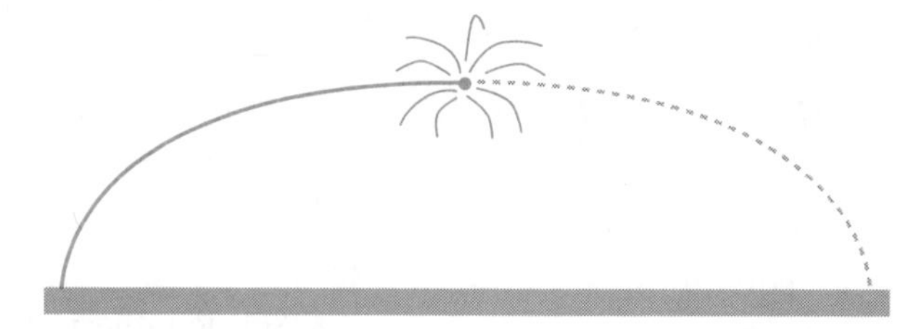

Définition

Une **fonction quadratique** est une fonction dont la règle peut être notée sous la forme $f(x) = ax^2 + bx + c$, où a, b et c sont des nombres réels et $a \neq 0$.

Une fonction quadratique f peut également être notée, à la suite d'une complétion de carré, sous la forme suivante :

$$f(x) = a(x - h)^2 + k$$

Dans ce cas, la fonction quadratique $f(x) = ax^2 + bx + c = a(x - h)^2 + k$ possède un sommet au point (h, k). Selon le signe de la valeur a, la parabole est concave vers le haut ou concave vers le bas.

Les formules quadratiques suivantes permettent de déterminer le ou les zéros d'une fonction quadratique notée sous la forme $f(x) = ax^2 + bx + c$ (où $a \neq 0$), à condition que le discriminant $\Delta = b^2 - 4ac \geq 0$:

$$x_1 = \frac{-b + \sqrt{b^2 - 4ac}}{2a} \text{ et } x_2 = \frac{-b - \sqrt{b^2 - 4ac}}{2a}.$$

Exemple 12

Soit la fonction quadratique $g(t) = 2t^2 + 12t + 25$. Trouvez l'ordonnée à l'origine et le sommet de la parabole.

L'ordonnée à l'origine est $g(0) = 25$. En effectuant une complétion de carré pour décrire g, on obtient

$$\begin{aligned} g(t) = 2t^2 + 12t + 25 = 2(t^2 + 6t) + 25 &= 2(t^2 + 6t + 9 - 9) + 25 \\ &= 2(t + 3)^2 + 2(-9) + 25 \\ &= 2(t + 3)^2 - 18 + 25 = 2(t + 3)^2 + 7 \end{aligned}$$

Le sommet de la parabole est donc le point (-3, 7) et puisque le coefficient de t^2 est positif, la parabole est concave vers le haut et le sommet correspond à un minimum relatif.

Si une fonction quadratique f est exprimée sous la forme $f(x) = ax^2 + bx + c$, le sommet S de la parabole qui lui est associée est le point $\left(\frac{-b}{2a}, f\left(\frac{-b}{2a}\right)\right)$.

Fonctions polynomiales

Le volume d'une sphère est directement proportionnel à la troisième puissance de son rayon et le volume V (en centimètres cubes) d'une sphère de rayon r (en centimètres) est donné par la formule

$$V = \frac{4}{3}\pi r^3 \text{ (où } \frac{4}{3}\pi \text{ est une constante de proportionnalité).}$$

On obtient alors une fonction polynomiale de degré 3.

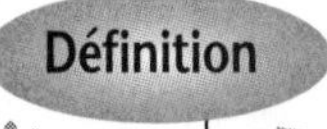

Une fonction polynomiale de degré *n* est une fonction dont la règle de correspondance peut être notée sous la forme

$$f(x) = a_0 + a_1x + a_2x^2 + a_3x^3 + a_4x^4 + ... + a_nx^n,$$

où n est un nombre entier positif, $a_0, a_1, a_2, a_3, a_4, ..., a_n$ sont des nombres réels et $a_n \neq 0$.

Alors qu'il est relativement simple de trouver les zéros d'une fonction affine et d'une fonction quadratique, il n'existe pas de procédé permettant à coup sûr de trouver les zéros d'une fonction polynomiale de degré n. En fait, des procédés (trop complexes pour être présentés dans ce manuel) permettent de trouver de façon précise les zéros de fonctions polynomiales de degré 3 ou de degré 4.

Cependant, le mathématicien norvégien Niels Abel (1802-1829) a démontré en 1826 qu'il n'existe pas de formule donnant la valeur des zéros réels d'une fonction polynomiale de degré supérieur ou égal à 5. Dans ce cas, les instruments tels que la calculatrice graphique trouvent leur justification et permettent d'obtenir certaines approximations.

Exemple 13

On coupe à chaque coin d'une feuille de carton rectangulaire de 30 centimètres sur 80 centimètres un carré de x centimètres d'arête. Les côtés sont ensuite soulevés pour former une boîte. Trouvez la formule donnant le volume V de la boîte (en centimètres cubes), en fonction de la longueur x (en centimètres).

Pour calculer le volume d'une boîte rectangulaire, il suffit de connaître les dimensions (la largeur, la longueur et la hauteur) de celle-ci. On a :

$$\text{Volume} = \text{Largeur} \times \text{Longueur} \times \text{Hauteur}.$$

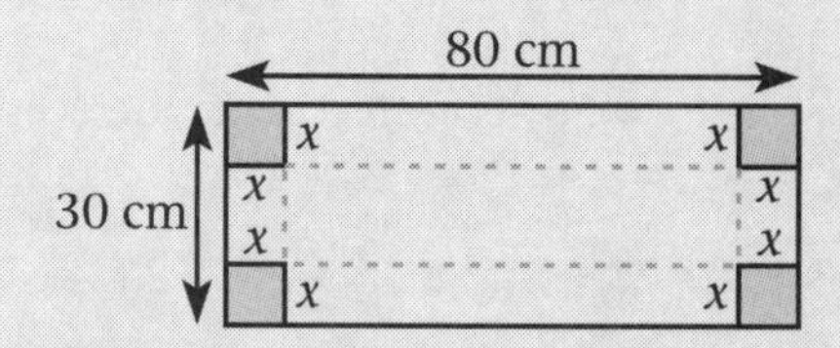

En éliminant un carré de x centimètres d'arête dans chaque coin de la feuille rectangulaire, le fond de la boîte obtenue a une longueur de $80 - x - x = 80 - 2x$ centimètres et une largeur de $30 - x - x = 30 - 2x$. Puisque la hauteur de la boîte, une fois les bords remontés, sera de x centimètres, le volume recherché est donné par la fonction

$$V(x) = x(80 - 2x)(30 - 2x) \text{ cm}^3.$$

Si on effectue la multiplication, on obtient $V(x) = 4x^3 - 220x^2 + 240x$.

Fonctions définies par morceaux

De nombreuses réalités ne peuvent être exprimées par une seule formule algébrique, alors que le recours à deux ou plusieurs équations permet de représenter le lien qui existe entre les variables considérées. Une **fonction définie par morceaux** (on dit aussi fonction définie par parties) est une fonction dont la règle ne peut être exprimée par une seule formule algébrique.

Exemple 14

Soit la fonction $r(x) = \begin{cases} 2x + 1 & \text{si } x \leq -3 \\ x + 4 & \text{si } x > -3 \end{cases}$

a) Calculez $r(-6)$, $r(-3)$, $r(0)$, $r(-2)$ et $r(3)$.

Pour $x = -6$ et $x = -3$, puisque $x \leq -3$, la fonction utilisée est la fonction affine $r_1(x) = 2x + 1$. On a donc $r(-6) = 2 \cdot (-6) + 1 = -12 + 1 = -11$ et $r(-3) = 2 \cdot (-3) + 1 = -6 + 1 = -5$.

Pour $x = 0$, $x = -2$ et $x = 3$, puisque $x > -3$, la fonction utilisée est la fonction affine $r_2(x) = x + 4$. On a alors $r(0) = 0 + 4 = 4$, $r(-2) = -2 + 4 = 2$ et $r(3) = 3 + 4 = 7$.

b) Trouvez les zéros de la fonction.

Les zéros sont les valeurs pour lesquelles $r(x) = 0$.

Lorsque $x \leq -3$, la fonction est définie par $r_1(x) = 2x + 1$. On a $2x + 1 = 0$ si $2x = -1$ si $x = \frac{-1}{2}$. Or, puisque dans ce cas on doit avoir $x \leq -3$, on ne peut considérer la valeur trouvée.

Lorsque $x > -3$, la fonction est représentée par $r_2(x) = x + 4$. On a $x + 4 = 0$ si $x = -4$. Puisque, dans ce cas, on doit avoir $x > -3$, on ne peut considérer cette nouvelle valeur trouvée. La fonction r ne possède donc aucun zéro (même si les deux fonctions affines r_1 et r_2 qui la définissent en possèdent chacune un lorsqu'on ne les limite pas à un intervalle particulier).

c) Tracez le graphe de la fonction r.

Sur l'intervalle $-\infty, -3]$, on trace la demi-droite associée à la fonction affine $r_1(x) = 2x + 1$. On sait que les deux points (-6, -11) et (-3, -5) font partie de la demi-droite en question.

Sur l'intervalle $]-3, +\infty$, on trace la demi-droite associée à la fonction affine $r_2(x) = x + 4$. On sait que les deux points (-2, 2) et (3, 7) sont sur cette demi-droite.

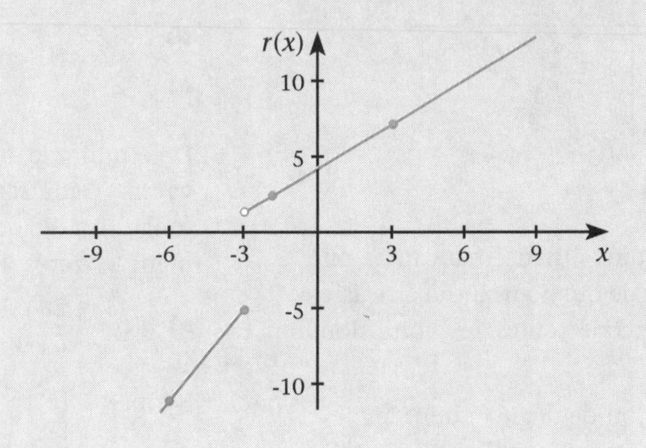

Exercices

1. Soit la fonction $g(t) = \begin{cases} 3t + 5 & \text{si } t < 0 \\ t^2 & \text{si } 0 < t \leq 4 \\ 2 - t & \text{si } t > 5 \end{cases}$

a) Trouvez le domaine de la fonction g.

b) Calculez, si possible, $g(-1000)$, $g(-1)$, $g(-0,1)$, $g(0)$, $g(0,1)$, $g(3)$, $g(3,98)$, $g(4)$, $g(4,07)$, $g(5)$ et $g(100)$.

c) Trouvez les zéros de la fonction g.

2. Pour les fonctions quadratiques suivantes, localisez le sommet de la parabole, trouvez les zéros, indiquez si la courbe est concave vers le haut ou concave vers le bas et identifiez l'intervalle de croissance et l'intervalle de décroissance.

a) $y = 3x^2$

b) $g(m) = (m + 3)^2 - 4$

c) $L(i) = -100(i + 0,01)^2 - 3$

d) $v(m) = m^2 + 10m + 25$

e) $f(x) = x^2 - 4x + 4$

f) $A(x) = 43,6 - \frac{1}{3}x - 120x^2$

3. Dans le plan cartésien suivant, déterminez les paraboles qui auraient les équations suivantes, sachant que n_1 et n_2 sont des nombres réels négatifs non nuls et que p_1 et p_2 sont des nombres réels positifs non nuls. Si aucune parabole ne correspond à l'équation, indiquez-le.

a) $y = n_1x^2 + p_1$

b) $y = p_1x^2 + p_2$

c) $y = n_1(x + p_1)^2$

d) $y = p_1(x + n_1)^2 + n_2$

e) $y = p_1x^2$

f) $y = n_1(x + p_1)^2 + p_2$

g) $y = p_1x^2 - n_1$

h) $y = p_1(x + p_2)^2 + n_1$

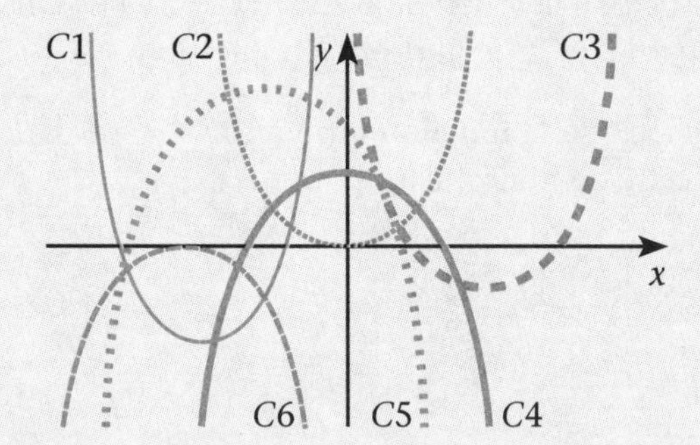

4. Trouvez, pour chaque situation suivante, une fonction polynomiale qui pourrait lui être associée et qui respecterait toutes les conditions présentées.

a) On a une fonction de degré 3, dont les zéros ont précisément les valeurs 2, 3 et 4.

b) On a une fonction de degré 3, dont les zéros ont précisément les valeurs -5, 2 et 6, et dont l'ordonnée à l'origine est le point (0, 120).

c) On a une fonction de degré 4, dont les zéros ont précisément les seules valeurs 1 et -4.

d) On a une fonction de degré 12, dont les zéros ont précisément les seules valeurs 12 et -12.

e) On a une fonction de degré 5, dont les zéros ont précisément les valeurs 0, -1, -2, -3 et -4.

5. Soit la fonction $f(x) = \begin{cases} 3 & \text{si } x \leq -8 \\ 7 + 5x & \text{si } -8 < x \leq 1 \\ 2 - x^2 & \text{si } 1 < x \leq 5 \\ 4x - 12 & \text{si } x > 5 \end{cases}$

Calculez, si possible :

a) $f(-10)$

b) $f(-8{,}01)$

c) $f(-8)$

d) $f(-7{,}99)$

e) $f(-2)$

f) $f(4{,}87)$

g) $f(5)$

h) $f(5{,}02)$

i) $f(6)$

j) $f(103)$

6. Déterminez le domaine de chaque fonction suivante. Déduisez ensuite l'image de chaque fonction à l'aide du graphique. Trouvez également les zéros de la fonction.

a) $g(t) = \begin{cases} 2t + 1 & \text{si } t \leq -3 \\ t + 4 & \text{si } t > -3 \end{cases}$

b) $m(x) = \begin{cases} -x & \text{si } x \leq 2 \\ x & \text{si } x > 2 \end{cases}$

c) $v(s) = \begin{cases} s + 1 & \text{si } s \leq -3 \\ 2s + 4 & \text{si } -3 < s < -1 \\ 3s + 5 & \text{si } s \geq -1 \end{cases}$

d) $f(x) = \begin{cases} x & \text{si } x \leq 4 \\ 8 - x & \text{si } 4 < x \leq 8 \\ x - 8 & \text{si } x > 8 \end{cases}$

SECTION 1.5 Quelques mots sur la calculatrice graphique

Le graphique obtenu à l'aide d'une calculatrice graphique permet d'effectuer une analyse « approximative » d'une fonction dont la règle est entrée sur la machine. Il faut toutefois rester critique et se demander si la machine nous divulgue tout ce qu'on souhaite connaître d'une fonction.

Exemple 15

À l'aide de la calculatrice graphique, tracez le graphe de la fonction $f(x) = x^5 + 20x^4 + 2$ dans la fenêtre d'affichage standard ([-10, 10] sur [-10, 10]).

Avec l'équation $y_1 = x^5 + 20x^4 + 2$ et la fenêtre d'affichage standard, on obtient le graphique de gauche.

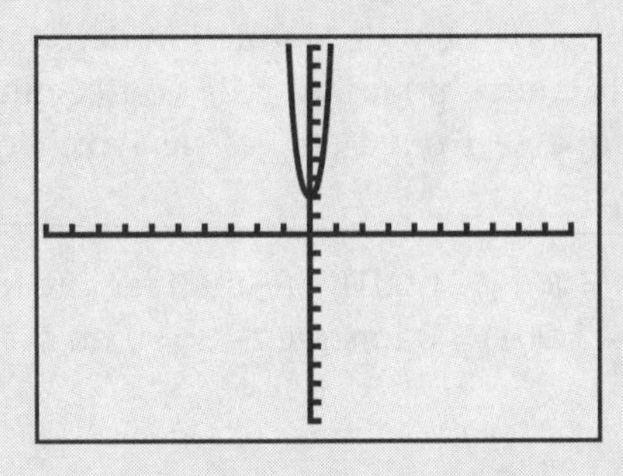

[-10, 10] sur [-10, 10]

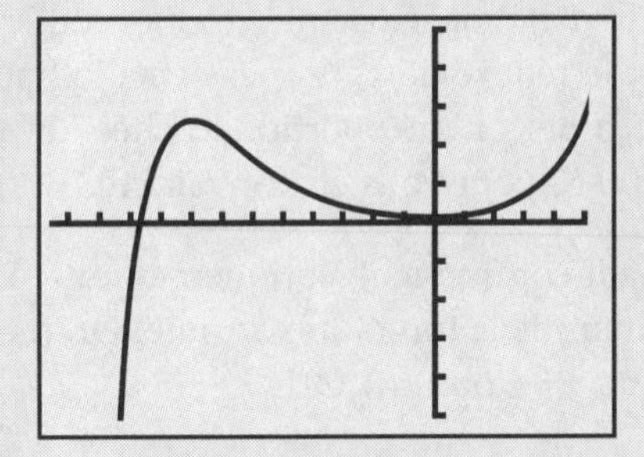

[-25, 10] sur [-500 000, 500 000]

Si on agrandit la fenêtre d'affichage, on peut découvrir qu'une portion importante de la courbe nous était cachée. En travaillant avec une fenêtre de format [-25, 10] sur [-500 000, 500 000], on obtient le graphe de droite. Ainsi, le graphe de gauche associé à la fenêtre d'affichage standard :

- ne laisse pas entrevoir l'existence d'un zéro, alors qu'il en existe un entre $x = -25$ et $x = 0$;
- laisse croire que la courbe est uniquement concave vers le haut, alors qu'elle est, en fait, concave vers le bas sur certains intervalles.

La calculatrice graphique permet d'avoir rapidement une idée de l'allure de certaines portions d'une fonction. Toutefois, sans les moyens que va nous fournir le calcul différentiel, il peut devenir ardu de constamment chercher par tâtonnement les particularités d'un graphique d'une fonction quelconque, en sélectionnant une série de fenêtres d'affichage. Il faut parfois couvrir une plus grande zone pour avoir un meilleur aperçu, alors qu'il faut, dans d'autres cas, en couvrir une moins grande.

Exemple 16

À l'aide de la calculatrice graphique, tracez le graphe de la fonction $k(t) = \dfrac{7}{(t-1)(t-1{,}001)}$ dans la fenêtre d'affichage standard.

Estimez et trouvez algébriquement le domaine de la fonction.

Si on entre l'équation $y_1 = \dfrac{7}{(t-1)(t-1{,}001)}$ et qu'on fait apparaître le graphique dans la fenêtre d'affichage standard, on obtient le graphique suivant.

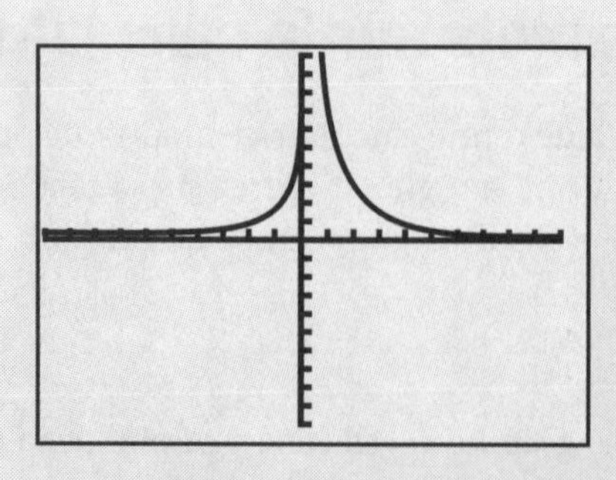

[-10, 10] sur [-10, 10]

À l'aide du graphique, on voit qu'il y a, entre autres, une « zone grise » entre $x = 0$ et $x = 2$. Il devient difficile d'estimer le domaine, même lorsqu'on effectue des agrandissements de la fenêtre d'affichage. De plus, pour étudier le comportement de la fonction dans la zone grise, on aurait le réflexe de « grimper » vers le haut de la courbe pour tenter de voir ce qui n'est pas affiché... alors qu'une portion cachée de la courbe se trouve en bas de l'axe des x. (Calculez $k(1{,}000\ 5)$ pour vous en convaincre.)

On peut confirmer algébriquement que Dom $k = \mathbb{R} \setminus \{1, 1{,}001\}$, puisqu'il faut éviter que le dénominateur de la fonction s'annule. Or, $(t - 1)(t - 1{,}001) = 0$ lorsque $t - 1 = 0$ ou $t - 1{,}001 = 0$, soit lorsque $t = 1$ ou $t = 1{,}001$.

Les deux exemples précédents nous indiquent clairement qu'il faut rester vigilant lorsqu'on utilise une calculatrice graphique. Cette dernière permet tout de même (entre autres) de trouver rapidement une série de points associés à la courbe d'un graphique et de tracer celui-ci. La calculatrice graphique peut également inciter à résoudre certains problèmes plus élaborés et plus ardus.

Les mathématiciens et leur besoin de communiquer

On se trompe si on s'imagine que les mathématiciens sont des personnes isolées. Une personne isolée a peu de chances d'obtenir des résultats intéressants qui n'ont pas été découverts par d'autres. Or, la quantité de livres et d'articles relatifs aux mathématiques qui ont été rédigés de 1940 à nos jours est comparable à tout ce qui a été rédigé entre 600 ans av. J.-C. et 1940. Depuis la fin de la Seconde Guerre mondiale, le nombre d'articles sur les mathématiques publiés dans les revues double tous les 10 ans. Ainsi, le besoin de communiquer avec les autres est devenu très important pour les mathématiciens.

En mathématiques, la correspondance a toujours revêtu une importance capitale, du fait que cette discipline fait appel à des moyens relativement simples comparativement aux sciences comme la physique, la biologie et la chimie qui, pour l'expérimentation, exigent souvent des équipements sophistiqués. De plus, au cours du dernier siècle, le développement des moyens de communication (la diffusion d'articles scientifiques et les communications téléphoniques), l'utilisation des ordinateurs et d'Internet et la démocratisation de l'éducation ont changé les habitudes des chercheurs en mathématiques.

Les colloques et les congrès jouent un rôle crucial dans la diffusion de l'information en mathématiques. Au Québec, les congrès de l'Association mathématique du Québec (AMQ) et de l'Association des promoteurs pour l'avancement de la mathématique à l'élémentaire (APAME) ont lieu tous les ans. Le Groupe des Responsables des Mathématiques au Secondaire (GRMS) organise régulièrement des séances de perfectionnement et d'étude. Le Groupe des chercheurs en sciences mathématiques (GCSM) se réunit, entre autres, à l'occasion du Colloque des Sciences Mathématiques du Québec. Le Groupe de didacticiens et didacticiennes de la mathématique du Québec (GDM) organise, quant à lui, un forum de discussion habituellement deux fois par année. Le Mouvement international pour les femmes et l'enseignement de la mathématique (MOIFEM) a organisé, depuis 1985, quelques colloques sur le thème « Femmes et mathématiques ».

Ainsi, contrairement à la croyance populaire, les occasions qu'ont les mathématiciens de discuter de concepts mathématiques, ainsi que les sujets de discussion sont multiples. Trop souvent perçues comme un thème du passé (pour ne pas dire « dépassé »), les mathématiques répondent encore aujourd'hui à de nombreux besoins dans le cadre de diverses sciences et sont plus vivantes que jamais, grâce au nombre croissant de mathématiciens.

Avec l'avènement des télécommunications, les intervenants en mathématiques disposent de plusieurs outils de communication.

En résumé

- Une **fonction à une variable** est une règle de correspondance qui, à chaque élément d'un ensemble de départ A, associe au plus un élément dans un ensemble d'arrivée B.
- Le **domaine d'une fonction** f (noté Dom f) est l'ensemble de toutes les valeurs de l'ensemble de départ pour lesquelles f est définie.
- L'**image d'une fonction** g (notée Ima g) est l'ensemble de toutes les valeurs y de l'ensemble d'arrivée pour lesquelles il existe une valeur de x dans l'ensemble de départ telle que $g(x) = y$.
- L'**ordonnée à l'origine d'une fonction** f est la valeur $f(0)$, si $f(0)$ est définie.
- Un **zéro** d'une fonction f est une valeur a telle que $f(a) = 0$.
- Une fonction est **croissante sur un intervalle** $]a, b[$ si la courbe de la fonction monte à mesure que la valeur de la variable indépendante augmente dans l'intervalle $]a, b[$. Elle est plutôt **décroissante** si la courbe de la fonction descend.
- Le nombre M est un **maximum relatif** d'une fonction f si on peut trouver un intervalle ouvert $]a, b[$ aussi petit qu'on veut, qui contient une valeur m telle que $M = f(m)$ et telle que $M \geq f(x)$ pour toutes les valeurs de x de $]a, b[$ qui sont également dans le domaine de f.
- Le nombre N est un **minimum relatif** d'une fonction f si on peut trouver un intervalle ouvert $]c, d[$ aussi petit qu'on veut, qui contient une valeur n telle que $N = f(n)$ et telle que $N \leq f(x)$ pour toutes les valeurs de x de $]c, d[$ qui sont également dans le domaine de f.

- La courbe d'une fonction est **concave vers le bas** sur un intervalle $]a, b[$ si sa courbure s'apparente à une portion de la courbe de surface du mercure dans un tube étroit. Elle est plutôt **concave vers le haut** sur un intervalle $]a, b[$ si sa courbure s'apparente à une portion de la courbe de surface de l'eau.
- Un **point d'inflexion** d'un graphe d'une fonction est un point du graphique en lequel la concavité de la courbe change de sens, pour passer de concave vers le haut à concave vers le bas ou l'inverse.
- Une **fonction affine** f est une fonction dont la règle peut être notée sous la forme $f(x) = mx + b$, où m et b sont des nombres réels (m est la pente de la droite et b est l'ordonnée à l'origine).
- Une **fonction polynomiale de degré** n est une fonction dont la règle peut être notée sous la forme $f(x) = a_0 + a_1x + a_2x^2 + a_3x^3 + a_4x^4 + ... + a_nx^n$, où n est un nombre entier positif, $a_0, a_1, a_2, a_3, a_4, ..., a_n$ sont des nombres réels et $a_n \neq 0$. Une **fonction quadratique** est une fonction polynomiale de degré 2.
- Une **fonction définie par morceaux** (on dit aussi fonction définie par parties) est une fonction dont la règle ne peut être exprimée par une seule formule algébrique.

Problèmes

Section 1.1 (p. 4)
Concept de fonction à une variable et graphique

1. On peut associer à certaines altitudes au-dessus du niveau de la mer la pression atmosphérique qui y est mesurée. On obtient un tableau comme celui qui suit :

Altitudes (en mètres)	Pression atmosphérique moyenne (en kilopascals)
0	101,3
1 500	85,0
3 000	70,0
5 500	50,0
9 000	30,0
12 500	20,0

a) Déterminez si la règle de correspondance définie par le tableau précédent est une fonction.

b) Trouvez l'image de 5500.

c) Trouvez la préimage de 30,0.

2. La population P d'un village (en centaines d'habitants) est fonction du nombre d'années t écoulées depuis 1990. Expliquez la signification des énoncés suivants :

a) $P(8) = 8,7$

b) $P(-20) = 11$

c) $P(0) = 9,36$

3. Une notaire prépare des contrats de vente de maison et des testaments. La préparation de chaque contrat de vente de maison lui demande 7 heures de travail et celle de chaque testament demande 6 heures de travail. Si la notaire consacre exclusivement à ces deux types de tâche un total de 90 heures de travail par mois, exprimez le nombre C de contrats de vente de maison qui peuvent être préparés en un mois, en fonction du nombre T de testaments qui sont préparés en un mois.

Section 1.2 (p. 8)
Généralités sur les fonctions

4. Le coût total C (en dollars) de la construction d'une boutique d'une surface de A mètres carrés et C est exprimé en fonction de la variable A. Expliquez la signification des énoncés suivants :

a) $C(1600)$ **b)** $C^{-1}(75\ 570)$

5. Soit p le prix d'un réfrigérateur neuf (en dollars) et q le nombre de réfrigérateurs neufs vendus à ce prix, durant une semaine, dans un magasin à grande surface. On suppose que q est exprimé en fonction de p. Expliquez la signification des énoncés suivants :

a) $q(750) = 12$ **c)** $q^{-1}(100) = 200$

b) $q(1250) = 3$ **d)** $q^{-1}(1) = 1900$

6. La température d'ébullition de l'eau dépend de l'altitude à laquelle l'eau se trouve au-dessus du niveau de la mer. En fait, la température d'ébullition diminue à mesure qu'on monte en altitude. Le graphique de la fonction qui donne la température d'ébullition en fonction de l'altitude au-dessus du niveau de la mer est-il associé à une courbe croissante ou décroissante ?

7. On s'intéresse à l'altitude prise par une montgolfière, un hélicoptère et une petite fusée expérimentale, en fonction du temps écoulé à partir du décollage. Les graphiques suivants sont associés au décollage de chacun de ces moyens de transport.

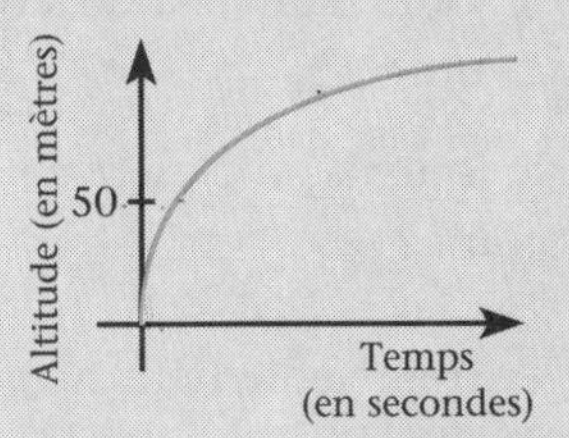

Fusée

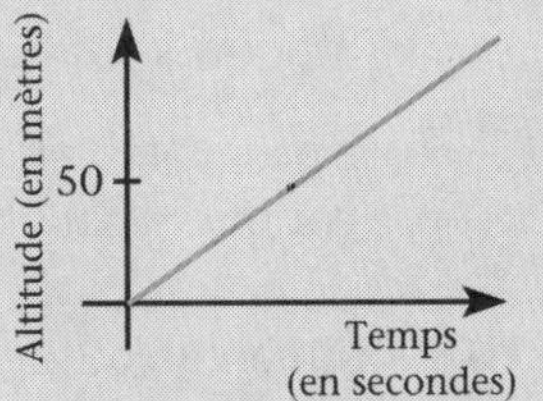

Hélicoptère

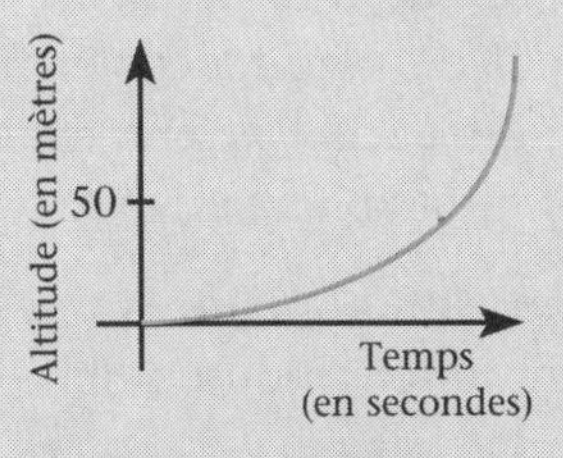

Montgolfière

Si on se réfère aux trois graphiques précédents (les trois axes horizontaux sont gradués de la même façon), lequel des trois véhicules considérés :

a) devrait arriver le premier à une altitude de 50 mètres ?

b) devrait arriver le dernier à une altitude de 50 mètres ?

c) possède une vitesse d'ascension constante ?

d) a la plus grande accélération entre 50 mètres d'altitude et 100 mètres d'altitude ?

e) a la plus petite accélération entre 50 mètres d'altitude et 100 mètres d'altitude ?

8. Chaque année, le nombre d'internautes augmente dans le monde. De plus, chaque année, la hausse du nombre d'internautes augmente elle aussi. Si on trace un graphique représentant le nombre d'internautes à l'échelle mondiale, par rapport au temps, la courbe tracée sera-t-elle concave vers le bas ou concave vers le haut ?

9. Le nombre de cellules cancéreuses d'une tumeur augmente lentement au départ, puis il augmente de plus en plus vite. Si on trace un graphique représentant le nombre de cellules cancéreuses par rapport au temps, à partir du moment où la tumeur apparaît, la courbe tracée sera-t-elle concave vers le bas ou concave vers le haut ?

10. Une fonction revenu R (en milliers de dollars par jour) est définie par $R(p) = 10p - p^2$, où p est le prix de vente d'une barre de chocolat en dollars. Le dépanneur est en mesure d'augmenter le prix de chaque barre de chocolat de 5 cents au début de chaque nouvelle année, sans affecter la demande. Si t est le temps mesuré en années à compter du 1er janvier 2000 et que le prix pour l'an 2000 est fixé à 75 cents, écrivez une équation qui donne le revenu R en fonction de t.

11. Au moment de commencer les traitements appropriés, le diamètre d'une tumeur cancéreuse circulaire sur un poumon est de 30 millimètres. Le diamètre diminue à un rythme de 2 millimètres par mois, dès le début des traitements. Écrivez une équation qui donne la surface de la tumeur en fonction du temps t, mesuré en mois à partir du début des traitements. Rappelons que la surface A d'un cercle est donnée par $A = \pi r^2$, où r représente le rayon du cercle.

Section 1.3 (p. 16) Pente et fonctions affines

12. Un bateau de croisière a fait naufrage en pleine nuit près de l'île d'Anticosti et l'équipe de recherche se divise en deux groupes, en suivant des trajets parallèles, pour tenter de trouver les passagers du bateau. Dans de pareilles circonstances, on a évalué que le pourcentage approximatif de personnes retrouvées (noté P %) peut s'exprimer en fonction de la distance entre les membres de l'équipe de recherche et est donné par $P = 100 - \frac{11}{6}d$, pour ce qui est des personnes qui se trouvaient entre les deux bateaux de recherche. Cette équation s'applique pour l'intervalle dans lequel d se situe entre 0 et 30 mètres inclusivement.

a) La fonction suggérée est-elle une fonction affine, dans l'intervalle [0, 30] ? Si oui, établissez sa pente et son ordonnée à l'origine.

b) Calculez $P(18)$ et interprétez le résultat.

c) Trouvez la fonction réciproque $P^{-1}(d)$.

d) Calculez $P^{-1}(12)$ et interprétez le résultat.

13. O a vu que la vitesse du son dans l'air dépend de la température selon la relation

$$V(T) = 332 + 0{,}6T,$$

où V est en mètres par seconde et la température est en degrés Celsius.

a) Cette fonction est-elle affine ? Si oui, établissez sa pente et son ordonnée à l'origine. Interprétez ces deux résultats.

b) Un randonneur qui se trouve sur le bord d'un canyon veut estimer la largeur de celui-ci. Il frappe une pierre contre un rocher de la paroi où il se trouve et découvre que l'écho renvoyé par la paroi opposée revient 2,3 secondes après qu'il a frappé la pierre. Si la température de l'air ambiant est de 14 °C, calculez la largeur du canyon.

c) Trouvez la fonction réciproque $V^{-1}(T)$.

d) Le départ d'un 100 mètres couru en ligne droite est donné à l'aide d'un pistolet. Le chronométreur, qui se trouve sur la ligne d'arrivée entend la détonation 0,29 seconde après avoir vu la fumée du pistolet. Trouvez à quelle température ambiante a lieu la course.

e) Pendant un orage, on entend le tonnerre 4,25 secondes après avoir vu l'éclair. Si la distance entre vous et l'éclair est de 1,5 kilomètre, trouvez quelle est la température ambiante à l'extérieur.

14. La cour d'un moulin à scie qui produit des planches pour la construction avait ce matin même un stock de 150 000 billots, qui sera écoulé à raison de 5000 billots par jour.

a) Déterminez le lien donnant le nombre de billots entreposés dans la cour du moulin, en fonction du nombre de jours écoulés depuis aujourd'hui.

b) Quel sera le niveau de stock dans sept jours ? On suppose que le moulin fonctionne sept jours sur sept.

c) Après combien de jours le niveau de stock atteindra-t-il 5500 unités ?

d) Après combien de jours le stock sera-t-il complètement écoulé ?

15. L'ordinateur d'une entreprise, acheté neuf, se déprécie d'une façon linéaire (cela veut dire que la valeur de dépréciation est la même chaque année). La valeur de l'ordinateur était de 2500 \$ deux ans après l'achat et elle était de 1400 \$ deux autres années plus tard.

a) Déterminez la fonction donnant la valeur de l'ordinateur en fonction du nombre d'années suivant l'achat.

b) Que représentent la pente et l'ordonnée à l'origine ?

c) Déterminez à quel moment la valeur de l'ordinateur ne sera plus que de 250 \$.

16. L'échelle des Celsius est attribuable à Anders Celsius (1701-1744), un astronome et physicien suédois. À la suite de ses travaux, une échelle a été établie, de telle sorte que la température de congélation de l'eau a été fixée à 0 °C et la température d'ébullition de l'eau, à 100 °C, et cet intervalle a été divisé en 100 unités de même longueur.

a) Daniel Gabriel Fahrenheit (1686-1736) était un physicien allemand qui a inventé le thermomètre, un certain nombre d'années avant que Celsius établisse son échelle. Fahrenheit a divisé en 96 unités de même longueur l'intervalle séparant la température d'un mélange réfrigérant de la température du corps humain. Il en résulte qu'avec son thermomètre, l'eau gèle à 32 °F et bout à 212 °F. Exprimez par une fonction affine le lien entre la température C en degrés Celsius et la température F en degrés Fahrenheit.

b) S'il en existe un, trouvez le nombre x tel que x °C = x °F.

c) William Thomson (1824-1907), appelé lord Kelvin, était un physicien britannique qui a défini une autre échelle de mesure pour la température. Il a fixé à 0 degré Kelvin la température la plus froide possible (appelée le zéro absolu). Il en résulte que l'eau gèle à 273,15 K et bout à 373,15 K. Cette unité de mesure est souvent utilisée en sciences. Exprimez par une fonction affine le lien entre la température C en degrés Celsius et la température K en degrés Kelvin.

d) S'il en existe un, trouvez le nombre x tel que x °C = x K.

Section 1.4 (p. 20) Fonctions quadratiques, fonctions polynomiales et fonctions définies par morceaux

17. Une formule permet d'exprimer la distance s parcourue par un objet, dans une circonstance où la vitesse initiale est orientée dans le même sens qu'une accélération constante. La formule en question est :

$$s(t) = \frac{a}{2}t^2 + v_o t + s_o,$$

où t représente le temps (en secondes) depuis le moment où on s'intéresse à la position de l'objet,

a représente l'accélération constante (en $\frac{\text{m}}{\text{s}^2}$) que possède l'objet,

v_o représente la vitesse initiale (en $\frac{\text{m}}{\text{s}}$) de l'objet et

s_o représente la position initiale (en mètres) de l'objet.

Un avion roule sur une piste à une vitesse de 50 mètres par seconde. Il commence à accélérer uniformément à raison de 2,8 mètres par seconde^2, dans la même direction. On considère que la position initiale est 0.

a) Trouvez la formule donnant la distance s parcourue au sol par l'avion, en fonction du temps qui s'écoule (en secondes) à partir du moment où l'avion amorce son accélération constante.

b) Quelle distance l'avion a-t-il parcourue pendant les 6 premières secondes qui suivent le début de l'accélération ?

c) Quelle distance l'avion a-t-il parcourue entre la 3e seconde et la 7e seconde suivant le début de l'accélération ?

Une skieuse partant du repos accélère uniformément à raison de 1,8 mètre par seconde^2 vers le bas de la piste, en ligne droite. On considère que sa position initiale est 0.

d) Trouvez la formule donnant la distance s parcourue par la skieuse, en fonction du temps qui s'écoule (en secondes) à partir du moment où la skieuse quitte le haut de la pente.

e) Quelle distance dans la piste la skieuse aura-t-elle parcourue durant les 8 premières secondes de sa descente ?

18. Une boîte sans couvercle dont le fond est rectangulaire a une longueur qui correspond au double de la profondeur et une largeur qui est égale à 3 centimètres de moins que la profondeur. Si p représente la profondeur (en centimètres) et

a) S la surface de la boîte (en centimètres carrés), définissez S en fonction de p.

b) V le volume de la boîte (en centimètres cubes), définissez V en fonction de p.

19. Selon certaines études, un modèle particulier de voiture sport roulant à 110 kilomètres à l'heure a besoin de 58 mètres pour s'arrêter. On suppose que la distance d'arrêt est directement proportionnelle au carré de la vitesse au moment de freiner.

a) Trouvez la fonction qui exprime la distance d'arrêt en fonction de la vitesse de la voiture au moment de freiner.

b) Calculez la distance d'arrêt requise si la voiture sport en question roule à 70 kilomètres à l'heure.

c) Calculez la distance d'arrêt requise si la voiture sport en question roule à 240 kilomètres à l'heure, soit la vitesse maximale que peut atteindre la voiture sport.

d) Calculez la vitesse à laquelle roulait la voiture sport, si des marques de freins indiquent que la distance de freinage est de 67 mètres.

20. Il a déjà été estimé que la vitesse V à laquelle une rumeur se répand est directement proportionnelle à la fois à la proportion p de personnes qui ne connaissent pas la rumeur et la proportion de celles qui la connaissent. Trouvez à quelle proportion de personnes qui ne connaissent pas la rumeur la vitesse de propagation est la plus élevée.

21. La gérante d'un ensemble de musiciens qui anime des soirées dansantes demande régulièrement à ses musiciens de faire des heures supplémentaires, selon les demandes spéciales. Il y a pour chaque musicien un minimum garanti de 180 \$ dès qu'il ou elle est appelé(e) pour jouer pendant une soirée de 4 heures ou moins. Si le spectacle dépasse une durée de 4 heures, le musicien reçoit alors 65 \$ l'heure pour chaque heure qui excède les quatre premières heures.

a) Calculez le salaire d'un musicien pour une soirée de 3 heures.

b) Calculez le salaire d'un musicien pour une soirée de 5 heures et demie.

c) Trouvez la fonction qui représente le salaire S d'un musicien pour une soirée, en fonction de h, le nombre d'heures pendant lesquelles il a joué, en notant que si la personne ne joue pas, elle ne reçoit rien.

22. Une caisse populaire offre à ses clients les taux d'intérêts suivants, selon la somme investie. Le taux annuel est de 4,5 % pour un dépôt à terme inférieur à 2000 \$, il est de 4,7 % pour un dépôt à terme supérieur ou égal à 2000 \$, mais inférieur ou égal à 10 000 \$, et il est de 4,9 % pour dépôt à terme supérieur à 10 000 \$. Trouvez la fonction définissant le montant d'intérêt M reçu au bout d'un an, en fonction de la somme x investie initialement.

Auto-évaluation

1. Soit la fonction g représentée par le graphique ci-dessous.

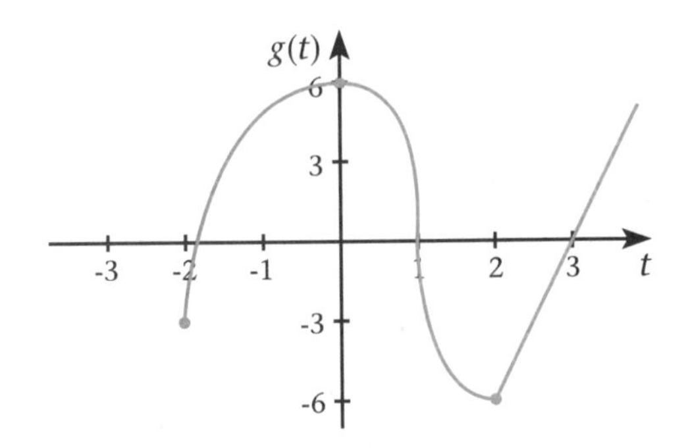

a) Évaluez Dom g et Ima g.

b) Identifiez l'ordonnée à l'origine de la fonction g.

c) Estimez tous les zéros de la fonction g.

d) Identifiez les intervalles dans lesquels la fonction est croissante et les intervalles dans lesquels la fonction est décroissante.

e) Identifiez les extremums relatifs.

f) Identifiez les intervalles dans lesquels la courbe de la fonction est concave vers le bas et les intervalles dans lesquels elle est concave vers le haut.

g) Identifiez tous les points d'inflexion.

2. Albert Einstein (1879-1955) est connu, entre autres, pour sa fameuse formule $E = mc^2$, équation qui donne la quantité d'énergie (en joules) produite lorsqu'une certaine quantité de matière de masse m (en kilogrammes) se transforme en énergie. Dans cette équation, $c = 3{,}0 \cdot 10^8$ mètres par seconde, soit la vitesse de la lumière dans le vide.

a) Y a-t-il un lien linéaire entre la masse m et la quantité d'énergie E? Si oui, quelle est la valeur de la pente?

b) Deux protons ayant chacun une masse de $1{,}673 \cdot 10^{-27}$ kilogramme se combinent avec deux neutrons, ayant chacun une masse de $1{,}675 \cdot 10^{-27}$ kilogramme, pour produire une particule alpha de masse $6{,}647 \cdot 10^{-27}$ kilogramme. Sachant que la masse perdue s'est transformée en énergie lors de la fusion (selon la loi de conservation de l'énergie totale), trouvez la quantité d'énergie libérée dans ce cas.

c) Si 10^{16} particules alpha de masse $6{,}647 \cdot 10^{-27}$ kilogramme sont produites (selon les informations données en (b)), trouvez la quantité d'énergie libérée dans ce cas.

3. Pour les fonctions f, g et h définies par $f(z) = 3z^2 + 1$, $g(z) = \frac{z}{1-z}$ et $h(z) = \sqrt{4z+1}$, trouvez :

a) le domaine de chacune des fonctions f, g, h et $\frac{f}{g}$.

b) $(g \circ h)\left(\frac{3}{4}\right)$

c) $(f \circ g)(1)$

d) $f(h(z))$

e) $(h \circ g)(z)$

f) $h(f(2z^2))$

g) $f(g(z+3))$

h) $g^{-1}(z)$

i) $h^{-1}(z)$

4. L'été, la nourriture des orignaux se compose en partie de plantes terrestres et en partie de plantes aquatiques. Ces dernières, contrairement aux plantes terrestres, sont riches en sodium mais pauvres en énergie. Il a été établi expérimentalement que l'énergie que procure à l'orignal 1 kilogramme de plantes aquatiques est de 0,8 MJ (MJ pour mégajoules) et celle que lui procure 1 kilogramme de plantes terrestres est de 3,2 MJ. Supposons qu'un orignal adulte pesant environ 325 kilogrammes consomme 28 kilogrammes de nourriture par jour (il est difficile de dépasser cette quantité, en raison de la taille de la panse de l'animal et du temps que les aliments passent dans celle-ci). Trouvez une fonction permettant d'exprimer la quantité d'énergie quotidienne E (en mégajoules), en fonction de T, le nombre de kilogrammes de plantes terrestres consommées, en identifiant pour quelles valeurs de T la fonction est définie dans le contexte donné.

5. Déterminez si chacune des fonctions suivantes possède une fonction réciproque. Si oui, exprimez celle-ci algébriquement. Si non, identifiez deux couples qui confirment que la réciproque n'est pas une fonction.

a) $M(x) = 4x$

b) $f(s) = 5s + 2$

c) $w(j) = 2j^2 + 7$ **d)** $v(t) = \dfrac{4t + 6}{t - 1}$

6. Lors de l'achat d'une nouvelle maison, une certaine municipalité calcule le montant de la taxe de bienvenue de la façon suivante :

0,5 % pour les premiers 50 000 $ du prix de l'achat,

1 % pour la partie du prix de l'achat qui excède les premiers 50 000 $, mais qui n'excède pas 250 000 $,

1,5 % pour la partie du prix de l'achat qui excède 250 000 $.

a) Calculez le montant de la taxe de bienvenue pour l'achat d'une maison de 47 500 $ située dans la municipalité en question.

b) Calculez le montant de la taxe de bienvenue pour l'achat d'une maison de 480 000 $ située dans la municipalité en question.

c) Déterminez la fonction qui donne le montant de la taxe de bienvenue T en fonction du prix d'achat p de la maison.

7. Le coût des matières premières pour fabriquer un article est de 0,75 $ par unité, alors que le coût de la main-d'œuvre est de 75 $ pour préparer 1000 articles. Si on produit plus de 4000 articles, les employés doivent faire des heures supplémentaires et on augmente les coûts relatifs à la main-d'œuvre de 20 % pour les articles produits en surplus des 4000 premiers.

a) Calculez le coût total de production (en tenant compte du coût des matières premières et des coûts de la main-d'œuvre) pour fabriquer 2000 articles.

b) Calculez le coût total de production pour fabriquer 5000 articles.

c) Exprimez le coût total de production en fonction du nombre d'articles fabriqués.

Chapitre 2

Concept de limite et continuité

Plan du chapitre

« Dépasser les limites n'est pas un moindre défaut que de rester en deçà. »

CONFUCIUS (VERS 555-479 AV. J.-C.)

Objectifs

D'ICI LA FIN DE CE CHAPITRE, VOUS DEVRIEZ POUVOIR :

- ÉVALUER UNE LIMITE À GAUCHE ET À DROITE D'UNE FONCTION DÉFINIE GRAPHIQUEMENT ;
- ÉVALUER NUMÉRIQUEMENT UNE LIMITE À GAUCHE ET À DROITE D'UNE FONCTION DÉFINIE ALGÉBRIQUEMENT ;
- VÉRIFIER L'EXISTENCE D'UNE LIMITE ;
- ÉVALUER UNE LIMITE D'UNE FONCTION DÉFINIE GRAPHIQUEMENT ;
- ÉVALUER NUMÉRIQUEMENT UNE LIMITE D'UNE FONCTION DÉFINIE ALGÉBRIQUEMENT ;
- CALCULER UNE LIMITE D'UNE FONCTION À L'AIDE DES RÈGLES DE CALCUL ALGÉBRIQUE ;
- ÉTUDIER LA CONTINUITÉ D'UNE FONCTION EN UN POINT, QUE LA FONCTION SOIT PRÉSENTÉE GRAPHIQUEMENT OU DÉFINIE ALGÉBRIQUEMENT ;
- ÉTUDIER LA CONTINUITÉ D'UNE FONCTION SUR UN INTERVALLE, QUE LA FONCTION SOIT PRÉSENTÉE GRAPHIQUEMENT OU DÉFINIE ALGÉBRIQUEMENT.

Le cours de l'histoire

La définition des nombres réels et le concept de continuité

Les Grecs ont travaillé avec les nombres entiers, les nombres fractionnaires et tous les nombres qui peuvent se construire avec une règle et un compas. Par exemple, bien qu'il ne soit pas rationnel, le nombre $\sqrt{2}$ peut se construire en traçant la diagonale du carré dont l'arête mesure une unité. La longueur de cette diagonale est $\sqrt{1^2 + 1^2} = \sqrt{2}$ unité. Les nombres qui ne peuvent se construire géométriquement étaient alors appelés les incommensurables.

Même si, après les Grecs, plusieurs personnes ont senti le besoin de définir plus précisément le concept de nombre, ce n'est que dans la seconde moitié du XIXe siècle que Richard Dedekind (1831-1916) a essayé de remédier à l'absence de fondement logique dans l'arithmétique. Il part du fait que l'ensemble $\mathbb{Q}$ des nombres rationnels est déjà bien défini et exploite l'idée qu'un point A sur une droite « coupe » celle-ci en deux classes, soit la classe des points situés à gauche de A et la classe qui contient le point A et les points situés à droite de A. Prenons, par exemple, la « coupure » (C_1, C_2) telle que C_1 contient tous les nombres rationnels plus petits que $\frac{1}{2}$ et C_2 contient tous les nombres rationnels plus grands ou égaux à $\frac{1}{2}$. Cette coupure possède la ***propriété*** *suivante : ou bien il existe un plus grand élément de $\mathbb{Q}$ dans C_1, ou bien il existe un plus petit élément de $\mathbb{Q}$ dans C_2. En effet, le nombre $\frac{1}{2}$ est le plus petit élément de C_2. Cette coupure (C_1, C_2) définit de façon précise le nombre rationnel $\frac{1}{2}$.*

Toutes les coupures dans $\mathbb{Q}$ possèdent-elles la propriété mentionnée ? Prenons la coupure (D_1, D_2) telle que D_1 contient tous les nombres rationnels x tels que $x^2 < 2$ et D_2 contient tous les nombres rationnels x tels que $x^2 > 2$. On ne réussit à trouver ni un plus grand élément dans D_1, ni un plus petit élément dans D_2. Quel que soit le nombre rationnel q choisi dans D_1, il est possible d'en trouver un autre situé entre q et $\sqrt{2}$ et quel que soit le nombre rationnel r choisi dans D_2, il est possible d'en trouver un autre situé entre $\sqrt{2}$ et r.

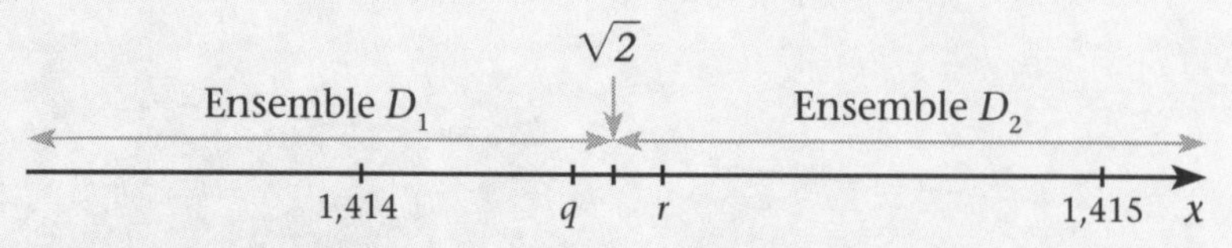

Les coupures qui ne possèdent pas la propriété mentionnée précédemment définissent donc les nombres irrationnels ($\sqrt{2}$, $\sqrt{5}$ et π sont de tels nombres). Ainsi, chaque coupure dans $\mathbb{Q}$ définit un nombre rationnel spécifique lorsqu'elle respecte la propriété mentionnée précédemment et définit un nombre irrationnel unique lorsqu'elle ne respecte pas cette propriété. À toute coupure de Dedekind correspond un seul nombre, rationnel ou irrationnel.

Avant d'aller plus loin

Préalables

1. Identifiez cinq nombres différents :

a) se situant entre 2 et 2,1 ;

b) se situant entre -0,01 et 0,001 ;

c) plus petits que 17,5, mais plus grands que 17,48 ;

d) plus grands que -4, mais plus petits que -3,9.

2. Si $A = -6$, $B = 2$, $C = 0$ et $D = -0{,}001$, calculez (si possible) les quantités suivantes :

a) $A + B$ **e)** $\frac{B}{D}$ **i)** D^B

b) $B - A$ **f)** AD **j)** $-\sqrt{B^2}$

c) $\frac{A}{B}$ **g)** A^B **k)** $\sqrt{C}$

d) $\frac{A}{C}$ **h)** C^B **l)** $\sqrt{D}$

3. Trouvez le domaine des fonctions suivantes, esquissez leur graphique et déduisez leur image :

a) $g(z) = 5 - 3z$

b) $h(t) = -2(t + 1)^2 + 8$

c) $f(a) = -4a^5$

d) $r(e) = \begin{cases} 4e + 5 \text{ si } e < -2 \\ 5e + 4 \text{ si } e \geq -2 \end{cases}$

4. Trouvez l'équation de la droite qui passe par les points suivants :

a) (0, 0) et (4, 7)

b) (-10, 3) et (-4, -5)

Langages mathématique et graphique

1. Définissez algébriquement les fonctions suivantes et tracez-en le graphique :

a) constante

b) affine

c) quadratique

d) de puissance impaire

e) définie par parties

2. Tracez le graphique d'une fonction f définie par $f(t)$, croissante sur $]1, 3[$ et passant par le point (2, 4). Identifiez sur le graphique où se trouvent :

a) les images de $t = 1{,}5$; $t = 1{,}8$; $t = 1{,}9$

b) les préimages de $t = 4{,}5$; $t = 4{,}2$; $t = 4{,}1$

3. Tracez le graphique d'une fonction dont le domaine est $\mathbb{R}$ et pour laquelle :

a) vous n'avez jamais à lever le crayon pour tracer la courbe ;

b) vous avez à lever le crayon exactement une fois pour tracer la courbe ;

c) vous avez à lever le crayon exactement deux fois pour tracer la courbe ;

d) vous avez à lever le crayon exactement trois fois pour tracer la courbe.

SECTION **2.1**

Approche intuitive du concept de limite à gauche et limite à droite en un point

Évaluation graphique des limites à gauche et à droite

Lorsqu'une entreprise doit entreposer des biens qu'elle a dû commander, elle doit assumer des frais d'entreposage qu'elle cherche habituellement à minimiser. Dans un entrepôt où l'espace ne permet d'entreposer que 100 unités d'un article particulier, si on fait les hypothèses suivantes :

- l'utilisation du bien est régulière et stable,
- 100 unités entreposées s'écoulent en quatre jours exactement,
- les nouveaux arrivages sont reçus exactement au moment où le stock est épuisé,

on peut obtenir le graphique ci-dessous :

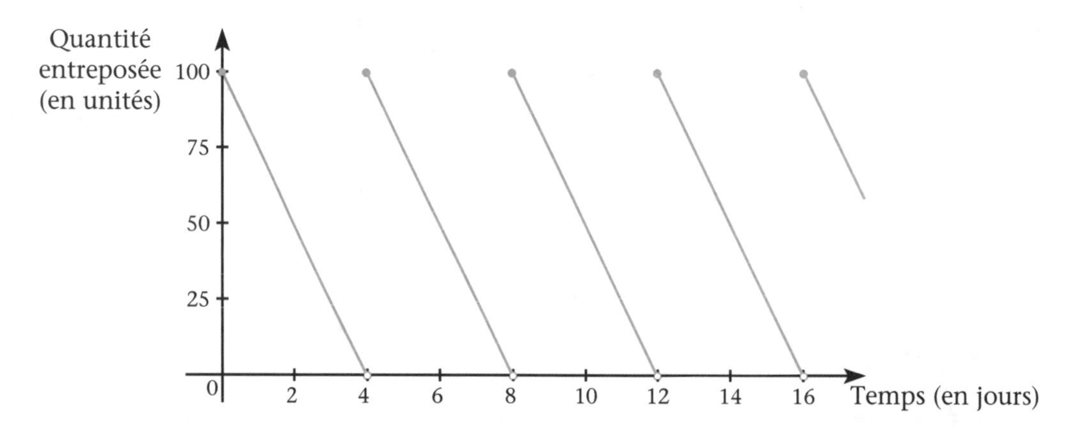

On pourrait montrer que si on se limite aux 16 premiers jours considérés (le 16e jour n'étant pas inclus), le nombre d'articles entreposés Q en fonction du nombre de jours x (en partant du « jour 0 ») est défini par :

$$Q(x) = \begin{cases} -25x + 100 & \text{si } 0 \leq x < 4 \\ -25x + 200 & \text{si } 4 \leq x < 8 \\ -25x + 300 & \text{si } 8 \leq x < 12 \\ -25x + 400 & \text{si } 12 \leq x < 16 \end{cases}$$

À partir du graphique de la fonction Q, on va observer ce qui se passe lorsque la variable x s'approche de 4. Dans un premier temps, que signifie l'expression x s'approche de 4 ? Si une voiture peut s'approcher de Rome selon plusieurs trajets (tous les chemins mènent à Rome!), il n'y a que deux trajets possibles pour s'approcher d'un nombre dans l'ensemble $\mathbb{R}$ des réels. On peut s'approcher de 4 par des valeurs plus grandes que 4 ou par des valeurs plus petites que 4.

Quand la variable x s'approche de **4 par la droite** (quand x prend, par exemple, les valeurs successives de 4,5, 4,1, 4,01, 4,001, 4,000 1, 4,000 01, ...), on écrit que $x \to 4^+$. La flèche $\to$ suggère que x s'approche de la valeur 4 et le signe + suggère que cette approche s'effectue par le biais de valeurs plus grandes que 4.

Quand la variable x s'approche de **4 par la gauche** (quand x prend, par exemple, les valeurs successives de 3,1, 3,9, 3,99, 3,999, 3,999 5, 3,999 99, ...), on écrit que $x \to 4^-$. Dans ce cas-ci, le signe – suggère que l'approche s'effectue par le biais de valeurs plus petites que 4.

Revenons au graphique précédent et observons ce qui se passe avec la quantité de biens entreposés Q lorsque la variable x s'approche de 4 par la gauche. Lorsque x prend les valeurs successives de 3,1, 3,9, 3,99, 3,999, ... ($x \to 4^-$), on constate que la valeur de $Q(x)$ diminue pour s'approcher de plus en plus de 0, et le stock est sur le point de s'épuiser. Si, lorsque $x \to 4^-$, la quantité $Q(x)$ s'approche de plus en plus de 0, on écrit :

$$\lim_{x\to 4^-} Q(x) = 0$$

On parle alors de la limite à gauche de 4.

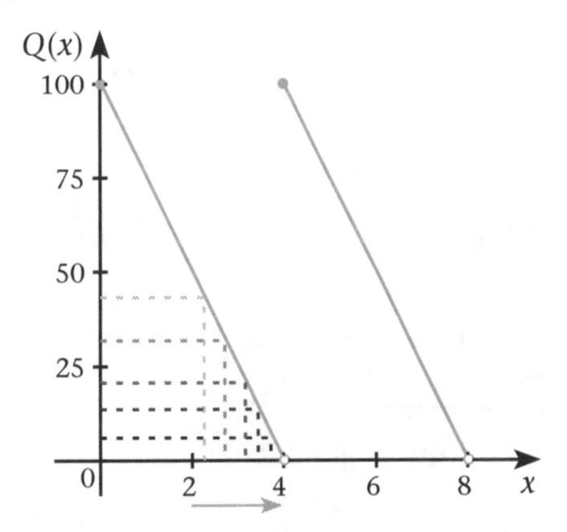

Observons maintenant ce qui se passe avec la variable Q lorsque la variable x s'approche de 4 par la droite. Lorsque x prend les valeurs successives de 4,5, 4,1, 4,01, 4,001, 4,000 1, ... ($x \to 4^+$), on constate que la valeur de $Q(x)$ augmente pour s'approcher de plus en plus de 100. En fait, lorsque $x \to 4^+$, on recule dans le temps et on s'approche du moment où une nouvelle livraison de biens a été faite. Si, lorsque $x \to 4^+$, la quantité $Q(t)$ s'approche de plus en plus de 100, on écrit :

$$\lim_{x\to 4^+} Q(x) = 100$$

On parle alors de la limite à droite de 4.

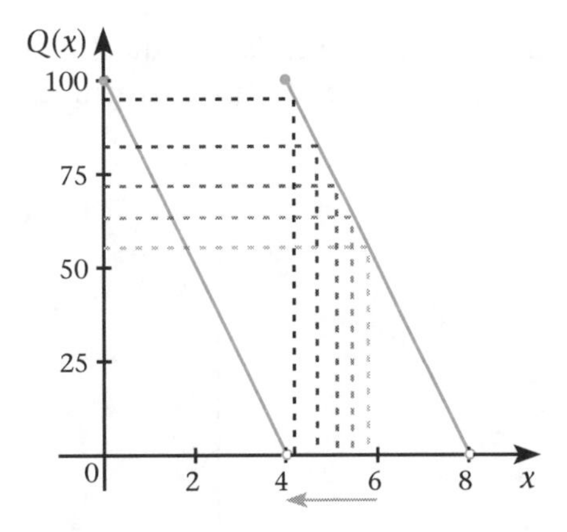

Attention !

Dans ce qui précède, on a observé ce qui se passe lorsque x s'approche de 4 (soit par la gauche, soit par la droite). On n'a pas vu ce qui se passe quand x vaut précisément 4. Il est donc important de bien faire la distinction entre :

$$Q(4) = 100, \lim_{x\to 4^-} Q(x) = 0 \text{ et } \lim_{x\to 4^+} Q(x) = 100.$$

Même si $Q(4)$ et $\lim_{x \to 4^+} Q(x)$ sont ici toutes les deux égales à 100, ces deux entités sont différentes et ne représentent donc pas la même réalité. Pour faire une comparaison « poétique » (douteuse, diront peut-être certains ou certaines!), c'est comme si on avait à décrire ce qui se passe lorsqu'on approche ses lèvres de celles de l'être aimé, mais pas ce qui se produit lors du contact des lèvres.

Définitions intuitives d'une limite à gauche et d'une limite à droite

Si une fonction f exprimée par $f(x)$ est telle que :

- f est définie pour des valeurs de x très près de a et plus petites que a (mais pas nécessairement en a) et
- si, à mesure que x s'approche de a par la gauche, les valeurs calculées de $f(x)$ s'approchent de plus en plus de la valeur G,

alors on dit que G est **la limite à gauche de f quand x s'approche de a** et on écrit $\lim_{x \to a^-} f(x) = G$.

Si une fonction f exprimée par $f(x)$ est telle que :

- f est définie pour des valeurs de x très près de a et plus grandes que a (mais pas nécessairement en a) et
- si, à mesure que x s'approche de a par la droite, les valeurs calculées de $f(x)$ s'approchent de plus en plus de la valeur D,

alors on dit que D est **la limite à droite de f quand x s'approche de a** et on écrit $\lim_{x \to a^+} f(x) = D$.

S'il est question de définitions intuitives dans ce qui précède, c'est qu'on utilise des expressions du type « x s'approche de a » sans donner de sens mathématique au verbe approcher.

Exemple 1

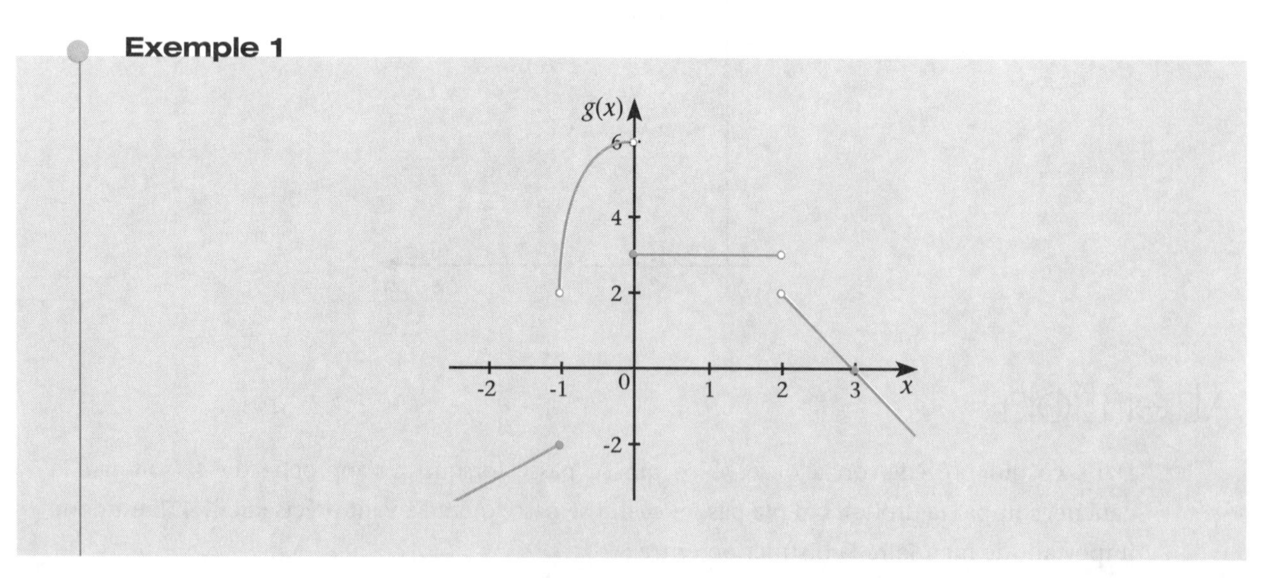

À l'aide du graphique associé à la fonction g, évaluez les diverses quantités demandées.

a) $\lim_{x \to -1^-} g(x)$ On a $\lim_{x \to -1^-} g(x) = -2$.

b) $\lim_{x \to -1^+} g(x)$ On a $\lim_{x \to -1^+} g(x) = 2$.

c) $g(-1)$ On a $g(-1) = -2$.

d) $\lim_{x \to 0^-} g(x)$ On a $\lim_{x \to 0^-} g(x) = 6$.

e) $\lim_{x \to 0^+} g(x)$ On a $\lim_{x \to 0^+} g(x) = 3$.

f) $g(0)$ On a $g(0) = 3$.

g) $\lim_{x \to 1^-} g(x)$ On a $\lim_{x \to 1^-} g(x) = 3$.

h) $\lim_{x \to 2^-} g(x)$ On a $\lim_{x \to 2^-} g(x) = 3$.

i) $\lim_{x \to 2^+} g(x)$ On a $\lim_{x \to 2^+} g(x) = 2$.

j) $g(2)$ g(2) n'est pas définie.

k) $\lim_{x \to 3^-} g(x)$ On a $\lim_{x \to 3^-} g(x) = 0$.

Attention !

Dans l'exemple 1, l'expression $x \to -1^-$ n'est en rien équivalente à l'expression $x \to +1^+$. Dans $x \to -1^-$:

- le signe - qui se trouve devant le nombre 1 indique que la variable x prend des valeurs de plus en plus proches du **nombre négatif -1** ;
- le signe - qui se trouve en haut à droite du nombre -1 signifie simplement que la variable x prend des valeurs **plus petites que -1**.

Évaluation numérique des limites à gauche et à droite

La situation initiale concernant le stockage de biens en fonction du temps qui s'écoule a été présentée sous forme graphique, ce qui nous a permis d'introduire les concepts de limite à gauche et de limite à droite. Reprenons la définition algébrique de la fonction $Q(x)$, en se limitant à l'intervalle où x se trouve entre 0 et 8. On a

$$Q(x) = \begin{cases} -25x + 100 \text{ si } 0 \leq x < 4 \\ -25x + 200 \text{ si } 4 \leq x < 8 \end{cases}$$

Comment peut-on, avec la forme algébrique, évaluer la limite à gauche $\lim_{x \to 4^-} Q(x)$ et la limite à droite $\lim_{x \to 4^+} Q(x)$? On peut évaluer ces limites de façon numérique. Si x s'approche de 4 par des valeurs plus petites que 4, on a alors $Q(x) = -25x + 100$ et on obtient :

À lire de gauche à droite

x	3,9	3,95	3,99	3,999	3,999 9	3,999 99	$\to 4^-$
$Q(x)$	2,5	1,25	0,25	0,025	0,002 5	0,000 25	

Les valeurs de $Q(x)$ s'approchent de plus en plus de 0 lorsque $x \to 4^-$. On écrit alors $\lim_{x \to 4^-} Q(x) = 0$.

Si x s'approche de 4 par des valeurs plus grandes que 4, on a alors $Q(x) = -25x + 200$ et on obtient :

À lire de droite à gauche

$4^+ \leftarrow$	4,000 01	4,000 1	4,001	4,01	4,05	4,1	x
	99,999 75	99,997 5	99,975	99,75	98,75	97,5	$Q(x)$

Les valeurs de $Q(x)$ s'approchent de plus en plus de 100 lorsque $x \to 4^+$. On écrit alors $\lim\limits_{x \to 4^+} Q(x) = 100$.

Exemple 2

Une agence de sécurité a constaté, à l'aide d'une énorme banque de données, qu'elle pouvait évaluer les frais de déplacement pour transporter n onces d'or grâce à la fonction $F(n) = \dfrac{n^2 + 200n - 30\,000}{n - 100}$ \$. On constate que Dom $F = \mathbb{R} \setminus \{100\}$ et il n'est pas possible de calculer $F(100)$. Évaluez de quelle quantité s'approchent les valeurs calculées de $F(n)$, quand n s'approche de 100 par des valeurs plus petites que 100 et quand n s'approche de 100 par des valeurs plus grandes que 100.

Étudions le comportement de la fonction $F(n)$ lorsque $n \to 100^-$.

À lire de gauche à droite

n	99,1	99,9	99,99	99,999	99,999 9	99,999 99	$\to 100^-$
$F(n)$	399,1	399,9	399,99	399,999	399,999 9	399,999 99	

On a donc $\lim\limits_{n \to 100^-} F(n) = 400$.

Étudions maintenant le comportement de la fonction $F(n)$ lorsque $n \to 100^+$.

À lire de droite à gauche

$100^+ \leftarrow$	100,000 01	100,000 1	100,001	100,01	100,1	100,5	n
	400,000 01	400,000 1	400,001	400,01	400,1	400,5	$F(n)$

On a donc $\lim\limits_{n \to 100^+} F(n) = 400$.

Attention !

1) Dans l'exemple précédent, il est important de comprendre que les résultats obtenus numériquement sont des estimations des limites demandées. Pourquoi la réponse fournie pour $\lim\limits_{n \to 100^+} F(n)$, par exemple, ne pourrait-elle pas être 400,000 000 000 098 5 ? Ou une valeur inférieure à 400, telle que 399,999 87 ?

2) Le fait de calculer la fonction $F(n)$ pour plusieurs valeurs de n, pour le calcul de $\lim_{n \to 100^+} F(n)$, permet d'observer une «tendance à la décroissance». Il n'est pas suffisant, par exemple, de simplement calculer $F(100{,}001) = 400{,}001$ et de conclure automatiquement que $\lim_{n \to 100^+} F(n) = 400$.

Exemple 3

Évaluez numériquement $\lim_{x \to 2^+} \dfrac{3 + \sqrt{7 + x}}{\sqrt{x - 2} + 1}$.

Étudions le comportement de la fonction $f(x) = \dfrac{3 + \sqrt{7 + x}}{\sqrt{x - 2} + 1}$ lorsque $x \to 2^+$.

À lire de droite à gauche

$2^+ \leftarrow$	2,000 000 1	2,000 001	2,000 01	2,000 1	2,001	2,01	x
	5,998 103 2	5,994 000 62	5,981 087 8	5,940 610 6	5,816 241	5,456 060 2	$f(x)$

On semble pouvoir conclure que $\lim_{x \to 2^+} \dfrac{3 + \sqrt{7 + x}}{\sqrt{x - 2} + 1} = 6$.

Dans l'exemple précédent, il n'aurait pas été possible d'évaluer $\lim_{x \to 2^-} \dfrac{3 + \sqrt{7 + x}}{\sqrt{x - 2} + 1}$, car la fonction $f(x) = \dfrac{3 + \sqrt{7 + x}}{\sqrt{x - 2} + 1}$ n'est pas définie pour des valeurs de x inférieures à 2.

Exercices

1. À l'aide du graphique associé à la fonction f, évaluez (si elles existent) les quantités suivantes :

a) $\lim_{x \to -3^-} f(x)$ **d)** $\lim_{x \to -2^-} f(x)$ **g)** $\lim_{x \to -1^-} f(x)$ **j)** $\lim_{x \to 0^-} f(x)$ **m)** $\lim_{x \to 1^-} f(x)$

b) $f(-3)$ **e)** $f(-2)$ **h)** $f(-1)$ **k)** $f(0)$ **n)** $f(1)$

c) $\lim_{x \to -3^+} f(x)$ **f)** $\lim_{x \to -2^+} f(x)$ **i)** $\lim_{x \to -1^+} f(x)$ **l)** $\lim_{x \to 0^+} f(x)$ **o)** $\lim_{x \to 1^+} f(x)$

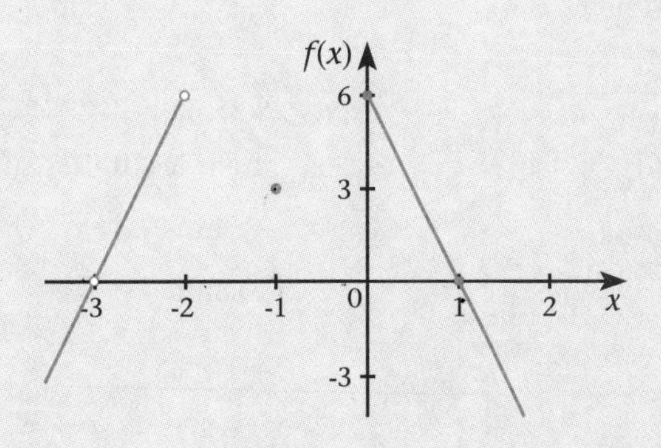

2. Écrivez les phrases suivantes en utilisant la notation des limites.

a) Plus les valeurs données à t sont voisines de 5 par la gauche, plus les valeurs calculées pour $g(t)$ sont aussi près qu'on le veut de 18.

b) Plus les valeurs données à z sont voisines de -2 par la droite, plus les valeurs calculées pour $h(z)$ sont aussi près qu'on le veut de -19,7.

3. Décrivez les situations suivantes en utilisant la notation des limites.

a)

t	$g(t)$
3,9	16,1
3,99	16,01
3,999	16,001
3,999 9	16,000 1
3,999 99	16,000 01
......	......

b)

x	$h(x)$
16,1	3,9
16,01	3,99
16,001	3,999
16,000 1	3,999 9
16,000 01	3,999 99
......	......

c)

z	$k(z)$
-1,1	-5,49
-1,01	-5,499
-1,001	-5,499 9
-1,000 1	-5,499 99
-1,000 01	-5,499 999
......	......

d)

x	$m(x)$
-0,589	-0,1
-0,589 9	-0,01
-0,589 99	-0,001
-0,589 999	-0,000 1
-0,589 999 9	-0,000 01
......	......

4. À l'aide du graphique ci-dessous, évaluez (si possible) les valeurs suivantes :

a) $g(-1)$

b) $\lim_{t \to -1^-} g(t)$

c) $\lim_{t \to -1^+} g(t)$

d) $g(0)$

e) $\lim_{t \to 0^-} g(t)$

f) $\lim_{t \to 0^+} g(t)$

g) $g(1{,}5)$

h) $\lim_{t \to 1{,}5^-} g(t)$

i) $\lim_{t \to 1{,}5^+} g(t)$

j) $g(3)$

k) $\lim_{t \to 3^-} g(t)$

l) $\lim_{t \to 3^+} g(t)$

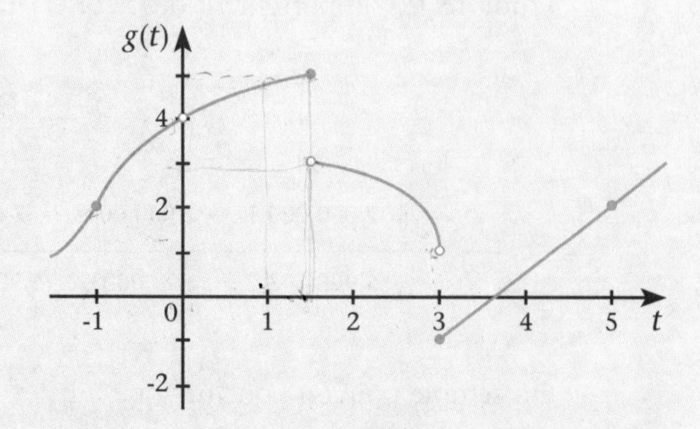

5. Évaluez numériquement $\lim_{x \to a^+} f(x)$ et $\lim_{x \to a^-} f(x)$ pour les fonctions suivantes, pour la valeur de a donnée :

a) $f(x) = 4x + 2$ en $a = 5$

b) $f(x) = \dfrac{x}{|x|}$ en $a = 0$

c) $f(x) = \dfrac{x^2 - 25}{x + 5}$ en $a = -5$

d) $f(x) = \dfrac{x - 9}{\sqrt{x} - 3}$ en $a = 9$

6. Évaluez numériquement $\lim_{t \to 2^+} g(t)$ et $\lim_{t \to 2^-} g(t)$, lorsque $g(t) = \begin{cases} t^3 - t + 1 & \text{si } t < 2 \\ t^2 & \text{si } t > 2 \end{cases}$

7. Soit $h(z) = \dfrac{z(z - 4)}{z^3 - 5z^2 + 4z}$. Évaluez numériquement les limites suivantes :

a) $\lim_{x \to 0^-} f(x)$

b) $\lim_{x \to 0^+} f(x)$

c) $\lim_{x \to 4^-} f(x)$

d) $\lim_{x \to 4^+} f(x)$

SECTION 2.2 Existence d'une limite en un point

Dans l'exemple 2 précédent, on a travaillé avec la fonction $F(n) = \frac{n^2 + 200n - 30\ 000}{n - 100}$ qui représente les frais de transport (en dollars) que doit assumer une agence de sécurité pour n onces d'or.

Puisque Dom $F = \mathbb{R} \setminus \{100\}$ et qu'il n'est pas possible de calculer $F(100)$,

on a trouvé numériquement $\lim\limits_{n \to 100^-} F(n) = 400$ et $\lim\limits_{n \to 100^+} F(n) = 400$.

Il est donc adéquat de fixer à 400 \$ les frais de transport pour 100 onces d'or. On peut dire plus simplement que lorsque n s'approche de 100 (que ce soit par la gauche ou par la droite), les valeurs calculées de $F(n)$ tendent à s'approcher de 400. On peut écrire alors $\lim\limits_{n \to 100} F(n) = 400$ \$.

Définition intuitive d'une limite

Si une fonction f exprimée par $f(x)$ est telle que :

- f est définie pour des valeurs de x très près de a (mais pas nécessairement en a) et
- si la limite $\lim\limits_{x \to a^-} f(x)$ existe et vaut L et
- si la limite $\lim\limits_{x \to a^+} f(x)$ existe et vaut L également,

alors on dit que L est **la limite de f quand x s'approche de a** et on écrit $\lim\limits_{x \to a} f(x) = L$.

Attention !

Si a est dans Dom f, le fait d'écrire que $\lim\limits_{x \to a} f(x) = L$ ne veut pas dire que $f(a) = L$.

Exemple 4

À l'aide du graphique associé à la fonction g, évaluez (si elles existent) les diverses limites suivantes :

a) $\lim\limits_{x \to -1} g(x)$

Puisque $\lim\limits_{x \to -1^-} g(x) = -2$ et $\lim\limits_{x \to -1^+} g(x) = 2$, la limite à gauche est différente de la limite à droite et donc $\lim\limits_{x \to -1} g(x)$ n'existe pas. (On peut noter que $g(-1) = -2$.)

b) $\lim\limits_{x \to 2} g(x)$

Puisque $\lim\limits_{x \to 2^-} g(x) = 3$ et $\lim\limits_{x \to 2^+} g(x) = 2$, la limite à gauche est différente de la limite à droite et donc $\lim\limits_{x \to -1} g(x)$ n'existe pas. (On peut remarquer que $g(2)$ n'est pas définie.)

c) $\lim\limits_{x \to 3} g(x)$

Puisque $\lim\limits_{x \to 3^-} g(x) = 0$ et $\lim\limits_{x \to 3^+} g(x) = 0$, la limite à gauche existe, la limite à droite existe et ces deux limites sont égales à 0. Par conséquent, $\lim\limits_{x \to 3} g(x) = 0$. (On peut noter toutefois que $g(3)$ n'est pas définie.)

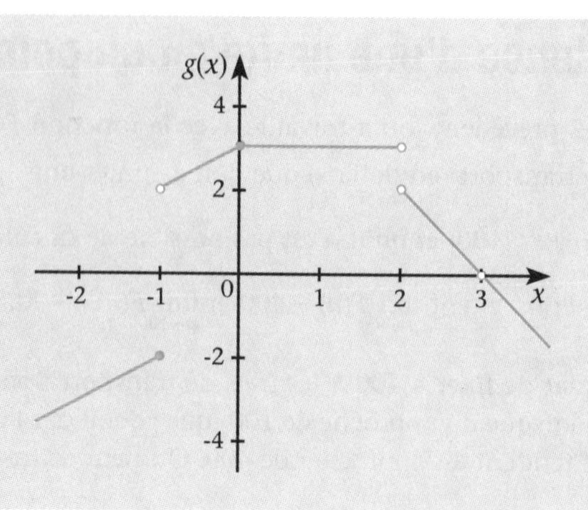

Exemple 5

Évaluez numériquement (si elle existe) la limite $\lim_{h \to 0} \frac{(1+h)^2 - 1}{h}$.

Soit la fonction $g(h) = \frac{(1+h)^2 - 1}{h}$.

On peut noter que $g(0)$ n'est pas définie.

Étudions d'abord le comportement de la fonction g lorsque $h \to 0^-$. On obtient :

À lire de gauche à droite

h	-0,1	-0,01	-0,001	-0,000 1	-0,000 01	$\to 0^-$
$g(h)$	1,9	1,99	1,999	1,999 9	1,999 99	

On constate que $\lim_{h \to 0^-} g(h) = 2$.

Étudions maintenant le comportement de la fonction g lorsque $h \to 0^+$.

À lire de droite à gauche

$0^+ \leftarrow$	0,000 01	0,000 1	0,001	0,01	0,1	h
	2,000 01	2,000 1	2,001	2,01	2,1	$g(h)$

On a $\lim_{h \to 0^+} g(h) = 2$. Puisque la limite à gauche égale la limite à droite, $\lim_{h \to 0} \frac{(1+h)^2 - 1}{h} = 2$.

Exercices

1. Évaluez numériquement (si elle existe) la limite $\lim_{t \to -3} f(t)$ si $f(t) = \begin{cases} 3t + 8{,}6 & \text{si } t < -3 \\ t^2 + t - 6{,}5 & \text{si } t > -3 \end{cases}$

2. Écrivez les phrases suivantes en utilisant la notation des limites.

a) Plus les valeurs données à x sont voisines de 13, plus les valeurs calculées pour $g(x)$ sont aussi près qu'on le veut de -10.

b) Plus les valeurs données à t sont voisines de -0,4, plus les valeurs calculées pour $h(t)$ sont aussi près qu'on le veut de -0,6.

3. On a une fonction g telle que $\lim_{t\to 1} g(t) = -5$. Les informations suivantes sont-elles vraies ?

a) Si $g(t)$ s'approche de plus en plus de 1, alors les valeurs de t ont nécessairement tendance à être près de -5.

b) Si les valeurs calculées de $g(t)$ sont près de -5, alors t est nécessairement près de 1.

c) Si $t = 1$, alors on a nécessairement $g(t) = -5$.

d) Plus t est dans un voisinage de 1, plus la valeur calculée de $g(t)$ peut être aussi près qu'on le souhaite de -5.

e) Si t = 1, alors les valeurs calculées de $g(t)$ peuvent être aussi près qu'on le veut de -5.

f) Si t s'approche de 1 par la gauche ou par la droite, les valeurs calculées de $g(t)$ s'approchent nécessairement d'une même valeur.

4. À l'aide du graphique associé à la fonction g, évaluez (si elles existent) les diverses limites suivantes. Si la limite n'existe pas, expliquez pourquoi.

a) $\lim_{t\to -20} g(t)$

b) $\lim_{t\to -10} g(t)$

c) $\lim_{t\to 0} g(t)$

d) $\lim_{t\to 10} g(t)$

e) $\lim_{t\to 20} g(t)$

f) $\lim_{t\to 30} g(t)$

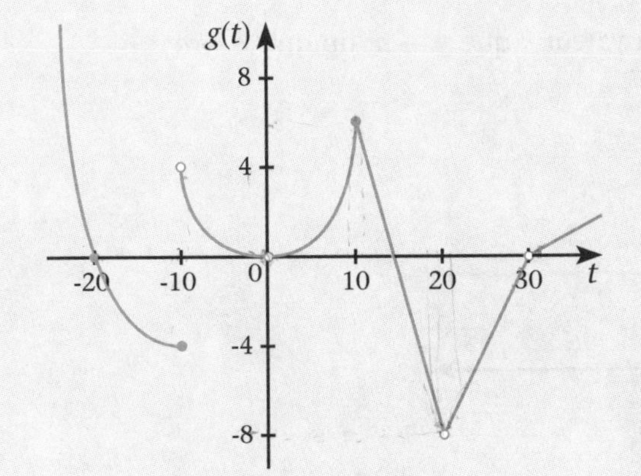

5. Évaluez numériquement les limites demandées, si elles existent :

a) $\lim_{x\to 0} (5x - 4)$

b) $\lim_{t\to 1} (3t^2 - 6t + 2)$

c) $\lim_{m\to 2} (m^2 - 4m)$

d) $\lim_{a\to -4} \sqrt{a^2 + 9}$

e) $\lim_{b\to 6} \dfrac{b + 4}{b - 2}$

f) $\lim_{y\to -1} |y^2 - 10y|$

6. Évaluez numériquement la limite lorsque la variable indépendante s'approche de plus en plus de la valeur de a donnée.

a) En $a = -4$, si $f(x) = \begin{cases} x^3 & \text{si } x < -4 \\ -x^2 - 48 & \text{si } x > -4 \end{cases}$

b) En $a = 3$, si $g(t) = \begin{cases} t & \text{si } t < 3 \\ 3 & \text{si } t = 3 \\ 5 & \text{si } t > 3 \end{cases}$

c) En $a = 0$, si $k(z) = \begin{cases} z^2 + 5 & \text{si } z < 0 \\ 5 - 6z & \text{si } z \geq 0 \end{cases}$

d) En $a = 12$, si $m(w) = \begin{cases} 1 - w & \text{si } w \neq 12 \\ w - 20 & \text{si } w = 12 \end{cases}$

e) En $a = 4$, si $d(f) = \begin{cases} f^5 - 1 & \text{si } f < 4 \\ f + \frac{1}{3} & \text{si } f > 4 \end{cases}$

f) En $a = 16$, si $C(q) = \begin{cases} \sqrt{q} & \text{si } 2 < q \leq 16 \\ \frac{q}{2} - 4 & \text{si } q > 16 \end{cases}$

7. Évaluez numériquement les limites suivantes, si elles existent :

a) $\lim_{a\to 0} \dfrac{(7 - a)^2 - 49}{a}$

b) $\lim_{q\to 0} \dfrac{81 - (3 + q)^4}{q}$

c) $\lim_{x\to 3} \sqrt{\dfrac{x^2 - 21}{x^3 - 30}}$

8. À l'aide de la calculatrice à affichage graphique, tracez le graphe des fonctions suivantes, évaluez numériquement les limites à gauche et à droite pour la valeur de a donnée et déduisez, si possible, $\lim_{x\to a} f(x)$.

a) $f(x) = \dfrac{2x + 4}{2 + x}$ et $a = -2$

b) $f(x) = \dfrac{x^2 - 1}{x + 1}$ et $a = -1$

c) $f(x) = \dfrac{x^2 - 3x + 2}{x - 2}$ et $a = 2$

d) $f(x) = \dfrac{x^2 + x^4}{x}$ et $a = 0$

e) $f(x) = \dfrac{(3 + x)^2 - 3^2}{x}$ et $a = 0$

f) $f(x) = \dfrac{x^2 - 16}{\sqrt{x} - 2}$ et $a = 4$

SECTION 2.3 Règles de calcul algébrique des limites et calcul de limites

Les fondements du calcul différentiel, dont nous présenterons les aspects importants tout au long de cet ouvrage, reposent sur le concept de limite. Or, il existe un certain nombre de règles dont traitera cette section qui permettent de faciliter le calcul algébrique de limites. Toutes les limites trouvées à partir d'un graphique demeureront des estimations.

Pour comprendre un peu la nature de ces règles, évaluons intuitivement la limite $\lim_{x \to 5} (7 + x)$. Qu'arrive-t-il à l'expression $7 + x$ lorsque x s'approche de 5, que ce soit par la droite ou par la gauche ?

Lorsque <u>x est tout près de 5</u>, on peut croire que $7 + x$ sera proche de $7 + 5 = 12$.

On serait donc facilement tenté d'écrire que $\lim_{x \to 5} (7 + x) = 12$.

Si on vérifie, à l'aide d'une évaluation semblable à celle qui a été effectuée dans les sections précédentes, en travaillant avec la fonction $f(x) = 7 + x$, on a :

À lire de gauche à droite

x	4,9	4,99	4,999	4,999 9	4,999 99	$\to 5^-$
$f(x)$	11,9	11,99	11,999	11,999 9	11,999 99	

À lire de droite à gauche

$5^+ \leftarrow$	5,000 01	5,000 1	5,001	5,01	5,1	x
	12,000 01	12,000 1	12,001	12,01	12,1	$f(x)$

Ces calculs confirment le résultat $\lim_{x \to 5} (7 + x) = 12$.

Présentons maintenant les règles de calcul mentionnées précédemment.

Règle R1 Si a et k sont deux nombres réels, alors $\lim_{x \to a} k = k$.

La fonction constante $f(x) = k$ conserve toujours la valeur k que $x \to a^-$ ou que $x \to a^+$.

Ainsi, $\lim_{x \to a^-} k = k$, $\lim_{x \to a^+} k = k$, et donc $\lim_{x \to a} k = k$.

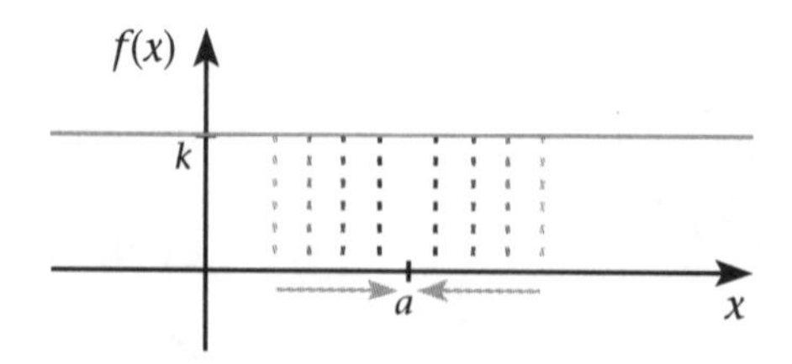

Règle R2 Si a est un nombre réel, alors $\lim_{x \to a^-} x = a$.

Quand $x \to a^-$, la fonction affine $f(x) = x$ prend des valeurs qui augmentent et s'approchent de plus en plus de a. On a donc $\lim_{x \to a^-} x = a$.

Quand $x \to a^+$, la fonction $f(x) = x$ prend des valeurs qui diminuent et s'approchent de plus en plus de a. On a $\lim_{x \to a^+} x = a$.

Par conséquent, $\lim_{x \to a} x = a$.

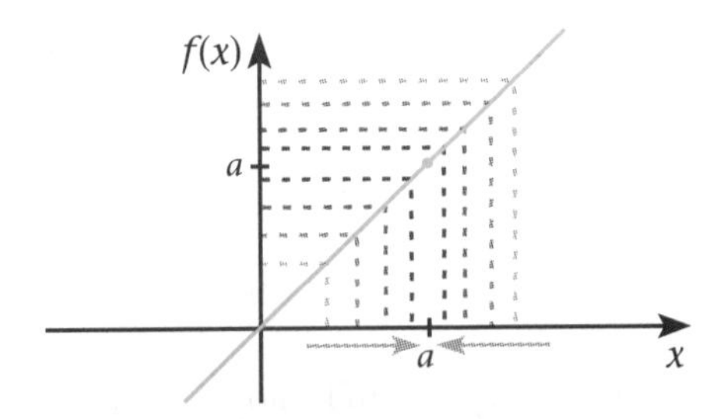

Règle R3 Si a et k sont deux nombres réels et si f est une fonction telle que $\lim_{x \to a} f(x) = M$, alors $\lim_{x \to a} kf(x) = k\left(\lim_{x \to a} f(x)\right) = kM$.

Puisque $\lim_{x \to a} f(x) = M$, lorsque x s'approche de a par des valeurs plus petites ou plus grandes que a, f prend des valeurs qui s'approchent de plus en plus de M.

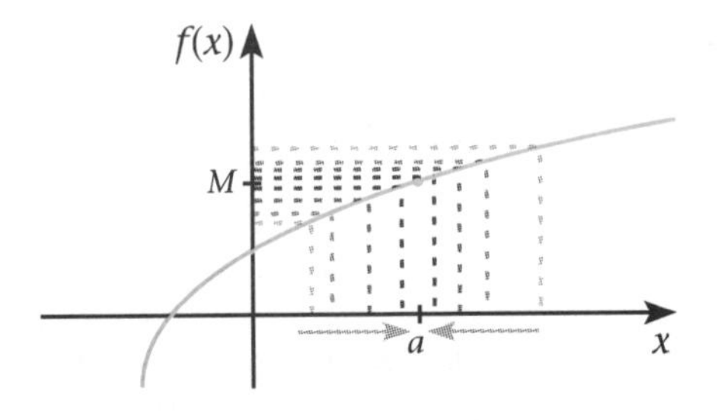

Fonction f

Quand la fonction f est multipliée par un nombre k positif (le principe est le même si le nombre k est négatif), lorsque $x \to a^-$, la fonction kf prend des valeurs qui s'approchent de plus en plus de kM, c'est-à-dire $\lim_{x \to a^-} kf(x) = kM$.

De même, lorsque $x \to a^+$, la fonction kf prend des valeurs qui s'approchent également de kM,

c'est-à-dire $\lim_{x \to a^+} kf(x) = kM$.

Par conséquent, $\lim_{x \to a^-} kf(x) = kM = k\left(\lim_{x \to a} f(x)\right)$.

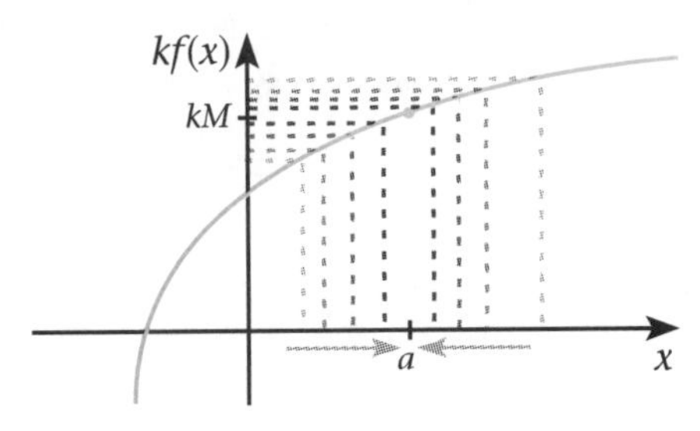

Fonction kf (situation où k est un nombre positif supérieur à 1)

Exemple 6

À l'aide des règles de calcul présentées jusqu'ici, trouvez les limites suivantes :

a) $\lim_{t \to 23} -32$

Quand t s'approche de 23, la fonction constante $f(t) = -32$ conserve toujours la même valeur et, selon la règle R1, $\lim_{t \to 23} -32 = -32$.

b) $\lim_{z \to -4} -5z$

On a $\lim_{z \to -4} -5z = -5\left(\lim_{z \to -4} z\right)$ (selon la règle R3)

$= -5(-4)$ (selon la règle R2)

$= 20$

Dans cette section du chapitre, on prendra l'habitude de justifier l'utilisation de chacune des règles choisies. D'une façon générale, dans toute démarche scientifique, chaque choix doit être fondé.

Si a est un nombre réel et si f et g sont deux fonctions telles que $\lim_{x \to a} f(x) = M$ et $\lim_{x \to a} g(x) = N$, alors

Règle R4 $\lim_{x \to a} [f(x) + g(x)] = \lim_{x \to a} f(x) + \lim_{x \to a} g(x) = M + N$

Règle R5 $\lim_{x \to a} [f(x) - g(x)] = \lim_{x \to a} f(x) - \lim_{x \to a} g(x) = M - N$

Règle R6 $\lim_{x \to a} [f(x) \times g(x)] = \lim_{x \to a} f(x) \cdot \lim_{x \to a} g(x) = MN$

Exemple 7

À l'aide des règles de calcul présentées jusqu'ici, trouvez les limites suivantes :

a) $\lim_{k \to -3} (k + 12)$

On a $\lim_{k \to -3} (k + 12) = \lim_{k \to -3} k + \lim_{k \to -3} 12$ (selon la règle R4)

$= -3 + 12$ (selon les règles R2 et R1)

$= 9$

b) $\lim_{t \to -0,5} (8t - 5)$

On a $\lim_{t \to -0,5} (8t - 5) = \lim_{t \to -0,5} 8t - \lim_{t \to -0,5} 5$ (selon la règle R5)

$= 8\left(\lim_{t \to -0,5} t\right) - 5$ (selon les règles R3 et R1)

$= 8(-0,5) - 5$ (selon la règle R2)

$= -4 - 5 = -9$

c) $\lim_{x \to -2} x^2$

$$\text{On a } \lim_{x \to -2} x^2 = \lim_{x \to -2} (x \cdot x)$$
$$= \lim_{x \to -2} x \cdot \lim_{x \to -2} x \quad \text{(selon la règle R6)}$$
$$= -2 \cdot -2 \quad \text{(selon la règle R2)}$$
$$= (-2)^2 = 4$$

Les règles R4, R5 et R6 s'appliquent également lorsque le nombre de fonctions concernées est supérieur à deux. Par exemple, on a

$$\lim_{x \to a} [f(x) + g(x) + h(x) + k(x)] = \lim_{x \to a} f(x) + \lim_{x \to a} g(x) + \lim_{x \to a} h(x) + \lim_{x \to a} k(x)$$

$$\lim_{x \to a} [f(x) - g(x) - k(x)] = \lim_{x \to a} f(x) - \lim_{x \to a} g(x) - \lim_{x \to a} k(x)$$

$$\lim_{x \to a} [f(x) \times g(x) \times h(x)] = \left(\lim_{x \to a} f(x)\right) \cdot \left(\lim_{x \to a} g(x)\right) \cdot \left(\lim_{x \to a} h(x)\right)$$

Exemple 8

À l'aide des règles de calcul présentées jusqu'ici, trouvez la limite $\lim_{t \to -3} t^4$.

$$\text{On a } \lim_{t \to -3} t^4 = \lim_{t \to -3} (t \cdot t \cdot t \cdot t)$$
$$= \left(\lim_{t \to -3} t\right) \cdot \left(\lim_{t \to -3} t\right) \cdot \left(\lim_{t \to -3} t\right) \cdot \left(\lim_{t \to -3} t\right) \quad \text{(selon la règle R6 généralisée)}$$
$$= -3 \cdot -3 \cdot -3 \cdot -3 \quad \text{(selon la règle R2)}$$
$$= (-3)^4 = 81$$

L'exemple précédent suggère qu'on peut déduire de la règle R2 et de la généralisation de la règle R6 la règle suivante :

Règle R7 Si a est un nombre réel et n est un entier positif, alors $\lim_{x \to a} x^n = a^n$.

Exemple 9

À l'aide des règles de calcul présentées jusqu'ici, trouvez la limite $\lim_{x \to -3} (5x^7 + 2x^2 - 13)$.

$$\text{On a } \lim_{x \to -3} (5x^7 + 2x^2 - 13) = \lim_{x \to -3} 5x^7 + \lim_{x \to -3} 2x^2 - \lim_{x \to -3} 13 \quad \text{(selon les règles R4 et R5)}$$
$$= 5\left(\lim_{x \to -3} x^7\right) + 2\left(\lim_{x \to -3} x^2\right) - 13 \quad \text{(selon les règles R3 et R1)}$$
$$= 5(-3)^7 + 2(-3)^2 - 13 \quad \text{(selon la règle R7)}$$
$$= -10\,935 + 18 - 13 = -10\,930$$

L'exemple 9 suggère une règle additionnelle concernant les polynômes en général. En fait, on peut déduire de la règle R7 et des règles déjà établies la règle suivante :

Règle R8 Si a est un nombre réel et $p(x)$ est une fonction polynomiale, alors $\lim\limits_{x \to a} p(x) = p(a)$.

Si on reprend la dernière limite évaluée dans l'exemple précédent, puisqu'on travaille avec le polynôme $p(x) = 5x^7 + 2x^2 - 13$, la règle R8 permet de calculer directement

$$\begin{aligned}\lim_{x \to -3} (5x^7 + 2x^2 - 13) &= 5(-3)^7 + 2(-3)^2 - 13 \quad \text{(selon la règle R8)}\\ &= -10\,935 + 18 - 13 = -10\,930.\end{aligned}$$

Exemple 10

À l'aide des règles de calcul présentées jusqu'ici, trouvez la limite $\lim\limits_{t \to 1} (9t^4 + 7t^3 - t + 21)$.

On a
$$\begin{aligned}\lim_{t \to 1} (9t^4 + 7t^3 - t + 21) &= 9(1)^4 + 7(1)^3 - 1 + 21 \quad \text{(selon la règle R8)}\\ &= 9 + 7 - 1 + 21 = 36\end{aligned}$$

Règle R9 Si a est un nombre réel et si f et g sont deux fonctions telles que

$\lim\limits_{x \to a} f(x) = M$ et $\lim\limits_{x \to a} g(x) = N$, alors

$$\lim_{x \to a} \left(\frac{f(x)}{g(x)}\right) = \frac{\lim\limits_{x \to a} f(x)}{\lim\limits_{x \to a} g(x)} = \frac{M}{N},$$ à condition que $\lim\limits_{x \to a} g(x) = N \neq 0$.

Exemple 11

À l'aide des règles de calcul présentées jusqu'ici, trouvez (si elles existent) les limites suivantes :

a) $\lim\limits_{t \to 4} \dfrac{t^2 - 5t + 3}{t + 1}$

On a
$$\begin{aligned}\lim_{t \to 4} \frac{t^2 - 5t + 3}{t + 1} &= \frac{\lim\limits_{t \to 4} (t^2 - 5t + 3)}{\lim\limits_{t \to 4} (t + 1)} \quad \text{(selon la règle R9, \textbf{si} } \lim_{t \to 4} (t + 1) \neq 0)\\ &= \frac{4^2 - 5 \cdot 4 + 3}{4 + 1} \quad \text{(selon la règle R8)}\\ &= \frac{16 - 20 + 3}{5} = \frac{-1}{5}\end{aligned}$$

b) $\lim\limits_{v \to 2} \dfrac{v^2 - 12v}{v^2 - 4}$

On a
$$\begin{aligned}\lim_{v \to 2} \frac{v^2 - 12v}{v^2 - 4} &= \frac{\lim\limits_{v \to 2} (v^2 - 12v)}{\lim\limits_{v \to 2} (v^2 - 4)} \quad \text{(selon la règle R9, \textbf{si} } \lim_{v \to 2} (v^2 - 4) \neq 0)\\ &= \frac{2^2 - 12 \cdot 2}{2^2 - 4} \quad \text{(selon la règle R8)}\\ &= \frac{4 - 24}{4 - 4} = \frac{-20}{0} \quad \text{et on obtient une division qu'on ne peut effectuer.}\end{aligned}$$

Puisque $\lim\limits_{v \to 2} (v^2 - 4) = 0$, on ne pouvait pas appliquer la règle R9. On ne peut évaluer cette limite en appliquant ce qu'on connaît jusqu'ici.

c) $\lim\limits_{u \to -5} \dfrac{2u^3 + 250}{50 - 2u^2}$

On a $\lim\limits_{u \to -5} \dfrac{2u^3 + 250}{50 - 2u^2} = \dfrac{\lim\limits_{u \to -5} (2u^3 + 250)}{\lim\limits_{u \to -5} (50 - 2u^2)}$ (selon la règle R9, **si** $\lim\limits_{u \to -5} (50 - 2u^2) \neq 0$)

$= \dfrac{2(-5)^3 + 250}{50 - 2(-5)^2}$ (selon la règle R8)

$= \dfrac{-250 + 250}{50 - 50} = \dfrac{0}{0}$ et on obtient une division indéterminée.

Puisque $\lim\limits_{u \to 5} (50 - 2u^2) = 0$, on ne pouvait pas appliquer la règle R9. On ne peut évaluer cette limite en appliquant ce qu'on connaît jusqu'ici.

Pour ce qui est des limites de la forme $\lim\limits_{x \to a} \left(\dfrac{f(x)}{g(x)}\right)$, si $\lim\limits_{x \to a} g(x) = 0$, diverses situations peuvent se produire. Nous étudierons certaines d'entre elles dans des chapitres ultérieurs. Par exemple, on peut avoir :

- $\lim\limits_{x \to a} f(x) = M \neq 0$. Dans ce cas, on a une limite de forme particulière qu'on étudiera dans le chapitre 3.
- $\lim\limits_{x \to a} f(x) = 0$. Dans cette situation, on a une limite de forme indéterminée dont on étudiera certains cas dans le chapitre 6.
- $\lim\limits_{x \to a} f(x)$ n'existe pas. Dans certains de ces cas, on a également une limite de forme particulière, dont l'étude demande l'application de la règle de l'Hospital, qui n'est pas présentée dans ce manuel.

Règle R10 Si a et n sont deux nombres réels et si f est une fonction telle que $\lim\limits_{x \to a} f(x) = M$, alors $\lim\limits_{x \to a} (f(x))^n = \left(\lim\limits_{x \to a} f(x)\right)^n = M^n$, à condition que M^n soit elle-même définie.

Règle R11 Si f et g sont deux fonctions telles que $\lim\limits_{x \to a} f(x) = M$ et $\lim\limits_{t \to M} g(t) = g(M)$, alors $\lim\limits_{x \to a} (g \circ f)(x) = \lim\limits_{x \to a} g(f(x)) = g\left(\lim\limits_{x \to a} f(x)\right) = g(M)$.

Exemple 12

À l'aide des diverses règles de calcul présentées, trouvez (si elle existe) la limite $\lim\limits_{x \to 1} \left(\dfrac{2x^2 - 4x}{x^7 + x^3}\right)^5$.

On a $\lim\limits_{x \to 1} \left(\dfrac{2x^2 - 4x}{x^7 + x^3}\right)^5 = \left(\lim\limits_{x \to 1} \dfrac{2x^2 - 4x}{x^7 + x^3}\right)^5$ (selon la règle R10)

$= \left(\dfrac{\lim\limits_{x \to 1} (2x^2 - 4x)}{\lim\limits_{x \to 1} (x^7 + x^3)}\right)^5$ (selon la règle R9, si $\lim\limits_{x \to 1} (x^7 + x^3) \neq 0$)

$= \left(\dfrac{2 \cdot 1^2 - 4 \cdot 1}{1^7 + 1^3}\right)^5$ (selon la règle R8)

$= \left(\dfrac{-2}{2}\right)^5 = (-1)^5 = -1$

Les règles présentées s'appliquent également aux limites à gauche et aux limites à droite.

Exemple 13

À l'aide des diverses règles de calcul présentées, trouvez (si elles existent) les limites suivantes :

a) $\lim\limits_{x \to 1} f(x)$, lorsque $f(x) = \begin{cases} x^4 - 12 & \text{si } x < 1 \\ -7x^6 - 4 & \text{si } x > 1 \end{cases}$

Puisque la définition de f change autour de $x = 1$, on doit évaluer les limites à gauche et à droite.

On a $\lim\limits_{x \to 1^-} f(x) = \lim\limits_{x \to 1^-} (x^4 - 12)$ car si $x < 1$, $f(x) = x^4 - 12$

$= 1^4 - 12$ (selon la règle R8)

$= 1 - 12 = -11.$

On a $\lim\limits_{x \to 1^+} f(x) = \lim\limits_{x \to 1^+} (-7x^6 - 4)$ car si $x > 1$, $f(x) = -7x^6 - 4$

$= -7 \cdot 1^6 - 4$ (selon la règle R8)

$= -7 - 4 = -11$

Puisque la limite à gauche et la limite à droite sont égales à -11, $\lim\limits_{x \to 1} f(x) = -11$.

b) $\lim\limits_{t \to -2} g(t)$, lorsque $g(t) = \begin{cases} t^3 + 5t^2 & \text{si } t < -1{,}9 \\ t^5 - 6t & \text{si } t \geq -1{,}9 \end{cases}$.

La définition de la fonction g « tout près » de -2 (que ce soit à gauche ou à droite de -2) est donnée par $g(t) = t^3 + 5t^2$. On a donc

$\lim\limits_{t \to -2} g(t) = \lim\limits_{t \to -2} (t^3 + 5t^2) = (-2)^3 + 5(-2)^2$ (selon la règle R8)

$= -8 + 20 = 12$

c) $\lim\limits_{z \to -3} m(z)$, lorsque $m(z) = \begin{cases} (z - 1)^3 & \text{si } z \leq -3 \\ z^2 + 2z & \text{si } z > -3 \end{cases}$

On doit nécessairement évaluer les limites à gauche et à droite.

On a $\lim\limits_{z \to -3^-} m(z) = \lim\limits_{z \to -3^-} (z - 1)^3$ car si $z \leq -3$, $m(z) = (z - 1)^3$

$= \left(\lim\limits_{z \to -3^-} (z - 1)\right)^3$ (selon la règle R10)

$= (-3 - 1)^3$ (selon la règle R8)

$= (-4)^3 = -64$

On a $\lim\limits_{z \to -3^+} m(z) = \lim\limits_{z \to -3^+} (z^2 + 2z)$ car si $z > -3$, $m(z) = z^2 + 2z$

$= (-3)^2 + 2(-3)$ (selon la règle R8)

$= 9 - 6 = 3$

Puisque la limite à gauche et la limite à droite ne sont pas égales, $\lim\limits_{z \to -3} m(z)$ n'existe pas.

Exercices

1. À l'aide des diverses règles de calcul présentées, trouvez les limites suivantes, en justifiant l'utilisation de chacune des règles de calcul à chaque étape. Si les règles ne permettent pas de déterminer les valeurs des limites, expliquez pourquoi.

a) $\lim_{q \to -10} -5q$

b) $\lim_{c \to 1,1} mc^2$

c) $\lim_{y \to 2,1} (4y^5 - 2y^3 + 2{,}3)$

d) $\lim_{u \to 6} \frac{u^2 + 3u + 4}{7 - u}$

e) $\lim_{k \to -2} (3k^2 - k^3 + k)^3$

f) $\lim_{a \to 1} \left(\frac{a^2 - 2a + 1}{1 - a^3}\right)^{18}$

g) $\lim_{s \to -10} h(s)$, lorsque $h(s) = \begin{cases} (2s + 15)^2 & \text{si } s < -10 \\ s + 35{,}1 & \text{si } s > -10 \end{cases}$

2. Évaluez les limites suivantes, en utilisant uniquement les règles R1, R2, R3, R4, R5 et R6.

a) $\lim_{a \to -2} (6 - 13a)$

b) $\lim_{c \to 3} (3{,}141\,6 + c^2)$

c) $\lim_{v \to 0,5} 134v$

d) $\lim_{t \to 1000} (t - 990)^2$

e) $\lim_{x \to 3} (2x^3 - x^2 - 3x + 6)$

f) $\lim_{d \to -4} \left(6d - \frac{d^2 + d}{3}\right)$

3. Supposons que $\lim_{t \to 5} f(t) = 4$, $\lim_{t \to 5} g(t) = -2$, $\lim_{t \to 5} h(t) = \frac{5}{4}$, $\lim_{t \to 5} k(t) = -10$ et $\lim_{t \to 5} j(t) = 0$.
De plus, supposons que $h(5) = 2$, $f(5) = -1$ et $g(5)$ n'est pas définie. Évaluez (si possible) chacune des limites suivantes, en indiquant les règles utilisées. Si ce n'est pas possible, expliquez pourquoi.

a) $\lim_{t \to 5} -12$

b) $\lim_{t \to 5} t$

c) $\lim_{t \to 5} 8f(t)$

d) $\lim_{t \to 5^2} f(t)$

e) $\lim_{t \to 5} (g(t) + h(t))$

f) $\lim_{t \to 5} (7f(t) + j(t))$

g) $\lim_{t \to 5} (4k(t) - 6f(t))$

h) $\lim_{t \to 5} (6f(t) - 4k(t))$

i) $\lim_{t \to 5} (g(t) \times h(t))$

j) $\lim_{t \to 5} (-3f(t) \times h(t))$

k) $\lim_{t \to 5} \left(\frac{k(t)}{h(t)}\right)$

l) $\lim_{t \to 5} \left(\frac{5g(t)}{2j(t)}\right)$

m) $\lim_{t \to 5} (j(t))^4$

n) $\lim_{t \to 5} (-1h(t))^3$

o) $\lim_{t \to 5} (k(t))^2$

p) $\lim_{t \to 5} \left(\frac{f(t)}{g(t)}\right)^5$

q) $\lim_{t \to 5} \left(\frac{k(t)}{g(t)}\right)^0$

r) $\lim_{t \to 5} (t[f(t) + g(t)])$

4. À l'aide des diverses règles de calcul présentées, trouvez les limites suivantes, en justifiant l'utilisation de chacune des règles de calcul à chaque étape. Si les règles ne permettent pas de déterminer les valeurs des limites, expliquez pourquoi.

a) $\lim_{x \to 2} \left(4x - \frac{x^3 + x}{5}\right)$

b) $\lim_{t \to 3} (4t - 15)$

c) $\lim_{a \to 1} (14a + 90)$

d) $\lim_{m \to -1} (m^3 + 4m^2 - 6m + 3{,}2)$

e) $\lim_{w \to 10} \frac{4w + 2}{5 - 4w}$

f) $\lim_{r \to 2} (r^5(r^2 + 5))$

g) $\lim_{m \to -1} (8m^2 + 13)$

h) $\lim_{s \to 3} [(s + 5)(4 - s^2)]$

i) $\lim_{x \to 4} (x^2 - 3x + 2)$

j) $\lim_{x \to -3} \frac{x^2 - 7x + 6}{12 - x^2}$

k) $\lim_{x \to -7} (x^2 - 48)^9$

l) $\lim_{x \to -3} \frac{x - 7}{24 + x^3}$

m) $\lim_{x \to 2} f(x)$, si $f(x) = \begin{cases} x^4 - 3 & \text{si } x < 2 \\ 11 + x & \text{si } x \geq 2 \end{cases}$

n) $\lim_{t \to -3} g(t)$, si $g(t) = \begin{cases} -6 & \text{si } t < -3 \\ 2t & \text{si } t > -3 \end{cases}$

o) $\lim_{a \to 0,3} d(a)$, si $d(a) = \begin{cases} a^2 + 5 & \text{si } a < 0{,}3 \\ 8 - 7a & \text{si } a \geq 0{,}3 \end{cases}$

p) $\lim_{r \to -4} t(r)$, si $t(r) = \begin{cases} -r + 7 & \text{si } r < -4 \\ r^2 - 5 & \text{si } r > -4 \end{cases}$

q) $\lim_{s \to 0} f(s)$, si $f(s) = \begin{cases} s^3 - s + 4 & \text{si } s < 0{,}03 \\ s - 12 & \text{si } s \geq 0{,}03 \end{cases}$

r) $\lim_{c \to -5} r(c)$, si $r(c) = \begin{cases} c^2 + 1 & \text{si } c < -5 \\ -6c - 4 & \text{si } c > -5 \end{cases}$

SECTION 2.4

Concept de continuité et règles relatives à la continuité

Définition de la continuité en un point

Lorsqu'une personne court un marathon, lorsque la lave bouillonnante d'un volcan en éruption coule ou lorsque le courant d'une rivière entraîne un tronc d'arbre, on observe un mouvement continu qui n'a aucune rupture particulière. Le verbe «continuer» signifie d'ailleurs «poursuivre une action sans s'arrêter». La même idée peut s'appliquer à une fonction.

Définition intuitive de la continuité

> Une fonction est **continue** si le graphique de celle-ci donne une courbe ininterrompue, n'ayant aucune coupure. La courbe n'a ni interruption, ni saut ni trou.

Si on observe ci-dessous les graphiques des fonctions f et g, on peut conclure, à la suite de notre définition intuitive, que f est une fonction continue pouvant être tracée sans que le crayon soit levé.

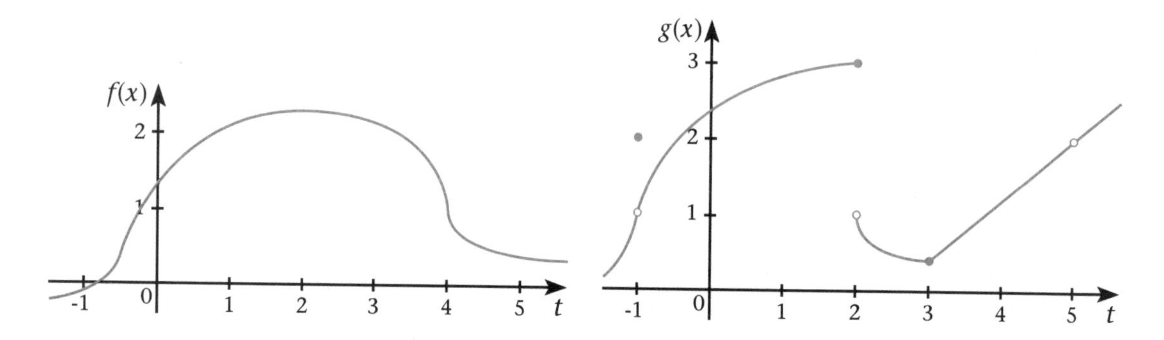

Le graphique associé à la fonction g suggère que g n'est pas continue. En effet, pour tracer la courbe de la fonction g en allant de la gauche vers la droite, il a certainement fallu lever le crayon :

- en $x = -1$, pour aller placer le point $(-1, 2)$ au-dessus de la courbe;
- en $x = 2$, pour poursuivre le tracé de la courbe à une hauteur différente;
- en $x = 5$, pour ne pas placer de point en cette valeur de x.

Observons la nature de la discontinuité rencontrée pour chacune des valeurs -1, 2 et 5.

On peut constater qu'il n'y a pas de point pour la valeur $x = 5$ de la variable indépendante; 5 n'est pas un élément du domaine de la fonction g.

Pour qu'une fonction g soit continue en $x = a$, il faut nécessairement que $g(a)$ existe.

Pour ce qui est de la valeur $x = 2$, on remarque que 2 fait partie du domaine de la fonction g, mais que $\lim\limits_{x \to 2^-} g(x) = 3 \neq \lim\limits_{x \to 2^+} g(x) = 1$, ce qui signifie que $\lim\limits_{x \to 2} g(x)$ n'existe pas.

Pour qu'une fonction g soit continue en $x = a$, il faut nécessairement que $\lim\limits_{x \to a} g(x)$ existe.

Finalement, pour ce qui est de la valeur $x = -1$, on constate que -1 est un élément du domaine. De plus, on remarque que $\lim_{x \to -1^-} g(x) = 1 = \lim_{x \to -1^+} g(x) = 1$, ce qui signifie que $\lim_{x \to -1} g(x) = 1$. Il a fallu lever le crayon, car $\lim_{x \to -1} g(x) \neq g(-1) = 2$.

Pour qu'une fonction g soit continue en $x = a$, il faut nécessairement que $\lim_{x \to a} g(x) = g(a)$.

Définition formelle de la continuité en un point

Une fonction f est **continue en $x = a$** si les trois conditions suivantes sont toutes remplies :

i) $f(a)$ est définie (c'est-à-dire que a est dans Dom f);

ii) $\lim_{x \to a} f(x)$ existe;

iii) $\lim_{x \to a} f(x) = f(a)$.

Une fonction qui n'est pas continue en $x = a$ est dite **discontinue** en cette valeur.

Exemple 14

À partir du graphique suivant associé à la fonction V, déterminez si la fonction V est continue en chacune des valeurs données. En cas de discontinuité, identifiez une condition formelle qui n'est pas vérifiée.

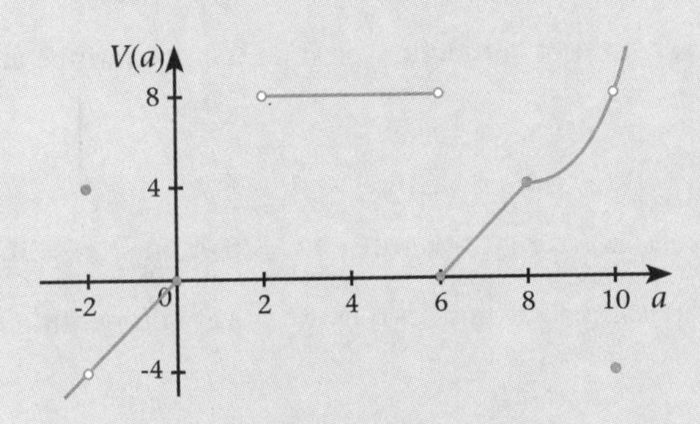

a) $a = -2$

V est discontinue en -2, car $V(-2) = 4 \neq \lim_{a \to 2} V(a) = -4$.

b) $a = 0$

V est discontinue en 0, car $\lim_{a \to 0} V(a)$ n'existe pas, la limite à droite de 0 n'étant pas définie.

c) $a = 2$

V est discontinue en 2, car $V(2)$ n'est pas définie.

d) $a = 2{,}1$

V est continue en $a = 2{,}1$.

e) $a = 6$

V est discontinue en 6, car $\lim_{a \to 6} V(a)$ n'existe pas. En effet, $\lim_{a \to 6^-} V(a) = 8 \neq \lim_{a \to 6^+} V(a) = 0$.

f) $a = 10$

V est discontinue en 10, car $V(10) = -4 \neq \lim_{a \to 10} V(a) = 8$.

Exemple 15

Soit la fonction $f(x) = \begin{cases} 2x + 8 & \text{si } x < -3 \\ x^3 + 29 & \text{si } -3 \leq x < 0 \\ 4x + 12 & \text{si } 0 < x < 2 \\ -2 & \text{si } x = 2 \\ 24 - 6x & \text{si } x > 2 \end{cases}$

Déterminez si la fonction V est continue en chacune des valeurs données ci-dessous. En cas de discontinuité, identifiez une condition formelle qui n'est pas vérifiée.

a) $x = -3$

On a $f(-3) = (-3)^3 + 29 = -27 + 29 = 2$. Donc $f(-3)$ est définie.

On a $\lim\limits_{x \to -3^-} f(x) = \lim\limits_{x \to -3^-} (2x + 8) = 2(-3) + 8 = 2$ et $\lim\limits_{x \to -3^+} f(x) = \lim\limits_{x \to -3^+} (x^3 + 29) = (-3)^3 + 29 = 2$.

Donc $\lim\limits_{x \to -3} f(x) = 2 = f(-3)$ et la fonction f est continue en -3.

b) $x = -1$

On a $f(-1) = (-1)^3 + 29 = 28$. Donc $f(-1)$ est définie.

On a $\lim\limits_{x \to -1} f(x) = \lim\limits_{x \to -1} (x^3 + 29) = (-1)^3 + 29 = 28$.

Donc $\lim\limits_{x \to -1} f(x) = f(-1)$ et f est continue en -1.

c) $x = 0$

$f(0)$ n'est pas définie et la fonction n'est donc pas continue en 0.

d) $x = 2$

On a $f(2) = -2$. Donc $f(2)$ est définie.

On a $\lim\limits_{x \to 2^-} f(x) = \lim\limits_{x \to 2^-} (4x + 12) = 4(2) + 12 = 20$ et $\lim\limits_{x \to 2^+} f(x) = \lim\limits_{x \to 2^+} (24 - 6x) = 24 - 6(2) = 12$.

Donc $\lim\limits_{x \to 2^-} f(x) \neq \lim\limits_{x \to 2^+} f(x)$, $\lim\limits_{x \to 2} f(x)$ n'existe pas et la fonction f n'est pas continue en 2.

Est-il important de savoir si une fonction donnée est continue? Si une courbe est continue, elle possède certaines caractéristiques intéressantes. La recherche des zéros d'une fonction est souvent une préoccupation en mathématiques. Soit la situation où une fonction $h(t)$ possède dans l'intervalle [1, 2] une valeur pour laquelle le point est sous l'axe des t et une autre valeur pour laquelle le point se trouve au-dessus de l'axe des t. Dans ce cas, si la fonction h est continue, on peut tracer sa courbe sans lever le crayon et on a forcément à traverser l'axe des t, ce qui permet de savoir que la fonction h possède au moins un zéro entre 1 et 2.

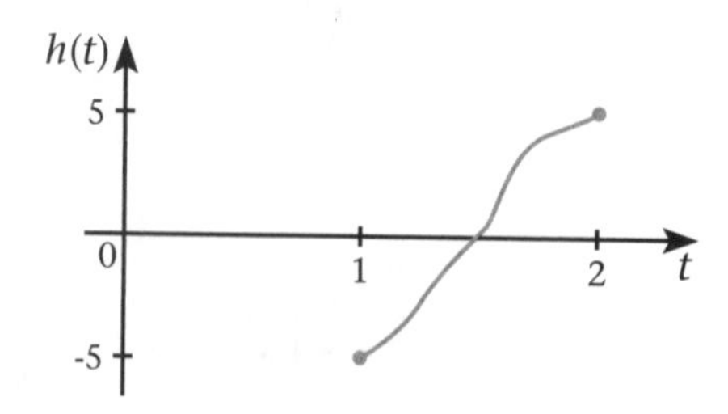

Le fait de savoir que la fonction est continue assure l'existence d'au moins un zéro pour la fonction étudiée et facilite la recherche des zéros.

De plus, lorsqu'une fonction f est continue, des valeurs a et b très proches l'une de l'autre qui sont attribuées à la variable indépendante devraient donner des valeurs très rapprochées $f(a)$ et $f(b)$. Ainsi, si on veut calculer $f\left(\frac{1}{3}\right)$ ou $g(\pi)$ à l'aide de fonctions continues f et g, on peut plutôt calculer respectivement $f(0{,}333)$ et $g(3{,}141\,6)$. On peut alors obtenir une bonne approximation dans les deux cas.

Définition de la continuité sur un intervalle

On peut étendre la définition de continuité à tout un intervalle, voire à l'ensemble des réels $\mathbb{R}$.

Définition de la continuité sur un intervalle

Une fonction f est **continue sur l'intervalle ouvert]a, b[** si f est continue pour toutes les valeurs de x dans l'intervalle $]a, b[$.

Une fonction f est **continue sur l'intervalle semi-ouvert [a, b[** si f est continue pour toutes les valeurs de x dans l'intervalle $]a, b[$ et si $\lim\limits_{x \to a^+} f(x) = f(a)$.

Une fonction f est **continue sur l'intervalle semi-ouvert]a, b]** si f est continue pour toutes les valeurs de x dans l'intervalle $]a, b[$ et si $\lim\limits_{x \to b^-} f(x) = f(b)$.

Une fonction f est **continue sur l'intervalle fermé [a, b]** si f est continue pour toutes les valeurs de x dans l'intervalle $]a, b[$ et si $\lim\limits_{x \to a^+} f(x) = f(a)$ et $\lim\limits_{x \to b^-} f(x) = f(b)$.

Exemple 16

Reprenons ici le graphique de l'exemple 14. Déterminez si la fonction V est continue sur les intervalles donnés ci-dessous. Si ce n'est pas le cas, identifiez une condition qui n'est pas vérifiée.

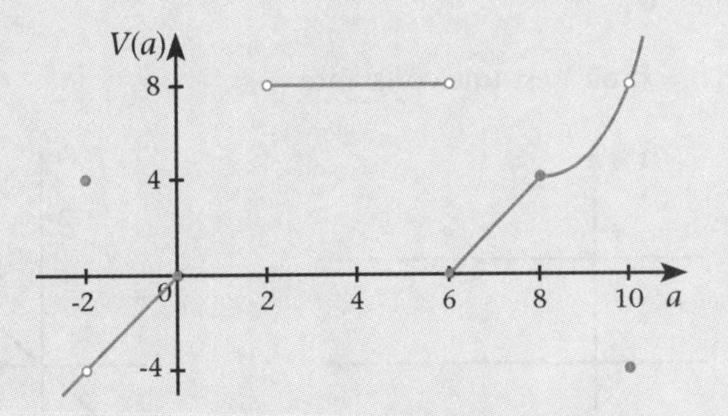

a) $]2, 6[$

Puisque la fonction V est continue pour toutes les valeurs de a dans l'intervalle $]2, 6[$, la fonction est continue sur cet intervalle.

b) $]2, 6]$

La fonction V est continue sur $]2, 6[$ (voir (a)). On a $\lim\limits_{x \to 6^-} f(x) = 8$ et $f(6) = 0$. Par conséquent, la fonction V n'est pas continue sur l'intervalle $]2, 6]$.

c) [6, 8]

Puisque la fonction V est continue sur l'intervalle]6, 8[, que $\lim_{x \to 6^+} f(x) = 0 = f(6)$ et $\lim_{x \to 8^-} f(x) = 4 = f(8)$, alors la fonction V est continue sur l'intervalle [6, 8].

d)]10, +∞

Puisque V est continue pour toutes les valeurs dans]10, +∞, la fonction V est continue sur cet intervalle.

e) -∞, -2]

La fonction V est continue pour toutes les valeurs dans l'intervalle -∞, -2[.

On a $\lim_{x \to -2^-} f(x) = -4$ et $f(-2) = 4$.

Par conséquent, la fonction V n'est pas continue sur l'intervalle -∞, -2].

Lorsqu'une fonction est continue pour tous les nombres réels, on dit que la fonction est continue sur IR. Dans ce cas, il est fréquent de simplement parler de fonction continue.

Règles relatives à la continuité

Il existe un certain nombre de règles relatives à la continuité sur un intervalle qui facilitent l'étude de celle-ci pour une fonction définie algébriquement.

Règle C1 Toutes les fonctions constantes et la fonction identité $f(x) = x$ sont continues sur IR.

On peut facilement vérifier cette règle en traçant le graphique d'une fonction constante et de la fonction identité.

$f(x) = k$, où k est une constante

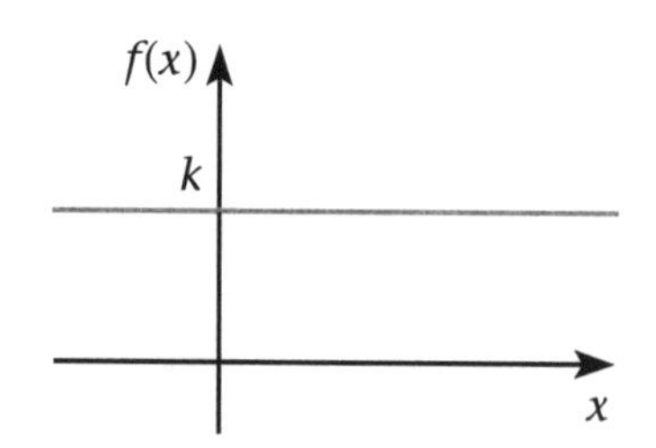

$f(x) = x$

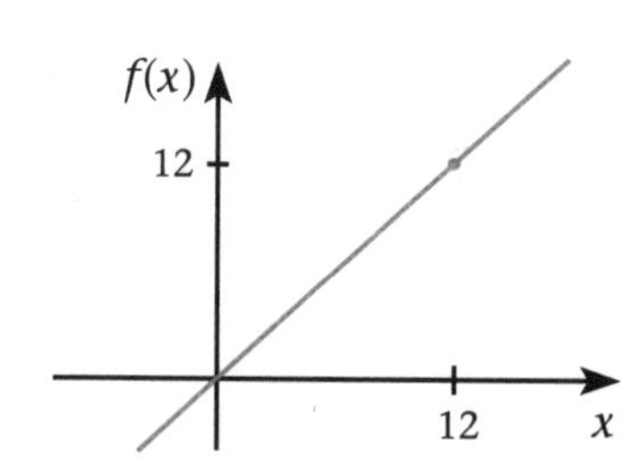

On pourrait vérifier de façon formelle que la définition de continuité sur IR est respectée pour ces deux types de fonctions. Les règles qui suivent sont présentées en fonction d'un intervalle I (qui peut être ouvert, fermé ou semi-ouvert), mais les mêmes règles s'appliquent en ce qui concerne la continuité en un point.

Règle C2 Si k est un nombre réel et si la fonction f est une fonction continue sur un intervalle I, alors kf est une fonction continue sur l'intervalle I.

Si f et g sont deux fonctions continues sur un même intervalle I, alors :

Règle C3 la fonction $f + g$ est une fonction continue sur l'intervalle I.

Règle C4 la fonction $f - g$ est une fonction continue sur l'intervalle I.

Règle C5 la fonction $f \times g$ est une fonction continue sur l'intervalle I.

Exemple 17

Déterminez si les fonctions suivantes sont continues sur l'ensemble des réels.

a) $m(z) = 8z - 13,4$

Les fonctions $f(z) = z$ et $g(z) = 13,4$ sont continues sur $\mathbb{R}$ (règle C1).

De plus, la fonction $h(z) = 8z = 8f(z)$ est également continue sur $\mathbb{R}$ (par la règle C2).

La fonction $m(z) = h(z) - g(z)$ est elle-même continue sur $\mathbb{R}$ (selon la règle C4).

b) $k(v) = v^2$

La fonction $f(v) = v$ est continue sur $\mathbb{R}$ (selon la règle C1).

La fonction $k(v) = v^2 = f(v) \times f(v)$ est également continue sur $\mathbb{R}$ (selon la règle C5).

Puisque les fonctions constantes et la fonction identité $f(x) = x$ sont continues sur $\mathbb{R}$, et puisque la somme et le produit de fonctions continues permettent d'obtenir des fonctions continues sur les mêmes intervalles, on peut déduire le résultat suivant :

Règle C6 Une fonction polynomiale est continue sur $\mathbb{R}$.

Ainsi, les fonctions $f(t) = 45t^6 - 3t^4 + 3t^2 - 35t + 123$ et $g(z) = 65z - 2z^{23}$ sont continues sur $\mathbb{R}$.

Règle C7 Si f et g, définies respectivement par $f(x)$ et $g(x)$, sont telles que f et g sont continues sur un même intervalle I, alors la fonction $\frac{f}{g}$ est continue sur l'intervalle I, à condition que $g(x)$ ne soit jamais nulle sur l'intervalle I.

Exemple 18

Déterminez si la fonction $f(x) = \frac{x^3 - 7x^2 + 12}{3x^2 + 14}$ est continue sur l'ensemble des réels $\mathbb{R}$.

Les fonctions polynomiales $g(x) = x^3 - 7x^2 + 12$ et $h(x) = 3x^2 + 14$ sont continues sur $\mathbb{R}$ (par la règle C6). De plus, la fonction h est toujours positive sur $\mathbb{R}$ et ne s'annule jamais.

En conséquence, la fonction $f(x) = \frac{g(x)}{h(x)}$ est elle-même continue sur $\mathbb{R}$ (selon la règle C7).

Règle C8 Si n est un nombre réel et si $f(x)$ est une fonction continue sur un intervalle I, alors la fonction $[f(x)]^n$ est continue sur l'intervalle I, à condition que $[f(x)]^n$ soit définie pour toutes les valeurs de l'intervalle I.

Règle C9 Si f et g, définies respectivement par $f(x)$ et $g(x)$, sont telles que f et g sont continues sur un même intervalle I, alors la fonction $f \circ g$ est une fonction continue sur l'intervalle I, à condition que $g(x)$ et $(f \circ g)(x)$ soient définies dans l'intervalle I.

Exemple 19

Déterminez si la fonction $g(x) = \left(\frac{x^3 - 7x^2 + 12}{3x^2 + 14}\right)^{17}$ est continue sur l'ensemble des réels $\mathbb{R}$.

Dans l'exemple 18, on a vu que la fonction $f(x) = \frac{x^3 - 7x^2 + 12}{3x^2 + 14}$ est continue sur $\mathbb{R}$. Par conséquent, selon la règle C8, la fonction g est elle-même continue sur $\mathbb{R}$.

La règle C9 prendra tout son sens dans les chapitres suivants.

Comment **faire**?

Comment étudier la continuité d'une fonction

Étudier la continuité d'une fonction donnée, c'est chercher les plus grands intervalles sur lesquels la fonction est continue.

Lorsque la fonction est définie graphiquement...

Visuellement, il semble facile d'identifier les valeurs auxquelles la fonction n'est pas continue, puisqu'on retrouve ces valeurs aux endroits où il a fallu lever le crayon pour tracer la courbe. Il faut toutefois se méfier de ce que le graphique laisse croire. Deux discontinuités trop proches l'une de l'autre risquent de ne pas être repérées; d'ailleurs, certaines calculatrices graphiques joignent deux discontinuités qui se trouvent à proximité l'une de l'autre.

Lorsque la fonction est définie algébriquement...

L'étude de la continuité d'une fonction définie algébriquement peut s'avérer relativement simple, si l'on connaît les règles présentées précédemment. Il est important, dès le départ, de se souvenir

- que si a n'est pas dans Dom f, alors $f(a)$ n'est pas définie et f est discontinue en $x = a$;
- que toutes les fonctions polynomiales sont continues sur $\mathbb{R}$;
- qu'une fonction définie par morceaux peut être discontinue (mais ne l'est pas nécessairement) aux valeurs du domaine où s'effectue chacune des transitions entre deux définitions algébriques « successives » distinctes.

Exemple 20

Soit la fonction $f(x) = \begin{cases} 2x + 8 & \text{si } x < -3 \\ x^3 + 29 & \text{si } -3 \leq x < 0 \\ 4x + 12 & \text{si } 0 < x < 2 \\ -2 & \text{si } x = 2 \\ 24 - 6x & \text{si } x > 2 \end{cases}$, déjà étudiée partiellement dans l'exemple 15.

Étudiez la continuité de la fonction f.

On peut d'abord remarquer que Dom $f = \mathbb{R} \setminus \{0\}$. Il est donc sûr qu'il y a une discontinuité en $x = 0$, car $f(0)$ n'est pas définie. Chacun des morceaux de la fonction f est défini par une fonction polynomiale, et on sait que toutes ces fonctions sont continues sur $\mathbb{R}$. Il suffit donc d'analyser de façon plus spécifique la continuité de la fonction aux valeurs où sa définition change, soit aux valeurs -3, 0 (on sait déjà qu'il y a discontinuité en $x = 0$) et 2. Dans l'exemple 15, on a déjà observé que la fonction f est continue en $x = -3$ et qu'elle n'est pas continue en $x = -2$. Par conséquent, la fonction f est continue sur $\mathbb{R} \setminus \{0, 2\}$.

Exercices

1. Étudiez la continuité de la fonction h définie par $h(a) = \begin{cases} a + 6 & \text{si } a < -3 \\ 2a^2 - 5 & \text{si } -3 \leq a < -2 \\ 3 & \text{si } -2 \leq a < -1 \\ 2{,}98 & \text{si } -1 < a < 3 \\ a - \frac{1}{5} & \text{si } a \geq 3 \end{cases}$

2. Dans le graphique ci-dessous représentant une fonction h, déterminez les valeurs de x pour lesquelles la fonction tracée est discontinue. Pour chaque valeur nommée, identifiez une condition formelle qui n'est pas vérifiée.

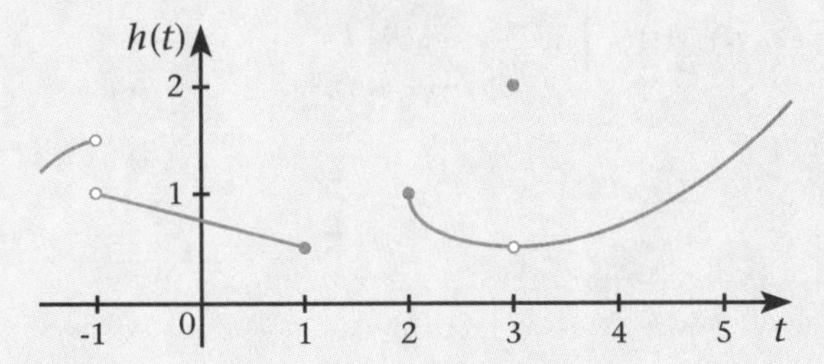

3. Soit la fonction h définie au nº 2 précédent. Identifiez tous les nombres réels a tels que :

a) $h(a)$ existe

b) $\lim\limits_{t \to a} h(t)$ existe

c) $\lim\limits_{t \to a^+} h(t)$ n'existe pas

d) $\lim\limits_{t \to a^-} h(t)$ existe

e) $\lim\limits_{t \to a} h(t)$ existe, mais $\lim\limits_{t \to a} h(t) \neq h(a)$

f) f est continue en $x = a$

4. Déterminez si les fonctions suivantes sont continues en chacune des valeurs données. En cas de discontinuité, identifiez une condition formelle qui n'est pas vérifiée.

a) $f(x) = 4x + 2$, en $x = -27$, $x = -1$, $x = 0$, $x = 1$ et $x = \frac{6}{5}$

b) $f(x) = |x - 5|$, en $x = -8$, $x = -5$, $x = 0$, $x = 4{,}9$, $x = 5$ et $x = 5{,}02$

c) $f(x) = \begin{cases} x^2 + 1 & \text{si } x < 4 \\ x^2 & \text{si } x = 4 \\ 21 - x & \text{si } x > 4 \end{cases}$, en $x = -1$, $x = 0$, $x = 3{,}4$, $x = 4$, $x = \frac{17}{4}$ et $x = 108$

d) $f(x) = \begin{cases} x^7 - 2 & \text{si } x < 0 \\ x^7 + 2 & \text{si } x > 0 \end{cases}$, en $x = -3$, $x = -0{,}99$, $x = 0$, $x = 3$ et $x = \pi$

e) $f(x) = \begin{cases} x + 5 & \text{si } x < 0 \\ x - 5 & \text{si } 0 < x < 4 \\ 3 - x & \text{si } 4 \leq x < 7 \\ x^2 + 3 & \text{si } x \geq 7 \end{cases}$, en $x = -3$, $x = 0$, $x = 3{,}9$, $x = 4$, $x = 7$, $x = 7{,}1$ et $x = 12$

5. Soit la fonction $f(x) = 0{,}5x^7 - 4x^6 + 5x^2 - 1$

a) Calculez $f(0)$ et $f(1)$.

b) Peut-on conclure, à partir des résultats obtenus en (a), que la fonction f possède au moins un zéro dans l'intervalle $]0, 1[$? Pourquoi ?

6. Soit la fonction $f(x) = x^5 - 2$

a) Calculez $f(1{,}148\ 6)$ et $f(1{,}148\ 7)$.

b) Peut-on conclure, à partir des résultats obtenus en (a), que la fonction possède au moins un zéro dans l'intervalle $]1{,}148\ 6,\ 1{,}148\ 7[$? Pourquoi ?

c) De ce qui précède, déduisez que $1{,}148\ 6 < \sqrt[5]{2} < 1{,}148\ 7$.

7. Soit la fonction h définie au nº 2 précédent. Dites si la fonction h est continue sur chacun des intervalles suivants :

a) $[2, 3]$

b) $[2, 3[$

c) $[-1, 1]$

d) $]-1, 1[$

e) $[3, +\infty$

f) $]3, +\infty$

g) $-\infty, -1[$

h) $-\infty, 12]$

8. Étudiez la continuité de chacune des fonctions suivantes :

a) $f(x) = 54x^3 - 87x^2 + 6$

b) $k(r) = \dfrac{r^3 + 1}{r^2 + 8}$

c) $g(t) = \dfrac{6 - t}{3 + t}$

d) $m(t) = \dfrac{t^2 - 4}{t - 2}$

e) $s(a) = \left(\dfrac{2a^5 - 4a^6 - 5}{|a + 14|}\right)^3$

f) $v(z) = \dfrac{z^4 + 6z - \pi^3}{z - 7}$

g) $f(x) = \begin{cases} 1 \text{ si } x < 1 \\ 2 \text{ si } 1 \leq x \leq 2 \\ 3 \text{ si } 2 < x \leq 3 \\ 4 \text{ si } x > 3 \end{cases}$

h) $h(y) = \begin{cases} y^2 - 1 & \text{si } y < -3 \\ 5 - y & \text{si } -3 \leq y < 1 \\ 4 & \text{si } y = 1 \\ y^2 & \text{si } 1 < y \leq 3 \\ 5y - 6 & \text{si } y > 3 \end{cases}$

9. Pour chacune des fonctions suivantes, identifiez (si possible) toutes les valeurs de a qui feraient en sorte que la fonction soit continue sur IR.

a) $h(z) = \begin{cases} 1 & \text{si } z \neq 1 \\ 3 - a & \text{si } z = 1 \end{cases}$

b) $m(t) = \begin{cases} t + 1 & \text{si } t < -2 \\ a & \text{si } t = -2 \\ -1 + (t + 2)^2 & \text{si } t > -2 \end{cases}$

c) $f(x) = \begin{cases} 3 + a & \text{si } x < 0 \\ 17 & \text{si } x = 0 \\ 15 - 3x & \text{si } x > 0 \end{cases}$

d) $g(t) = \begin{cases} t^2 - 12 & \text{si } t < -5 \\ 13 & \text{si } t = -5 \\ a^2 + |t| + 4 & \text{si } t > -5 \end{cases}$

La **mathématique au goût du jour**

Les mathématiques et la circulation routière

Il est parfois possible de résoudre un problème de circulation routière en élargissant les ponts ou en construisant sur ceux-ci un deuxième ou un troisième étage. Une autre solution consiste à construire de nouveaux ponts. Toutefois, on cherche de plus en plus à mieux utiliser les structures existantes. Par exemple, l'ajout de panneaux dont les messages sont adaptés aux circonstances, pour résoudre les difficultés ponctuelles, est une solution peu coûteuse qui aide, bien que modestement, à régler la circulation. Cependant, l'efficacité de tels panneaux repose sur une bonne compréhension de la répartition des automobiles et des véhicules lourds sur un réseau routier.

Les chercheurs utilisent divers modèles mathématiques pour prédire le flux de la circulation. Ces modèles sont basés sur le comportement des usagers de la route. On dispose actuellement de modèles :

- relatifs à des réseaux de grande taille (pensons à tout ce qui touche la circulation sur les ponts reliant l'île de Montréal, la Rive-Sud et la Rive-Nord);
- faisant référence aux mouvements de chaque véhicule et permettant de planifier le tracé des voix d'embarquement, d'établir une largeur des voies optimale et l'espace nécessaire aux diverses intersections.

En fait, les mathématiques offrent des méthodes et des outils pour analyser des situations qui, comme dans le cas d'un réseau routier, présentent un très grand nombre de contraintes et pour lesquelles on doit étudier plusieurs variables simultanément. On doit tenir compte des milliers de personnes qui veulent arriver le plus rapidement possible à une destination précise. On doit également tenir compte des règles de la circulation (la vitesse maximale permise, l'interdiction de changer de voie dans certaines circonstances, le virage à droite à un feu de circulation qui est rouge, etc.). Peut-être sera-t-il bientôt possible pour les usagers de ne pas avoir à trouver par essais et erreurs des solutions pour minimiser le temps de leur parcours.

RÉFLEXION/INDEX STOCK IMAGERY

L'utilisation des mathématiques facilite la gestion d'un réseau routier.

En résumé

Si une fonction f exprimée par $f(x)$ est telle que :

- f est définie pour des valeurs de x très près de a et plus petites que a (mais pas nécessairement en a) et
- si, à mesure que x s'approche de a par la gauche, les valeurs calculées de $f(x)$ s'approchent de plus en plus de la valeur G,

alors on dit que G est **la limite à gauche de f quand x s'approche de a**, et on écrit $\lim\limits_{x \to a^-} f(x) = G$.

Si une fonction f exprimée par $f(x)$ est telle que :

- f est définie pour des valeurs de x très près de a et plus grandes que a (mais pas nécessairement en a) et
- si, à mesure que x s'approche de a par la droite, les valeurs calculées de $f(x)$ s'approchent de plus en plus de la valeur D,

alors on dit que D est **la limite à droite de f quand x s'approche de a**, et on écrit $\lim\limits_{x \to a^+} f(x) = D$.

Si une fonction f exprimée par $f(x)$ est telle que :

- f est définie pour des valeurs de x très près de a (mais pas nécessairement en a) et
- si la limite $\lim_{x \to a^-} f(x)$ existe et vaut L et
- si la limite $\lim_{x \to a^+} f(x)$ existe et vaut elle aussi L,

alors on dit que L est **la limite de f quand x s'approche de a**, et on écrit $\lim_{x \to a} f(x) = L$.

Les règles R1 à R11 peuvent permettre de trouver la valeur d'une limite lorsque la fonction est définie algébriquement.

Une fonction f est **continue en $x = a$** si les trois conditions suivantes sont toutes remplies :

i) $f(a)$ est définie (c'est-à-dire que a est dans Dom f) ;

ii) $\lim_{x \to a} f(x)$ existe; iii) $\lim_{x \to a} f(x) = f(a)$.

Les règles C1 à C9 peuvent être utiles pour étudier la continuité d'une fonction sur un intervalle I donné.

Problèmes

Section 2.1 (p. 38)
Approche intuitive du concept de limite à gauche et limite à droite en un point

1. Un laboratoire teste quelle pression (en newtons) peut supporter un tabouret construit à partir d'un nouveau plastique. On a appliqué une pression de plus en plus grande, jusqu'à ce qu'il y ait rupture du tabouret. Évaluez quelle serait la pression maximale, sachant qu'au delà du tableau suivant le tabouret n'a pas tenu le coup.

Pression
123,45 N
123,459 N
123,459 8 N
123,459 97 N
123,459 998 N

2. Un feu d'artifice doit exploser précisément au bout de 12 secondes, une fois lancé dans les airs. Un instrument très sophistiqué permet de mesurer la distance parcourue par le projectile, mais il ne peut mesurer la hauteur au moment même de l'explosion. Le tableau suivant fournit la hauteur $h(t)$ du projectile, en fonction du temps t depuis le lancer.

t	$h(t)$
11,1 s	321,22 m
11,9 s	321,259 m
11,99 s	321,259 6 m
11,999 s	321,259 97 m
11,999 9 s	321,259 999 m

a) Jusqu'à quelle hauteur peut-on évaluer que le projectile s'est rendu ?

b) Exprimez la réalité précédente à l'aide du symbolisme lié aux limites.

Section 2.3 (p. 48)
Règles de calcul algébrique des limites et calcul de limites

3. Une caisse populaire offre à ses clients les taux d'intérêts suivants, selon la somme investie. Le taux annuel est de 4,5 % pour un dépôt à terme inférieur à 2000 \$, de 4,7 % pour un dépôt à terme supérieur ou égal à 2000 \$, mais inférieur ou égal à 10 000 $, et de 4,9 % pour un dépôt à terme supérieur à 10 000 $.

a) À partir de la fonction trouvée au problème n° 22 du chapitre 1 (page 32), évaluez les limites suivantes : $\lim_{x \to 2000} M(x)$, $\lim_{x \to 8000} M(x)$, $\lim_{x \to 10\,000} M(x)$, $\lim_{x \to 250\,000} M(x)$.

b) Compte tenu des limites calculées précédemment, déduisez s'il est de loin préférable d'investir 1999,99 $ ou 2000 $.

c) Compte tenu des limites calculées précédemment, déduisez s'il est de loin préférable d'investir 10 000 $ ou 10 000,01 $.

Section 2.4 (p. 56)
Concept de continuité et règles relatives à la continuité

4. Dans un certaine ville, la taxe d'eau pour les grandes entreprises est de 0,034 dollar par litre consommé, lorsque la consommation totale ne dépasse par 3000 litres durant un mois. Le montant est de 0,045 dollar par litre, pour chaque litre qui excède les 3000 litres permis.

a) Trouvez l'équation qui donne les frais mensuels relatifs à l'eau en fonction de x, le nombre de litres d'eau utilisés en un mois.

b) Vérifiez algébriquement si la fonction est discontinue en $x = 3000$.

5. Un magasin d'appareils électroménagers effectue gratuitement la livraison de ses réfrigérateurs dans un rayon de 25 kilomètres, et il prévoit des frais de 1,50 $ par kilomètre pour toute distance qui dépasse les 25 kilomètres initiaux.

a) Trouvez une équation C donnant le coût total (en dollars) de livraison en fonction de la distance parcourue d (en kilomètres).

b) Évaluez les limites suivantes : $\lim_{d \to 24,7} C(d)$, $\lim_{d \to 25} C(d)$, $\lim_{d \to 25,2} C(d)$, $\lim_{d \to 100} C(d)$.

c) Déterminez si la fonction est continue en $d = 25$.

6. Un vendeur reçoit une commission de 2 % pour toute vente de 250 $ ou moins, et de 3,5 % pour toute vente excédant 250 $.

a) Trouvez une équation donnant la valeur de la commission C (en dollars) en fonction de la valeur de la vente v (en dollars).

b) Évaluez les limites suivantes : $\lim_{v \to 231} C(v)$, $\lim_{v \to 250} C(v)$, $\lim_{v \to 250,5} C(v)$.

c) Déterminez si la fonction est continue en $v = 250$.

7. La gérante d'un ensemble de musiciens qui anime des soirées dansantes demande régulièrement à ses musiciens de faire des heures supplémentaires, selon les demandes spéciales. Il y a pour chaque musicien un minimum garanti de 180 $ dès qu'il ou elle est appelé(e) pour jouer pendant une soirée de 4 heures ou moins. Si le spectacle dure plus de 4 heures, le musicien reçoit 65 $ l'heure pour chaque heure supplémentaire.

a) À partir de la fonction trouvée au problème n° 21 c) du chapitre 1 (p. 32), évaluez les limites suivantes : $\lim_{h \to 0^+} S(h)$, $\lim_{h \to 3,9} S(h)$, $\lim_{h \to 4} S(h)$, $\lim_{h \to 6} S(h)$.

b) Déterminez si la fonction est continue en $h = 4$.

Auto-évaluation

1. Complétez les égalités suivantes, où m et n sont deux fonctions, où q est une fonction polynomiale et où b et h sont deux nombres réels. On suppose que $\lim\limits_{t \to b} m(t) = X$ et $\lim\limits_{t \to b} n(t) = Y$.

a) $\lim\limits_{t \to b} h =$ _______

b) $\lim\limits_{t \to b} t =$ _______

c) $\lim\limits_{t \to b} hm(t) =$ _______

d) $\lim\limits_{t \to b} (m(t) + n(t)) =$ _______

e) $\lim\limits_{t \to b} (m(t) - n(t)) =$ _______

f) $\lim\limits_{t \to b} (m(t) \times n(t)) =$ _______

g) $\lim\limits_{t \to b} q(t) =$ _______

h) $\lim\limits_{t \to b} \left(\dfrac{m(t)}{n(t)}\right) =$ ____, à condition que $Y \neq$ ____.

i) $\lim\limits_{t \to b} m(t)^h =$ _______, à condition que _______ soit définie.

2. Évaluez $\lim\limits_{x \to a} f(x)$ pour les fonctions f suivantes et pour la valeur a donnée, en justifiant l'utilisation de chacune des règles de calcul à chaque étape. Si les règles ne permettent pas de déterminer les valeurs des limites, expliquez pourquoi.

a) $f(x) = \begin{cases} x^2 + 1 & \text{si } x < 4 \\ x^2 & \text{si } x = 4 \\ 21 - x & \text{si } x > 4 \end{cases}$ et $a = 4$

b) $f(x) = \begin{cases} x^7 - 2 & \text{si } x < 0 \\ x^7 + 2 & \text{si } x > 0 \end{cases}$ et $a = 0$

c) $f(x) = \begin{cases} \sqrt{-x + 3} & \text{si } x < -1 \\ x^{113} & \text{si } x = -1 \\ 2 & \text{si } x > -1 \end{cases}$ et $a = -1$

d) $f(x) = \begin{cases} 3x + 17 & \text{si } x < 10 \\ \dfrac{1}{4} & \text{si } x = 10 \\ \dfrac{3}{2 + x} & \text{si } x > 10 \end{cases}$ et $a = 10$

e) $f(x) = \begin{cases} 23x^2 + 18 & \text{si } x \neq 0 \\ 2 - x & \text{si } x = 0 \end{cases}$ et $a = 0$

3. Soit la fonction $f(x) = \begin{cases} x^3 + 19 & \text{si } x < -1 \\ x^2 - x + 8 & \text{si } -1 \leq x < 0 \\ x + 7{,}5 & \text{si } 0 < x < 5 \\ \dfrac{3}{x} & \text{si } x > 5 \end{cases}$

Évaluez (si possible) :

a) $\lim\limits_{x \to -1^-} f(x)$ **e)** $\lim\limits_{x \to 0^+} f(x)$ **i)** $\lim\limits_{x \to 2} f(x)$

b) $\lim\limits_{x \to -1^+} f(x)$ **f)** $\lim\limits_{x \to 0} f(x)$ **j)** $\lim\limits_{x \to 5^-} f(x)$

c) $\lim\limits_{x \to -1} f(x)$ **g)** $\lim\limits_{x \to 2^-} f(x)$ **k)** $\lim\limits_{x \to 5^+} f(x)$

d) $\lim\limits_{x \to 0^-} f(x)$ **h)** $\lim\limits_{x \to 2^+} f(x)$ **l)** $\lim\limits_{x \to 5} f(x)$

4. Lors de l'achat d'une nouvelle maison, une certaine municipalité calcule le montant de la taxe de bienvenue de la façon suivante :

0,5 % pour les premiers 50 000 $ du prix de l'achat,

1 % pour la partie du prix de l'achat qui excède les premiers 50 000 $, mais qui n'excède pas 250 000 $.

1,5 % pour la partie du prix de l'achat qui excède 250 000 $.

À partir de la fonction trouvée dans l'exercice 6 c) de l'auto-évaluation du chapitre 1 (p. 34), vérifiez si la fonction T est continue en $p = 50\,000$ et en $p = 250\,000$.

5. Pour chaque fonction suivante, identifiez (si possible) toutes les valeurs de a qui feraient en sorte que la fonction soit continue sur $\mathbb{R}$.

a) $t(x) = \begin{cases} a + 2x & \text{si } x < -18 \\ 2a + x & \text{si } x \geq -18 \end{cases}$

b) $p(t) = \begin{cases} 12 + a & \text{si } t < 1 \\ 14 - t & \text{si } 1 < t < 3 \\ t^2 + 2 & \text{si } 3 \leq t < 5 \\ 13 + a & \text{si } t > 5 \end{cases}$

c) $f(x) = \begin{cases} ax^2 + 3 & \text{si } x \leq 3 \\ 12 + 3x & \text{si } x > 3 \end{cases}$

6. Étudiez la continuité de chacune des fonctions suivantes :

a) $f(x) = \begin{cases} x + 5 & \text{si } x \neq 0 \\ 5{,}02 & \text{si } x = 0 \end{cases}$

b) $g(t) = \begin{cases} t + 36 & \text{si } t < -6 \\ 2t^2 - 42 & \text{si } -6 \leq t < -1 \\ 3t + 16 & \text{si } t = -1 \\ 13 & \text{si } -1 < t \leq 4 \\ |-3t + 2| & \text{si } t \geq 5 \end{cases}$

Chapitre 3

Limites particulières et asymptotes

Plan du chapitre

Objectifs

D'ICI LA FIN DE CE CHAPITRE, VOUS DEVRIEZ POUVOIR :

- IDENTIFIER LES ASYMPTOTES VERTICALES ET HORIZONTALES DU GRAPHIQUE D'UNE FONCTION RATIONNELLE LORSQUE CELLE-CI EST DÉFINIE GRAPHIQUEMENT ;
- ÉVALUER DES LIMITES INFINIES DE FORME $\frac{c}{0}$ (OÙ $c \neq 0$) ;
- ÉVALUER DES LIMITES À L'INFINI ET DES LIMITES À MOINS L'INFINI ;
- TROUVER LES ASYMPTOTES VERTICALES ET HORIZONTALES DU GRAPHIQUE D'UNE FONCTION RATIONNELLE LORSQUE CELLE-CI EST DÉFINIE ALGÉBRIQUEMENT ;
- ÉVALUER DES LIMITES DE FORME $\sqrt[n]{0}$;
- MODÉLISER CERTAINES SITUATIONS À L'AIDE DE FONCTIONS ET TROUVER CERTAINES INFORMATIONS PERTINENTES À PARTIR DES LIMITES DÉDUITES DES MODÈLES MATHÉMATIQUES OBTENUS.

« La science est l'asymptote de la vérité. Elle approche sans cesse et ne touche jamais. »

VICTOR HUGO (1802-1885)

Le cours de l'histoire

La racine carrée de 2 et le concept de l'infini

Pythagore (né dans la première moitié du VIe siècle av. J.-C.) et ses disciples ont démontré que $\sqrt{2}$ (qui représente la diagonale d'un carré dont l'arête mesure une unité) n'est pas un nombre qu'on peut écrire sous forme d'une fraction constituée de deux nombres entiers. Ainsi, les Grecs croyaient que la diagonale du « carré unitaire » ne pouvait s'exprimer comme le multiple de l'arête du carré.

PUBLIPHOTO/ÉDIMÉDIA

Pythagore
(VIe siècle av. J.-C.)

À l'école de Pythagore (qui était à la fois une secte religieuse et scientifique), les disciples étaient convaincus que le monde était formé de particules indivisibles. Dans un tel cas, si on coupe un concombre en deux, puis chaque moitié du concombre en deux, et chaque quart obtenu en deux, il arrive un moment où on atteint les indivisibles qu'on ne peut plus couper. De la même façon, les côtés et les diagonales d'un carré sont formés « d'indivisibles de ligne ». S'il y a M indivisibles dans la diagonale du carré d'arête 1 et N indivisibles dans la longueur du côté du carré, on devrait avoir $\frac{\sqrt{2}}{1} = \frac{M}{N}$, ce qui contredit le fait que $\sqrt{2}$ n'est pas un nombre fractionnaire comme le croyait Pythagore.

Par le biais des incommensurables, l'infini a fait son entrée dans la mathématique grecque dans la deuxième moitié du Ve siècle av. J.-C. Certains ont opposé à la conception « atomiste » de Pythagore une philosophie selon laquelle le nombre, le temps et l'espace sont divisibles à l'infini.

Zénon d'Élée (né vers 490 av. J.-C.) a établi quelques paradoxes qui tendent à indiquer que chacune de ces deux conceptions peut mener à une impasse. Le paradoxe de la flèche suppose que l'espace et le temps sont composés de parties indivisibles. À un « instant atomique » de son vol, une flèche occupe un point atomique de l'espace et y est au repos (sinon, on pourrait diviser l'atome de temps en une plus petite partie). Cela étant vrai à chaque « instant atomique » du vol de la flèche, celle-ci ne peut donc être en mouvement. Quant au paradoxe d'Achille et la tortue, il s'oppose à la divisibilité infinie de l'espace et du temps. Dans ce paradoxe, Achille fait une course avec une tortue. Le premier laisse une longueur d'avance à la deuxième. Or, si l'espace est infiniment divisible, Achille ne pourra jamais rattraper la tortue, car à chaque fois qu'il parcourt la distance qui le sépare de son « adversaire », la tortue avance et conserve un certain avantage.

C'est Aristote (384-322 av. J.-C.) qui a rapporté les paradoxes de Zénon d'Élée, en vue de les critiquer. Pour ce qui est du paradoxe de la flèche, il a dit que le temps était, selon lui, divisible à l'infini. En ce qui concerne le paradoxe d'Achille et la tortue, il a suggéré que la somme d'une infinité de distances puisse être finie.

Avant d'aller plus loin

Préalables

1. Trouvez le domaine des fonctions suivantes :

a) $p(q) = \dfrac{q - 4}{q + 1}$

b) $g(d) = \dfrac{12{,}3 - d}{d(d + 8)}$

c) $v(s) = \dfrac{131}{s^3}$

d) $c(b) = \dfrac{b^2 + 3b - 45}{81 - b^2}$

e) $h(x) = \sqrt{x + 9}$

f) $g(y) \sqrt{18 - 5y}$

g) $f(t) = \sqrt[3]{17 + t}$

h) $s(a) = \sqrt[18]{6a + 7}$

2. Effectuez une mise en évidence simple dans les expressions suivantes :

a) $12t^4 - 18t^6$

b) $36x^7 + 16x^3 - 60x^2$

c) $3a + 9a^4 - 15a^3$

d) $p^4 - 17p^3 + 23$

3. Simplifiez les expressions suivantes :

a) $\dfrac{x^8}{x^5}$

b) $\dfrac{r^4}{r^{19}}$

c) $\dfrac{6z^6}{9z^5}$

d) $\dfrac{16c^3}{8c^3}$

4. Évaluez les expressions suivantes :

a) $\sqrt{16}$

b) $-\sqrt{36}$

c) $\sqrt[3]{27}$

d) $\sqrt[3]{-125}$

e) $\sqrt{25} - \sqrt{16}$

f) $\sqrt[5]{14^5}$

5. Résolvez les équations suivantes :

a) $x^2 - 15 = 0$

b) $q^5 + 16 = 0$

Langages mathématique et graphique

1. Écrivez en langage symbolique les énoncés suivants :

a) w s'approche de -2 par des valeurs plus petites que -2.

b) Lorsque t s'approche de 17 par des valeurs plus grandes que 17, les valeurs prises par $k(t)$ s'approchent de plus en plus de -10.

2. Écrivez en langage courant les énoncés suivants :

a) $\lim\limits_{z \to 1{,}9^-} g(z) = 12$

b) $\lim\limits_{a \to 5} m(a) = -6$

3. Écrivez une suite :

a) croissante de cinq nombres positifs, tous supérieurs à 1000;

b) décroissante de six nombres négatifs, tous inférieurs à -1 000 000;

c) croissante de quatre nombres compris entre -0,1 et 0;

d) décroissante de sept nombres compris entre 0 et 0,000 1.

4. Tracez le graphique d'une fonction :

a) continue sur $\mathbb{R}$ telle que sa courbe s'approche de plus en plus de la droite horizontale $y = 2$, sans jamais y toucher;

b) telle que sa courbe s'approche de plus en plus de la droite verticale $x = 1$, sans jamais y toucher.

SECTION 3.1 Limites de forme $\frac{c}{0}$ (où $c \neq 0$) et asymptotes verticales

Fonctions rationnelles et graphiques

Lorsqu'on parcourt en voiture la distance de 382 kilomètres séparant Rimouski de Gaspé (par la route 132), il est évident que le temps T (en heures) employé à parcourir cette distance dépend de la vitesse moyenne v (en kilomètres à l'heure) du véhicule. Puisque, par définition, la vitesse v est donnée par :

$$v = \frac{\text{Distance}}{\text{Temps}} = \frac{382 \text{ km}}{T}$$

Par conséquent, le temps du parcours est donné par la fonction $T(v) = \frac{382}{v}$. Ainsi, à une vitesse moyenne de 75 kilomètres à l'heure, le temps employé est de $T(75) = \frac{382 \text{ km}}{75 \text{ km/h}} \approx 5{,}09$ heures. Dans ce cas, on a une fonction T qui est rationnelle.

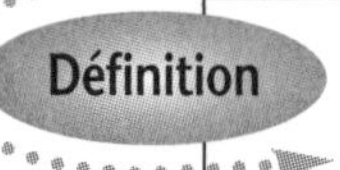

Une fonction rationnelle est une fonction dont la règle peut être notée sous la forme $f(x) = \frac{p(x)}{q(x)}$, où $p(x)$ et $q(x)$ sont des fonctions polynomiales et où $q(x) \neq 0$.

Par exemple, les fonctions $g(u) = \frac{7u^2 - 8{,}9u + 45}{65 - 87u}$ et $h(z) = \frac{12}{34z - 5z^6}$ sont deux fonctions rationnelles.

Si une fonction rationnelle f est définie par $f(x) = \frac{p(x)}{q(x)}$, où p et q sont des fonctions polynomiales, on doit s'assurer de ne pas inclure dans le domaine de la fonction f les valeurs de x pour lesquelles $q(x) = 0$. Par conséquent, Dom $f = \mathbb{R} \setminus A$, où A est l'ensemble des zéros de la fonction q.

De plus, puisque p et q sont des fonctions polynomiales, elles sont continues sur $\mathbb{R}$ comme nous l'avons vu au chapitre 2 (p. 61). Ainsi, la fonction f, qui est le quotient de deux fonctions continues, est elle-même continue sur son domaine, soit sur $\mathbb{R} \setminus A$. On constate que les fonctions rationnelles peuvent avoir des discontinuités. L'utilisation des limites va permettre de mieux étudier ces fonctions.

Exemple 1

Soit la fonction $g(t) = \frac{t+3}{2t-7}$. Trouvez le domaine de la fonction g et déterminez l'intervalle sur lequel la fonction g est continue.

Puisque le dénominateur s'annule lorsque

$$2t - 7 = 0, \text{ soit } 2t = 7 \text{ et donc } t = \frac{7}{2},$$

Dom $g = \mathbb{R} \setminus \left\{\frac{7}{2}\right\}$. Par conséquent, la fonction g est continue sur $\mathbb{R} \setminus \left\{\frac{7}{2}\right\}$.

Notion d'asymptote

Soit la fonction rationnelle f définie par $f(x) = \frac{1}{x}$. On obtient l'esquisse du graphique suivante :

x	$y = f(x)$
-20	-0,05
-15	-0,067
-10	-0,1
-5	-0,2
-4	-0,25
-2	-0,5
-1	-1
-0,5	-2

x	$y = f(x)$
0,5	2
1	1
2	0,5
4	0,25
5	0,2
10	0,1
15	0,067
20	0,05

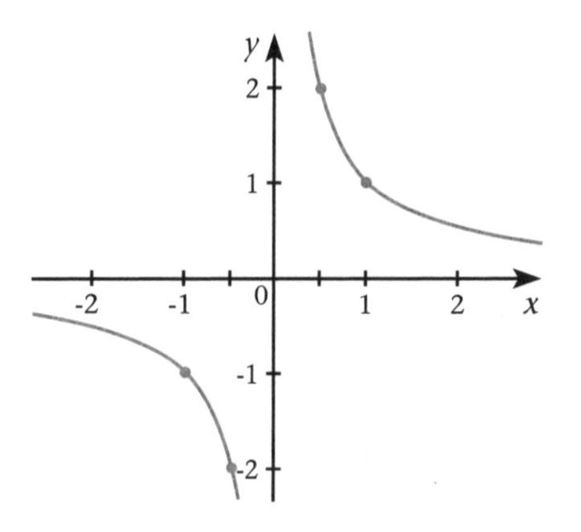

Puisque Dom $f = \mathbb{R} \setminus \{0\}$, on peut se demander ce qui se passe pour des valeurs de x voisines de 0. Étudions le comportement de la fonction f lorsque $x \to 0^+$.

À lire de droite à gauche

$0^+ \leftarrow$	0,000 001	0,000 01	0,000 1	0,001	0,01	x
	1 000 000	100 000	10 000	1000	100	$f(x)$

Ainsi, lorsque $x \to 0^+$, la valeur calculée de $f(x)$ augmente constamment sans être bornée. On écrit alors :

$$\lim_{x \to 0^+} f(x) = +\infty \text{ ou } \lim_{x \to 0^+} \frac{1}{x} = +\infty$$

On constate sur le graphique tracé précédemment que la courbe tend alors à s'approcher de l'axe vertical des y sans y toucher.

Attention !

La notation $\lim_{x \to 0^+} \frac{1}{x} = +\infty$ permet de décrire la situation dans laquelle $\frac{1}{x}$ devient de plus en plus grande sans être bornée quand x s'approche de 0 par des valeurs positives. Toutefois, cette notation ne doit pas laisser croire que la limite $\lim_{x \to 0^+} \frac{1}{x}$ existe. Cette limite n'existe pas. Quand le résultat d'une limite n'est pas un nombre réel, on dit que la limite n'existe pas. Toutefois, quand le résultat est $+\infty$ ou $-\infty$, on l'indique préférablement à la réponse « N'existe pas ».

Étudions maintenant le comportement de la fonction $f(x) = \frac{1}{x}$ lorsque $x \to 0^-$.

À lire de gauche à droite

x	-0,01	-0,001	-0,000 1	-0,000 01	-0,000 001	$\to 0^-$
$f(x)$	-100	-1000	-10 000	-100 000	-1 000 000	

Ainsi, lorsque $x \to 0^-$, la valeur calculée de $f(x)$ diminue constamment sans être bornée. La limite n'existe pas, mais on écrit $\lim_{x \to 0^-} f(x) = -\infty$. On constate alors sur le graphique tracé précédemment que la courbe tend à s'approcher de l'axe vertical des y sans jamais y toucher.

Si on étudie maintenant numériquement le comportement de la fonction $f(x) = \frac{1}{x}$ lorsque x augmente de plus en plus sans être bornée (on écrit alors $x \to +\infty$), on obtient le tableau suivant :

À lire de gauche à droite

x	10	100	1000	10 000	100 000	$\to +\infty$
$f(x)$	0,1	0,01	0,001	0,000 1	0,000 01	

On a $\lim_{x \to +\infty} f(x) = 0$. On constate sur le graphique de la fonction f que plus x augmente et prend des valeurs de plus en plus grandes, plus la courbe tend à s'approcher de l'axe horizontal « par le dessus » sans jamais y toucher.

Étudions finalement le comportement de la fonction f lorsque x diminue de plus en plus sans être bornée (on écrit alors $x \to -\infty$).

À lire de droite à gauche

$-\infty \leftarrow$	-100 000	-10 000	-1000	-100	-10	x
	-0,000 01	-0,000 1	-0,001	-0,01	-0,1	$f(x)$

On a $\lim_{x \to -\infty} f(x) = 0$. Sur le graphique de la fonction f, plus x diminue et prend des valeurs négatives de plus en plus petites, plus la courbe tend à s'approcher de l'axe horizontal « par le dessous » sans jamais y toucher.

Attention !

Même si les limites $\lim_{x \to +\infty} f(x) = 0$ et $\lim_{x \to -\infty} f(x) = 0$ donnent le même résultat, il serait abusif de résumer ce résultat en réunissant ces limites pour créer une seule limite de la forme $\lim_{x \to \pm\infty} f(x) = 0$. Le comportement d'une fonction pour des valeurs positives de x extrêmement grandes n'a pas de rapport avec son comportement pour des valeurs négatives de x qui sont de plus en plus petites.

Si on trace une esquisse du graphique de la fonction $f(x) = \frac{1}{x}$, on constate que la droite verticale $x = 0$ et la droite horizontale $y = 0$ sont deux droites qui «délimitent» et «encadrent» de façon particulière le comportement de la fonction f. De telles droites sont appelées des **asymptotes**.

La fonction f possède deux asymptotes ; l'une est verticale (la droite $x = 0$), l'autre est horizontale (la droite $y = 0$).

Dans la présente section, nous traiterons de façon plus spécifique des asymptotes verticales, et la section qui suit portera sur les asymptotes horizontales. Certaines fonctions possèdent également des asymptotes obliques, mais il n'en sera pas question dans cet ouvrage. Nous allons développer des approches algébriques permettant d'identifier les équations des asymptotes sans avoir le graphique de la fonction étudiée, afin de pouvoir justement tracer le graphique de celle-ci de façon plus précise.

Asymptotes verticales

Pour une fonction f définie par $f(x)$, il ne sera jamais possible de trouver une asymptote verticale pour une valeur de $x = a$ qui est dans le domaine de la fonction f. En effet, si a est un élément du domaine de la fonction f, la courbe de la fonction f touche nécessairement à la droite verticale $x = a$. Cette droite ne peut donc pas être une asymptote, si on se réfère à l'idée intuitive qu'on a d'une asymptote.

Ainsi, les seules valeurs a pour lesquelles il est possible d'observer des asymptotes verticales d'équation $x = a$ sont les valeurs qui ne sont pas dans le domaine de la fonction f. Cette condition est absolument nécessaire. Cependant, elle n'est pas suffisante. On ne peut conclure à l'existence d'une asymptote d'équation $x = a$ seulement parce que a ne fait pas partie du domaine.

Si on observe le graphique relatif à la fonction f définie par $f(x) = \frac{1}{x}$, à la page 73, on constate que la fonction est telle que plus $x \to 0^-$, plus les valeurs prises par $f(x)$ diminuent sans jamais être bornées, ce qui se traduit par $\lim_{x \to 0^-} f(x) = -\infty$. On observe aussi que plus $x \to 0^+$, plus les valeurs prises par $f(x)$ augmentent sans jamais être bornées, ce qui se traduit par $\lim_{x \to 0^+} f(x) = +\infty$.

Définition

Si une fonction f définie par $f(x)$ est telle que :

$$\text{soit } \lim_{x \to a^+} f(x) = +\infty, \ \text{soit } \lim_{x \to a^+} f(x) = -\infty,$$

$$\text{soit } \lim_{x \to a^-} f(x) = +\infty, \ \text{soit } \lim_{x \to a^-} f(x) = -\infty,$$

alors la droite verticale $x = a$ est une asymptote verticale.

Exemple 2

Soit la fonction rationnelle $g(x) = \frac{1}{x - 1}$. Déterminez les équations des asymptotes verticales.

On constate que Dom $g = \mathbb{R} \setminus \{1\}$ et la seule valeur a pour laquelle il est possible que $x = a$ soit l'équation d'une asymptote verticale est $a = 1$.

Étudions le comportement de la fonction $g(x) = \frac{1}{x - 1}$ lorsque $x \to 1^-$.

Puisque le dénominateur de l'expression $\frac{1}{x - 1}$ s'annule lorsque $x = 1$, il n'est pas possible d'utiliser ici la règle R9 des limites étudiée au chapitre 2 (p. 52). On a :

À lire de gauche à droite

x	0,99	0,999	0,999 9	0,999 99	0,999 999	$\to 1^-$
$g(x)$	-100	-1000	-10 000	-100 000	-1 000 000	

Ainsi, lorsque $x \to 1^-$, la valeur calculée de $g(x)$ diminue constamment sans être bornée. On écrit alors $\lim\limits_{x \to 1^-} g(x) = -\infty$ et on peut conclure que la droite d'équation $x = 1$ est une asymptote verticale.

Attention !

Il suffit qu'<u>une des limites à gauche de a ou à droite de a</u> ait comme résultat l'infini ou moins l'infini pour que $x = a$ soit automatiquement une asymptote verticale.

Dans l'exemple qui précède, si on avait plutôt étudié le comportement de la fonction g lorsque $x \to 1^+$, on aurait eu :

À lire de droite à gauche

$1+ \leftarrow$	1,000 001	1,000 01	1,000 1	1,001	1,01	x
	1 000 000	100 000	10 000	1000	100	$g(x)$

Ainsi, lorsque $x \to 1^+$, la valeur calculée de $g(x)$ augmente constamment sans être bornée. On écrit alors $\lim\limits_{x \to 1^+} g(x) = +\infty$.

Exemple 3

Soit la fonction définie par morceaux $h(t) = \begin{cases} t+3 \text{ si } t<2 \\ \dfrac{5}{t-2} \text{ si } t>2 \end{cases}$. Déterminez les équations des asymptotes verticales.

On peut vérifier que Dom $h = \mathbb{R} \setminus \{2\}$ et la seule valeur a pour laquelle il est possible que $t = a$ soit l'équation d'une asymptote verticale est $a = 2$.

Étudions le comportement de la fonction h lorsque $t \to 2^-$. Dans ce cas, la fonction h est définie par $h(t) = t + 3$ et on a :

$$\lim_{t\to 2^-} h(t) = \lim_{t\to 2^-} (t+3) = 2 + 3 = 5$$

On ne peut donc pas conclure pour l'instant que $t = 2$ est une asymptote verticale.

Étudions maintenant le comportement de la fonction h lorsque $t \to 2^+$. Dans ce cas, la fonction h est définie par $h(t) = \frac{5}{t-2}$. Puisque le dénominateur de l'expression $\frac{5}{t-2}$ s'annule lorsque $t = 2$, il n'est pas possible d'utiliser ici la règle R9 des limites étudiée au chapitre 2 (p. 52) lorsque t s'approche de 2. Si on procède numériquement, on a :

À lire de droite à gauche

$2^+ \leftarrow$	2,000 001	2,000 01	2,000 1	2,001	2,01	t
	5 000 000	500 000	50 000	5000	500	$h(t)$

Lorsque $t \to 2^+$, la valeur calculée de $h(t)$ augmente constamment sans être bornée. On écrit alors $\lim\limits_{t\to 2^+} h(t) = +\infty$. On conclut que la droite d'équation $t = 2$ est une asymptote verticale.

Attention !

Si on étudie une limite à gauche ou à droite de a et que celle-ci ne permet pas de décider si $x = a$ représente une asymptote verticale, il est nécessaire de vérifier la limite de l'autre côté avant de pouvoir conclure qu'il n'existe pas d'asymptote à cet endroit.

Si une fonction f est définie sur un intervalle ouvert de type $]a, b[$ ou sur un intervalle semi-ouvert de type $]a, b]$ ou $[a, b[$, alors il est possible que la droite verticale $x = a$ (si a n'est pas dans le domaine de f) et la droite verticale $x = b$ (si b n'est pas dans le domaine de f) soient deux asymptotes verticales. Il suffit pour cela d'étudier $\lim\limits_{x\to a^+} f(x)$ et $\lim\limits_{x\to b^-} f(x)$.

Limite de forme $\frac{c}{0}$ (où $c \neq 0$)

Si on observe l'exemple 3, la limite à droite a dû être évaluée numériquement. En effet, pour évaluer $\lim_{t \to 2^+} h(t) = \lim_{t \to 2^+} \frac{5}{t-2}$, on ne peut appliquer la règle R9 du chapitre 2 (p.52), puisque à la limite, quand $t \to 2^+$, le dénominateur s'approche de plus en plus de 0. On dit alors que cette limite est de la forme $\frac{5}{0}$ et, d'une façon plus générale, on dira qu'on a une limite de forme $\frac{c}{0}$, si c est un nombre réel différent de 0.

Nous allons nous intéresser à ces limites particulières qui sont souvent associées à des asymptotes verticales. Reprenons la fonction f définie par $f(x) = \frac{1}{x}$. Nous avons étudié précédemment le comportement de la fonction f lorsque $x \to 0^+$. On pourrait, entre autres, noter que $\lim_{x \to 0^+} \frac{1}{x}$ est de la forme $\frac{1}{0}$. On pourrait même être plus spécifique et parler de la forme $\frac{1}{0^+}$, car lorsque x s'approche de 0 par des valeurs plus grandes que 0, le dénominateur x qui s'approche de 0 le fait aussi par des valeurs positives. Or, quand on divise le nombre 1 par des valeurs de plus en plus près de 0, mais qui restent toujours positives, on a :

À lire de droite à gauche

$0^+ \leftarrow$	0,000 001	0,000 01	0,000 1	0,001	0,01	x
	$\frac{1}{0{,}000\,001} = 1\,000\,000$	$\frac{1}{0{,}000\,01} = 100\,000$	$\frac{1}{0{,}000\,1} = 10\,000$	$\frac{1}{0{,}001} = 1000$	$\frac{1}{0{,}01} = 100$	$f(x)$

On conclut que $\lim_{x \to 0^+} f(x) = +\infty$ ou $\lim_{x \to 0^+} \frac{1}{x} = +\infty$.

Lorsqu'on a la forme $\frac{1}{0^+}$, on a des quantités qui deviennent de plus en plus grandes positivement, puisqu'elles sont le résultat de la division de deux nombres positifs.

De même, lorsque $x \to 0^-$, on peut indiquer que $\lim_{x \to 0^-} \frac{1}{x}$ est de la forme $\frac{1}{0^-}$. Or, quand on divise le nombre 1 par des valeurs de plus en plus près de 0, mais qui restent toujours négatives, on a :

À lire de gauche à droite

x	-0,001	-0,000 1	-0,000 01	-0,000 001	$\to 0^-$
$f(x)$	$\frac{1}{-0{,}001} = -1000$	$\frac{1}{-0{,}000\,1} = -10\,000$	$\frac{1}{-0{,}000\,01} = -100\,000$	$\frac{1}{-0{,}000\,001} = -1\,000\,000$	

On conclut que $\lim_{x \to 0^-} f(x) = -\infty$ ou $\lim_{x \to 0^-} \frac{1}{x} = -\infty$.

Lorsqu'on a la forme $\frac{1}{0^-}$, on a des quantités qui deviennent de plus en plus petites négativement (étant le résultat de la division d'un nombre positif et d'un nombre négatif).

Exemple 4

Déterminez les limites suivantes :

a) $\lim\limits_{z \to 0^-} \dfrac{-0{,}012}{z}$

La limite $\lim\limits_{z \to 0^-} \dfrac{-0{,}012}{z}$ est de la forme $\dfrac{-0{,}012}{0^-}$, puisque le numérateur reste constant à -0,012 lorsque le dénominateur z s'approche de 0 par des valeurs plus grandes que 0.

On conclut que $\lim\limits_{z \to 0^-} \dfrac{-0{,}012}{z} = +\infty$.

b) $\lim\limits_{x \to -5^+} \dfrac{3x}{x+5}$

La limite $\lim\limits_{x \to -5} \dfrac{3x}{x+5}$ est de la forme $\dfrac{-15}{0^+}$, car lorsque x s'approche de -5 par des valeurs plus grandes que -5, le numérateur s'approche de plus en plus de 3(-5) = -15, alors que le dénominateur $x + 5$ s'approche de 0 par des valeurs plus grandes que 0. En effet, lorsque x prend les valeurs -4,9, -4,99 et -4,999 par exemple, $x + 5$ prend respectivement les valeurs suivantes :

$$-4{,}9 + 5 = 0{,}1, \ -4{,}99 + 5 = 0{,}01 \text{ et } -4{,}999 + 5 = 0{,}001$$

Par conséquent, $\lim\limits_{x \to -5^+} \dfrac{3x}{x+5} = -\infty$.

c) $\lim\limits_{z \to 0} \dfrac{4z+7}{z^2}$

Dans ce cas, puisqu'on ne précise pas par quel côté z doit s'approcher de 0, on doit nécessairement considérer la limite à droite de 0 et la limite à gauche de 0.

La limite à droite $\lim\limits_{z \to 0^+} \dfrac{4z+7}{z^2}$ est de la forme $\dfrac{7}{0^+}$, car lorsque $z \to 0^+$, le numérateur $4z + 7$ s'approche de plus en plus de 4(0) + 7 = 7, alors que le dénominateur z^2, qui n'est jamais négatif, s'approche de 0 par des valeurs plus grandes que 0. Par conséquent, $\lim\limits_{z \to 0^+} \dfrac{4z+7}{z^2} = +\infty$.

La limite à gauche $\lim\limits_{z \to 0^-} \dfrac{4z+7}{z^2}$ est également de la forme $\dfrac{7}{0^+}$, puisque le dénominateur z^2, qui ne peut être négatif, s'approche de 0 par des valeurs plus grandes que 0. Par conséquent, $\lim\limits_{z \to 0^-} \dfrac{4z+7}{z^2} = +\infty$.

Ainsi, on écrit $\lim\limits_{z \to 0} \dfrac{4z+7}{z^2} = +\infty$.

d) $\lim\limits_{w \to 4^+} \dfrac{w+11}{w^2-4w}$

Pour déterminer la forme de la limite $\lim\limits_{w \to 4^+} \dfrac{w+11}{w^2-4w}$, il peut être bon de factoriser le dénominateur en effectuant une mise en évidence, pour obtenir $\lim\limits_{w \to 4^+} \dfrac{w+11}{w(w-4w)}$ qui est de la forme $\dfrac{15}{4 \cdot 0^+}$, car lorsque $w \to 4^+$, le numérateur $w + 11$ s'approche de plus en plus de 4 + 11 = 15, alors que le dénominateur $w(w - 4)$ s'approche de $4(4^+ - 4) = 4 \cdot 0^+$.

Par conséquent, $\lim\limits_{w \to 4^+} \dfrac{w+11}{w^2-4w} = +\infty$.

Comment **faire**?

Comment factoriser une expression algébrique

Le fait de savoir factoriser un polynôme est une habileté essentielle pour pouvoir calculer certaines limites d'une forme particulière auxquelles les diverses règles présentées dans le chapitre 2 ne s'appliquent pas.

Mise en évidence simple

Si on a $\mathbf{7x + 14}$, le nombre 7 étant une quantité commune aux deux termes ($7x$ et 14), on peut mettre le facteur 7 en évidence pour obtenir $\mathbf{7x + 14 = 7\,(x + 2)}$. Pour la même raison, on a :

$$2y^2 + 8y = 2y(y + 4) \quad \text{et} \quad 4 - x = -1\,(x - 4)$$

Mise en évidence double

Si on a $\mathbf{3x + 6y + 4xz + 8yz}$, on peut chercher à savoir s'il est possible d'effectuer une mise en évidence simple pour les deux premiers termes et une mise en évidence simple pour les deux derniers termes. Dans ce cas-ci, on a :

$$3x + 6y + 4xz + 8yz = 3(x + 2y) + 4z(x + 2y) = (3 + 4z)(x + 2y)$$

Différence de carrés

On peut remarquer que $\mathbf{(x + 3)(x - 3) = x^2 - 9}$. Ainsi, si on a $\mathbf{x^2 - y^2}$, soit la différence de termes qui sont des carrés, alors $\mathbf{x^2 - y^2 = (x + y)(x - y)}$. De la même façon :

$$x^2 - 25 = (x)^2 - (5)^2 = (x + 5)(x - 5) \quad \text{et} \quad 4y^2 - 16x^2 = (2y)^2 - (4x)^2 = (2y + 4x)(2y - 4x)$$

Trinôme

Si on souhaite factoriser un trinôme de la forme $ax^2 + bx + c$, il est d'abord conseillé de trouver deux nombres dont le produit est $a \cdot c$ et dont la somme est b. Par exemple, si on a $\mathbf{2x^2 - 3x - 5}$, on travaille d'abord avec le nombre $a \cdot c = 2 \cdot (-5) = -10$ et le nombre -3 (le coefficient de x). Il s'agit de chercher deux nombres dont la somme est -3 et dont le produit est égal à -10. Dans ce cas, les deux nombres recherchés sont -5 et 2. On transforme alors $-3x$ en $-5x + 2x$ et on a :

$$\begin{aligned} 2x^2 - 3x - 5 &= 2x^2 - 5x + 2x - 5 \text{ (à partir d'ici, on effectue une mise en évidence double)} \\ &= x(2x - 5) + 1(2x - 5) = (x + 1)(2x - 5) \end{aligned}$$

Différence et somme de cubes

Si on a $\mathbf{x^3 - 8 = x^3 - 2^3}$, alors 2 est un zéro du polynôme et $(x - 2)$ divise $x^3 - 8$. Si on effectue la division, on obtient :

$$x^3 - 8 = (x - 2)(x^2 + 2x + 4)$$

D'une façon générale, $\mathbf{x^3 - a^3 = (x - a)(x^2 + ax + a^2)}$.

Si on a $\mathbf{x^3 + 27 = x^3 + 3^3}$, alors -3 est un zéro du polynôme et $(x - (-3)) = (x + 3)$ divise $x^3 + 27$. On arrive alors à :

$$x^3 + 27 = (x + 3)(x^2 - 3x + 9)$$

D'une façon générale, $\mathbf{x^3 + a^3 = (x + a)(x^2 - ax + a^2)}$.

Puisque nous nous sommes donné un langage facilitant l'évaluation des limites associées aux asymptotes verticales, revenons à la recherche de celles-ci, en utilisant nos diverses connaissances.

Exemple 5

Trouvez l'équation des asymptotes verticales des fonctions rationnelles suivantes :

a) $g(x) = \dfrac{14}{x - 19}$

On a Dom $g = \mathbb{R} \setminus \{19\}$ et la seule valeur a pour laquelle il est possible que $x = a$ soit l'équation d'une asymptote verticale est $a = 19$. Évaluons la limite à droite quand x s'approche de 19.

On a $$\lim_{x \to 19^+} g(x) = \lim_{x \to 19^+} \frac{14}{x - 19} \text{ qui est de la forme } \frac{14}{0^+}.$$

Puisque le quotient de deux quantités positives est positif et puisque le dénominateur s'approche de plus en plus de 0, $\lim\limits_{x \to 19^+} g(x) = +\infty$. Par conséquent, $x = 19$ est une asymptote verticale.

b) $h(q) = \dfrac{q + 5}{(4 - q)(7 + q)}$

On a Dom $g = \mathbb{R} \setminus \{-7, 4\}$ et les deux seules valeurs a pour lesquelles il est possible que $q = a$ soit l'équation d'une asymptote verticale sont $a = -7$ et $a = 4$.

Étudions d'abord le cas de $a = -7$, en évaluant la limite à gauche quand q s'approche de -7.

On a $$\lim_{q \to -7^-} h(q) = \lim_{q \to -7^-} \frac{q + 5}{(4 - q)(7 + q)} \text{ qui est de la forme } \frac{-2}{11 \cdot 0^-}.$$

Puisque le quotient de deux quantités négatives (le numérateur est de plus en plus près de -2, alors que le dénominateur s'approche du produit du nombre positif 11 et de quantités négatives de plus en plus près de 0) est positif :

$$\lim_{q \to -7^-} h(q) = +\infty$$

Par conséquent, $q = -7$ est une asymptote verticale.

Étudions maintenant le cas de $a = 4$, en évaluant, par exemple, la limite à droite quand q s'approche de 4.

On a la limite $\lim\limits_{q \to 4^+} h(q) = \lim\limits_{q \to 4^+} \dfrac{q + 5}{(4 - q)(7 + q)}$ qui est de la forme $\dfrac{9}{0^- \cdot 11}$.

On a donc $\lim\limits_{q \to 4^+} h(q) = -\infty$ et $q = 4$ est aussi une asymptote verticale.

Attention !

Les limites de forme $\frac{c}{0}$ doivent nécessairement avoir un numérateur qui ne s'annule pas, sinon, on dit que la forme est de type $\frac{0}{0}$. Ce type de limites ne donne pas nécessairement lieu à des asymptotes verticales, comme nous le verrons plus loin dans ce manuel.

Exercices

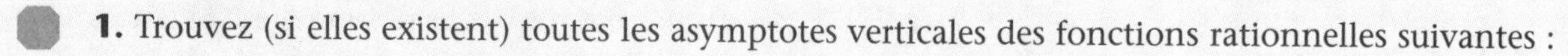

1. Trouvez (si elles existent) toutes les asymptotes verticales des fonctions rationnelles suivantes :

a) $f(s) = \dfrac{-19}{s + 19}$ **b)** $p(a) = \dfrac{a + 3}{a - 5}$ **c)** $h(z) = \dfrac{5z}{(z - 12)(z + \pi)}$ **d)** $k(x) = \dfrac{x^3 + 1}{x^4 - 4x^2}$

2. Évaluez numériquement les limites suivantes, pour chaque fonction donnée :

a) $\lim_{x \to 0^+} f(x)$, $\lim_{x \to 0^-} f(x)$, $\lim_{x \to +\infty} f(x)$ et $\lim_{x \to -\infty} f(x)$, pour la fonction $f(x) = \dfrac{13}{4x}$.

b) $\lim_{b \to 2^+} h(b)$, $\lim_{b \to 2^-} h(b)$, $\lim_{b \to +\infty} h(b)$ et $\lim_{b \to -\infty} h(b)$, pour la fonction $h(b) = \dfrac{12}{b - 2}$.

c) $\lim_{q \to -5^+} k(q)$, $\lim_{q \to -5^-} k(q)$, $\lim_{q \to +\infty} k(q)$ et $\lim_{q \to -\infty} k(q)$, pour la fonction $k(q) = \dfrac{-6}{5 + q}$.

d) $\lim_{s \to \left(\frac{5}{3}\right)^+} v(s)$, $\lim_{s \to \left(\frac{5}{3}\right)^-} v(s)$, $\lim_{s \to +\infty} v(s)$ et $\lim_{s \to -\infty} v(s)$, pour la fonction $v(s) = \dfrac{s^2 - 10}{3s - 5}$.

3. Soit la fonction $g(t) = \dfrac{|t|}{t}$

a) Trouvez le domaine de la fonction g et évaluez numériquement $\lim_{t \to 0} g(t)$.

b) Peut-on trouver un nombre A tel que la fonction f définie par

$$f(t) = \begin{cases} g(t) & \text{si } t \neq 0 \\ A & \text{si } t = 0 \end{cases}$$

soit une fonction continue?

4. Vérifiez si les fonctions suivantes sont continues sur chaque intervalle donné.

a) $g(t) = \dfrac{8}{t}$ est-elle continue sur l'intervalle :

i)]1, 6[?

ii)]-3, 3[?

iii)]0, +∞?

b) $h(z) = \dfrac{z-5}{z+6}$ est-elle continue sur l'intervalle :

i)]0, 1001[?

ii)]-10, -6,01]?

iii) [-6, -5]?

5. À partir des graphiques suivants, déterminez l'équation de toutes les asymptotes verticales :

a)

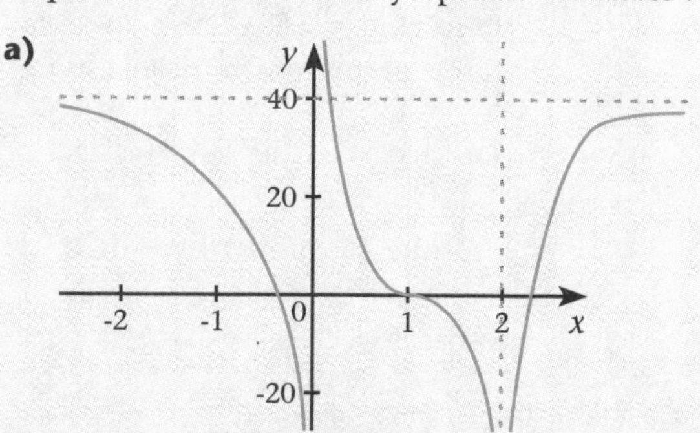

b)

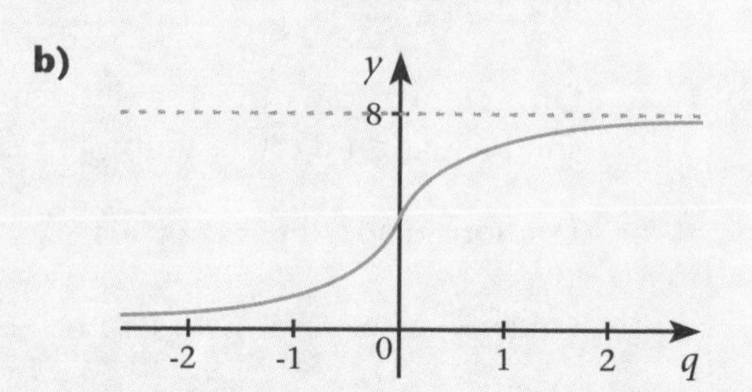

c)

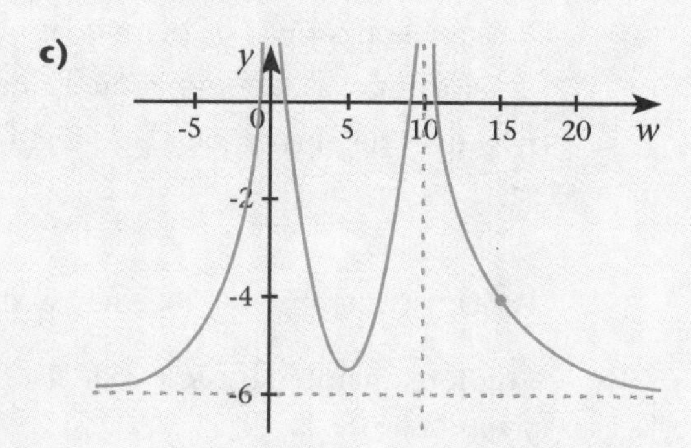

d)

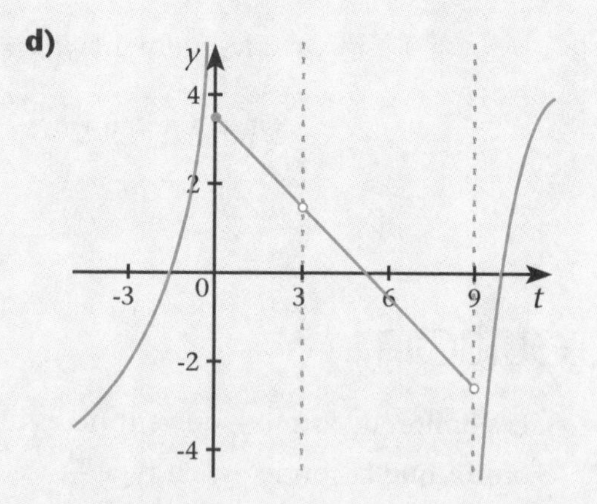

6. Tracez (si possible) le graphique d'une fonction f telle que :

a) $\lim_{t \to 1^-} f(t) = +\infty$ et $\lim_{t \to 1^+} f(t) = +\infty$

b) $\lim_{w \to -6^-} f(w) = -\infty$ et $\lim_{w \to -6^+} f(w) = +\infty$

c) $\lim_{x \to 0} f(x) = +\infty$

d) $\lim_{q \to -0,5^+} f(q) = -\infty$ et $\lim_{q \to 0,5^-} f(q) = +\infty$

7. Trouvez, si elles existent, les limites suivantes :

a) $\lim_{z \to 3^-} \frac{2z + 5}{z - 3}$

b) $\lim_{k \to 5^+} \frac{k + 8}{k - 5}$

c) $\lim_{r \to -1} \frac{2}{r + 1}$

d) $\lim_{g \to 3^-} \left(5g + 12 + \frac{g}{g - 3}\right)$

e) $\lim_{n \to 0} \frac{4n + 5}{n^4}$

f) $\lim_{x \to 0^-} \left(x - \frac{1}{x}\right)$

g) $\lim_{s \to -2^-} \frac{4s + 1}{s + 2}$

h) $\lim_{v \to 0} \frac{6v^2 + 8v + 7}{v^4 + v^2}$

i) $\lim_{b \to 3} \frac{b^2 + b + 3}{b - 3}$

j) $\lim_{m \to 7^-} \frac{3m + 8}{m - 7}$

k) $\lim_{c \to 0} \frac{6c - 7}{c^4}$

l) $\lim_{e \to -3} \frac{e^4 + 81}{e + 3}$

m) $\lim_{s \to 4} \frac{6s^2 + 13}{3s - 12}$

n) $\lim_{t \to 0} \frac{\sqrt[5]{t + 1} - 2}{t}$

o) $\lim_{c \to 2} \frac{9c + 8}{c^2 - 4c + 4}$

p) $\lim_{d \to 2^-} \frac{4}{4 - d^2}$

q) $\lim_{y \to 2} \frac{y^2 - 2y - 0,12}{(y - 2)^2}$

r) $\lim_{y \to 0} \frac{6y^4 - 7y^3 + 0,3}{y^2 + y^6 - y^{18}}$

s) $\lim_{x \to 2^+} \frac{x^4 - 1}{x^2 - 5x + 6}$

t) $\lim_{p \to 3^+} \frac{4p + 1}{p^3 - 3p^2 - p + 3}$

u) $\lim_{x \to 6^-} \frac{x^2 - 6}{2x^2 - 11x - 6}$

8. Trouvez l'équation de toutes les asymptotes verticales des fonctions rationnelles suivantes :

a) $f(b) = \frac{3,2}{b - 1}$

b) $k(x) = \frac{17x^4 - 9}{4x^3}$

c) $g(a) = \frac{7a + 1}{2a + 3}$

d) $j(z) = \frac{-100}{(z + 1)(2z + 1)(3z + 1)}$

e) $h(t) = \frac{9t^3 - 13t}{(t - 5)^2}$

f) $m(r) = \frac{3r^4 + 4}{r^3 - 36}$

g) $f(i) = \frac{i^{24}}{i^4 - 81}$

9. Déterminez si les fonctions suivantes ont des asymptotes verticales. Si oui, indiquez lesquelles.

a) Une fonction linéaire f de la forme $f(x) = mx + b$

b) Une fonction quadratique f de la forme $f(x) = ax^2 + bx + c$, dans les circonstances où a est un nombre positif et dans celles où a est un nombre négatif.

c) Une fonction puissance f de la forme $f(x) = ax^n$, avec un entier n pair positif, dans les circonstances où a est un nombre positif et dans celles où a est un nombre négatif.

d) Une fonction puissance f de la forme $f(x) = ax^n$, avec un entier n impair positif, dans les circonstances où a est un nombre positif et dans celles où a est un nombre négatif.

SECTION 3.2

Limites à l'infini, limites à moins l'infini et asymptotes horizontales

Asymptotes horizontales

Dans la première section de ce chapitre, nous avons observé le comportement de la fonction $f(x) = \frac{1}{x}$ pour des valeurs de x qui augmentaient de plus en plus sans être bornées (nous avons alors écrit que $x \to +\infty$) et nous avons obtenu le tableau suivant :

À lire de gauche à droite

x	10	100	1000	10 000	100 000	$\to +\infty$
$f(x)$	0,1	0,01	0,001	0,000 1	0,000 01	

Nous avons conclu que $\lim_{x \to +\infty} f(x) = 0$. Nous avons constaté que plus x augmente et prend des valeurs de plus en plus grandes, plus la courbe tend à s'approcher de l'axe des x. Ainsi, l'axe des x, soit la droite d'équation $y = 0$, est une asymptote horizontale.

Définition intuitive de la limite à l'infini

Si une fonction f exprimée par $f(x)$ est telle que :

- f est définie pour des valeurs de x aussi élevées qu'on le souhaite et
- si, lorsque les valeurs de x augmentent de plus en plus sans être bornées supérieurement (donc quand $x \to +\infty$), les valeurs calculées de $f(x)$ s'approchent de plus en plus de la valeur D,

alors on dit que D est **la limite à l'infini de f** et on écrit $\lim_{x \to +\infty} f(x) = D$.

Quand on dit que « les valeurs de x augmentent de plus en plus sans être bornées supérieurement », les quatre derniers mots sont importants. Si on attribue à une variable x les nombres de la suite 0,9 ; 0,99 ; 0,999 ; 0,999 9, etc., les valeurs que prend la variable x augmentent constamment, mais elles sont bornées supérieurement par le nombre 1, et on ne peut certainement pas écrire que $x \to +\infty$.

Attention !

Lorsqu'on s'intéresse à la situation où $x \to +\infty$:

- on ne peut pas vraiment dire que x s'approche de l'infini (Que voudrait dire le mot « approcher » dans un tel contexte ?);
- il serait absurde de dire que x arrive par la droite ; en effet, la valeur de x doit augmenter sans cesse.

Dans la première section du chapitre, nous avons également étudié le comportement de la fonction $f(x) = \frac{1}{x}$ lorsque x diminue de plus en plus sans être bornée (nous avons écrit $x \to -\infty$).

À lire de droite à gauche

$-\infty \leftarrow$	-100 000	-10 000	-1000	-100	-10	x
	-0,000 01	-0,000 1	-0,001	-0,01	-0,1	$f(x)$

Nous avons conclu que $\lim_{x \to -\infty} f(x) = 0$. Plus x diminue et prend des valeurs négatives de plus en plus petites, plus la courbe tend à s'approcher de l'axe des x. Ainsi, la droite horizontale $y = 0$ joue à nouveau le rôle d'asymptote horizontale quand la valeur de x devient de plus en plus petite.

Définition intuitive de la limite à moins l'infini

Si une fonction f exprimée par $f(x)$ est telle que :

- f est définie pour des valeurs de x aussi petites qu'on le souhaite et
- si, lorsque les valeurs de x diminuent de plus en plus sans être bornées inférieurement (donc quand $x \to -\infty$), les valeurs calculées de $f(x)$ s'approchent de plus en plus de la valeur G,

alors on dit que G est **la limite à moins l'infini de f** et on écrit $\lim_{x \to -\infty} f(x) = G$.

La recherche d'asymptotes horizontales passe par le calcul de la limite à l'infini et de la limite à moins l'infini.

Définitions

Si une fonction f exprimée par $f(x)$ est telle que la limite à l'infini $\lim_{x \to +\infty} f(x) = D$, alors la droite horizontale $y = D$ est une **asymptote horizontale**.

Si la fonction f est telle que la limite à moins l'infini $\lim_{x \to -\infty} f(x) = G$, alors la droite horizontale $y = G$ est une **asymptote horizontale**.

Attention !

Pour déterminer toutes les asymptotes horizontales d'une fonction, on doit calculer ces deux limites bien précises. En conséquence, pour une fonction, il ne peut y avoir au maximum que deux asymptotes horizontales.

Exemple 6

Estimez les asymptotes horizontales de la fonction $g(t) = \frac{12}{t+7}$.

Évaluons la limite à l'infini, en observant le comportement numérique de la fonction g lorsque $t \to +\infty$.

À lire de gauche à droite

t	10	100	1000	10 000	100 000	$\to +\infty$
$g(t)$	0,705 882 4	0,112 149 5	0,011 916 6	0,001 199 2	0,000 119 99	

On a $\lim\limits_{t \to +\infty} g(t) = 0$. Ainsi, la droite d'équation $y = 0$ est une asymptote horizontale. Évaluons maintenant la limite à moins l'infini, en observant le comportement de la fonction g lorsque $t \to -\infty$.

À lire de droite à gauche

$-\infty \leftarrow$	-100 000	-10 000	-1000	-100	-10	t
	-0,000 120 0	-0,001 200 8	-0,012 085 6	-0,129 032	-4	$g(t)$

On peut conclure que $\lim\limits_{t \to -\infty} g(t) = 0$. Ainsi, la droite d'équation $y = 0$ est la seule asymptote horizontale de la fonction g.

Limites de forme $\frac{c}{\pm\infty}$ (où $c \neq 0$)

Le résultat de l'exemple 6 ne devrait pas nous surprendre. Dans le quotient $\frac{12}{t+7}$, plus le dénominateur augmente sans être borné supérieurement alors que le numérateur positif reste constant, plus les résultats de la division vont être de plus en plus petits pour s'approcher de 0. De même, plus le dénominateur diminue sans être borné inférieurement alors que le numérateur positif reste constant, plus les résultats de la division vont s'approcher de 0. On parle alors de limite de forme $\frac{c}{\pm\infty}$, où $c \neq 0$.

Exemple 7

Évaluez les limites suivantes :

a) $\lim\limits_{t \to -\infty} \frac{29}{t^5}$

Si on étudie le comportement du quotient $\frac{29}{t^5}$ quand la variable t diminue sans être bornée inférieurement, on constate que si $t = -10$, $t^5 = -100\ 000$,

si $t = -100$, $t^5 = -10\ 000\ 000\ 000$,

si $t = -1000$, $t^5 = -1\ 000\ 000\ 000\ 000\ 000$, etc.

Les résultats des divisions de 12 par t^5 sont négatifs et s'approchent de plus en plus de 0. On a une forme $\frac{c}{-\infty}$ et $\lim\limits_{t \to -\infty} \frac{29}{t^5} = 0$.

b) $\lim\limits_{w \to -\infty} \dfrac{-3}{w^4}$

Si on étudie le comportement du quotient $\frac{-3}{w^4}$ quand la variable w diminue sans être bornée inférieurement, on constate que si $w = -10$, $w^4 = 10\,000$,

si $w = -100$, $w^4 = 100\,000\,000$,

si $w = -1000$, $w^4 = 1\,000\,000\,000\,000$, etc.

Les résultats des divisions de -3 par w^4 sont négatifs et s'approchent de plus en plus de 0. On a une forme $\frac{c}{+\infty}$ et $\lim\limits_{w \to -\infty} \dfrac{-3}{w^4} = 0$.

c) $\lim\limits_{x \to +\infty} \dfrac{12 + \frac{2}{x}}{x^9}$

Si on étudie le comportement du quotient $\dfrac{12 + \frac{2}{x}}{x^9}$ quand la variable x augmente, on constate qu'au numérateur le nombre 12 reste fixe alors que la quantité $\frac{2}{x}$ aura une forme $\frac{c}{+\infty}$ et tend donc à devenir nulle, ce qui fait que le numérateur s'approche de plus en plus de $12 + 0 = 12$. Pendant ce temps, le dénominateur x^9 devient de plus en plus grand. On obtient donc globalement une forme $\frac{c}{+\infty}$ et $\lim\limits_{x \to +\infty} \dfrac{12 + \frac{2}{x}}{x^9} = 0$.

d) $\lim\limits_{z \to -\infty} \dfrac{-5 + \frac{3}{z^2} + \frac{7}{z^3}}{z^{12}}$

Si on étudie le comportement du quotient $\dfrac{-5 + \frac{3}{z^2} + \frac{7}{z^3}}{z^{12}}$ quand la variable z diminue sans être bornée inférieurement, on constate qu'au numérateur le nombre -5 reste fixe, la quantité $\frac{3}{z^2}$ a une forme $\frac{c}{+\infty}$ (et tend donc vers 0) et la quantité $\frac{7}{z^3}$ a une forme $\frac{c}{-\infty}$ (et tend aussi vers 0). En conséquence, le numérateur s'approche de plus en plus de $-5 + 0 + 0 = -5$. Pendant ce temps, le dénominateur z^{12} devient de plus en plus grand. On obtient globalement une forme $\frac{c}{+\infty}$ et $\lim\limits_{x \to -\infty} \dfrac{-5 + \frac{3}{z^2} + \frac{7}{z^3}}{z^{12}} = 0$.

Limites de forme $\frac{\pm\infty}{\pm\infty}$

Qu'advient-il d'une limite comme $\lim\limits_{x \to +\infty} \dfrac{3x}{x + 5}$, si le numérateur et le dénominateur deviennent à la fois de plus en plus grands (ou de plus en plus petits) sans être bornés (on parle alors de limites de la forme $\frac{\pm\infty}{\pm\infty}$)?

Pour savoir comment procéder dans ce cas, rappelons en quoi consiste une mise en évidence. L'expression de deux termes $12y^5 + 3y^7$ peut également avoir la forme $4 \cdot 3y^5 + 3y^5 \cdot y^2$. On peut alors mettre en évidence $3y^5$ et on a :

$$3y^5\left(\frac{12y^5}{3y^5} + \frac{3y^7}{3y^5}\right) = 3y^5\,(4 + y^2)$$

Chaque terme de l'expression initiale doit être divisé par ce qui est mis en évidence. De même, on a :

$$10a^8 + 4a^5 + 2a^3 = 2a^3\left(\frac{10a^8}{2a^3} + \frac{4a^5}{2a^3} + \frac{2a^3}{2a^3}\right) = 2a^3(5a^5 + 2a^2 + 1)$$

Rien ne nous empêche de mettre en évidence le terme de notre choix. Dans le développement ci-dessus, on aurait très bien pu mettre, par exemple, a^8 en évidence. On aurait eu alors :

$$10a^8 + 4a^5 + 2a^3 = a^8\left(\frac{10a^8}{a^8} + \frac{4a^5}{a^8} + \frac{2a^3}{a^8}\right) = a^8\left(10 + \frac{4}{a^3} + \frac{2}{a^5}\right)$$

La seule contrainte dans ce cas est de ne pas avoir $a = 0$, car on divise partout par a^8.

De même, on a :

$$17x^4 + 5x^7 + 2x^3 = x^7\left(\frac{17x^4}{x^7} + \frac{5x^7}{x^7} + \frac{2x^3}{x^7}\right) = x^7\left(\frac{17}{x^3} + 5 + \frac{2}{x^4}\right), \text{ à condition que } x \neq 0.$$

Exemple 8

Évaluez les limites suivantes :

a) $\lim\limits_{z\to-\infty} \dfrac{7z+1}{z^3-4}$

On a une limite de forme $\frac{-\infty}{-\infty}$.

On a $$\lim_{z\to-\infty} \frac{7z+1}{z^3-4} = \lim_{z\to-\infty} \frac{z\left(7+\frac{1}{z}\right)}{z^3\left(1-\frac{4}{z^3}\right)} = \lim_{z\to-\infty} \frac{7+\frac{1}{z}}{z^2\left(1-\frac{4}{z^3}\right)}$$

On peut mettre ici z et z^3 en évidence, car lorsque z tend vers $+\infty$, z n'est sûrement pas nulle. Si on analyse cette dernière expression lorsque z devient de plus en plus petite sans être bornée inférieurement :

- le numérateur est $7 + \frac{1}{z}$, où $\frac{1}{z}$ est de la forme $\frac{c}{-\infty}$. Ainsi, le numérateur tend vers $7 + 0 = 7$;
- le dénominateur $z^2\left(1-\frac{4}{z^3}\right)$ possède deux facteurs. Le premier facteur z^2 tend à devenir de plus en plus grand positivement (z^2 n'est jamais négatif), alors que le deuxième facteur $\left(1-\frac{4}{z^3}\right)$ tend à s'approcher de $1 - 0 = 1$. Ainsi, le produit des deux facteurs (symbolisé par $+\infty \times 1$) devient de plus en plus grand;
- le quotient $\dfrac{7+\frac{1}{z}}{z^2\left(1-\frac{4}{z^3}\right)}$ tend à avoir la forme $\frac{7}{+\infty}$. Donc, on obtient $\lim\limits_{z\to-\infty} \dfrac{7z+1}{z^3-4} = 0$.

b) $\lim\limits_{t\to+\infty} \dfrac{2t^4+4t+13}{t^4+3t+13}$

On a une limite de forme $\frac{+\infty}{+\infty}$. Si on procède comme dans l'exemple précédent, on a :

$$\lim_{t\to+\infty} \frac{2t^4+4t+13}{t^4+3t+13} = \lim_{t\to+\infty} \frac{t^4\left(2+\frac{4}{t^3}+\frac{13}{t^4}\right)}{t^4\left(1+\frac{3}{t^3}+\frac{13}{t^4}\right)} = \lim_{t\to+\infty} \frac{2+\frac{4}{t^3}+\frac{13}{t^4}}{1+\frac{3}{t^3}+\frac{13}{t^4}} = \frac{2+0+0}{1+0+0} = 2$$

Le passage de la dernière limite à l'expression $\frac{2+0+0}{1+0+0}$ est permis, du fait qu'on obtient au numérateur comme au dénominateur plusieurs formes $\frac{c}{+\infty}$.

c) $\lim_{y \to -\infty} \frac{5y^7 + 6y^3 - 6y + 1}{2y^2 - 5y - 3{,}2}$

On a une limite de forme $\frac{\pm\infty}{\pm\infty}$.

On a $\lim_{y \to -\infty} \frac{5y^7 + 6y^3 - 6y + 1}{2y^2 - 5y - 3{,}2} = \lim_{y \to -\infty} \frac{y^7\left(5 + \frac{6}{y^4} - \frac{6}{y^6} + \frac{1}{y^7}\right)}{y^2\left(2 - \frac{5}{y} - \frac{3{,}2}{y^2}\right)} = \lim_{y \to -\infty} \frac{y^5\left(5 + \frac{6}{y^4} - \frac{6}{y^6} + \frac{1}{y^7}\right)}{2 - \frac{5}{y} - \frac{3{,}2}{y^2}}$

Dans cette dernière limite, on peut observer que le dénominateur tend vers 2 lorsque $y \to -\infty$, puisque les deux termes non égaux à 2 sont de la forme $\frac{c}{\pm\infty}$. Au numérateur, le terme

$$5 + \frac{6}{y^4} - \frac{6}{y^6} + \frac{1}{y^7}$$

tend vers 5 lorsque $y \to -\infty$. Qu'advient-il toutefois du terme y^5 ? Plus y devient petite sans être bornée inférieurement, plus y^5 devient lui-même petit sans être borné. En conséquence, on obtient un quotient qui, à la limite, a la forme $\frac{-\infty \times 5}{2}$. Ainsi :

$$\lim_{y \to -\infty} \frac{5y^7 + 6y^3 - 6y + 1}{2y^2 - 5y - 3{,}2} = -\infty.$$

On constate donc que lorsqu'on cherche à évaluer une limite à l'infini ou à moins l'infini relativement à une fonction rationnelle et qu'on a une forme $\frac{\pm\infty}{\pm\infty}$, la méthode à suivre est la suivante :

- simplifier, si possible, le quotient dès le départ et voir si on a réussi à trouver la limite recherchée;
- si on ne pouvait simplifier dès le départ, mettre en évidence au numérateur la plus grande puissance de la variable indépendante qu'on y trouve, mettre en évidence au dénominateur la plus grande puissance de la variable indépendante qu'on trouve à ce niveau, puis simplifier ce qu'il est possible de simplifier;
- estimer la limite, en utilisant les principes relatifs aux limites de type $\frac{c}{\pm\infty}$.

Exemple 9

Trouvez l'équation des asymptotes horizontales des fonctions rationnelles suivantes :

a) $f(q) = \frac{q^2 + 6}{8(3 - q)(4 + q)}$

On peut remarquer d'abord que $f(q) = \frac{q^2 + 6}{8(3 - q)(4 + q)} = \frac{q^2 + 6}{8(-q^2 - q + 12)} = \frac{q^2 + 6}{-8q^2 - 8q + 96}$.

Évaluons la limite à l'infini et la limite à moins l'infini de la fonction f. On a :

$$\lim_{q \to +\infty} f(q) = \lim_{q \to +\infty} \frac{q^2 + 6}{-8q^2 - 8q + 96} = \lim_{q \to +\infty} \frac{q^2\left(1 + \frac{6}{q^2}\right)}{q^2\left(-8 - \frac{8}{q} + \frac{96}{q^2}\right)} = \lim_{q \to +\infty} \frac{1 + \frac{6}{q^2}}{-8 - \frac{8}{q} + \frac{96}{q^2}} = \frac{1}{-8}$$

Donc, la droite $y = -\frac{1}{8}$ est une asymptote horizontale. Pour la limite à moins l'infini, on a :

$$\lim_{q \to -\infty} f(q) = \lim_{q \to -\infty} \frac{q^2 + 6}{-8q^2 - 8q + 96} = \lim_{q \to -\infty} \frac{q^2\left(1 + \frac{6}{q^2}\right)}{q^2\left(-8 - \frac{8}{q} + \frac{96}{q^2}\right)} = \lim_{q \to -\infty} \frac{1 + \frac{6}{q^2}}{-8 - \frac{8}{q} + \frac{96}{q^2}} = \frac{1}{-8}$$

La droite $y = \frac{-1}{8}$ est la seule asymptote horizontale de la fonction f.

b) $k(v) = \frac{v^5 + 6v}{v^2}$

Évaluons la limite à l'infini et la limite à moins l'infini de la fonction k. On a :

$$\lim_{v \to +\infty} k(v) = \lim_{v \to +\infty} \frac{v^5 + 6v}{v^2} = \lim_{v \to +\infty} \frac{v^5\left(1 + \frac{6}{v^4}\right)}{v^2} = \lim_{v \to +\infty} v^3\left(1 + \frac{6}{v^4}\right) = +\infty$$

Il n'y a donc pas d'asymptote horizontale relativement à la partie de la courbe consacrée aux valeurs de v qui sont de plus en plus grandes sans être bornées. Pour la limite à moins l'infini, on a :

$$\lim_{v \to -\infty} k(v) = \lim_{v \to -\infty} \frac{v^5 + 6v}{v^2} = \lim_{v \to -\infty} \frac{v^5\left(1 + \frac{6}{v^4}\right)}{v^2} = \lim_{v \to -\infty} v^3\left(1 + \frac{6}{v^4}\right) = -\infty$$

La fonction k ne possède donc aucune asymptote horizontale.

On peut facilement constater que lorsque $x \to +\infty$, une expression du type $x^4 + 3x^3 + 4x + 18$ devient de plus en plus grande, car tous les termes concernés sont positifs. Comment déterminer toutefois ce que devient l'expression $a^7 - 1000a^6$ lorsque $a \to +\infty$? On peut écrire $a^7 - 1000a^6 = a^7\left(1 - \frac{1000}{a}\right)$. Lorsque a devient de plus en plus grande sans être bornée, on obtient une forme qu'on peut symboliser par $(+\infty)^7 \cdot (1 - 0) = (+\infty)^7 \cdot 1 = +\infty$, ce qui exprime l'idée que lorsque $a \to +\infty$, l'expression $a^7 - 1000a^6$ devient de plus en plus grande sans être bornée supérieurement.

Exercices

1. Trouvez (si elles existent) toutes les asymptotes horizontales des fonctions rationnelles suivantes :

a) $f(s) = \frac{-19}{s + 19}$ **b)** $p(a) = \frac{a + 3}{a - 5}$ **c)** $h(z) = \frac{5z^2}{(z - 12)(z + \pi)}$ **d)** $k(x) = \frac{x^5 + 1}{x^4 - 4x^2}$

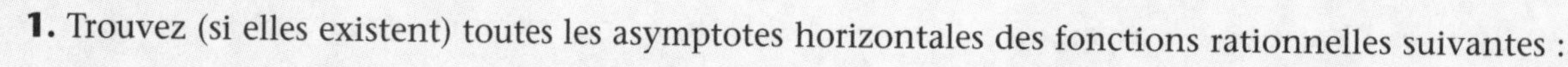

2. À partir des graphiques suivants, déterminez l'équation de toutes les asymptotes horizontales.

a)

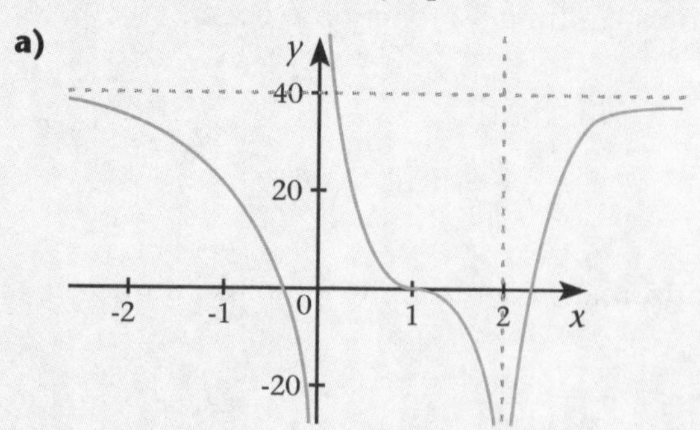

b)

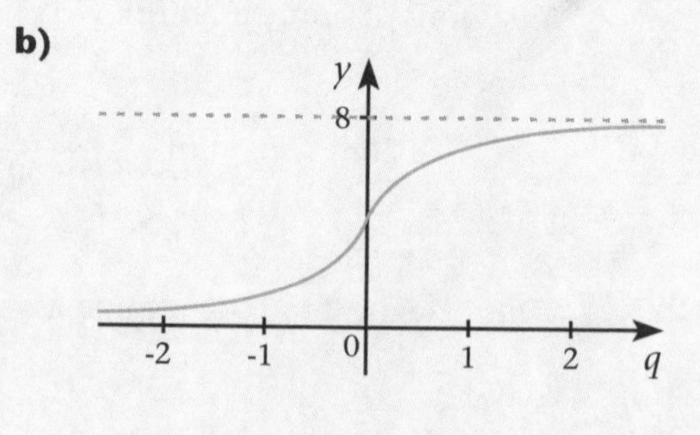

c)

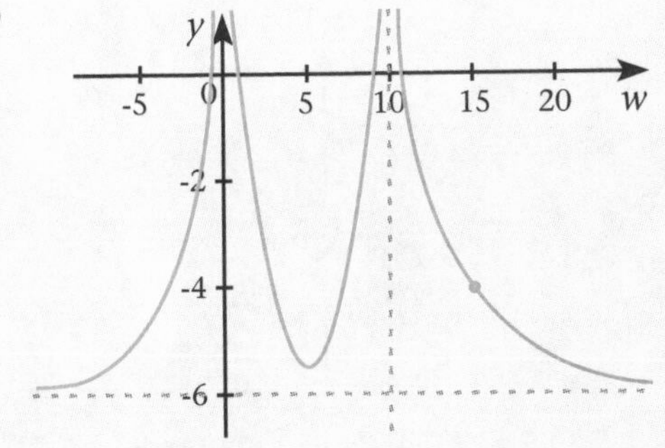

d)

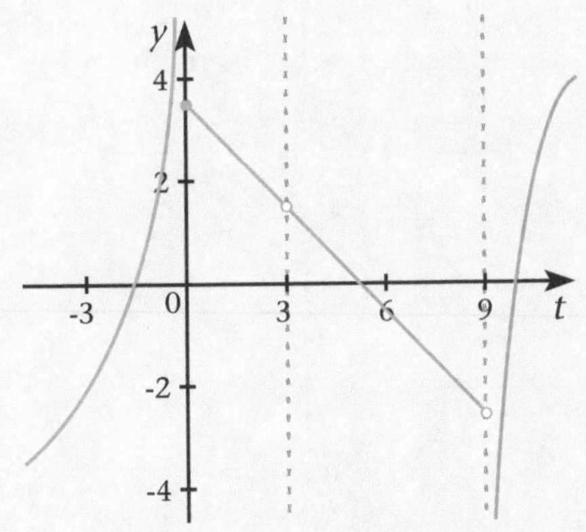

3. Tracez le graphique d'une fonction f telle que :

a) $\lim_{t \to +\infty} f(t) = 2$ et $\lim_{t \to -\infty} f(t) = -2$

b) $\lim_{z \to -\infty} f(z) = \frac{1}{5}$ et $\lim_{z \to +\infty} f(z) = \frac{1}{6}$

c) $\lim_{m \to +\infty} f(m) = -100$ et $\lim_{m \to -\infty} f(m) = 100$

d) $\lim_{w \to -\infty} f(w) = \lim_{w \to +\infty} f(w) = 0$

4. Trouvez, si elles existent, les limites suivantes :

a) $\lim_{s \to +\infty} \frac{176}{s^3}$

b) $\lim_{w \to -\infty} \frac{12 - \frac{8}{w^5}}{w^3}$

c) $\lim_{c \to -\infty} \frac{7 - c}{c^2}$

d) $\lim_{z \to +\infty} \frac{8z - 3}{z + 4}$

e) $\lim_{z \to +\infty} \frac{3 - z + z^2}{6 - z^3}$

f) $\lim_{a \to +\infty} \frac{1 - 2a + a^2}{8a^2 + 4a - 3}$

g) $\lim_{v \to +\infty} \frac{3v^3 + 7v - 13}{v^2 + 6v - 8}$

h) $\lim_{t \to +\infty} \frac{t}{1 - t^2}$

i) $\lim_{y \to -\infty} \left(3y - \frac{1}{y}\right)$

j) $\lim_{b \to -\infty} \frac{b^4}{5 - b^2}$

k) $\lim_{m \to +\infty} \frac{-5(m^2 - 4)}{3m^2 + m - 5}$

l) $\lim_{x \to -\infty} \frac{(3x^2 - x)(x + 1)}{3x^2 - 5}$

m) $\lim_{x \to +\infty} \frac{(x^2 + 2x - 3)^2}{3x^4 - 6x^3 + 98}$

n) $\lim_{z \to -\infty} \frac{z^{13} + 3z^7 - 14z}{2z^5 - 6z + 1}$

o) $\lim_{a \to -\infty} \frac{a^{23} - a^{22} - 3a^{13}}{8a^2 + 5a - 8{,}75}$

5. Trouvez toutes les asymptotes horizontales des fonctions rationnelles suivantes :

a) $f(b) = \frac{3{,}2}{b - 1}$

b) $f(x) = \frac{17x^4 - 9}{4x^3}$

c) $g(a) = \frac{7a + 1}{2a + 3}$

d) $j(z) = \frac{-100}{(z + 1)(2z + 1)(3z + 1)}$

e) $h(t) = \frac{9t^3 - 13t}{(t - 5)^2}$

f) $m(r) = \frac{3r^4 + 4}{r^3 - 36}$

g) $f(i) = \frac{i^{24}}{2i^{24} - 81}$

6. À l'aide de la calculatrice à affichage graphique, tracez le graphique des fonctions suivantes pour pouvoir évaluer les limites demandées. Trouvez ensuite les résultats algébriquement et déterminez s'il existe une ou des asymptotes horizontales.

a) $f(x) = \frac{3x^2 + 8}{2x^2 - 4}$, $\lim_{x \to +\infty} f(x)$ et $\lim_{x \to -\infty} f(x)$

b) $f(x) = \frac{4x^2 - 98}{x^5 + 7}$, $\lim_{x \to +\infty} f(x)$ et $\lim_{x \to -\infty} f(x)$

c) $f(x) = \frac{5x^4 - 3}{4x^3 - 2}$, $\lim_{x \to +\infty} f(x)$ et $\lim_{x \to -\infty} f(x)$

d) $f(x) = \frac{x^7 + x^6}{x^5 - x^3}$, $\lim_{x \to +\infty} f(x)$ et $\lim_{x \to -\infty} f(x)$

e) $f(x) = 4x^3 - 2$, $\lim_{x \to +\infty} f(x)$ et $\lim_{x \to -\infty} f(x)$

f) $f(x) = -x^6 + 8x^3$, $\lim_{x \to +\infty} f(x)$ et $\lim_{x \to -\infty} f(x)$

7. Déterminez si les fonctions suivantes ont des asymptotes horizontales. Si oui, indiquez lesquelles.

a) Une fonction linéaire f de la forme $f(x) = mx + b$, où $m \neq 0$.

b) Une fonction quadratique f de la forme $f(x) = ax^2 + bx + c$, dans les circonstances où a est un nombre positif et dans celles où a est un nombre négatif.

c) Une fonction puissance f de la forme $f(x) = ax^n$, avec un entier n impair positif, dans les circonstances où a est un nombre positif et dans celles où a est un nombre négatif.

8. a) Montrez qu'une fonction rationnelle de la forme $g(t) = \dfrac{at + b}{ct + d}$, où a, b, c et d sont des nombres réels et $c \neq 0$, possède une et une seule asymptote horizontale.

b) Montrez qu'une fonction rationnelle qui possède au moins une asymptote horizontale en possède, en fait, une seule.

9. Soit la fonction polynomiale $g(t) = t^6 - 108t^5 + 2t - 18$.

a) Évaluez $\lim\limits_{t \to +\infty} \dfrac{g(t)}{t^6}$.

b) Évaluez $\lim\limits_{t \to -\infty} \dfrac{g(t)}{t^6}$.

c) Peut-on conclure de (a) et (b) que pour de très grandes valeurs et pour de très petites valeurs données à t, l'allure des graphes des fonctions $g(t) = t^6 - 108t^5 + 2t - 18$ et $k(t) = t^6$ est semblable?

10. Associez à chacun des graphiques suivants (dont une grande partie est cachée derrière un panneau) la fonction polynomiale qui lui convient. Deux des graphiques ne peuvent être les graphiques de fonctions polynomiales. Expliquez pourquoi.

a) $f_1(x) = x^{188} - 654x^{123} - x^{23} + 14$

b) $f_2(x) = -x^{23} + 13x^{21} + x - 24$

c) $f_3(x) = -x^{3456} + 1{,}54x^{17} + 45x^2 - x$

d) $f_4(x) = x^{73} + 4x^{56} + x^8 + 14x^3$

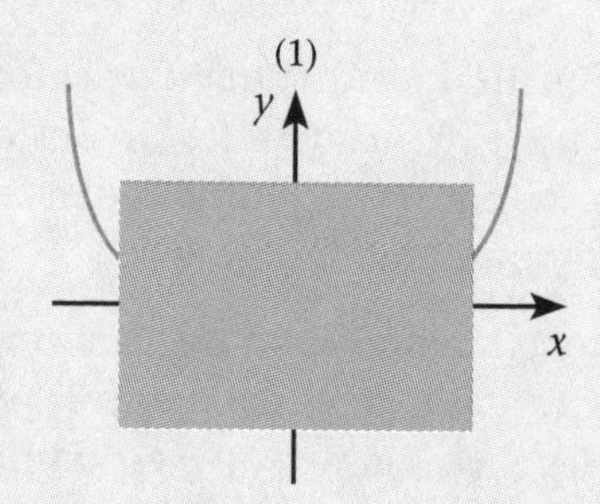

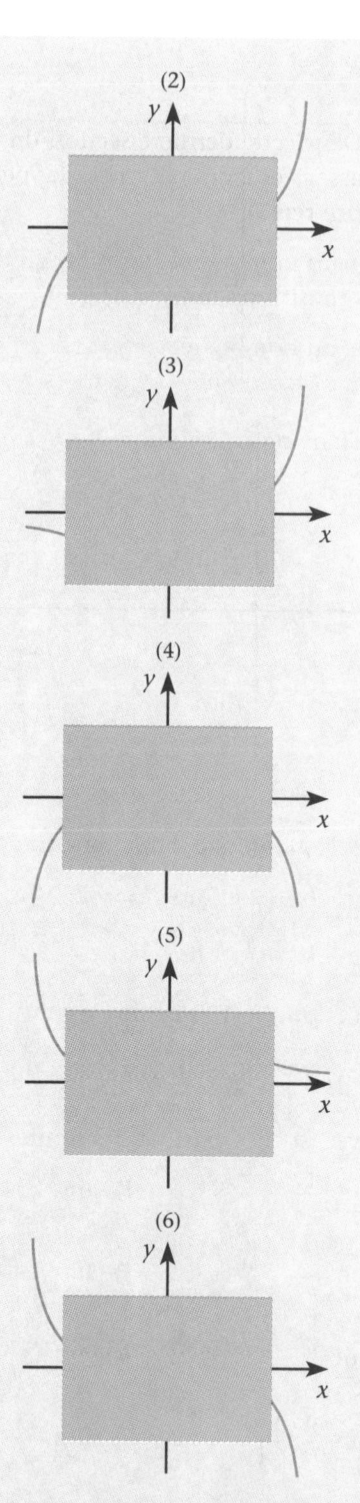

11. Expliquez pourquoi une fonction polynomiale de degré n, où n est un nombre entier impair positif, possède nécessairement un zéro.

SECTION 3.3 Limites de forme $\sqrt[n]{0}$

Dans cette dernière section du chapitre 3, nous allons étudier les limites relatives à des fonctions associées à des radicaux. Rappelons que si n est un nombre entier positif, la **racine n^e d'un nombre réel A** est :

- un nombre réel positif B qu'on doit multiplier n fois par lui-même pour obtenir A, lorsque A est positif ou nul;
- un nombre réel négatif B qu'on doit multiplier n fois par lui-même pour obtenir A, lorsque A est négatif et n est impair.

Dans ces cas, on note $B = \sqrt[n]{A}$ ou $B = A^{\frac{1}{n}}$. À titre d'exemple, on a :

$$9^{\frac{1}{2}} = \sqrt{9} = 3, \quad -16^{\frac{1}{2}} = -\sqrt{16} = -4, \quad 81^{\frac{1}{4}} = \sqrt[4]{81} = 3 \quad \text{et} \quad (-8)^{\frac{1}{3}} = \sqrt[3]{-8} = -2$$

Observons l'allure générale des graphiques des fonctions suivantes :

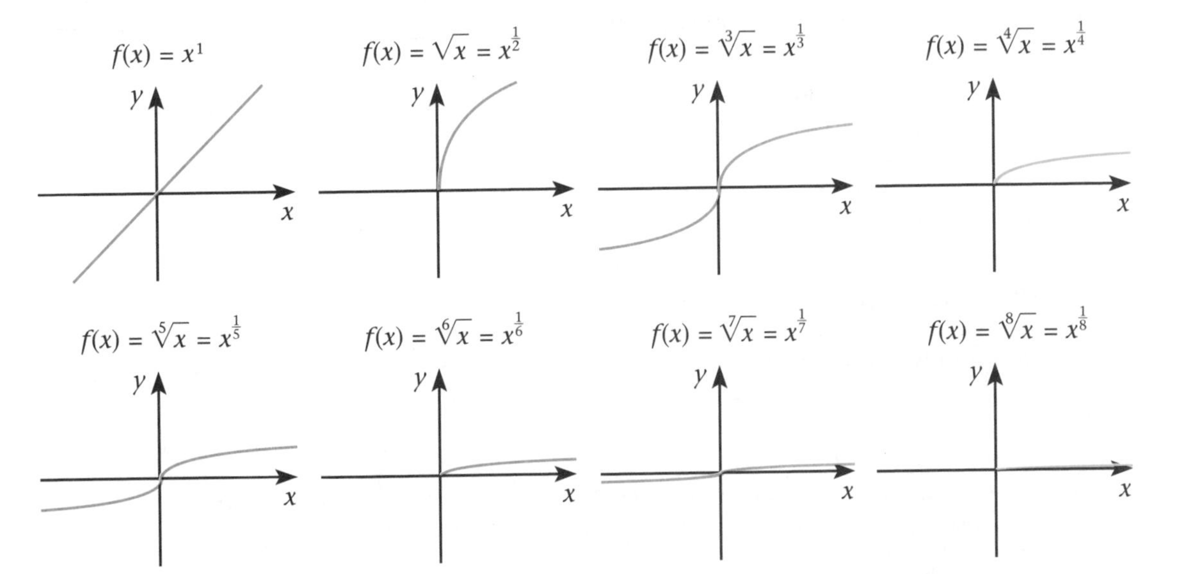

On constate que les fonctions $f(x) = x^{\frac{1}{n}}$ (où n est entier et positif) ne se comportent pas de la même façon, selon la parité de l'entier n. On peut remarquer que pour une fonction $f(x) = \sqrt[n]{x}$:

- si n est un entier pair positif, alors :
  - le tableau qui suit suggère que $\lim\limits_{x \to +\infty} f(x) = +\infty$.

À lire de gauche à droite

x	10	100	1000	10 000	100 000	$\to +\infty$
$f(x)$	$\sqrt[n]{10}$	$\sqrt[n]{100}$	$\sqrt[n]{1000}$	$\sqrt[n]{10\,000}$	$\sqrt[n]{100\,000}$	

Puisque la racine paire d'un nombre négatif n'est pas définie, $\lim\limits_{x \to -\infty} f(x)$ n'est pas définie.

- si n est un entier impair positif plus grand que 1, alors :
  – le tableau qui suit suggère que $\lim_{x\to+\infty} f(x) = +\infty$.

À lire de gauche à droite

x	10	100	1000	10 000	100 000	$\to +\infty$
$f(x)$	$\sqrt[n]{10}$	$\sqrt[n]{100}$	$\sqrt[n]{1000}$	$\sqrt[n]{10\,000}$	$\sqrt[n]{100\,000}$	

  – le tableau ci-dessous suggère que $\lim_{x\to-\infty} f(x) = -\infty$.

À lire de droite à gauche

$-\infty \leftarrow$	-100 000	-10 000	-1000	-100	-10	x
	$\sqrt[n]{-100\,000}$	$\sqrt[n]{-10\,000}$	$\sqrt[n]{-1000}$	$\sqrt[n]{-100}$	$\sqrt[n]{-10}$	$f(x)$

De ce qui précède, on conclut que les fonctions de la forme $f(x) = \sqrt[n]{x}$ ne possèdent pas d'asymptote horizontale.

Observons comment on doit travailler avec certaines limites de type $\frac{\pm\infty}{\pm\infty}$, quand des radicaux sont concernés.

Exemple 10

Évaluez les limites suivantes :

a) $\lim_{x\to+\infty} \dfrac{\sqrt{x^2+6x-12}}{3x+14}$

On adopte la démarche déjà présentée qui consiste à mettre en évidence, au numérateur ainsi qu'au dénominateur, la plus grande puissance de x qu'on y trouve. On a alors

$$\lim_{x\to+\infty} \frac{\sqrt{x^2+6x-12}}{3x+14} = \lim_{x\to+\infty} \frac{\sqrt{x^2\left(1+\frac{6}{x}-\frac{12}{x^2}\right)}}{x\left(3+\frac{14}{x}\right)} = \lim_{x\to+\infty} \frac{x\sqrt{1+\frac{6}{x}-\frac{12}{x^2}}}{x\left(3+\frac{14}{x}\right)} = \lim_{x\to+\infty} \frac{\sqrt{1+\frac{6}{x}-\frac{12}{x^2}}}{3+\frac{14}{x}}$$

qui est une limite de la forme $\dfrac{\sqrt{1+0-0}}{3+0}$. Le résultat est donc $\dfrac{1}{3}$.

b) $\lim_{t\to-\infty} \dfrac{t^3+3t}{\sqrt[4]{16t^{12}-5}}$

On a

$$\lim_{t\to-\infty} \frac{t^3+3t}{\sqrt[4]{16t^{12}-5}} = \lim_{t\to-\infty} \frac{t^3\left(1+\frac{3}{t^2}\right)}{\sqrt[4]{t^{12}\left(16-\frac{5}{t^{12}}\right)}} = \lim_{t\to-\infty} \frac{t^3\left(1+\frac{3}{t^2}\right)}{|t^3|\sqrt[4]{16-\frac{5}{t^{12}}}}$$

Puisqu'on travaille avec des valeurs de t négatives lorsque $t \to -\infty$, quand on extrait le terme t^{12} de la racine quatrième, on doit mettre des valeurs absolues pour que le terme t^3 soit nécessairement positif, comme l'était le radical initial. Dans la limite de droite ci-dessus, $\frac{t^3}{|t^3|}$ tend vers -1 (puisque t est négatif), alors que l'autre partie a la forme $\dfrac{1+0}{\sqrt[4]{16-0}}$. La limite recherchée est donc $-\dfrac{1}{2}$.

Les fonctions de la forme $f(x) = \sqrt[n]{x}$ sont continues sur $\mathbb{R}$ lorsque n est un nombre entier positif impair, l'évaluation de limites de telles fonctions ne posant pas de problème particulier. Lorsque n est un nombre entier positif pair, ces fonctions ne sont pas continues sur $\mathbb{R}$ et seules les limites faisant en sorte que le terme sous le radical reste positif ou nul peuvent être définies.

Exemple 11

Évaluez les limites suivantes :

a) $\lim\limits_{x\to 4} (\sqrt{x^2+9} + \sqrt{17-x^2})$

Puisque les expressions sous les deux radicaux demeurent positives lorsque x est près de 4, on a :

$$\begin{aligned}\lim_{x\to 4} (\sqrt{x^2+9} + \sqrt{17-x^2}) &= \sqrt{16+9} + \sqrt{17-16}\\ &= \sqrt{25} + \sqrt{1} = 5 + 1 = 6\end{aligned}$$

b) $\lim\limits_{z\to 7} \left(\dfrac{\sqrt{z-3}}{\sqrt{z^2-45}} + \sqrt[3]{z-7}\right)$

Puisque les expressions sous les deux racines carrées du quotient demeurent positives lorsque z est près de 7 (on ne doit pas tenir compte du signe du terme sous la racine cubique), on a :

$$\begin{aligned}\lim_{z\to 7} \left(\frac{\sqrt{z-3}}{\sqrt{z^2-45}} + \sqrt[3]{z-7}\right) &= \frac{\sqrt{7-3}}{\sqrt{49-45}} + \sqrt[3]{7-7}\\ &= \frac{\sqrt{4}}{\sqrt{4}} + \sqrt[3]{0} = 1 + 0 = 1\end{aligned}$$

Pour constater que certaines racines paires peuvent poser des problèmes particuliers, évaluons numériquement la limite $\lim\limits_{x\to 0} \sqrt{x}$. Étudions d'abord le comportement de $f(x) = \sqrt{x}$ lorsque $x \to 0^+$.

À lire de droite à gauche

$0+ \leftarrow$	0,000 001	0,000 01	0,000 1	0,001	0,01	x
	0,001	0,003 162	0,01	0,031 623	0,1	$f(x)$

On a $\lim\limits_{x\to 0^+} \sqrt{x} = 0$.

Maintenant, puisque $f(x) = \sqrt{x}$ n'est pas définie pour des valeurs de x négatives, $\lim\limits_{x\to 0^-} \sqrt{x}$ n'est pas définie. En conséquence, puisque la limite à gauche de 0 n'existe pas, $\lim\limits_{x\to 0} \sqrt{x}$ n'existe pas non plus.

Exemple 12

Évaluez les limites suivantes :

a) $\lim\limits_{s\to 3^-} \sqrt[18]{s^2-9}$

La limite $\lim\limits_{s\to 3^-} \sqrt[18]{s^2-9}$ est telle que le terme sous le radical est négatif lorsque $s \to 3^-$ (c'est-à-dire lorsque s est près de 3, mais $s < 3$). La limite n'existe donc pas.

b) $\lim_{d\to 0} \sqrt[10]{d^2}$

Si d s'approche de 0 par des valeurs positives ou négatives, d^2 est positive et s'approche également de 0. La racine dixième est donc définie. On a $\lim_{d\to 0} \sqrt[10]{d^2} = 0$.

c) $\lim_{t\to -8^+} \dfrac{-12}{\sqrt{8+t}}$

À la limite, le dénominateur de l'expression s'approche de 0 et est défini, car t s'approche de -8 par des valeurs plus grandes que -8, ce qui donne un dénominateur qui tend vers 0^+. On a alors une limite $\lim_{t\to -8^+} \dfrac{-12}{\sqrt{8+t}}$ qui est de type $\dfrac{-12}{0^+}$. On a donc $\lim_{t\to -8^+} \dfrac{-12}{\sqrt{8+t}} = -\infty$.

Exercices

1. Évaluez les limites suivantes :

a) $\lim_{a\to -\infty} \dfrac{\sqrt{9a^4 - 3a^3 + 7{,}4}}{6a^2 - 3{,}5}$ **b)** $\lim_{d\to +\infty} \dfrac{d+14}{\sqrt[2]{d^6 + 3d}}$ **c)** $\lim_{z\to 5^-} (\sqrt{25 - z^2} + \sqrt{5 - z})$ **d)** $\lim_{t\to 12} \dfrac{t^2 - 4t}{\sqrt{t - 12}}$

2. Vérifiez si, dans chaque cas, les deux limites sont définies :

a) $\lim_{t\to 6^+} \sqrt{6-t}$ et $\lim_{t\to 6^-} \sqrt{6-t}$

b) $\lim_{a\to 0^+} \sqrt{a^2}$ et $\lim_{a\to 0^-} \sqrt{a^2}$

c) $\lim_{w\to -5^+} \sqrt[3]{w+5}$ et $\lim_{w\to -5^-} \sqrt[3]{w+5}$

d) $\lim_{u\to -100^+} \sqrt[4]{u+100}$ et $\lim_{u\to -100^-} \sqrt[4]{u+100}$

3. Déterminez sur quel(s) intervalle(s) la fonction $g(b)$ est continue.

$$g(b) = \begin{cases} 1 + |b| & \text{si } b \leq -3 \\ \sqrt{2b+10} & \text{si } -3 < b < -1 \\ \dfrac{-1}{3b+5} & \text{si } b \geq -1 \end{cases}$$

4. Trouvez, si elles existent, les limites suivantes :

a) $\lim_{x\to +\infty} \dfrac{4x+3}{\sqrt{x^2 + 5x + 7}}$

b) $\lim_{t\to +\infty} \dfrac{3t^3 + 2t + 1}{\sqrt{t} + t^3 - 5}$

c) $\lim_{k\to -\infty} \sqrt{\dfrac{1}{k^2}}$

d) $\lim_{y\to -\infty} \sqrt{\dfrac{y^2 - y + 1}{y^2}}$

e) $\lim_{m\to -\infty} \sqrt{\dfrac{1}{m^2 + 8}}$

f) $\lim_{k\to -\infty} \dfrac{k^5 + 7k}{\sqrt[3]{k^{15} - 6k^{12}}}$

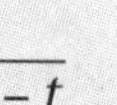

5. À l'aide de la calculatrice à affichage graphique, tracez le graphique des fonctions suivantes pour évaluer les limites demandées. Trouvez ensuite le résultat algébriquement.

a) $f(x) = \dfrac{\sqrt{x} + 3}{x - 5}$ et $\lim_{x\to +\infty} f(x)$

b) $f(x) = \dfrac{x^2 - 53}{\sqrt{x} - 12}$ et $\lim_{x\to +\infty} f(x)$

c) $f(x) = \sqrt{9 + \dfrac{1}{2x}}$ et $\lim_{x\to +\infty} f(x)$

d) $f(x) = \sqrt{64 + \dfrac{1}{x^2}}$ et $\lim_{x\to -\infty} f(x)$

6. Trouvez, si elles existent, les limites suivantes :

a) $\lim_{x\to -5} \sqrt[4]{x+6}$

b) $\lim_{r\to 9} \dfrac{\sqrt{r} - 10}{r - 2}$

c) $\lim_{x\to 11} \sqrt[77]{77 - 7x}$

d) $\lim_{q\to -4^+} \sqrt[4]{16 - q^2}$

e) $\lim_{q\to -4^-} \sqrt[4]{q^2 - 16}$

f) $\lim_{d\to 1} \sqrt[10]{(d-1)^3}$

g) $\lim_{t\to -0{,}3^-} \dfrac{0{,}001\,2}{\sqrt[5]{0{,}3 + t}}$

h) $\lim_{x\to 2} \sqrt{\dfrac{x^2 - 4}{x^2 + 4}}$

i) $\lim_{q\to 0^-} q\sqrt{1 + \dfrac{1}{q^2}}$

j) $\lim_{s\to 16^-} \dfrac{4}{\sqrt{16 - s}}$

k) $\lim_{x\to 0^+} x\sqrt{1 + \dfrac{1}{x^4}}$

La **mathématique** **au goût** du **jour**

Les preuves mathématiques ont-elles toujours leur importance aujourd'hui ?

Contrairement aux mathématiciens, les personnes qui travaillent dans le domaine des sciences dites expérimentales se contentent parfois des résultats obtenus lors d'expériences pour appliquer certains procédés, pourvu que les expériences soient répétées assez souvent, se déroulent dans certaines conditions contrôlées et donnent toujours le même résultat. Ainsi, en médecine, plusieurs traitements ont été mis au point par essais et erreurs. C'est pourquoi on ne comprend pas toujours rationnellement l'efficacité et les conséquences de ces traitements.

Même après avoir constaté la même caractéristique sur une centaine de rectangles, un mathématicien ou une mathématicienne n'appliquera pas la caractéristique en question à un rectangle quelconque sans avoir d'abord prouvé que tous les rectangles sans exception possèdent ladite caractéristique.

Pourquoi les spécialistes des mathématiques tiennent-ils tant à prouver d'abord les résultats qu'ils souhaitent utiliser, avant de les utiliser? Ces personnes savent que nos sens peuvent nous tromper. Alors qu'un théorème démontré sur les rectangles fait référence à une infinité de rectangles, nos sens ne nous permettent pas de voir de très petits rectangles ou de bien étudier de très grands rectangles. En fait, sans théorie, on doit s'en remettre à l'intuition ou tenter d'étudier tous les cas possibles, ce qui devient très fastidieux pour résoudre des problèmes de grande envergure comme ceux qu'on observe de plus en plus dans le monde actuel.

Pourquoi les personnes qui travaillent dans le domaine des sciences dites expérimentales ne tiennent-elles pas aussi à démontrer « hors de tout doute raisonnable » les résultats qu'elles souhaitent utiliser, avant de les utiliser ? Ces personnes aimeraient sûrement pouvoir profiter de ce « principe », mais s'il est possible de faire la preuve de certains résultats dans un monde construit de toute pièce à partir de concepts abstraits, il n'en va pas de même lorsqu'il s'agit du monde réel. En général, dans le monde réel, on doit abandonner l'idée d'arriver à une vérité absolue.

Au cours du dernier siècle, les mathématiques ont fait leur apparition dans plusieurs domaines nécessitant l'élaboration de théories qui ont forcément leurs limites. La découverte de ces limites passe souvent par l'invention de nouveaux concepts qui doivent reposer sur des bases solides et convaincantes. En raison de leur parfaite capacité à convaincre, les preuves mathématiques jouent un rôle prépondérant dans l'élaboration de ces nouvelles théories.

Si la perception sensorielle inspire les mathématiciens, ceux-ci n'admettent un résultat que s'il est formellement prouvé.

En résumé

Si une fonction f exprimée par $f(x)$ est telle que :

$$\text{soit } \lim_{x\to a^+} f(x) = +\infty, \text{ soit } \lim_{x\to a^+} f(x) = -\infty,$$

$$\text{soit } \lim_{x\to a^-} f(x) = +\infty, \text{ soit } \lim_{x\to a^-} f(x) = -\infty,$$

alors la droite verticale $x = a$ est une **asymptote verticale**.

Si une fonction f exprimée par $f(x)$ est telle que :

- f est définie pour des valeurs de x aussi élevées qu'on le souhaite et
- si, lorsque les valeurs de x augmentent de plus en plus sans être bornées supérieurement (donc quand $x \to +\infty$), les valeurs calculées de $f(x)$ s'approchent de plus en plus de la valeur D,

alors on dit que D est **la limite à l'infini de f** et on écrit $\lim\limits_{x \to +\infty} f(x) = D$.

Si une fonction f exprimée par $f(x)$ est telle que :

- f est définie pour des valeurs de x aussi petites qu'on le souhaite et
- si, lorsque les valeurs de x diminuent de plus en plus sans être bornées inférieurement (donc quand $x \to -\infty$), les valeurs calculées de $f(x)$ s'approchent de plus en plus de la valeur G,

alors on dit que G est **la limite à moins l'infini de f** et on écrit $\lim\limits_{x \to -\infty} f(x) = G$.

Si une fonction f exprimée par $f(x)$ est telle que la limite à l'infini $\lim\limits_{x \to +\infty} f(x) = D$, alors la droite horizontale $y = D$ est une **asymptote horizontale**. Si la fonction f est telle que la limite à moins l'infini $\lim\limits_{x \to -\infty} f(x) = G$, alors la droite horizontale $y = G$ est une **asymptote horizontale**.

Problèmes

Section 3.1 (p. 72)
Limites de forme $\frac{c}{0}$ (où $c \neq 0$) et asymptotes verticales

1. Le coût total C de production (en dollars) pour un mois dans une petite entreprise est donné par la fonction $C(q) = 4500 + 6{,}36q$, où q représente le nombre d'unités produites mensuellement. Dans un tel cas, le coût de production unitaire U (en dollars par unité) est défini par $U(q) = \frac{C(q)}{q} = \frac{4500 + 6{,}36q}{q}$.

a) Trouvez le coût unitaire lorsqu'on produit 25 unités dans un mois.

b) Trouvez le coût unitaire lorsqu'on produit une seule unité dans un mois.

c) Étudiez le comportement de la fonction U lorsque $q \to 0^+$. Interprétez le résultat obtenu.

2. Le coût C (en dollars) pour produire n kilowatts d'électricité en un an est donné par la fonction $C(n) = A \cdot n + B$, où A représente le coût pour chaque kilowatt produit et B représente les coûts fixes (qui ne dépendent pas du nombre de kilowatts produits). A et B sont deux nombres positifs non nuls. Le coût de production unitaire U (en dollars par kilowatt) est défini par $U(n) = \frac{C(n)}{n}$. Étudiez le comportement de la fonction U lorsque $n \to 0^+$. Interprétez le résultat obtenu.

3. On a constaté que l'intensité I d'un courant électrique (en ampères) nécessaire pour exciter un tissu vivant et atteindre son seuil de tolérance est donnée par $I(t) = C + \frac{D}{t}$, où C et D sont deux constantes positives et t est la durée (en secondes) d'excitation du tissu. Étudiez le comportement de la fonction I quand le temps t est de plus en plus court (tout en restant positif). Interprétez le résultat obtenu.

4. Si, dans un circuit électrique, on a une résistance fixe R (en ohms) et une résistance variable r (en ohms) placées en série, alors le courant I (en ampères) est donné par $I = \frac{\varepsilon}{R + r}$, où ε est la tension (en volts). Soit un circuit pour lequel $\varepsilon = 10$ volts et dans lequel on trouve en série une résistance fixe $R = 20$ ohms et une résistance variable r.

a) Définissez la fonction $I(r)$ rattachée au contexte précédent.

b) Évaluez $\lim\limits_{r \to 0^+} I(r)$ et interprétez le résultat obtenu.

5. La résistance d'un fil cylindrique R (en ohms) est telle que $R = \rho \frac{L}{A}$, où ρ est une constante de proportionnalité (*le coefficient de résistivité*) qui dépend du matériau utilisé, L est la longueur du fil (en mètres) et A est l'aire transversale du fil (en mètres carrés). Soit un fil d'acier d'une longueur de 2 mètres et tel que $\rho = 18 \cdot 10^{-8}$ ohm-mètre (à une température de 20 °C).

a) Exprimez la relation donnant la résistance $R(x)$ du fil en fonction de son rayon x (en mètres).

b) Évaluez $\lim\limits_{x \to 0^+} R(x)$ et interprétez le résultat obtenu.

6. Le dessin ci-dessous illustre un objet éloigné qui émet des rayons de lumière parallèles sur une lentille mince. L'image est alors située au foyer et la distance entre ce foyer et la lentille est appelée la distance focale. Un microscope est un système de telles lentilles minces.

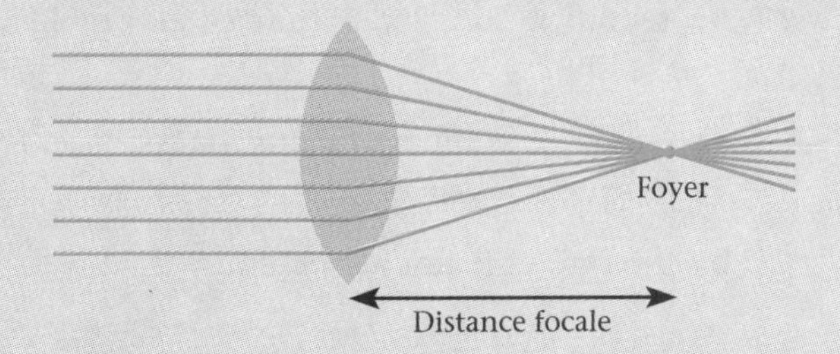

On peut montrer que si deux lentilles minces se touchent, que la première lentille a une distance focale f_1 et que la seconde lentille a une distance focale f_2, alors la distance focale équivalente f (soit la distance focale d'une seule lentille mince qui remplacerait les deux lentilles collées) est égale à $f = \frac{f_1 f_2}{f_1 + f_2}$. Soit une première lentille de distance focale $f_1 = 1{,}6$ centimètre.

a) Exprimez f en fonction de f_2.

b) Évaluez $\lim\limits_{f_2 \to 0^+} f(f_2)$ et interprétez le résultat obtenu.

7. Si deux petits objets A et B portent respectivement des charges électriques de q_1 coulombs et de q_2 coulombs, la force d'attraction F (en newtons) à laquelle est soumis chacun des objets A et B est donnée par $F = k\frac{q_1 q_2}{r^2}$, où la constante k est $9{,}0 \cdot 10^9 \,\frac{N \cdot m^2}{C^2}$ et où r représente la distance (en mètres) qui sépare les deux petits objets A et B.

a) Exprimez la force $F(r)$ s'exerçant entre deux charges de $2{,}0 \cdot 10^{-6}\,C$ en fonction de la distance r qui les sépare. Identifiez le domaine de la fonction F.

b) Étudiez le comportement de la fonction F trouvée en (a) lorsque $r \to 0^+$. Interprétez le résultat obtenu.

8. À partir de l'équation idéale des gaz, on sait que la pression P (exprimée en atmosphères) dans un ballon est donnée par l'équation $P = \frac{nRT}{V}$, où n est le nombre de moles de gaz dans le ballon, R est la constante universelle des gaz donnée par $0{,}082\,\frac{\text{litre} \cdot atm}{\text{mol} \cdot K}$, T est la température en degrés kelvins et V est le volume du ballon (en litres). On a 0,5 mole d'oxygène dans un ballon et la température où se trouve ce ballon est de 303 K.

a) Exprimez la pression P en fonction du volume V du ballon.

b) Étudiez le comportement de la fonction P lorsque $V \to 0^+$. Interprétez le résultat obtenu.

9. Une action est un titre ou un certificat représentant une fraction du capital social dans une société. Considérons une action ordinaire (soit une action telle que ceux qui la détiennent possèdent avec les autres actionnaires la firme qui l'émet) qui comporte, à la fin de la première année :

- un dividende D de 1,25 $ (Un dividende est la fraction du bénéfice qu'une société distribue à ses actionnaires en proportion des actions qu'ils détiennent.) et
- un prix P_1 de 16,25 $,

et pour laquelle on exige un rendement annuel k (en pourcentage).

Le prix actuel P_0 d'une telle action ordinaire est donné par la formule $P_0 = \frac{1}{1+k}(D + P_1)$.

a) Exprimez le prix actuel P_0 de l'action en fonction du rendement k.

b) Étudiez le comportement de la fonction $P_0(k)$ lorsque $k \to 0^+$. Interprétez le résultat obtenu.

10. On a une force entre deux atomes d'une molécule diatomique et l'énergie potentielle (en joules) relative à cette force peut s'exprimer à l'aide de la fonction $P(r) = \frac{C}{r^{12}} - \frac{D}{r^6}$, où C et D sont des constantes positives et r est la distance (en mètres) entre les deux atomes.

a) Trouvez les zéros de la fonction P, soit les valeurs de r pour lesquelles l'énergie potentielle est nulle.

b) Étudiez le comportement de la fonction P lorsque $r \to 0^+$ et interprétez le résultat obtenu.

Section 3.2 (p. 84) Limites à l'infini, limites à moins l'infini et asymptotes horizontales

11. Reprenons la fonction U du problème 1 qui est définie par $U(q) = \frac{4500 + 6{,}36q}{q}$.

a) Trouvez le coût unitaire lorsqu'on produit 3500 unités dans un mois.

b) Trouvez le coût unitaire lorsqu'on produit 1 000 000 d'unités dans un mois.

c) Étudiez le comportement de la fonction U lorsque le nombre d'unités q devient de plus en plus élevé.

12. Reprenons la fonction U du problème 2 (p. 98).

a) Étudiez le comportement de la fonction U lorsque le nombre n de kilowatts produits devient de plus en plus élevé.

b) Interprétez le résultat de (a) graphiquement et en termes économiques.

13. Reprenons la fonction I du problème 3 (p. 98).

a) Étudiez le comportement de la fonction I quand le temps t est de plus en plus grand.

b) Interprétez le résultat obtenu.

14. Reprenons la fonction I du problème 4 (p. 99) qui est définie par $I(r) = \frac{10}{20 + r}$.

a) Évaluez $\lim_{r \to +\infty} I(r)$.

b) Interprétez le résultat obtenu.

15. Reprenons la fonction R du problème 5 (p. 99) qui est définie par $R(x) = \frac{36 \cdot 10^{-8}}{\pi r^2}$.

a) Évaluez $\lim_{x \to +\infty} R(x)$.

b) Interprétez le résultat obtenu.

16. Reprenons la fonction f du problème 6 (p. 99) qui est définie par $f(f_2) = \frac{1{,}6f_2}{1{,}6 + f_2}$.

a) Évaluez $\lim_{f_2 \to +\infty} f(f_2)$.

b) Interprétez le résultat obtenu.

17. Reprenons la fonction F trouvée au problème 7(a) (p. 99).

a) Étudiez le comportement de la fonction F lorsque $r \to +\infty$.

b) Interprétez le résultat obtenu.

18. Reprenons la fonction P définie au problème 8(a) (p. 99).

a) Étudiez le comportement de la fonction P lorsque $V \to +\infty$.

b) Interprétez le résultat obtenu.

Section 3.3 (p. 93)
Limites de forme $\sqrt[n]{0}$

19. La relativité suggère que la «masse relativiste» m d'une particule ayant une vitesse v par rapport à un observateur vaut $m = \dfrac{m_0}{\sqrt{1-\left(\frac{v}{c}\right)^2}}$, où m_0 est la masse de l'objet au repos par rapport à l'observateur et c est la vitesse de la lumière ($c = 3 \cdot 10^8$ m/s).

a) Un électron initialement au repos est accéléré par une différence de potentiel électrostatique. La vitesse de l'électron à la fin de l'accélération est de $4{,}5 \cdot 10^7$ mètres par seconde. Quelle est la masse de l'électron à ce moment, par rapport à sa masse initiale m_0?

b) Qu'arriverait-il à la masse m de l'électron si la vitesse de celui-ci augmentait et s'approchait de plus en plus de la vitesse de la lumière?

Auto-évaluation

1. Trouvez, si elles existent, les limites suivantes :

a) $\lim\limits_{k\to -12^-} \dfrac{k-12}{2k+24}$

b) $\lim\limits_{d\to 0^-} \dfrac{5d+15}{d^3}$

c) $\lim\limits_{q\to 15^-} \dfrac{4q^2+1}{q-15}$

d) $\lim\limits_{x\to -5^+} \dfrac{x}{4x+20}$

e) $\lim\limits_{t\to 0^-} \dfrac{\sqrt{t+10}}{6t}$

f) $\lim\limits_{u\to -4} \dfrac{6u-13}{u^2+5u+4}$

g) $\lim\limits_{m\to -\infty} \dfrac{m}{13-m^3}$

h) $\lim\limits_{x\to +\infty} \left(-8x + \dfrac{8{,}76}{x^3}\right)$

i) $\lim\limits_{v\to -\infty} \dfrac{2(3v^3+5)^2}{7v^6+3v^4+7}$

j) $\lim\limits_{b\to +\infty} \dfrac{(b^2-1)(b+3)}{6b^3-6b^2}$

k) $\lim\limits_{z\to +\infty} \dfrac{(z+2)^2}{5z^3+6z-0{,}9}$

l) $\lim\limits_{q\to -\infty} \dfrac{q^{14}+8q^5-2}{3q^{13}-6q}$

m) $\lim\limits_{r\to +\infty} \dfrac{\sqrt{9r^2+3r+6}}{4r-19}$

n) $\lim\limits_{x\to 100} \dfrac{x^2-2x}{\sqrt{x}-10}$

o) $\lim\limits_{w\to -\infty} \dfrac{\sqrt{w^2+5}}{423-w}$

2. Vérifiez si les fonctions suivantes sont continues sur chaque intervalle donné.

a) $g(t) = \dfrac{t-2}{t-2{,}1}$ est-elle continue sur l'intervalle :

i)]2, 2,1[?

ii) [2, 2,1[?

iii) -∞, 2,05] ?

b) $h(z) = \dfrac{7}{\sqrt{z+1}}$ est-elle continue sur l'intervalle :

i)]0, +∞ ?

ii)]-1, -0,01] ?

iii) [-100, -98[?

3. Trouvez toutes les asymptotes verticales et horizontales des fonctions suivantes, en justifiant vos réponses à l'aide de limites adéquates.

a) $g(t) = \dfrac{2t+7}{t^2-5t-14}$

b) $f(z) = \dfrac{2z^2+45{,}6}{z^2-64}$

c) $k(x) = \dfrac{8-3x}{5x+12}$

d) $c(q) = \dfrac{4q-q^2+1}{q^2+17q}$

e) $h(x) = \dfrac{x^3+9x+13}{2x^3-2x^2-2x+2}$

f) $d(a) = \dfrac{2-7a^3}{a^2-4}$

g) $f(x) = \dfrac{3x^2+8}{(x-4)(x-4{,}001)}$

h) $g(t) = \dfrac{7{,}013t^2-7t+18}{2t^2-32}$

i) $k(z) = \dfrac{z^2-98}{3z^2+14}$

j) $m(a) = \dfrac{\pi a^3}{(a-5)(a-4{,}99)(a-5{,}01)}$

4. Pour chaque graphique suivant, définissez algébriquement une fonction rationnelle qui pourrait avoir la courbe tracée comme graphique. Plusieurs réponses sont possibles.

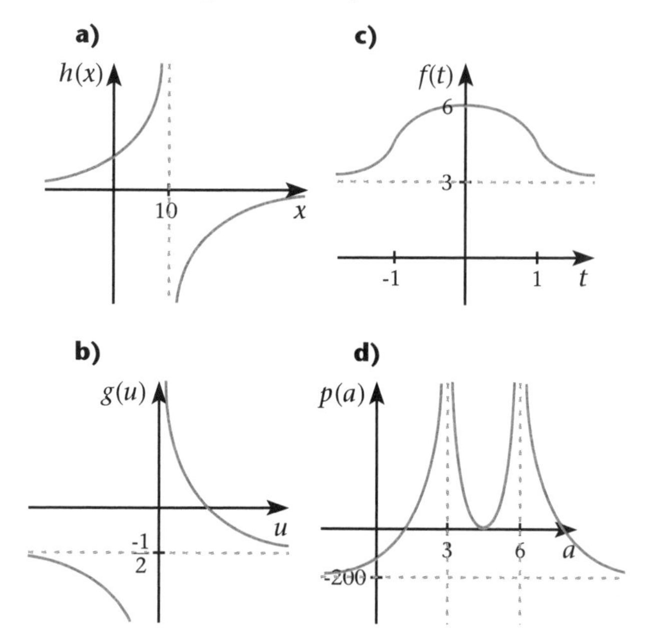

5. Une entreprise crée des contenants métalliques de forme cylindrique ayant tous un volume de 371 centimètres cubes. Le rayon r (en centimètres) des contenants et la hauteur h (en centimètres) de ceux-ci peuvent toutefois varier.

a) Exprimez la hauteur h du contenant en fonction de son rayon, sachant que le volume V d'un cylindre est donné par $V = \pi r^2 h$.

b) Étudiez le comportement de la fonction trouvée en (a) lorsque $r \to 0^+$.

c) Étudiez le comportement de la fonction trouvée en (a) lorsque $r \to +\infty$.

d) Trouvez l'aire totale A (en centimètres carrés) des contenants métalliques (y compris leurs extrémités), en fonction de leur rayon r.

e) Étudiez le comportement de la fonction trouvée en (d) lorsque $r \to +\infty$.

6. Définissez algébriquement une fonction f telle que :

a) $\lim_{z \to +\infty} f(z) = 19$

b) $\lim_{t \to -\infty} f(t) = -0{,}7$

c) $\lim_{x \to 4^-} f(x) = -\infty$

d) $\lim_{n \to -3} f(n) = +\infty$

Chapitre 4

Limites et étude des fonctions exponentielles et logarithmiques

Plan du chapitre

« Il n'y a que l'amour, l'art et, pour le croyant, la religion, qui puissent empêcher l'homme de sentir ses limites, et le transporter, parfois, à l'infini. »

MARIANO PICÓN SALAS (1901-1964),
Au carrefour de trois mondes.

Objectifs

D'ICI LA FIN DE CE CHAPITRE, VOUS DEVRIEZ POUVOIR :

- DÉTERMINER LES PRINCIPALES CARACTÉRISTIQUES DES FONCTIONS EXPONENTIELLES ;
- ÉVALUER UNE LIMITE À L'INFINI ET UNE LIMITE À MOINS L'INFINI, AVEC DES FONCTIONS EXPONENTIELLES ;
- IDENTIFIER LES ASYMPTOTES HORIZONTALES DU GRAPHIQUE D'UN MODÈLE EXPONENTIEL ;
- UTILISER LES LOGARITHMES POUR RÉSOUDRE DES ÉQUATIONS ;
- DÉTERMINER LES PRINCIPALES CARACTÉRISTIQUES DES FONCTIONS LOGARITHMIQUES ;
- ÉVALUER UNE LIMITE À L'INFINI ET UNE LIMITE AUTOUR DE 0, AVEC DES FONCTIONS LOGARITHMIQUES ;
- IDENTIFIER LES ASYMPTOTES VERTICALES DU GRAPHIQUE D'UN MODÈLE LOGARITHMIQUE ;
- TROUVER CERTAINES INFORMATIONS PERTINENTES À PARTIR DE CERTAINS MODÈLES EXPONENTIELS OU LOGARITHMIQUES ;
- MODÉLISER CERTAINES SITUATIONS À L'AIDE DES FONCTIONS EXPONENTIELLES ET LOGARITHMIQUES.

Le cours de l'histoire

Les logarithmes et l'astronomie

Vers la fin du XVIe siècle, le progrès scientifique est ralenti par les longs calculs numériques qui s'avèrent complexes et qui doivent être effectués sans outil particulier. Les difficultés des calculs avec les très grands nombres incitent les astronomes à utiliser un principe appelé «prostaphérèse» – dont on parle peu aujourd'hui – qui, par l'intermédiaire de lignes circulaires, ramène les produits de très grands nombres à des sommes particulières plus simples à réaliser.

PUBLIPHOTO/SCIENCE PHOTO LIBRARY

John Napier (1550-1617)

L'Écossais John Napier, ou Néper (1550-1617), qui souhaite justement trouver une façon de réduire ces calculs fastidieux utilisés dans l'étude de la «géométrie du ciel», travaille pendant 20 ans aux logarithmes, un concept dont il est l'inventeur. Six ans avant la naissance de Napier, Michael Stifel (1487-1567) avait noté que si on multipliait deux termes de la suite $a, a^2, a^3, a^4, a^5, \ldots$*, on obtenait un autre élément de la même suite tel que* $a^m \cdot a^n = a^{m+n}$*. Napier exploite cette idée, mais avec des exposants décimaux; par exemple, il constate que :*

$$1000^{2,301} \cdot 1000^{2,732} = 1000^{2,301 + 2,732} = 1000^{5,033}$$

Napier cherche à construire une table qui contient les logarithmes des sinus de 0° à 90° et Henry Briggs (1561-1631) lui suggère de calculer la table des logarithmes dans une base telle que les logarithmes de 1 et 10 seraient respectivement 0 et 1; il en résulte les logarithmes en base 10. Dans ce contexte, le logarithme d'un nombre positif quelconque est l'exposant qu'on doit donner à 10 pour obtenir le nombre en question; par exemple, le logarithme de 1000 en base 10 est 3, car $10^3 = 1000$*. L'année du décès de Napier, Briggs publie les logarithmes en base 10 des nombres de 1 à 1000, exprimés avec une précision de 14 décimales. Sept ans plus tard, ses tables présentent les logarithmes des nombres de 1 à 20 000. Ces diverses tables de logarithmes, qui répondent aux besoins pressants des astronomes et des calculateurs, connaissent un succès immédiat et considérable.*

Pour comprendre l'intérêt de ces tables, qui ont été utilisées jusqu'à la popularisation des calculatrices, intéressons-nous au produit des deux grands nombres $11\,234 \cdot 18\,546$ *:*

- *on exprime d'abord ces deux nombres sous forme d'une puissance de 10 et on cherche donc dans les tables les logarithmes* $\log 11\,234 = 4,050\,534\,42$ *et* $\log 18\,546 = 4,268\,250\,255$ *des deux grands nombres;*
- *puisque* $11\,234 \cdot 18\,546 = 10^{4,050\,534\,42} \cdot 10^{4,268\,250\,255} = 10^{4,050\,534\,42 + 4,268\,250\,255}$*, on additionne les deux logarithmes trouvés :*

  $\log 11\,234 + \log 18\,546 = 4,050\,534\,42 + 4,268\,250\,255 = 8,318\,784\,675$

  (une addition étant plus facile à réaliser qu'une multiplication) et
- *on cherche ensuite, toujours dans les tables, quel est le nombre* $N = 10^{8,318\,784\,675}$ *dont le logarithme est la somme 8,318 784 675. Dans ce cas-ci, le nombre N est 208 345 764, qui est par le fait même le résultat de la multiplication* $11\,234 \cdot 18\,546$*.*

Avant d'aller plus loin

Préalables

1. Soit les fonctions $g(t) = t^3$, $h(t) = -t^3$ et $k(t) = 3^t$. Calculez :

a) $g(1)$, $h(1)$ et $k(1)$

b) $g(10)$, $h(10)$ et $k(10)$

c) $g(-2)$, $h(-2)$ et $k(-2)$

d) $g\left(-\frac{1}{2}\right)$, $h\left(-\frac{1}{2}\right)$ et $k\left(-\frac{1}{2}\right)$

e) $g(0)$, $h(0)$ et $k(0)$

2. Résolvez les équations suivantes :

a) $4^2 \cdot 4^3 = 4^x$

b) $(7^3)^4 = 7^a$

c) $(5^6)^z = 5^{30}$

d) $(9^v)^{13} = 9$

e) $17^d = 1$

f) $8^6 \div 8^2 = 8^b$

g) $15{,}2^s \div 15{,}2^5 = 15{,}2^{12}$

h) $3^y = \frac{1}{3^7}$

i) $16^x = \sqrt{16}$

3. Soit f une fonction continue et croissante sur IR, qui prend uniquement des valeurs $f(x)$ supérieures à 1. Déterminez si chacune des fonctions suivantes est croissante ou décroissante sur IR.

a) $k(x) = 100 + f(x)$

b) $g(x) = -f(x)$

c) $h(x) = \frac{1}{f(x)}$

d) $m(x) = \frac{-4}{3 + f(x)}$

e) $p(x) = \frac{16}{1 - f(x)}$

f) $q(x) = (f(x))^2$

g) $n(x) = f^{-1}(x)$

Langages mathématique et graphique

1. Expliquez dans vos mots ce que signifient les expressions suivantes :

a) $\lim_{t \to +\infty} g(t) = 0$

b) $\lim_{t \to -\infty} h(t) = 0$

c) $\lim_{x \to 0^+} f(x) = -\infty$

d) $\lim_{z \to 0^-} d(z) = +\infty$

2. Tracez une fonction continue sur IR :

- qui possède une asymptote horizontale d'équation $y = 0$;
- qui a comme ordonnée à l'origine la valeur 1;
- dont l'image est $]0, +\infty$;
- dont la courbe est concave vers le haut sur IR et
- qui est :

a) croissante sur IR,

b) décroissante sur IR.

3. Tracez une fonction continue sur $]0, +\infty$ qui possède une asymptote verticale d'équation $x = 0$, qui a comme unique zéro la valeur 1, dont l'image est IR, et qui est :

a) croissante sur $]0, +\infty$ et dont la courbe est concave vers le bas;

b) décroissante sur $]0, +\infty$ et dont la courbe est concave vers le haut.

4. Tracez la courbe d'une fonction continue sur IR qui possède la caractéristique demandée. Si c'est impossible, expliquez pourquoi.

a) La fonction possède deux asymptotes horizontales.

b) La fonction possède une asymptote verticale.

SECTION 4.1 Fonctions exponentielles et limites

Lorsqu'un prêt monétaire est effectué, le prêteur exige habituellement une « récompense » en appliquant au prêt un taux d'intérêt. Supposons qu'on prête 3000 \$ à un taux d'intérêt composé de 8 % capitalisé à la fin de chaque année (ce qui veut dire que l'intérêt est calculé une seule fois à la fin de l'année). Calculons la valeur dite « finale » de ce prêt, au bout de deux ans.

Après un an, le montant d'intérêt est de $3000 \cdot 0{,}08 = 240$ \$ et la valeur du prêt passe donc à 3000 \$ + 240 \$ = 3240 \$. Ce montant de 3240 \$ au bout de un an correspond à :

$$3240 = 3000 + 240 = 3000 + 3000 \cdot 0{,}08 = 3000\,(1 + 0{,}08)$$

Ajouter une période d'intérêt à la valeur du prêt revient au même que de multiplier celle-ci par l'expression $(1 + 0{,}08)$ ou $1{,}08$.

Au terme des deux années prévues, le montant d'intérêt calculé est de $3240 \cdot 0{,}08 = 259{,}20$ \$ et la valeur du prêt passe à 3240 \$ + 259,20 \$ = 3499,20 \$. Ce montant correspond à :

$$3499{,}20 = 3240 + 259{,}20 = 3240 + 3240 \cdot 0{,}08 = 3240\,(1 + 0{,}08)$$

et puisque $\quad 3240 = 3000\,(1 + 0{,}08)$

on obtient $\quad 3499{,}20 = 3240\,(1 + 0{,}08) = 3000\,(1 + 0{,}08)\,(1 + 0{,}08) = 3000\,(1 + 0{,}08)^2$

La valeur finale du prêt au bout de deux ans est donc de $3000\,(1 + 0{,}08)^2$. On reconnaît dans cette expression la valeur initiale du prêt (notée sur les calculatrices financières par *PV*) de 3000 \$, le taux d'intérêt périodique (noté i) de 0,08 qui s'applique à chaque capitalisation d'intérêt et le nombre total de fois où l'intérêt est calculé (qu'on note n), qui correspond ici à l'exposant 2. D'une façon générale, si *FV* représente la valeur finale du prêt, celle-ci est donnée par la formule :

$$FV = PV\,(1 + i)^n$$

Si on fixe dans cette formule la valeur initiale du prêt *PV* en lui donnant la valeur de 3000 \$ et le taux périodique i en lui donnant la valeur de 0,08, la quantité *FV* est exprimée en fonction de n (une variable qui se trouve en exposant) par $FV = 3000 \cdot 1{,}08^n$. Dans ce chapitre, nous nous intéresserons particulièrement à de telles fonctions, appelées parfois modèles exponentiels.

Lois des exposants

Revoyons d'abord brièvement la façon de calculer une expression comprenant un exposant.

Comment faire?

Comment calculer un terme affecté d'un exposant rationnel ou irrationnel

La méthode de calcul d'un terme affecté d'un exposant dépend de la forme qu'a l'exposant. Si on doit calculer a^n, où a est un nombre réel et :

- n est un exposant **entier positif supérieur à 1**, on doit multiplier le nombre $\boldsymbol{a}$ $\boldsymbol{n}$ **fois** par lui-même. Par exemple :

$$3^4 = 3 \cdot 3 \cdot 3 \cdot 3 = 81$$

- n est un exposant **égal à 1**, on a simplement par convention $a^1 = a$.

- n est un exposant **nul**, on a par définition $a^0 = 1$ (à condition que $a \neq 0$).

- n est un exposant **fractionnaire positif de la forme $\frac{1}{s}$, où s est un entier**, on a par définition $a^{\frac{1}{s}} = \sqrt[s]{a}$ (à condition que a soit positif lorsque s est pair). Par exemple :

$$16^{\frac{1}{2}} = \sqrt[2]{16} = 4 \text{ et } (-8)^{\frac{1}{3}} = \sqrt[3]{-8} = -2$$

- n est un exposant **fractionnaire de la forme $\frac{r}{s}$, où r et s sont des entiers positifs plus grands que 0 et premiers entre eux**, on a par définition $a^{\frac{r}{s}} = (\sqrt[s]{a})^r$ (à condition que $\sqrt[s]{a}$ soit définie). Par exemple,

$$9^{\frac{3}{2}} = \left(9^{\frac{1}{2}}\right)^3 = (\sqrt{9})^3 = 3^3 = 27$$

- n est un exposant **décimal positif fini ou périodique infini**, on traduit le nombre décimal sous sa forme fractionnaire $\frac{r}{s}$ et on procède comme dans le cas précédent. Par exemple,

$$16^{0,25} = 16^{\frac{25}{100}} = 16^{\frac{1}{4}} = (2^4)^{\frac{1}{4}} = 2 \quad \text{et} \quad 8^{0,666}... = 8^{\frac{2}{3}} = (2^3)^{\frac{2}{3}} = 2^{3\left(\frac{2}{3}\right)} = 2^2 = 4.$$

- n est un exposant **irrationnel positif**, on procède comme dans l'exemple suivant. On veut calculer, par exemple, 5^π (où $\pi = 3,141\,592\,654...$ est un nombre décimal infini non périodique). La suite 3,14; 3,141; 3,1415; 3,14159; 3,141592; ... est une suite de nombres rationnels dont la limite à l'infini est le nombre π. On a :

$$5^{3,14} = 156,590\,65$$
$$5^{3,141} = 156,842\,87$$
$$5^{3,141\,5} = 156,969\,14$$
$$5^{3,141\,59} = 156,991\,87$$

  On pourrait montrer que cette suite a elle-même une limite qui est 156,992 54... Ce résultat est, par définition, la valeur de 5^π.

- n est un exposant **nombre réel négatif**, on a $a^n = \frac{1}{a^{-n}}$ (à condition que $a \neq 0$ et que a^{-n} soit définie selon les règles précédemment établies), où $-n$ est positif et où a^{-n} est alors définie comme précédemment.

Attention !

Dans la définition de a^n où $n = \frac{r}{s}$, on demande que r et s soient premiers entre eux. Ainsi, pour calculer $(-16)^{\frac{6}{4}}$, on simplifie l'exposant $\frac{6}{4} = \frac{3}{2}$ et alors :

$$(-16)^{\frac{3}{2}} = \left((-16)^{\frac{1}{2}}\right)^3 \text{ et } (-16)^{\frac{1}{2}} = \sqrt{-16}\text{, qui n'est pas définie dans les réels.}$$

On ne doit pas faire le calcul suivant : $(-16)^{\frac{6}{4}} = ((-16)^6)^{\frac{1}{4}} = (16\,777\,216)^{\frac{1}{4}} = 64$.

Présentons maintenant successivement les principales lois des exposants déjà étudiées dans un cours préalable.

Lois des exposants

Chaque loi qui suit s'applique, **à condition que chacun des termes de l'égalité soit bien défini dans les réels**, selon les définitions présentées précédemment.

Loi E1 $a^m \cdot a^n = a^{m+n}$, où a, m et n sont des nombres réels quelconques.

Loi E2 $(a^m)^n = a^{mn}$, où a, m et n sont des nombres réels quelconques.

Loi E3 $\frac{a^m}{a^n} = a^{m-n}$, où a, m et n sont des nombres réels quelconques et où $a \neq 0$.

Loi E4 $(a \cdot b)^n = a^n \cdot b^n$, où a, b et n sont des nombres réels quelconques.

Loi E5 $\left(\frac{a}{b}\right)^n = \frac{a^n}{b^n}$, où a, b et n sont des nombres réels quelconques et où $b \neq 0$.

Loi E6 $\sqrt[n]{a^m} = (\sqrt[n]{a})^m$, si m et n sont des entiers positifs, si $n \geq 1$ et si $\sqrt[n]{a}$ est définie dans les réels.

Loi E7 Lorsque $a^m = a^n$ avec $a \neq 1$ et $a \neq 0$, on a nécessairement $m = n$.

À titre d'exemple, on a $3^2 \cdot 3^5 = (3 \cdot 3) \cdot (3 \cdot 3 \cdot 3 \cdot 3 \cdot 3) = 3^7 = 3^{2+5}$ (loi E1);

$$(3^2)^5 = 3^2 \cdot 3^2 \cdot 3^2 \cdot 3^2 \cdot 3^2 = 3^{10} = 3^{2 \cdot 5} \quad \text{(loi E2)};$$

et

$$\frac{7^5}{7^2} = \frac{7 \cdot 7 \cdot 7 \cdot 7 \cdot 7}{7 \cdot 7} = 7 \cdot 7 \cdot 7 = 7^3 = 7^{5-2} \quad \text{(loi E3)}.$$

On constate que $(3 \cdot 4)^2$ est à la fois égale à $(12)^2 = 144$ et à $3^2 \cdot 4^2 = 9 \cdot 16 = 144$ (loi E4).

De même, $\left(\frac{3}{2}\right)^3$ est à la fois égale à $\left(\frac{3}{2}\right)^3 = \frac{3}{2} \cdot \frac{3}{2} \cdot \frac{3}{2} = \frac{27}{8}$ et à $\frac{3^3}{2^3} = \frac{27}{8}$ (loi E5);

$\sqrt[2]{4^3}$ est à la fois égale à $\sqrt[2]{64} = 8$ et à $(\sqrt[2]{4})^3 = (2)^3 = 8$ (loi E6);

et si on a $4^x = 4^7$, alors on a forcément $x = 7$ (loi E7).

On peut utiliser les diverses lois pour résoudre certaines équations dans lesquelles la variable se trouve en exposant (on parle alors d'**équations exponentielles**).

Exemple 1

Résolvez les équations exponentielles suivantes :

a) $9^u - 27^{6u-2} = 0$

Puisque $9^u = 27^{6u-2}$,

on a $(3^2)^u = (3^3)^{6u-2}$

$3^{2u} = 3^{18u-6}$ (par E2).

En conséquence, $2u = 18u - 6$ (par E7), $6 = 16u$ et $u = \frac{6}{16} = \frac{3}{8}$.

b) $4^{5n-7} = \frac{1}{16^n}$

Puisque $4^{5n-7} = \frac{1}{(4^2)^n} = \frac{1}{4^{2n}}$ (par E2),

on a $4^{5n-7} = 4^{-2n}$

et donc $5n - 7 = -2n$ (par E7).

On déduit que $7n = 7$ et $n = \frac{7}{7} = 1$.

Caractéristiques et graphiques des fonctions exponentielles

Dans la formule $FV = 3000 \cdot 1{,}08^n$ présentée au début du chapitre et donnant la valeur finale d'un prêt en fonction du nombre n de périodes de capitalisation (lorsque la valeur initiale du prêt PV est de 3000 $ et le taux d'intérêt périodique i est de 0,08), la variable n se trouve en exposant et l'expression $1{,}08^n$ peut être associée à une fonction de type particulier.

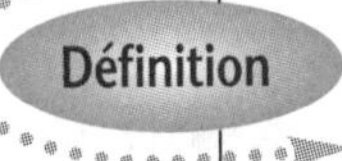

Une fonction exponentielle en base *b* est une fonction qui peut être définie par une règle de la forme $f(x) = b^x$, où b est un nombre réel supérieur à 0 et différent de 1.

Pourquoi y a-t-il comme restrictions particulières sur la base b d'une fonction exponentielle que le nombre b doit être supérieur à 0 et différent de 1 ?

- Si $b = 1$, on a alors $f(x) = 1^x = 1$, qui est une fonction constante et non exponentielle.
- Si $b = 0$, on a alors $f(x) = 0^x$, qui n'est définie que pour des valeurs de x plus grandes que 0. On a donc fait le choix d'exclure 0 comme base possible.
- Si b est négatif et vaut -2, par exemple, $f(x) = (-2)^x$ n'est, entre autres, pas définie pour $x = \frac{1}{2}$, $x = \frac{7}{4}$ ou $x = \frac{91}{98}$, ainsi que pour une infinité d'autres valeurs.

Fonctions exponentielles dont la base est supérieure à 1

Étudions la fonction exponentielle $f(x) = 2^x$. Si on construit un tableau de valeurs (ou si on utilise une calculatrice à affichage graphique), on obtient le graphique suivant :

x	$y = f(x)$
-5	0,031 25
-4	0,062 5
-3	0,125
-2	0,25
-1	0,5
-0,5	0,707 107
0	1

x	$y = f(x)$
0,5	1,414 21
1	2
2	4
3	8
4	16
5	32
6	64

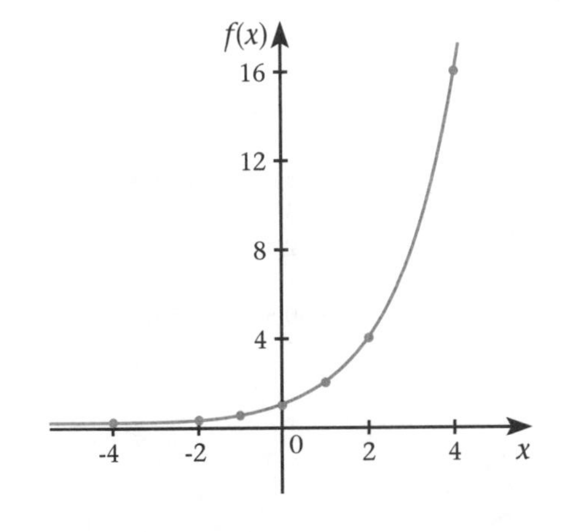

Le graphique suggère qu'il existe une asymptote horizontale. Si on évalue numériquement $\lim_{x \to -\infty} f(x)$ pour la fonction $f(x) = 2^x$, on a :

À lire de droite à gauche

$-\infty \leftarrow$	-100 000	-10 000	-1000	-100	-10	x
	0^+	0^+	0^+	$7{,}889 \cdot 10^{-31}$	0,000976562	$f(x)$

N. B. Dans le tableau qui précède, l'expression « 0^+ » représente une valeur positive si petite qu'elle ne peut pas être affichée dans la fenêtre d'une calculatrice.

On peut conclure que $\lim_{x \to -\infty} f(x) = 0$ et on a comme asymptote horizontale la droite d'équation $y = 0$.

Le comportement général de la courbe d'une fonction exponentielle dont la base b est supérieure à 1 est comparable à celui de la courbe tracée précédemment. En conséquence, si on a une fonction f définie par $f(x) = b^x$, où b est un nombre réel supérieur à 1, alors :

- le domaine de la fonction est IR, l'image est]0, +∞ et la fonction est continue sur IR;
- la fonction ne possède pas de zéro et son ordonnée à l'origine est 1;
- la fonction est croissante sur IR (on parle alors de **croissance exponentielle**) et ne possède ni maximum ni minimum relatifs;
- la courbe est concave vers le haut sur IR;
- on pourrait vérifier que la fonction possède une fonction réciproque;
- la fonction ne possède pas d'asymptote verticale puisque Dom f = IR;
- $\lim_{x \to -\infty} f(x) = 0$ et, par conséquent, la fonction possède une asymptote horizontale d'équation $y = 0$;
- $\lim_{x \to +\infty} f(x) = +\infty$.

Fonctions exponentielles dont la base est comprise entre 0 et 1

Étudions maintenant la fonction exponentielle $g(x) = 0{,}75^x$, dont la base est comprise entre 0 et 1. À l'aide d'un tableau de valeurs ou d'une calculatrice à affichage graphique, on obtient le graphique suivant :

x	$y = g(x)$
-5	4,21399
-4	3,16049
-3	2,37037
-2	1,77778
-1	1,33333
-0,5	1,15470
0	1

x	$y = g(x)$
0,5	0,86603
1	0,75
2	0,5625
3	0,42188
4	0,31641
5	0,23730
6	0,17798

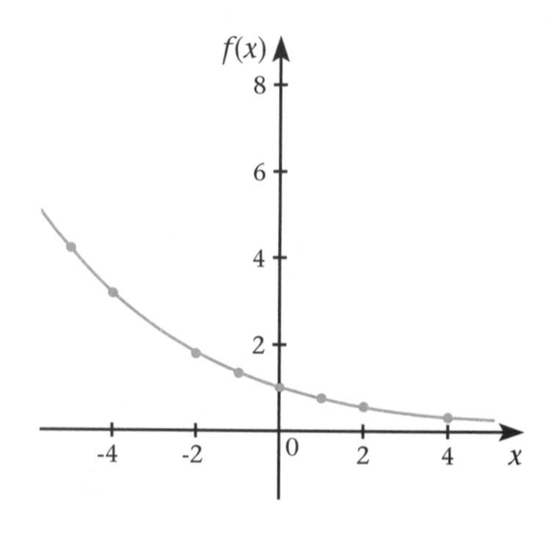

Le graphique suggère l'existence d'une asymptote horizontale. Si on évalue numériquement $\lim_{x\to+\infty} g(x)$ pour la fonction $g(x) = 0{,}75^x$, on a :

À lire de gauche à droite

x	10	100	1000	10 000	100 000	$\to +\infty$
$g(x)$	0,056314	$3{,}207 \cdot 10^{-13}$	0^+	0^+	0^+	

N. B. Dans le tableau qui précède, l'expression « 0^+ » représente une valeur positive si petite qu'elle ne peut pas être affichée dans la fenêtre d'une calculatrice.

On conclut que $\lim_{x\to+\infty} g(x) = 0$ et on a comme asymptote horizontale la droite d'équation $y = 0$.

Le comportement de la courbe d'une fonction exponentielle dont la base b est comprise entre 0 et 1 est comparable à celui de la courbe tracée précédemment. En conséquence, si on a une fonction g définie par $g(x) = b^x$, où b est un nombre réel compris entre 0 et 1, alors :

- le domaine de la fonction est IR, l'image est]0, +∞ et la fonction est continue sur IR;
- la fonction ne possède pas de zéro et son ordonnée à l'origine est 1;
- la fonction est décroissante sur IR (on parle alors de **décroissance exponentielle**) et ne possède ni maximum ni minimum relatifs;
- la courbe est concave vers le haut sur IR;
- on peut vérifier que la fonction possède une fonction réciproque;
- puisque Dom g = IR, la fonction ne possède pas d'asymptote verticale;
- $\lim_{x\to+\infty} g(x) = 0$ et, par conséquent, la fonction possède une asymptote horizontale d'équation $y = 0$;
- $\lim_{x\to-\infty} g(x) = +\infty$.

Exemple 2

Déterminez si chaque fonction donnée est croissante ou décroissante sur IR, puis déduisez les limites demandées.

a) $h(x) = 0{,}7^x$, $\lim_{x\to-\infty} h(x)$ et $\lim_{x\to+\infty} h(x)$

La fonction exponentielle h dont la base est 0,7 est décroissante sur IR.

Par conséquent, $\lim_{x\to+\infty} 0{,}7^x = 0$ et $\lim_{x\to-\infty} 0{,}7^x = +\infty$.

b) $q(n) = \frac{18}{2^n}$ et $\lim_{n\to+\infty} q(n)$

Lorsque n tend vers l'infini, 2^n augmente indéfiniment sans être bornée et la fonction q est décroissante sur IR.

On a $\lim_{n\to+\infty} \frac{18}{2^n} = 0$ $\left(\text{la limite est de type } \frac{18}{+\infty}\right)$.

c) $g(k) = \dfrac{100}{4 + 1{,}03^k}$ et $\lim\limits_{k \to -\infty} g(k)$

La quantité positive $1{,}03^k$ diminue et s'approche de plus en plus de 0 lorsque $k \to -\infty$. Par conséquent, $4 + 1{,}03^k$ est décroissante et la fonction $g(k)$ est croissante sur $\mathbb{R}$.

On a donc $\lim\limits_{k \to -\infty} \dfrac{100}{4 + 1{,}03^k} = \dfrac{100}{4 + 0} = \dfrac{100}{4} = 25$.

Il est possible, à partir du graphique d'une fonction exponentielle de la forme $f(x) = b^x$, de construire celui d'un modèle exponentiel de la forme $g(x) = Ab^{x+C} + D$. Il s'agit d'effectuer les translations horizontale et verticale ainsi que la dilatation-compression adéquates, comme vous l'avez vu dans un cours préalable.

Exemple 3

Soit un modèle exponentiel de la forme $f(x) = Ab^x$ pour lequel A est une constante, $f(4) = 8$ et $f(5) = 12$. Définissez le modèle exponentiel dont il est question ici.

A est clairement une constante positive non nulle, puisque b^x est nécessairement positive dans le contexte.

Puisque $f(4) = 8 = Ab^4$ et $f(5) = 12 = Ab^5$, on constate que $\dfrac{f(5)}{f(4)} = \dfrac{Ab^5}{Ab^4} = b^{5-4} = b$

et $\dfrac{f(5)}{f(4)} = \dfrac{12}{8} = 1{,}5$

Ainsi, on a $b = 1{,}5$ et $f(x) = A \cdot 1{,}5^x$

Puisque $f(4) = 8 = A \cdot 1{,}5^4$

alors $A = \dfrac{8}{1{,}5^4} = 1{,}580\,2$

Le modèle recherché est donc $f(x) = 1{,}580\,2 \cdot 1{,}5^x$.

Exemple 4

L'iode radioactif $^{131}_{53}\mathrm{I}$ (appelé iode-131 dans ce qui suit) est utilisé pour faciliter le diagnostic de certaines maladies. Supposons qu'on injecte dans un tissu vivant un échantillon d'iode-131 qui a une activité de 100 becquerels (1 becquerel, noté 1 Bq, correspond à la désintégration d'un atome par seconde). Le tableau suivant donne la mesure Q en becquerels de l'activité de l'iode-131 dans le tissu, t heures après l'injection.

t (en heures après l'injection)	Q (en becquerels)
0	100
2	99,280 6
4	98,566 3
6	97,857 2
8	97,153 2
10	96,454 2

Déterminez si la quantité Q décroît de façon exponentielle selon un modèle de la forme $Q(t) = Ab^t$. Si oui, définissez Q en fonction de t.

Pour que Q décroisse de façon exponentielle, il faut que les données fournies vérifient une formule de la forme $Q(t) = Ab^t$, où b est une base entre 0 et 1. On devrait alors avoir $Q(0) = Ab^0 = A$, soit $A = 100$.

De plus, on doit avoir :

$$\frac{Q(t+2)}{Q(t)} = \frac{Ab^{t+2}}{Ab^t} = b^2, \text{ qui est constant.}$$

Si on calcule les divers rapports suivants, on a :

$$\frac{Q(2)}{Q(0)} = \frac{99{,}280\,6}{100} = 0{,}993, \quad \frac{Q(4)}{Q(2)} = \frac{98{,}566\,3}{99{,}280\,6} = 0{,}993, \quad \frac{Q(6)}{Q(4)} = \frac{97{,}857\,2}{98{,}566\,3} = 0{,}993,$$

$$\frac{Q(8)}{Q(6)} = \frac{97{,}153\,2}{97{,}857\,2} = 0{,}993 \quad \text{et} \quad \frac{Q(10)}{Q(8)} = \frac{96{,}454\,2}{97{,}153\,2} = 0{,}993.$$

Les divers rapports calculés sont tous égaux et la quantité Q décroît donc de façon exponentielle.

On a $b^2 = 0{,}993$, $b = \sqrt{0{,}993} = 0{,}996$ (puisque la base $b > 0$) et $Q(t) = 100 \cdot 0{,}996^t$.

Exercices

1. Soit un modèle exponentiel de la forme $g(t) = Ab^t$ pour lequel on sait que $g(20) = 3$ et $g(22) = 2{,}3$.

a) Définissez le modèle exponentiel dont il est question ici.

b) Calculez $g(0)$, $g(5)$ et $g(-10)$.

c) Évaluez $\lim_{t\to+\infty} g(t)$ et $\lim_{t\to-\infty} g(t)$.

2. Simplifiez les expressions suivantes :

a) $\dfrac{6^4 \cdot 7^{13}}{7^{12} \cdot 6^3}$

b) $\dfrac{12^{2a} \cdot 5^{4a}}{12^{a-1} \cdot 5^{3a+2}}$

c) $\dfrac{3^x \cdot (2^{x+1})^2}{2^{x+1} \cdot 3^{x-1}} \cdot \dfrac{1}{4^x}$

3. Résolvez chacune des équations suivantes :

a) $3^y + 7 = 16$

b) $2^k \cdot 3 = 24$

c) $25^n \cdot 5^{n+2} = 125$

d) $27 = 3^k \cdot \left(\dfrac{1}{3}\right)^{2k} \cdot 9^{3k}$

e) $12^h - 12 = -11$

f) $2^v \cdot 6^{4v} = 6^{4v}$

g) $(t+8) \cdot 13t = 0$

h) $(2^z - 4)(4^z - 64) = 0$

i) $9 - (t^2 - 9) \cdot 4^t = 3^2$

4. À l'aide d'une esquisse du graphique des fonctions exponentielles suivantes, déterminez le domaine, l'image, l'ordonnée à l'origine, les zéros, les intervalles de croissance et de décroissance, ainsi que les intervalles de concavité.

a) $f(t) = 6^t$

b) $g(z) = 10^z$

c) $h(x) = \left(\dfrac{1}{4}\right)^x$

d) $c(q) = (0{,}1)^q$

5. À l'aide de la calculatrice à affichage graphique, tracez le graphique de la fonction $y = 1{,}001^x$.

Évaluez $\lim_{x\to-\infty} 1{,}001^x$ et $\lim_{x\to+\infty} 1{,}001^x$.

6. À l'aide de la calculatrice à affichage graphique, tracez le graphique de la fonction $y = 0{,}992^x$.

Évaluez $\lim_{x \to -\infty} 0{,}992^x$ et $\lim_{x \to +\infty} 0{,}992^x$.

7. Déterminez si chacune des fonctions ci-dessous est croissante ou décroissante sur IR, et évaluez les limites à l'infini et à moins l'infini.

a) $g(t) = 0{,}34 \cdot (1{,}3)^t$

b) $f(x) = 190 \cdot \left(\frac{17}{18}\right)^x$

c) $m(z) = 2 \cdot \left(\frac{1}{2}\right)^z$

d) $f(y) = -2 \cdot 3^y$

e) $h(a) = -5{,}2 \cdot \left(\frac{1}{3}\right)^a$

f) $k(v) = -7 \cdot \left(\frac{11}{7}\right)^{-v}$

8. Déterminez numériquement (si elles existent) les limites suivantes :

a) $\lim_{z \to 0} 3^{-|z|}$

b) $\lim_{t \to +\infty} \frac{2^{3t+1}}{3^{2t+1}}$

c) $\lim_{t \to 0} \left(t \cdot 2^{\frac{1}{t}}\right)$

9. À l'aide des limites appropriées, déterminez l'équation des asymptotes horizontales de chacune des fonctions suivantes :

a) $f(x) = 7 \cdot (1{,}2)^x$

b) $k(b) = 5 \cdot (0{,}8)^b$

c) $h(i) = -3 \cdot (0{,}99)^i$

d) $p(q) = -3{,}4 \cdot (17{,}2)^q$

e) $g(t) = 4 \cdot (3 - 2^t)$

f) $v(d) = 5 - (0{,}2)^d$

g) $d(a) = -2 \cdot (6 + 2^{-a})$

h) $r(z) = 6^z - 6^{-z}$

10. Soit un modèle exponentiel de la forme $h(z) = Ab^z$ pour lequel on sait que $h(5) = 3$ et $h(8) = 1{,}9$.

a) Définissez le modèle exponentiel en question.

b) Calculez $h(-1)$, $h(0)$, $h(1)$ et $h(7{,}5)$.

c) Évaluez $\lim_{z \to +\infty} h(z)$ et $\lim_{z \to -\infty} h(z)$.

11. Pour chacun des tableaux suivants, vérifiez si les données sont associées à une fonction affine de la forme $f(t) = mt + b$ ou à un modèle exponentiel de la forme $f(t) = Ab^t$. Dans chacun des cas, définissez la fonction en question.

(a)

t	f(t)
0	3
1	6
2	12
3	24
4	48

(c)

t	f(t)
2	17
3	26
4	35
5	44
6	53

(b)

t	f(t)
-3	512
-2	128
-1	32
0	8
1	2

(d)

t	f(t)
2	18
4	162
7	4 374
11	354 294
16	86 093 442

SECTION 4.2 Définition et utilisation du nombre d'Euler *e*

On a précisé, dans la section précédente, qu'en finance, dans le contexte d'un prêt à intérêts composés, la valeur finale du prêt est donnée par la formule $FV = PV\,(1 + i)^n$, où PV représente la valeur initiale du prêt, i représente le taux d'intérêt périodique et n est associé au nombre total de fois où l'intérêt est calculé.

Prenons le contexte où :

- un prêt doit être remboursé dans un an ;
- le taux d'intérêt composé anormalement élevé vaut 100 % et est capitalisé m fois par année.

Dans cette situation, le taux d'intérêt périodique $i = \frac{100\ \%}{m} = \frac{1}{m}$ et $n = 1$ an $\cdot$ m fois/an $= m$.

La formule $FV = PV\,(1 + i)^n$ devient alors $FV = PV\left(1 + \frac{1}{m}\right)^m$.

La fréquence de capitalisation dans une année (représentée précédemment par le paramètre m) influence la valeur finale d'un prêt. On pourrait vérifier que pour un taux d'intérêt composé fixé, plus la valeur de m est élevée, plus la valeur finale l'est également. Jusqu'à quel point la quantité $\left(1 + \frac{1}{m}\right)^m$ qui est variable dans la formule précédente peut-elle augmenter à mesure que m croît? Pour répondre à cette question, étudions la fonction $f(m) = \left(1 + \frac{1}{m}\right)^m$ lorsque $m \to +\infty$.

À lire de gauche à droite

m	1000	10 000	100 000	1 000 000	10 000 000	$\to +\infty$
$f(m)$	2,7169239	2,7181459	2,7182682	2,718280	2,718282	

On constate que :

$$\lim_{m\to+\infty}\left(1 + \frac{1}{m}\right)^m \text{ est une valeur qui vaut approximativement } 2{,}718\,28.$$

Ce nombre est noté par la lettre e et est appelé le **nombre d'Euler**. Le nombre e est irrationnel (il a une infinité de décimales et il est non périodique), comme l'est le nombre π. Ainsi, par définition, le nombre d'Euler équivaut à :

$$e = \lim_{m\to+\infty}\left(1 + \frac{1}{m}\right)^m \approx 2{,}718\,28$$

Lorsqu'il sera question plus loin de la dérivée des fonctions exponentielles, on constatera que le nombre d'Euler a des propriétés intéressantes.

On pourrait également vérifier que lorsque $m \to +\infty$, la quantité $\left(1 + \frac{j}{m}\right)^m$ s'approche de plus en plus de la quantité e^j. En fait, on a $\lim_{m\to+\infty}\left(1 + \frac{j}{m}\right)^m = e^j$.

Puisque e est un nombre réel supérieur à 1, la fonction exponentielle $f(x) = e^x$ a toutes les propriétés relatives aux fonctions exponentielles croissantes dont la base est supérieure à 1. En conséquence, on a :

$$\lim_{x\to+\infty} e^x = +\infty \text{ et } \lim_{x\to-\infty} e^x = 0$$

Sur la plupart des calculatrices scientifiques et à affichage graphique, la touche $\boxed{e^x}$ permet d'évaluer facilement diverses valeurs de la fonction $f(x) = e^x$.

Exemple 5

Évaluez les limites suivantes :

a) $\lim_{t\to+\infty}\dfrac{3}{\frac{4}{t} + e^t}$

Si on observe l'expression au dénominateur, lorsque t tend vers l'infini, $\frac{4}{t}$ tend vers 0 (par des valeurs positives), alors que e^t augmente indéfiniment sans être bornée. La limite $\lim_{t\to+\infty}\dfrac{3}{\frac{4}{t} + e^t}$ est donc de la forme $\dfrac{3}{0 + (+\infty)}$ et $\lim_{t\to+\infty}\dfrac{3}{\frac{4}{t} + e^t} = 0$.

b) $\lim\limits_{z \to -\infty} \dfrac{-45}{9 + e^{5z}}$

Lorsque z tend vers moins l'infini, il en est de même pour $5z$ et e^{5z} s'approche de plus en plus de 0. Par conséquent, $\lim\limits_{z \to -\infty} \dfrac{-45}{9 + e^{5z}} = \dfrac{-45}{9 + 0} = -5$.

Des biologistes ont montré, à partir de données expérimentales, que lorsque les ressources alimentaires sont suffisamment abondantes, certaines populations croissent de façon exponentielle selon le modèle $P(t) = P_0(1 + k)^t$, où P_0 est la population initiale, k est le taux de croissance et t est le nombre de périodes de temps écoulées. Toutefois, lorsque la croissance d'une population est limitée par l'environnement, la courbe de croissance prend parfois la forme d'un **sigmoïde** (voir la courbe qui suit). Dans ce cas, le taux de croissance augmente d'abord jusqu'à un certain point d'inflexion. Il diminue ensuite (à cause de la raréfaction de la nourriture ou de l'accumulation de toxines) et la taille de la population $P(t)$ s'approche graduellement d'une valeur maximale appelée **charge biotique de l'environnement**.

Prenons, par exemple, une culture de levure dans un environnement contrôlé, dont le nombre de cellules est donné par le graphique ci-dessous. Le rythme de croissance augmente pendant les huit premières heures. Après celles-ci, la courbe devient concave vers le bas et la croissance ralentit jusqu'à ce que la population se stabilise autour de 675 cellules. La droite $y = 675$ est une asymptote horizontale.

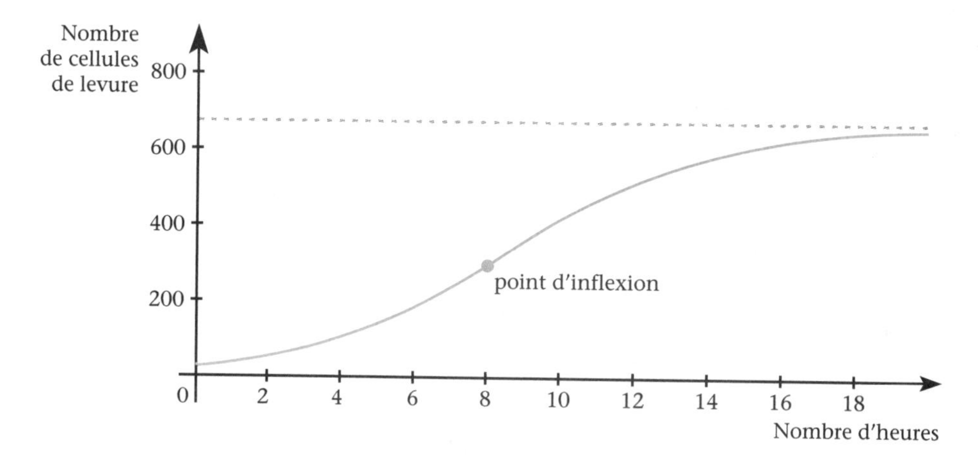

Exemple 6

Lorsqu'on veut exprimer le nombre de cellules de levure en fonction du nombre d'heures, on peut parfois utiliser la **fonction logistique** qui est de la forme $f(t) = \dfrac{L}{1 + ae^{-kt}}$, où L, a et k sont trois paramètres réels positifs non nuls dont les valeurs dépendent du contexte.

a) Trouvez le domaine de la fonction f, ses asymptotes verticales et son ordonnée à l'origine. Interprétez ce dernier résultat.

On sait que e^{-kt} est toujours positive. En conséquence, le produit ae^{-kt} l'est également et on a $1 + ae^{-kt} > 1$. Ainsi, le dénominateur ne s'annule jamais et le domaine de la fonction f est $\mathbb{R}$. La fonction f ne possède donc pas d'asymptote verticale. L'ordonnée à l'origine est $f(0) = \dfrac{L}{1 + ae^{-k(0)}} = \dfrac{L}{1 + a}$. Cette valeur correspond à la population initiale de cellules de levure.

b) Déterminez si la fonction f est croissante ou décroissante sur IR.

Lorsque la variable t augmente, la quantité $e^{-kt} = (e^{-k})^t$ est décroissante puisque $e^{-k} < 1$ et il en est de même pour la somme $1 + ae^{-kt}$. La fonction $f(t) = \frac{L}{1 + ae^{-kt}}$ est donc croissante sur IR.

c) Trouvez les asymptotes horizontales de la fonction f.

Lorsque $t \to +\infty$, ae^{-kt} s'approche de plus en plus de 0 et $\lim\limits_{t \to +\infty} \frac{L}{1 + ae^{-kt}} = \frac{L}{1 + 0} = L$. Ainsi, la droite d'équation $y = L$ est une asymptote horizontale.

Lorsque $t \to -\infty$, e^{-kt} devient de plus en plus grande sans être bornée. La limite $\lim\limits_{t \to -\infty} \frac{L}{1 + ae^{-kt}}$ est alors de la forme $\frac{L}{1 + (+\infty)}$ et est égale à 0. Ainsi, la droite $y = 0$ est une asymptote horizontale.

Exercices

1. Les entreprises désirent souvent connaître le lien qui existe entre leurs investissements publicitaires et le nombre de clients qui s'intéressent concrètement à leurs produits et services. En marketing, on utilise à l'occasion une formule de la forme $D(p) = A(1 - e^{-kp})$, où $D(p)$ représente la demande pour un certain produit et p représente les dépenses en publicité. Les nombres A et k sont deux nombres positifs non nuls qui dépendent du contexte étudié.

a) Calculez l'ordonnée à l'origine de la fonction D et interprétez le résultat obtenu.

b) Analysez la fonction D en vue de déterminer si elle est croissante ou décroissante sur IR.

c) Calculez $\lim\limits_{p \to +\infty} D(p)$ et expliquez pourquoi le nombre A est appelé le **niveau de saturation de la demande**.

2. À l'aide de la calculatrice à affichage graphique, tracez le graphique de la fonction $y = \left(1 + \frac{1}{x}\right)^x$ pour vous aider à évaluer $\lim\limits_{x \to +\infty} \left(1 + \frac{1}{x}\right)^x$.

3. Déterminez si les fonctions suivantes sont continues sur les intervalles donnés.

a) $f(t) = \frac{e^t}{e^t - 1}$ est-elle continue sur [-1, 1]? sur]0, 1000[? sur -∞, -0,1]?

b) $g(z) = \frac{e^{z+1} - 1}{z + 1}$ est-elle continue sur]-1 , 1]? sur]-3, 3[? sur -∞, -0,99[?

4. Évaluez les limites demandées.

a) $\lim\limits_{x \to +\infty} (1 + e^{-x})$

b) $\lim\limits_{x \to -\infty} (17 + e^{2x})$

c) $\lim\limits_{x \to +\infty} \left(\frac{3}{1 + e^{-x}}\right)$

d) $\lim\limits_{x \to -\infty} \left(\frac{-12}{6 - e^{-x}}\right)$

e) $\lim\limits_{x \to +\infty} \left(\frac{e^x - 5}{e^x + 5}\right)$

f) $\lim\limits_{x \to -\infty} \left(\frac{e^x - e^{-x}}{e^x + e^{-x}}\right)$

5. À l'aide de la calculatrice à affichage graphique, tracez le graphique des fonctions suivantes pour évaluer les limites demandées. Trouvez ensuite le résultat en analysant la fonction.

a) $f(x) = 1 + 3e^{-x}$ et $\lim\limits_{x \to +\infty} f(x)$

b) $g(t) = 5 - e^t$ et $\lim\limits_{t \to -\infty} g(t)$

c) $h(z) = \frac{25}{5 + e^{-z}}$ et $\lim\limits_{z \to +\infty} h(z)$

d) $f(k) = \frac{-4}{2 + e^k}$ et $\lim\limits_{k \to +\infty} f(k)$

e) $c(q) = \dfrac{2e^q - 3}{e^q + 2}$ et $\lim\limits_{q \to +\infty} c(q)$

f) $k(y) = \dfrac{7e^y + e^{-y}}{3e^y - e^y}$ et $\lim\limits_{y \to +\infty} k(y)$

6. Pour chacune des fonctions suivantes, déterminez les asymptotes horizontales et les asymptotes verticales, ainsi que les intervalles de croissance et de décroissance de la fonction.

a) $f(x) = \dfrac{1}{e^x}$

b) $g(z) = \dfrac{4}{6 - e^x}$

c) $r(t) = \dfrac{-0{,}7}{3{,}4 + e^{-2x}}$

d) $C(q) = \dfrac{5}{13 - e^{-0{,}5q}}$

7. En statistique, on travaille régulièrement avec la courbe normale $N(\mu, \sigma^2)$ associée à la fonction $f(x) = \dfrac{1}{\sigma\sqrt{2\pi}} e^{\frac{-(x-\mu)^2}{2\sigma^2}}$.

a) Si $\mu = 0$ et $\sigma = 1$, évaluez $\lim\limits_{x \to +\infty} f(x)$ et $\lim\limits_{x \to -\infty} f(x)$.

b) Si $\mu = 100$ et $\sigma = 10$, évaluez $\lim\limits_{x \to +\infty} f(x)$ et $\lim\limits_{x \to -\infty} f(x)$.

c) Pour des valeurs de μ et de σ quelconques, évaluez $\lim\limits_{x \to +\infty} f(x)$ et $\lim\limits_{x \to -\infty} f(x)$.

SECTION 4.3 Concept de logarithmes et propriétés des logarithmes

Concept de logarithmes

Comme on l'a vu au début du chapitre, en finance, lorsque l'intérêt est composé, la valeur finale FV d'un prêt de valeur initiale PV effectué à un taux périodique i est donnée par $FV = PV(1 + i)^n$, où n est le nombre total de capitalisations. Si le montant initial est de 3000 $ et que le taux d'intérêt composé est de 8 % capitalisé annuellement, alors $FV = 3000 \cdot (1{,}08)^n$. Si on cherche au terme de combien de capitalisations le prêt peut atteindre une valeur finale de 4000 $, on cherche n tel que :

$$4000 = 3000\,(1{,}08)^n \text{ ou } \frac{4000}{3000} = \frac{4}{3} = (1{,}08)^n$$

Dans ce cas, les logarithmes peuvent être utiles.

Définition

M* est le logarithme de *N* en base *b (on note $M = \log_b N$) si

M est l'exposant auquel on doit élever la base *b* pour obtenir *N*.

La base *b* est nécessairement un nombre réel supérieur à 0 et différent de 1.

Attention !

Il est essentiel de comprendre qu'un logarithme est, en fait, un exposant. L'expression

$M = \log_b N$

est équivalente à *M* est → l'exposant auquel on doit élever la base *b* → pour obtenir le nombre *N*.

En fait, si b est un nombre réel supérieur à 0 et différent de 1, $M = \log_b N$ si et seulement si $N = b^M$.

Par exemple, $3 = \log_2 8$ puisque $2^3 = 8$

$2 = \log_{10} 100$ puisque $10^2 = 100$

et $1 = \log_{17} 17$ puisque $17^1 = 17$

Par convention, l'expression log 1000 correspond à $\log_{10} 1000 = 3$. Lorsque la base du logarithme est 10, on parle du **logarithme décimal** (on dit aussi logarithme vulgaire). Sur la calculatrice, la touche [log] fait référence au logarithme en base 10.

Par convention, l'expression ln 4 correspond à $\log_e 4$. Lorsque la base est le nombre d'Euler $e \approx 2{,}718$, on parle du **logarithme naturel** (on dit aussi logarithme népérien, en l'honneur de Napier, l'inventeur des logarithmes). Sur la calculatrice, la touche [ln] fait référence au logarithme en base e.

Exemple 7

Calculez les logarithmes suivants :

a) $\log \sqrt{10}$

On cherche l'exposant auquel on doit élever 10 pour obtenir $\sqrt{10} = 10^{\frac{1}{2}}$.

En conséquence, $\log(\sqrt{10}) = \frac{1}{2}$.

b) $\ln\left(\frac{1}{e^3}\right)$

On cherche l'exposant auquel on doit élever le nombre e pour obtenir $\frac{1}{e^3} = e^{-3}$.

En conséquence, $\ln\left(\frac{1}{e^3}\right) = -3$.

Une expression du type $\log_b(-M)$, où $-M$ est un nombre réel négatif, n'est pas définie dans les réels, car il est impossible de trouver un exposant auquel on doit élever le nombre positif b pour obtenir le nombre négatif $-M$.

Propriétés des logarithmes

Les logarithmes ont les propriétés suivantes :

Soit $\boldsymbol{x}$ et $\boldsymbol{y}$ deux nombres réels positifs et $\boldsymbol{a}$ et $\boldsymbol{b}$ deux bases supérieures à 0 et différentes de 1. On a :

Propriété L1 $\log_b b = 1$

Propriété L2 $\log_b 1 = 0$

Propriété L3 $b^{\log_b x} = x$

Propriété L4 $\log_b b^x = x$

Propriété L5 $\log_b (x \cdot y) = \log_b x + \log_b y$

Propriété L6 $\log_b x^y = y \log_b x$

Propriété L7 $\log_b \left(\frac{x}{y}\right) = \log_b x - \log_b y$

Propriété L8 $\log_b x = \frac{\log_a x}{\log_a b}$

Propriété L9 Si $\log_b x = \log_b y$, alors nécessairement $x = y$.

À titre d'exemple, on a :

$$\log_7 7 = 1 \text{ (propriété L1)}, \quad \log_{15} 1 = 0 \text{ (propriété L2)},$$
$$5^{\log_5 13} = 13 \text{ (propriété L3)} \quad \text{et} \quad \log_{0,1} (0,1)^{18} = 18 \text{ (propriété L4)}.$$

On a également

$$\ln (4 \cdot 7) = \ln 4 + \ln 7 \text{ (propriété L5)},$$
$$\log 8 = \log 2^3 = 3 \log 2 \text{ (propriété L6)},$$
$$\log_2 \left(\frac{32}{4}\right) = \log_2 32 - \log_2 4 \text{ (propriété L7)},$$
$$\log_{1,42} 802 = \frac{\log_{10} 802}{\log_{10} 1,42} \text{ (propriété L8)}$$

et si $\log_{21} x = \log_{21} 5$, alors nécessairement $x = 5$ (propriété L9).

Attention !

L'avantage de la propriété L8 (qu'on appelle d'ailleurs « la formule de changement de base ») est de permettre, grâce à la calculatrice, le calcul d'un logarithme dans n'importe quelle base b supérieure à 0 et différente de 1. Par exemple, on a :

$$\log_2 7 = \frac{\log_{10} 7}{\log_{10} 2} = \frac{\log 7}{\log 2} = \frac{0,845\ 1}{0,301\ 0} = 2,807\ 4$$

Le choix de la « base de transition » importe peu. On a :

$$\log_2 7 = \frac{\log_e 7}{\log_e 2} = \frac{\ln 7}{\ln 2} = \frac{1,945\ 91}{0,693\ 15} = 2,807\ 4$$

Exemple 8

Calculez les expressions suivantes, sans utiliser de calculatrice.

a) $10^{\log 6,54}$ Selon la propriété L3, on a $10^{\log 6,54} = 6,54$.

b) $\log_3 18 - \log_3 2$ Selon la propriété L7, on a $\log_3 18 - \log_3 2 = \log_3 \left(\frac{18}{2}\right) = \log_3 9 = 2$.

c) $\log_9 27$ Selon la propriété L8, on a $\log_9 27 = \frac{\log_3 27}{\log_3 9} = \frac{3}{2}$.

d) $5 \ln \sqrt{e}$ Selon les propriétés L4 et L6, on a $5 \ln \sqrt{e} = \ln \left(e^{\frac{1}{2}}\right)^5 = \ln \left(e^{\frac{5}{2}}\right) = \frac{5}{2}$.

Soit une base b supérieure à 0 et différente de 1. Si on a une fonction exponentielle $f(x) = b^x$, puisque $b = e^{\ln b}$ selon la propriété L3, la fonction f peut s'écrire sous la forme $f(x) = b^x = (e^{\ln b})^x = e^{x \ln b}$.

Ainsi,

toute fonction exponentielle $f(x) = b^x$ peut également s'écrire sous la forme $f(x) = e^{x \ln b}$.

Par exemple, la fonction $f(x) = 13^x$ peut aussi s'écrire sous la forme $f(x) = e^{x \ln 13} = e^{2,565x}$.

Équations logarithmiques et exponentielles

Les logarithmes permettent de résoudre certaines équations exponentielles que les propriétés des exposants à elles seules ne permettraient pas de résoudre. Par exemple, si on reprend la situation du début de la section (p. 118) qui nous a menés à l'équation $\frac{4}{3} = (1,08)^n$, on obtient, en utilisant la propriété L8 :

$$n = \log_{1,08}\left(\frac{4}{3}\right) = \frac{\log\left(\frac{4}{3}\right)}{\log(1,08)} = 3,74$$

Dans le contexte, le prêt de 3000 $ atteindrait une valeur finale de 4000 $ lorsque le nombre de capitalisations n (qui correspondait ici au nombre d'années) a une valeur de 3,74. Dans le milieu financier, cette valeur correspond à trois capitalisations et la partie décimale 0,74 est traitée de façon particulière. Dans ce cours, nous nous limiterons à calculer la valeur de n sans l'interpréter plus concrètement dans ce contexte.

On peut résoudre certaines équations faisant intervenir des logarithmes (on parle alors d'**équations logarithmiques**) en utilisant les propriétés L1 à L9.

Exemple 9

Résolvez les équations suivantes :

a) $7 \cdot 3^x = 5$

On a $7 \cdot 3^x = 5$ et donc $3^x = \frac{5}{7}$.

Ainsi, on a $x = \log_3\left(\frac{5}{7}\right) = \frac{\ln\left(\frac{5}{7}\right)}{\ln(3)} = \frac{-0,336\ 5}{1,098\ 6} = -0,306\ 3$.

On peut constater que le résultat obtenu vérifie l'équation initiale.

b) $6 \cdot 4{,}2^y = 4{,}7^{y-1}$

On a
$$6 \cdot 4{,}2^y = 4{,}7^{y-1}$$
$$\log (6 \cdot 4{,}2^y) = \log 4{,}7^{y-1}$$
$$\log 6 + \log 4{,}2^y = (y-1) \log 4{,}7 \quad \text{(selon L5 et L6).}$$

On obtient
$$\log 6 + y \log 4{,}2 = y \log 4{,}7 - \log 4{,}7$$

et, en cherchant à isoler y,
$$y(\log 4{,}2 - \log 4{,}7) = -\log 4{,}7 - \log 6$$

ou
$$y = \frac{-\log 4{,}7 - \log 6}{\log 4{,}2 - \log 4{,}7} = 29{,}689$$

On peut constater que le résultat obtenu vérifie l'équation initiale.

c) $3 \ln k - \ln 5k = \ln 125$

Pour que $\ln k$ soit défini, il faut nécessairement que $k > 0$.

Si $k \neq 0$, le terme de gauche vaut :

$$3 \ln k - \ln 5k = \ln k^3 - \ln 5k = \ln \left(\frac{k^3}{5k}\right) = \ln \left(\frac{k^2}{5}\right)$$

On obtient alors $\ln \left(\frac{k^2}{5}\right) = \ln 125.$

Par la propriété L9, cela signifie que $\frac{k^2}{5} = 125$ et donc $k^2 = 5 \cdot 125 = 625$.

Donc, $k = \pm\sqrt{625} = \pm 25$. Or, la solution $k = -25$ n'est pas une solution de l'équation initiale, car l'expression $\ln (-25)$ n'est pas définie dans $\mathbb{R}$.

Le résultat $k = 25$ est quant à lui valable et l'unique solution est $k = 25$.

Attention !

Lorsqu'on travaille avec des logarithmes pour résoudre une équation, on peut parfois s'attendre à intégrer dans la démarche de nouvelles solutions qui ne vérifient pas nécessairement l'équation initiale, comme c'est le cas dans l'exemple 9(c) précédent. Il faut donc vérifier le ou les résultats obtenus dans l'équation d'origine et, le cas échéant, éliminer certaines solutions qui ne sont pas valables.

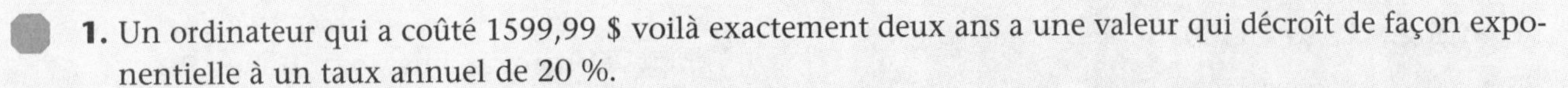

Exercices

1. Un ordinateur qui a coûté 1599,99 $ voilà exactement deux ans a une valeur qui décroît de façon exponentielle à un taux annuel de 20 %.

a) Quelle sera la valeur V de cet ordinateur dans exactement 3 ans?

b) Combien d'années après l'achat de l'ordinateur la valeur de ce dernier ne sera-t-elle plus que le dixième de ce qu'elle était à l'origine?

2. Trouvez (si elle existe) la valeur de x dans les expressions suivantes :

a) $\log_4 x = 3$

b) $\log_3 x = 3$

c) $\log_{\frac{1}{2}} x = -4$

d) $\log_5 x = -3$

e) $\log x\ 27 = -3$

f) $\log x = 1$

g) $\ln x = 1$

h) $\ln x = 0$

3. À l'aide de la calculatrice à affichage graphique, tracez dans la même fenêtre d'affichage [-5, 5] sur [-4, 4] les graphiques des fonctions se trouvant de part et d'autre de l'égalité et évaluez si les égalités sont vraies ou fausses. Lorsque l'égalité est vraie, déterminez la propriété des logarithmes qui lui est associée.

a) $\log(x + 2) \stackrel{?}{=} \log x + \log 2$

b) $\log(x \cdot 5) \stackrel{?}{=} \log x \cdot \log 5$

c) $\log(x \cdot 2) \stackrel{?}{=} \log x + \log 2$

d) $\log(x \div 2) \stackrel{?}{=} \log x - \log 2$

e) $\log(x^6) \stackrel{?}{=} [\log x]^6$

f) $\log(x) \stackrel{?}{=} \ln x \div \ln 10$

4. Sachant que ln 4 = 1,386 3 et ln 5 = 1,609 4, évaluez les expressions suivantes, sans utiliser les touches [log] et [ln] sur la calculatrice.

a) $\ln 16$

b) $\ln 5^4$

c) $\ln\left(\frac{4}{5}\right)$

d) $\ln\left(\frac{5}{4}\right)$

e) $\ln\left(\frac{1}{20}\right)$

f) $\ln(5e)$

5. À l'aide de la calculatrice à affichage graphique, tracez le graphique de la fonction $g(x) = \dfrac{\ln x}{\log x}$ et expliquez le résultat obtenu, à l'aide des propriétés des logarithmes.

6. Écrivez les fonctions suivantes sous la forme $f(x) = ae^{kx}$.

a) $f(x) = 4{,}5^x$

b) $f(x) = 3{,}4 \cdot (17{,}2)^x$

c) $f(x) = -4{,}7 \cdot (0{,}99)^x$

d) $f(x) = 17 \cdot \left(\frac{1}{e}\right)^x$

7. Pour chacun des tableaux suivants, définissez la fonction exponentielle exprimée sous la forme $f(t) = Ae^{bt}$.

(a)

t	$f(t)$
0	3
1	6
2	12
3	24
4	48

(c)

t	$f(t)$
-3	1 024
-1	256
2	32
6	2

(b)

t	$f(t)$
-2	-2
0	-18
2	-162
4	-1 458
6	-13 122

8. Résolvez les équations suivantes :

a) $2^y = 3$

b) $\left(\frac{1}{3}\right)^x = 7{,}2$

c) $6^a + 1 = 36$

d) $3^{2v+1} = 7^{\log_7 81}$

e) $7^n = 8^n$

f) $5^{x+1} = 7^{2x}$

g) $5^{b+1} = 6 \cdot 15^b$

h) $5^{j+1} = e^{3j}$

i) $4 \cdot 5^z = 10 \cdot 7^z$

j) $5 \cdot 4^x = 4 \cdot 5^x$

k) $6e^{2q} = 3e^{3q}$

l) $11^{u-1} = 5 \cdot 7^{2u+3}$

9. Résolvez les équations suivantes :

a) $\log_{12}(1 - x) - 1 = 0$

b) $\ln z - \ln 4 = \ln 25$

c) $\log_5(v + 1) + \log_4 16 = 0$

d) $\ln(x + 3) + \ln x = \ln 10$

e) $\log_{12}(t^2 + 2) - \log_{12} t = \log_{12}(2t - 1)$

f) $\log_3(2x + 5) - \log_3(x - 2) = \log_3 x$

10. Plusieurs équations faisant intervenir des exposants ne peuvent être résolues à l'aide des propriétés élémentaires des logarithmes. Par exemple, on ne peut résoudre l'équation $17 + 4x = e^x$ avec les propriétés logarithmiques.

a) À l'aide de la calculatrice à affichage graphique, évaluez les zéros de la fonction $y = 17 + 4x - e^x$.

b) En quoi la ou les réponses obtenues en (a) nous aident-elles à évaluer les solutions de l'équation $17 + 4x = e^x$?

SECTION 4.4 Fonctions logarithmiques et limites

L'intensité acoustique est une mesure de la puissance d'un son par unité de surface, dont les unités sont des watts/m² (notées W/m²). À titre de référence :

- le seuil de sensation douloureuse pour un être humain correspond à une intensité de 1 W/m²;
- le bruit associé au décollage d'un avion à réaction correspond à une intensité de 10^{-1} W/m²;
- le bruit associé à un restaurant tranquille correspond à une intensité de 10^{-7} W/m²;
- l'intensité acoustique la plus faible qui peut être perçue par une oreille normale d'être humain est égale à $4 \cdot 10^{-12}$ W/m².

L'échelle des W/m² est peu commode pour exprimer l'intensité acoustique et on utilise parfois le bel (une unité notée par B qui doit son nom à l'inventeur du téléphone, Alexander Graham Bell). Comme équivalence, une intensité de 10^{-12} W/m² est associée à la valeur de 0 bel et une intensité de 10^{-11} W/m² est associée à la valeur de 1 bel.

Toutefois, d'une façon générale, on travaille plutôt avec le décibel (pour « dixième de bel », noté dB) et on a alors :

$$10 \text{ dB} = 1 \text{ bel} = 10^{-11} \text{ W/m}^2 \text{ et } 1 \text{ dB} = 10^{-12} \text{ W/m}^2.$$

L'échelle des décibels est basée sur les logarithmes. Si I représente l'intensité acoustique en W/m² et si D représente celle-ci en décibels, on pourrait montrer que :

$$D(I) = 10 \log\left(\frac{I}{10^{-12}}\right),$$

une fonction qui fait référence à un logarithme en base 10.

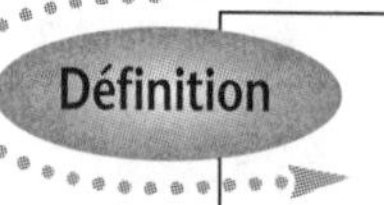

Définition

Une **fonction logarithmique de base *b*** est une fonction qui peut être définie par une règle de la forme $f(x) = \log_b x$, où b est un nombre réel supérieur à 0 et différent de 1.

Fonctions logarithmiques dont la base est supérieure à 1

Lorsque $y = \log_b x$, par définition, $b^y = x$. Si on cherche la fonction réciproque de la fonction logarithmique $f(x) = y = \log_b x$, selon la démarche suggérée dans le chapitre 1 de ce manuel (p. 11), on obtient $y = b^x$ ou $f^{-1}(x) = b^x$. La fonction réciproque d'une fonction logarithmique de base b est la fonction exponentielle de base b (et vice versa). Par exemple :

$$\text{la fonction réciproque de } g(t) = \log_5 t \text{ est } g^{-1}(t) = 5^t;$$

$$\text{la fonction réciproque de } h(z) = \left(\frac{1}{2}\right)^z \text{ est } h^{-1}(z) = \log_{\frac{1}{2}} z.$$

Étudions la fonction logarithmique $f(x) = \log_2 x$, dont la fonction réciproque est $f^{-1}(x) = 2^x$. On peut obtenir le graphique de la fonction f en effectuant une réflexion par rapport à la droite $y = x$ du graphique de la fonction $f^{-1}(x) = 2^x$, tracé plus tôt dans ce chapitre (p. 109). On obtient alors le graphique ci-dessous.

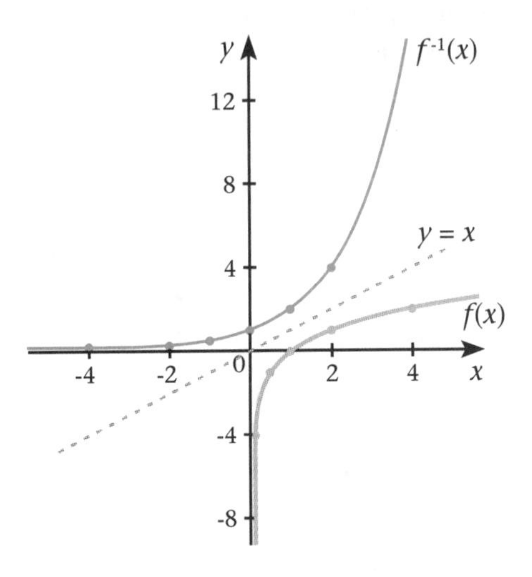

Le graphique de la fonction réciproque $f^{-1}(x) = 2^x$ possède comme asymptote horizontale la droite $y = 0$. Le graphique de la fonction $f(x) = \log_2 x$ possède donc une asymptote verticale d'équation $x = 0$. Pour s'en convaincre, évaluons $\lim_{x \to 0^+} f(x)$.

À lire de droite à gauche

$0^+ \leftarrow$	10^{-90}	10^{-65}	10^{-40}	10^{-20}	10^{-10}	x
	-298,973 5	-215,925 3	-132,88	-66,438 6	-33,219 3	$f(x)$

On constate que $\lim_{x \to 0^+} f(x) = -\infty$ et on a bien comme asymptote verticale la droite $x = 0$.

Si on a une fonction logarithmique dont la base b est supérieure à 1, le comportement général de la courbe est similaire à celui de la fonction $f(x) = \log_2 x$. En conséquence, si on a une fonction f exprimée par $f(x) = \log_b x$, où b est un nombre réel supérieur à 1, alors :

- le domaine de la fonction est $]0, +\infty$, l'image est $\mathbb{R}$ et la fonction est continue sur $]0, +\infty$;
- la fonction possède un seul zéro, la valeur 1, mais n'a pas d'ordonnée à l'origine;

- la fonction est croissante sur $]0, +\infty$ et ne possède ni maximum ni minimum relatifs ;
- la courbe est concave vers le bas sur $]0, +\infty$;
- $\lim_{x \to 0^+} f(x) = -\infty$ et, par conséquent, la fonction possède l'asymptote verticale $x = 0$;
- $\lim_{x \to +\infty} f(x) = +\infty$;
- puisque $\lim_{x \to -\infty} f(x)$ n'est pas définie, la fonction ne possède aucune asymptote horizontale.

Fonctions logarithmiques dont la base est comprise entre 0 et 1

Étudions maintenant la fonction logarithmique $g(x) = \log_{0,75} x$. Si on effectue à nouveau une réflexion appropriée en utilisant la fonction réciproque $g^{-1}(x) = 0,75^x$ (voir graphique p. 110), on obtient le graphique ci-dessous.

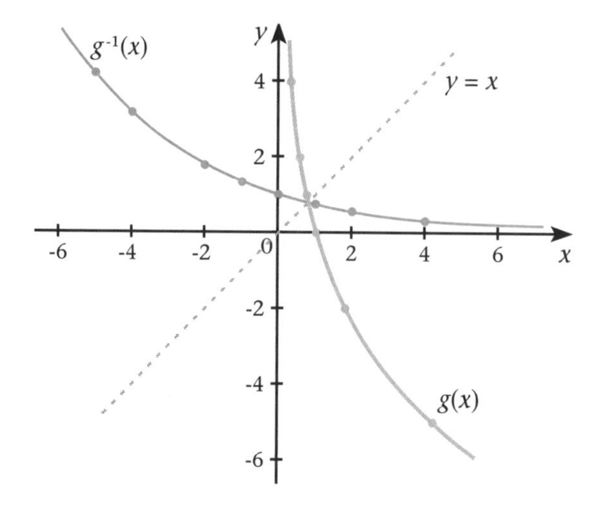

Vérifions que la fonction $g(x) = \log_{0,75} x$ possède une asymptote verticale d'équation $x = 0$, en évaluant $\lim_{x \to 0^+} g(x)$. On a :

À lire de droite à gauche

$0^+ \leftarrow$	10^{-90}	10^{-65}	10^{-40}	10^{-20}	10^{-10}	x
	720,3530	520,2550	320,1569	160,0784	80,0392	$g(x)$

On conclut que $\lim_{x \to 0^+} g(x) = +\infty$ et on a comme asymptote verticale $x = 0$.

On peut vérifier que le comportement général de la courbe d'une fonction logarithmique dont la base b est comprise entre 0 et 1 est similaire à celui de la fonction $g(x) = \log_{0,75} x$. En conséquence, si on a une fonction g exprimée par $g(x) = \log_b x$, où b est un nombre réel compris entre 0 et 1, alors :

- le domaine de la fonction est $]0, +\infty$, l'image est $\mathbb{R}$ et la fonction est continue sur $]0, +\infty$;

- la fonction possède un seul zéro, la valeur 1, mais n'a aucune ordonnée à l'origine;
- la fonction est décroissante sur]0, +∞ et ne possède ni maximum ni minimum relatifs;
- la courbe est concave vers le haut sur]0, +∞;
- $\lim_{x \to 0^+} g(x) = +\infty$ et, par conséquent, la fonction possède l'asymptote verticale $x = 0$;
- $\lim_{x \to +\infty} g(x) = -\infty$;
- $\lim_{x \to -\infty} g(x)$ n'est pas définie et la fonction ne possède donc aucune asymptote horizontale.

Exemple 10

Déterminez si chaque fonction logarithmique donnée est croissante ou décroissante sur]0, +∞ et évaluez les limites demandées.

a) $f(t) = \log_{2,3} t$, $\lim_{t \to +\infty} f(t)$ et $\lim_{t \to 0^+} f(t)$

La fonction logarithmique f de base 2,3 est croissante sur]0, +∞. On a, par conséquent,

$\lim_{t \to +\infty} f(t) = +\infty$ et

$\lim_{t \to 0^+} f(t) = -\infty$, la droite $t = 0$ étant une asymptote verticale.

b) $g(x) = 6^{\ln x}$ et $\lim_{x \to 0^+} g(x)$

Lorsque x augmente dans]0, +∞, $\ln x$ est une fonction croissante, étant de base e.
Par conséquent, $6^{\ln x}$ est également croissante sur]0, +∞, 6 étant une base supérieure à 1.
On peut remarquer que :

$$6^{\ln x} = (e^{\ln 6})^{\ln x} = (e^{\ln x})^{\ln 6} = x^{\ln 6}$$

Puisque $\ln 6 > 0$, on a donc $\lim_{x \to 0^+} g(x) = (0)^{\ln 6} = 0$.

c) $p(k) = \dfrac{3}{3 + \log_{\frac{1}{3}} k}$ et $\lim_{k \to 0^+} p(k)$

La quantité $\log_{\frac{1}{3}} k$ est décroissante sur]0, +∞ (la base du logarithme étant $\frac{1}{3}$), de même que l'expression $3 + \log_{\frac{1}{3}} k$, qui se trouve au dénominateur.

La fonction p est donc croissante sur]0, +∞.

Pour évaluer la limite demandée, remarquons que lorsque k tend vers 0^+, l'expression $\log_{\frac{1}{3}} k$ devient de plus en plus grande sans être bornée, $\lim_{k \to 0^+} \dfrac{3}{3 + \log_{\frac{1}{3}} k}$ est de la forme $\dfrac{3}{3 + \infty}$ et donc $\lim_{k \to 0^+} \dfrac{3}{3 + \log_{\frac{1}{3}} k} = 0$.

Il est possible, à partir du graphique d'une fonction logarithmique de la forme $f(x) = \log_b x$, de construire celui d'une fonction ayant la forme $g(x) = A \log_b (x + C) + D$ en effectuant les translations horizontale et verticale ainsi que la dilatation-compression adéquates.

Exercices

1. Déterminez si chacune des fonctions suivantes est croissante ou décroissante sur $]0, +\infty$ et évaluez les limites $\lim\limits_{x \to 0^+} g(x)$ et $\lim\limits_{x \to +\infty} g(x)$.

a) $g(x) = \log_{\frac{7}{8}} x$ **b)** $g(x) = \ln x$ **c)** $g(x) = \dfrac{6}{\log x}$ **d)** $g(x) = \dfrac{-15}{4 + \log_{13} x}$

2. Déterminez le domaine et l'image des fonctions suivantes :

a) $f(x) = \log_4 (x + 3)$ **d)** $m(b) = \log (b^2 - 16)$

b) $g(t) = \log_{\frac{1}{3}} (5 - t)$ **e)** $r(x) = \ln (x^2 + 1)$

c) $h(q) = \ln (6q - 19)$ **f)** $c(p) = \log_{\frac{11}{12}} (13 - 7p)$

3. Déterminez les intervalles de croissance ou de décroissance de chaque fonction donnée.

a) $g(z) = \log_{1,000\,3} z$ **d)** $n(q) = 5 - 6 \ln q$

b) $h(t) = 14 \log t$ **e)** $b(w) = \log_{0,3} \left(\dfrac{1}{w}\right)$

c) $f(x) = 3 - \log_{0,91} x$ **f)** $g(t) = -18 \ln \left(\dfrac{6}{t}\right)$

4. Évaluez les limites suivantes :

a) $\lim\limits_{t \to +\infty} \ln (0,9t)$ **d)** $\lim\limits_{x \to 0^+} \left(\dfrac{1}{5}\right)^{\log_{55} x}$

b) $\lim\limits_{a \to 0^+} \log_{\frac{1}{\pi}} \left(\dfrac{a}{3}\right)$ **e)** $\lim\limits_{t \to 0^+} \dfrac{0,36}{17 - \log t}$

c) $\lim\limits_{z \to +\infty} \log_{\frac{10}{11}} z$ **f)** $\lim\limits_{q \to +\infty} \dfrac{-9}{4 - 0,3 \ln q}$

5. Trouvez (si elle existe) la fonction réciproque de chacune des fonctions suivantes :

a) $f(t) = e^t$ **e)** $f(x) = \dfrac{1}{e^x}$

b) $k(u) = 5 \ln u$ **f)** $g(z) = \dfrac{4}{6 - e^z}$

c) $g(x) = 35\, e^{-0,9x}$ **g)** $r(t) = \dfrac{-0,7}{3,4 + e^{-2t}}$

d) $H(z) = 3 + 5 \ln (2z)$ **h)** $C(q) = \dfrac{5}{13 - e^{-0,5q}}$

La **mathématique au goût du jour**

Les mathématiques et le domaine de la santé

Depuis plusieurs années, les mathématiques sont utilisées dans le monde médical. Par exemple, des spécialistes qui s'intéressent aux phénomènes chaotiques se sont penchés sur les mécanismes des irrégularités cardiaques. Des recherches ont mené à la modélisation de divers types d'arythmie cardiaque pour lesquels des défibrillateurs étaient utilisés. Ceux-ci étaient réglés selon des paramètres établis au moment de leur implantation dans le corps de la personne. Si l'état de santé du patient changeait avec le temps, tout était à recommencer. De plus, un tel défibrillateur ne permettait de sauver la vie qu'au moment où la personne qui le portait perdait conscience.

Diverses personnes, dont des mathématiciens, ont conçu un programme intégré à un micro-ordinateur qui, joint à un stimulateur cardiaque, détecte les irrégularités générant une arythmie et transmet au cœur un message

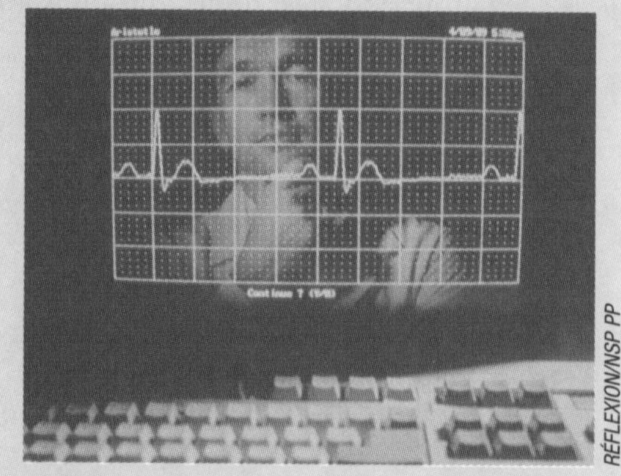

RÉFLEXION/NSP PP

Certains modèles mathématiques contribuent parfois à la régularisation du rythme cardiaque.

qui lui permet de se régulariser. Les programmes informatiques qui sont créés devraient d'ailleurs bientôt faire en sorte que le stimulateur cardiaque s'ajuste constamment à l'état de santé du porteur. De plus, on pourra également interpréter les signaux bien avant la perte de conscience et éviter par le fait même de graves problèmes.

La géométrie des fractales, qui sert depuis un certain nombre d'années à décrire des objets de la nature qui semblent irréguliers, mais dont les formes laissent apparaître des motifs répétitifs lorsqu'elles sont observées à petite échelle, est utilisée également pour certaines applications du domaine médical. Une nouvelle méthode de détection du cancer du sein, beaucoup moins subjective que les procédés de diagnostic existants et élaborée à partir des caractéristiques des structures des fractales, a un taux de succès de 95 %.

Les fractales peuvent aussi aider les spécialistes de la vue à poser, grâce à la quantification de certains paramètres, des diagnostics plus précis quant à certains changements de la morphologie de l'œil. De plus, ces mêmes fractales ont été intégrées dans la pharmacologie pour faciliter l'évaluation des procédés de synthèse utilisés dans la fabrication de médicaments.

En résumé

Si on a une **fonction exponentielle** f exprimée par $f(x) = b^x$, alors la fonction, entre autres :

- a une courbe qui est concave vers le haut sur $\mathbb{R}$;
- possède une asymptote horizontale d'équation $y = 0$ et ne possède pas d'asymptote verticale.

De plus, si la base b de la fonction exponentielle est :

- un nombre réel supérieur à 1, alors :
  - la fonction est croissante sur $\mathbb{R}$ (on parle alors de **croissance exponentielle**);
  - $\lim\limits_{x \to +\infty} f(x) = +\infty$ et $\lim\limits_{x \to -\infty} f(x) = 0$.

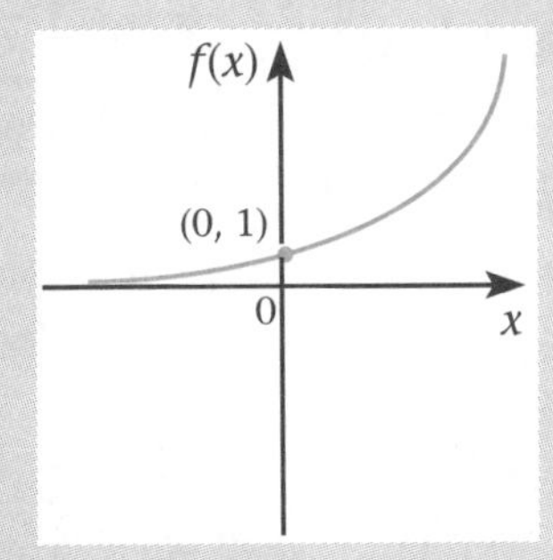

- un nombre réel compris entre 0 et 1, alors :
  - la fonction est décroissante sur $\mathbb{R}$ (on parle alors de **décroissance exponentielle**);
  - $\lim\limits_{x \to +\infty} f(x) = 0$ et $\lim\limits_{x \to -\infty} f(x) = +\infty$.

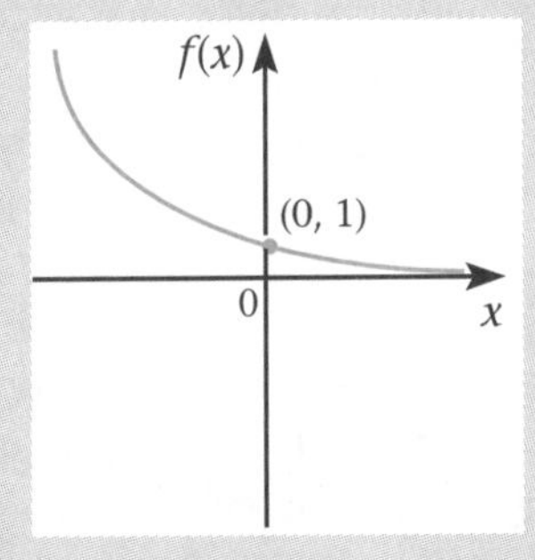

Le nombre d'Euler e est défini par $e = \lim\limits_{m \to +\infty} \left(1 + \dfrac{1}{m}\right)^m \approx 2{,}718\ 28$.

Si on a une **fonction logarithmique** f définie par $f(x) = \log_b x$, alors la fonction, entre autres, possède une asymptote verticale d'équation $x = 0$ et ne possède pas d'asymptote horizontale.

De plus, si la base b de la fonction logarithmique :

- est un nombre réel supérieur à 1, alors :
  - la courbe est concave vers le bas sur $]0, +\infty$;
  - la fonction est croissante sur $]0, +\infty$;
  - $\lim_{x\to 0^+} f(x) = -\infty$ et $\lim_{x\to +\infty} f(x) = +\infty$.

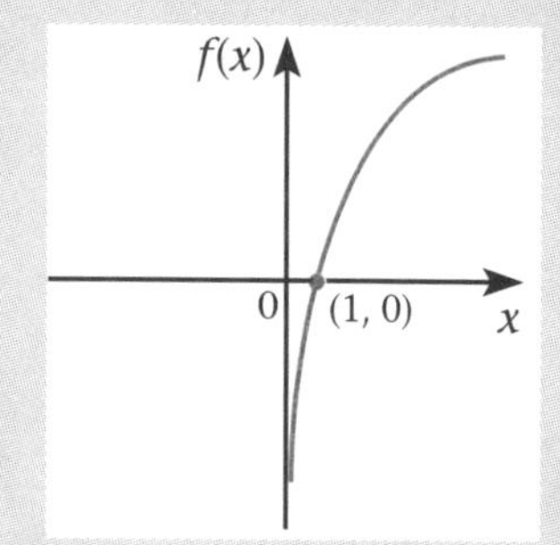

- est un nombre réel compris entre 0 et 1, alors :
  - la courbe est concave vers le haut sur $]0, +\infty$;
  - la fonction est décroissante sur $]0, +\infty$;
  - $\lim_{x\to 0^+} f(x) = +\infty$ et $\lim_{x\to +\infty} f(x) = -\infty$.

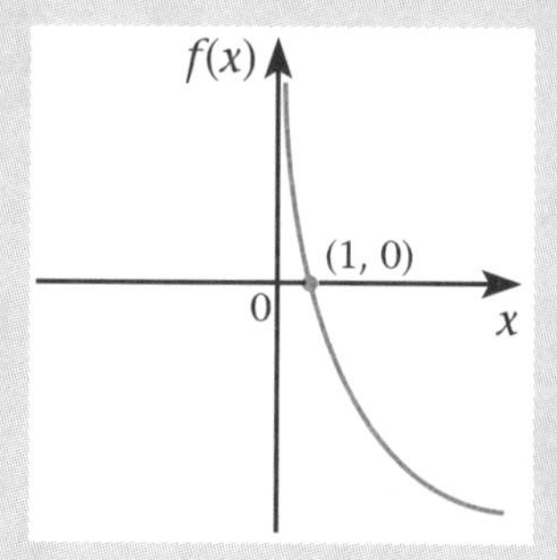

Problèmes

Section 4.1 (p. 106)
Fonctions exponentielles et limites

1. Durant les 10 minutes qui précèdent une opération, un anesthésique est injecté par intraveineuse, et ce, de façon constante. Dès que l'opération commence, on cesse d'injecter l'anesthésique et la quantité de celui-ci dans le sang décroît de façon exponentielle. Tracez une esquisse du graphique de la fonction Q représentant la quantité d'anesthésique dans le sang de la personne opérée, en fonction du temps (en minutes) qui s'est écoulé depuis le début de l'injection.

2. Éva emprunte une somme de 12 000 $ remboursable dans 66 mois. Le taux d'intérêt composé annuel de 8 % est capitalisé deux fois par année. Trouvez la valeur finale de ce prêt.

3. Si j'emprunte 1365 $, déterminez lequel des deux taux fournis doit être privilégié si je souhaite que la valeur finale à rembourser dans trois ans soit la moins élevée possible.

a) Un taux de 12 % capitalisé tous les six mois ou un taux de 12 % capitalisé chaque mois.

b) Un taux de 4 % capitalisé tous les trois mois ou un taux de 4,5 % capitalisé tous les six mois.

c) Un taux de 8 % capitalisé tous les trois mois ou un taux de 7,95 % capitalisé chaque mois.

4. Une population de 1500 personnes croît exponentiellement à un taux annuel de 4 %. Trouvez la taille de la population :

a) quatre ans plus tard;

b) 14 ans plus tard.

5. La valeur d'une voiture usagée payée aujourd'hui 5600 $ devrait décroître exponentiellement à un taux annuel de 28 %. Trouvez la valeur de la voiture :

a) dans un an ;

b) dans trois ans ;

c) dans huit ans et demi.

6. L'iode-131 est utilisé pour faciliter le diagnostic de certaines maladies. Le tableau suivant donne la mesure Q en becquerels de l'activité de l'iode-131 dans le tissu, t heures après l'injection.

t	1	2	4	7
Q	249,002	248,008	246,032	243,097

Déterminez si la quantité Q décroît de façon exponentielle par rapport à la variable t. Si oui :

a) définissez Q en fonction de t en l'exprimant sous la forme $Q(t) = Q_0\, e^{kt}$;

b) évaluez $\lim_{t \to +\infty} Q(t)$ et interprétez le résultat.

Section 4.2 (p. 114) Définition et utilisation du nombre d'Euler *e*

7. Une petite entreprise a estimé que son chiffre d'affaires mensuel A (en dollars), exprimé en fonction de la somme p (en milliers de dollars) dépensée en publicité en un mois, est représenté par la fonction $A(p) = 8500 + 980\,(1 - e^{-0,45p})$.

a) Calculez le chiffre d'affaires correspondant à une somme de 2000 $ dépensée en publicité.

b) Calculez le chiffre d'affaires correspondant à une somme de 15 000 $ dépensée en publicité.

c) Estimez le niveau de saturation du chiffre d'affaires mensuel A.

8. Une nouvelle technologie relative à l'utilisation de lames très minces dans les moulins à scie permet d'effectuer des coupes qui réduisent de façon significative la quantité de bran de scie. Le pourcentage P % des moulins à scie d'une même région qui utilisent cette nouvelle technologie est donné par la fonction $P(t) = \frac{75}{1 + 3e^{-0,08t}}$, où t est le nombre d'années qui suit l'introduction de la technologie en question.

a) Six mois après l'introduction de la nouvelle technologie, quel pourcentage d'entreprises de la région concernée utilisait celle-ci ?

b) Cinq années après l'introduction de la nouvelle technologie, quel pourcentage d'entreprises de la région concernée utilisait celle-ci ?

c) À très long terme, quel pourcentage d'entreprises de la région utilisera la nouvelle technologie ?

9. Les coûts mensuels globaux de production C (en centaines de dollars) d'une entreprise sont représentés par $C(q) = 190 - 80e^{-0,02q}$, où q est le nombre d'unités produites dans un mois.

a) Déterminez les coûts fixes de l'entreprise, soit les coûts lorsque aucune unité n'a encore été produite.

b) Lorsque la production est de 200 unités en un mois, quelle proportion du coût total est rattachée aux coûts fixes ?

c) Lorsque la production est de 500 unités en un mois, quelle proportion du coût total est rattachée aux coûts fixes ?

d) Si on augmente continuellement le nombre q d'unités produites en un mois, qu'arrive-t-il avec les coûts mensuels globaux ? Dans ce cas, quelle proportion du coût total est rattachée aux coûts fixes ?

10. La position d'une particule en mouvement est donnée par l'équation $x(t) = \frac{A}{k}(1 - e^{-kt})$, où A et k sont des constantes positives et où t représente le temps en secondes.

a) Évaluez la position de départ de la particule lorsque $t = 0$.

b) Déterminez si la fonction $x(t)$ est croissante ou décroissante sur $\mathbb{R}$.

c) Estimez la distance totale parcourue depuis le temps $t = 0$, en évaluant la fonction $x(t)$ quand $t \to +\infty$.

Section 4.3 (p. 118) Concept de logarithmes et propriétés des logarithmes

11. Un collège a acheté pour la somme de 180 000 $ une imprimante permettant de préparer des documents en braille. Le taux de dépréciation annuel de cet appareil est de 15 %. L'imprimante a été achetée le 15 janvier 2000.

a) Trouvez une fonction donnant la valeur de l'imprimante en fonction du nombre d'années écoulées depuis son achat le 15 janvier 2000.

b) Évaluez la valeur de l'appareil le 15 juillet 2015.

c) Trouvez le nombre d'années qui devront s'écouler avant que l'imprimante ait une valeur de 4000 $.

d) Évaluez $\lim_{t \to +\infty} V(t)$ et interprétez le résultat.

12. Dans ce problème, on suppose que le taux d'intérêt composé annuel de 5 % capitalisé mensuellement reste inchangé tout au long du placement.

a) Trouvez le nombre d'années nécessaires pour qu'un placement de 15 $ double de valeur.

b) Trouvez le nombre d'années nécessaires pour qu'un placement de 400 000 $ double de valeur.

13. Selon certaines évaluations, l'accroissement exponentiel de la population mondiale s'effectue à un taux d'environ 2 % par année. En fonction de ces évaluations, trouvez le nombre d'années nécessaires pour que la population mondiale actuelle :

a) augmente de 30 %;

b) augmente de 50 %;

c) double.

14. Si la taille d'une colonie de bactéries triple toutes les six heures trente minutes et que sa croissance est exponentielle, calculez le temps nécessaire pour que la taille d'une colonie de la même bactérie double.

15. Combien d'années faudrait-il pour que les prix doublent, si l'inflation est systématiquement de 5 % par année?

16. S'il y a actuellement dans une ville du Québec deux fois plus de personnes qu'il y a d'ordinateurs, mais que le taux de croissance annuel des ordinateurs est de 6 %, alors qu'il n'est que de 2 % pour la population, dans combien de temps y aura-t-il en moyenne un ordinateur pour chaque personne de cette ville?

17. L'iode-131, dont la demi-vie est d'environ huit jours, est utilisé pour effectuer certains diagnostics médicaux. La demi-vie est, par définition, le temps que met une quantité décroissante pour arriver à la moitié de sa valeur initiale.

a) On envoie 100 unités d'iode-131. Combien d'unités arrivent à bon port, si la livraison prend quatre jours?

b) On a besoin de 100 unités d'iode-131 exactement et il faut quatre jours pour que celles-ci soient livrées. Quelle quantité doit-on commander?

18. La datation radioactive est une technique qui consiste à utiliser la période radioactive d'une substance pour déterminer l'âge d'un organisme autrefois vivant. Toutes les plantes absorbent du carbone issu du dioxyde de carbone présent dans l'atmosphère. Le carbone-12 et le carbone-14 radioactif réagissent chimiquement de la même façon et les plantes ne les distinguent pas. Pendant sa vie, un arbre absorbe à la fois du carbone-12 et du carbone-14 radioactif. Après sa mort, la teneur en carbone-12 reste constante puisque l'arbre n'absorbe plus de dioxyde de carbone, alors que la teneur en carbone-14 décroît exponentiellement, à cause des émissions radioactives. Si on veut déterminer l'âge d'un objet de bois fait à partir d'un arbre, on compare les quantités de carbone-14 avec celles de carbone-12 dans un échantillon du bois utilisé.

a) Sachant que la demi-vie du carbone-14 est d'environ 5730 années (en 5730 ans, les émissions de carbone-14 diminuent de moitié comparativement à ce qu'elles étaient au moment du décès de l'arbre), trouvez une fonction qui donne l'âge A d'un objet de bois en fonction de la proportion p de carbone-14 qui reste dans le bois, relativement à la quantité de carbone-12 toujours présente.

b) Évaluez l'âge du bois d'une tombe égyptienne, si la proportion de carbone-14 qui reste dans le bois n'est que de 57 %.

Section 4.4 (p. 124) Fonctions logarithmiques et limites

19. Au début de la dernière section du chapitre, on a indiqué que le lien entre le nombre de décibels D associé à un bruit et l'intensité acoustique I (en watts/m²) de ce bruit est donné par :

$$D(I) = 10 \log\left(\frac{I}{10^{-12}}\right)$$

a) Montrez qu'on a l'égalité $D(I) = 120 + 10 \log I$.

b) Trouvez le niveau d'intensité acoustique en décibels d'une conversation de deux personnes qui sont à 1 mètre l'une de l'autre, sachant que l'intensité acoustique est alors d'environ 10^{-6} W/m².

c) Trouvez la fonction réciproque de la fonction $D(I)$.

d) Trouvez le niveau d'intensité acoustique en W/m² d'un carrefour bruyant, sachant que l'intensité acoustique est alors d'environ 80 décibels.

20. En 1909, le chimiste danois Sørenz Peter Lauritz Sørensen (1868-1939) a proposé un indice exprimant la concentration de l'ion d'hydrogène H_3O^+ dans une solution donnée, concentration qui est directement liée à l'acidité de la solution. Il s'agit de l'échelle du pH (pour « potentiel d'hydrogène »). Le pH d'une solution correspond à :

$$-\log\left(\frac{\text{nombre de moles de } H_3O^+}{\text{litre de solution}}\right)$$

Pour l'eau pure, la concentration de l'ion d'hydrogène est de 10^{-7} mol/L et le pH de l'eau pure est donc $-\log(10^{-7}) = -(-7 \log 10) = 7$.

Une solution qui possède un pH inférieur à 7 est dite acide et une solution qui possède un pH supérieur à 7 est dite alcaline.

a) Trouvez le pH du vinaigre, sachant que sa concentration en ions d'hydrogène peut être de $6{,}309\,6 \cdot 10^{-4}$ mol/L.

b) Trouvez la concentration de l'ion d'hydrogène dans le lait, sachant que le pH du lait est de 6,5.

c) Déterminez si une solution devient plus acide ou plus alcaline lorsque la concentration de l'ion d'hydrogène augmente.

21. Le sismologue américain Charles Francis Richter (1900-1985) a élaboré avec Beno Gutenberg une échelle logarithmique permettant de rendre compte de l'importance relative des séismes. L'amplitude d'un tremblement de terre est mesurée à l'aide d'une mesure M donnée par $M(I) = \log\left(\frac{I}{I_o}\right)$, où I_o est une valeur fondamentale de comparaison et I est l'intensité mesurée du tremblement en fonction de la mesure standard.

a) Trouvez le nombre de Richter associé à un tremblement d'une intensité de 31 623 I_o laissant derrière lui de légers dégâts.

b) Trouvez le nombre de Richter associé à un tremblement d'une intensité de 990 000 I_o où les édifices s'effondrent.

Auto-évaluation

1. Vous prêtez à Charles une somme de 3550 $ pour une période de 5 ans et 6 mois. Combien Charles devra-t-il vous remettre à la fin du délai, si le taux d'intérêt composé annuel qui s'applique est de 9 % capitalisé chaque semaine? Il y a en moyenne 52,18 semaines par année.

2. Résolvez les équations suivantes :

a) $7^{b-1} \cdot 7^b = \frac{7}{7^{4b}}$

b) $9 = 8^z$

c) $(8^z - 3)(7^z - 8) = 0$

d) $8^{k+3} = \left(\frac{4}{9}\right)^{1-6k}$

e) $1{,}1^{x+1} = 2{,}2^x$

f) $2 \cdot 3^t = 4 \cdot 5^t$

g) $\log_7 (y + 3) + \log_2 16 = 0$

h) $\ln (5z - 2) - \ln (z + 3) = \ln 2$

3. Une personne qui pèse 75 kilos et qui souhaite perdre 7 kilos suit un régime amaigrissant. Le poids P (en kilogrammes) de cette personne durant le régime est donné par la fonction $P(t) = 68 + 7e^{-0{,}008t}$, où t est le nombre de jours écoulés depuis le début du régime amaigrissant.

a) Cinq jours après le début du régime amaigrissant, la personne pèsera combien selon ce modèle?

b) Combien de jours seront nécessaires pour que la personne perde 4 kilos?

c) À très long terme, combien pèsera la personne en question, si elle poursuit constamment son régime?

4. Trouvez (s'ils existent) l'ordonnée à l'origine et les zéros de chacune des fonctions suivantes :

a) $f(z) = 16 - 19^z$

b) $g(t) = (5^t + 6) \cdot (12{,}9^t - 2) \cdot (3^t - 1)$

c) $f(t) = 0{,}5 \cdot 4^t - 0{,}32 \cdot 7^t$

d) $d(z) = e^{\frac{-3}{z}} - 17$

e) $g(y) = \log_2 (y - 6) - \log_3 21$

f) $r(w) = \ln (3w + 4) + \ln \left(\frac{1}{w+2}\right)$

5. Déterminez le domaine de chacune des fonctions suivantes et, à l'aide de limites pertinentes, trouvez toutes les asymptotes.

a) $f(t) = \ln \left(\frac{1}{t^4}\right)$

b) $g(x) = \log |x|$

c) $k(z) = \log_{0,6} \sqrt{z}$

d) $h(y) = \log (6^y)$

e) $w(s) = (7)^{5^s}$

f) $p(q) = \log_{1,1} (\log_{0,9} (12q))$

6. Soit les fonctions $f(t) = e^t$ et $g(t) = \ln t$. Trouvez les fonctions suivantes ainsi que leur domaine.

a) $(f \circ g)(t)$

b) $(g \circ f)(t)$

c) $(f \circ f)(t)$

d) $(g \circ g)(t)$

7. Le taux de croissance annuel de la valeur d'une œuvre d'art, payée 13 450 $ voilà un an, est de 14 %.

a) Quelle sera la valeur de l'œuvre d'art dans deux ans?

b) Dans combien d'années la valeur de l'œuvre d'art sera-t-elle de 45 000 $?

8. Le nombre N d'appareils assemblés quotidiennement sur une chaîne de montage actionnée par des êtres humains, x jours après le début de la production, est donné par $N(x) = 150\,(1 - e^{-0{,}04x})$.

a) La fonction N est-elle une fonction croissante ou décroissante sur $[0, +\infty$?

b) Après trois jours, le nombre d'appareils assemblés représente quel pourcentage du niveau de saturation?

c) Après 30 jours, le nombre d'appareils assemblés représente quel pourcentage du niveau de saturation?

d) La capacité de production change lorsque le nombre de jours augmente pour tendre vers un niveau de saturation. Estimez ce niveau de saturation.

Chapitre 5

Limites et étude des fonctions trigonométriques et trigonométriques inverses

Plan du chapitre

Objectifs

D'ICI LA FIN DE CE CHAPITRE, VOUS DEVRIEZ POUVOIR :

- UTILISER LES DÉFINITIONS DES FONCTIONS TRIGONOMÉTRIQUES POUR RÉSOUDRE CERTAINS PROBLÈMES LIÉS AU CERCLE TRIGONOMÉTRIQUE ;
- TROUVER CERTAINES CARACTÉRISTIQUES DES FONCTIONS TRIGONOMÉTRIQUES ET DE LEUR GRAPHIQUE ;
- ÉVALUER CERTAINES LIMITES IMPLIQUANT DES FONCTIONS TRIGONOMÉTRIQUES ;
- DÉMONTRER DES IDENTITÉS TRIGONOMÉTRIQUES ;
- TROUVER CERTAINES CARACTÉRISTIQUES DES FONCTIONS TRIGONOMÉTRIQUES INVERSES ET DE LEUR GRAPHIQUE ;
- UTILISER LES FONCTIONS TRIGONOMÉTRIQUES INVERSES POUR RÉSOUDRE DES ÉQUATIONS TRIGONOMÉTRIQUES.

« L'État est comme le corps humain. Toutes les fonctions qu'il accomplit ne sont pas nobles. »

ANATOLE FRANCE (1844-1924),
Les Opinions de M. Jérôme Coignard.

Le cours de l'histoire

À la recherche de la valeur de π

Les Grecs se sont intéressés longtemps à la géométrie (étymologiquement, ce mot signifie « mesure de la Terre ») et considéraient la droite et le cercle comme des figures fondamentales. Ils ont cherché à évaluer le rapport qui existe entre la circonférence d'un cercle et son diamètre, soit la valeur $\frac{\text{circonférence d'un cercle}}{\text{diamètre du cercle}}$. Puisque la circonférence du cercle correspond à son périmètre (mot qui débute par la lettre p exprimée par π en grec), on utilise π pour désigner ce rapport.

PUBLIPHOTO/SCIENCE PHOTO LIBRARY

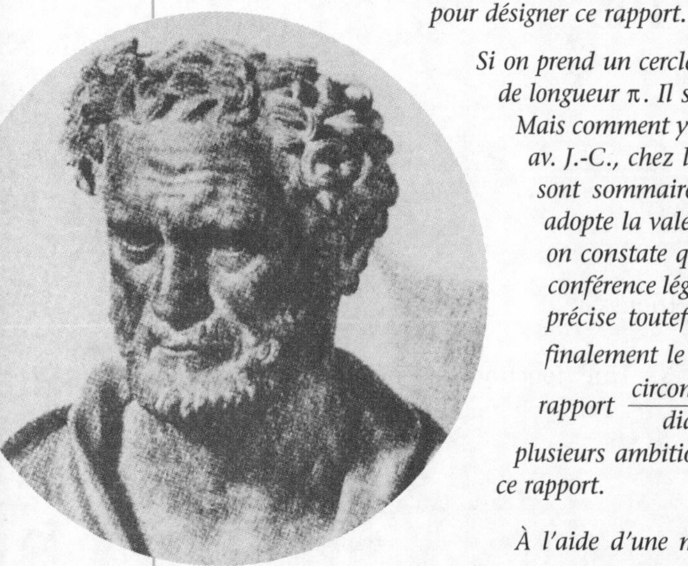

Archimède (287-211 av. J.-C.)

Si on prend un cercle ayant un diamètre de 1 unité, sa circonférence sera de longueur π. Il suffit donc de mesurer la circonférence d'un tel cercle. Mais comment y arriver? Tout le défi est là! Entre 400 ans et 200 ans av. J.-C., chez les peuples dont les connaissances en mathématiques sont sommaires (en Mésopotamie et en Chine, par exemple), on adopte la valeur entière 3 comme approximation de ce rapport, car on constate qu'un cercle ayant un diamètre de 2 unités a une circonférence légèrement supérieure à 6 unités. La valeur du rapport se précise toutefois entre cette période et le XVe siècle, et on utilise finalement le nombre $3\frac{1}{8}$. Les mathématiciens croient alors que le rapport $\frac{\text{circonférence d'un cercle}}{\text{diamètre du cercle}} = \pi$ est un nombre rationnel et plusieurs ambitionnent d'être le premier à trouver la valeur exacte de ce rapport.

À l'aide d'une méthode particulière, Archimède (287-211 av. J.-C.) établit que π est compris entre $3 + \frac{10}{71}$ et $3 + \frac{10}{70}$. Pour arriver à ce résultat, il procède par encadrement et inscrit dans un cercle dont le diamètre est de 1 unité un polygone régulier de 96 côtés dont le périmètre est de $3 + \frac{10}{71}$. Il inscrit ensuite le même cercle dans un autre polygone régulier de 96 côtés un peu plus grand que le premier, dont le périmètre est de $3 + \frac{10}{70}$.

La valeur fréquemment utilisée de nos jours, soit 3,141 6, apparaît dans les Indes vers 500 ans ap. J.-C. La méthode utilisée par Archimède et réutilisée jusqu'au XVIIe siècle a permis à Ludolf Van Ceulen (1540-1610) de calculer le nombre π avec 33 décimales exactes. À la suite des travaux de Viète (1540-1603), Brounckner (1620-1684), Kaufmann (1620-1687), Gregory (1638-1675) et Leibniz (1646-1716), on en arrive à l'expression $\pi = 4\left(1 - \frac{1}{3} + \frac{1}{5} - \frac{1}{7} + \frac{1}{9} - \frac{1}{11} + \ldots\right)$. Ce n'est qu'en 1761 que Johann Heinrich Lambert (1728-1777) démontre que le nombre π est un nombre irrationnel et qu'il ne peut donc pas s'exprimer comme un rapport de deux nombres entiers.

Avant d'aller plus loin

Préalables

1. Indiquez si chaque énoncé est vrai ou faux.

a) La somme des angles dans un triangle est de 360°.

b) Un cercle possède un angle au centre de 360°.

c) Un triangle peut avoir trois angles intérieurs qui sont inférieurs à 90°.

d) La circonférence d'un cercle de rayon r a une longueur de $2\pi r$.

2. Indiquez si chaque énoncé est vrai ou faux. Pour un angle A quelconque :

a) $\sin A = \frac{\text{tg } A}{\cos A}$

b) $\sin^2 A + \cos^2 A = 1$

c) $-1 \leq \sin A \leq 1$

d) $\sin^2 A = \sin (A^2)$

3. À partir des côtés d'un triangle rectangle dont un des angles aigus est A, définissez $\cos A$, $\sin A$, $\text{tg } A$, $\sec A$, $\text{cosec } A$ et $\text{cotg } A$.

4. Si on a une fonction $y = f(x)$, comment peut-on trouver les valeurs de la variable :

a) indépendante x pour lesquelles il est possible d'associer une asymptote verticale ?

b) dépendante y pour lesquelles il est possible d'associer une asymptote horizontale ?

Langages mathématique et graphique

1. Tracez :

a) un triangle rectangle dont les deux angles aigus sont les mêmes;

b) un triangle rectangle ayant un angle de 30°;

c) deux triangles rectangles semblables, mais non identiques.

2. Expliquez à l'aide d'un triangle rectangle ce que dicte le théorème de Pythagore, en nommant A un des angles aigus, en identifiant le côté opposé et le côté adjacent de cet angle et en identifiant l'hypoténuse du triangle.

3. Une fonction est **périodique** si on peut appliquer à sa courbe un certain décalage horizontal vers la gauche ou vers la droite et obtenir une nouvelle courbe qui est, en fait, la même que la courbe initiale. Tracez (si possible) la courbe d'une fonction périodique qui est:

a) continue sur $\mathbb{R}$;

b) discontinue en une infinité d'endroits;

c) discontinue en trois endroits seulement.

SECTION **5.1**

Rappels sur les angles et les rapports trigonométriques

Rapports trigonométriques dans un triangle rectangle

On sait depuis longtemps comment mesurer la hauteur d'un arbre en mesurant son ombre. Au moment où on mesure la longueur de l'ombre de l'arbre, on profite d'un même angle d'inclinaison du Soleil pour mesurer, par exemple, la longueur de l'ombre d'un bâton de 1 mètre placé perpendiculairement au sol.

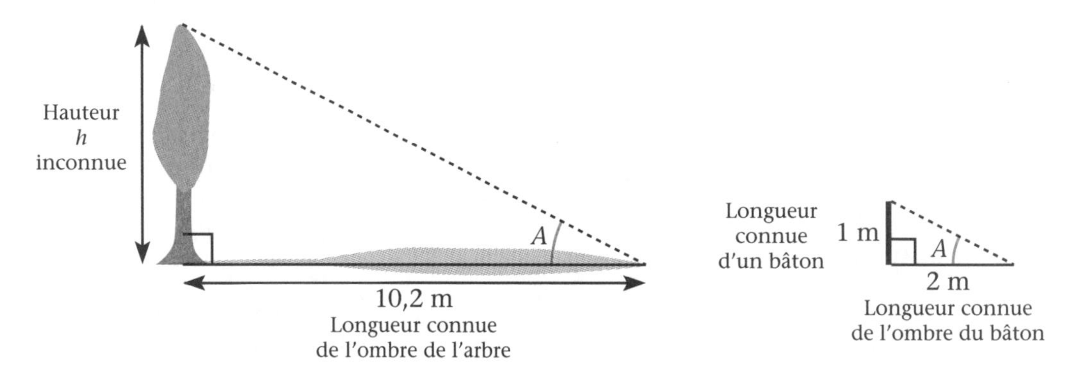

Tous les triangles rectangles ayant un angle commun autre que l'angle droit sont semblables et ont, par conséquent, des côtés proportionnels. En utilisant les données fournies ci-dessus, on a :

$$\frac{\text{Hauteur cherchée}}{10{,}2 \text{ m}} = \frac{1 \text{ m}}{2 \text{ m}},$$

ce qui permet de déduire que la hauteur de l'arbre est de $10{,}2 \cdot \frac{1}{2} = 5{,}1$ m.

Soit le triangle rectangle ci-dessous qui a un angle aigu A :

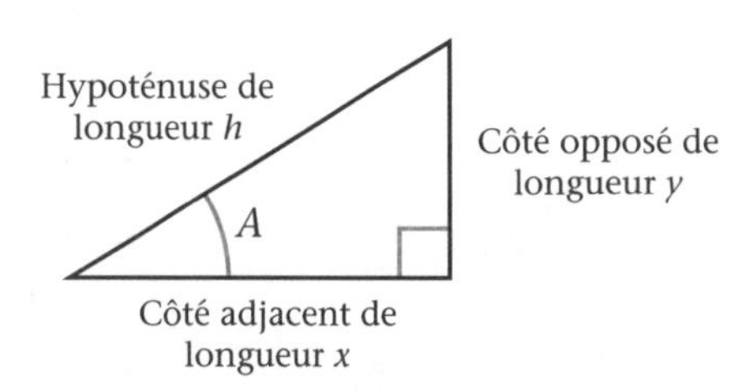

On peut définir sans ambiguïté les rapports trigonométriques suivants :

le cosinus de l'angle aigu A (noté **cos *A***) est donné par $\cos A = \frac{\text{Côté adjacent}}{\text{Hypoténuse}} = \frac{x}{h}$;

le sinus de l'angle aigu A (noté **sin *A***) est donné par $\sin A = \frac{\text{Côté opposé}}{\text{Hypoténuse}} = \frac{y}{h}$;

la tangente de l'angle aigu A (notée **tg *A***) est donnée par $\text{tg } A = \frac{\text{Côté opposé}}{\text{Côté adjacent}} = \frac{y}{x}$.

On peut remarquer que :

$$\text{tg } A = \frac{\text{Côté opposé}}{\text{Côté adjacent}} = \frac{y}{x} = \frac{\frac{y}{h}}{\frac{x}{h}} = \frac{\sin A}{\cos A}$$

Exemple 1

Pour le triangle rectangle et l'angle A suivants, trouvez les rapports trigonométriques sin A, cos A et tg A.

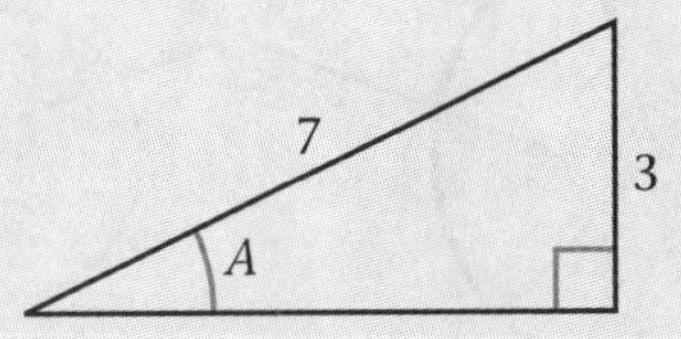

On a $\sin A = \dfrac{\text{Côté opposé}}{\text{Hypoténuse}} = \dfrac{3}{7}$.

Par le théorème de Pythagore, on obtient la longueur du côté adjacent à l'angle A, qui est $\sqrt{7^2 - 3^2} = \sqrt{49 - 9} = \sqrt{40}$ unités.

Par conséquent,

$$\cos A = \frac{\text{Côté adjacent}}{\text{Hypoténuse}} = \frac{\sqrt{40}}{7} \text{ et } \operatorname{tg} A = \frac{\text{Côté opposé}}{\text{Côté adjacent}} = \frac{3}{\sqrt{40}}.$$

Unités de mesure des angles

Pour mesurer un angle, on utilise principalement deux unités de mesure.

Définition

Un angle ayant une mesure de **1 degré** (noté 1°) correspond à une ouverture semblable à celle qu'on obtient en prenant une pointe de $\left(\frac{1}{360}\right)^{e}$ de cercle (le dénominateur de cette fraction s'explique, entre autres, par le fait que les Grecs croyaient jadis qu'il y avait environ 360 jours dans une année).

On peut déduire de la définition précédente que, dans un cercle, on a un angle au centre de $360 \cdot 1^\circ = 360^\circ$.

Un cercle possède un angle au centre de 360 degrés.

Définition

Un angle de **1 radian** (noté 1 rad) correspond à l'angle créé au centre d'un cercle de rayon 1, quand on parcourt sur le cercle un arc de longueur égale à 1.

On peut déduire de la définition précédente qu'un angle de A radians correspond à l'angle créé au centre d'un cercle de rayon 1, quand on parcourt sur celui-ci un arc de longueur égale à A.

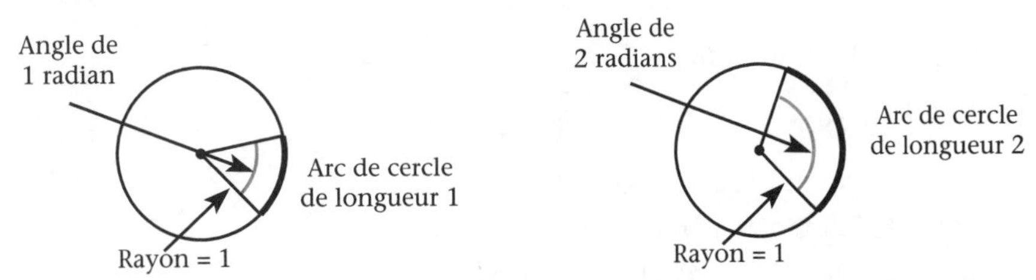

Soit les deux cercles suivants qui ont respectivement des rayons de r unités et de 1 unité dans lesquels on trace le même angle de A radians.

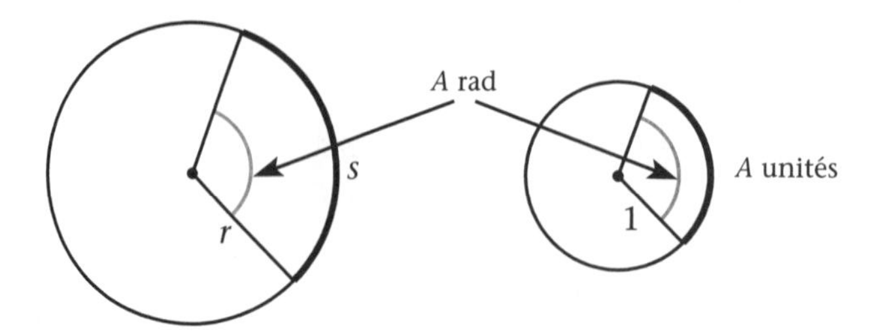

Le théorème de géométrie selon lequel deux arcs de cercle que sous-tend le même angle au centre sont proportionnels aux rayons des deux cercles concernés permet d'affirmer que :

$$\text{l'angle } A \text{ en radians} = \frac{A}{1} = \frac{s}{r} = \frac{\text{Longueur de l'arc de cercle}}{\text{Rayon du cercle}}$$

Ainsi, un cercle de rayon r possède un angle au centre de :

$$\frac{\text{Circonférence du cercle}}{\text{Rayon du cercle}} = \frac{2\pi r}{r} = 2\pi \text{ radians}$$

Un cercle possède un angle au centre de 2π radians.

Attention !

Puisque la mesure d'un angle en radians est égale à $\frac{\text{Longueur de l'arc de cercle}}{\text{Rayon du cercle}}$ et que les unités de longueur dans ce quotient s'annulent, on omet souvent le mot radian lorsqu'on présente un angle à l'aide de cette unité de mesure. Un angle en degrés devra toutefois systématiquement être suivi du signe « ° ».

On constate donc que :

$$\mathbf{360° = 2\pi \text{ radians}}$$

et donc $\quad 1° = \frac{1° \cdot 2\pi}{360°} = \frac{1° \cdot \pi}{180°} \approx 0{,}017\ 45 \text{ rad}$ ou $1 \text{ rad} = \frac{360°}{2\pi} = \frac{180°}{\pi} \approx 57{,}295\ 8°$.

Exemple 2

Exprimez :

a) un angle de 172° en radians.
Puisque $1° = \frac{1° \cdot \pi}{180°}$, $172° = 172 \cdot \frac{\pi}{180} = 3{,}002$ rad.

b) un angle de 2,5 radians en degrés.
Puisque $1 \text{ rad} = \frac{180°}{\pi}$, $2{,}5 \text{ rad} = 2{,}5 \cdot \frac{180°}{\pi} = 143{,}239°$.

Comme nous le verrons aux chapitres 6 et 7, certaines formules du calcul différentiel sont plus simples du fait qu'on travaille en radians plutôt qu'en degrés. Le radian sera donc l'unité de mesure privilégiée dans ce qui suit.

Attention !

Par convention, un angle est **positif** s'il est engendré par une rotation dans le sens contraire des aiguilles d'une montre et il est **négatif** s'il est engendré par une rotation dans le sens des aiguilles d'une montre.

Exercices

1. Dans la figure ci-dessous, sachant que le rayon du cercle est de 43 centimètres, trouvez la longueur :

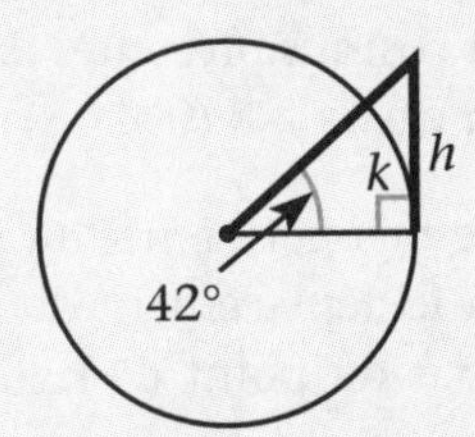

a) h du côté du triangle qui est opposé à l'angle de 42° ;

b) de l'hypoténuse du triangle ;

c) k de l'arc de cercle associé à l'angle de 42°.

2. Exprimez les angles suivants en radians :

a) 17° **b)** 325° **c)** 724,3° **d)** -1035° **e)** π°

3. Exprimez les angles suivants en degrés :

a) $\frac{\pi}{17}$ **b)** $\frac{\pi}{180}$ **c)** $\frac{13\pi}{6}$ **d)** -0,34 **e)** -360

4. Si A est un des angles aigus d'un triangle rectangle, trouvez :

a) cos A, sin A et tg A, sachant que l'hypoténuse a une longueur de 5 unités et le côté opposé à l'angle A a une longueur de 4 unités ;

b) cos A, sin A et tg A, sachant que le côté opposé à l'angle A a une longueur de 0,22 unité et le côté adjacent à l'angle A, une longueur de 0,78 unité ;

c) cos A et sin A, sachant que tg A = 5 ;

d) cos A et tg A, sachant que sin $A = \frac{2}{9}$.

5. Dans un triangle rectangle dont l'un des deux angles aigus mesure $\frac{\pi}{6}$ radian (30°), la longueur de l'hypoténuse est le double de celle du côté opposé à l'angle de $\frac{\pi}{6}$.

a) Construisez un triangle rectangle dont l'un des angles est $\frac{\pi}{6}$ et dont l'hypoténuse mesure 1 unité, en identifiant la longueur de chacun des deux autres côtés.

b) Trouvez la valeur exacte de cos $\frac{\pi}{6}$, sin $\frac{\pi}{6}$ et tg $\frac{\pi}{6}$.

c) Trouvez en radians la mesure exacte du deuxième angle aigu dans le triangle construit en (a).

d) Trouvez la valeur exacte de cos $\frac{\pi}{3}$, sin $\frac{\pi}{3}$ et tg $\frac{\pi}{3}$.

6. Un triangle rectangle dont les deux angles aigus mesurent $\frac{\pi}{4}$ radian (45°) est un triangle isocèle et ses deux côtés adjacents à l'angle droit sont de même longueur.

a) Construisez un triangle rectangle dont l'un des angles est $\frac{\pi}{4}$ et dont l'hypoténuse mesure 1 unité, en identifiant la longueur de chacun des deux autres côtés.

b) Trouvez la valeur exacte de $\cos \frac{\pi}{4}$, $\sin \frac{\pi}{4}$ et $\text{tg} \frac{\pi}{4}$.

SECTION 5.2 Fonctions trigonométriques

Généralisation de la définition des rapports trigonométriques

Si on calcule sin 91° ou cos (-324π) à l'aide d'une calculatrice scientifique, celle-ci affiche un résultat. On peut généraliser les rapports trigonométriques sinus et cosinus présentés dans la section 5.1 pour des angles supérieurs ou égaux à $\frac{\pi}{2}$(90°) ou inférieurs ou égaux à 0 (0°).

Le **cercle trigonométrique** illustré ci-dessous est un cercle de rayon 1 centré au point (0, 0) dans le plan cartésien. Par convention, un angle positif est créé par le déplacement du segment de droite de longueur 1 (appelé ici segment unitaire) pivotant autour du point d'origine (0, 0) et dont l'extrémité est située initialement au point (1, 0).

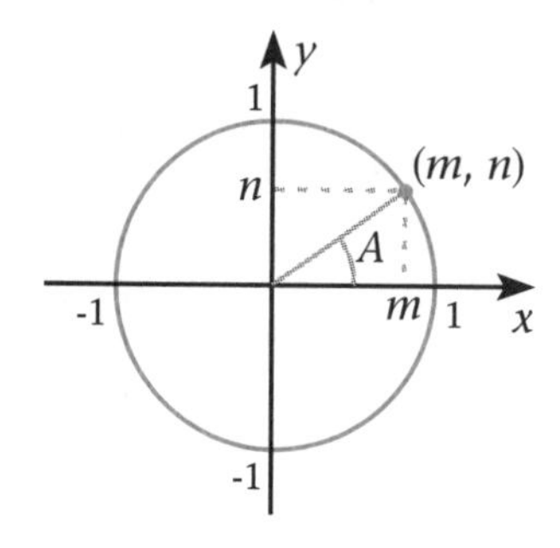

Supposons que le segment unitaire pivote d'un angle aigu A différent de 0 dans le cercle trigonométrique ci-dessus. L'extrémité du segment unitaire est alors au point (m, n), qu'on notera $P(A)$. Quand on ob-serve le triangle rectangle tracé dans le cercle, on a :

$$\cos A = \frac{\text{Côté adjacent}}{\text{Hypoténuse}} = \frac{m}{1} = \text{m}, \sin A = \frac{\text{Côté opposé}}{\text{Hypoténuse}} = \frac{n}{1} = n \text{ et tg } A = \frac{\text{Côté opposé}}{\text{Côté adjacent}} = \frac{n}{m}$$

On peut généraliser cette idée pour un angle A quelconque.

Un point (m, n) sur le cercle trigonométrique est associé à un angle A obtenu par le déplacement du segment de droite de longueur 1 pivotant autour du point (0, 0). Ce point est noté $P(A)$. On définit alors les trois fonctions trigonométriques de base :

la fonction cosinus $f(A) = \cos A = m$,

la fonction sinus $g(A) = \sin A = n$ et

la fonction tangente $h(A) = \text{tg } A = \frac{n}{m}$ (lorsque $m \neq 0$).

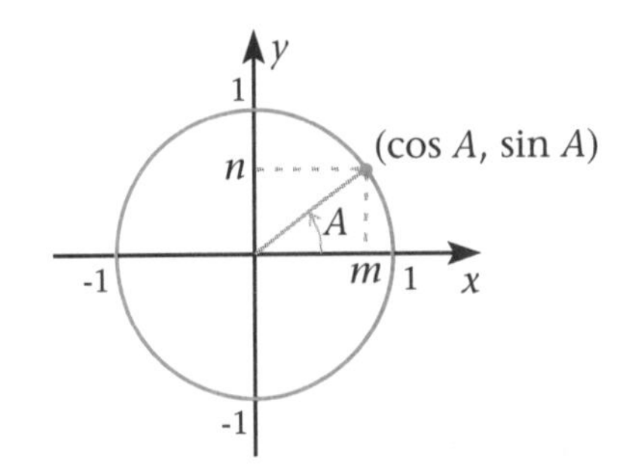

Certains angles (appelés **angles remarquables**) ont joué un rôle particulier dans l'histoire de la géométrie. Ces angles sont les multiples de $\frac{\pi}{6}$ (30°), de $\frac{\pi}{4}$ (45°), de $\frac{\pi}{3}$ (60°) et de $\frac{\pi}{2}$ (90°). Il est possible de trouver les coordonnées exactes du point qui est associé à chacun de ces angles spécifiques sur le cercle trigonométrique, comme on peut l'observer ci-dessous (voir les exercices n°s 5 et 6 de la section 5.1, aux pages 141 et 142).

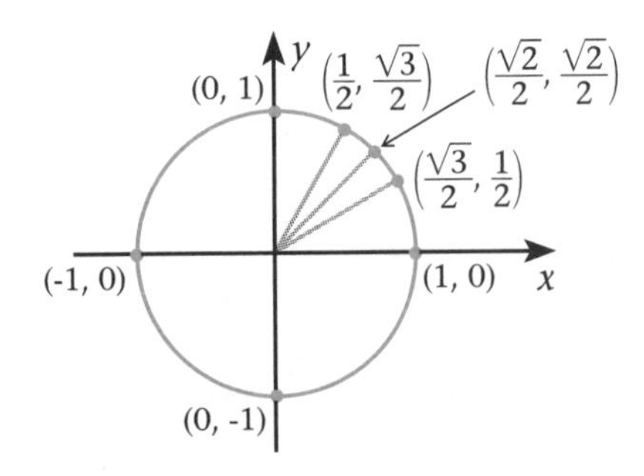

On peut construire le tableau suivant :

Angle A en degrés	0°	$30° = \frac{180°}{6}$	$45° = \frac{180°}{4}$	$60° = \frac{180°}{3}$	$90° = \frac{180°}{2}$	180°	270° = 3(90°)	360°
Angle A en radians	0	$\frac{\pi}{6}$	$\frac{\pi}{4}$	$\frac{\pi}{3}$	$\frac{\pi}{2}$	π	$\frac{3\pi}{2}$	2π
Point $P(A)$	(1, 0)	$\left(\frac{\sqrt{3}}{2}, \frac{1}{2}\right)$	$\left(\frac{\sqrt{2}}{2}, \frac{\sqrt{2}}{2}\right)$	$\left(\frac{1}{2}, \frac{\sqrt{3}}{2}\right)$	(0, 1)	(-1, 0)	(0, -1)	(1, 0)
cos A	1	$\frac{\sqrt{3}}{2}$	$\frac{\sqrt{2}}{2}$	$\frac{1}{2}$	0	-1	0	1
sin A	0	$\frac{1}{2}$	$\frac{\sqrt{2}}{2}$	$\frac{\sqrt{3}}{2}$	1	0	-1	0
tg A	0	$\frac{1}{\sqrt{3}}$	1	$\sqrt{3}$	Non définie	0	Non définie	0

Exemple 3

Pour l'angle $A = \frac{2\pi}{3} = 120^\circ$, trouvez la valeur exacte de cos A, sin A et tg A.

En observant le cercle ci-dessous, on constate que le point $P(120^\circ)$ est la réflexion du point $P(60^\circ) = \left(\frac{1}{2}, \frac{\sqrt{3}}{2}\right)$ par rapport à l'axe des y.

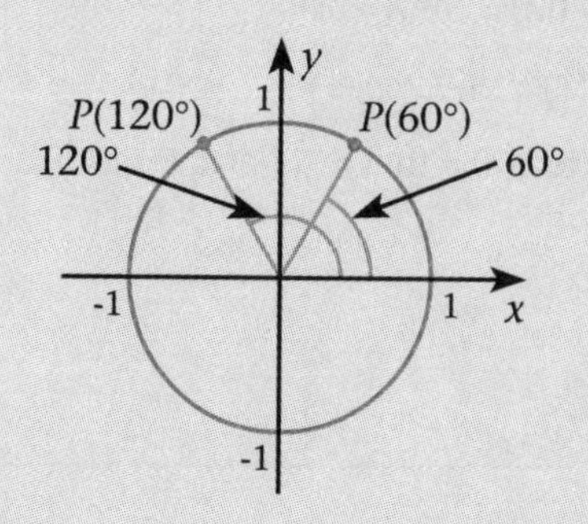

On a donc :

$$P(120^\circ) = \left(-\frac{1}{2}, \frac{\sqrt{3}}{2}\right),\ \cos 120^\circ = -\frac{1}{2},\ \sin 120^\circ = \frac{\sqrt{3}}{2} \text{ et tg } 120^\circ = \frac{\frac{\sqrt{3}}{2}}{-\frac{1}{2}} = \frac{\sqrt{3}}{2} \cdot -\frac{2}{1} = -\sqrt{3}$$

Le résultat qui découle de l'exemple qui suit nous sera fort utile dans le chapitre 6.

Exemple 4

Soit le graphique suivant :

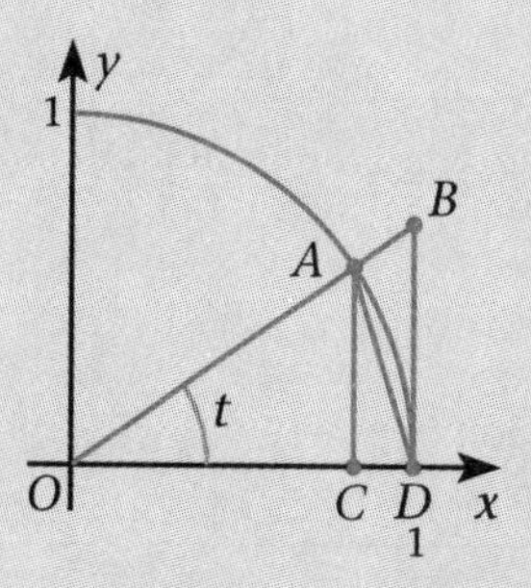

Montrez que si t est un angle tel que $0 \leq t < \frac{\pi}{2}$, alors $\sin t \leq t \leq \text{tg } t$.

Si on se réfère au schéma ci-dessus qui présente la portion du cercle trigonométrique se trouvant dans le premier quadrant, on a :

Aire du triangle AOD	$\leq$	Aire du secteur de cercle AOD	$\leq$	Aire du triangle BOD

On constate que $\sin t$ = Longueur du segment $\overline{AC}$. De plus, puisque l'aire du cercle trigonométrique est de $\pi r^2 = \pi(1)^2 = \pi$ et que le secteur de cercle AOD couvre $\frac{t}{2\pi}$ de toute la surface du cercle :

$$\text{Aire du secteur de cercle} = \frac{t}{2\pi} \cdot \pi = \frac{t}{2}$$

Pour ce qui est du triangle *BOD*, on a :

$$\text{tg } t = \frac{\text{Côté opposé}}{\text{Côté adjacent}} = \frac{\text{Longueur du segment } \overline{BD}}{1} = \text{Longueur du segment } \overline{BD}$$

Ainsi, puisque	Aire du triangle *AOD*	$\leq$	Aire du secteur de cercle *AOD*	$\leq$	Aire du triangle *BOD*
	$\frac{\sin t \cdot 1}{2}$	$\leq$	$\frac{t}{2}$	$\leq$	$\frac{\text{tg } t \cdot 1}{2}$
et donc	$\sin t$	$\leq$	t	$\leq$	$\text{tg } t$

Fonctions trigonométriques

Comme nous allons le rappeler dans les pages qui suivent, les diverses fonctions trigonométriques, en raison de leur définition relative au cercle trigonométrique, sont périodiques.

Définitions

Une **fonction périodique** f définie par $f(t)$ est une fonction non constante pour laquelle il existe une valeur k différente de 0 telle que $f(t + k) = f(t)$, pour toutes les valeurs de t dans le domaine de f.

La **période d'une fonction périodique** (notée P) est la plus petite valeur de k positive et non nulle telle que $f(t + k) = f(t)$, pour toutes les valeurs de t dans le domaine de f.

L'**amplitude d'une fonction périodique** (notée A) est $A = \frac{\text{Valeur maximale} - \text{Valeur minimale}}{2}$, si les valeurs de ce quotient existent. Sinon, l'amplitude n'est pas définie.

Fonction sinus

Dans un cours préalable à celui que vous suivez présentement, le graphique de la fonction sinus a déjà été construit. Si t est un angle mesuré en radians, on obtient le graphique de la fonction $f(t) = \sin t$:

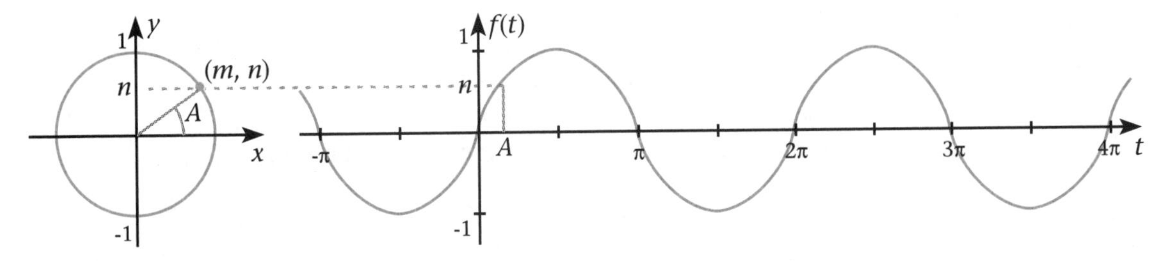

On peut déduire de la définition de la fonction $f(t) = \sin t$ et du graphique qui précède les caractéristiques suivantes:

- Dom $f = \mathbb{R}$ et Ima $f = [-1, 1]$
- La fonction $f(t) = \sin t$ est continue sur $\mathbb{R}$.

- Puisque le domaine de la fonction sinus est IR, la fonction n'a pas d'asymptote verticale.

- La fonction sinus est croissante sur chacun des intervalles de la forme $\left]\frac{(4n-1)\pi}{2}, \frac{(4n+1)\pi}{2}\right[$, où n est un entier relatif. Elle est décroissante sur chacun des intervalles de la forme $\left]\frac{(4n-3)\pi}{2}, \frac{(4n-1)\pi}{2}\right[$, où n est un entier relatif.

- La courbe de la fonction sinus est concave vers le haut sur chacun des intervalles de la forme $](2n-1)\pi, 2n\pi[$, où n est un entier relatif. Elle est concave vers le bas sur chacun des intervalles de la forme $]2n\pi, (2n+1)\pi[$, où n est un entier relatif.

- La fonction possède une infinité de points d'inflexion de la forme $(n\pi, 0)$, où n est un entier relatif.

- La fonction $f(t) = \sin t$ est périodique et sa période $P = 2\pi$.

- La périodicité de la fonction $f(t) = \sin t$ permet d'affirmer que $\lim\limits_{t\to+\infty} \sin t$ et $\lim\limits_{t\to-\infty} \sin t$ ne sont pas définies et que la fonction sinus n'a pas d'asymptote horizontale.

Exemple 5

Évaluez chacune des limites suivantes :

a) $\lim\limits_{t\to 0^+} \sin\left(\frac{1}{t}\right)$

Lorsque t s'approche de 0 par des valeurs positives, l'expression $\frac{1}{t}$ tend à devenir de plus en plus grande sans être bornée supérieurement. Par conséquent, la limite recherchée n'existe pas.

b) $\lim\limits_{t\to+\infty} ((0,3)^t \sin t) = 0$

Puisque $\lim\limits_{t\to+\infty} \sin t$ n'existe pas, on ne peut pas utiliser ici la règle R6 du chapitre 2 (p. 50) concernant la limite d'un produit de fonctions. Exploitons le fait que $-1 \leq \sin t \leq 1$ pour toutes les valeurs de t. On a donc :

$$(0,3)^t \cdot (-1) \quad \leq \quad (0,3)^t \sin t \quad \leq \quad (0,3)^t \cdot 1$$

et, par conséquent,

$$\lim_{t\to+\infty} (-(0,3)^t) \leq \lim_{t\to+\infty} ((0,3)^t \sin t) \leq \lim_{t\to+\infty} (0,3)^t$$

On a, à gauche comme à droite, deux limites dont le résultat est 0,

et puisque

$$0 \quad \leq \lim_{t\to+\infty} ((0,3)^t \sin t) \leq \quad 0$$

forcément, $\lim\limits_{t\to+\infty} ((0,3)^t \sin t) = 0$.

Fonction cosinus

Si t est un angle mesuré en radians, on obtient le graphique de la fonction $g(t) = \cos t$ suivant :

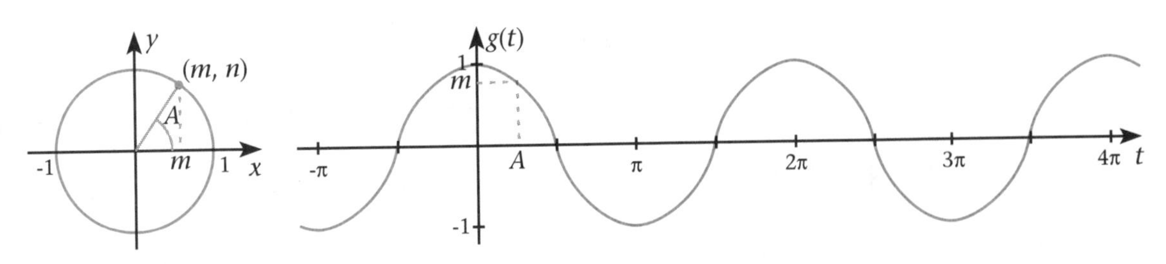

Outre plusieurs caractéristiques que vous serez invité à découvrir dans les exercices à la fin de cette section, on a les caractéristiques suivantes :

- la fonction cosinus est périodique et sa période est $P = 2\pi$;
- la périodicité de la fonction $g(t) = \cos t$ permet d'affirmer que $\lim\limits_{t \to +\infty} \cos t$ et $\lim\limits_{t \to -\infty} \cos t$ ne sont pas définies et que la fonction cosinus n'a pas d'asymptote horizontale.

Fonction tangente

Si t est un angle mesuré en radians tracé dans le cercle trigonométrique selon les conventions déjà établies, cet angle est associé à un point $P(t) = (m, n)$ sur le cercle et $\text{tg } t = \frac{n}{m}$, lorsque $m \neq 0$.
À partir de cette définition, on peut tracer le graphique de la fonction $h(t) = \text{tg } t$ ci-dessous :

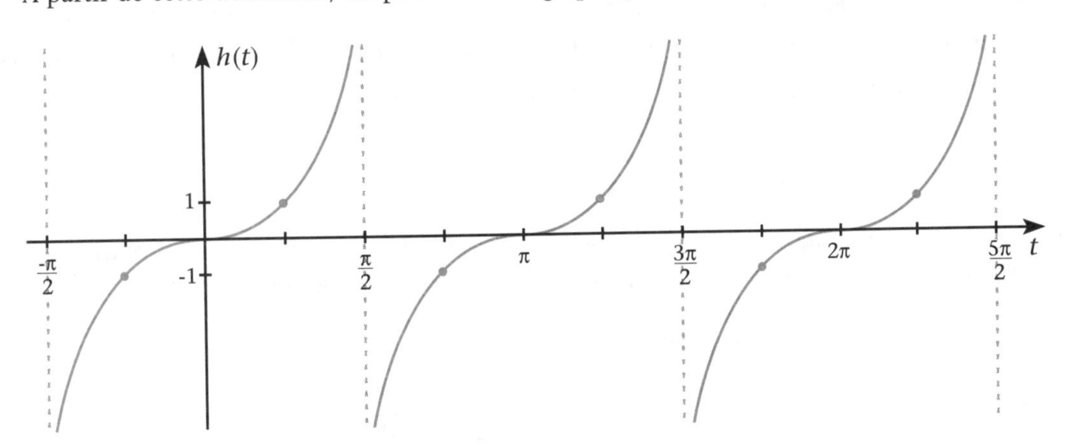

On peut déduire de la définition de la fonction et du graphique qui précèdent les caractéristiques suivantes pour la fonction $h(t) = \text{tg } t$:

- la fonction tangente est périodique et sa période est $P = \pi$;
- la périodicité de la fonction tangente permet d'affirmer que $\lim\limits_{t \to +\infty} \text{tg } t$ et $\lim\limits_{t \to -\infty} \text{tg } t$ ne sont pas définies et que la fonction tangente n'a pas d'asymptote horizontale.

Puisque la tangente n'est pas définie lorsque les coordonnées de $P(t)$ sur le cercle trigonométrique sont de la forme $(0, n)$ [soit aux points $(0, 1)$ et $(0, -1)$], $\text{Dom } h = \mathbb{R} \setminus \left\{\ldots, \frac{-3\pi}{2}, \frac{-\pi}{2}, \frac{\pi}{2}, \frac{3\pi}{2}, \frac{5\pi}{2}, \ldots\right\}$.

La fonction tangente possède plusieurs points de discontinuité et peut donc posséder des asymptotes verticales.

Étudions d'abord le comportement de la fonction $h(t)$ = tg t lorsque t s'approche de $\frac{\pi}{2}$ par des valeurs inférieures à $\frac{\pi}{2} = 1,570\,796\,3$ $\left(\text{donc quand } t \to \frac{\pi^-}{2}\right)$.

À lire de gauche à droite

t	1,5	1,57	1,570 7	1,570 79	1,570 796	$\to \left(\frac{\pi}{2}\right)^-$
$h(t)$	14,10	1255,77	10 381,33	158 057,91	3 060 023,3	

On a $\lim\limits_{t \to \left(\frac{\pi}{2}\right)^-} \text{tg } t = +\infty$. On peut donc conclure que la droite verticale d'équation $t = \frac{\pi}{2}$ est une asymptote verticale. Étudions tout de même le comportement de la fonction tangente lorsque t s'approche de $\frac{\pi}{2}$ par des valeurs supérieures à $\frac{\pi}{2} = 1,570\,796\,3$ $\left(\text{donc quand } t \to \frac{\pi^+}{2}\right)$.

À lire de droite à gauche

$\left(\frac{\pi}{2}\right)^+ \leftarrow$	1,570 797	1,570 8	1,571	1,58	1,6	t
	-1 485 431	-272 241,8	-4909,83	-108,65	-34,23	$h(t)$

On a $\lim\limits_{t \to \left(\frac{\pi}{2}\right)^+} \text{tg } t = -\infty$.

Puisque la fonction tangente est périodique ($P = \pi$) et qu'elle possède une asymptote verticale d'équation $t = \frac{\pi}{2}$, elle a forcément une infinité d'asymptotes verticales dont les équations s'écrivent sous la forme $t = \frac{\pi}{2} + n\pi = \frac{(2n+1)\pi}{2}$, où n est un entier relatif.

Fonctions sécante, cosécante et cotangente

Trois autres fonctions trigonométriques sont utilisées fréquemment en trigonométrie. Elles sont définies à partir des fonctions sinus, cosinus et tangente. Il s'agit de:

- la fonction **sécante**, définie par :

$$M(t) = \sec t = \frac{1}{\cos t}$$

et dont une esquisse du graphique apparaît ci-dessous.

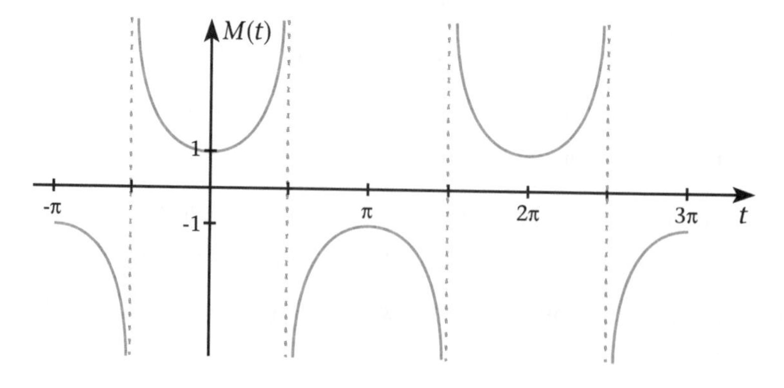

On constate que toutes les valeurs de t pour lesquelles $\cos t = 0$ sont exclues de Dom M.

- la fonction **cosécante**, définie par :

$$N(t) = \text{cosec } t = \frac{1}{\sin t}$$

et dont une esquisse du graphique apparaît ci-dessous.

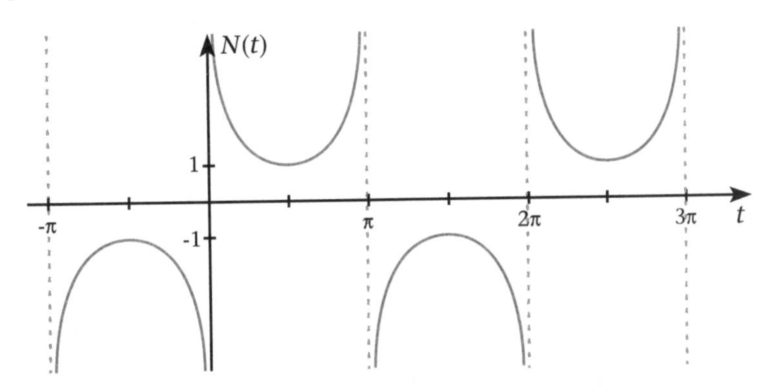

On constate que toutes les valeurs de t pour lesquelles $\sin t = 0$ sont exclues de Dom N.

- la fonction **cotangente**, définie par :

$$R(t) = \text{cotg } t = \frac{\cos t}{\sin t}$$

et dont une esquisse du graphique apparaît ci-dessous.

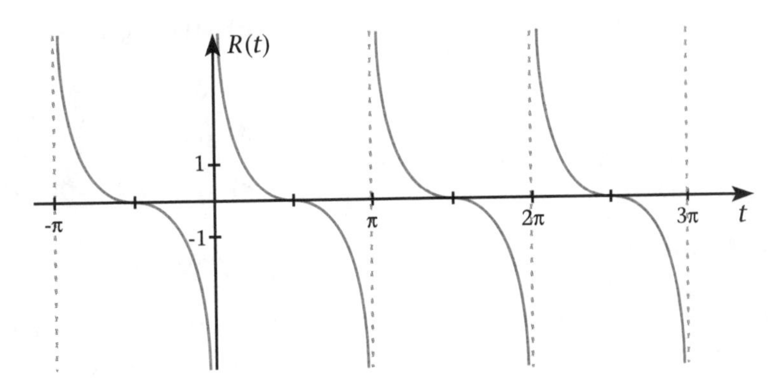

On constate que toutes les valeurs de t pour lesquelles $\sin t = 0$ sont exclues de Dom R.

Nous étudierons certaines caractéristiques de ces trois fonctions dans les exercices qui suivent.

Exercices

1. Pour la fonction périodique $M(t) = \sec t$:

a) trouvez le domaine de la fonction M;

b) trouvez, à l'aide de sa définition, la période de la fonction M;

c) trouvez, si possible, à l'aide de limites pertinentes, l'équation des asymptotes verticales de la fonction M;

d) trouvez, si possible, l'équation des asymptotes horizontales de la fonction M.

2. Trouvez la valeur exacte du cosinus, du sinus et de la tangente de chacun des angles suivants :

a) $\frac{11\pi}{6}$

b) $210°$

c) $-\frac{5\pi}{4}$

d) $-120°$

e) -9π

f) $\frac{19\pi}{2}$

3. À partir du graphique de la fonction $g(t) = \cos t$ et de sa définition :

a) trouvez le domaine et déterminez sur quel(s) intervalle(s) la fonction cosinus est continue;

b) trouvez, si possible, les équations de toutes les asymptotes verticales de la fonction cosinus.

4. Déterminez si les fonctions suivantes sont continues sur les intervalles donnés :

a) $f(t) = t \sin t$ sur $[-1, 1]$

b) $k(u) = \frac{\sin u}{u^{17}}$ sur $[-1, 0[$

c) $h(x) = \frac{1}{\sin x}$ sur $\left[\frac{-\pi}{2}, \frac{\pi}{2}\right]$

d) $g(z) = \frac{1}{\cos z}$ sur $[0, \pi]$

e) $f(x) = \cos x - 2x^6$ sur $\mathbb{R}$

f) $h(w) = \text{tg } w$ sur $\left]\frac{-\pi}{3}, \frac{\pi}{4}\right[$

5. À l'aide de la calculatrice à affichage graphique, tracez dans la même fenêtre d'affichage les fonctions données. Vérifiez si elles semblent donner approximativement les mêmes valeurs sur un certain intervalle. Si c'est le cas, estimez le plus grand intervalle sur lequel cette similitude est vérifiée. De plus, déterminez, si possible, $\lim\limits_{x\to+\infty} f(x)$, $\lim\limits_{x\to-\infty} f(x)$, $\lim\limits_{x\to+\infty} g(x)$ et $\lim\limits_{x\to-\infty} g(x)$.

a) $f(x) = \cos x$ et $g(x) = 1 - \frac{x^2}{2!} + \frac{x^4}{4!} - \frac{x^6}{6!} + \frac{x^8}{8!}$, où $n! = 1 \cdot 2 \cdot 3 \cdot 4 \cdot ... \cdot n$

b) $f(x) = \sin x$ et $g(x) = x - \frac{x^3}{3!} + \frac{x^5}{5!} - \frac{x^7}{7!} + \frac{x^9}{9!}$, où $n! = 1 \cdot 2 \cdot 3 \cdot 4 \cdot ... \cdot n$

6. Étudiez $\lim\limits_{x\to+\infty} g(x)$ pour les fonctions suivantes :

a) $g(x) = (0{,}99)^x \cos x$

b) $g(x) = \text{tg } x$

c) $g(x) = \frac{\cos x}{x - 34}$

d) $g(x) = \frac{\sin x + 7}{x^2 + 3x + 4}$

e) $g(x) = Ae^{-bx} \cos(\omega x + \varphi)$, où les valeurs de A, b, ω et φ sont des nombres non nuls positifs.

7. À partir du graphique de la fonction $N(t) = \text{cosec } t$ et de sa définition :

a) trouvez le domaine de la fonction N;

b) trouvez la période de la fonction N et déterminez si celle-ci possède des asymptotes horizontales;

c) évaluez numériquement $\lim\limits_{t\to\pi^-} \text{cosec } t$ et $\lim\limits_{t\to\pi^+} \text{cosec } t$ et trouvez, si possible, les équations de toutes les asymptotes verticales de la fonction.

SECTION 5.3 Identités trigonométriques

En mathématiques, les identités (qui sont des équations vraies pour toutes les valeurs qu'on peut donner aux variables concernées) ont pour but de permettre des simplifications ou des réécritures qui favorisent une meilleure compréhension ou une meilleure vision des situations données.

On se rappelle qu'un angle A tracé selon les conventions dans le cercle trigonométrique est associé à un point $P(A) = (m, n) = (\cos A, \sin A)$.

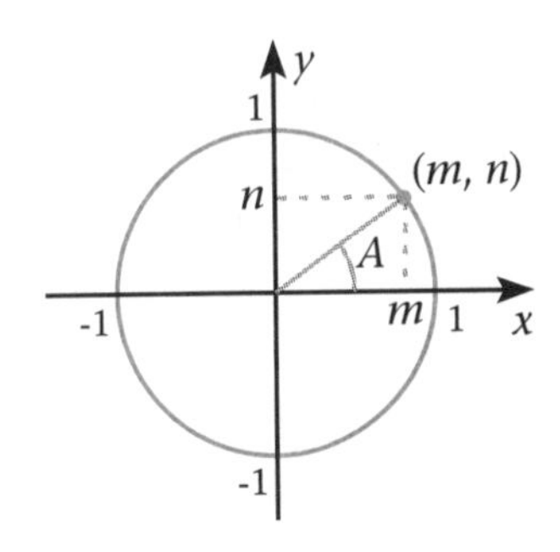

Or, tout point sur le cercle trigonométrique de rayon 1 est tel que :

$x^2 + y^2 = 1$ (l'équation d'une cercle de centre (0, 0) et de rayon r étant, en général, $x^2 + y^2 = r^2$)

En conséquence, $m^2 + n^2 = 1$

et donc $(\cos A)^2 + (\sin A)^2 = 1$.

Attention !

Une convention permet d'écrire $\cos^2 A$ au lieu de $(\cos A)^2$ et la même convention s'applique à toutes les fonctions trigonométriques. Il est important de noter que l'expression **$\cos^2 A$ n'est équivalente ni à $\cos (A^2)$ ni à $\cos (\cos A)$.**

Identité I1 : Pour tout angle t, on a $\cos^2 t + \sin^2 t = 1$.

On peut facilement déduire deux autres identités de l'identité I1. Si on divise l'équation de l'identité I1 par $\cos^2 t$ (à condition que $\cos t \neq 0$), on obtient :

$$\frac{\cos^2 t}{\cos^2 t} + \frac{\sin^2 t}{\cos^2 t} = \frac{1}{\cos^2 t} \text{ ou } 1 + \left(\frac{\sin t}{\cos t}\right)^2 = \left(\frac{1}{\cos t}\right)^2 \text{ ou } 1 + \operatorname{tg}^2 t = \sec^2 t$$

Si on divise l'équation de l'identité I1 plutôt par $\sin^2 t$ (à condition que $\sin t \neq 0$), on obtient :

$$\frac{\cos^2 t}{\sin^2 t} + \frac{\sin^2 t}{\sin^2 t} = \frac{1}{\sin^2 t} \text{ ou } \left(\frac{\cos t}{\sin t}\right)^2 + 1 = \left(\frac{1}{\sin t}\right)^2 \text{ ou } \operatorname{cotg}^2 t + 1 = \operatorname{cosec}^2 t$$

Identité I2: Pour tout angle t tel que $\cos t \neq 0$, on a $\text{tg}^2 t + 1 = \sec^2 t$.

Identité I3: Pour tout angle t tel que $\sin t \neq 0$, on a $\text{cotg}^2 t + 1 = \text{cosec}^2 t$.

On acceptera les identités suivantes sans effectuer les démonstrations:

Identités I4: Pour tout angle t et u, on a :

$$\sin (t + u) = \sin t \cos u + \cos t \sin u \text{ et}$$
$$\sin (t - u) = \sin t \cos u - \cos t \sin u$$

Identités I5: Pour tout angle t et u, on a :

$$\cos (t + u) = \cos t \cos u - \sin t \sin u \text{ et}$$
$$\cos (t - u) = \cos t \cos u + \sin t \sin u$$

On déduit des identités I4 et I5 que :

$$\sin 2t = \sin (t + t) = \sin t \cos t + \cos t \sin t = 2 \sin t \cos t \text{ et}$$

$$\cos 2t = \cos (t + t) = \cos t \cos t - \sin t \sin t = \cos^2 t - \sin^2 t$$

Identité I6: Pour tout angle t, on a $\sin 2t = 2 \sin t \cos t$.

Identité I7: Pour tout angle t, on a $\cos 2t = \cos^2 t - \sin^2 t$.

Exemple 6

Démontrez l'identité trigonométrique $\text{tg } A + \text{cotg } A = \sec A \text{ cosec } A$.

On a, selon les définitions de la tangente et de la cotangente :

$$\text{tg } A + \text{cotg } A = \frac{\sin A}{\cos A} + \frac{\cos A}{\sin A} = \frac{\sin^2 A + \cos^2 A}{\cos A \sin A} = \frac{1}{\cos A \sin A} \quad \text{selon l'identité I1}$$

$$= \sec A \text{ cosec } A \quad \text{selon les définitions de la sécante et de la cosécante}$$

Quand on souhaite démontrer une identité trigonométrique, il est, en général, conseillé de :

- bien connaître les identités trigonométriques de base présentées dans cette section, de même que les définitions des diverses fonctions trigonométriques présentées dans la section précédente;
- développer un seul des deux termes de l'égalité et de chercher à arriver à l'autre terme, en tentant d'aller du plus compliqué au plus simple;
- remplacer toutes les fonctions concernées par leur définition relative au sinus ou au cosinus, lorsqu'il y a trop de fonctions disparates.

Exercices

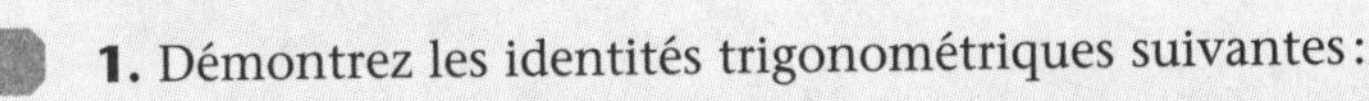

1. Démontrez les identités trigonométriques suivantes :

a) $\cos A \operatorname{cosec} A \operatorname{tg} A = 1$ **b)** $\dfrac{\sin 2z}{1 + \cos 2z} = \operatorname{tg} z$ **c)** $2 \operatorname{cotg}(2x) = \operatorname{cotg} x - \operatorname{tg} x$

2. Si $\cos A = \frac{1}{5}$ et que l'angle A est entre 0 et $\frac{\pi}{2}$, trouvez, à l'aide des identités trigonométriques :

a) $\sin A$

b) $\sin 2A$

c) $\cos 2A$

d) $\operatorname{tg} A$

e) $\operatorname{tg} 2A$

3. Démontrez, en utilisant les identités trigonométriques I4 et I5, que :

a) $\sin(-A) = \sin(0 - A) = -\sin A$,
$\cos(-A) = \cos(0 - A) = \cos A$ et, en conséquence, $\operatorname{tg}(-A) = -\operatorname{tg} A$.

b) $\sin\left(\frac{\pi}{2} - A\right) = \cos A$, $\cos\left(\frac{\pi}{2} - A\right) = \sin A$ et, en conséquence, $\operatorname{tg}\left(\frac{\pi}{2} - A\right) = \operatorname{cotg} A$.

c) si n est un entier positif,
$\sin(A \pm 2n\pi) = \sin A$, $\cos(A \pm 2n\pi) = \cos A$ et donc $\operatorname{tg}(A \pm 2n\pi) = \operatorname{tg} A$.

4. Démontrez, en utilisant les identités trigonométriques I4 et I5, que :

a) pour tout angle t et u tels que $\operatorname{tg} t$ et $\operatorname{tg} u$ sont définies et tels que $\operatorname{tg} t \cdot \operatorname{tg} u \neq 1$, on a $\operatorname{tg}(t + u) = \dfrac{\operatorname{tg} t + \operatorname{tg} u}{1 - \operatorname{tg} t \operatorname{tg} u}$;

b) pour tout angle t et u tels que $\operatorname{tg} t$ et $\operatorname{tg} u$ sont définies et tels que $\operatorname{tg} t \cdot \operatorname{tg} u \neq -1$, on a $\operatorname{tg}(t - u) = \dfrac{\operatorname{tg} t - \operatorname{tg} u}{1 + \operatorname{tg} t \operatorname{tg} u}$;

c) pour tout angle t tel que $\operatorname{tg} t \neq \pm 1$, on a $\operatorname{tg} 2t = \dfrac{2 \operatorname{tg} t}{1 - \operatorname{tg}^2 t}$.

5. Démontrez les identités trigonométriques suivantes :

a) $\cos 2A = 1 - 2 \sin^2 A$

b) $\cos 2A = 2 \cos^2 A - 1$

c) $\sin^2\left(\frac{A}{2}\right) = \dfrac{1 - \cos A}{2}$

d) $\frac{1}{2}(\operatorname{tg} A + \operatorname{cotg} A) = \operatorname{cosec} 2A$

e) $(1 + \operatorname{tg}^2 A) \cos^2 A - \sin^2 A = \cos^2 A$

f) $\dfrac{1}{1 - \sin A} + \dfrac{1}{1 + \sin A} = 2 \sec^2 A$

6. a) Exprimez $\sin 3A$ et $\cos 3A$ en fonction de $\sin A$ et $\cos A$.

b) Exprimez $\sin 4A$ et $\cos 4A$ en fonction de $\sin A$ et $\cos A$.

SECTION 5.4 Fonctions trigonométriques inverses et équations trigonométriques

Fonctions trigonométriques inverses

À cause des saisons, la température de l'air varie, en général, périodiquement. Par exemple, supposons qu'en un endroit spécifique du Québec, la température moyenne T (en degrés Celsius) d'une journée est approximativement donnée par $T(x) = 17 \sin\left(\frac{\pi}{182{,}5}(x - 115)\right) + 9$, où x représente le numéro du jour dans une année non bissextile (par exemple, $x = 1$ pour le 1er janvier, $x = 2$ pour le 2 janvier et $x = 365$ pour le 31 décembre).

Si on souhaite savoir, par exemple, pour quelle(s) valeur(s) de x la température est de 22 °C, on cherche x tel que $T(x) = 22$ °C, soit :

$$17 \sin\left(\frac{\pi}{182{,}5}(x - 115)\right) + 9 = 22$$

Si on veut isoler x, on arrive à $\sin\left(\frac{\pi}{182{,}5}(x - 115)\right) = \frac{22 - 9}{17}$

soit $\sin\left(\frac{\pi}{182{,}5}(x - 115)\right) = 0{,}764\ 7$

Pour résoudre cette dernière équation (à laquelle on reviendra plus loin), on doit trouver pour quels angles (il en existe plusieurs, la fonction sinus étant périodique) le sinus a une valeur de 0,764 7.

Les six fonctions trigonométriques définies à la section 5.2 sont périodiques et chacune des valeurs que prennent ces fonctions possède une infinité de préimages. En imposant certaines restrictions au domaine des fonctions trigonométriques, on peut associer à chacune de ces dernières une fonction réciproque.

Fonction arcsinus

On souhaite restreindre le domaine de la fonction sinus pour faire en sorte que chaque valeur de $f(t) = \sin t$ ne soit associée qu'à une seule valeur de t. On peut y arriver en travaillant uniquement avec les angles de l'intervalle $[-\frac{\pi}{2}, \frac{\pi}{2}]$ et, par conséquent, se limiter à la portion de la fonction sinus correspondant à cet intervalle (soit la portion en gras dans le graphique ci-dessous).

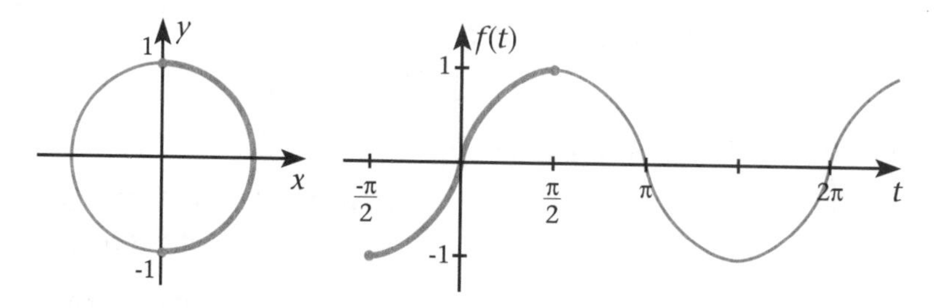

La fonction réciproque de $f(t) = \sin t$ est appelée **fonction arcsinus** (parfois notée « sinus^{-1} ») et est telle que :

$$\mathbf{y = \arcsin t \text{ si et seulement si } t = \sin y, \text{ où } -1 \leq t \leq 1 \text{ et } -\frac{\pi}{2} \leq y \leq \frac{\pi}{2}.}$$

Par exemple, puisque $\sin\left(\frac{-\pi}{6}\right) = \frac{-1}{2}$ et $\frac{-\pi}{2} \leq \frac{-\pi}{6} \leq \frac{\pi}{2}$, $\arcsin\left(\frac{-1}{2}\right) = \frac{-\pi}{6}$.

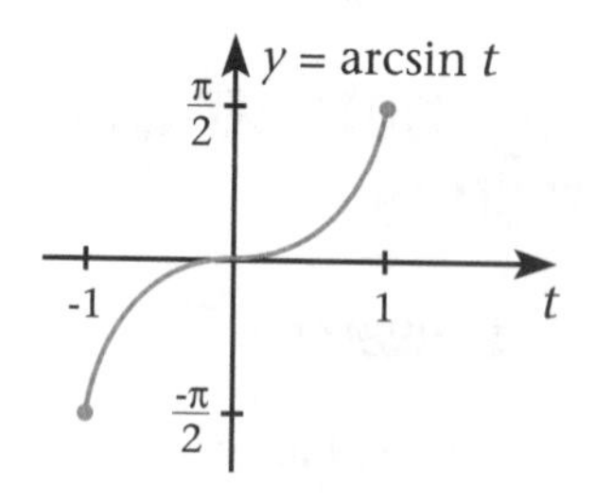

Comme on peut le remarquer, pour la fonction arcsinus,

le domaine est [-1, 1] et l'image est $\left[\frac{-\pi}{2}, \frac{\pi}{2}\right]$.

Attention !

1) Le notation $y = \arcsin t$ est souvent préférée à la notation $y = \sin^{-1} t$, cette dernière pouvant facilement être interprétée comme $y = \frac{1}{\sin t} = \text{cosec}\ t \neq \arcsin t$.
2) Notons que sin (angle) = ordonnée d'un point sur le cercle trigonométrique
   et arcsin (ordonnée d'un point sur le cercle trigonométrique) = angle.

Fonction arccosinus

Pour faire en sorte que chaque valeur de $g(t) = \cos t$ ne soit associée qu'à une seule valeur de t, on peut travailler uniquement avec les angles de l'intervalle $[0, \pi]$ et donc se limiter à la portion de la fonction cosinus correspondant à cet intervalle (soit la portion en gras dans le graphique ci-dessous).

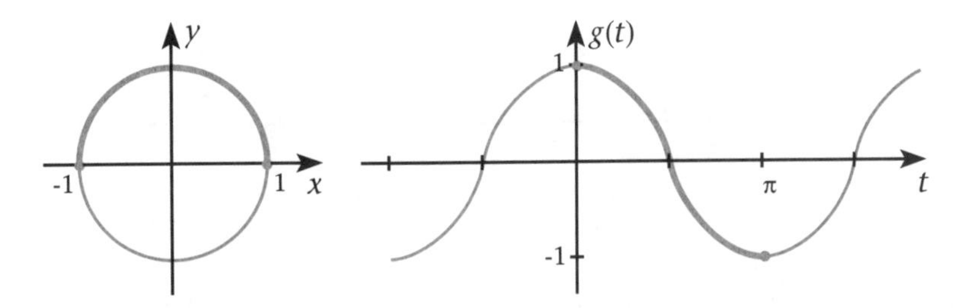

La fonction réciproque de la fonction $g(t) = \cos t$ est appelée **fonction arccosinus** (parfois notée «cosinus^{-1}») et est telle que :

$$\mathbf{y = \arccos t \text{ si et seulement si } t = \cos y, \text{ où } -1 \leq t \leq 1 \text{ et } 0 \leq y \leq \pi}$$

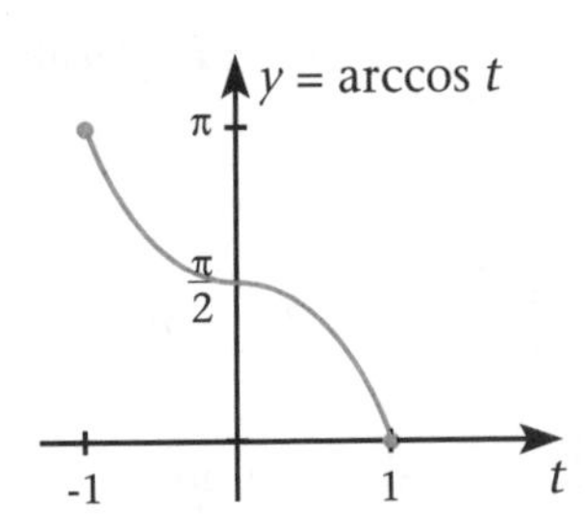

Pour la fonction arccosinus, le domaine est [-1, 1] et l'image est $[0, \pi]$.

Fonction arctangente

En travaillant uniquement avec les angles de l'intervalle $\left]\frac{-\pi}{2}, \frac{\pi}{2}\right[$, chaque valeur de $h(t) = \text{tg}\ t$ ne peut être associée qu'à une seule valeur de t. On se limite donc à la portion de la fonction tangente correspondant à cet intervalle (soit la portion en gras dans le graphique ci-dessous).

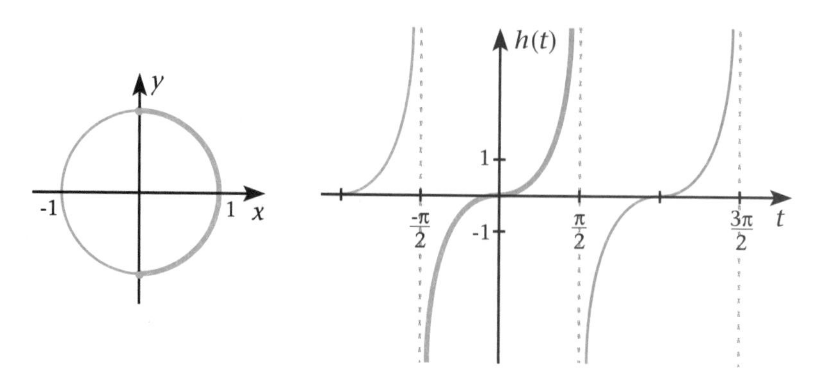

La fonction réciproque de la fonction $h(t) = \text{tg}\ t$ est appelée **fonction arctangente** (parfois notée « tangente^{-1} ») et est telle que :

$$\boldsymbol{y = \text{arctg}\ t \text{ si et seulement si } t = \text{tg}\ y, \text{ où } t \text{ est un nombre réel et } -\frac{\pi}{2} < y < \frac{\pi}{2}}$$

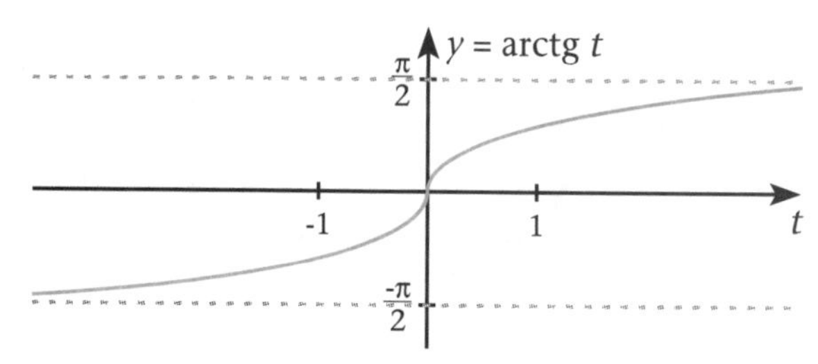

Pour la fonction arctangente, le domaine est IR et l'image est $\left]\frac{-\pi}{2}, \frac{\pi}{2}\right[$

On peut remarquer que la fonction arctangente semble posséder deux asymptotes horizontales. Évaluons la limite à l'infini, en étudiant numériquement la fonction $y = \text{arctg}\ t$ lorsque $t \to +\infty$.

À lire de gauche à droite

t	10	100	1000	10 000	100 000	$\to +\infty$
y	1,471 127 7	1,560 796 7	1,569 796 327	1,570 696 327	1,570 696 327	

On a $\lim\limits_{t \to +\infty} y = 1{,}570\ 696\ 327 \approx \frac{\pi}{2}$. Ainsi, la droite d'équation $y = \frac{\pi}{2}$ est une asymptote horizontale. Évaluons maintenant la limite à moins l'infini, en étudiant numériquement la fonction $y = \text{arctg}\ t$ lorsque $t \to -\infty$.

À lire de droite à gauche

$-\infty \leftarrow$	-100 000	-10 000	-1000	-100	-10	t
	-1,570 696 327	-1,570 696 327	-1,569 796 327	-1,560 796 7	-1,471 127 7	y

On a $\lim\limits_{t \to -\infty} y = -1{,}570\ 696\ 327 \approx -\frac{\pi}{2}$ et la droite d'équation $y = -\frac{\pi}{2}$ est une deuxième asymptote horizontale.

Fonction arcsécante, arccosécante et arccotangente

D'une façon similaire à ce qui précède, les fonctions sécante, cosécante et cotangente, une fois leur domaine restreint à un intervalle bien spécifique, possèdent elles aussi des fonctions réciproques.

La fonction réciproque de la fonction sécante est appelée **fonction arcsécante** et est telle que :

$$y = \text{arcsec}\ t \ \text{ si et seulement si } \ t = \sec y = \frac{1}{\cos y},$$

où t est dans l'intervalle $-\infty, -1] \cup [1, +\infty$ et y est dans l'intervalle $[0, \pi] \setminus \left\{\frac{\pi}{2}\right\}$.

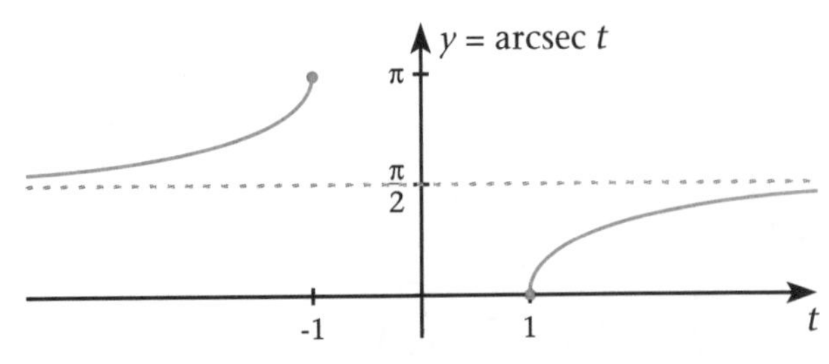

Domaine = $-\infty, -1] \cup [1, +\infty$ et Image = $[0, \pi] \setminus \left\{\frac{\pi}{2}\right\}$

La fonction réciproque de la fonction cosécante est appelée **fonction arccosécante** et est telle que :

$$y = \text{arccosec}\ t \ \text{ si et seulement si } \ t = \text{cosec}\ y = \frac{1}{\sin y},$$

où t est dans l'intervalle $-\infty, -1] \cup [1, +\infty$ et y est dans l'intervalle $\left[-\frac{\pi}{2}, \frac{\pi}{2}\right] \setminus \{0\}$.

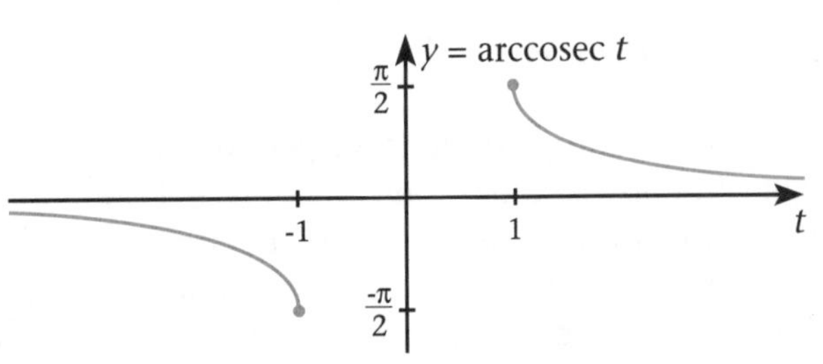

Domaine = $-\infty, -1] \cup [1, +\infty$ et Image = $\left[-\frac{\pi}{2}, \frac{\pi}{2}\right] \setminus \{0\}$

La fonction réciproque de la fonction cotangente est appelée **fonction arccotangente** et est telle que :

$$y = \text{arccotg}\ t \ \text{ si et seulement si } \ t = \text{cotg}\ y = \frac{\cos y}{\sin y},$$

où t est un nombre réel et y est dans l'intervalle $]0, \pi[$.

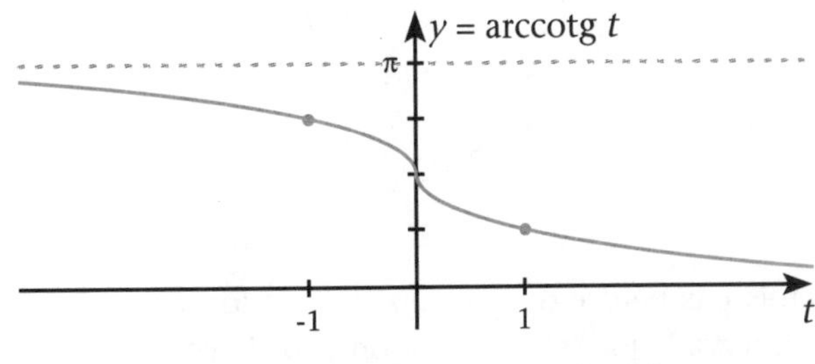

Domaine = $\mathbb{R}$ et Image = $]0, \pi[$

Exemple 7

Trouvez la valeur exacte de :

a) $\sin(2 \operatorname{arcsec} \sqrt{2})$

Puisque $\sec\left(\frac{\pi}{4}\right) = \dfrac{1}{\cos\left(\frac{\pi}{4}\right)} = \dfrac{2}{\sqrt{2}} = \sqrt{2}$ et $\frac{\pi}{4}$ est dans l'intervalle $[0, \pi] \setminus \left\{\frac{\pi}{2}\right\}$

$$\operatorname{arcsec} \sqrt{2} = \frac{\pi}{4} \text{ et } \sin(2 \operatorname{arcsec} \sqrt{2}) = \sin\left(2\frac{\pi}{4}\right) = \sin\left(\frac{\pi}{2}\right) = 1$$

b) $\cos\left(\operatorname{arccotg}\left(\frac{4}{3}\right)\right)$

Si $\operatorname{arccotg}\left(\frac{4}{3}\right) = A$, alors $0 \leq A \leq \frac{\pi}{2}$

et $\operatorname{cotg} A = \frac{4}{3}$, donc $\operatorname{tg} A = \dfrac{1}{\operatorname{cotg} A} = \dfrac{3}{4}$

Puisqu'on est dans le premier quadrant et que $\sec^2 A = \operatorname{tg}^2 A + 1$ (identité I2),

$\sec A > 0$ et $\sec A = \sqrt{\operatorname{tg}^2 A + 1} = \sqrt{\frac{9}{16} + 1} = \sqrt{\frac{25}{16}} = \frac{5}{4}$.

Par conséquent, $\cos\left(\operatorname{arccotg}\left(\frac{4}{3}\right)\right) = \cos A = \dfrac{1}{\sec A} = \dfrac{4}{5}$.

Équations trigonométriques

Puisque les fonctions trigonométriques sont périodiques, si une **équation trigonométrique** (soit une équation qui comporte au moins une fonction trigonométrique) possède une solution, elle en possède forcément une infinité. Les fonctions trigonométriques inverses peuvent être utiles pour trouver une première solution à une équation trigonométrique. Les autres solutions découlent ensuite de la périodicité des fonctions concernées ainsi que des définitions de celles-ci.

Si on prend simplement l'équation $\cos t = 0{,}3$, on sait que, par définition, $t = \arccos(0{,}3)$ et la calculatrice nous fournit comme résultat 1,2661 radian.

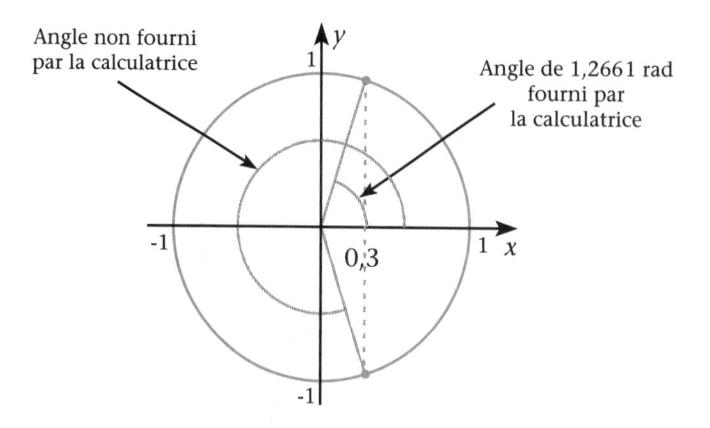

Il ne faut toutefois pas perdre de vue que la fonction arccosinus ne fournit qu'un seul des angles possibles dans l'intervalle $[0, 2\pi[$. Comme on peut le voir dans le cercle ci-dessus, on a un deuxième angle entre 0 et 2π pour lequel le cosinus vaut 0,3 et cet angle est $2\pi - 1{,}2661 = 5{,}0171$ rad.

En conséquence, l'équation $\cos t = 0{,}3$ possède deux solutions dans l'intervalle $[0, 2\pi[$, et ces solutions (appelées **solutions principales**) sont $t = 1{,}266\,1$ radian et $t = 5{,}017\,1$ radians. En fait, l'équation possède une infinité de solutions de la forme $t = 1{,}266\,1 + 2n\pi$ ou de la forme $t = 5{,}017\,1 + 2n\pi$, où n est un entier relatif.

Exemple 8

Trouvez toutes les solutions de l'équation $\sin x \cos x = 0{,}2 \cos x$.

On a $\sin x \cos x - 0{,}2 \cos x = 0$

et donc $\cos x \cdot (\sin x - 0{,}2) = 0$

En conséquence, $\cos x = 0$ ou $\sin x - 0{,}2 = 0$

Si $\cos x = 0$, entre 0 et 2π, $x = \frac{\pi}{2}$ et $x = \frac{3\pi}{2}$ sont les deux solutions possibles. En conséquence, **on a des solutions de la forme $x = \frac{\pi}{2} + 2n\pi$ et de la forme $x = \frac{3\pi}{2} + 2n\pi$, où n est un entier relatif.**

Si $\sin x - 0{,}2 = 0$, alors $\sin x = 0{,}2$ et une solution peut être fournie par $x = \arcsin(0{,}2) = 0{,}201\,4$ rad.

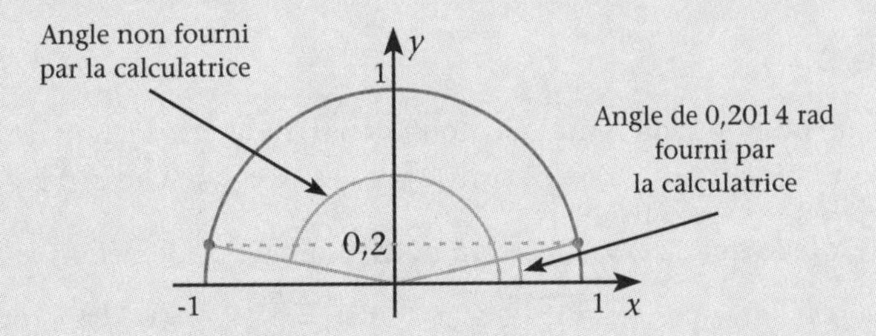

Partie supérieure du cercle trigonométrique

Comme on peut le voir dans le demi-cercle ci-dessus, on a un deuxième angle entre 0 et 2π pour lequel le sinus vaut 0,2 et cet angle est :

$$\pi - 0{,}201\,4 = 2{,}940\,2 \text{ rad}$$

On a également des solutions de la forme $x = 0{,}201\,4 + 2n\pi$ et de la forme $x = 2{,}940\,2 + 2n\pi$, où n est un entier relatif.

Comment **faire**?

Comment résoudre une équation trigonométrique

Pour les équations trigonométriques utilisées dans cet ouvrage, il est important de connaître les stratégies de résolution suivantes, qui permettent de trouver d'abord une première solution.

- Si l'équation fait appel à **une seule fonction trigonométrique et que l'équation est du premier degré**, on peut chercher à :
  - isoler d'abord la fonction ;
  - utiliser ensuite la fonction trigonométrique inverse appropriée pour obtenir une première réponse.

- Si l'équation fait appel à **une seule fonction trigonométrique et si le degré de l'équation est plus grand que 1** ou si l'équation fait appel à **plus d'une fonction trigonométrique,** on peut :
  - amener tous les termes du même côté de l'égalité;
  - tenter de factoriser ce qu'on obtient (il peut être essentiel ici de connaître les identités trigonométriques qui permettent parfois de simplifier une équation ou de faire apparaître des expressions semblables qui s'éliminent ou qui se mettent en évidence);
  - trouver une première solution relative à chacun des facteurs obtenus grâce à la factorisation.

Dans tous les cas, à partir de la première solution obtenue grâce à la calculatrice ou aux fonctions trigonométriques inverses, on doit déduire toutes les solutions qui lui sont associées, en tenant compte de la périodicité des fonctions trigonométriques et de la définition de chacune d'entre elles.

Exemple 9

Revenez à la situation présentée au tout début de cette section et cherchez pour quelle(s) valeur(s) de x la fonction $T(x) = 17 \sin\left(\frac{\pi}{182,5}(x-115)\right) + 9$ possède une valeur de 22.

On cherche x telle que $T(x) = 22$, ce qui nous amène (voir le début de la section 5.4) à :

$$\sin\left(\frac{\pi}{182,5}(x-115)\right) = \frac{22-9}{19} = 0,7647$$

On a donc comme solution fournie par la calculatrice :

$$\frac{\pi}{182,5}(x-115) = \arcsin 0,764\,7 = 0,8706 \text{ rad}$$

On peut déduire alors que $\frac{\pi}{182,5}(x-115) = 0,8706 + 2n\pi$, où n est un entier relatif.

On a alors $$x - 115 = \frac{182,5}{\pi}(0,8706 + 2n\pi)$$

et donc $$\boldsymbol{x = \frac{182,5}{\pi}(0,8706 + 2n\pi) + 115},$$

où n est un entier relatif, ce qui constitue une première série de réponses.

Il ne faut pas perdre de vue que la fonction arcsinus ne nous donne qu'un seul des angles possibles dans l'intervalle $[0, 2\pi[$. Comme on peut le voir dans la figure qui suit, on a un deuxième angle entre 0 et 2π pour lequel le sinus vaut 0,764 7 et cet angle est :

$$\pi - 0,8706 = 2,2710 \text{ rad}$$

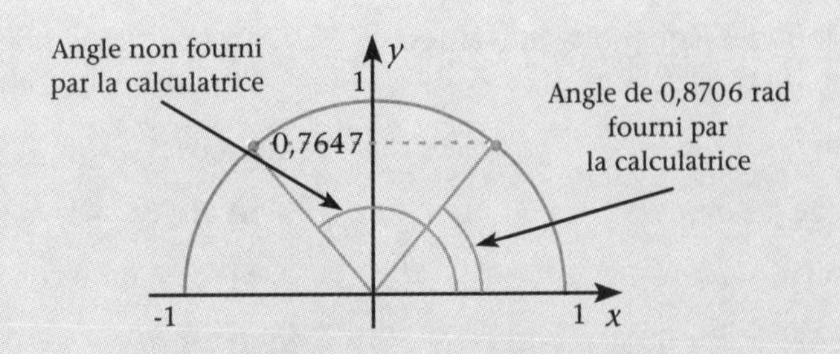

Partie supérieure du cercle trigonométrique

On peut donc avoir aussi $\frac{\pi}{182{,}5}(x - 115) = 2{,}2710 + 2n\pi$, où n est un entier relatif.

On a alors :

$$x - 115 = \frac{182{,}5}{\pi}(2{,}2710 + 2n\pi)$$

et donc **$x = \frac{182{,}5}{\pi}(2{,}2710 + 2n\pi) + 115$, où n est un entier relatif, ce qui constitue une deuxième série de réponses.**

Exercices

1. Trouvez les solutions principales des équations suivantes :

a) $\sin t = -0{,}9$

b) $4 \sin (0{,}5x) = 3$

c) $\cos^2 x = 1$

d) $\cos^2 A - 2 \cos A - 3 = 0$

2. Après avoir tracé un triangle rectangle avec deux angles aigus A et B :

a) vérifiez que $\sin A = \cos B$ et en posant $x = \sin A = \cos B$, prouvez que $\arcsin x + \arccos x = \frac{\pi}{2}$;

b) vérifiez que $\sec B = \operatorname{cosec} A$ et prouvez que $\operatorname{arcsec} x + \operatorname{arccosec} x = \frac{\pi}{2}$;

c) prouvez que $\operatorname{arctg} x + \operatorname{arccotg} x = \frac{\pi}{2}$.

3. Démontrez que :

a) $\arcsin(-x) = -\arcsin x$ si $-1 \leq x \leq 1$

b) $\operatorname{arctg}(-x) = -\operatorname{arctg}(x)$ pour tout x réel

c) $\operatorname{arctg} x + \operatorname{arctg} y = \operatorname{arctg}\left(\frac{x + y}{1 - xy}\right)$ si $-\frac{\pi}{2} < \operatorname{arctg} x + \operatorname{arctg} y < \frac{\pi}{2}$

4. Vérifiez numériquement que :

a) pour quelques angles entre 0 et $\frac{\pi}{2}$, $\sin(\arccos x) = \sqrt{1 - x^2}$. Prouvez ensuite l'égalité.

b) pour quelques angles entre 0 et $\frac{\pi}{2}$, $\cos(\arcsin x) = \sqrt{1 - x^2}$. Prouvez ensuite l'égalité.

c) pour quelques angles entre 0 et $\frac{\pi}{2}$, $\sec^2(\operatorname{arctg} x) = 1 + x^2$. Prouvez ensuite l'égalité.

5. Trouvez, en évaluant numériquement les limites à l'infini et à moins l'infini, les équations des asymptotes horizontales des fonctions suivantes :

a) $f(t) = \operatorname{arcsec} t$

b) $g(t) = \operatorname{arccosec} t$

c) $h(t) = \operatorname{arccotg} t$

6. Trouvez la solution des équations suivantes, avec une précision de trois décimales :

a) $\sin t = 0{,}56$, où $\frac{\pi}{2} < t < \pi$

b) $\sin w = -0{,}25$, où $\pi < w < \frac{3\pi}{2}$

c) $\cos A = -0{,}5$, où $\pi < A < \frac{3\pi}{2}$

d) $\cos B = 0{,}1$, où $-\frac{\pi}{2} < B < 0$

e) $\operatorname{tg} C = 2$, où $\pi < C < \frac{3\pi}{2}$

f) $\operatorname{tg} D = -6{,}78$, où $\frac{\pi}{2} < D < \pi$

7. Trouvez toutes les solutions principales (dans l'intervalle $[0, 2\pi[$) pour les équations suivantes :

a) $\cos^2 w = 1$

b) $(\operatorname{tg} 2A + 1)(\sin A - 0{,}9) = 0$

c) $\cos^2 x - 6 \cos x - 7 = 0$

d) $9\sin^2 z - 4 = 0$

e) $\sin 2u + \cos u = 0$

f) $3 \sin (2t) - 2 \sin t = 0$

La mathématique au goût du jour

Les mathématiques et le design

Un vaste domaine de la recherche mathématique concerne les formes géométriques. Par exemple, l'utilisation de robots en entreprise est de plus en plus fréquente, spécialement pour ce qui est des tâches répétitives et peu stimulantes pour les êtres humains. Comme le fait notre cerveau, les robots utilisés dans de telles circonstances doivent idéalement pouvoir reconnaître la forme d'un objet. Il devient donc important de comprendre comment l'œil et le cerveau analysent les images et les décortiquent. Une fois qu'on a compris les mécanismes relatifs à la vision, on peut les chiffrer et les traduire en algorithme, grâce aux divers concepts mathématiques existants ou à ceux qu'on a créés à cette fin.

L'aérodynamisme des voitures, des trains à grande vitesse et des avions est un autre exemple d'optimisation des formes géométriques. On sait qu'une réduction de la résistance à l'air est associée à une diminution de la consommation d'essence ou à un gain quant à la durée des trajets parcourus. Certains mathématiciens et des ingénieurs tentent actuellement de trouver des façons de permettre aux ailes d'avion de s'adapter rapidement à des variations de vitesse et d'altitude, pour favoriser pendant tout le vol un aérodynamisme optimal. On a déjà constaté que de petites variations dans la forme de l'aile produisent des changements importants dans l'écoulement de l'air.

En recherche mathématique, on s'efforce aussi de déterminer la forme « idéale » à donner aux colonnes en architecture pour assurer la meilleure résistance possible aux ruptures causées par le poids des colonnes ou la charge qu'elles supportent. Par exemple, à l'aide de simulations numériques, des mathématiciens ont récemment montré que pour un volume de matériau donné, il existe une structure particulière pour les colonnes qui s'avère plus efficace que les colonnes rectilignes classiques.

RÉFLEXION/CAMÉRIQUE

La robotique et la géométrie sont étroitement liées.

En résumé

On a $360° = 2\pi$ radians, $1° = \frac{2\pi}{360} = \frac{\pi}{180}$ radian et 1 radian $= \frac{360°}{2\pi} = \frac{180°}{\pi}$.

À un angle A tracé selon les conventions établies dans le cercle trigonométrique correspond un point $P(A) = (m, n)$. On définit :

$$\cos A = m, \ \sin A = n \text{ et } \operatorname{tg} A = \frac{n}{m}, \text{ lorsque } m \neq 0$$

Par définition, $\sec t = \frac{1}{\cos t}$, $\operatorname{cosec} t = \frac{1}{\sin t}$, $\operatorname{cotg} t = \frac{1}{\operatorname{tg} t} = \frac{\cos t}{\sin t}$,

$$y = \arcsin t \text{ si et seulement si } t = \sin y, \text{ où } -1 \leq t \leq 1 \text{ et } -\frac{\pi}{2} \leq y \leq \frac{\pi}{2},$$

$$y = \arccos t \text{ si et seulement si } t = \cos y, \text{ où } -1 \leq t \leq 1 \text{ et } 0 \leq y \leq \pi$$

et $$y = \operatorname{arctg} t \text{ si et seulement si } t = \operatorname{tg} y, \text{ où } t \text{ est réel et } -\frac{\pi}{2} < y < \frac{\pi}{2}.$$

Problèmes

Section 5.1 (p. 138)
Rappels sur les angles et les rapports trigonométriques

1. Un échelle d'une longueur de 15 mètres est appuyée contre un mur parfaitement vertical et la mesure de l'angle formé par rapport au sol est notée par A.

a) Exprimez la hauteur h à laquelle est appuyée l'échelle contre le mur en fonction de A.

b) À quelle distance du sol se trouve le haut de l'échelle, lorsque l'angle A est de 62° ?

2. Un lecteur de disques compacts fait tourner ces derniers à une vitesse de 350 révolutions par minute. Quelle est la vitesse équivalente :

a) en degrés par minute?

b) en radians par seconde?

3. Lorsque le moteur d'un certain modèle de véhicules effectue moins de 180 révolutions par minute, il est sur le point de s'arrêter. Calculez la vitesse correspondante :

a) en degrés par seconde ;

b) en radians par heure.

4. À partir d'un disque de papier ayant un rayon de 10 centimètres, dont on coupe un secteur d'un angle A (en radians), on forme un cône circulaire en collant les segments $\overline{PQ}$ et $\overline{PR}$ de la partie restante.

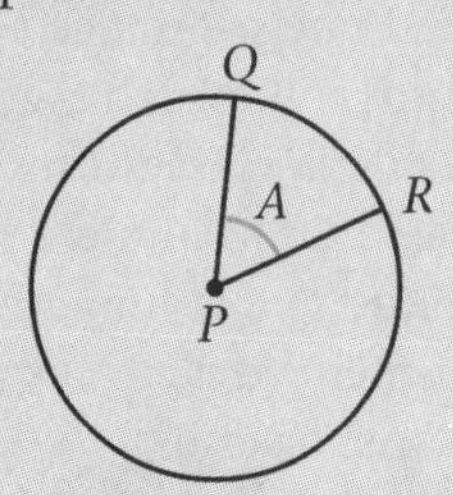

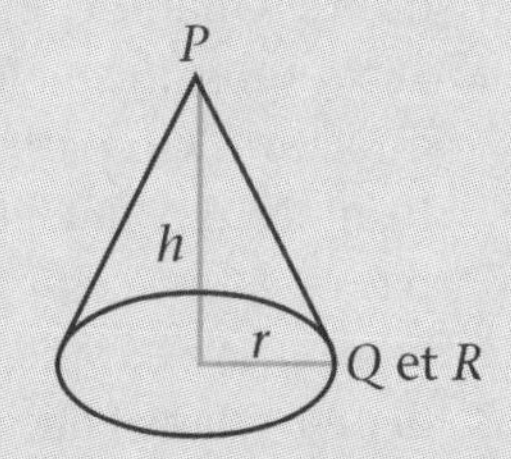

a) Exprimez le rayon r de la base du cône obtenu, en fonction de l'angle A du secteur retiré.

b) Exprimez la hauteur h du cône obtenu, en fonction de l'angle A du secteur retiré.

Section 5.2 (p. 142)
Fonctions trigonométriques

5. Dans un endroit précis dans le nord du Québec, la température moyenne de l'air (en degrés Celsius), pour un mois, est approximativement donnée par $T(n) = 16 \sin \left(\frac{\pi}{6}(n-4)\right) - 3{,}5$, où n = le numéro du mois dans l'année (par exemple, $n = 1$ pour le mois de janvier et $n = 9$ pour le mois de septembre). En utilisant la fonction T, trouvez la température moyenne du mois de mars, celle du mois d'août et celle de décembre.

6. La baie de Fundy, dans les Maritimes, est réputée pour ses marées à fortes amplitudes. La différence entre les niveaux d'eau les plus élevés et les moins élevés est de 15 mètres et, à cet endroit précis, la profondeur P de l'eau est donnée par la forme $P(t) = A \sin (0{,}507t) + 10{,}5$, où t est le nombre d'heures qui se sont écoulées depuis midi le 1er juillet d'une certaine année.

a) Déterminez la valeur du nombre A.

b) Calculez la profondeur de l'eau le 1er juillet à 15 h et à 18 h.

c) Calculez la profondeur de l'eau le 2 juillet à midi.

d) À quelle heure peut-on s'attendre à avoir une profondeur d'eau maximale pour la première fois dans l'après-midi du 1er juillet ? Calculez cette profondeur maximale.

7. Quand la lumière se propage dans une substance uniforme, elle se propage en ligne droite. Quand elle passe d'une substance à une autre substance, elle peut toutefois changer de direction. On parle alors de la **réfraction de la lumière**. En fait, la vitesse de la lumière n'est pas la même selon le solide que la lumière traverse. Par exemple, la lumière voyage plus rapidement dans l'air que dans le verre.

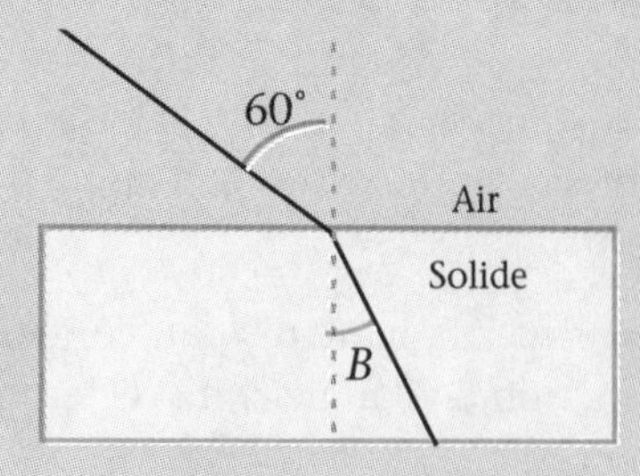

Supposons que dans le problème qui suit, l'angle d'incidence (mesuré par rapport à la verticale) avec lequel arrive la lumière (qui voyageait dans l'air) sur un solide donné est de 60°.

Dans ce cas, selon la loi de Snell-Descartes, si l'angle d'émergence de la lumière dans le solide est noté par B, alors :

$$\frac{\sin 60^\circ}{\sin B} = \frac{\text{Vitesse de la lumière dans l'air}}{\text{Vitesse de la lumière dans le solide}}$$

$$= \frac{3 \cdot 10^8 \text{ m/s}}{\text{Vitesse de la lumière dans le solide}}$$

Il devient alors possible de trouver la vitesse de la lumière dans un solide donné en fonction de l'angle d'émergence B dans ce solide.

a) Exprimez la vitesse de la lumière (en m/s) dans un solide donné, en fonction de l'angle B.

b) Trouvez la vitesse de la lumière dans le diamant, sachant que l'angle d'émergence B dans le contexte précédent est de 20,97°.

c) Trouvez la vitesse de la lumière dans la glace, sachant que l'angle d'émergence B dans le contexte précédent est de 41,82°.

Section 5.3 (p. 151)
Identités trigonométriques

8. Exprimez les fonctions des problèmes nos 5 et 6 précédents à l'aide du cosinus plutôt que du sinus.

Section 5.4 (p. 153)
Fonctions trigonométriques inverses et équations trigonométriques

9. On doit photographier un arbuste placé en haut d'une falaise mesurant 10 mètres. La taille de l'arbuste est de 1,2 mètre. On veut s'assurer de voir l'arbuste en entier sur la photographie. La distance d (en mètres) entre la base de la falaise et l'appareil photographique modifie l'angle de visée A (en radians).

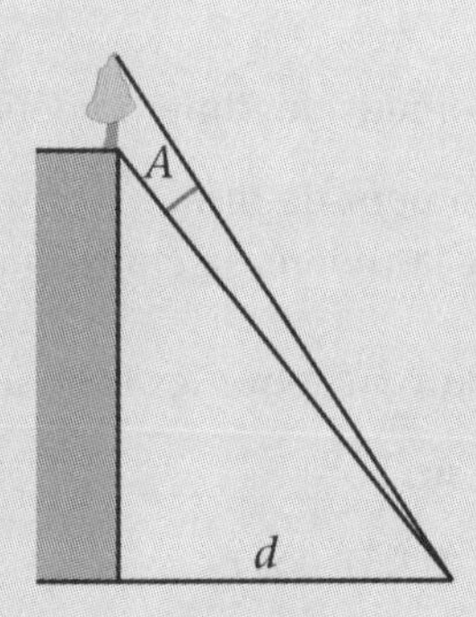

a) Montrez que la formule donnant l'angle de visée A en fonction de d peut être exprimée par :

$$A = \text{arctg}\left(\frac{11{,}2}{d}\right) - \text{arctg}\left(\frac{10}{d}\right)$$

b) Trouvez l'angle de visée A lorsque $d = 10$ mètres et lorsque $d = 20$ mètres.

10. Une balle de baseball est frappée avec un angle initial A par rapport à l'horizontale et a une vitesse initiale de 40 mètres par seconde. La balle décrit une trajectoire parabolique dont la distance horizontale d est donnée par $d = \frac{40^2}{g} \sin(2A)$, où g correspond à l'accélération gravitationnelle de $\frac{9{,}8 \text{ m}}{\text{s}^2}$.

a) Si la balle a été frappée avec un angle initial A de 22° par rapport au sol, calculez la distance horizontale parcourue par la balle.

b) Estimez, à l'aide des caractéristiques de la fonction sinus, l'angle initial qui permettrait à la balle de parcourir la plus grande distance horizontale.

c) Exprimez l'angle A en fonction de d.

d) Évaluez l'angle qui permettrait à une balle de franchir une distance de 150 mètres (soit la distance entre la clôture du champ centre et le marbre du terrain).

11. Un satellite de communication qui gravite autour de la Terre est à une distance variable d (en kilomètres) de la Terre, dont le rayon approximatif est de 6380 kilomètres.

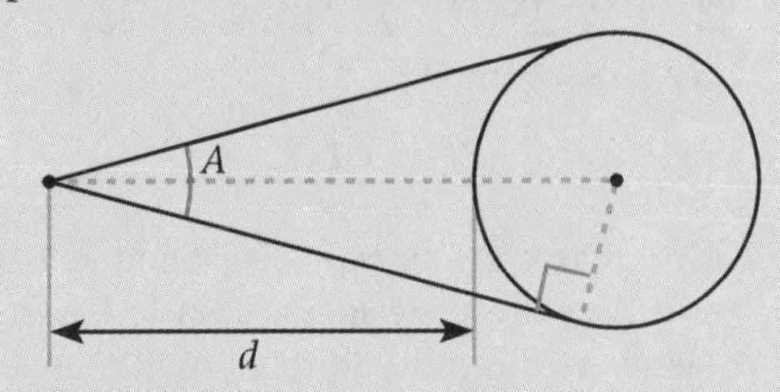

a) Vérifiez que $\sin\left(\frac{A}{2}\right) = \frac{6380}{6380 + d}$.

b) Exprimez la distance d en fonction de l'angle A correspondant.

c) Trouvez à quelle distance de la Terre se trouve un satellite dont l'angle A correspondant est de 32°.

d) Exprimez l'angle A en fonction de la distance d correspondante.

e) Trouvez l'angle A associé à un satellite situé à 75 000 kilomètres de la Terre.

12. Relativement au contexte du problème n° 5, après avoir exprimé n en fonction de T, trouvez la plus petite valeur de n positive pour laquelle la température moyenne est de :

a) -3,5 °C **c)** 11 °C

b) 5 °C **d)** -18 °C

13. Relativement au contexte du problème n° 6, après avoir exprimé t en fonction de P, trouvez à quelle heure la profondeur de l'eau est pour la première fois, depuis midi le 1er juillet, de :

a) 12 mètres **c)** 10 mètres

b) 17,1 mètres **d)** 4 mètres

Auto-évaluation

1. Trouvez, si possible, les asymptotes horizontales et verticales des fonctions suivantes :

a) $h(x) = \text{tg}\left(\pi x + \frac{\pi}{2}\right)$

b) $g(z) = 2 \sin\left(4z + \frac{\pi}{3}\right)$

c) $f(t) = 6 \sec(4\pi t + 2\pi)$

2. Une masse est au repos, suspendue à un ressort. On tire cette masse vers le bas et on la lâche. Elle monte alors et oscille ensuite de haut en bas. La hauteur h (en centimètres) de la masse par rapport au sol est donnée par $h(t) = y_0 \sin\left(\frac{\pi}{2}t\right) + k$, où t est le temps en secondes qui s'écoule à partir du moment où la masse remonte pour la première fois et passe à la hauteur de sa position initiale au repos, et y_0 et k sont deux nombres.

a) Donnez la signification de la valeur de y_0 et indiquez si ce nombre est positif, négatif ou nul.

b) Donnez la signification de la valeur de k et indiquez si ce nombre est positif, négatif ou nul.

c) Trouvez combien il y a d'oscillations en une minute.

3. Pour une scène d'un film, une cascadeuse professionnelle doit se laisser tomber d'un pont pour arriver dans une rivière qui se trouve à 120 mètres sous elle. Elle se place au milieu du pont, qui a une longueur totale de 100 mètres, et la caméra qui doit filmer la scène est placée à 30 mètres sous le pont, le long de la falaise. Quel doit être l'angle d'inclinaison de la caméra, par rapport à un plan horizontal :

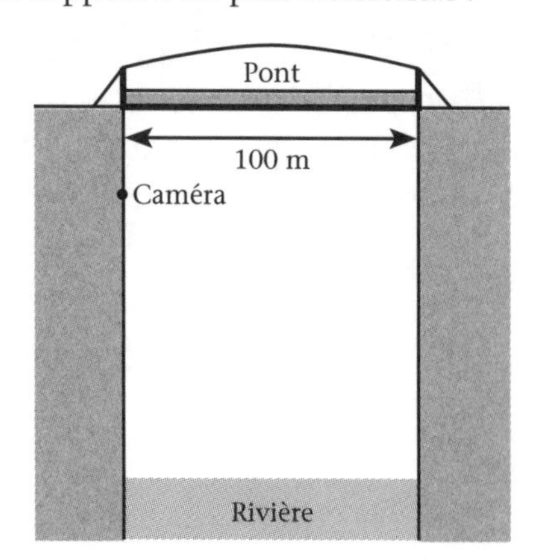

a) au moment de filmer le début du saut ?

b) au moment de filmer la cascadeuse atteignant la rivière, sa chute étant verticale ?

4. Évaluez $\lim_{t \to +\infty} f(t)$ pour les fonctions suivantes :

a) $f(t) = \sin\left(\frac{56}{t}\right)$

b) $f(t) = (0{,}05)^t \cos t$

c) $f(t) = \frac{\sin t}{t^2 + 8}$

d) $f(t) = \frac{e^{-t} + 4}{\sin^2 t + 2}$

5. Démontrez les identités trigonométriques suivantes :

a) $\cos^2 A = \frac{\cos A \sec A}{\text{tg}^2 A + 1}$

b) $\sin A = \frac{\sin A \text{ cotg } A + \cos A}{2 \text{ cotg } A}$

c) $(\sin A + \cos A)^2 - 2 \sin A \cos A - \text{cosec } A \sin A = 0$

d) $\sin\left(\frac{\pi}{4} + A\right) + \cos\left(\frac{\pi}{4} + A\right) = \sqrt{2} \cos A$

6. À partir du graphique de la fonction $R(t) = \text{cotg } t$ et de sa définition :

a) trouvez le domaine de la fonction R;

b) trouvez la période de la fonction R et déterminez si la fonction possède des asymptotes horizontales ;

c) évaluez numériquement $\lim_{t \to \pi^-} \text{cotg } t$ et $\lim_{t \to \pi^+} \text{cotg } t$ et trouvez, si possible, les équations de toutes les asymptotes verticales de la fonction R.

7. Une motocycliste roule à une vitesse de 100 kilomètres à l'heure sur une courbe associée à un arc de cercle dont le rayon est de 900 mètres. En une demi-minute, calculez l'angle décrit par la motocycliste :

a) en radians

b) en degrés

Chapitre 6

Définition de la dérivée

Plan du chapitre

Objectifs

D'ICI LA FIN DE CE CHAPITRE, VOUS DEVRIEZ POUVOIR :

- CALCULER UNE VITESSE MOYENNE, UN TAUX DE VARIATION MOYEN D'UNE FONCTION OU LA PENTE D'UNE SÉCANTE SUR UN INTERVALLE ;
- ESTIMER, À L'AIDE D'INTERVALLES DE PLUS EN PLUS PETITS, UNE VITESSE INSTANTANÉE, UN TAUX DE VARIATION INSTANTANÉ OU LA PENTE D'UNE TANGENTE D'UNE COURBE EN UN POINT ;
- CALCULER, À L'AIDE DE LIMITES DE LA FORME INDÉTERMINÉE $\frac{0}{0}$, UN TAUX DE VARIATION INSTANTANÉ OU LA PENTE D'UNE TANGENTE D'UNE COURBE EN UN POINT ;
- UTILISER ADÉQUATEMENT LA DÉFINITION DE LA DÉRIVÉE D'UNE FONCTION, AINSI QUE LES DIFFÉRENTS SYMBOLES USUELS DE LA DÉRIVÉE ;
- TROUVER LA DÉRIVÉE D'UNE FONCTION EN UN POINT ET INTERPRÉTER LE RÉSULTAT ;
- TROUVER SUR QUEL INTERVALLE UNE FONCTION EST DÉRIVABLE.

« Celui qui reconnaît consciemment ses limites est le plus proche de la perfection. »

JOHANN WOLFGANG VON GOETHE (1749-1832), *Sentences en prose.*

Le cours de l'histoire

Les fondements du calcul différentiel (1re partie)

Pour les Grecs de l'Antiquité, une courbe fermée sépare un plan en deux régions distinctes : l'extérieur (qui peut contenir des droites illimitées) et l'intérieur. Une droite qui passe d'une région à l'autre est appelée sécante. Une droite qui a un point commun avec la courbe, mais qui ne pénètre pas dans la courbe fermée, est dite tangente. Euclide (IIIe siècle av. J.-C.), Archimède (287-212 av. J.-C.) et Apollonios de Perga (262-180 av. J.-C.) établissent avec précision plusieurs propriétés de ces tangentes.

PUBLIPHOTO/SCIENCE PHOTO LIBRARY

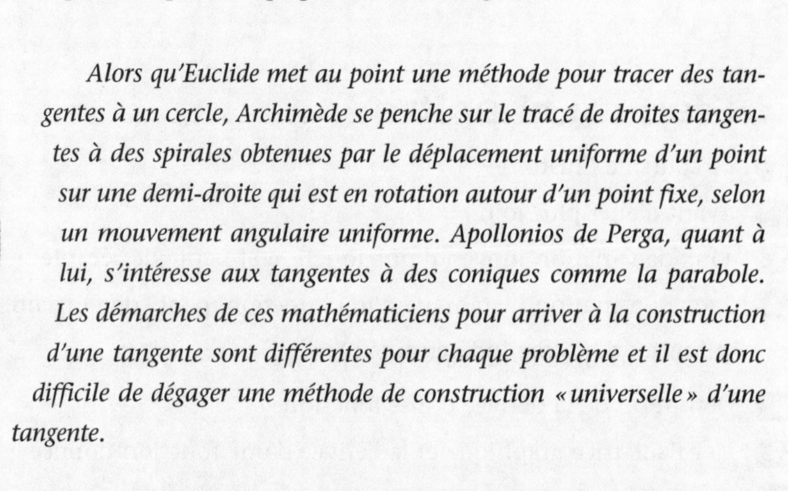

Alors qu'Euclide met au point une méthode pour tracer des tangentes à un cercle, Archimède se penche sur le tracé de droites tangentes à des spirales obtenues par le déplacement uniforme d'un point sur une demi-droite qui est en rotation autour d'un point fixe, selon un mouvement angulaire uniforme. Apollonios de Perga, quant à lui, s'intéresse aux tangentes à des coniques comme la parabole. Les démarches de ces mathématiciens pour arriver à la construction d'une tangente sont différentes pour chaque problème et il est donc difficile de dégager une méthode de construction « universelle » d'une tangente.

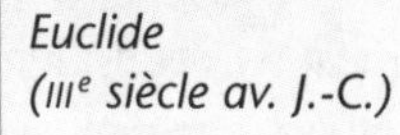

Euclide
(IIIe siècle av. J.-C.)

Après plusieurs siècles durant lesquels on parle peu de ce thème, l'école française, par le biais de René Descartes (1596-1650), Pierre de Fermat (1601-1665) et Gilles Personne Roberval (1602-1675), suggère des procédés de construction des tangentes aux courbes, qui donnent lieu à plusieurs réflexions constituant les fondements du calcul différentiel (le mot « différentiel » désigne ici le recours à de très petits accroissements, appelés parfois des « infiniment petits »).

Avant d'aller plus loin

Préalables

1. Calculez la pente de la droite :

a) qui passe par les points (0, 0) et (2, 5);

b) qui passe par les points (-1, 4) et (6; -3,2);

c) horizontale qui passe par le point (2, -3);

d) verticale qui passe par le point (2, -3).

2. Trouvez l'équation de la droite :

a) qui passe par le point (2, 5) et dont la pente est 2;

b) qui passe par les points (-1, -4) et (4, 2);

c) horizontale qui passe par le point (-5, 0).

3. Développez les expressions suivantes :

a) $(x + h)^2$

b) $(x + h)^3$

c) $(x + h)^4$

4. Trouvez $g(3 + h)$ et $g(x + h)$, sachant que :

a) $g(x) = 5x + 3$

b) $g(x) = x^2 - 3x$

c) $g(x) = \dfrac{3x}{x - 2}$

d) $g(x) = \sqrt{x} - 3$

5. Factorisez les expressions suivantes :

a) $x^2 - 16$

b) $h^2x - hx^3$

c) $x^2 + 5x + 6$

d) $x^3 - 8$

Langages mathématique et graphique

1. Tracez le graphique :

a) d'une fonction linéaire et représentez sur le graphique à quoi correspond la pente d'une droite;

b) d'une fonction quadratique et identifiez deux points par lesquels passe une droite de pente nulle;

c) d'une fonction avec valeur absolue et identifiez le sommet;

d) d'une droite et d'un cercle tels que la droite touche le cercle en un seul point.

2. Trouvez une série de cinq intervalles fermés dont la longueur tend à être de plus en plus près de 0 et dont la borne :

a) inférieure demeure toujours 4;

b) supérieure demeure toujours -1,5.

3. Traduisez en langage mathématique les expressions suivantes :

a) la limite de $f(t)$ lorsque t tend vers 0 par la droite

b) la limite de $g(x)$ lorsque x tend vers 0

4. Expliquez dans vos mots ce qu'est :

a) une vitesse

b) un instant

SECTION 6.1 Taux de variation moyen d'une fonction et pente de sécante

Vitesse moyenne

Dans plusieurs contextes, nous aimerions connaître la vitesse à laquelle une personne, un animal ou un objet parcourt un certain trajet, spécialement lorsque cette vitesse est variable. Par définition, la **vitesse moyenne** (on peut parler également de la *moyenne de la vitesse*) entre le point A et le point B d'un trajet rectiligne peut être exprimée par :

$$\text{Vitesse moyenne} = \frac{\text{Distance } d \text{ entre le point } A \text{ et le point } B}{\text{Temps employé à parcourir la distance } d}$$

On écrit parfois

$$\text{Vitesse moyenne} = \frac{\Delta d}{\Delta t},$$

où Δd (nommé **delta d**) représente une variation de la position d'un objet et Δt représente une variation du temps t. Ainsi, le fait, par exemple, de savoir qu'une personne a parcouru une distance de 300 kilomètres en 3 heures sur une route nous permet de savoir que sa vitesse moyenne était de :

$$\frac{300\text{ km}}{3\text{ h}} = 100\text{ km/h}$$

Une vitesse moyenne ne nous renseigne toutefois pas de façon précise sur ce qui s'est passé entre les points A et B; on ne sait pas si la vitesse était constante ou s'il y a eu accélération ou décélération par moments. Par exemple, supposons que la vitesse limite permise sur une autoroute payante est de 100 kilomètres à l'heure. Prenons une personne qui accède à cette autoroute à 15 h par l'entrée n° 52 (l'heure et le numéro de l'entrée sont indiqués sur un billet) et qui la quitte à la sortie n° 152 (qui se trouve à une distance de 100 kilomètres de l'entrée n° 52).

Une personne qui respecte la vitesse limite de 100 kilomètres à l'heure en tout temps ne devrait pas se présenter à l'autre poste de péage avant 16 h.

- Si la personne arrive avant 16 h à la sortie n° 152, il est sûr qu'elle a enfreint la loi à un moment ou l'autre, même si on ne sait pas où et de combien de kilomètres à l'heure elle a excédé la vitesse permise.
- Si la personne arrive après 16 h à la sortie, il est sûr que sa vitesse moyenne n'est pas supérieure à 100 kilomètres à l'heure, mais nous ne pouvons pas savoir si la personne a dépassé la limite permise à un moment ou l'autre.

D'une façon générale, dans le cas où un objet se déplace en ligne droite, si la distance est mesurée à partir d'un point fixe et selon une direction donnée, une vitesse moyenne est dite **positive** lorsque l'objet se déplace dans la direction donnée et elle est **négative** si le déplacement se fait dans la direction contraire. Par exemple, si on lance une balle verticalement dans les airs et qu'on s'entend pour dire que la distance est mesurée depuis le sol et vers le haut, la vitesse de montée sera positive et la vitesse de descente sera négative.

Exemple 1

On lance une balle dans les airs, et ce, perpendiculairement au sol. Sa hauteur par rapport au sol (en mètres) est donnée par la fonction quadratique $h(t) = -4{,}9t^2 + 14{,}7t + 2$, où t est le temps en secondes depuis le moment où la balle a quitté la main qui la lance.

a) Calculez la hauteur de la balle du temps $t = 0$ au temps $t = 3$ secondes inclusivement, en effectuant des sauts de 0,5 seconde.

Si on construit un tableau de valeurs, on obtient :

t (en secondes)	0	0,5	1	1,5	2	2,5	3
$h(t)$ [en mètres]	2	8,125	11,8	13,025	11,8	8,125	2

b) Calculez la vitesse moyenne de la balle entre 0 seconde et 1,5 seconde, et interprétez le résultat.

On cherche la vitesse moyenne sur l'intervalle [0 s, 1,5 s].

On a :

$$\text{Vitesse moyenne}_{[0\text{ s},\, 1,5\text{ s}]} = \frac{\text{Distance entre la hauteur à 0 s et la hauteur à 1,5 s}}{\text{Temps employé entre 0 s et 1,5 s}}$$

$$= \frac{h(1,5) - h(0)}{1,5\text{ s} - 0\text{ s}} = \frac{13,025\text{ m} - 2\text{ m}}{1,5\text{ s}} = \frac{11,025\text{ m}}{1,5\text{ s}} = 7,35\text{ m/s}$$

Entre 0 seconde et 1,5 seconde, le graphique de la fonction h nous confirmerait que la balle monte toujours (la parabole est concave vers le bas et son sommet est le point (1,5 ; 13,025)). La vitesse de la balle est en moyenne de 7,35 mètres par seconde.

c) Calculez la vitesse moyenne de la balle entre 0,5 seconde et 2,5 secondes, et interprétez le résultat.

On a :

$$\text{Vitesse moyenne}_{[0,5\text{ s},\, 2,5\text{ s}]} = \frac{\text{Distance entre la hauteur à 0,5 s et la hauteur à 2,5 s}}{\text{Temps employé entre 0,5 s et 2,5 s}}$$

$$= \frac{h(2,5) - h(0,5)}{2,5\text{ s} - 0,5\text{ s}} = \frac{8,125\text{ m} - 8,125\text{ m}}{2\text{ s}} = \frac{0\text{ m}}{2\text{ s}} = 0\text{ m/s}$$

Entre 0,5 seconde et 2,5 secondes, la balle a une vitesse moyenne de 0 mètre par seconde. Durant cet intervalle de temps, la balle a une vitesse positive lorsqu'elle monte et une vitesse négative lorsqu'elle descend. De plus, la balle se trouve à la même hauteur à 0,5 seconde et à 2,5 secondes. Par conséquent, durant cet intervalle de temps, *en moyenne*, la vitesse est de 0 mètre par seconde.

d) Calculez la vitesse moyenne de la balle entre 2 secondes et 3 secondes, et interprétez le résultat.

On a :

$$\text{Vitesse moyenne}_{[2\text{ s},\, 3\text{ s}]} = \frac{\text{Distance entre la hauteur à 2 s et la hauteur à 3 s}}{\text{Temps employé entre 2 s et 3 s}}$$

$$= \frac{h(3) - h(2)}{3\text{ s} - 2\text{ s}} = \frac{2\text{ m} - 11,8\text{ m}}{1\text{ s}} = \frac{-9,8\text{ m}}{1\text{ s}} = -9,8\text{ m/s}$$

Entre 2 secondes et 3 secondes, le graphique de la fonction h nous confirmerait que la balle descend (d'où le signe négatif de la vitesse moyenne) et que sa vitesse est, en moyenne, de 9,8 mètres par seconde.

D'une façon générale, si $h(t)$ donne la position d'un objet qui se déplace en ligne droite (dont le mouvement est alors limité à deux directions possibles), la vitesse moyenne de l'objet entre les temps t_1 et t_2 est donnée par :

$$\text{Vitesse moyenne}_{[t_1,\, t_2]} = \frac{h(t_2) - h(t_1)}{t_2 - t_1}$$

Si on trace le graphique de la fonction quadratique $h(t)= -4{,}9t^2 + 14{,}7t + 2$ de l'exemple 1, on obtient la parabole orientée vers le bas ci-dessous dont le sommet est atteint pour la valeur :

$$t = \frac{-14{,}7}{2 \cdot (-4{,}9)} = \frac{-14{,}7}{-9{,}8} = 1{,}5$$

On a trouvé que $\quad \text{Vitesse moyenne}_{[0\text{ s},\, 1{,}5\text{ s}]} = \dfrac{h(1{,}5) - h(0)}{1{,}5\text{ s} - 0\text{ s}} = 7{,}35\text{ m/s}$

et on constate que cette quantité peut être associée à la pente de la droite passant par les points $(0, h(0))$ et $(1{,}5 ; h(1{,}5))$. En effet, la pente de cette droite est :

$$\frac{h(1{,}5) - h(0)}{1{,}5 - 0} = 7{,}35$$

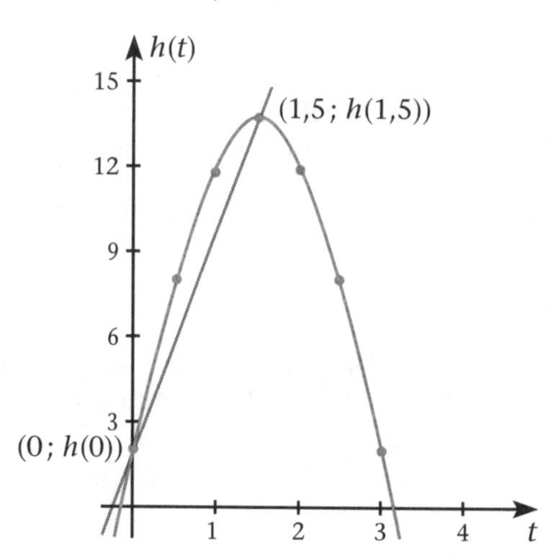

On peut faire la même constatation pour les autres vitesses moyennes calculées dans l'exemple 1. D'une façon générale, si la fonction h donne la hauteur de la balle par rapport au sol, en fonction du temps t écoulé depuis que la balle a été lancée, alors la vitesse moyenne dans l'intervalle de temps $[t_1, t_2]$ correspond à la pente de la droite passant par les points $(t_1, h(t_1))$ et $(t_2, h(t_2))$, si $t_1 \neq t_2$.

Taux de variation moyen d'une fonction et sécante

Le déplacement d'une balle donne naissance à un concept tel qu'une vitesse moyenne. De même, toute variation de quantité peut donner lieu à une mesure moyenne de cette variation; on parle alors du taux de variation moyen. Il peut être question, par exemple, du taux de croissance moyen d'une population par rapport au temps ou du taux de décroissance des coûts de fabrication d'un article en fonction du nombre d'articles produits.

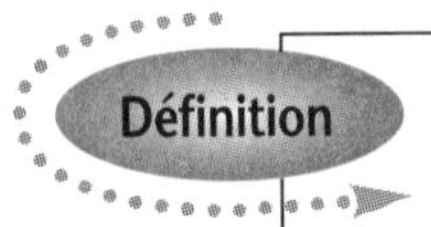

Soit f une fonction. Le **taux de variation moyen de la fonction f sur $[a, b]$** (noté $TVM_{[a, b]}$) est donné par :

$$TVM_{[a, b]} = \frac{f(b) - f(a)}{b - a}$$

Attention !

Parfois, le taux de variation moyen est défini non pas sur un intervalle $[a, b]$, mais plutôt sur un intervalle de la forme $[a, a + h]$, où h est un nombre positif non nul (puisque $b > a$, il existe un nombre positif h non nul tel que $b = a + h$). On obtient alors comme définition du taux de variation moyen :

$$TVM_{[a, a+h]} = \frac{f(a + h) - f(a)}{a + h - a} = \frac{f(a + h) - f(a)}{h}$$

Exemple 2

Soit la fonction g définie par $g(t) = 2t^2 - 4$. Trouvez, pour la fonction g, $TVM_{[3, 5]}$ et $TVM_{[-2, -1]}$.

On a $TVM_{[3, 5]} = \frac{f(5) - f(3)}{5 - 3} = \frac{2(5)^2 - 4 - (2(3)^2 - 4)}{2} = \frac{50 - 4 - (18 - 4)}{2} = \frac{46 - 14}{2} = \frac{32}{2} = 16$

et $TVM_{[-2, -1]} = \frac{f(-1) - f(-2)}{-1 - (-2)} = \frac{2(-1)^2 - 4 - (2(-2)^2 - 4)}{-1 + 2} = \frac{2 - 4 - (8 - 4)}{1} = \frac{-2 - 4}{1} = \frac{-6}{1} = -6.$

Exemple 3

Un fabricant de fertilisant réussit, d'une année à l'autre, à vendre toute sa production annuelle. Le profit P(en dollars) est donné par $P(x) = 100\ (-x^2 + 12x - 20)$, où x représente le nombre de tonnes de fertilisants produits. Trouvez et interprétez le taux de variation moyen du profit sur les intervalles suivants :

a) [2, 4]

On a :

$$TVM_{[2, 4]} = \frac{P(4) - P(2)}{4 - 2} = \frac{100[-4^2 + 12(4) - 20] - 100[-2^2 + 12(2) - 20]}{2} = \frac{1200 - 0}{2} = 600 \text{ \$/t}$$

Ainsi, quand la production de l'entreprise passe de 2 à 4 tonnes, son profit augmente en moyenne de 600 $ pour chaque tonne additionnelle produite.

b) [5, 8].

On a :

$$TVM_{[5, 8]} = \frac{P(8) - P(5)}{8 - 5} = \frac{100[-8^2 + 12(8) - 20] - 100[-5^2 + 12(5) - 20]}{3} = \frac{1200 - 1500}{3} = \frac{-300}{3} = -100 \text{ \$/t}$$

Quand la production de l'entreprise passe de 5 à 8 tonnes, son profit diminue en moyenne de 100 $ pour chaque tonne additionnelle produite.

Attention !

Un taux de variation moyen positif est associé à une hausse de la variable dépendante par rapport à une *hausse d'une unité de la variable indépendante*. Un taux de variation moyen négatif est quant à lui associé à une baisse de la variable dépendante à la suite d'*une hausse d'une unité de la variable indépendante*. Dans l'exemple 3(a) précédent, il s'agit bien d'une hausse moyenne de 600 $ pour chaque tonne additionnelle produite.

Par définition, on a $\text{TVM}_{[a,\,b]} = \dfrac{f(b) - f(a)}{b - a}$.

En s'inspirant du graphique ci-dessous, si on calcule la pente de la droite qui passe par les deux points $(a, f(a))$ et $(b, f(b))$ (et qui coupe donc la courbe en au moins deux endroits distincts), on a :

$$\text{pente} = \frac{f(b) - f(a)}{b - a}$$

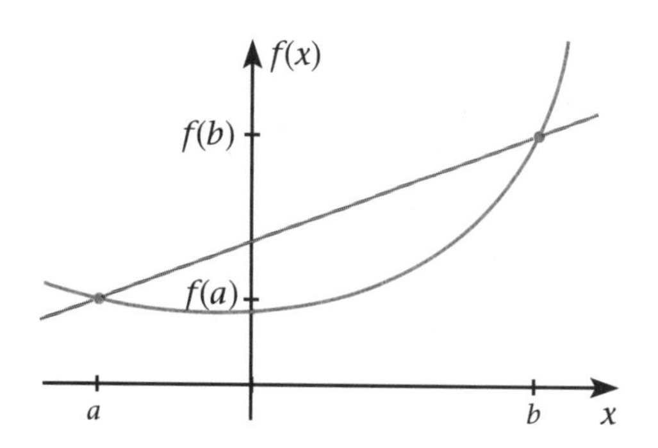

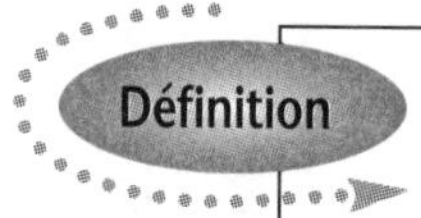

Une sécante est une droite qui coupe la courbe d'une fonction en au moins deux points.

En conséquence, on a :

$$\text{TVM}_{[a,\,b]} = \frac{f(b) - f(a)}{b - a} = \textbf{Pente de la sécante passant par les points } (a, f(a)) \textbf{ et } (b, f(b)).$$

La pente d'une sécante est parfois notée par « $m_{\text{séc}}$ ».

Exercices

1. Un ballon gonflable rond ayant un rayon de r centimètres possède une surface totale A (en centimètres carrés) donnée par $A(r) = 4\pi r^2$ et un volume V (en centimètres cubes) donné par $V(r) = \frac{4}{3}\pi r^3$. Calculez :

a) le taux de variation moyen de la surface totale du ballon lorsque son rayon passe de 7 centimètres à 10 centimètres. Interprétez votre résultat d'abord dans le contexte et ensuite graphiquement.

b) le taux de variation moyen du volume du ballon lorsque son rayon passe de 4 centimètres à 7 centimètres. Interprétez votre résultat d'abord dans le contexte et ensuite graphiquement.

2. Le tableau suivant donne diverses valeurs d'une variable indépendante z et les valeurs de la variable dépendante $g(z)$ qui leur sont associées, selon la fonction g.

z	-1	2	5	6	7
$g(z)$	0	4	-1	-0,5	0

Trouvez le taux de variation moyen de la fonction g pour les intervalles suivants :

a) [-1, 2] **c)** [2, 7] **e)** [-1, 7]

b) [-1, 5] **d)** [5, 6]

3. Selon le graphique suivant associé à la fonction h, identifiez (si possible) trois intervalles différents dont les bornes sont des entiers relatifs et pour lesquels :

a) le taux de variation moyen est positif;

b) le taux de variation moyen est négatif;

c) le taux de variation moyen est nul.

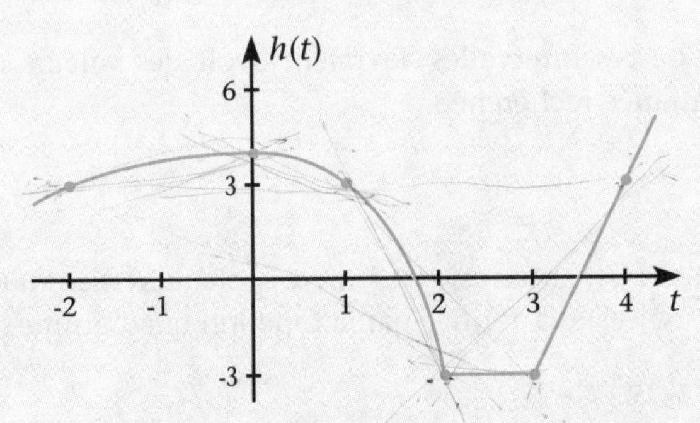

4. En fonction du graphique tracé dans l'exercice n° 3 précédent, calculez pour la fonction h :

a) le taux de variation moyen sur l'intervalle [-2, 2];

b) $TVM_{[1,\,2]}$;

c) $TVM_{[2,\,3]}$;

d) $TVM_{[3,\,4]}$;

e) $TVM_{[-2,\,1]}$;

f) la pente de la sécante passant par les points (-2, 3) et (2, -3);

g) la pente de la sécante passant par les points (2, -3) et (4, 3).

5. Selon le graphique suivant associé à la fonction g dont le domaine est [0, 4], parmi les quatre intervalles dont les bornes sont deux nombres entiers consécutifs, trouvez celui dont le taux de variation moyen semble être :

a) le plus grand; **b)** le plus petit.

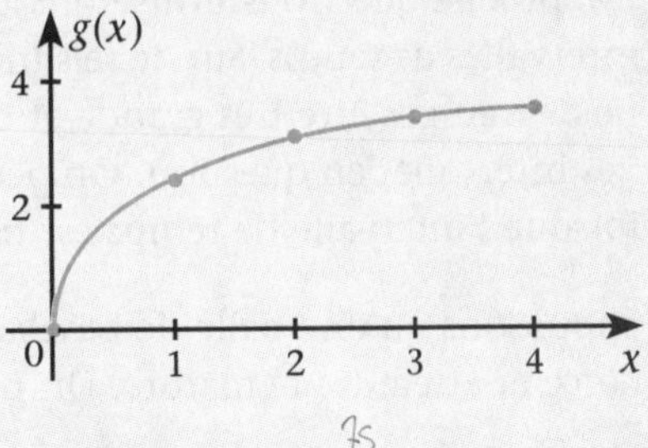

6. Soit la fonction $f(t) = 3t^2 + 4t$. Pour la fonction f :

a) calculez le taux de variation moyen sur l'intervalle [0, 5];

b) calculez $TVM_{[2\,;\,2,1]}$;

c) calculez $TVM_{[2\,;\,2,01]}$;

d) calculez $TVM_{[2\,;\,2,001]}$;

e) calculez la pente de la sécante passant par les deux points dont les abscisses sont -2 et 2;

f) calculez la pente de la sécante passant par les deux points dont les abscisses sont -5 et -1;

g) trouvez un intervalle pour lequel le taux de variation moyen est nul.

7. Pour une fonction linéaire de la forme $f(x) = mx + b$, trouvez le taux de variation moyen pour un intervalle quelconque $[a, b]$, où $a < b$. Interprétez votre résultat.

8. Pour une fonction paire $f(x)$ [soit une fonction telle que $f(x) = f(-x)$ pour toutes les valeurs de x dans le domaine], trouvez le taux de variation moyen pour les intervalles de la forme $[-a, a]$, où $a > 0$.

SECTION **6.2**

Taux de variation instantané d'une fonction, pente de tangente et limites de forme indéterminée $\frac{0}{0}$

Vitesse instantanée

Si un objet a une vitesse constante, sa vitesse à chaque instant est la même. Lorsqu'un objet se déplace à une vitesse variable, on peut vouloir connaître :

- sa vitesse moyenne sur certains intervalles ou
- sa vitesse à un instant très précis (dans ce cas, on parle de la **vitesse instantanée** de l'objet en un instant donné).

Comment mesurer la vitesse instantanée d'un objet?

L'approche que nous utiliserons d'abord consiste à calculer la vitesse moyenne sur de très petits intervalles de temps. Sur de tels intervalles, la variation de la vitesse de l'objet entre les deux bornes ne devrait pas être très grande et devrait, en fait, l'être de moins en moins si on réduit la longueur des intervalles en question. On peut ainsi avoir une bonne idée de la vitesse « presque instantanée » lorsque l'intervalle de temps est très petit.

Supposons qu'une balle de baseball prend 0,7 seconde pour quitter la main de la personne qui la lance et atteindre le marbre. On peut penser que lorsque la balle arrive au marbre :

- la vitesse de la balle sur [0,69 s; 0,7 s] varie peu;
- la vitesse de la balle sur [0,699 s; 0,7 s] varie moins que dans le contexte précédent;
- la vitesse de la balle sur [0,6999 s; 0,7 s] varie encore moins que dans le contexte précédent.

Dans ces circonstances, les vitesses moyennes de ces intervalles devraient avoir des valeurs qui s'approchent de plus en plus de la vitesse instantanée recherchée.

Exemple 4

Reprenons la situation de l'exemple 1 dans laquelle on lance une balle perpendiculairement au sol. La hauteur de la balle par rapport au sol (en mètres) est donnée par la fonction quadratique :

$$h(t) = -4{,}9t^2 + 14{,}7t + 2,$$

où t est le temps en secondes depuis le moment où la balle a quitté la main qui l'a lancée. À l'aide d'intervalles de plus en plus petits, évaluez la vitesse instantanée de la balle (on parle parfois de sa **vélocité**) exactement 1 seconde après qu'elle a été lancée.

Pour évaluer la vitesse instantanée à $t = 1$ seconde, il faut d'abord calculer la vitesse moyenne sur des intervalles de plus en plus petits dont la borne inférieure est $t = 1$.

$$\text{Vitesse moyenne}_{[1\text{ s}, 1{,}5\text{ s}]} = \frac{h(1{,}5) - h(1)}{1{,}5\text{ s} - 1\text{ s}} = \frac{13{,}025\text{ m} - 11{,}8\text{ m}}{0{,}5\text{ s}} = \frac{1{,}225\text{ m}}{0{,}5\text{ s}} = 2{,}45\text{ m/s}.$$

$$\text{Vitesse moyenne}_{[1\text{ s}, 1{,}1\text{ s}]} = \frac{h(1{,}1) - h(1)}{1{,}1\text{ s} - 1\text{ s}} = \frac{12{,}241\text{ m} - 11{,}8\text{ m}}{0{,}1\text{ s}} = \frac{0{,}441\text{ m}}{0{,}1\text{ s}} = 4{,}41\text{ m/s}.$$

$$\text{Vitesse moyenne}_{[1\text{ s}, 1{,}01\text{ s}]} = \frac{h(1{,}01) - h(1)}{1{,}01\text{ s} - 1\text{ s}} = \frac{11{,}848\ 51\text{ m} - 11{,}8\text{ m}}{0{,}01\text{ s}} = \frac{0{,}048\ 51\text{ m}}{0{,}01\text{ s}} = 4{,}851\text{ m/s}.$$

$$\text{Vitesse moyenne}_{[1\text{ s},\,1{,}001\text{ s}]} = \frac{h(1{,}001) - h(1)}{1{,}001\text{ s} - 1\text{ s}} = \frac{11{,}804\ 895\text{ m} - 11{,}8\text{ m}}{0{,}001\text{ s}} = \frac{0{,}004\ 895\text{ m}}{0{,}001\text{ s}} = 4{,}895\text{ m/s}.$$

$$\text{Vitesse moyenne}_{[1\text{ s},\,1{,}0001\text{ s}]} = \frac{h(1{,}000\ 1) - h(1)}{1{,}000\ 1\text{ s} - 1\text{ s}} = \frac{11{,}800\ 489\ 95\text{ m} - 11{,}8\text{ m}}{0{,}0001\text{ s}} = 4{,}899\ 5\text{ m/s}.$$

On constate que les vitesses moyennes, sur des intervalles de plus en plus petits dont la borne inférieure est $t = 1$, semblent avoir des valeurs de plus en plus près de 4,9 mètres par seconde.

Calculons maintenant la vitesse moyenne pour des intervalles dont la borne supérieure est 1.

$$\text{Vitesse moyenne}_{[0{,}9\text{ s},\,1\text{ s}]} = \frac{h(1) - h(0{,}9)}{1\text{ s} - 0{,}9\text{ s}} = \frac{11{,}8\text{ m} - 11{,}261}{0{,}1\text{ s}} = \frac{0{,}539}{0{,}1\text{ s}} = 5{,}39\text{ m/s}.$$

$$\text{Vitesse moyenne}_{[0{,}99\text{ s},\,1\text{ s}]} = \frac{h(1) - h(0{,}99)}{1\text{ s} - 0{,}99\text{ s}} = \frac{11{,}8\text{ m} - 11{,}750\ 51}{0{,}01\text{ s}} = \frac{0{,}049\ 49\text{ m}}{0{,}01\text{ s}} = 4{,}949\text{ m/s}.$$

$$\text{Vitesse moyenne}_{[0{,}999\text{ s},\,1\text{ s}]} = \frac{h(1) - h(0{,}999)}{1\text{ s} - 0{,}999\text{ s}} = \frac{11{,}8\text{ m} - 11{,}795\ 095}{0{,}001\text{ s}} = \frac{0{,}004\ 905\text{ m}}{0{,}001\text{ s}} = 4{,}905\text{ m/s}.$$

$$\text{Vitesse moyenne}_{[0{,}9999\text{ s},\,1\text{ s}]} = \frac{h(1) - h(0{,}999\ 9)}{1\text{ s} - 0{,}999\ 9\text{ s}} = \frac{11{,}8\text{ m} - 11{,}799\ 509\ 95}{0{,}000\ 1\text{ s}} = 4{,}900\ 5\text{ m/s}.$$

Les vitesses moyennes, sur des intervalles de plus en plus petits dont la borne supérieure est $t = 1$, semblent avoir des valeurs de plus en plus près de 4,9 mètres par seconde.

Il semble donc tout à fait raisonnable de dire que la vitesse instantanée à 1 seconde est de 4,9 mètres par seconde.

Si une vitesse moyenne s'exprime nécessairement en fonction d'un intervalle (comme sur l'intervalle [1 s; 1,5 s], par exemple), la vitesse instantanée est relative à une valeur précise (en $t = 1$ seconde), même si elle a été évaluée à l'aide de vitesses moyennes calculées sur des intervalles.

Attention !

1) Dans l'exemple précédent, pourquoi travailler avec des intervalles dont la borne inférieure est $t = 1$, puis sur des intervalles pour lesquels $t = 1$ est la borne supérieure? Pour certaines fonctions, le résultat obtenu à l'aide d'intervalles dont la borne inférieure est une constante k n'égale pas celui obtenu en travaillant avec des intervalles dont la borne supérieure est la même valeur k. Lorsque cela se produit, on dit que la vitesse instantanée n'existe pas.

Prenons, par exemple, la fonction $d(t) = |t - 1|$, qui donne la position d (en mètres) d'un objet par rapport au temps t (en secondes). On voit à l'aide du graphique qui suit que :

- la vitesse moyenne (qui correspond à une pente de sécante) sur tous les intervalles dont la borne supérieure est $t = 1$ est nécessairement de -1 mètre par seconde;
- la vitesse moyenne sur tous les intervalles dont la borne inférieure est $t = 1$ est de 1 mètre par seconde.

Ainsi, l'évaluation de la vitesse instantanée à gauche de $t = 1$ donne -1 mètre par seconde comme résultat, alors que cette évaluation à droite de $t = 1$ donne une vitesse instantanée de 1 mètre par seconde. La vitesse instantanée n'existe donc pas en $t = 1$.

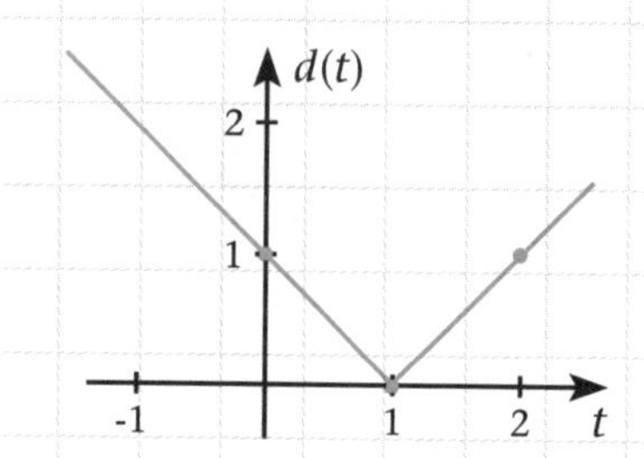

2) Dans l'exemple précédent, pourquoi ne pas travailler avec des intervalles de la forme [0,9; 1,1], [0,99; 1,01], [0,999; 1,001], soit des intervalles qui sont centrés en 1 ? Encore là, pour certaines fonctions, l'information transmise par ce type de calculs de vitesses moyennes sur des intervalles centrés en 1 ne donnerait pas le résultat souhaité.

Pour la fonction d définie par $d(t) = |t - 1|$, si on prend une valeur quelconque $a > 0$ pour définir l'intervalle $[1 - a, 1 + a]$ centré en $t = 1$, on a alors, si on calcule la vitesse moyenne sur cet intervalle à l'aide de la fonction d :

$$\text{Vitesse moyenne}_{[1-a,\,1+a]} = \frac{d(1+a) - d(1-a)}{1 + a - (1 - a)} = \frac{a - a}{2a} = 0 \text{ m/s}$$

En procédant ainsi, on déduit que la vitesse instantanée est de 0 mètre par seconde, alors que cette vitesse instantanée n'existe pas.

En général, l'estimation à l'aide d'intervalles d'une vitesse instantanée en $t = a$ se fera toujours grâce à l'évaluation de la vitesse moyenne sur des intervalles de la forme $[a, a + h]$ et sur des intervalles de la forme $[a - h, a]$, où h est un nombre positif qui tend à devenir de plus en plus petit ($h \to 0$).

Taux de variation instantané d'une fonction et pente de tangente

Dans la section précédente, le concept de vitesse moyenne nous a permis de définir le taux de variation moyen d'une fonction sur un intervalle. Puisque la vitesse moyenne nous a servi à évaluer une vitesse instantanée en une valeur, on peut croire qu'il est possible de généraliser ce concept de vitesse instantanée pour l'appliquer à une fonction quelconque.

On a vu que le taux de variation moyen d'une fonction f peut être défini par :

$$\text{TVM}_{[a,\,a+h]} = \frac{f(a+h) - f(a)}{a + h - a} = \frac{f(a+h) - f(a)}{h},$$

où h est un nombre positif. Lorsqu'on calcule le taux de variation moyen d'une fonction sur des intervalles de plus en plus petits de la forme $[a, a + h]$, c'est comme si on travaillait avec une valeur positive de h de plus en plus petite qui s'approche de 0 ($h \to 0^+$). Lorsque h tend vers 0, $a + h$ tend vers a.

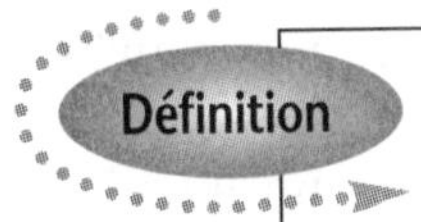

Soit une fonction f définie par $f(t)$. **Le taux de variation instantané (ou ponctuel) d'une fonction f en une valeur $t = a$** (noté $TVI_{t=a}$) est donné par $TVI_{t=a} = \lim_{h \to 0} \frac{f(a+h) - f(a)}{h}$, si cette limite existe.

Attention !

Une limite dans laquelle h tend vers 0 (comme dans la définition qui précède) suggère que la limite est évaluée à gauche et à droite de 0. Lorsque la valeur de h est positive, on travaille sur un intervalle de la forme $[a, a + h]$ et on a :

$$TVM_{[a,\, a+h]} = \frac{f(a+h) - f(h)}{h}$$

Lorsque la valeur de h est négative, on travaille plutôt sur un intervalle de la forme $[a + h, a]$ (où $h < 0$) et on a alors :

$$TVM_{[a+h,\, a]} = \frac{f(a) - f(a+h)}{a - (a+h)} = \frac{f(a) - f(a+h)}{-h} = \frac{f(a+h) - f(a)}{h}$$

Ainsi, dans la définition précédente, l'expression $\frac{f(a+h) - f(a)}{h}$ s'applique autant au cas où h possède des valeurs positives qu'au cas où ses valeurs sont négatives.

Supposons que le taux de variation instantané pour une fonction f existe en $t = 2$ (soit lorsque $a = 2$ dans la définition donnée à la page précédente).

Si on calcule le taux de variation moyen TVM sur les intervalles [2; 2,1], [2; 2,05] et [2; 2,01] par exemple, on obtient des taux de variation moyens qui correspondent respectivement aux pentes de sécantes $m_{1séc.}$, $m_{2séc.}$ et $m_{3séc.}$ et qui s'approchent de plus en plus de $TVI_{t=2}$.

Si on procède de la même façon sur les intervalles [1,9; 2], [1,95; 2] et [1,99; 2] par exemple, on obtient des taux de variation moyens qui correspondent respectivement aux pentes de sécantes $m_{4séc.}$, $m_{5séc.}$ et $m_{6séc.}$ et qui s'approchent de plus en plus de $TVI_{t=2}$.

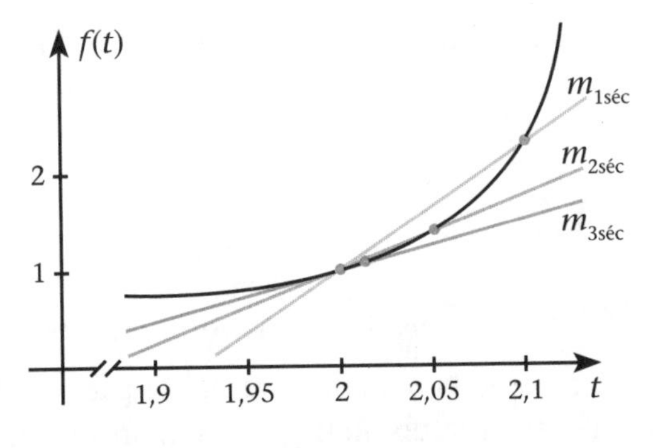

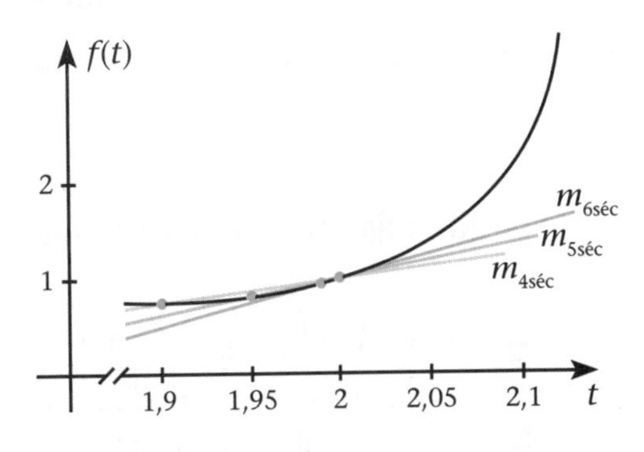

On constate sur les graphiques précédents que plus les intervalles sur lesquels on travaille deviennent petits, plus les sécantes associées s'approchent d'une droite qui semble être « appuyée » sur la courbe de la fonction en $t = 2$.

En conséquence, puisque les taux de variation moyens sont égaux à des pentes de sécante et qu'ils s'approchent de plus en plus du taux de variation instantané, ce dernier est aussi égal à la pente de cette droite appuyée sur la courbe en $t = 2$, comme on peut le voir dans le graphique suivant.

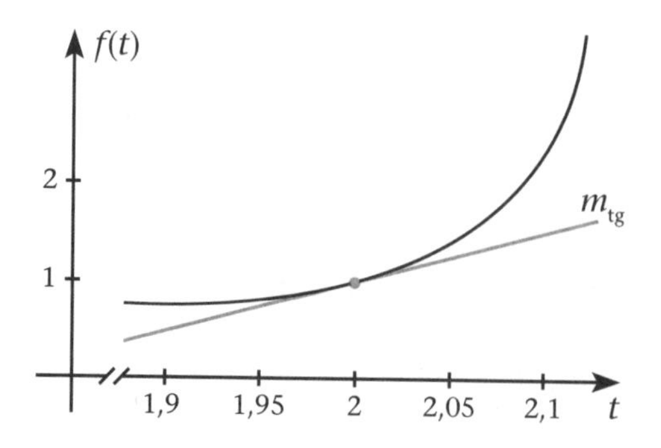

Définition

Une tangente est une droite qui touche la courbe d'une fonction en un seul point dans un voisinage donné du point en question.

On a donc :

$$\mathbf{TVI}_{t=a} = \lim_{h\to 0} \frac{f(a+h)-f(a)}{h} = \textbf{Pente de la tangente au point } (a, f(a)), \textbf{ si la limite existe.}$$

La pente d'une tangente est parfois notée par « m_{tg} ».

Si on observe bien la définition du taux de variation instantané :

$$\mathrm{TVI}_{t=a} = \lim_{h\to 0} \frac{f(a+h)-f(a)}{h},$$

on constate qu'on obtient, lorsque h s'approche de 0, une limite de la forme suivante :

$$\frac{f(a+0)-f(a)}{0} = \frac{f(a)-f(a)}{0} = \frac{0}{0}$$

Cette forme $\frac{0}{0}$ est dite **indéterminée**. En conséquence, pour pouvoir calculer des taux de variation instantanés à l'aide de limites, il faut s'assurer de savoir d'abord « lever l'indétermination $\frac{0}{0}$ ».

Limites de forme indéterminée $\frac{0}{0}$

Les limites $\lim_{h\to 0} \frac{(3+h)^2-9}{h}$, $\lim_{z\to 0} \frac{0{,}5^z-1}{z}$ et $\lim_{x\to \pi} \frac{\sin x}{x-\pi}$ sont trois limites de forme indéterminée $\frac{0}{0}$, car lorsqu'on remplace partout dans l'expression donnée la variable concernée par la valeur de laquelle la variable s'approche, on obtient dans le calcul la division $\frac{0}{0}$. Lorsqu'on rencontre des limites de cette forme, dans plusieurs cas, diverses approches permettent de sortir de l'impasse.

Forme $\frac{0}{0}$ avec factorisation et simplification

Lorsqu'il est possible de le faire, il est conseillé de factoriser le numérateur et le dénominateur, puis d'effectuer les simplifications appropriées.

Exemple 5

Évaluez les limites suivantes, qui sont toutes de la forme indéterminée $\frac{0}{0}$.

a) $\lim\limits_{u \to -2} \dfrac{u^2 + 2u}{u^2 - 4}$

On a $\lim\limits_{u \to -2} \dfrac{u^2 + 2u}{u^2 - 4} = \lim\limits_{u \to -2} \dfrac{u(u+2)}{(u-2)(u+2)} = \lim\limits_{u \to -2} \dfrac{u}{(u-2)} = \dfrac{-2}{-2-2} = \dfrac{-2}{-4} = \dfrac{1}{2}$

b) $\lim\limits_{h \to 0} \dfrac{(3+h)^2 - 9}{h}$

On a $\lim\limits_{h \to 0} \dfrac{(3+h)^2 - 9}{h} = \lim\limits_{h \to 0} \dfrac{9 + 6h + h^2 - 9}{h} = \lim\limits_{h \to 0} \dfrac{6h + h^2}{h}$

$= \lim\limits_{h \to 0} \dfrac{h(6+h)}{h} = \lim\limits_{h \to 0} (6 + h) = 6 + 0 = 6$

c) $\lim\limits_{u \to 4} \dfrac{\frac{4}{u} - 1}{\frac{u}{2} - 2}$

On a $\lim\limits_{u \to 4} \dfrac{\frac{4}{u} - 1}{\frac{u}{2} - 2} = \dfrac{\frac{4-u}{u}}{\frac{u-4}{2}} = \lim\limits_{u \to 4} \left(\dfrac{4-u}{u} \cdot \dfrac{2}{u-4}\right) = \lim\limits_{u \to 4} \dfrac{-2(u-4)}{u(u-4)} = \lim\limits_{u \to 4} \dfrac{-2}{u} = \dfrac{-2}{4} = \dfrac{-1}{2}$

Attention !

On sait que même si on a $0 \cdot 7 = 0 \cdot 8$, <u>on ne peut pas</u> simplifier les 0 de part et d'autre et conclure que $7 = 8$. De même, les simplifications du nombre 0 multiplié au numérateur et au dénominateur dans une division ne sont pas permises. Dans l'exemple 5(a), on a écrit :

$$\lim_{u \to -2} \frac{u(u+2)}{(u-2)(u+2)} = \lim_{u \to -2} \frac{u}{(u-2)}$$

Si on peut ici simplifier au numérateur et au dénominateur le terme $(u + 2)$, c'est que celui-ci n'est pas nul. En effet, l'expression $u \to -2$ signifie que u s'approche de -2 (et non que $u = -2$). En conséquence, $u + 2 \neq 0$ quand $u \to -2$.

On peut trouver le taux de variation instantané en un point de plusieurs fonctions polynomiales ou rationnelles grâce à la factorisation.

Exemple 6

Soit la fonction $f(t) = t^2$. Trouvez le taux de variation instantané de la fonction f en $t = 4$ et interprétez graphiquement le résultat obtenu.

On a $\text{TVI}_{t=4} = \lim\limits_{h\to 0} \dfrac{f(4+h) - f(4)}{h} = \lim\limits_{h\to 0} \dfrac{(4+h)^2 - (4)^2}{h} = \lim\limits_{h\to 0} \dfrac{16 + 8h + h^2 - 16}{h}$

$$= \lim_{h\to 0} \frac{8h + h^2}{h} = \lim_{h\to 0} \frac{h(8+h)}{h} = \lim_{h\to 0} (8 + h) = 8$$

Ainsi, la pente de la tangente à la courbe de f au point $(4, f(4))$ est 8.

Exemple 7

Soit la fonction $g(x) = \dfrac{3}{4+x}$. Trouvez le taux de variation instantané de la fonction g en $x = 7$.

On a $\text{TVI}_{t=7} = \lim\limits_{h\to 0} \dfrac{g(7+h) - g(7)}{h} = \lim\limits_{h\to 0} \dfrac{\dfrac{3}{4+7+h} - \dfrac{3}{4+7}}{h} = \lim\limits_{h\to 0} \dfrac{\dfrac{3}{11+h} - \dfrac{3}{11}}{h}$

$$= \lim_{h\to 0} \frac{3(11) - 3(11+h)}{11(11+h)} \cdot \frac{1}{h} = \lim_{h\to 0} \frac{33 - 33 - 3h}{11(11+h)h} = \lim_{h\to 0} \frac{-3h}{11(11+h)h}$$

$$= \lim_{h\to 0} \frac{-3}{11(11+h)} = \frac{-3}{11^2} = \frac{-3}{121}$$

Forme $\frac{0}{0}$ avec une fonction possédant une racine carrée au numérateur ou au dénominateur

On sait comment factoriser une différence de carrés. Par exemple :

$$x^2 - 25 = (x)^2 - (5)^2 = (x - 5)(x + 5) \quad \text{et} \quad x^4 - 9 = (x^2)^2 - (3)^2 = (x^2 - 3)(x^2 + 3)$$

On peut appliquer le même principe si on a une soustraction entre deux termes, même lorsque ceux-ci ne sont pas des carrés. Ainsi, par exemple :

$$x - 17 = (\sqrt{x})^2 - (\sqrt{17})^2 = (\sqrt{x} - \sqrt{17})(\sqrt{x} + \sqrt{17}), \text{ à condition que } x \geq 0$$

On constate que la multiplication $(\sqrt{x} - \sqrt{17})(\sqrt{x} + \sqrt{17})$ donne comme résultat l'expression $(x - 17)$ qui ne contient plus de radicaux. On dit que $\sqrt{x} + \sqrt{17}$ est le **conjugué** de $\sqrt{x} - \sqrt{17}$. Pour les mêmes raisons, le conjugué de $\sqrt{t} - \sqrt{t+3}$ est $\sqrt{t} + \sqrt{t+3}$ et le conjugué de $\sqrt{15} + \sqrt{5 - x^2}$ est $\sqrt{15} - \sqrt{5 - x^2}$.

Lorsqu'on trouve dans l'expression dont on évalue la limite une fonction possédant une racine carrée au numérateur ou au dénominateur, il peut être pertinent de multiplier le numérateur et le dénominateur par le conjugué de l'expression en question, pour finalement éliminer le ou les radicaux qui rendent plus difficiles les manipulations algébriques.

Exemple 8

Évaluez la limite $\lim_{r\to 4} \frac{\sqrt{r}-2}{r^2-16}$, qui est de la forme indéterminée $\frac{0}{0}$.

On a $\lim_{r\to 4} \frac{\sqrt{r}-2}{r^2-16} = \lim_{r\to 4} \frac{(\sqrt{r}-2)(\sqrt{r}+2)}{(r^2-16)(\sqrt{r}+2)} = \lim_{r\to 4} \frac{r-4}{(r^2-16)(\sqrt{r}+2)}$

$= \lim_{r\to 4} \frac{r-4}{(r-4)(r+4)(\sqrt{r}+2)} = \lim_{r\to 4} \frac{1}{(r+4)(\sqrt{r}+2)} = \frac{1}{(4+4)(\sqrt{4}+2)} = \frac{1}{32}$

On peut trouver le taux de variation instantané de plusieurs fonctions possédant une racine carrée grâce à l'utilisation du conjugué.

Exemple 9

Soit la fonction $k(u) = \sqrt{2u+7}$. Trouvez le taux de variation instantané de la fonction k en $u = 1$.

On a $\text{TVI}_{u=1} = \lim_{h\to 0} \frac{k(1+h)-k(1)}{h} = \lim_{h\to 0} \frac{\sqrt{2(1+h)+7} - \sqrt{2(1)+7}}{h}$

$= \lim_{h\to 0} \frac{\sqrt{2+2h+7} - \sqrt{9}}{h} = \lim_{h\to 0} \frac{\sqrt{9+2h}-3}{h}$

$= \lim_{h\to 0} \frac{(\sqrt{9+2h}-3)(\sqrt{9+2h}+3)}{h(\sqrt{9+2h}+3)}$ (on utilise le conjugué du numérateur)

$= \lim_{h\to 0} \frac{9+2h-9}{h(\sqrt{9+2h}+3)} = \lim_{h\to 0} \frac{2h}{h(\sqrt{9+2h}+3)}$

$= \lim_{h\to 0} \frac{2}{\sqrt{9+2h}+3} = \frac{2}{\sqrt{9}+3} = \frac{2}{6} = \frac{1}{3}$

Forme $\frac{0}{0}$ avec une fonction exponentielle

Avant d'étudier quelques limites de forme indéterminée $\frac{0}{0}$ impliquant des fonctions exponentielles, évaluons le taux de variation instantané de la fonction exponentielle $f(x) = e^x$ (où $e \approx 2{,}718$) en $x = 0$.

On a $\text{TVI}_{x=0} = \lim_{h\to 0} \frac{f(0+h)-f(0)}{h} = \lim_{h\to 0} \frac{e^{0+h}-e^0}{h} = \lim_{h\to 0} \frac{e^h-1}{h}$.

Étudions le comportement de $\frac{e^h-1}{h}$ lorsque h s'approche de 0 par des valeurs inférieures à 0.

À lire de gauche à droite

h	-0,1	-0,01	-0,001	-0,000 1	-0,000 01	$\to 0^-$
$\frac{e^h-1}{h}$	0,951 626	0,995 017	0,999 500 2	0,999 95	0,999 995	

On constate que $\lim_{h \to 0^-} \frac{e^h - 1}{h} = 1$. Étudions maintenant le comportement de $\frac{e^h - 1}{h}$ lorsque h s'approche de 0 par des valeurs supérieures à 0.

À lire de droite à gauche

$0^+ \leftarrow$	0,000 01	0,000 1	0,001	0,01	0,1	h
	1,000 005	1,000 05	1,000 500	1,005 017	1,051 709	$\frac{e^h - 1}{h}$

On a $\lim_{h \to 0^+} \frac{e^h - 1}{h} = 1$. On voit que la limite à gauche est égale à la limite à droite. **Nous accepterons pour l'instant que $\lim_{h \to 0} \frac{e^h - 1}{h} = 1$, même si ce qui précède ne constitue pas une preuve formelle.** (Une démonstration formelle nous amenant à ce résultat sera présentée au chapitre 7, page 222.)

Exemple 10

Évaluez les limites suivantes, qui sont de la forme indéterminée $\frac{0}{0}$:

a) $\lim_{x \to 0} \frac{e^{2x} - 1}{x}$

Posons $y = 2x$ et donc $x = \frac{y}{2}$; dans ce cas, si $x \to 0$, alors $y \to 0$. On a alors :

$$\lim_{x \to 0} \frac{e^{2x} - 1}{x} = \lim_{y \to 0} \frac{e^y - 1}{\frac{y}{2}} = \lim_{y \to 0} 2 \cdot \left(\frac{e^y - 1}{y}\right)$$

$$= 2 \cdot \lim_{y \to 0} \frac{e^y - 1}{y} = 2 \cdot 1 \text{ (voir la remarque qui précède cet exemple)}$$

$$= 2$$

b) $\lim_{z \to 0} \frac{5^z - 1}{z}$

Puisque $5 = e^{\ln 5}$, on a $5^z = (e^{\ln 5})^z = e^{z \ln 5}$.

Donc, on a $\lim_{z \to 0} \frac{5^z - 1}{z} = \lim_{z \to 0} \frac{e^{z \ln 5} - 1}{z}$.

Posons $y = z \ln 5$. On a alors $z = \frac{y}{\ln 5}$ et si $z \to 0$, alors $y \to 0$. On déduit que :

$$\lim_{z \to 0} \frac{5^z - 1}{z} = \lim_{z \to 0} \frac{e^{z \ln 5} - 1}{z} = \lim_{y \to 0} \frac{e^y - 1}{\frac{y}{\ln 5}}$$

$$= \lim_{y \to 0} \ln 5 \cdot \left(\frac{e^y - 1}{y}\right) = \ln 5 \cdot \lim_{y \to 0} \frac{e^y - 1}{y}$$

$$= \ln 5 \cdot 1 \text{ (à cause de la remarque qui précède l'exemple)}$$

$$= \ln 5$$

On peut souvent trouver le taux de variation instantané en un point des fonctions exponentielles en exploitant le fait que $\lim\limits_{h\to 0} \frac{e^h - 1}{h} = 1$.

Exemple 11

Soit la fonction $g(t) = 5^t$. Trouvez le taux de variation instantané de la fonction g en $t = -2$.

On a $\text{TVI}_{t=-2} = \lim\limits_{h\to 0} \frac{g(-2+h) - g(-2)}{h} = \lim\limits_{h\to 0} \frac{5^{(-2+h)} - 5^{-2}}{h} = \lim\limits_{h\to 0} \frac{5^{-2}5^h - 5^{-2}}{h}$

$= \lim\limits_{h\to 0} 5^{-2} \cdot \frac{5^h - 1}{h} = 5^{-2} \cdot \lim\limits_{h\to 0} \frac{5^h - 1}{h} = 5^{-2} \cdot \ln 5$ (selon l'exemple 10 (b))

$= \frac{\ln 5}{5^2} = \frac{\ln 5}{25}$

Forme $\frac{0}{0}$ avec une fonction trigonométrique

Avant d'étudier quelques limites de forme indéterminée $\frac{0}{0}$ impliquant des fonctions trigonométriques, évaluons le taux de variation instantané de la fonction $g(x) = \sin x$ lorsque $x = 0$.

On a $\quad \text{TVI}_{x=0} = \lim\limits_{h\to 0} \frac{g(0+h) - g(0)}{h} = \lim\limits_{h\to 0} \frac{\sin(0+h) - \sin 0}{h} = \lim\limits_{h\to 0} \frac{\sin h - 0}{h} = \lim\limits_{h\to 0} \frac{\sin h}{h}$.

Pour évaluer cette limite, nous allons utiliser un résultat obtenu dans l'exemple 4 du chapitre 5 (p. 144-145). Nous avons vu que si h est un angle en radians tel que $0 \le h < \frac{\pi}{2}$, alors $\sin h \le h \le \text{tg } h$.

Dans ce cas, on a $\frac{1}{\sin h} \ge \frac{1}{h} \ge \frac{1}{\text{tg } h}$, les valeurs concernées étant toutes positives lorsque $0 \le h < \frac{\pi}{2}$. Si on multiplie partout par $\sin h$, on obtient :

$$\frac{\sin h}{\sin h} \ge \frac{\sin h}{h} \ge \frac{\sin h}{\text{tg } h} \text{ ou } 1 \ge \frac{\sin h}{h} \ge \cos h$$

Si on applique à ces trois résultats la limite lorsque $h \to 0^+$,

on a $\quad \lim\limits_{h\to 0^+} 1 \ge \lim\limits_{h\to 0^+} \frac{\sin h}{h} \ge \lim\limits_{h\to 0^+} \cos h$

et donc $\quad 1 \ge \lim\limits_{h\to 0^+} \frac{\sin h}{h} \ge 1$

On a forcément $\quad \lim\limits_{h\to 0^+} \frac{\sin h}{h} = 1$

Dans le même ordre d'idées, on peut montrer que la limite à gauche de 0 est égale à 1 et on conclut que :

$$\boldsymbol{\lim_{h\to 0} \frac{\sin h}{h} = 1}$$

Puisque le taux de variation instantané de la fonction $g(x) = \sin x$ en $x = 0$ est de 1, la pente de la tangente à la courbe du sinus au point (0, sin 0) est 1. Si on utilise une calculatrice à affichage graphique pour tracer les fonctions $y_1 = \sin x$ et $y_2 = x$ (une droite qui passe par (0, 0) et dont la pente est 1), on constate que, tout près de 0, les graphiques de ces deux fonctions sont similaires.

Attention !

Tout ce qui vient d'être fait n'aurait pu être appliqué tel quel si l'angle h avait été exprimé en degrés plutôt qu'en radians. La stratégie aurait dû être différente, et le résultat obtenu n'aurait pas été aussi simple que 1 (voir l'exercice n° 10 de la section 6.3, p. 198).

Exemple 12

Évaluez les limites suivantes, qui sont de la forme indéterminée $\frac{0}{0}$:

a) $\lim_{x \to 0} \frac{\sin (8x)}{x}$

Posons $y = 8x$ et donc $x = \frac{y}{8}$; dans ce cas, si $x \to 0$, alors $y \to 0$.

On a alors $\lim_{x \to 0} \frac{\sin (8x)}{x} = \lim_{y \to 0} \frac{\sin y}{\frac{y}{8}} = 8 \cdot \lim_{y \to 0} \frac{\sin y}{y}$

$= 8 \cdot 1$(en raison de la remarque qui précède cet exemple)

$= 8$

b) $\lim_{h \to 0} \frac{\cos h - 1}{h}$

On a $\lim_{h \to 0} \frac{\cos h - 1}{h} = \lim_{h \to 0} \frac{(\cos h - 1)(\cos h + 1)}{h(\cos h + 1)} = \lim_{h \to 0} \frac{\cos^2 h - 1}{h(\cos h + 1)}$

$= \lim_{h \to 0} \frac{-\sin^2 h}{h(\cos h + 1)}$ (car on a l'identité $\sin^2 h + \cos^2 h = 1$)

$= \lim_{h \to 0} \frac{-\sin h \sin h}{h(\cos h + 1)} = \left(\lim_{h \to 0} \frac{\sin h}{h}\right) \cdot \left(\lim_{h \to 0} \frac{-\sin h}{(\cos h + 1)}\right)$

$= 1 \cdot \frac{0}{(1 + 1)} = 0$

On peut trouver le taux de variation instantané de plusieurs fonctions trigonométriques si on exploite le fait que $\lim_{h \to 0} \frac{\sin h}{h} = 1$.

Exemple 13

Soit la fonction $f(t) = \cos (7t)$. Trouvez le taux de variation instantané de la fonction f en $t = 0$.

On a $\text{TVI}_{t=0} = \lim_{h \to 0} \frac{f(0 + h) - f(0)}{h} = \lim_{h \to 0} \frac{\cos (7(0 + h)) - \cos (7 \cdot 0)}{h}$

$= \lim_{h \to 0} \frac{\cos (7h) - \cos (0)}{h} = \lim_{h \to 0} \frac{\cos (7h) - 1}{h}$

Posons $y = 7h$ et donc $h = \frac{y}{7}$ (si $h \to 0$, alors $y \to 0$).

On a alors $\text{TVI}_{t=0} = \lim_{y\to 0} \dfrac{\cos y - 1}{\frac{y}{7}} = 7 \cdot \lim_{y\to 0} \dfrac{\cos y - 1}{y}$

$= 7 \cdot 0$ (voir le résultat de l'exemple 12(b))

$= 0$

Attention !

D'une façon générale, dans ce qui va suivre, l'expression «taux de variation» signifiera «taux de variation instantané».

Exercices

1. Évaluez les limites suivantes, qui sont de la forme indéterminée $\frac{0}{0}$.

a) $\lim_{t\to 4} \dfrac{t^2 - 6t + 8}{4 - t}$ **b)** $\lim_{u\to 1} \dfrac{\frac{3}{u} - \frac{u+5}{1+u}}{u - 1}$ **c)** $\lim_{h\to 0} \dfrac{2^{1+h} - 2}{h}$ **d)** $\lim_{x\to 0} \dfrac{\tan 3x}{x}$

2. Selon le graphique ci-dessous associé à la fonction h, identifiez les intervalles ouverts sur l'axe des t et délimités par les points A, B, C, D, E et F dans lesquels :

a) le taux de variation instantané est toujours positif;

b) le taux de variation instantané est toujours négatif;

c) le taux de variation instantané est toujours nul.

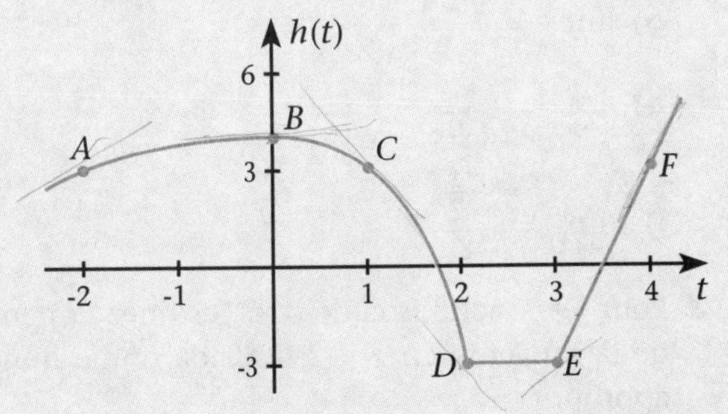

3. Selon le graphique ci-dessous associé à la fonction f, classez les nombres suivants dans l'ordre croissant :

- la pente de la tangente au point A;
- la pente de la tangente au point B;
- la pente de la tangente au point C;
- la pente de la sécante passant par les points $(0, 0)$ et A;
- la pente de la sécante passant par les points A et B;
- la pente de la sécante passant par les points B et C.

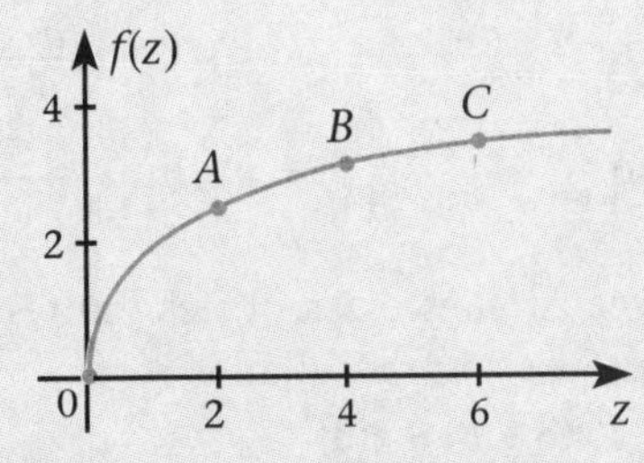

4. À l'aide d'une calculatrice à affichage graphique, tracez dans la même fenêtre d'affichage les fonctions exponentielles $y_1 = 2^x$, $y_2 = 4^x$ et $y_3 = 6^x$. Selon les graphiques obtenus, estimez laquelle des trois fonctions possède au point (0, 1) la tangente dont la pente est :

a) la plus élevée; **b)** la moins élevée.

5. Évaluez, à l'aide d'intervalles de plus en plus petits, le taux de variation instantané des fonctions suivantes, aux valeurs données :

a) $f(t) = 4t - 1$, en $t = 3$

b) $f(a) = -a^2 + 14$, en $a = 11$

c) $s(r) = 4r^2 + 7r - 1$, en $r = -1{,}3$

d) $g(u) = u^3$, en $u = 1{,}2$

e) $f(x) = \sqrt[3]{x}$, en $x = 2$

f) $k(v) = 5^v$, en $v = 2$

g) $h(t) = \ln t$, en $t = 2$

h) $c(y) = y^y$, en $y = 2$

6. Trouvez, si elles existent, les limites suivantes qui sont de la forme $\frac{0}{0}$:

a) $\lim\limits_{v \to 7} \dfrac{(v-3)(v-7)}{v-7}$

b) $\lim\limits_{u \to 1} \dfrac{u^2 + u - 2}{u - 1}$

c) $\lim\limits_{t \to 0} \dfrac{5t^2 - 6t}{8t}$

d) $\lim\limits_{z \to -6} \dfrac{36 - z^2}{z + 6}$

e) $\lim\limits_{b \to 0} \dfrac{9 - (3 + b)^2}{b}$

f) $\lim\limits_{u \to -2} \dfrac{u^2 + 4u + 4}{u^2 + 5u + 6}$

g) $\lim\limits_{a \to 2} \dfrac{a^2 + 13a + 22}{a^2 + 10a + 16}$

h) $\lim\limits_{w \to 2} \dfrac{w^2 + w - 6}{w^2 - 4}$

i) $\lim\limits_{w \to 1} \dfrac{2w^2 + w - 3}{w^2 + 3w - 4}$

j) $\lim\limits_{A \to \frac{1}{3}} \dfrac{3A^2 - 4A + 1}{3A^2 - 10A + 3}$

k) $\lim\limits_{y \to 0} \dfrac{y^3 + y^2 + y}{y}$

l) $\lim\limits_{u \to 2} \dfrac{u^3 - 8}{u^2 - 4}$

m) $\lim\limits_{q \to 1} \dfrac{q^2 - 2q + 1}{q^3 - q^2 - q + 1}$

n) $\lim\limits_{t \to 1} \dfrac{t^3 - 3t^2 - t + 3}{t^3 - t^2 - 4t + 4}$

o) $\lim\limits_{q \to b} \dfrac{q^3 - b^2 q}{q - b}$

p) $\lim\limits_{x \to 2} \dfrac{x^4 - 16}{x - 2}$

q) $\lim\limits_{a \to 1} \sqrt{\dfrac{a^2 - 1}{a - 1}}$

r) $\lim\limits_{t \to -1} \sqrt{\dfrac{2t^2 + 7t + 5}{t + 1}}$

7. Trouvez, si elles existent, les limites suivantes. Interprétez votre résultat.

a) $\lim\limits_{h \to 0} \dfrac{g(3 + h) - g(3)}{h}$, où $g(z) = 4z + 5$

b) $\lim\limits_{\Delta x \to 0} \dfrac{h(-1 + \Delta x) - h(-1)}{\Delta x}$, où $h(x) = x^2 - 3$

8. Pour les fonctions ci-dessous, calculez la pente de la tangente en $x = 2$, à l'aide d'une limite appropriée.

a) $f(x) = 7x$

b) $f(x) = x^2 + 2$

c) $f(x) = 2x^3 + 7$

d) $f(x) = x^4$

9. Pour la fonction quadratique $f(x) = 4x^2$, calculez la pente de la tangente à la courbe de f en $x = 1$.

À l'aide de la calculatrice à affichage graphique, tracez le graphique de la fonction $g(h) = \dfrac{4(1 + h)^2 - 4}{h}$ dans une fenêtre d'affichage de dimension [-0,1; 0,1] sur [7; 9] et vérifiez que $\lim\limits_{h \to 0} \dfrac{4(1 + h)^2 - 4}{h} = 8$.

10. Trouvez, si elles existent, les limites suivantes qui sont de la forme $\frac{0}{0}$:

a) $\lim\limits_{a \to 2} \dfrac{\frac{1}{2} - \frac{1}{a}}{a - 2}$

b) $\lim\limits_{h \to 0} \dfrac{\frac{1}{\pi + h} - \frac{1}{\pi}}{h}$

c) $\lim\limits_{z \to 1} \dfrac{\frac{3z + 1}{5z - 4} - 4}{z - 1}$

d) $\lim\limits_{t \to 4} \dfrac{3 + \frac{1 - t}{t - 3}}{4 - t}$

11. Trouvez, si elles existent, les limites suivantes qui sont de la forme $\frac{0}{0}$:

a) $\lim\limits_{z \to 1} \dfrac{z - 1}{\sqrt{z} - 1}$

b) $\lim\limits_{t \to -2} \dfrac{\sqrt{t + 11} - 3}{t + 2}$

c) $\lim\limits_{s \to 0} \dfrac{\sqrt{3 + s} - \sqrt{3}}{s}$

d) $\lim\limits_{u \to 4} \dfrac{\sqrt{2u + 1} - \sqrt{u + 5}}{u - 4}$

e) $\lim\limits_{h \to 0} \dfrac{\sqrt{h + 3} - \sqrt{3h + 1}}{h - 1}$

f) $\lim\limits_{t \to 3} \dfrac{t - 3}{\sqrt{t + 4} - \sqrt{7}}$

g) $\lim\limits_{k \to 1} \dfrac{k - 1}{\sqrt{k^2 + 1} - \sqrt{2}}$

h) $\lim\limits_{a \to 1} \dfrac{a - 1}{\sqrt{2a + 8} - \sqrt{10}}$

i) $\lim\limits_{t \to 4} \dfrac{\frac{1}{\sqrt{t}} - \frac{1}{2}}{t - 4}$

12. Pour les fonctions ci-dessous, estimez la pente de la tangente en $x = 2$, à l'aide d'une limite appropriée.

a) $f(x) = \sqrt{x}$

b) $f(x) = \dfrac{-5}{x + 4}$

c) $f(x) = \dfrac{1}{x^2}$

d) $f(x) = \dfrac{3}{\sqrt{x}}$

13. Trouvez, si elles existent, les limites suivantes qui sont de la forme $\frac{0}{0}$:

a) $\lim\limits_{t\to 0} \dfrac{\sin 18t}{t}$

b) $\lim\limits_{z\to 0} \dfrac{(4z^2 + 5z)\sin z}{z^2}$

c) $\lim\limits_{A\to 0} \dfrac{\sin 2A}{\sin A}$

d) $\lim\limits_{u\to 0} \dfrac{\sin u \cos 7u}{\sin 2u \cos 9u}$

e) $\lim\limits_{z\to 0} \dfrac{\tan z - \sin^2 z}{z}$

f) $\lim\limits_{B\to 0} \dfrac{1 - \cos^2 B}{B^2}$

g) $\lim\limits_{t\to 0} \dfrac{1 - \cos t}{t^2}$

h) $\lim\limits_{y\to 0} \dfrac{7 - 7\cos y}{y^2}$

i) $\lim\limits_{y\to 0} \dfrac{1 - \cos t}{2 \sin 2t}$

14. Pour les fonctions ci-dessous, estimez la pente de la tangente en $t = 0$, à l'aide d'une limite appropriée.

a) $f(t) = \cos t$

b) $f(t) = \text{tg } t$

c) $f(t) = \sec t$

SECTION 6.3 Définition de la dérivée d'une fonction

Définition de la dérivée

Le taux de variation instantané d'une fonction $f(x)$ en $x = a$ correspond à :

$$\text{TVI}_{x=a} = \lim_{h\to 0} \frac{f(a+h) - f(a)}{h}$$

et cette quantité est égale à la pente de la tangente à la courbe de la fonction f au point $(a, f(a))$, si la limite existe. Si on doit calculer le taux de variation instantané pour plusieurs valeurs différentes de x, il peut devenir laborieux de refaire à chaque fois le calcul complet de la limite correspondante.

En fait, au lieu de placer dans la définition du taux de variation instantané une valeur de a spécifique, on peut travailler avec la variable indépendante elle-même.

Soit une fonction f définie par $f(x)$. **La dérivée de la fonction f** est donnée par

$$\lim_{h\to 0} \frac{f(x+h) - f(x)}{h}, \text{ à condition que cette limite existe.}$$

Exemple 14

Soit la fonction $f(t) = t^2$. Trouvez la dérivée de la fonction f.

On a $\displaystyle\lim_{h\to 0} \frac{f(t+h) - f(t)}{h} = \lim_{h\to 0} \frac{(t+h)^2 - t^2}{h} = \lim_{h\to 0} \frac{t^2 + 2th + h^2 - t^2}{h} = \lim_{h\to 0} \frac{2th + h^2}{h}$

$$= \lim_{h\to 0} \frac{h(2t+h)}{h} = \lim_{h\to 0} (2t + h) = 2t$$

La dérivée de la fonction f est donc $2t$.

On constate dans l'exemple précédent que la dérivée de la fonction f est également une fonction. On parle alors de la **fonction dérivée de** f et on écrit $f'(t)$ [on prononce «f prime de t»]. Si $f(t) = t^2$, alors $f'(t) = 2t$.

Attention !

Pour une fonction f définie par $f(t)$, on peut noter la dérivée par $f'(t)$, $\frac{df}{dt}$, $\frac{d}{dt}(f)$, $\frac{dy}{dt}$ ou y'. Les trois notations $\frac{df}{dt}$, $\frac{d}{dt}(f)$ et $\frac{dy}{dt}$ ont l'avantage de rappeler que :

- la dérivée correspond à la pente d'une droite (en l'occurrence d'une tangente) et qu'une pente est le quotient d'une variation de la variable dépendante (représentée par la fonction f) et d'une variation de la variable indépendante t;
- la dérivée est un taux de variation d'une première quantité par rapport à une deuxième quantité.

Ces trois notations ont toutefois le désavantage d'être plus «lourdes» que $f'(t)$ ou y'.

Exemple 15

Soit la fonction $g(x) = 5x^2 - 6x + 2$. Trouvez la dérivée $g'(x)$.

On a
$$g'(x) = \lim_{h\to 0} \frac{g(x+h) - g(x)}{h} = \lim_{h\to 0} \frac{5(x+h)^2 - 6(x+h) + 2 - (5x^2 - 6x + 2)}{h}$$
$$= \lim_{h\to 0} \frac{5(x^2 + 2xh + h^2) - 6x - 6h + 2 - 5x^2 + 6x - 2}{h}$$
$$= \lim_{h\to 0} \frac{5x^2 + 10xh + 5h^2 - 6h - 5x^2}{h} = \lim_{h\to 0} \frac{10xh + 5h^2 - 6h}{h}$$
$$= \lim_{h\to 0} \frac{h(10x + 5h - 6)}{h} = \lim_{h\to 0} (10x + 5h - 6) = 10x - 6$$

Donc $g'(x) = 10x - 6$.

La dérivée d'une fonction f est une fonction f' qui donne la pente de la tangente au graphique de f aux points pour lesquels la dérivée existe. Ainsi, dans l'exemple précédent, si on souhaite :

- calculer la pente de la tangente à la courbe de g en $x = 0$, on calcule $g'(0) = 10 \cdot 0 - 6 = -6$;
- calculer la pente de la tangente à la courbe de g en $x = 4$, on calcule $g'(4) = 10 \cdot 4 - 6 = 34$;
- savoir où la pente de la tangente à la courbe est de 8, on pose :

$$g'(x) = 10x - 6 = 8$$

et si on isole x dans cette équation, on trouve :

$$10x = 6 + 8 = 14 \quad \text{et donc} \quad x = \frac{14}{10} = 1{,}4$$

En $x = 1{,}4$, la pente de la tangente à la courbe de g est de 8.

On peut dire que $g'(0)$ est la dérivée de la fonction g au point $(0, g(0))$. On peut également utiliser la notation $\frac{d}{dx}(g(x))\Big|_{x=0}$ pour cette dérivée au point $(0, g(0))$.

Exemple 16

Soit la fonction $f(z) = 2z^3$. Trouvez la dérivée $\frac{df}{dz}$, calculez la pente de la tangente au point $(1, f(1))$ de la courbe de f et déduisez l'équation de la droite tangente à la courbe au point $(1, f(1))$.

On a
$$\frac{df}{dz} = \lim_{h\to 0}\frac{f(z+h)-f(z)}{h} = \lim_{h\to 0}\frac{2(z+h)^3-2z^3}{h} = \lim_{h\to 0}\frac{2(z^3+3z^2h+3zh^2+h^3)-2z^3}{h}$$
$$= \lim_{h\to 0}\frac{2z^3+6z^2h+6zh^2+2h^3-2z^3}{h} = \lim_{h\to 0}\frac{h(6z^2+6zh+2h^2)}{h}$$
$$= \lim_{h\to 0}(6z^2+6zh+2h^2) = 6z^2$$

Donc, on a la dérivée $\frac{df}{dz} = 6z^2$.

En conséquence, la pente de la tangente au point $(1, f(1))$ de la courbe de f est de $f'(1) = 6(1)^2 = 6$.

On a $f(1) = 2(1)^3 = 2$. On cherche l'équation de la tangente de la forme $y = mx + b$, où $m = 6$ est la pente qu'on vient de calculer. La tangente passe par le point $(1, 2)$.

On a donc $\qquad y = mx + b$

$\qquad 2 = 6(1) + b$

et donc $\qquad b = -4$

En conséquence, l'équation de la tangente recherchée est $y = 6x - 4$.

Attention !

D'une façon générale, il faut bien distinguer le rôle que jouent des expressions comme $f(1)$ et $f'(1)$:

- $f(1)$ représente l'ordonnée du point dont l'abscisse est 1 et
- $f'(1)$ représente la pente de la tangente à la courbe au point $(1, f(1))$.

Dans l'exemple précédent, $f(1) = 2(1)^3 = 2$ et $f'(1) = 6$.

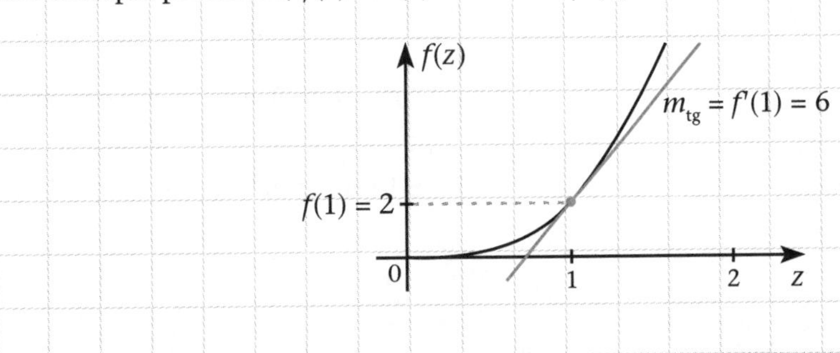

Exemple 17

Trouvez la dérivée de la fonction $k(t) = \sqrt{5t}$, où $t \geq 0$.

On a $k'(t) = \lim\limits_{h\to 0} \dfrac{k(t+h) - k(t)}{h} = \lim\limits_{h\to 0} \dfrac{\sqrt{5(t+h)} - \sqrt{5t}}{h}$

$$= \lim_{h\to 0} \frac{(\sqrt{5(t+h)} - \sqrt{5t})(\sqrt{5(t+h)} + \sqrt{5t})}{h(\sqrt{5(t+h)} + \sqrt{5t})} = \lim_{h\to 0} \frac{5(t+h) - 5t}{h(\sqrt{5(t+h)} + \sqrt{5t})}$$

$$= \lim_{h\to 0} \frac{5h}{h(\sqrt{5(t+h)} + \sqrt{5t})} = \lim_{h\to 0} \frac{5}{\sqrt{5(t+h)} + \sqrt{5t}} = \frac{5}{\sqrt{5t} + \sqrt{5t}} = \frac{5}{2\sqrt{5t}}$$

Exemple 18

Soit la fonction $C(n) = 3^n$. Montrez que toutes les tangentes à la courbe de la fonction C ont une pente positive.

Calculons d'abord la dérivée $C'(n)$.

On a $C'(n) = \lim\limits_{h\to 0} \dfrac{C(n+h) - C(n)}{h} = \lim\limits_{h\to 0} \dfrac{3^{(n+h)} - 3^n}{h} = \lim\limits_{h\to 0} \dfrac{3^n 3^h - 3^n}{h}$

$$= 3^n \cdot \lim_{h\to 0} \frac{3^h - 1}{h} = 3^n \cdot \lim_{h\to 0} \frac{(e^{\ln 3})^h - 1}{h}$$

Posons $y = h \ln 3$ et donc $h = \dfrac{y}{\ln 3}$ (si $h \to 0$, alors $y \to 0$).

On a alors $C'(n) = 3^n \lim\limits_{y\to 0} \dfrac{e^y - 1}{\dfrac{y}{\ln 3}} = 3^n \ln 3 \cdot \lim\limits_{y\to 0} \dfrac{e^y - 1}{y}$

$$= 3^n \ln 3 \cdot 1 = 3^n \ln 3$$

Donc, $C'(n) = 3^n \ln 3$, qui est toujours positive, quelle que soit la valeur n. La pente de la tangente est donc toujours positive.

Exemple 19

Trouvez la fonction dérivée de $k(z) = \ln z$, où $z > 0$.

On a $k'(z) = \lim\limits_{h\to 0} \dfrac{k(z+h) - k(z)}{h}$

$= \lim\limits_{h\to 0^+} \dfrac{\ln(z+h) - \ln z}{h}$ (on travaille ici avec $h > 0$ pour que $\ln(z+h)$ soit définie)

$= \lim\limits_{h\to 0^+} \dfrac{1}{h} \cdot \ln\left(\dfrac{z+h}{z}\right)$ (par la propriété $L7$ des logarithmes vue au chapitre 4, p. 120)

$= \lim\limits_{h\to 0^+} \dfrac{1}{h} \cdot \ln\left(1 + \dfrac{h}{z}\right)$

$= \lim\limits_{h\to 0^+} \ln\left(1 + \dfrac{h}{z}\right)^{\frac{1}{h}}$ (par la propriété $L6$ des logarithmes vue au chapitre 4, p. 120).

Posons $t = \frac{z}{h}$. Si $h \to 0^+$, alors $t \to +\infty$ (on a supposé au départ que $z > 0$).

On obtient alors :

$$k'(z) = \lim_{h\to 0^+} \ln\left(1 + \frac{h}{z}\right)^{\frac{1}{h}} = \lim_{t\to+\infty} \ln\left(1 + \frac{1}{t}\right)^{\frac{t}{z}} \quad \left(\text{en effet, } \frac{h}{z} = \frac{1}{t} \text{ et } \frac{1}{h} = \frac{z}{h} \cdot \frac{1}{z} = \frac{t}{z}\right)$$

$$= \lim_{t\to+\infty} \ln\left(\left(1 + \frac{1}{t}\right)^t\right)^{\frac{1}{z}} = \lim_{t\to+\infty} \frac{1}{z} \cdot \ln\left(1 + \frac{1}{t}\right)^t = \frac{1}{z} \cdot \lim_{t\to+\infty} \ln\left(1 + \frac{1}{t}\right)^t$$

$$= \frac{1}{z} \cdot \ln\left(\lim_{t\to+\infty}\left(1 + \frac{1}{t}\right)^t\right) = \frac{1}{z} \cdot \ln e \quad \text{car, par définition, } e = \lim_{t\to+\infty}\left(1 + \frac{1}{t}\right)^t$$

$$= \frac{1}{z}$$

Ainsi, si $k(z) = \ln z$, alors $k'(z) = \frac{1}{z}$ (où $z > 0$).

Exemple 20

Trouvez la fonction dérivée de $f(x) = \sin x$. Déterminez ensuite l'équation de la tangente à la courbe au point $(\pi, f(\pi))$.

$$\text{On a } f'(x) = \lim_{h\to 0} \frac{f(x+h) - f(x)}{h} = \lim_{h\to 0} \frac{\sin(x+h) - \sin x}{h}$$

$$= \lim_{h\to 0} \frac{\sin x \cos h + \sin h \cos x - \sin x}{h}$$ (par l'identité trigonométrique I4 vue au chapitre 5, p. 152)

$$= \lim_{h\to 0} \frac{\sin x(\cos h - 1)}{h} + \lim_{h\to 0} \frac{\sin h \cos x}{h} = \sin x \lim_{h\to 0} \frac{\cos h - 1}{h} + \cos x \lim_{h\to 0} \frac{\sin h}{h}$$

$= \sin x \cdot 0 + \cos x \cdot 1 = \cos x$ (voir l'exemple 12(b)).

En conséquence, la pente de la tangente à la courbe en $x = \pi$ est $f'(\pi) = \cos \pi = -1$.

On cherche l'équation de la tangente (qui est une droite) de la forme $y = mx + b$, où $m = -1$ est la pente qu'on vient de calculer. La tangente passe par le point $(\pi, \sin \pi)$, soit $(\pi, 0)$.

On a donc $\quad y = mx + b, \quad 0 = -1(\pi) + b$

et donc $\quad b = \pi$

En conséquence, l'équation de la tangente recherchée est $y = -x + \pi$.

Comment **faire**?

Comment s'orienter pour trouver la dérivée d'une fonction à l'aide de la définition

On peut trouver la dérivée d'une fonction f définie par $f(x)$ à l'aide de la définition :

$$f'(x) = \lim_{h\to 0} \frac{f(x+h) - f(x)}{h}, \text{ si cette limite existe.}$$

Dans cette limite, la forme du numérateur $f(x+h) - f(x)$ dicte la stratégie à adopter. Si l'expression $f(x+h) - f(x)$ de ce quotient :

- est un polynôme, on cherche à mettre h en évidence et à simplifier celui-ci avec le dénominateur;
- contient une fonction rationnelle, on tente d'exprimer $\frac{f(x+h) - f(x)}{h}$ sous la forme d'un quotient de deux polynômes qu'on cherche ensuite à factoriser pour lever l'indétermination;
- contient une fonction possédant une racine carrée, on multiplie au numérateur et au dénominateur du quotient $\frac{f(x+h) - f(x)}{h}$ le conjugué approprié qui devrait permettre d'éliminer certains radicaux et de lever l'indétermination;
- contient une fonction exponentielle, on risque d'avoir à utiliser des propriétés des exposants (entre autres, si $k > 0$, alors $k = e^{\ln k}$) et le fait que $\lim_{h \to 0} \frac{e^h - 1}{h} = 1$;
- contient une fonction trigonométrique, on risque d'avoir à utiliser des identités trigonométriques et le fait que $\lim_{h \to 0} \frac{\sin h}{h} = 1$.

Existence de la dérivée

Si la quantité $f'(a)$ existe, alors $f'(a)$ est la pente de la tangente à la courbe de la fonction f au point $(a, f(a))$. Dans ce cas, $f(a)$ est nécessairement définie et a est dans le domaine de f. L'inverse n'est pas nécessairement vrai. Il est en effet possible que la valeur a soit dans le domaine de la fonction f, mais que $f'(a)$ ne soit pas définie.

Exemple 21

Soit $f(x) = |x|$. Cherchez, si possible, $f'(0)$.

On sait que Dom $f = \mathbb{R}$. Si on tente de trouver $f'(x)$ avant de chercher $f'(0)$, on peut avoir de la difficulté puisque f est une fonction avec une valeur absolue (soit une fonction définie par parties).

On a $$f'(0) = \lim_{h \to 0} \frac{f(0+h) - f(0)}{h} = \lim_{h \to 0} \frac{|0+h| - |0|}{h} = \lim_{h \to 0} \frac{|h| - 0}{h} = \lim_{h \to 0} \frac{|h|}{h}.$$

On va évaluer la limite à droite et la limite à gauche.

On a $$\lim_{h \to 0^+} \frac{|h|}{h} = \lim_{h \to 0^+} \frac{h}{h} = \lim_{h \to 0^+} 1 = 1 \text{ et } \lim_{h \to 0^-} \frac{|h|}{h} = \lim_{h \to 0^-} \frac{-h}{h} = \lim_{h \to 0^+} (-1) = -1.$$

En conséquence, $\lim_{h \to 0} \frac{|h|}{h}$ n'existe pas et il en est de même pour $f'(0)$.

Si on trace le graphique de la fonction $f(x) = |x|$ étudiée dans l'exemple précédent, on obtient la figure ci-dessous. On constate qu'il n'est pas possible de tracer une tangente au point (0, 0), puisqu'on y trouve un «point anguleux».

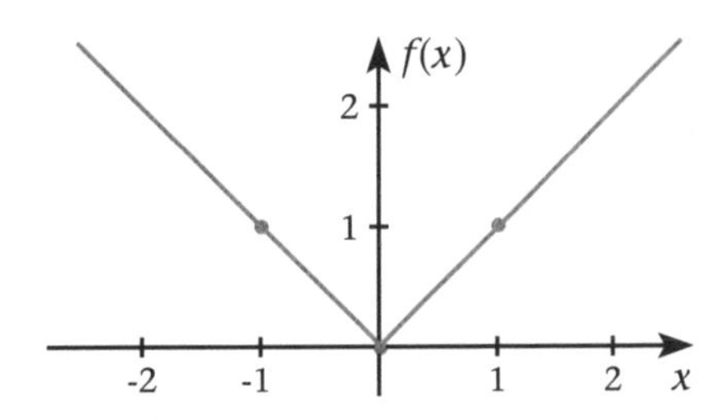

En fait, chaque fois qu'une fonction présente un tel «point anguleux» en $x = a$, les limites $\lim\limits_{h \to 0^+} \frac{f(a+h) - f(a)}{h}$ et $\lim\limits_{h \to 0^-} \frac{f(a+h) - f(a)}{h}$ existent, mais elles ne sont pas égales et la dérivée $f'(a)$ n'existe donc pas.

D'autres contextes font en sorte que la dérivée d'une fonction f n'existe pas. D'une façon générale, la dérivée d'une fonction f n'existe pas :

- pour chacune des valeurs $\boldsymbol{a}$ qui ne sont pas dans le domaine de la fonction ;
- pour chacune des valeurs $\boldsymbol{a}$ qui sont une des bornes du domaine de la fonction, si celui-ci en possède. Dans ce cas, au moins une des limites suivantes n'existe pas :

$$\lim_{h \to 0^+} \frac{f(a+h) - f(a)}{h} \quad \text{et} \quad \lim_{h \to 0^-} \frac{f(a+h) - f(a)}{h}$$

- si la fonction f est discontinue en $x = a$, puisque la valeur de $f(a)$ n'est pas égale à $\lim\limits_{h \to 0^+} \frac{f(a+h) - f(a)}{h}$ et $\lim\limits_{h \to 0^-} \frac{f(a+h) - f(a)}{h}$, si toutes ces valeurs existent.

Exemple 22

Soit la fonction g définie par $g(t) = \sqrt[3]{t}$. Vérifiez si $g'(0)$ existe.

On a $g'(0) = \lim\limits_{h \to 0} \frac{g(0+h) - g(0)}{h} = \lim\limits_{h \to 0} \frac{\sqrt[3]{0+h} - \sqrt[3]{0}}{h} = \lim\limits_{h \to 0} \frac{\sqrt[3]{h}}{h} = \lim\limits_{h \to 0} \frac{h^{\frac{1}{3}}}{h^1} = \lim\limits_{h \to 0} \frac{1}{h^{\frac{2}{3}}}$

qui est de la forme $\frac{1}{0^+}$. On a donc $\lim\limits_{h \to 0} \frac{1}{h^{\frac{2}{3}}} = +\infty$.

On doit déduire que $g'(0)$ n'existe pas. (Si on traçait le graphique de la fonction g, on observerait qu'au point $(0, g(0))$, la tangente à la courbe est verticale et sa pente n'est donc pas définie.)

Les diverses situations décrites précédemment quant à la non-existence de la dérivée en un point se résument généralement aux cas présentés à la page suivante, pour lesquels la dérivée de la fonction n'existe pas en $x = a$.

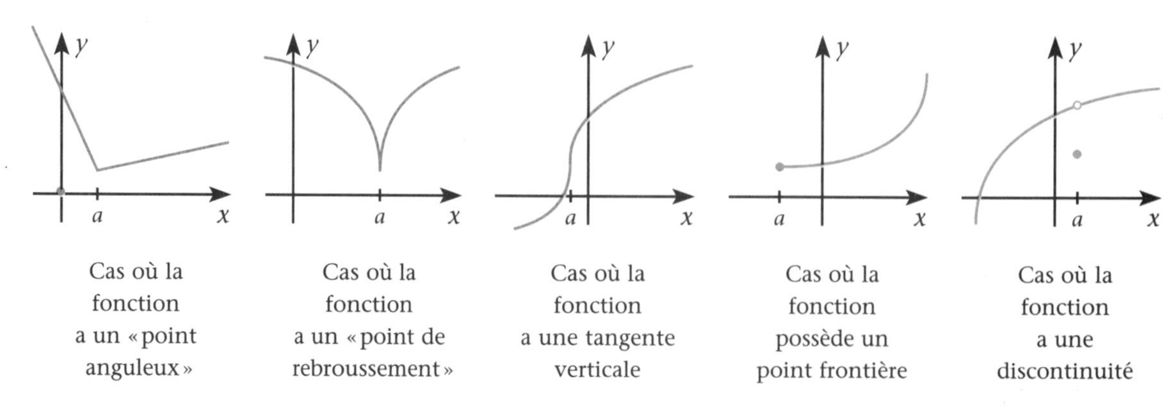

Cas où la fonction a un «point anguleux»

Cas où la fonction a un «point de rebroussement»

Cas où la fonction a une tangente verticale

Cas où la fonction possède un point frontière

Cas où la fonction a une discontinuité

Terminons cette section en présentant deux définitions et un résultat sur la dérivabilité des fonctions.

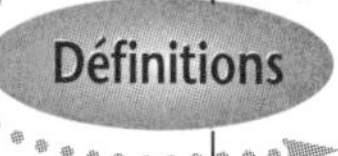

Soit une fonction f définie par $f(x)$. La fonction est dérivable en $x = a$ si $f'(a)$ est définie. Une fonction f définie par $f(x)$ est dérivable sur l'intervalle $]a, b[$ si $f'(x)$ est définie pour tous les x dans $]a, b[$.

Si on s'inspire des exemples vus tout au long de la section 6.3 de ce chapitre, on peut conclure que :

- la fonction $f(t) = t^2$ (exemple 14) est dérivable sur $\mathbb{R}$, car $f'(t) = 2t$ existe pour tous les nombres réels;
- la fonction $k(t) = \sqrt{5t}$ (exemple 17) est dérivable sur $]0, +\infty$, car $k'(t) = \dfrac{5}{2\sqrt{5t}}$ existe sur $]0, +\infty$;
- la fonction $C(n) = 3^n$ (exemple 18) est dérivable sur $\mathbb{R}$;
- la fonction $k(z) = \ln z$ (exemple 19) est dérivable sur $]0, +\infty$, car $k'(z) = \dfrac{1}{z}$ existe sur $]0, +\infty$;
- la fonction $f(x) = \sin x$ (exemple 20) est dérivable sur $\mathbb{R}$;
- la fonction $f(x) = |x|$ (exemple 21) n'est pas dérivable en $x = 0$;
- la fonction $g(t) = \sqrt[3]{t}$ (exemple 22) n'est pas dérivable en $t = 0$.

On peut vérifier que :

si une fonction f définie par $f(x)$ est dérivable en $x = a$, alors la fonction f est continue en $x = a$.

En effet, si f est dérivable en $x = a$, alors $f'(a) = \lim\limits_{h \to 0} \dfrac{f(a + h) - f(a)}{h}$. Dans ce cas, forcément, $f(a)$ et $f(a + h)$ (pour des petites valeurs de h) existent.

Si on pose $x = a + h$, on a $h = x - a$ et si $h \to 0$, alors $x \to a$.

On obtient dans ce cas $f'(a) = \lim\limits_{x \to a} \dfrac{f(x) - f(a)}{x - a}$.

Par conséquent,

$$\lim_{x \to a} (f(x) - f(a)) = \lim_{x \to a} \left((x - a) \cdot \frac{f(x) - f(a)}{x - a}\right) = \lim_{x \to a} (x - a) \cdot \lim_{x \to a} \frac{f(x) - f(a)}{x - a} = 0 \cdot f'(a) = 0.$$

Donc, $\lim\limits_{x \to a} (f(x) - f(a)) = 0$ et $\lim\limits_{x \to a} f(x) = f(a)$.

La fonction f est donc continue en $x = a$.

Cependant,

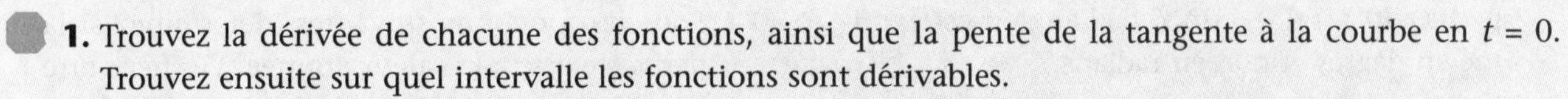

une fonction continue en $x = a$ n'est pas nécessairement dérivable en ce point.

Il suffit d'observer l'exemple 21 précédent pour constater que la fonction $f(x) = |x|$, bien qu'elle soit continue en $x = 0$, ne possède pas de dérivée pour cette valeur.

Exercices

1. Trouvez la dérivée de chacune des fonctions, ainsi que la pente de la tangente à la courbe en $t = 0$. Trouvez ensuite sur quel intervalle les fonctions sont dérivables.

a) $g(t) = 5t^2 - 4$ **b)** $k(t) = \frac{-12}{t}$ **c)** $f(t) = \sqrt{2 - 3t}$ **d)** $r(t) = 8^{2t}$

2. Évaluez $\lim_{h \to 0} \frac{f(x + h) - f(x)}{h}$, si :

a) $f(x) = 5x + 17$

b) $f(x) = x^2 + 4x - 1$

c) $f(x) = 5 - 3x - 6x^2$

3. À l'aide de la définition, trouvez la dérivée des fonctions suivantes et déterminez pour quelles valeurs la dérivée existe :

a) $f(t) = 4t - 1$

b) $h(z) = z^2 - 2$

c) $m(q) = 2q^2 + 3$

d) $v(t) = -3t^2 + 48t$

e) $s(r) = 5r^2 + 7r - 1$

f) $g(u) = u^3$

g) $f(t) = \frac{1}{t + 2}$

h) $p(q) = \frac{-2}{2q - 17}$

i) $h(w) = \frac{4}{3w^2}$

j) $f(s) = \sqrt{s + 4}$, pour $s > -4$

k) $g(t) = \sqrt{t - 3}$, pour $t > 3$

l) $h(a) = \sqrt{3a + 4}$, pour $a > -\frac{4}{3}$

m) $k(u) = \sqrt{4 - u}$, pour $u < 4$

4. À l'aide de la définition, trouvez la dérivée des fonctions suivantes :

a) $g(x) = 2^x$ **b)** $h(z) = 5^{z+1}$

5. À l'aide de la définition, trouvez la dérivée des fonctions suivantes :

a) $g(t) = 3 \cos t$ **b)** $f(x) = 7 \sin (4x)$

6. Calculez la valeur demandée.

a) $t'(10)$, si $t(n) = 6n + 4{,}5$

b) $h'(3)$, si $h(z) = 2z^2 + 4z$

c) $m'(-4)$, si $m(u) = u^2 - 8u + 9$

d) $r'(1)$, si $r(q) = 2q^3 - 9$

e) $s'(5)$, si $s(x) = \frac{1}{x^2}$

f) $g'(1)$, si $g(t) = \frac{6}{4 - 3t}$

g) $h'(1)$, si $h(x) = \sqrt{x + 8}$

h) $g'(3)$, si $g(t) = \sqrt{2t - 5}$

7. Pour chacune des fonctions données, trouvez l'équation de la droite tangente à la courbe à la valeur indiquée.

a) $g(a) = 6a + 3$, en $a = -8$

b) $f(t) = t^2 - 45$, en $t = 7$

c) $k(z) = z^3$, en $z = 0{,}2$

8. Trouvez l'équation de la droite tangente à la courbe de la fonction $f(t) = 3t^2 - 4t$, au point $(1, -1)$. Tracez dans la même fenêtre d'affichage de la calculatrice à affichage graphique la fonction f ainsi que la tangente trouvée.

9. Soit une fonction $f(x)$ telle que $f'(2) = 3$. Peut-on nécessairement dire que :

a) si $g(x) = f(x) + 5$, alors $g'(2) = 3$?

b) si $g(x) = f(x) - 8$, alors $g'(2) = 3$?

c) si $g(x) = 4f(x)$, alors $g'(2) = 3$?

d) si $g(x) = -f(x)$, alors $g'(2) = -3$?

e) si $g(x) = f(x + 6)$, alors $g'(-4) = 3$?

10. Estimez à l'aide d'intervalles de plus en plus petits $f'(0°)$ si $f(x) = \sin x$, où l'angle x est exprimé en degrés et non en radians.

11. À l'aide de limites pertinentes, déterminez les intervalles où la dérivée $f'(x)$ existe.

a) $f(x) = |x - 3|$

b) $f(x) = -|x + 2|$

c) $f(x) = \begin{cases} x - 2 \text{ si } x < 4 \\ x + 2 \text{ si } x \geq 4 \end{cases}$

d) $f(x) = \begin{cases} 1 \text{ si } x < 0 \\ x + 1 \text{ si } x \geq 0 \end{cases}$

e) $f(x) = \begin{cases} x \text{ si } x < 1 \\ x^2 \text{ si } x \geq 1 \end{cases}$

f) $f(x) = \begin{cases} \sqrt{1 - x} \text{ si } x \leq 0 \\ \sqrt{1 + x} \text{ si } x > 0 \end{cases}$

g) $f(x) = \begin{cases} e^x \text{ si } x < 0 \\ x \text{ si } x \geq 0 \end{cases}$

12. Pour les fonctions suivantes, déterminez si la dérivée existe à la valeur donnée. Vérifiez votre résultat à l'aide de la calculatrice à affichage graphique, en traçant les fonctions données.

a) $f(x) = \sqrt[7]{x}$, en $x = 0$

b) $g(t) = \sqrt[3]{4 + t}$, en $t = -4$

c) $h(z) = \sqrt[3]{z^4}$, en $z = 0$

SECTION 6.4 La calculatrice à affichage graphique et la dérivée d'une fonction donnée

Il existe une commande sur certaines calculatrices à affichage graphique qui permet d'évaluer une dérivée d'une fonction en un point. La commande *n*Deriv(*expression, variable, valeur, précision*) donne une valeur approximative de la dérivée d'une expression par rapport à une variable, en une valeur spécifique, et selon la précision souhaitée.

Par exemple, la commande *n*Deriv(x^2, x, 3, 0,001) permet d'évaluer la pente de la tangente à la courbe de la fonction $f(x) = x^2$, en $x = 3$. Dans un tel contexte, la calculatrice effectue le calcul du taux de variation moyen de la fonction f sur l'intervalle [3 – 0,001 ; 3 + 0,001].

Donc, dans ce cas, la calculatrice remplace le calcul de :

$$f'(3) = \lim_{h \to 0} \frac{f(3 + h) - f(3)}{h}$$

par le calcul du quotient $\qquad \dfrac{f(3 + 0{,}001) - f(3 - 0{,}001)}{0{,}001}$

Ce dernier calcul donne ici un résultat de 6 (pour la fonction $f(x) = x^2$), qui est la réponse exacte.

En fait, le procédé utilisé fournit souvent de bonnes approximations. Il est tout de même conseillé de reprendre le calcul avec plusieurs intervalles de plus en plus petits, en diminuant le paramètre relié à la précision.

Il demeure important de savoir que la calculatrice « interprète » la définition de la dérivée et que cette interprétation peut parfois donner des résultats incorrects, spécialement dans des circonstances où la dérivée n'existe pas.

Exemple 23

À l'aide de la fonction *n*Deriv de la calculatrice à affichage graphique, évaluez la pente de la tangente de la fonction $g(x) = |x|$ en $x = 0$.

On souhaite, en fait, trouver $g'(0)$. Si on entre *n*Deriv($|x|$, x, 0, 0,000 01), on obtient comme résultat 0. Or, on a déjà vu dans l'exemple 21 de la section 6.3 que la dérivée n'existe pas en $x = 0$ pour la fonction g.

Il est important également de ne pas tirer de conclusions trop hâtives à partir des graphiques obtenus à l'aide de la calculatrice à affichage graphique.

Exemple 24

Soit la fonction f définie par $f(x) = \sqrt{x^2 + 0{,}000\,001}$. À l'aide de la calculatrice à affichage graphique, tracez le graphique de cette fonction dans la fenêtre d'affichage standard. Déterminez selon le graphique obtenu si $f'(0)$ existe.

Si on trace le graphique de la fonction $f(x) = \sqrt{x^2 + 0{,}000\,001}$, on obtient le graphique ci-dessous. En observant la comportement de la fonction autour du point (0, 0), on croit voir un point anguleux où la tangente n'existe pas.

Or, ce «point anguleux» n'en est pas vraiment un et $f'(0)$ existe (vous êtes invité à vérifier cette dernière affirmation). L'illusion est due au fait que $\sqrt{x^2 + 0{,}000\,001} \approx \sqrt{x^2} = |x|$.

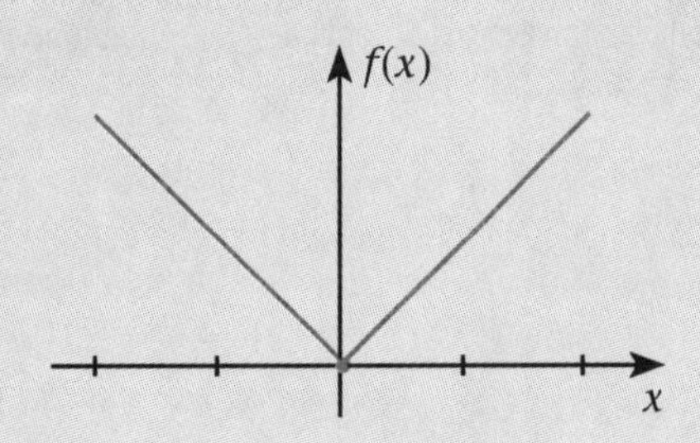

Attention !

Puisque la dérivée d'une fonction f est une nouvelle fonction f' définie par :

$$f'(x) = \lim_{h \to 0} \frac{f(x+h) - f(x)}{h},$$

il est possible de tracer le graphique de la fonction dérivée. Pour avoir une idée du graphique de cette fonction à l'aide de la calculatrice à affichage graphique, il est possible, une fois une fonction f définie, de tracer le graphique de la fonction suivante :

$$g(x) = \frac{f(x + 0{,}000\,1) - f(x)}{0{,}000\,1}$$

Le graphique de la fonction g devrait, en général, donner une courbe qui ressemble à celle de $f'(x)$.

La mathématique au goût du jour

Les mathématiques et la vitesse d'exécution en informatique

On peut se risquer à dire que l'informatique est associée au développement technologique le plus important des 30 dernières années. Or, qui dit informatique dit également mathématiques et recherche opérationnelle, car plusieurs aspects de celles-ci (telles la logique, la combinatoire et l'algèbre) sous-tendent le développement de plusieurs logiciels qui visent à résoudre des problèmes relativement complexes en adoptant une démarche mathématique efficace.

On le sait, la quête d'une grande vitesse d'exécution dans le domaine du traitement de l'information est essentielle à la conception de tout algorithme efficace utilisé dans un programme. Alors que certaines personnes investissent leur énergie dans le domaine du *hardware*, plusieurs autres travaillent à la *théorie de la complexité* et cherchent à déterminer le degré de complexité d'un problème donné. Il peut être pertinent, par exemple, de savoir si un ordinateur réussit dans un délai raisonnable à évaluer la pente de la tangente d'une courbe en un point. En fait, pour une commande précise, on tente de trouver des moyens de démontrer mathématiquement que l'approche adoptée est celle qui peut donner des résultats le plus rapidement ou celle qui est la moins gourmande en ce qui concerne la mémoire ou les processeurs.

On devine facilement l'ampleur du défi. Le nombre de paramètres à considérer peut être très élevé, spécialement lorsqu'on cherche à quantifier la difficulté d'un problème donné. Une façon d'y arriver est de tenter de dénombrer les opérations élémentaires nécessaires pour réaliser une opération plus complexe. Les mathématiques comportent des « outils » pouvant faciliter cette recherche de la mesure de la complexité des opérations.

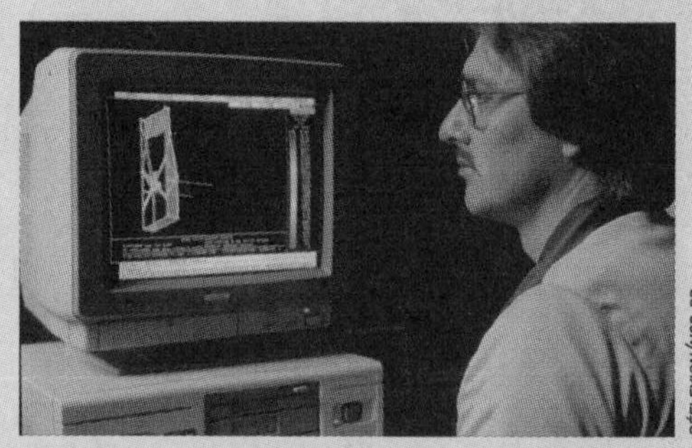
RÉFLEXION/NSP PP

L'efficacité de plusieurs programmes informatiques repose sur l'utilisation de résultats mathématiques pertinents.

En résumé

- Le **taux de variation moyen d'une fonction f sur $[a, b]$** (noté $\text{TVM}_{[a, b]}$) est donné par :

$$\text{TVM}_{[a, b]} = \frac{f(b) - f(a)}{b - a} = \text{Pente de la sécante passant par les points } (a, f(a)) \text{ et } (b, f(b)),$$

une **sécante** étant une droite qui coupe la courbe d'une fonction en au moins deux points.

- Le **taux de variation instantané d'une fonction f en une valeur $x = a$** (noté $\text{TVI}_{x = a}$) est donné par :

$$\text{TVI}_{x = a} = \lim_{h \to 0} \frac{f(a + h) - f(a)}{h} = \text{Pente de la tangente au point } (a, f(a)) \text{ [si la limite existe]},$$

une **tangente** étant une droite qui touche la courbe d'une fonction en un seul point dans un voisinage donné du point en question.

- La **dérivée de la fonction $f(x)$** est donnée par :

$$\lim_{h \to 0} \frac{f(x + h) - f(x)}{h}, \text{ à condition que cette limite existe.}$$

- Une fonction f définie par $f(x)$ est **dérivable en $x = a$** si $f'(a)$ est définie.
- Une fonction f définie par $f(x)$ est **dérivable sur l'intervalle $]a, b[$** si $f'(x)$ est définie pour tous les x dans $]a, b[$.

Problèmes

Section 6.1 (p. 170)
Taux de variation moyen d'une fonction et pente de sécante

1. Voici un tableau donnant la position s d'une particule sur un axe horizontal à différents moments.

t (en secondes)	0	1	2	3	4
s (en mètres)	0,6	0,7	0,82	1	1,3

a) Estimez la vitesse moyenne de la particule pour les intervalles [0 s, 1 s], [0 s, 2 s], [0 s, 3 s] et [0 s, 4 s].

b) À la lumière des résultats obtenus, la particule semble-t-elle accélérer ou décélérer ?

2. Le tableau suivant présente la grandeur G (en mètres) d'un homme en fonction de son âge x (en années), à divers moments de sa période de croissance.

x (en années)	0	3	6	9	12	15
G (en mètres)	0,50	0,95	1,15	1,30	1,40	1,75

Si on se limite à cette période de sa vie, déterminez sur quel intervalle, dont les deux bornes sont deux multiples de trois consécutifs, le taux de variation moyen de la grandeur est le plus élevé et sur quel intervalle il est le moins élevé.

3. Durant la première minute du vol d'une petite fusée expérimentale envoyée verticalement vers le ciel, la fusée se trouve, t secondes après le décollage du sol, à une hauteur h (en mètres) donnée par $h = 3t^2 + t$.

a) Calculez la vitesse moyenne de la fusée durant les 9 premières secondes suivant le décollage.

b) Calculez la vitesse moyenne de la fusée durant le temps qu'elle parcourt les 30 premiers mètres depuis le décollage.

c) Trouvez la valeur de A pour laquelle la vitesse moyenne sur l'intervalle [1 s, A s] est de 40,6 mètres par seconde.

4. L'accélération moyenne d'un objet (en mètres par seconde[2]) sur un intervalle de temps $[t_1, t_2]$ correspond au taux de variation moyen de la vitesse sur l'intervalle en question. Si la vitesse v d'un objet (en mètres par seconde) en fonction du temps t (en secondes) est donnée par $v(t) = t^2 - 10$, déterminez si l'accélération moyenne de l'objet sur l'intervalle [0 s; 1,5 s] est plus grande, égale ou plus petite que son accélération moyenne sur l'intervalle [1,5 s; 3 s].

5. Calculez la vitesse moyenne dans chacun des cas suivants, pour lesquels la trajectoire est rectiligne.

a) Une personne marche une heure à une vitesse de 4 kilomètres à l'heure et une deuxième heure à une vitesse de 6 kilomètres à l'heure.

b) Une personne marche 1 kilomètre à une vitesse de 4 kilomètres à l'heure et un 2e kilomètre à une vitesse de 6 kilomètres à l'heure.

c) Une personne marche une minute et demie à une vitesse de 1,2 mètre par seconde et court ensuite pendant une minute à une vitesse de 1,9 mètre par seconde.

d) Une personne marche 50 mètres à une vitesse de 0,9 mètre par seconde et court ensuite 50 mètres à une vitesse de 1,8 mètre par seconde.

Section 6.2 (p. 176)
Taux de variation instantané d'une fonction, pente de tangente et limites de forme indéterminée $\frac{0}{0}$

6. Le graphique qui suit associé à la fonction quadratique g exprime la hauteur d'un objet par rapport au sol, en fonction du nombre de secondes depuis le lancer de l'objet x. Classez les nombres suivants dans l'ordre décroissant :

A est la vitesse moyenne entre $x = 1$ et $x = 3$,

B est la vitesse moyenne entre $x = 5$ et $x = 7$,

C est la vitesse instantanée en $x = 1$,

D est la vitesse instantanée en $x = 3$,

E est la vitesse instantanée en $x = 5$ et

F est la vitesse instantanée en $x = 7$.

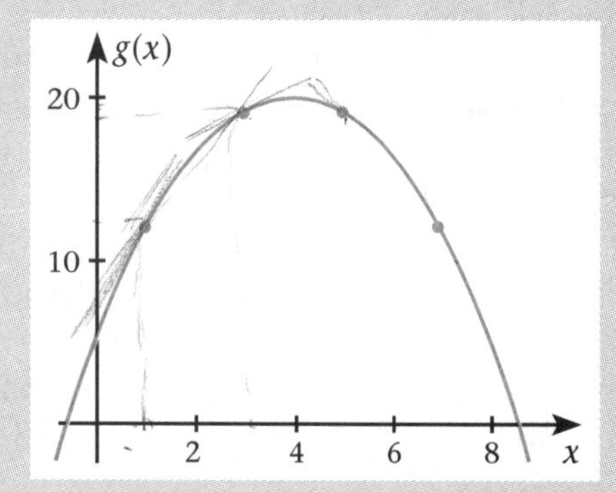

7. Le graphique ci-dessous donne la distance p (en centimètres) entre un objet se trouvant sur une chaîne de montage automatisée et un employé travaillant sur cette dernière, en fonction du temps t (en secondes). Déterminez si, à l'intérieur des intervalles $]A, B[$, $]B, C[$, $]C, D[$ et $]D, E[$:

a) la vitesse instantanée de l'objet est positive, négative ou nulle;

b) l'accélération instantanée est négative, positive ou nulle.

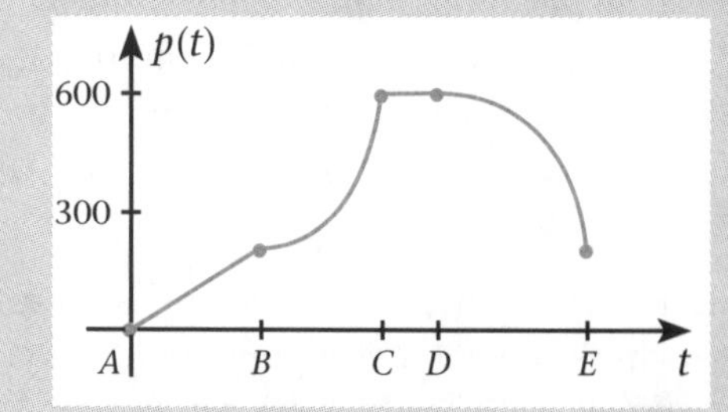

8. En supposant que la distance d (en mètres) entre une boule de quilles et le début de l'allée est donnée par $d(t) = \frac{480t - t^3}{48}$, où t est le temps (en secondes) qui s'écoule depuis l'instant où la boule est lâchée, estimez, à l'aide d'intervalles de plus en plus petits, la vitesse instantanée de la boule de quilles :

a) à $t = 1$ seconde;

b) à $t = 2$ secondes;

c) à $t = 4$ secondes.

9. La population P d'un pays (en millions de personnes) est donnée par la fonction $P(t) = 1{,}15 \cdot (1{,}014)^t$, où t est le nombre d'années qui se sont écoulées depuis le 1er janvier 1998.

a) À l'aide de ce modèle, estimez le taux de croissance moyen de la population entre 1998 et 2002. Interprétez votre résultat.

b) Estimez, à l'aide d'intervalles de plus en plus petits, le taux de variation instantané de la population le 1er janvier 2004. Interprétez votre résultat.

10. Vous parcourez une distance de 200 kilomètres dans votre voiture en 2 heures. Expliquez pourquoi il y a nécessairement un moment où votre vitesse instantanée a été précisément de 100 kilomètres à l'heure.

11. Un ballon gonflable rond, ayant un rayon de r centimètres, possède une surface totale A (en centimètres carrés) donnée par $A(r) = 4\pi r^2$. Son volume V (en centimètres cubes) est donné par $V(r) = \frac{4}{3}\pi r^3$. Calculez :

a) le taux de variation instantané de la surface totale du ballon, lorsque son rayon est de 5 centimètres. Interprétez votre résultat d'abord dans le contexte et ensuite graphiquement;

b) le taux de variation instantané du volume du ballon, lorsque son rayon est de 12 centimètres. Interprétez votre résultat d'abord dans le contexte et ensuite graphiquement.

12. Une échelle de camion d'incendie a une longueur de 45 mètres et peut former avec le sol un angle A se situant entre 0 et π radians. Une personne se trouve au bout de cette échelle. Trouvez le taux de variation instantané de la hauteur h à laquelle se trouve la personne en question par rapport à l'angle A, lorsque celui-ci est de $\frac{\pi}{6}$.

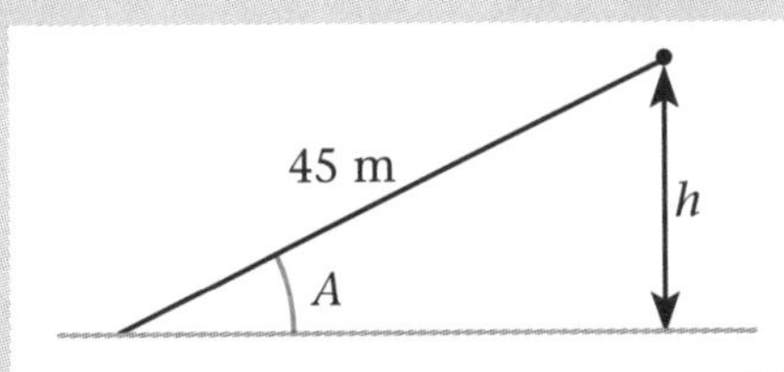

13. Pour un commerce, les ventes V sont données par la fonction $V(t) = 100\,(10t - t^2)$ articles, où t est le nombre de semaines depuis la fin d'une importante campagne publicitaire. Calculez, à l'aide d'une limite pertinente, le taux de variation instantané des ventes lorsque :

a) $t = 1$. Interprétez votre résultat;

b) $t = 7$. Interprétez votre résultat.

14. Le profit P d'une compagnie (en millions de dollars) est donné par la fonction $P(x) = \sqrt{2x + 4} - 1$, où x est le nombre de centaines d'articles vendus. Calculez, à l'aide d'une limite pertinente, le taux de variation instantané du profit de la compagnie lorsque :

a) $x = 2$. Interprétez votre résultat.

b) $x = 6$. Interprétez votre résultat.

Section 6.3 (p. 189)
Définition de la dérivée d'une fonction

15. Le profit P (en millions de dollars) d'un manufacturier de camions lourds est donné par la fonction $P(q) = -q^2 + 8q - 18$, où q est le nombre de centaines de camions vendus.

a) Déterminez, à l'aide de la définition de la dérivée, la fonction qui donne le taux de variation instantané du profit par rapport à q.

b) Calculez $P'(7)$. Interprétez votre résultat.

16. Le bénéfice d'exploitation B (en dollars) d'une entreprise est donné par la fonction $B(n) = -2n^2 + 150n - 750$, où n est le nombre d'unités fabriquées.

a) Déterminez, à l'aide de la définition de la dérivée, la fonction qui donne le taux de variation instantané du bénéfice par rapport à n.

b) Calculez $B'(30)$. Interprétez votre résultat.

17. La fonction $P(x) = \frac{1}{x}$ donne le prix P d'un article (en dollars), où x est le nombre d'articles (en millions d'unités) vendus par année. Calculez le taux de variation instantané du prix de l'article lorsque deux millions d'articles sont vendus en une année. Interprétez votre résultat.

18. Pour un dépanneur, le nombre N de caisses de bière vendues t semaines après la fin d'une campagne publicitaire est donné par $N(t) = \frac{100}{t + 4}$.

a) Déterminez, à l'aide de la définition de la dérivée, la fonction qui donne le taux de variation instantané du nombre de caisses de bière par rapport à t.

b) De quelle façon les ventes changent-elles durant la deuxième semaine qui suit la fin de la campagne?

19. Les revenus attribuables aux ventes d'un article correspondent au produit du nombre d'articles vendus par le prix de vente unitaire. Pour un article spécifique, le nombre d'articles vendus (en milliers d'articles) est donné par $48 - 4p$, où p est le prix de vente unitaire (en dollars) de l'article.

a) Exprimez le revenu R en fonction du prix unitaire p.

b) Déterminez, à l'aide de la définition de la dérivée, la fonction qui donne le taux de variation instantané des revenus par rapport à p.

c) Calculez $R'(3)$. Interprétez votre résultat.

Auto-évaluation

1. Trouvez, si elles existent, les limites suivantes :

a) $\lim\limits_{t \to 5} \dfrac{\dfrac{1}{t} - \dfrac{1}{5}}{t - 5}$

b) $\lim\limits_{a \to 81} \dfrac{a - 81}{\sqrt{a} - 9}$

c) $\lim\limits_{B \to 0} \dfrac{\sin (12B)}{7B}$

d) $\lim\limits_{z \to 0} \dfrac{5z^3 + 8z^2}{3z^4 - 16z^2}$

e) $\lim\limits_{b \to 2} \dfrac{4 - b^2}{3 - \sqrt{b^2 + 5}}$

f) $\lim\limits_{w \to 4} \dfrac{w - 4}{3\sqrt{w} - 6}$

g) $\lim\limits_{A \to 0} \dfrac{\sec A \text{ tg } A}{A^2 \text{ cosec } A}$

h) $\lim\limits_{u \to -2} \sqrt{\dfrac{u^3 + 8}{u + 2}}$

i) $\lim\limits_{t \to 2} \dfrac{t - \sqrt{t + 2}}{\sqrt{4t + 1} - 3}$

j) $\lim\limits_{z \to 0} \dfrac{\sin (-2z) \text{ tg } 4z}{2z^2}$

k) $\lim\limits_{x \to 0} \dfrac{x - 6 \text{ tg } x}{x}$

l) $\lim\limits_{a \to 1} \dfrac{(\sqrt{a} - 2)(5a - 5)}{2a^2 - 5a + 3}$

2. Le prix P (en dollars) d'un article, qui dépend du nombre d'articles vendus n, est donné par :

$$P(n) = \frac{6}{2 + 3n}$$

a) À l'aide de la définition de la dérivée, déterminez la fonction qui donne le taux de variation instantané du prix de l'article par rapport à n.

b) Calculez $P'(4)$. Interprétez votre résultat.

3. Discutez de la continuité de la fonction

$$h(t) = \begin{cases} \dfrac{\sin t}{t} & \text{si } t \neq 0 \\ 0{,}99 & \text{si } t = 0 \end{cases}$$

4. Le graphique qui suit est associé à une fonction croissante g. Pour chacune des possibilités indiquées, déterminez la valeur qui est la plus élevée.

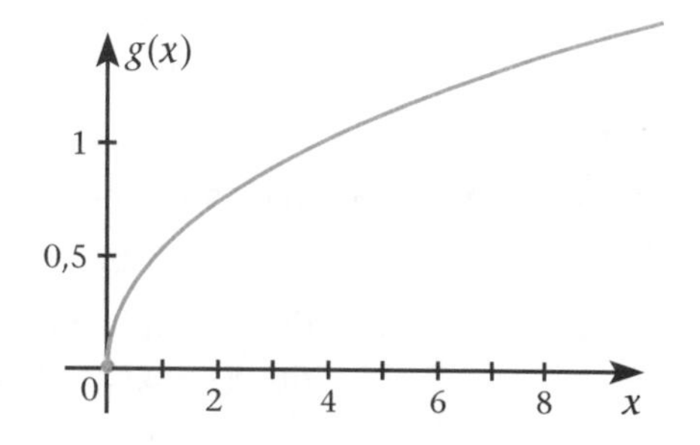

a) $g(2)$ ou $g(3)$

b) $g(4) - g(2)$ ou $g(6) - g(4)$

c) $\text{TVM}_{[0,\,3]}$ ou $\text{TVM}_{[3,\,6]}$

d) $\dfrac{g(4) - g(1)}{4 - 1}$ ou $\dfrac{g(4) - g(2)}{4 - 2}$

e) $g'(2)$ ou $g'(3)$

f) le taux de variation instantané en $t = 1$ ou le taux de variation instantané en $t = 5$

5. À l'aide de la définition, trouvez la dérivée des fonctions suivantes :

a) $f(t) = 5t^2 + 6$

b) $g(x) = 4x^3 - 2x$

c) $m(a) = \dfrac{-8}{4 - 3a}$

d) $g(t) = \dfrac{1}{\sqrt{t - 1}}$ pour $t > 1$

e) $h(x) = 7^x$

f) $f(x) = 7 \sin x$

6. Le coût de production C (en centaines de dollars) pour fabriquer q unités d'un article spécifique est donné par $C(q) = 100 + \dfrac{q^2}{4}$.

a) Calculez $\dfrac{C(8) - C(5)}{8 - 5}$ et interprétez le résultat dans le contexte.

b) Calculez $C'(10)$ et interprétez le résultat dans le contexte.

c) Le coût unitaire moyen $U(q)$ est donné par $U(q) = \dfrac{\text{Coût de production}}{\text{Nombre d'unités produites}} = \dfrac{C(q)}{q}$. Trouvez la fonction qui donne $U(q)$ et calculez ensuite $U(5)$.

d) Calculez la dérivée de la fonction $U(q)$ trouvée en (c).

Chapitre 7

Règles de dérivation

Plan du chapitre

Objectifs

D'ICI LA FIN DE CE CHAPITRE, VOUS DEVRIEZ POUVOIR :

- DÉRIVER UNE FONCTION ALGÉBRIQUE À L'AIDE DES RÈGLES DE DÉRIVATION ;
- DÉRIVER DES FONCTIONS COMPRENANT UNE FONCTION EXPONENTIELLE OU LOGARITHMIQUE À L'AIDE DES RÈGLES DE DÉRIVATION ;
- DÉRIVER DES FONCTIONS COMPRENANT UNE FONCTION TRIGONOMÉTRIQUE À L'AIDE DES RÈGLES DE DÉRIVATION ;
- DÉRIVER DES FONCTIONS COMPRENANT UNE FONCTION TRIGONOMÉTRIQUE INVERSE À L'AIDE DES RÈGLES DE DÉRIVATION.

« Les règles ne sont que l'itinéraire du génie. »

GERMAINE NECKER STAËLS (1766-1817)

Le cours de l'histoire

Les fondements du calcul différentiel (2e partie)

La plupart des notions qui constituent la théorie du calcul différentiel naissent au XVIIe. Comme on l'a mentionné au chapitre 6, au cours de ce siècle, des Français comme Pierre de Fermat (1601-1665) et René Descartes (1596-1650) créent des procédés de construction de tangentes aux courbes. En 1637 par exemple, inspiré de l'étude de certains cas d'extremums de Pappus (un géomètre grec de la fin du IIIe siècle), Fermat écrit un texte intitulé Méthode pour la recherche du maximum et du minimum *qu'il envoie à Descartes et dans lequel il présente une méthode générale pour tracer des tangentes à des courbes. Il existe certaines similitudes entre la méthode qu'il propose et la définition de la dérivée d'une fonction en un point vue au chapitre précédent.*

MAGMA PHOTO/CORBIS

Pierre de Fermat (1601-1665)

Isaac Barrow (1630-1677), professeur à Cambridge, ainsi que son collaborateur Isaac Newton (1642-1727) améliorent une des approches proposées par Fermat. En fait, Newton exploite cette approche plus à fond, en associant les grandeurs variables au temps.

Entre 1664 et 1666, Newton se retire à la campagne pour se mettre à l'abri d'une épidémie qui fait rage à Londres et il semble que c'est à ce moment qu'il pose ses principes de base pour le calcul différentiel. Il procède aux vérifications expérimentales et aux divers calculs durant les années subséquentes. Ses résultats principaux seront présentés dans un ouvrage intitulé La méthode des fluxions et des suites infinies, *qui sera publié seulement après sa mort dans sa version originale anglaise.*

Le « grand ménage » et les synthèses effectués dans le cadre de la théorie du calcul différentiel sont attribués à Newton, mais également à Gottfried Wilhelm Leibniz (1646-1716), de qui il sera question plus loin dans le présent manuel. Dans l'expression « calcul différentiel », le mot calcul fait référence à un ensemble de règles et d'algorithmes permettant de trouver une dérivée sans avoir à élaborer chaque fois une méthode propre à chaque situation.

Avant d'aller plus loin

Préalables

1. Trouvez la dérivée des fonctions suivantes, à l'aide de la définition de la dérivée :

a) $h(t) = 7t$

b) $g(t) = t^2$

c) $f(t) = t^2 - 7t$

d) $k(u) = (u - 3)(2u + 4)$

e) $C(q) = \dfrac{5}{2q}$

f) $f(x) = 3\sqrt{x}$

g) $g(z) = 9^z$

2. Vérifiez, à l'aide de la définition de la dérivée, si les égalités suivantes sont vraies ou fausses :

a) $\dfrac{d}{dz}(z^2 + 13) = \dfrac{d}{dz}(z^2) + \dfrac{d}{dz}(13z)$

b) $\dfrac{d}{dt}(t^2 \cdot t) = \dfrac{d}{dt}(t^2) \cdot \dfrac{d}{dt}(t)$

c) $\dfrac{d}{dx}\left(\dfrac{x^3}{x^2}\right) = \dfrac{\frac{d}{dx}(x^3)}{\frac{d}{dx}(x^2)}$

3. Écrivez les expressions suivantes sous la forme t^n, où n est un nombre réel :

a) $\sqrt[19]{t}$

b) $\sqrt{t^3}$

c) $\sqrt[3]{t^2}$

d) $\dfrac{1}{t^3}$

e) $\dfrac{1}{\sqrt[3]{t^7}}$

f) $\dfrac{t^{0,7}}{t^{1,7}}$

4. Sachant que $g(t) = 3t + 5$ et $h(t) = t^2 - 4t$, exprimez algébriquement :

a) $(g \circ h)(t)$

b) $(h \circ g)(t)$

c) $g(g(t))$

d) $g^2(t)$

e) $h^2(t)$

f) $h(h(t))$

g) $g^{-1}(t)$

Langages mathématique et graphique

1. Tracez la courbe d'une fonction continue sur $\mathbb{R}$. Sur le graphique construit, représentez, si possible :

a) $f(1)$

b) $f(4) - f(2)$

c) $\dfrac{f(4) - f(2)}{4 - 2}$

d) $f(3 + h)$

e) $\dfrac{f(3 + h) - f(3)}{h}$

f) $f'(3)$

2. Présentez mathématiquement l'expression « taux de variation instantané d'une fonction g en $t = a$ » et précisez à quoi cette expression correspond relativement au graphique de la fonction g.

3. Soit une fonction P qui donne la population (en nombre de personnes) en fonction de t, le nombre d'années écoulées depuis 2000. Interprétez graphiquement ainsi que dans le contexte :

a) $P(15) = 250\ 000$

b) $P'(15) = -1525$

SECTION 7.1 Règles de dérivation fondamentales

On sait que la dérivée f' d'une fonction f est associée à la pente de la tangente à la courbe de la fonction f en un point et que $f'(x) = \lim_{h \to 0} \frac{f(x+h) - f(x)}{h}$. Ainsi, si $f'(0)$ existe, cette quantité représente la pente de la tangente à la courbe de la fonction f au point $(0, f(0))$. Il peut devenir laborieux de constamment revenir à la définition de la dérivée pour trouver une pente de tangente, alors que certaines règles que nous présenterons dans ce chapitre et qui s'appliquent à un très grand éventail de fonctions peuvent nous faciliter la tâche.

Dérivée d'une constante

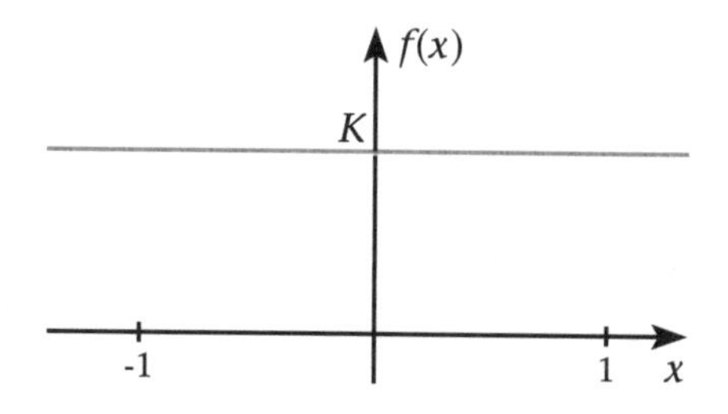

Soit la fonction $f(x) = K$, où K est un nombre réel. Si on trace le graphique de la fonction f, on soupçonne que la dérivée f', qui est associée à la pente de la tangente à la courbe de f, sera nulle. On a :

$$f'(x) = \lim_{h \to 0} \frac{f(x+h) - f(x)}{h} = \lim_{h \to 0} \frac{K - K}{h} = \lim_{h \to 0} \frac{0}{h} = \lim_{h \to 0} 0 = 0$$

Dans ce qui précède, on peut remplacer $\frac{0}{h}$ par 0, car lorsque $h \to 0$, h ne vaut pas 0; elle s'en approche tout simplement.

Règle D1 Si $f(x) = K$, où K est un nombre réel, alors $f'(x) = 0$.

Exemple 1

Trouvez la dérivée des fonctions suivantes :

a) $f(x) = \frac{1}{7}$

On a $f'(x) = 0$, selon la règle D1.

b) $g(t) = \pi$

On a $g'(t) = 0$, toujours selon la règle D1.

Dérivée d'une puissance

Si on a la fonction $f(x) = x = x^1$ et qu'on souhaite trouver sa dérivée, on obtient :

$$f'(x) = \lim_{h \to 0} \frac{f(x+h) - f(x)}{h} = \lim_{h \to 0} \frac{(x+h) - x}{h} = \lim_{h \to 0} \frac{h}{h} = \lim_{h \to 0} 1 = 1$$

Dans l'exemple 14 du chapitre 6 (p. 189), on a constaté que la dérivée de la fonction $f(x) = x^2$ est $f'(x) = 2x$.

Si on a plutôt la fonction $f(x) = x^3$, on obtient alors :

$$f'(x) = \lim_{h\to 0} \frac{f(x+h) - f(x)}{h} = \lim_{h\to 0} \frac{(x+h)^3 - x^3}{h} = \lim_{h\to 0} \frac{x^3 + 3x^2h + 3xh^2 + h^3 - x^3}{h}$$

$$= \lim_{h\to 0} \frac{h(3x^2 + 3xh + h^2)}{h} = \lim_{h\to 0} (3x^2 + 3xh + h^2) = 3x^2$$

Avec la fonction $f(x) = x^4$, on a :

$$f'(x) = \lim_{h\to 0} \frac{f(x+h) - f(x)}{h} = \lim_{h\to 0} \frac{(x+h)^4 - x^4}{h} = \lim_{h\to 0} \frac{x^4 + 4x^3h + 6x^2h^2 + 4xh^3 + h^4 - x^4}{h}$$

$$= \lim_{h\to 0} \frac{h(4x^3 + 6x^2h + 4xh^2 + h^3)}{h} = \lim_{h\to 0} (4x^3 + 6x^2h + 4xh^2 + h^3) = 4x^3$$

On peut observer la régularité suivante :

si $f(x) = x^{\mathbf{1}}$, alors $f'(x) = \mathbf{1}x^{\mathbf{1}-1} = 1x^0 = 1$; si $f(x) = x^{\mathbf{2}}$, alors $f'(x) = \mathbf{2}x^{\mathbf{2}-1} = 2x$;

si $f(x) = x^{\mathbf{3}}$, alors $f'(x) = \mathbf{3}x^{\mathbf{3}-1} = 3x^2$; si $f(x) = x^{\mathbf{4}}$, alors $f'(x) = \mathbf{4}x^{\mathbf{4}-1} = 4x^3$.

Tout laisse croire que si $f(x) = x^n$, où n est un entier, alors $f'(x) = \boldsymbol{n}x^{\boldsymbol{n}-\mathbf{1}}$. Ce résultat qui semble valide pour un exposant entier positif l'est-il également pour n'importe quel exposant n ?

Si on travaille avec un exposant fractionnaire, comme avec la fonction $f(x) = x^{\frac{1}{2}} = \sqrt{x}$, on obtient :

$$f'(x) = \lim_{h\to 0} \frac{f(x+h) - f(x)}{h} = \lim_{h\to 0} \frac{\sqrt{x+h} - \sqrt{x}}{h} = \lim_{h\to 0} \frac{(\sqrt{x+h} - \sqrt{x})(\sqrt{x+h} + \sqrt{x})}{h(\sqrt{x+h} + \sqrt{x})}$$

$$= \lim_{h\to 0} \frac{x + h - x}{h(\sqrt{x+h} + \sqrt{x})} = \lim_{h\to 0} \frac{h}{h(\sqrt{x+h} + \sqrt{x})} = \lim_{h\to 0} \frac{1}{\sqrt{x+h} + \sqrt{x}}$$

$$= \frac{1}{\sqrt{x} + \sqrt{x}} = \frac{1}{2\sqrt{x}} = \frac{1}{2}x^{\frac{-1}{2}} = \frac{1}{2}x^{\left(\frac{1}{2} - 1\right)}$$

Ainsi, si $f(x) = x^n$ avec $n = \frac{1}{2}$, alors $f'(x) = \boldsymbol{n}x^{\boldsymbol{n}-1}$ de nouveau.

Et si l'exposant est négatif ? Si on travaille avec la fonction $f(x) = x^{-1} = \frac{1}{x}$, on obtient :

$$f'(x) = \lim_{h\to 0} \frac{f(x+h) - f(x)}{h} = \lim_{h\to 0} \frac{\frac{1}{x+h} - \frac{1}{x}}{h} = \lim_{h\to 0} \left(\frac{x - (x+h)}{x(x+h)} \cdot \frac{1}{h}\right)$$

$$= \lim_{h\to 0} \frac{-h}{x(x+h)h} = \lim_{h\to 0} \frac{-1}{x(x+h)} = \frac{-1}{x(x+0)} = \frac{-1}{x^2} = -1x^{-2} = -1x^{(-1-1)}$$

En conséquence, si $f(x) = x^n$ avec $n = -1$, alors $f'(x) = \boldsymbol{n}x^{\boldsymbol{n}-1}$ de nouveau.

Les diverses observations effectuées précédemment nous amènent à énoncer la règle suivante (celle-ci n'est toutefois pas prouvée dans le présent manuel).

Règle D2 Si $f(x) = x^n$ (où n est un nombre réel), alors $f'(x) = nx^{n-1}$.

Exemple 2

Trouvez la dérivée des fonctions suivantes :

a) $f(z) = z^5$

On a $f'(z) = 5z^{5-1} = 5z^4$, selon la règle D2.

b) $h(u) = \sqrt[5]{u^3}$

On a $h(u) = \sqrt[5]{u^3} = u^{\frac{3}{5}}$.

Dans ce cas, $h'(u) = \frac{3}{5}u^{\left(\frac{3}{5}-1\right)} = \frac{3}{5}u^{\left(\frac{-2}{5}\right)} = \frac{3}{5u^{\frac{2}{5}}} = \frac{3}{5\sqrt[5]{u^2}}$.

c) $k(x) = \frac{1}{x^{17}}$

Puisque $k(x) = \frac{1}{x^{17}} = x^{-17}$, on a $k'(x) = -17x^{(-17-1)} = -17x^{-18} = \frac{-17}{x^{18}}$.

Il est important de bien distinguer, dans l'exemple 2 (b) par exemple, la première partie où on transforme la fonction h pour l'exprimer à l'aide d'un exposant (dans le but d'utiliser la règle D2) de la deuxième partie où on applique la règle D2.

Attention !

Il faut bien comprendre que la règle D2 s'applique à une fonction de la forme $f(x) = x^n$.

- Il est faux d'écrire que si $f(x) = 2^3$, alors $f'(x) = 3 \cdot 2^{3-1} = 3 \cdot 2^2 = 12$. En effet, la fonction $f(x) = 2^3 = 8$ est une fonction constante et, dans ce cas, $f'(x) = 0$ (voir la règle D1).
- Il est faux d'écrire que si $k(x) = \frac{1}{x^{17}}$, alors $k'(x) = \frac{1}{17x^{16}}$.

La règle D2 s'applique seulement à partir du moment où la fonction est exprimée sous la forme (variable indépendante)^n.

Dérivée du produit d'une constante avec une fonction

Soit une fonction f définie par $f(x) = Kg(x)$, où K est un nombre réel et g est une fonction dérivable. On a alors :

$$f'(x) = \lim_{h\to 0} \frac{f(x+h) - f(x)}{h} = \lim_{h\to 0} \frac{Kg(x+h) - Kg(x)}{h} = \lim_{h\to 0} \frac{K(g(x+h) - g(x))}{h}$$

$$= K \lim_{h\to 0} \frac{g(x+h) - g(x)}{h} = Kg'(x)$$

Règle D3 Si $f(x) = Kg(x)$ où K est un nombre réel et $g(x)$ est une fonction dérivable, alors $f'(x) = Kg'(x)$.

Exemple 3

Trouvez la dérivée des fonctions suivantes :

a) $f(t) = 5t^3$

On a $f'(z) = 5(t^3)'$ selon la règle D3

$= 5(3t^2) = 15t^2$ selon la règle D2.

b) $g(x) = \dfrac{\sqrt[3]{7}}{\sqrt{x}}$

Puisque $g(x) = \dfrac{\sqrt[3]{7}}{\sqrt{x}} = \sqrt[3]{7}x^{-\frac{1}{2}}$,

on a $g'(x) = \sqrt[3]{7}\left(x^{-\frac{1}{2}}\right)'$ selon la règle D3

$= \sqrt[3]{7}\left(-\dfrac{1}{2}\right)x^{\left(-\frac{1}{2}-1\right)} = \dfrac{-\sqrt[3]{7}}{2}x^{-\frac{3}{2}} = \dfrac{-\sqrt[3]{7}}{2x^{\frac{3}{2}}} = \dfrac{-\sqrt[3]{7}}{2x\sqrt{x}}$ selon la règle D2.

De la règle D3, on déduit, par exemple, que si on multiplie la fonction $g(x) = x^2$ par le nombre 2, chaque tangente à la courbe de la nouvelle fonction $f(x) = 2g(x) = 2x^2$ a une pente qui est égale au double de celle de la tangente à la courbe de la fonction g pour le même x.

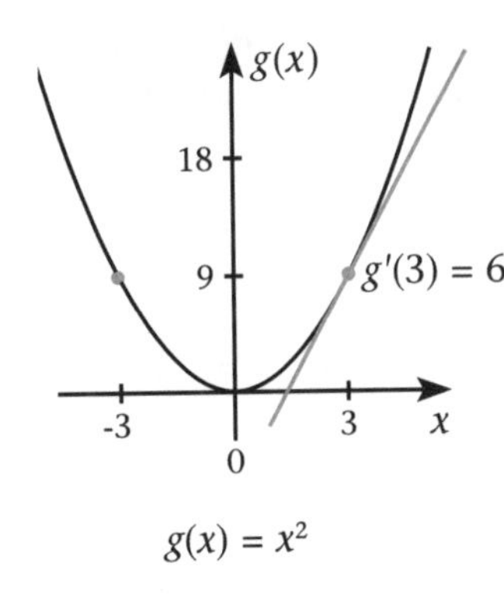

$g(x) = x^2$

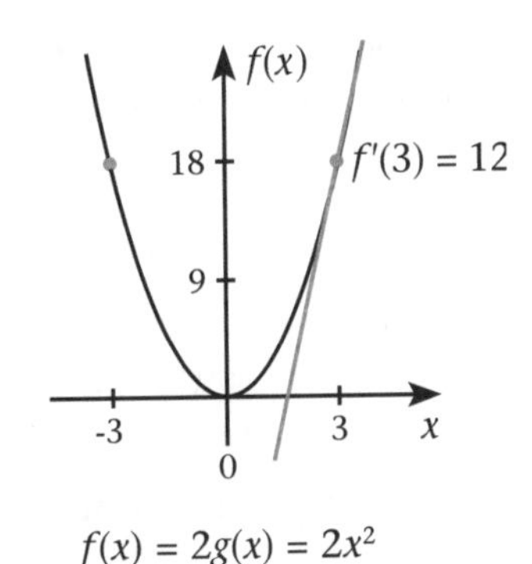

$f(x) = 2g(x) = 2x^2$

Dérivée d'une somme et d'une différence de fonctions

Il existe une règle de dérivation pour trouver la dérivée d'une somme de deux fonctions f et g. Si les dérivées des fonctions f et g existent, on a :

$$(f+g)'(x) = \lim_{h\to 0} \frac{(f+g)(x+h) - (f+g)(x)}{h}$$

$$= \lim_{h\to 0} \frac{(f(x+h) + g(x+h)) - (f(x) + g(x))}{h}$$

$$= \lim_{h\to 0} \frac{f(x+h) + g(x+h) - f(x) - g(x)}{h}$$

$$= \lim_{h\to 0} \frac{f(x+h) - f(x)}{h} + \lim_{h\to 0} \frac{g(x+h) - g(x)}{h} = f'(x) + g'(x)$$

On peut obtenir une preuve semblable pour la différence de deux fonctions.

Règle D4 Si f et g sont deux fonctions telles que $f'(x)$ et $g'(x)$ existent,
alors $(f+g)'(x) = f'(x) + g'(x)$ et $(f-g)'(x) = f'(x) - g'(x)$.

Exemple 4

Trouvez la dérivée des fonctions suivantes :

a) $f(u) = u^8 + u^2 - 4$

On a $f'(u) = (u^8)' + (u^2)' - (4)'$ selon la règle D4

$= 8u^7 + 2u - 0 = 8u^7 + 2u$ selon les règles D1 et D2.

b) $g(t) = \frac{8}{t^5} - 3\sqrt[4]{t^3} + 104$

On a $g'(t) = \left(\frac{8}{t^5}\right)' - (3\sqrt[4]{t^3})' + (104)' = (8t^{-5})' - \left(3t^{\frac{3}{4}}\right)' + (104)'$ selon la règle D4

$= -40t^{-6} - \frac{9}{4}t^{-\frac{1}{4}} + 0 = \frac{-40}{t^6} - \frac{9}{4\sqrt[4]{t}}$ selon les règles D1, D2 et D3.

Dérivée d'un produit de fonctions

Une règle additionnelle permet de dériver assez facilement des fonctions plus complexes obtenues à partir du produit de deux fonctions. Si on dérive $(f \times g)(x)$ et si les dérivées des fonctions f et g existent, on a :

$$(f \times g)'(x) = \lim_{h\to 0} \frac{(f\times g)(x+h) - (f\times g)(x)}{h} = \lim_{h\to 0} \frac{f(x+h)g(x+h) - f(x)g(x)}{h}$$

$$= \lim_{h\to 0} \frac{f(x+h)g(x+h) - f(x)g(x+h) + f(x)g(x+h) - f(x)g(x)}{h}$$

(en ajoutant simplement $-f(x)\,g(x+h) + f(x)\,g(x+h)$) au numérateur

$$= \lim_{h\to 0} \frac{f(x+h)g(x+h) - f(x)g(x+h)}{h} + \lim_{h\to 0} \frac{f(x)g(x+h) - f(x)g(x)}{h}$$

$$= \lim_{h\to 0} g(x+h)\,\frac{f(x+h) - f(x)}{h} + \lim_{h\to 0} f(x)\,\frac{g(x+h) - g(x)}{h}$$

$$= \left(\lim_{h\to 0} g(x+h)\right)\left(\lim_{h\to 0} \frac{f(x+h) - f(x)}{h}\right) + f(x) \lim_{h\to 0} \frac{g(x+h) - g(x)}{h}$$

$$= g(x)f'(x) + f(x)g'(x) = f'(x)g(x) + f(x)g'(x)$$

Règle D5 Si f et g sont deux fonctions telles que $f'(x)$ et $g'(x)$ existent,
alors $(f \times g)'(x) = f'(x)g(x) + f(x)g'(x)$.

Exemple 5

Trouvez la dérivée des fonctions suivantes :

a) $f(t) = (t + 3)(t^2 - 7)$

On a $f'(t) = \frac{d}{dt}(t + 3) \cdot (t^2 - 7) + (t + 3) \cdot \frac{d}{dt}(t^2 - 7)$ selon la règle D5

$= (1)(t^2 - 7) + (t + 3)(2t) = t^2 - 7 + 2t^2 + 6t = 3t^2 + 6t - 7$

b) $h(x) = (2x^2 - \sqrt{x})(2x^2 + \sqrt{x})$

On a $h'(x) = \frac{d}{dx}(2x^2 - \sqrt{x}) \cdot (2x^2 + \sqrt{x}) + (2x^2 - \sqrt{x}) \cdot \frac{d}{dx}(2x^2 + \sqrt{x})$ selon la règle D5

$= \left(4x - \frac{1}{2\sqrt{x}}\right)\left(2x^2 + \sqrt{x}\right) + \left(2x^2 - \sqrt{x}\right)\left(4x + \frac{1}{2\sqrt{x}}\right)$

$= 8x^3 + 4x^{\frac{3}{2}} - x^{\frac{3}{2}} - \frac{1}{2} + 8x^3 + x^{\frac{3}{2}} - 4x^{\frac{3}{2}} - \frac{1}{2} = 16x^3 - 1$

Attention !

1) Puisque la dérivée d'une somme de fonctions $f + g$ correspond à la somme des dérivées de f et de g, il est tentant de croire que la dérivée d'un produit de fonctions $f \times g$ correspond au produit des dérivées des deux fonctions. **Il n'en est rien**. Par exemple,

si $f(t) = t^2$, alors $f'(t) = 2t$ et $(t)' \cdot (t)' = 1 \cdot 1 = 1$. En conséquence, $(t \cdot t)' \neq (t)' \cdot (t)'$.

2) Dans l'exemple 5(a), il aurait été possible de calculer d'abord :

$$f(t) = (t + 3)(t^2 - 7) = t^3 + 3t^2 - 7t - 21$$

et de déduire ensuite, grâce aux règles D1 à D4, que $f'(t) = 3t^2 + 6t - 7$.

Dérivée d'un quotient de fonctions

Soit la fonction $H(x) = \frac{f(x)}{g(x)}$, pour laquelle on cherche $H'(x)$. Si les dérivées des fonctions f, g et H existent, puisque $f(x) = H(x)g(x)$, on a, selon la règle D5 :

$$f'(x) = H'(x)g(x) + H(x)g'(x)$$

Si on isole maintenant $H'(x)$, on obtient :

$$H'(x) = \frac{f'(x) - H(x)g'(x)}{g(x)} = \frac{f'(x) - \left(\frac{f(x)}{g(x)}\right)g'(x)}{g(x)} = \frac{\frac{f'(x)g(x) - f(x)g'(x)}{g(x)}}{g(x)} = \frac{f'(x)g(x) - f(x)g'(x)}{g^2(x)}$$

Règle D6 Si f et g sont deux fonctions telles que $f'(x)$ et $g'(x)$ existent,

alors $\left(\frac{f}{g}\right)'(x) = \frac{f'(x)g(x) - f(x)g'(x)}{g^2(x)}$.

Exemple 6

Trouvez la dérivée des fonctions suivantes :

a) $f(u) = \dfrac{u+2}{u-2}$

On a $f'(u) = \dfrac{(u+2)'(u-2) - (u+2)(u-2)'}{(u-2)^2}$ selon la règle D6

$= \dfrac{(1)(u-2) - (u+2)(1)}{(u-2)^2} = \dfrac{u-2-u-2}{(u-2)^2} = \dfrac{-4}{(u-2)^2}$

b) $g(z) = \dfrac{z^3-1}{z^2+4}$

On a $g'(z) = \dfrac{(z^3-1)'(z^2+4) - (z^3-1)(z^2+4)'}{(z^2+4)^2}$ selon la règle D6

$= \dfrac{(3z^2)(z^2+4) - (z^3-1)(2z)}{(z^2+4)^2} = \dfrac{3z^4 + 12z^2 - 2z^4 + 2z}{(z^2+4)^2}$

$= \dfrac{z^4 + 12z^2 + 2z}{(z^2+4)^2} = \dfrac{z(z^3 + 12z + 2)}{(z^2+4)^2}$

Exemple 7

Dans un circuit électrique, on a une résistance fixe de 20 ohms et une résistance variable r (en ohms) placées en série. Si la tension dans le circuit est de 10 volts, alors le courant I (en ampères) est donné par $I(r) = \dfrac{10}{20+r}$. Trouvez le taux de variation instantané du courant lorsque $r = 15$ ohms et interprétez le résultat.

On a $I'(r) = \dfrac{(10)'(20+r) - (10)(20+r)'}{(20+r)^2} = \dfrac{(0)(20+r) - (10)(1)}{(20+r)^2} = \dfrac{-10}{(20+r)^2}$

Donc, $I'(15) = \dfrac{-10}{(20+15)^2} = \dfrac{-10}{(35)^2} = -0{,}008\,16$ A/Ω

Au moment où la résistance variable r a une valeur de 15 ohms, on estime que, si cette résistance augmente de 1 ohm, le courant va diminuer de 0,008 16 ampère ou 8,16 milliampères.

Exercices

1. Trouvez la dérivée des fonctions suivantes :

a) $g(t) = 17$

b) $h(x) = 10x^{0,2}$

c) $k(q) = 6q^3 - 7q + 3$

d) $f(u) = 2u^7(4u + 3)$

e) $g(x) = \dfrac{5x+1}{2-3x}$

f) $C(v) = 3\sqrt{v} + \dfrac{4v^3}{2+5v}$

2. Trouvez la dérivée des fonctions suivantes :

a) $f(t) = 15$

b) $h(z) = 5(7)^3$

c) $k(u) = \frac{\pi}{4^2}$

d) $m(v) = 0$

e) $m(t) = t^{45}$

f) $g(x) = x^{103}$

g) $h(z) = z^{3,78}$

h) $k(u) = u^{0,99}$

i) $d(v) = v^{-5}$

j) $q(x) = \frac{1}{x^4}$

k) $s(z) = \frac{1}{z^{9,1}}$

l) $C(q) = q^{\frac{9}{7}}$

m) $g(x) = x^{-\frac{4}{3}}$

n) $f(z) = \sqrt[3]{z^2}$

o) $k(s) = \sqrt[7]{s^8}$

p) $h(t) = \frac{1}{\sqrt[5]{t^2}}$

3. Trouvez la dérivée des fonctions suivantes :

a) $m(a) = 2a^7$

b) $h(t) = -52t^{10}$

c) $k(z) = \frac{2}{7}z^7$

d) $d(x) = 2{,}25x^{-4}$

e) $v(x) = \frac{18}{x^2}$

f) $k(q) = 22\sqrt[11]{q}$

g) $s(u) = \frac{e}{\sqrt[7]{u^2}}$

h) $q(n) = \frac{20}{\sqrt[5]{n^4}}$

4. Trouvez les fonctions des exercices n°s 2 et 3 dont la dérivée n'existe pas lorsque la variable indépendante vaut 0.

5. Trouvez la dérivée des fonctions suivantes :

a) $f(t) = t^2 - t + 2$

b) $g(x) = 5x^2 - 7x + 12$

c) $m(z) = -8 - 13z + \pi z^2$

d) $k(u) = 7^3u^3 + \frac{u}{\sqrt{2}} - 5$

e) $h(q) = 3 - q^3 - q^7$

f) $f(x) = 4x^4 - \frac{1}{4x^4}$

g) $g(t) = 6t - \frac{6}{t}$

h) $j(x) = \frac{5}{3}x^{\frac{5}{3}} - \frac{1}{7}x^{\frac{1}{7}}$

6. Trouvez pour quelles valeurs de t la pente de la tangente à la courbe de la fonction $f(t) = t^3 + 4t^2$ est nulle.

7. À l'aide de la calculatrice à affichage graphique, tracez le graphique des fonctions suivantes et estimez les valeurs de la variable indépendante pour lesquelles la pente de la tangente à la courbe est nulle. Confirmez ensuite votre résultat algébriquement, à l'aide d'une dérivée.

a) $g(x) = 4 - x^2$

b) $f(t) = t^3 - 12t$

c) $h(z) = 4z^3 - 24z^2$

d) $k(q) = -q^3 + 27q - 11$

8. Trouvez la dérivée des fonctions suivantes :

a) $g(t) = (2t + 1)(3t - 1)$

b) $g(x) = (x + 2)(x + 4)(x + 6)$

c) $f(t) = 5t^2(t^4 + 1)(4 - t^3)$

d) $k(x) = (x + 1)(x + 2)(x + 3)(x + 4)$

9. Sachant que $f(1) = 4$, $f'(1) = 3$, $g(1) = -2$ et $g'(1) = 10$, calculez $h'(1)$ lorsque :

a) $h(x) = f(x) + g(x)$

b) $h(x) = f(x) - g(x)$

c) $h(x) = f(x) \times g(x)$

d) $h(x) = \frac{f(x)}{g(x)}$

10. a) Soit la fonction $f(x) = (x^2 - 1)^2 = (x^2 - 1)(x^2 - 1)$. Calculez $f'(x)$ à l'aide de la règle D5 et écrivez votre résultat en effectuant une mise en évidence, si possible.

b) Soit la fonction $f(x) = (x^2 - 1)^3 = (x^2 - 1)^2(x^2 - 1)$. Calculez $f'(x)$ à l'aide du résultat obtenu en (a) et de la règle D5. Écrivez votre résultat en effectuant une mise en évidence, si possible.

c) Soit la fonction $f(x) = (x^2 - 1)^4 = (x^2 - 1)^3(x^2 - 1)$. Calculez $f'(x)$ à l'aide du résultat obtenu en (b) et de la règle D5. Écrivez votre résultat en effectuant une mise en évidence, si possible.

d) À la lumière des résultats obtenus en (a), (b) et (c), émettez une hypothèse quant à la dérivée de la fonction $f(x) = (x^2 - 1)^n$, où n est un nombre entier positif.

11. Trouvez la dérivée des fonctions suivantes :

a) $f(z) = \frac{z}{z + 1}$

b) $m(x) = \frac{x + 1}{x - 1}$

c) $d(t) = \frac{t - 3}{2t + 4}$

d) $f(z) = \frac{5 - z}{3 - 2z}$

e) $v(x) = \frac{2x + 1}{4x - 1}$

f) $g(r) = \frac{r^2 + 3r}{5 - r^4}$

g) $k(q) = \frac{q^2 - 4q + 3}{q^3}$

h) $f(t) = \frac{t^2 + 4t - 1}{t^4 + 2t}$

i) $h(a) = \frac{\sqrt{a} + 3}{a + 5}$

j) $p(q) = \frac{q^{\frac{1}{2}} + 2}{q^3 + 3q}$

k) $s(t) = \frac{\sqrt[5]{t}}{\sqrt[4]{t} + 3}$

12. Trouvez les fonctions des exercices n°s 5, 8 et 11 dont la dérivée n'existe pas lorsque la variable indépendante vaut 0.

13. Soit la fonction $g(t) = \frac{3t^2 + 6t - 11}{2t}$

a) Utilisez la règle D6 pour dériver la fonction g.

b) Puisque la fonction g s'écrit sous la forme $g(t) = \frac{3t^2}{2t} + \frac{6t}{2t} - \frac{11}{2t} = \frac{3}{2}t + 3 - \frac{11}{2}t^{-1}$, utilisez exclusivement les règles D1 à D4 pour dériver la fonction g et comparez votre résultat avec celui obtenu en (a).

14. Soit la fonction $f(x) = -5x^2 + 3x + 15$

a) Trouvez la pente de la tangente à cette courbe au point d'abscisse $x = 1$.

b) Trouvez le ou les points (sous forme de couples) où la tangente à la courbe est horizontale.

15. Trouvez l'équation de la droite tangente à la courbe de la fonction g fournie, à la valeur indiquée.

a) $g(z) = \sqrt{z} - 2z$ en $z = 9$

b) $g(u) = \frac{3}{2u} + \frac{3u}{2}$ en $u = 2$

16. Trouvez l'équation de toutes les droites qui passent par le point (0, 0) et qui sont tangentes à la parabole associée à la fonction $f(t) = 2t^2 - 6t + 18$.

17. On a une première droite tangente à la courbe de la fonction $f(x) = \frac{2}{x^3}$ en $x = 1$ et une deuxième droite tangente à la courbe de la fonction $g(x) = 4x^2 + 2x$ en $x = \frac{-11}{48}$. Montrez que ces deux droites sont perpendiculaires l'une à l'autre.

SECTION 7.2 Règle de dérivation en chaîne

Soit le contexte dans lequel une compagnie qui fabrique des disques compacts a des coûts de production C (en milliers de dollars) estimés par $C(n) = 3n + 15$, où n est le nombre de disques compacts produits (en centaines de disques). Le nombre n de centaines de disques produits peut être exprimé par la fonction $n(h) = 4h$, où h est le nombre d'heures de travail effectué. Grâce à la composée de fonction, on peut exprimer les coûts de production C en fonction du nombre h d'heures de travail. On obtient :

$$(C \circ n)(h) = C(n(h)) = 12h + 15$$

Comment pourrions-nous exprimer le taux de variation instantané de cette fonction par rapport à h ?

Prenons d'abord simplement la fonction $C(h) = 12h + 15$. Son taux de variation instantané en fonction de h est $\frac{dC}{dh} = \frac{d}{dh}(12h + 15) = \frac{d}{dh}(12h) + \frac{d}{dh}(15) = 12 + 0 = 12$.

Ainsi, pour chaque heure additionnelle de production, on s'attend à voir augmenter les coûts de production de 12 milliers de dollars, quelle que soit la valeur de h.

Abordons maintenant la situation sous un autre angle. Si $C(n) = 3n + 15$, alors :

$$\frac{dC}{dn} = \frac{d}{dn}(3n + 15) = \frac{d}{dn}(3n) + \frac{d}{dn}(15) = 3 + 0 = 3$$

Cette quantité indique que, indépendamment de la valeur de n, les coûts de production augmentent de 3 milliers de dollars à chaque fois qu'on produit une nouvelle centaine de disques. De plus :

$$n(h) = 4h \text{ et alors } \frac{dn}{dh} = \frac{d}{dh}(4h) = 4$$

Cette quantité signifie que, indépendamment de la valeur de h, le nombre n de centaines de disques produits augmente de 4 centaines à chaque heure.

On a :

$$\frac{\text{12 milliers de dollars}}{\text{heure}} = \frac{\text{3 milliers de dollars}}{\text{centaine d'unités}} \times \frac{\text{4 centaines d'unités}}{\text{heure}}$$

Taux de variation instantané de C par rapport à h	=	Taux de variation instantané de C par rapport à n	×	Taux de variation instantané de n par rapport à h

ou, autrement dit :

$$\frac{dC}{dh} = \frac{dC}{dn} \times \frac{dn}{dh}$$

D'une façon générale, si $y = f(t)$ et $t = g(x)$, et si ces deux fonctions sont dérivables, alors la fonction composée $y = f(t) = f(g(x)) = (f \circ g)(x)$ est dérivable et :

$$\frac{dy}{dx} = \frac{dy}{dt} \times \frac{dt}{dx}$$

On parle alors de **dérivation en chaîne.** On peut exprimer la même idée sous la forme suivante :

Règle D7 Si f et g sont deux fonctions telles que $f'(x)$ et $g'(x)$ existent, alors $(f \circ g)'(x) = [f(g(x))]' = f'(g(x)) \times g'(x)$.

Exemple 8

Trouvez la dérivée des fonctions suivantes :

a) $g(x) = (2x - 7)^{12}$

On peut exprimer $g(x)$ sous la forme $g(t) = t^{12}$, où $t = 2x - 7$. En conséquence,

$$\frac{dg}{dx} = \frac{dg}{dt} \times \frac{dt}{dx} = \frac{d}{dt}(t^{12}) \cdot \frac{d}{dx}(2x - 7) = 12t^{11} \cdot 2 = 24t^{11} = 24\,(2x - 7)^{11}$$

b) $f(t) = (t^2 + t + 1)^7$

On peut exprimer $f(t)$ sous la forme $f(y) = y^7$, où $y = t^2 + t + 1$. En conséquence,

$$\frac{df}{dt} = \frac{df}{dy} \times \frac{dy}{dt} = \frac{d}{dy}(y^7) \cdot \frac{d}{dt}(t^2 + t + 1) = 7y^6 \cdot (2t + 1) = 7(t^2 + t + 1)^6 \cdot (2t + 1)$$

c) $h(x) = \sqrt[3]{2x^3 + 6x}$

On peut exprimer $h(x)$ sous la forme $h(z) = \sqrt[3]{z} = z^{\frac{1}{3}}$, où $z = 2x^3 + 6x$. En conséquence,

$$\frac{dh}{dx} = \frac{dh}{dz} \cdot \frac{dz}{dx} = \frac{d}{dz}\left(z^{\frac{1}{3}}\right) \cdot \frac{d}{dx}(2x^3 + 6x) = \frac{1}{3}z^{-\frac{2}{3}} \cdot (6x^2 + 6) = \frac{6(x^2 + 1)}{3z^{\frac{2}{3}}} = \frac{6(x^2 + 1)}{3\sqrt[3]{(2x^3 + 6x)^2}}$$

Pour une fonction de la forme $f(x) = (g(x))^n$ comme celles qui figurent dans l'exemple 8,

si on pose $y = g(x)$, alors on a $f(x) = (g(x))^n = y^n$

et on peut déduire que $\frac{df}{dx} = \frac{df}{dy} \times \frac{dy}{dx} = ny^{n-1} \cdot g'(x) = n(g(x))^{n-1} \cdot g'(x)$.

Règle D8 Si g est une fonction telle que $g'(x)$ existe et si n est un nombre réel, alors $((g(x))^n)' = n(g(x))^{n-1} \cdot g'(x)$.

La règle D8 se formule également de la façon suivante :

si la variable u dépend de la variable x, alors $\frac{d}{dx}(u^n) = nu^{n-1} \cdot \frac{du}{dx}$.

Exemple 9

Trouvez la dérivée de la fonction $h(z) = \frac{1}{(z^3 + 2z - 1)^{22}}$.

On a $h(z) = \frac{1}{(z^3 + 2z - 1)^{22}} = (z^3 + 2z - 1)^{-22}$ et, selon la règle D8,

on a $h'(z) = -22(z^3 + 2z - 1)^{-23} \cdot (z^3 + 2z - 1)' = \frac{-22}{(z^3 + 2z - 1)^{23}} \cdot (3z^2 + 2) = \frac{-22(3z^2 + 2)}{(z^3 + 2z - 1)^{23}}$

Attention !

La règle D7 peut s'appliquer à plusieurs taux de variation instantanés. Par exemple, si $y = f(t)$, $t = g(x)$ et $x = h(u)$, et si toutes ces fonctions sont dérivables, alors la fonction composée $y = f(t) = f(g(x)) = f(g(h(u))) = (f \circ g \circ h)(u)$ est dérivable

et $$\frac{dy}{du} = \frac{dy}{dt} \times \frac{dt}{dx} \times \frac{dx}{du}$$

Cela permet de mieux comprendre l'expression « dérivation en chaîne » reliée à la règle D7.

$$\frac{dy}{du} = \frac{dy}{dt} \xrightarrow{\times} \frac{dt}{dx} \xrightarrow{\times} \frac{dx}{du}$$

Exemple 10

Trouvez la dérivée de la fonction $f(x) = ((x^3 + 2x)^5 - 8x)^7$.

On a $f'(x) = 7((x^3 + 2x)^5 - 8x)^6 \cdot ((x^3 + 2x)^5 - 8x)'$

$= 7((x^3 + 2x)^5 - 8x)^6 \cdot (((x^3 + 2x)^5)' - (8x)')$

$= 7((x^3 + 2x)^5 - 8x)^6 \cdot (5(x^3 + 2x)^4 \cdot (x^3 + 2x)' - 8)$

$= 7((x^3 + 2x)^5 - 8x)^6(5(x^3 + 2x)^4(3x^2 + 2) - 8)$

Dérivation d'une fonction réciproque

La dérivation en chaîne peut nous permettre de déduire un résultat lié à la dérivation de la réciproque d'une fonction. Soit f une fonction dérivable et f^{-1} sa fonction réciproque. On sait alors que, par définition :

$$f(f^{-1}(x)) = x$$

Si on dérive de part et d'autre de l'égalité par rapport à la variable x, on a :

$$\frac{d}{dx}(f(f^{-1}(x))) = \frac{d}{dx}(x) \text{ et donc } f'(f^{-1}(x)) \times (f^{-1}(x))' = 1$$

En conséquence, la dérivée de la fonction réciproque f^{-1} de la fonction f est définie par

$(f^{-1}(x))' = \dfrac{1}{f'(f^{-1}(x))}$, à condition que f soit dérivable, que $f'(f^{-1}(x))$ soit définie et que $f'(f^{-1}(x)) \neq 0$.

Règle D9 Si f^{-1} est la fonction réciproque de f et si $f'(x)$ existe, alors $(f^{-1}(x))' = \dfrac{1}{f'(f^{-1}(x))}$ à condition que $f'(f^{-1}(x))$ soit définie et que $f'(f^{-1}(x)) \neq 0$.

Cette règle D9 sera fort utile dans les sections suivantes.

Exercices

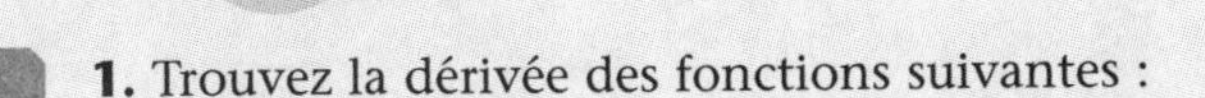

1. Trouvez la dérivée des fonctions suivantes :

a) $g(t) = (t - 2)^7$

b) $h(z) = (6z - 1)^3$

c) $k(u) = \dfrac{1}{\sqrt{u + 3}}$

d) $d(t) = (2t + 12)^3(t^2 - 3)^4$

e) $h(y) = \dfrac{y^4 + 3y^3 - 2y^2}{(4y - 3)^7}$

f) $m(t) = \sqrt{\sqrt{t} + 7}$

2. Trouvez $\dfrac{dy}{dx}$ pour les groupes de fonctions suivants. La variable x est la seule variable qui doit figurer dans la réponse.

a) $y = 3u + 6$ et $u = 2x^2 - 6x + 5$

b) $y = 3u^2$ et $u = 4t - 1$ et $t = -3x^2 + 6x - 16$

c) $y = \sqrt{u^3}$ et $u = 6x^3 - x + 11$

d) $y = s\sqrt{s}$ et $s = x\sqrt[3]{x^2}$

e) $y = r^2 + r$ et $r = x^3 + 1 - \dfrac{1}{x}$

f) $y = \dfrac{1}{1 + u}$ et $u = \dfrac{1}{1 + x}$

g) $y = s + \sqrt{s}$ et $s = \dfrac{x + 1}{x - 1}$

h) $y = r + r^{\frac{3}{4}}$ et $r = x^{\frac{1}{2}} + x^{\frac{5}{6}}$

3. Soit les fonctions linéaires $f(x) = mx + b$ et $g(x) = nx + d$. Trouvez la dérivée de la fonction $f(g(x))$.

4. Trouvez la dérivée des fonctions suivantes :

a) $m(v) = (1 + v)^4$

b) $h(z) = (4z + 3)^5$

c) $g(x) = (x^3 - 4)^9$

d) $f(u) = (5 - u)^{\frac{4}{7}}$

e) $f(t) = (3t^2)^3 + (4t)^3$

f) $h(v) = (v^2 - 2v)^3$

g) $h(y) = 7\sqrt[4]{3y^2 + 5}$

h) $m(u) = (2u + 4)^5 (7 - 9u)^2$

i) $s(q) = (3 - q)^{12}(4 - q)^{13}$

j) $f(x) = \dfrac{2x}{(x^4 - 3)^2}$

k) $h(t) = \sqrt[5]{\sqrt[3]{t} + 8}$

l) $k(z) = \sqrt{\sqrt{\sqrt{z} + 2} + 2}$

5. Trouvez les fonctions de l'exercice n° 4 dont la dérivée n'existe pas lorsque la variable indépendante vaut 0.

6. Soit la fonction $C(d) = \sqrt{36d} + \dfrac{1}{\sqrt{16d}}$

a) Utilisez la règle D8 pour dériver la fonction C.

b) Puisque la fonction C s'écrit sous la forme $C(d) = \sqrt{36}\sqrt{d} + \dfrac{1}{\sqrt{16}\sqrt{d}} = 6\sqrt{d} + \dfrac{1}{4\sqrt{d}}$, utilisez exclusivement les règles D1 à D4 pour dériver la fonction g et comparez votre résultat avec celui obtenu en (a).

7. Soit la fonction $g(t) = (t + 3)^4 \times h(t)$, où $h(t)$ est dérivable en $t = -3$. Montrez que l'axe horizontal des t est tangent à la courbe de la fonction g en $t = -3$.

8. On suppose que la fonction f est dérivable sur $\mathbb{R}$ et $f'(8) = 10$. Soit la fonction h définie par $h(x) = f(x^3)$. Calculez $h'(2)$.

SECTION 7.3 Règles de dérivation pour les fonctions exponentielles et logarithmiques

Dans cette section, nous allons établir des règles de dérivation pour les fonctions exponentielles et logarithmiques.

Dérivée de fonctions logarithmiques

Selon l'exemple 19 du chapitre 6 (p. 192), on sait déjà que :

$$\text{si } f(x) = \ln x \text{ (avec } x > 0\text{), alors } f'(x) = \frac{1}{x}$$

De plus, selon la règle de dérivation en chaîne, on peut déduire que :

$$\text{si la fonction } h(x) > 0\text{, alors } (\ln h(x))' = \frac{1}{h(x)} \times h'(x)$$

Dans ce cas, lorsque $x < 0$, on a $-x > 0$ et :

$$(\ln(-x))' = \frac{1}{-x} \cdot (-x)' = \frac{1}{-x} \cdot (-1) = \frac{1}{x}$$

On a, par conséquent, la règle suivante :

Règle D10 Si $f(x) = \ln |x|$, alors $f'(x) = \frac{1}{x}$.

Si $f(x) = \ln |h(x)|$, alors $f'(x) = \frac{1}{h(x)}h'(x) = \frac{h'(x)}{h(x)}$.

Exemple 11

Trouvez la dérivée des fonctions suivantes :

a) $g(t) = \ln |6t|$

On a $g'(t) = \frac{1}{6t} \cdot (6t)' = \frac{1}{6t} \cdot 6 = \frac{1}{t}$

b) $h(z) = 12 \ln |z^3 + 2z|$

On a $h'(z) = 12 \cdot \frac{1}{z^3 + 2z} \cdot (z^3 + 2z)' = \frac{12}{z^3 + 2z} \cdot (3z^2 + 2) = \frac{12(3z^2 + 2)}{z^3 + 2z}$

c) $f(x) = \ln \left(\frac{x^4 + 1}{x^2 + 3}\right)$

On a $f'(x) = \frac{1}{\left(\frac{x^4+1}{x^2+3}\right)} \cdot \left(\frac{x^4 + 1}{x^2 + 3}\right)' = \frac{x^2 + 3}{x^4 + 1} \cdot \left(\frac{(x^4 + 1)'(x^2 + 3) - (x^4 + 1)(x^2 + 3)'}{(x^2 + 3)^2}\right)$

$$= \frac{x^2 + 3}{x^4 + 1} \cdot \left(\frac{4x^3(x^2 + 3) - (x^4 + 1)2x}{(x^2 + 3)^2}\right) = \frac{x^2 + 3}{x^4 + 1} \cdot \left(\frac{4x^5 + 12x^3 - 2x^5 - 2x}{(x^2 + 3)^2}\right)$$

$$= \frac{x^2 + 3}{x^4 + 1} \cdot \left(\frac{2x^5 + 12x^3 - 2x}{(x^2 + 3)^2}\right) = \frac{2x(x^4 + 6x^2 - 1)}{(x^4 + 1)(x^2 + 3)}$$

Attention !

1) D'une façon générale, si $f(t) = \ln |Kt|$, où K est une constante, on a :

$$f(t) = \ln |Kt| = \ln |K| + \ln |t| \text{ et donc}$$

$$f'(t) = (\ln |K| + \ln |t|)' = (\ln |K|)' + (\ln |t|)' = 0 + \frac{1}{t} = \frac{1}{t}$$

indépendamment de la valeur de la constante K.

2) Dans l'exemple 11(c), nous aurions pu d'abord modifier la fonction en écrivant :

$$f(x) = \ln \left(\frac{x^4 + 1}{x^2 + 3}\right) = \ln (x^4 + 1) - \ln (x^2 + 3),$$

pour ensuite dériver cette différence de fonctions plutôt que d'avoir à travailler avec la dérivée d'un quotient.

Soit b un nombre réel positif différent de 1. Si la fonction à dériver est de la forme $f(x) = \log_b x$, on a :

$$f(x) = \log_b x = \frac{\ln x}{\ln b} = \frac{1}{\ln b} \cdot \ln x$$

et, par conséquent, $f'(x) = \left(\frac{1}{\ln b}\ln x\right)' = \frac{1}{\ln b}(\ln x)' = \frac{1}{\ln b}\frac{1}{x} = \frac{1}{x \ln b}$

Règle D11 Si $f(x) = \log_b |x|$, alors $f'(x) = \frac{1}{x \ln b}$.

Si $f(x) = \log_b |h(x)|$, alors $f'(x) = \frac{1}{h(x) \ln b} \cdot h'(x) = \frac{h'(x)}{h(x) \ln b}$

Exemple 12

Trouvez la dérivée de la fonction $m(x) = \log (x^2)$.

On a $m'(x) = \frac{1}{x^2 \ln 10} \cdot (x^2)' = \frac{1}{x^2 \ln 10} \cdot 2x = \frac{2}{x \ln 10}$ grâce à la règle D11.

Dérivée de fonctions exponentielles

On sait que si $f(x) = \ln |x|$ et $x \neq 0$, alors sa fonction réciproque est $f^{-1}(x) = e^x$. Quelle est la dérivée de cette dernière fonction ? On a vu à la fin de la section 7.2 que :

$$(f^{-1}(x))' = \frac{1}{f'(f^{-1}(x))}$$

En conséquence, si $f(x) = \ln |x|$ et $x \neq 0$, alors $f'(x) = \frac{1}{x}$, $f'(f^{-1}(x)) = \frac{1}{e^x}$

et on a

$$(e^x)' = (f^{-1}(x))' = \frac{1}{f'(f^{-1}(x))} = \frac{1}{\frac{1}{e^x}} = e^x$$

De plus, selon la règle de dérivation en chaîne, on peut déduire que :

$$(e^{h(x)})' = e^{h(x)} \times h'(x)$$

Règle D12 Si $f(x) = e^x$, alors $f'(x) = e^x$.
Si $f(x) = e^{h(x)}$, alors $f'(x) = e^{h(x)} \times h'(x)$.

Attention !

1) La fonction $f(x) = e^x$ est la seule fonction non nulle qui soit égale à sa propre dérivée. Le nombre d'Euler e (qui vaut environ 2,718) a beaucoup d'importance en mathématiques, entre autres à cause de cette caractéristique.

2) Au chapitre 6, on a accepté que :

$$\lim_{h \to 0} \frac{e^h - 1}{h} = 1$$

On peut constater que cela concorde avec la règle D12. En effet, puisque la dérivée de la fonction $f(x) = e^x$ est $f'(x) = e^x$:

$$\lim_{h\to 0} \frac{e^h - 1}{h} = \lim_{h\to 0} \frac{e^h - e^0}{h} = \lim_{h\to 0} \frac{f(0+h) - f(0)}{h} = f'(0) = e^0 = 1$$

Exemple 13

Trouvez la dérivée des fonctions suivantes :

a) $f(t) = \sqrt{17}e^t$

On a $f'(t) = \sqrt{17}(e^t)' = \sqrt{17}e^t$, en combinant les règles D3 et D12.

b) $g(x) = \dfrac{2 + 7x^3}{e^x}$

$$\text{On a } g'(x) = \frac{(2+7x^3)'e^x - (2+7x^3)(e^x)'}{(e^x)^2} = \frac{21x^2e^x - (2+7x^3)e^x}{e^{2x}}$$

$$= \frac{e^x(21x^2 - 2 - 7x^3)}{e^{2x}} = \frac{21x^2 - 2 - 7x^3}{e^x}$$

c) $h(t) = \log_7 (e^t + 6)$

$$\text{On a } h'(t) = \frac{1}{(e^t + 6)\ln 7} \cdot (e^t + 6)' = \frac{1}{(e^t + 6)\ln 7} \cdot e^t = \frac{e^t}{(e^t + 6)\ln 7}$$

d) $m(u) = 6e^{(5u+3)}$

On a $m'(u) = 6e^{(5u+3)} \cdot (5u + 3)' = 6e^{(5u+3)} \cdot 5 = 30e^{(5u+3)}$

Cherchons maintenant la dérivée de la fonction exponentielle $f(x) = b^x$ (où b est un nombre réel plus grand que 0 et différent de 1). On a $b = e^{\ln b}$ et donc $b^x = (e^{\ln b})^x = e^{x \ln b}$.

En conséquence :

$$(b^x)' = (e^{x \ln b})' = e^{x \ln b} \cdot (x \cdot \ln b)' \text{ selon la règle D12}$$

$$= e^{x \ln b} \cdot (\ln b) = b^x \ln b, \text{ car } b^x = e^{x \ln b}$$

Règle D13 Soit b un nombre réel plus grand que 0 et différent de 1.
Si $f(x) = b^x$, alors $f'(x) = b^x \ln b$.
Si $f(x) = b^{h(x)}$, alors $f'(x) = b^{h(x)} \ln b \times h'(x)$.

Exemple 14

Trouvez la dérivée des fonctions suivantes :

a) $d(t) = 5^t$

On a, en appliquant la règle D13, $d'(t) = 5^t \ln 5$.

b) $g(z) = 4^{4z}$

On a $g'(z) = 4^{4z} \ln 4 \cdot (4z)' = 4^{4z} (\ln 4) \cdot 4 = 4^{4z+1} \ln 4$

c) $h(x) = 6^x 7^{2x}$

On a un produit de fonctions et donc

$$\begin{aligned} h'(x) &= (6^x)'7^{2x} + 6^x(7^{2x})' = 6^x \ln 6 \cdot 7^{2x} + 6^x 7^{2x} \ln 7 \cdot (2x)' \\ &= 6^x \ln 6 \cdot 7^{2x} + 6^x 7^{2x} \ln 7 \cdot 2 = 6^x 7^{2x}(\ln 6 + 2 \ln 7) \end{aligned}$$

Exercices

1. Trouvez la dérivée des fonctions suivantes :

a) $g(t) = 3e^t - t^e$

b) $h(z) = 7^z + z^7 + \ln |z|$

c) $f(n) = (\ln 5) \cdot 5^n$

d) $f(x) = 5 \cdot 8^x - x7^x$

e) $k(u) = e^{11u} - 11^u$

f) $d(t) = (\log_9 t) \cdot 9^{t+3}$

2. Trouvez la dérivée des fonctions suivantes :

a) $g(x) = 3e^x - 4$

b) $h(x) = \dfrac{2}{x^4} + \dfrac{e^x}{2} - 28^3$

c) $m(x) = e^x(3e^x + 4)$

d) $m(t) = \dfrac{e^t}{5 + t}$

e) $f(z) = \dfrac{4 + 2e^z}{3 - 4e^z}$

f) $m(z) = e^2 z - e^{2z}$

g) $f(v) = 3v^2 - 0{,}4e^{0{,}4v}$

h) $g(z) = \dfrac{z^3 + e^{3z} - 3z}{8}$

i) $k(s) = \sqrt{2s}\, e^{(s+3)}$

j) $h(q) = \dfrac{q^3 - 1}{4e^{3q}}$

k) $f(x) = \sqrt{e^{5x}}$

l) $g(z) = \dfrac{7}{\sqrt{e^z - 7z}}$

m) $v(t) = \dfrac{e^t - 7}{(5 - t)^2}$

n) $f(x) = 14^x$

o) $g(y) = 2^{5y+3}$

p) $k(z) = z8^z$

q) $h(t) = 10^t 11^{2t}$

r) $n(q) = \dfrac{5^{(3q)}}{6^q - 3q}$

s) $h(x) = e^{e^{e^x}}$

t) $f(u) = 3^{2^{(u-5)}}$

u) $g(y) = \dfrac{45^y}{2 - e^y}$

3. Trouvez la dérivée des fonctions suivantes. On suppose que les valeurs de la variable indépendante sont telles que les logarithmes sont définis.

a) $f(t) = 5t + 5 \ln t$

b) $c(x) = x^8 \ln x$

c) $r(s) = (3 \ln s - s^4)(4s^2 + 3e^s)$

d) $f(x) = \dfrac{5}{\ln x}$

e) $g(t) = \dfrac{\ln t}{5 + t^3}$

f) $m(a) = \dfrac{-5 \ln a}{a^2 + 3a - 1}$

g) $k(u) = \ln |17u|$

h) $f(x) = e^5 + \ln (x^5)$

i) $g(t) = 5 \ln (3t) - 5t^{-3}$

j) $m(z) = z^2 - 1 - z - \ln (2z)$

k) $h(x) = ex^e - \ln (x^3)$

l) $g(z) = (z^5 + e^{2z}) \ln (4z)$

m) $j(q) = e^q \ln (5q)$

n) $j(x) = \ln [(3x^2 - 5)^4]$

o) $f(z) = \dfrac{3}{\sqrt{\ln z}}$

p) $m(u) = e^{2u}(\ln u)^3$

q) $k(v) = \ln (\ln (\ln v))$

r) $g(x) = \log_4 x$

s) $f(t) = 5 \log_7 (t^2 + 3t)$

t) $h(v) = \dfrac{\log_{0{,}2} (v - 3)}{v^5 + 6v^2}$

u) $m(z) = (z^3 - 9z) \log (z^7 - 4z)$

4. Trouvez l'équation de la droite tangente à la courbe de la fonction g fournie, à la valeur indiquée.

   a) $g(t) = t^3 + e^t$, en $t = 0$

   b) $g(x) = \ln x + x^{-3} - x^{-4}$, en $x = 1$

5. Trouvez en quels points la droite tangente à la courbe $g(x) = 4^x$ au point (1, 4) coupe l'axe des x et l'axe des y.

6. Soit la fonction $g(t) = 4^t \cdot 5^t$

   a) Trouvez la dérivée de la fonction g en appliquant la règle D5 du produit de deux fonctions.

   b) Puisque la fonction g s'écrit aussi sous la forme $g(t) = 4^t \cdot 5^t = (4 \cdot 5)^t = 20^t$, dérivez cette dernière formulation de la fonction g et comparez votre résultat avec celui obtenu en (a).

7. a) On souhaite trouver $f'(x)$ lorsque $f(x) = x^x$, avec $x > 0$. On a $\ln f(x) = \ln x^x = x \ln x$. En dérivant de part et d'autre de l'égalité $\ln f(x) = x \ln x$, déduisez $f'(x)$.

   b) Trouvez la dérivée des deux fonctions $g(x) = (x + 3)^{2x}$ et $h(x) = (x^2 + e^x)^{(x+1)}$.

SECTION 7.4 Règles de dérivation pour les fonctions trigonométriques

Dans cette section, tous les angles utilisés sont exprimés en radians.

Dans l'exemple 20 du chapitre 6 (p. 193), on a démontré le premier résultat de la règle suivante. Le deuxième résultat découle de la règle de dérivation en chaîne.

Règle D14 Si $f(x) = \sin x$, alors $f'(x) = \cos x$.
Si $f(x) = \sin (k(x))$, alors $f'(x) = \cos (k(x)) \times k'(x)$.

Puisque $\sin\left(x + \frac{\pi}{2}\right) = \sin x \cdot \cos\left(\frac{\pi}{2}\right) + \sin\left(\frac{\pi}{2}\right) \cdot \cos x = \cos x$ (selon l'identité trigonométrique I4 du chapitre 5, p. 152), on a :

$$(\cos x)' = \left(\sin\left(x + \frac{\pi}{2}\right)\right)' = \cos\left(x + \frac{\pi}{2}\right) \cdot \left(x + \frac{\pi}{2}\right)' = \cos\left(x + \frac{\pi}{2}\right) \cdot 1$$

$$= \cos\left(x + \frac{\pi}{2}\right) = \cos x \cdot \cos\left(\frac{\pi}{2}\right) - \sin x \cdot \sin\left(\frac{\pi}{2}\right) = -\sin x$$

Règle D15 Si $f(x) = \cos x$, alors $f'(x) = -\sin x$.
Si $f(x) = \cos (k(x))$, alors $f'(x) = -\sin (k(x)) \times k'(x)$.

Exemple 15

Trouvez la dérivée des fonctions suivantes :

a) $g(u) = 4 \sin (3u)$

On a $g'(u) = 4 (\sin (3u))' = 4 \cos (3u) \cdot (3u)' = 4 \cos (3u) \cdot 3 = 12 \cos (3u)$.

b) $h(z) = 7 \cos (z^3)$

On a $h'(z) = 7(\cos (z^3))' = 7(-\sin (z^3)) \cdot (z^3)' = -7 \sin (z^3) \cdot 3z^2 = -21z^2 \sin (z^3)$.

Si $f(x) = \text{tg } x = \dfrac{\sin x}{\cos x}$, alors on a :

$$f'(x) = \left(\frac{\sin x}{\cos x}\right)' = \frac{(\sin x)' \cos x - \sin x (\cos x)'}{\cos^2 x}$$

$$= \frac{\cos x \cos x - \sin x (-\sin x)}{\cos^2 x} = \frac{\cos^2 x + \sin^2 x}{\cos^2 x} = \frac{1}{\cos^2 x} = \sec^2 x$$

Les démonstrations des autres résultats de la règle suivante font partie des exercices.

Règle D16 Si $f(x) = \text{tg } x$, alors $f'(x) = \sec^2 x$

Si $f(x) = \text{tg } (k(x))$, alors $f'(x) = \sec^2 (k(x)) \times k'(x)$

Si $f(x) = \text{cotg } x$, alors $f'(x) = -\text{cosec}^2 x$

Si $f(x) = \text{cotg } (k(x))$, alors $f'(x) = -\text{cosec}^2 (k(x)) \times k'(x)$

Si $f(x) = \sec x$, alors $f'(x) = \sec x \ \text{tg } x$

Si $f(x) = \sec (k(x))$, alors $f'(x) = \sec (k(x)) \ \text{tg } (k(x)) \times k'(x)$

Si $f(x) = \text{cosec } x$, alors $f'(x) = -\text{cosec } x \ \text{cotg } x$

Si $f(x) = \text{cosec } (k(x))$, alors $f'(x) = -\text{cosec } (k(x)) \ \text{cotg } (k(x)) \times k'(x)$

Exemple 16

Trouvez la dérivée des fonctions suivantes :

a) $h(t) = 4 \text{ tg } (5t)$

On a $h'(t) = 4 (\text{tg } (5t))' = 4 (\sec^2 (5t)) \cdot (5t)' = 4 \sec^2 (5t) \cdot 5 = 20 \sec^2 (5t)$

b) $g(A) = \text{cotg } A (\sec A - \text{cosec } A)$

On a $g'(A) = (\text{cotg } A)' (\sec A - \text{cosec } A) + \text{cotg } A (\sec A - \text{cosec } A)'$

$= (-\text{cosec}^2 A)(\sec A - \text{cosec } A) + \text{cotg } A (\sec A \text{ tg } A - (-\text{cosec } A \text{ cotg } A))$

$= -\sec A \text{ cosec}^2 A + \text{cosec}^3 A + \text{cotg } A \sec A \text{ tg } A + \text{cosec } A \text{ cotg}^2 A$

$= -\sec A \text{ cosec}^2 A + \text{cosec}^3 A + \sec A + \text{cosec } A \text{ cotg}^2 A$, car $\text{cotg } A \cdot \text{tg } A = 1$

$= \text{cosec } A (-\sec A \text{ cosec } A + \text{cosec}^2 A + \text{cotg}^2 A) + \sec A$

c) $f(x) = \dfrac{1 + \sec x}{\text{cosec } x}$

On a $f'(x) = \dfrac{(1 + \sec x)' \text{ cosec } x - (1 + \sec x)(\text{cosec } x)'}{\text{cosec}^2 x}$

$= \dfrac{(\sec x \text{ tg } x) \text{ cosec } x - (1 + \sec x)(-\text{cosec } x \text{ cotg } x)}{\text{cosec}^2 x}$

$$= \frac{\sec x \operatorname{tg} x \operatorname{cosec} x + \operatorname{cosec} x \operatorname{cotg} x + \sec x \operatorname{cosec} x \operatorname{cotg} x}{\operatorname{cosec}^2 x}$$

$$= \frac{\operatorname{cosec} x (\sec x \operatorname{tg} x + \operatorname{cotg} x + \sec x \operatorname{cotg} x)}{\operatorname{cosec}^2 x} = \frac{\sec x \operatorname{tg} x + \operatorname{cotg} x + \operatorname{cosec} x}{\operatorname{cosec} x}$$

Exercices

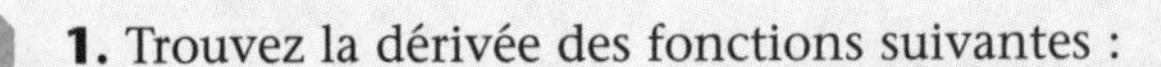

1. Trouvez la dérivée des fonctions suivantes :

a) $g(t) = \sin t - \cos t$

b) $h(z) = 3 \sin z \cos z$

c) $k(u) = u^2 \operatorname{tg} u$

d) $h(y) = \dfrac{\cos y}{\sin (y + 3)}$

e) $f(n) = \sec^5 (4n)$

f) $m(t) = \sqrt{\cos (t^6)}$

2. Après avoir défini les fonctions suivantes en utilisant le sinus et le cosinus, prouvez les égalités suivantes :

a) $(\operatorname{cotg} x)' = -\operatorname{cosec}^2 x$

b) $(\sec x)' = \sec x \cdot \operatorname{tg} x$

c) $(\operatorname{cosec} x)' = -\operatorname{cosec} x \cdot \operatorname{cotg} x$

3. Trouvez la dérivée des fonctions suivantes :

a) $g(x) = x \sin x$

b) $f(z) = e^z \operatorname{tg} z$

c) $h(A) = \dfrac{A}{\sin A}$

d) $h(t) = \dfrac{\sin t}{\sec t}$

e) $f(y) = \dfrac{\operatorname{cosec} y}{\cos y}$

f) $g(x) = \cos^7 x$

g) $f(t) = (\sin t)^5$

h) $f(t) = \sin (t^5)$

i) $h(z) = \sqrt{\sin z}$

j) $k(u) = \dfrac{2}{\sqrt{\sin u}}$

k) $g(z) = \cos (z^3)$

l) $h(t) = \sin (\cos t)$

m) $m(v) = \cos (\sin v)$

n) $k(x) = 4 \cos^3 (1 - 2x)$

o) $m(t) = t^3 \cos (3t)$

p) $f(t) = 6 \cos (4\pi t + 2\pi)$

q) $g(z) = 2 \sin \left(4z + \dfrac{\pi}{3}\right)$

r) $h(x) = \operatorname{tg} \left(\pi x + \dfrac{\pi}{2}\right)$

s) $f(x) = \operatorname{cosec}^3 x \sec^4 x$

t) $g(t) = \dfrac{\operatorname{cotg} (3t)}{\operatorname{tg} (2t)}$

u) $h(z) = \operatorname{tg} (z^6 - 5z) \sec (z^2)$

4. Soit la fonction $f(x) = \sin^2 x + \cos^2 x$

a) Dérivez la fonction f en utilisant, entre autres, les règles D14 et D15.

b) Dérivez à nouveau la fonction f, sachant que $f(x) = \sin^2 x + \cos^2 x = 1$.

5. Trouvez la dérivée des fonctions suivantes :

a) $f(u) = \sin (e^u)$

b) $h(x) = \cos (e^{x^2})$

c) $g(t) = \sin (\ln |t|)$, où $t \neq 0$

d) $h(A) = \ln |\sin A|$, où $\sin A \neq 0$

e) $k(t) = \dfrac{\cos t}{\ln t}$ où $t > 0$ et $t \neq 1$

f) $p(x) = \ln x \cdot \cos x$, si $x > 0$

SECTION **7.5**

Règles de dérivation pour les fonctions trigonométriques inverses

Comme on l'a vu dans la section 7.2, si f^{-1} est la fonction réciproque de la fonction f, alors :

$$(f^{-1}(x))' = \frac{1}{f'(f^{-1}(x))}$$

On sait que $f^{-1}(x) = \arcsin x$ est, par définition, la fonction réciproque de la fonction $f(x) = \sin x$.

Dans ce cas,

$$f'(x) = (\sin x)' = \cos x \text{ et } f'(f^{-1}(x)) = \cos(\arcsin x)$$

Or, selon l'identité trigonométrique I1 du chapitre 5 (p. 151),

on a $\cos^2(\arcsin x) = 1 - \sin^2(\arcsin x) = 1 - x^2$

et donc $\cos(\arcsin x) = \sqrt{1 - x^2}$, car si $\frac{-\pi}{2} < -1 \leq x \leq 1 < \frac{\pi}{2}$, alors $\cos x \geq 0$.

Donc, $f'(f^{-1}(x)) = \cos(\arcsin x) = \sqrt{1 - x^2}$

Par conséquent, $(\arcsin x)' = \dfrac{1}{f'(f^{-1}(x))} = \dfrac{1}{\sqrt{1 - x^2}}$

Les démonstrations des autres résultats de la règle suivante font partie des exercices.

Règle D17 Si $f(x) = \arcsin x$, alors $f'(x) = \dfrac{1}{\sqrt{1 - x^2}}$

Si $f(x) = \arcsin(k(x))$, alors $f'(x) = \dfrac{1}{\sqrt{1 - (k(x))^2}} \times k'(x) = \dfrac{k'(x)}{\sqrt{1 - (k(x))^2}}$

Si $f(x) = \arccos x$, alors $f'(x) = \dfrac{-1}{\sqrt{1 - x^2}}$

Si $f(x) = \arccos(k(x))$, alors $f'(x) = \dfrac{-1}{\sqrt{1 - (k(x))^2}} \times k'(x) = \dfrac{-k'(x)}{\sqrt{1 - (k(x))^2}}$

Si $f(x) = \text{arctg } x$, alors $f'(x) = \dfrac{1}{1 + x^2}$

Si $f(x) = \text{arctg}(k(x))$, alors $f'(x) = \dfrac{1}{1 + (k(x))^2} \times k'(x) = \dfrac{k'(x)}{1 + (k(x))^2}$

Si $f(x) = \text{arccotg } x$, alors $f'(x) = \dfrac{-1}{1 + x^2}$

Si $f(x) = \text{arccotg}(k(x))$, alors $f'(x) = \dfrac{-1}{1 + (k(x))^2} \times k'(x) = \dfrac{-k'(x)}{1 + (k(x))^2}$

Si $f(x) = \text{arcsec } x$, alors $f'(x) = \dfrac{1}{|x|\sqrt{1 - x^2}}$

Si $f(x) = \text{arcsec}(k(x))$, alors $f'(x) = \dfrac{1}{|k(x)|\sqrt{(k(x))^2 - 1}} \times k'(x) = \dfrac{k'(x)}{|k(x)|\sqrt{(k(x))^2 - 1}}$

Si $f(x) = \text{arccosec } x$, alors $f'(x) = \dfrac{-1}{|x|\sqrt{1 - x^2}}$

Si $f(x) = \text{arccosec } (k(x))$, alors $f'(x) = \dfrac{-1}{|k(x)|\sqrt{(k(x))^2 - 1}} \times k'(x) = \dfrac{-k'(x)}{|k(x)|\sqrt{(k(x))^2 - 1}}$

Exemple 17

Trouvez la dérivée des fonctions suivantes :

a) $f(t) = \arcsin (t^2 + 1)$

On a $f'(t) = \dfrac{1}{\sqrt{1 - (t^2 + 1)^2}} \cdot (t^2 + 1)' = \dfrac{1}{\sqrt{1 - (t^2 + 1)^2}} \cdot 2t = \dfrac{2t}{\sqrt{1 - (t^2 + 1)^2}}$

b) $h(x) = \text{arctg } (\sin x)$

On a $h'(x) = \dfrac{1}{1 + (\sin x)^2} \cdot (\sin x)' = \dfrac{1}{1 + \sin^2 x} \cdot \cos x = \dfrac{\cos x}{1 + \sin^2 x}$

c) $g(t) = \text{arccosec } (5t^2 + 4)$

On a $g'(x) = \dfrac{-1}{|5t^2 + 4|\sqrt{(5t^2 + 4)^2 - 1}} \cdot ((5t^2 + 4))'$

$= \dfrac{-1}{(5t^2 + 4)\sqrt{(5t^2 + 4)^2 - 1}} \cdot 10t = \dfrac{-10t}{(5t^2 + 4)\sqrt{(5t^2 + 4)^2 - 1}}$

Comment **faire** ?

Comment trouver la dérivée d'une fonction à l'aide des règles de dérivation

Pour trouver la dérivée d'une fonction à l'aide des règles présentées dans ce chapitre, il est important :

1) de prendre la fonction donnée et de la simplifier dès le départ, si possible. On peut, entre autres, utiliser les règles des exposants et les identités trigonométriques.

2) de transformer, s'il y a lieu, la fonction donnée sous la forme prescrite par la règle utilisée, avant d'appliquer celle-ci. Par exemple, dans le cas des règles D2 et D8, écrire la fonction sous la forme $f(x) = x^n$ ou $f(x) = (g(x))^n$ avant d'appliquer le résultat.

3) de bien connaître :

- les règles fondamentales D1 à D9 pour tous les types de fonctions;
- les règles D10 et D11 pour les fonctions logarithmiques;
- les règles D12 et D13 pour les fonctions exponentielles;
- les règles D14 à D16 pour les fonctions trigonométriques;
- la règle D17 pour les fonctions trigonométriques inverses.

Exercices

1. Trouvez la dérivée des fonctions suivantes :

a) $g(t) = \arccos(t^2)$ **b)** $f(x) = \cos(\arcsin x^3)$ **c)** $k(u) = u \arcsin^2(3u)$

2. Prouvez les égalités suivantes :

a) $(\arccos x)' = \dfrac{-1}{\sqrt{1 - x^2}}$

b) $(\text{arctg } x)' = \dfrac{1}{1 + x^2}$

c) $(\text{arccotg } x)' = \dfrac{-1}{1 + x^2}$

d) $(\text{arcsec } x)' = \dfrac{1}{|x|\sqrt{x^2 - 1}}$

e) $(\text{arccosec } x)' = \dfrac{-1}{|x|\sqrt{x^2 - 1}}$

3. Trouvez la dérivée des fonctions suivantes :

a) $f(t) = \arcsin(9t^2)$

b) $g(x) = \sin(\text{arctg}(3x - 2))$

c) $h(z) = \arccos(\cos 3\pi z)$

d) $k(u) = u \text{ arccosec } u$

e) $k(A) = (\text{arcsec } 9A)^{17}$

f) $f(x) = \dfrac{14}{\text{arccotg}(1 + x^2)}$

4. Pour $0 < t < \frac{\pi}{2}$, dérivez les fonctions suivantes et expliquez vos résultats :

a) $f(t) = \arcsin t + \arccos t$

b) $g(t) = \text{arctg } t + \text{arctg}\left(\dfrac{1}{t}\right)$

c) $h(t) = \text{arcsec } t + \text{arccosec } t$

La **mathématique au goût du jour**

Les mathématiques et la météorologie

L'être humain aime connaître de façon assez précise le temps qu'il fera au cours des prochaines heures ou des jours à venir. En fait, les activités des gens (tant professionnelles qu'en ce qui concerne les loisirs) et leur façon de se vêtir dépendent souvent du temps prévu par les météorologues. Les mathématiciens contribuent à leur façon à trouver des solutions pour tenter d'améliorer la précision des prévisions météorologiques.

Depuis 1950 environ, diverses personnes ayant une formation en mathématiques se sont intéressées à des équations reliées à la météorologie et traitées par ordinateur. Au fil du temps, des méthodes de conception des équations et des processus de résolution de celles-ci ont vu le jour. Les équations utilisées, qui font intervenir un très grand nombre de variables, nécessitent l'utilisation d'ordinateurs puissants. Il faut donc s'attaquer à des algorithmes très efficaces pour résoudre les équations en question.

On a constaté que pour obtenir des prévisions assez justes, en plus d'avoir une bonne connaissance des conditions atmosphériques à un moment précis, renseignements fournis des quatre coins du monde, on doit tenir compte de la structure d'écoulement atmosphérique à ce moment. En fait, il arrive parfois qu'une petite erreur d'observation ou une erreur liée au modèle utilisé prenne de l'ampleur et rende impossible une prévision après un certain temps. Des méthodes récentes de modélisation élaborées par des mathématiciens tiennent compte de ces diverses composantes, permettent de réduire l'erreur d'estimation de l'état initial de l'atmosphère et assurent une plus grande précision des prévisions pour les heures qui suivent.

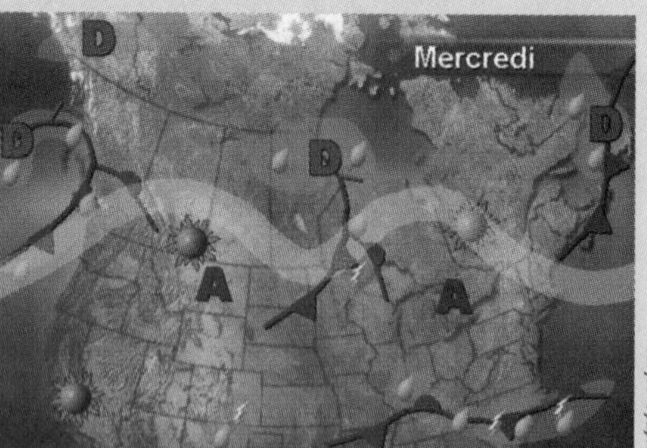

La météorologie permet de plus en plus de faire des prévisions adéquates, grâce, entre autres, aux mathématiques.

Règles de dérivation

D1 : Si $f(x) = K$, où K est un nombre réel, alors $f'(x) = 0$.

D2 : Si $f(x) = x^n$ (où n est un nombre réel), alors $f'(x) = nx^{n-1}$.

Si f et g sont deux fonctions telles que $f'(x)$ et $g'(x)$ existent, alors :

D3 : Si $f(x) = K\,g(x)$, où K est un nombre réel, alors $f'(x) = Kg'(x)$.

D4 : $(f+g)'(x) = f'(x) + g'(x)$ et $(f-g)'(x) = f'(x) - g'(x)$

D5 : $(f \times g)'(x) = f'(x)\,g(x) + f(x)\,g'(x)$

D6 : $\left(\dfrac{f}{g}\right)'(x) = \dfrac{f'(x)g(x) - f(x)g'(x)}{g^2(x)}$

D7 : $(f \circ g)'(x) = [f(g(x))]' = f'(g(x)) \times g'(x)$

D8 : Si n est un nombre réel, alors $((g(x))^n)' = n(g(x))^{n-1} \times g'(x)$.

D9 : Si f^{-1} est la fonction réciproque de f et si $f'(x)$ existe, alors $(f^{-1}(x))' = \dfrac{1}{f'(f^{-1}(x))}$.

D10 : $(\ln |x|)' = \dfrac{1}{x}$ et $(\ln |h(x)|)' = \dfrac{1}{h(x)} \times h'(x)$.

D11 : Soit b un nombre réel positif différent de 1.

Alors, $(\log_b |x|)' = \dfrac{1}{x \ln b}$ et $(\log_b |h(x)|)' = \dfrac{1}{h(x) \ln b} \times h'(x)$.

D12 : $(e^x)' = e^x$ et $(e^{h(x)})' = e^{h(x)} \times h'(x)$

D13 : Soit b un nombre réel positif différent de 1.

Alors, $(b^x)' = b^x \ln b$ et $(b^{h(x)})' = b^{h(x)} \ln b \times h'(x)$.

D14 : $(\sin x)' = \cos x$ et $(\sin (k(x)))' = \cos (k(x)) \times k'(x)$

D15 : $(\cos x)' = -\sin x$ et $(\cos (k(x)))' = -\sin (k(x)) \times k'(x)$

D16 : $(\text{tg } x)' = \sec^2 x$ et $(\text{tg } (k(x)))' = \sec^2 (k(x)) \times k'(x)$

$(\text{cotg } x)' = -\text{cosec}^2 x$ et $(\text{cotg } (k(x)))' = -\text{cosec}^2 (k(x)) \times k'(x)$

$(\sec x)' = \sec x \;\; \text{tg } x$ et $(\sec (k(x)))' = \sec (k(x)) \;\; \text{tg } (k(x)) \times k'(x)$

$(\text{cosec } x)' = -\text{cosec } x \;\; \text{cotg } x$ et $(\text{cosec } (k(x)))' = -\text{cosec } (k(x)) \;\; \text{cotg } (k(x)) \times k'(x)$

D17 : $(\arcsin x)' = \frac{1}{\sqrt{1-x^2}}$ et $(\arcsin (k(x)))' = \frac{k'(x)}{\sqrt{1-(k(x))^2}}$

$(\arccos x)' = \frac{-1}{\sqrt{1-x^2}}$ et $(\arccos (k(x)))' = \frac{-k'(x)}{\sqrt{1-(k(x))^2}}$

$(\text{arctg}\ x)' = \frac{1}{1+x^2}$ et $(\text{arctg}\ (k(x)))' = \frac{k'(x)}{1+(k(x))^2}$

$(\text{arccotg}\ x)' = \frac{-1}{1+x^2}$ et $(\text{arccotg}\ (k(x)))' = \frac{-k'(x)}{1+(k(x))^2}$

$(\text{arcsec}\ x)' = \frac{1}{|x|\sqrt{x^2-1}}$ et $(\text{arcsec}\ (k(x)))' = \frac{k'(x)}{|k(x)|\sqrt{(k(x))^2-1}}$

$(\text{arccosec}\ x)' = \frac{1}{|x|\sqrt{x^2-1}}$ et $(\text{arccosec}\ (k(x)))' = \frac{-k'(x)}{|k(x)|\sqrt{(k(x))^2-1}}$

Problèmes

Section 7.1 (p. 208) Règles de dérivation fondamentales

1. Une tumeur a une forme sphérique de rayon r (en centimètres). Sachant que le volume V (en centimètres cubes) d'une sphère de rayon r est donné par $V = \frac{4}{3}\pi r^3$, calculez le taux de variation instantané du volume de la tumeur au moment où le rayon de celle-ci est de 2 centimètres. Interprétez votre résultat.

2. Une boîte a une base carrée dont chaque côté mesure x centimètres et dont la hauteur mesure le triple du côté de la base. Trouvez le taux de variation instantané du volume de la boîte en fonction de x et interprétez le signe de ce taux de variation lorsque $x > 0$.

3. Le coût de production C (en centaines de dollars) est donné par $C(x) = x + 3\sqrt{x}$, où x représente le nombre d'unités produites. Trouvez le taux de variation instantané du coût de production lorsque $x = 16$. Interprétez votre résultat.

4. Dans un type d'atome, l'électron et le proton ont chacun une charge électrique de $1{,}6 \cdot 10^{-19}$ C. La force d'attraction F (en newtons) à laquelle sont soumis l'électron et le proton est donnée par $F(r) = \frac{2{,}304 \cdot 10^{-30}}{r^2}$, où r représente la distance (en mètres) qui sépare l'électron du proton. Trouvez la fonction donnant le taux de variation instantané de la force F et interprétez le signe de ce taux de variation lorsque $r > 0$.

5. On a une force entre deux atomes d'une molécule diatomique et l'énergie potentielle (en joules) relative à cette force peut s'exprimer à l'aide de la fonction $P(r) = \frac{C}{r^{12}} - \frac{D}{r^6}$, où C et D sont des constantes positives et r est la distance (en mètres) entre les deux atomes.

a) Trouvez le taux de variation instantané de P.

b) Trouvez pour quelles valeurs de r le taux de variation instantané de P est nul.

6. Le coût (en milliers de dollars) pour instaurer un plan environnemental qui va maintenir à t % la pureté d'un liquide utilisé est donné par $C(t) = \frac{2600}{100-t}$. Trouvez le taux de variation instantané du coût lorsque $t = 12$ % et interprétez votre résultat.

7. Le succès de vente d'un article dépend souvent de son prix de vente. Sachant que $N(p) = \frac{255}{3p + 5}$, où N est le nombre de milliers d'articles et p son prix de vente (en dollars), calculez le taux de variation instantané de N lorsque $p = 35$ et interprétez votre résultat.

8. Le coût mensuel C de production (en dollars) dans une petite entreprise est donné par la fonction $C(q) = 4500 + 6{,}36q$, où q représente le nombre d'unités produites mensuellement. En conséquence, le coût de production unitaire U (en dollars par unité) est défini par :

$$U(q) = \frac{C(q)}{q} = \frac{4500 + 6{,}36q}{q}$$

a) Trouvez le taux de variation instantané du coût mensuel C lorsqu'on produit 25 unités dans un mois et interprétez votre résultat.

b) Trouvez le taux de variation instantané du coût de production unitaire U lorsqu'on produit 25 unités dans un mois et interprétez votre résultat.

9. Un médicament est administré à un patient par intraveineuse et la concentration C (en milligrammes par millilitre) de celui-ci dans le sang du patient est donnée x heures après la transfusion par $C(x) = \frac{x}{x^2 + 2x + 1}$.

a) Trouvez le taux de variation instantané de C en fonction de x.

b) Déterminez le signe du taux de variation instantané de C lorsque $x > 1$ et interprétez votre résultat.

Section 7.2 (p. 216)
Règle de dérivation en chaîne

10. La « masse relativiste » m d'une particule ayant une vitesse v par rapport à un observateur est de $m(v) = \frac{m_o}{\sqrt{1 - \left(\frac{v}{c}\right)^2}}$, où m_o est la masse de la particule au repos par rapport à l'observateur et $c = 3 \cdot 10^8$ mètres par seconde est la vitesse de la lumière. Trouvez le taux de variation instantané de m et interprétez le signe de ce taux de variation lorsque $v > 0$.

Section 7.3 (p. 220)
Règles de dérivation pour les fonctions exponentielles et logarithmiques

11. Les profits quotidiens P (en dollars) d'une entreprise sont donnés par la fonction $P(x) = 2500x - 5x^2 - 2e^{2x}$, où x est le nombre d'articles vendus. Calculez et interprétez le taux de variation instantané de la fonction P lorsque $x = 3$.

12. Le coût de production unitaire (en dollars) d'un article est donné par e^{-n}, où n représente le nombre de centaines d'articles produits.

a) Trouvez la fonction C donnant le coût total pour la production de n centaines d'articles.

b) Calculez $C'(5)$ et interprétez votre résultat.

13. Une petite entreprise a estimé que son chiffre d'affaires mensuel A (en dollars) exprimé en fonction de la somme p (en milliers de dollars) dépensée en publicité en un mois est représenté par $A(p) = 8500 + 980\,(1 - e^{-0{,}45p})$. Calculez $A'(2)$ et interprétez votre résultat.

14. Le nombre N d'appareils assemblés quotidiennement sur une chaîne de montage actionnée par des êtres humains, x jours après le début de la production, est donné par $N(x) = 150\,(1 - e^{-0{,}04x})$. Calculez $N'(7)$ et interprétez votre résultat.

15. Les coûts mensuels globaux de production C (en centaines de dollars) d'une entreprise sont représentés par $C(q) = 190 - 80e^{-0{,}02q}$, où q est le nombre d'unités produites dans un mois. Calculez $C'(100)$ et interprétez votre résultat.

16. Le pourcentage P % des entreprises d'une même région qui utilisent une nouvelle technologie est donné par la fonction $P(t) = \frac{75}{1 + 3e^{-0{,}08t}}$, où t est le nombre d'années suivant l'introduction de la technologie en question. Calculez $P'(10)$ et interprétez votre résultat.

17. Le nombre N d'ours dans une grande région boisée est donné par $N(t) = \dfrac{260e^t}{2 + e^{\frac{t}{2}}}$, où t est le nombre d'années écoulées depuis le 1er janvier 2001.

a) Trouvez le taux de variation instantané de N en fonction de t.

b) Déterminez le signe du taux de variation instantané de N et interprétez votre résultat.

18. Lorsque le taux d'inflation est de 0,3 % par mois durant une longue période, le prix P d'un article qui vaut aujourd'hui 50 $ est défini par la formule $P(t) = 50(1{,}003)^t$, où t représente le nombre de mois à partir d'aujourd'hui.

a) Calculez $P(24)$ et interprétez votre résultat.

b) Calculez $P'(24)$ et interprétez votre résultat.

c) Trouvez pour quelles valeurs de t on a $P'(t) = 0{,}156\,9$.

19. La population P (en milliers de personnes) dans une ville est donnée par $P(t) = 245(0{,}97)^t$, où t est le nombre de décennies depuis 1990. Trouvez le taux de variation instantané de P lorsque $t = 3$ et interprétez votre résultat.

20. Une somme de 1000 $ est placée à un taux d'intérêt annuel composé de i % capitalisé annuellement. Si F représente la valeur finale de ce placement et n est le nombre d'années écoulées depuis le début de ce placement, on a alors $F = 1000\left(1 + \dfrac{i}{100}\right)^n$.

a) Posez $i = 6$ dans la formule précédente, calculez $\dfrac{dF}{dn}$ lorsque $n = 4$ et interprétez votre résultat.

b) Posez $n = 5$ dans la formule précédente, calculez $\dfrac{dF}{di}$ lorsque $i = 4$ et interprétez votre résultat.

Section 7.4 (p. 225)
Règles de dérivation pour les fonctions trigonométriques

21. La tension V (en volts) dans un condensateur est décrite par $V(t) = 3 \sin\left(4\pi t + \dfrac{\pi}{2}\right)$, où t représente le temps en secondes à partir du temps $t = 0$. Trouvez le taux de variation instantané de la tension du condensateur lorsque $t = 0{,}25$ seconde et interprétez votre résultat.

22. Une génératrice produit un courant I (en ampères) donné en fonction du temps t (en secondes) par $I(t) = 3 \sin(15\pi t)$. Calculez $I'(1)$ et interprétez votre résultat.

23. La température moyenne de l'air (en degrés Celsius) pour un mois, en un endroit spécifique, est approximativement donnée par $T(n) = 16 \sin\left(\dfrac{\pi}{6}(n - 4)\right) - 3{,}5$, où n est le numéro du mois dans l'année (par exemple, $n = 1$ pour le mois de janvier et $n = 9$ pour le mois de septembre). Calculez $T'(5)$ et interprétez votre résultat.

24. Un voilier qui est amarré suit le mouvement des vagues. La distance verticale d (en mètres) entre le bord du quai et le haut du voilier est donnée par $d(t) = 15 + 2\sin\left(\dfrac{\pi}{6}t\right)$, où t est le temps en heures depuis 17 h. Trouvez le taux de variation instantané de la distance d lorsque $t = 2$ et interprétez votre résultat.

Section 7.5 (p. 228)
Règles de dérivation pour les fonctions trigonométriques inverses

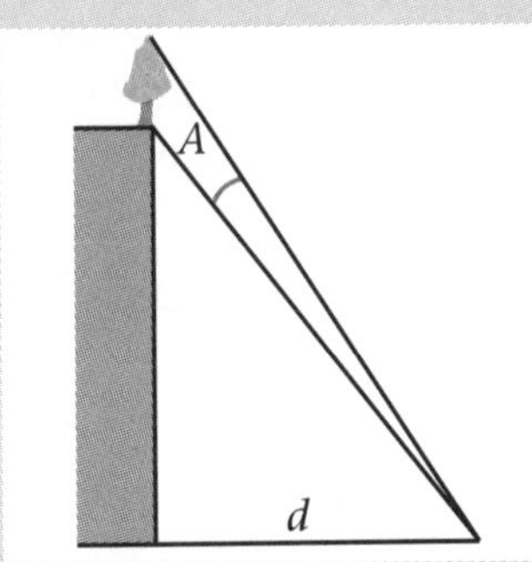

25. On doit photographier un arbuste placé en haut d'une falaise mesurant 10 mètres. La taille de l'arbuste est de 1,2 mètre. On veut s'assurer de voir l'arbuste en entier sur la photographie. La distance d (en mètres) entre la base de la falaise et l'appareil photographique modifie l'angle de visée A (en radians). On a alors $A(d) = \text{arctg}\left(\frac{11{,}2}{d}\right) - \text{arctg}\left(\frac{10}{d}\right)$. Trouvez le taux de variation instantané de A lorsque $d = 3$ et interprétez votre résultat.

Auto-évaluation

1. Trouvez la dérivée des fonctions suivantes :

a) $g(x) = x^7 - 2{,}5x^4 + 6x - 1{,}2$

b) $f(t) = 6t^{\frac{5}{4}} - 3t^{\frac{8}{9}} - 9t^{\frac{6}{7}}$

c) $c(z) = z^{-8} + \frac{1}{7}\sqrt[3]{z^2} - \frac{3}{\sqrt[4]{z^3}}$

d) $k(u) = (5u^2 - 3)(3u^4 + 2\sqrt{u})$

e) $m(q) = \frac{q^3 - 2}{4 - q^5}$

f) $g(t) = (t^5 + 12t - 1)^{45}$

g) $p(q) = \frac{(4q^3 + 1)^4}{(7 - 3q^4)^6}$

h) $k(w) = (4w^3 + 1)^5 \cdot (5w^2 - 9)^6$

i) $f(x) = \sqrt[3]{x^4 - \frac{3x + 1}{4x - 5}}$

j) $g(v) = \sqrt[7]{\sqrt[3]{v^2} + 17}$

2. Trouvez la dérivée des fonctions suivantes. On suppose que les valeurs de la variable indépendante sont telles que les logarithmes sont définis.

a) $g(x) = e^{-15x} + \ln x$

b) $f(t) = 5t - e^{(t^2 + 3)}$

c) $c(n) = (3n^6 - 2n^3 + 1)e^{3n}$

d) $k(x) = e^{2x} \ln |2x|$

e) $m(v) = \ln (v^4 + (e^v)^3)$

f) $g(t) = \frac{\log_4 t}{5 + t^3}$

g) $h(z) = (\ln 3)^z + z^{\ln 3} + \ln (3^z)$

h) $m(z) = \frac{z^3 + 3^z}{e^{3z}}$

i) $n(x) = \frac{x^{3,5}}{3{,}5^x}$

3. Trouvez la dérivée des fonctions suivantes :

a) $g(x) = \sin (4x - 7)$

b) $f(t) = 10 - \cos^2 (6t^3 + 2)$

c) $c(z) = \sin^6 z \cos^7 z$

d) $h(s) = 80 \text{ tg } (s^4 + 2)$

e) $k(u) = (u \sec u + 4 \text{ cotg } u)^3$

f) $r(v) = \frac{1 - \sin (3v)}{1 + \sin (3v)}$

g) $f(x) = \frac{\sec^2 x + 4}{\text{cosec}^3 x - 5}$

h) $g(t) = e^t(\sin 2t + \cos 3t)$

i) $h(z) = (\cos 7z - \text{tg } 7z)^5$

4. Parmi toutes les fonctions suivantes qui passent par le point (0, 1), associez, si possible, celles qui ont la même tangente en ce point.

$f(t) = t + 1$ $\qquad g(t) = \sin t + 1$

$h(t) = \dfrac{t+1}{4t+1}$ $\qquad k(t) = 1 + \sqrt[3]{t^4}$

$m(t) = 1 - t^2$ $\qquad n(t) = t \operatorname{tg} t + \cos t$

$q(t) = e^t$ $\qquad r(t) = t^3 + 1$

$s(t) = 4 \cos (3t) - 3$

5. Soit une forme d'onde particulière d'équation $y = A \sin\left(\frac{2\pi}{\lambda}t\right)$, où A est une constante positive (en mètres), λ est une constante positive qui représente la longueur de l'onde et t est le temps en secondes depuis le temps $t = 0$. Calculez la vitesse verticale $\frac{dy}{dt}$ de cette onde lorsque $t = 2\lambda$ secondes.

6. Soit les deux courbes associées aux fonctions $f(x) = x^2 - 1$ et $g(x) = 2x^2 + 4x + 3$. Trouvez (si elles existent) l'équation des droites qui sont simultanément tangentes aux courbes de ces deux fonctions.

7. Trouvez $\frac{dy}{dx}$ si :

a) $y = 4v + v^2$ et $v = x^4 + x^3 - x^2 + 4x - 1$

b) $y = 4 \sin 3t$ et $t = x^3 - 4x^2 + x$

c) $y = \ln (u^2 + 45)$ et $u = e^{5x} - 4^{3x}$

d) $y = \dfrac{w-1}{w+2}$ et $w = (x^4 - 4x + 2)^5$

Chapitre 8

Analyse formelle du graphique d'une fonction

Plan du chapitre

Objectifs

D'ICI LA FIN DE CE CHAPITRE, VOUS DEVRIEZ POUVOIR :

- TROUVER, À L'AIDE DE LA DÉRIVÉE, LES INTERVALLES DE CROISSANCE ET DE DÉCROISSANCE POUR UNE FONCTION DONNÉE, DE MÊME QUE LES MAXIMUMS ET LES MINIMUMS RELATIFS ;
- CALCULER LES DÉRIVÉES SUCCESSIVES D'UNE FONCTION ;
- UTILISER LE TEST DE LA DÉRIVÉE SECONDE POUR DÉTERMINER SI UNE VALEUR CRITIQUE EST UN MAXIMUM OU UN MINIMUM RELATIF D'UNE FONCTION ;
- TROUVER, À L'AIDE DE LA DÉRIVÉE SECONDE, LES INTERVALLES DE CONCAVITÉ VERS LE HAUT ET DE CONCAVITÉ VERS LE BAS POUR UNE FONCTION DONNÉE, DE MÊME QUE LES POINTS D'INFLEXION ;
- CONSTRUIRE UNE ESQUISSE DU GRAPHIQUE D'UNE FONCTION ET ANALYSER LA COURBE OBTENUE.

« La vérité est comme le Soleil. Elle fait tout voir et ne se laisse pas regarder. »

VICTOR HUGO (1802-1885), *Tas de pierres*.

Le cours de l'histoire

Les fondements du calcul différentiel (3e partie)

Les analyses géométriques des Grecs de l'Antiquité ont surtout porté sur le cercle et la droite. Au XVIIe siècle, les balbutiements du calcul différentiel font en sorte que ce sujet d'étude devient beaucoup plus vaste, et on s'intéresse à de nombreuses courbes, telles que la cycloïde, le logarithme et les fonctions trigonométriques. Les coordonnées de la géométrie analytique facilitent grandement la description et l'étude de ces courbes. Les derniers développements permettent de calculer les pentes des tangentes à ces courbes et de trouver des surfaces et des longueurs d'arc qui sont associées aux courbes. René Descartes jugeait alors qu'il était impossible d'y arriver.

PUBLIPHOTO/SCIENCE PHOTO LIBRARY

Augustin Cauchy (1789-1857)

En 1637, Pierre de Fermat (1601-1665), un magistrat de Toulouse qui fait des mathématiques par plaisir durant ses heures de loisir, écrit un texte intitulé Méthode pour la recherche du maximum et du minimum. *Il y expose une méthode générale pour trouver les extremums d'une fonction, un désir cher aux humains. Il s'agit de déterminer pour quelles valeurs une fonction atteint un maximum ou un minimum.*

Isaac Newton (1642-1727) trouve un ensemble de résultats sur les maximums et les minimums d'une fonction, sur le tracé de tangentes, sur les centres de gravité et sur d'autres aspects que nous étudierons dans des chapitres ultérieurs. Pourtant, Newton est peu enclin à publier ses découvertes. Il semblerait qu'il était très conscient du manque de rigueur de certains concepts à la base des méthodes qu'il avait élaborées et de certains calculs qu'il avait suggérés. Par exemple, il répétait souvent qu'il manquait à « l'échafaudage » auquel il contribuait une définition rigoureuse du concept de limite.

De fait, après sa naissance, le calcul différentiel est utilisé pendant une centaine d'années sans fondements appropriés. À la suite des vaines tentatives d'un grand nombre de mathématiciens, c'est Augustin Cauchy (1789-1857) qui, autour de 1820, définit rigoureusement le concept de limite, étape nécessaire pour pouvoir enfin entreprendre l'élaboration des fondements axiomatiques du calcul différentiel et intégral.

Avant d'aller plus loin

Préalables

1. Trouvez, à l'aide de limites pertinentes, les asymptotes verticales et horizontales des fonctions suivantes :

a) $f(t) = \frac{2}{t}$

b) $g(z) = \frac{-6}{z-2}$

c) $h(x) = 5^x$

d) $k(v) = \frac{4v^2 + 3}{v(2v - 5)}$

2. Dérivez les fonctions du numéro 1(a) (b) et (c) précédent. Utilisez la réponse obtenue et dérivez-la elle aussi.

3. Résolvez les équations suivantes :

a) $(7 - t)(2t + 5) = 0$

b) $w^2 - 5w + 4 = 0$

c) $(x + 1)^3(3x - 2)^4 = 0$

d) $z^5 - 9z^3 = 0$

e) $\frac{u^6 - 2u^5}{u - 12} = 0$

f) $\frac{y^4 + y^2 + 2}{5y - 6} = 0$

g) $5(t - 6)(t + 2)^2 - 3(t - 6)^2(t + 2) = 0$

4. Trouvez (si possible) la pente de la tangente à la courbe de la fonction donnée, à la valeur donnée.

a) $f(z) = z^3 + 4z$ en $z = 4$

b) $g(x) = \sqrt{4x^6 + 12}$ en $x = 1$

c) $h(t) = \frac{t^2 - 1}{t^2 + 4}$ en $t = 0$

d) $m(v) = 4^v + \ln |v|$ en $v = 1$

e) $k(x) = 5 \sin x + 6 \cos x$ en $x = \frac{\pi}{2}$

Langages mathématique et graphique

1. Pour une fonction f définie par $f(t)$, donnez la signification graphique de $f(3)$ et de $f'(3)$.

2. Tracez la courbe d'une fonction continue sur $\mathbb{R}$ qui est :

a) concave vers le haut sur $\mathbb{R}$, décroissante sur $-\infty, -2[$ et croissante sur $]-2, +\infty$;

b) croissante et concave vers le haut sur $-\infty, 0[$ et décroissante et concave vers le bas sur $]0, +\infty$;

c) croissante sur $\mathbb{R}$, mais qui n'est jamais concave vers le bas ou concave vers le haut.

3. Tracez une courbe continue sur $\mathbb{R}$ possédant un seul maximum relatif, en $t = 1$, un seul point d'inflexion, en $t = 3$, et un seul minimum relatif, en $t = 5$. Dessinez (si votre dessin le permet) des tangentes à la courbe pour une valeur de $t < 1$, pour $t = 1$, pour une valeur de t entre 1 et 3, pour $t = 3$, pour une valeur de t entre 3 et 5, pour $t = 5$ et pour une valeur de $t > 5$. Identifiez ensuite le signe de la pente des sept tangentes.

4. Pour une fonction f définie par $f(x)$, définissez mathématiquement, à l'aide des limites :

a) une asymptote verticale;

b) une asymptote horizontale.

SECTION **8.1**

Caractéristiques d'une fonction relatives à la dérivée première

Le graphique ci-dessous représente la température (en degrés Celsius) d'une journée de la fin de l'automne, en fonction du nombre d'heures écoulées depuis midi cette journée-là.

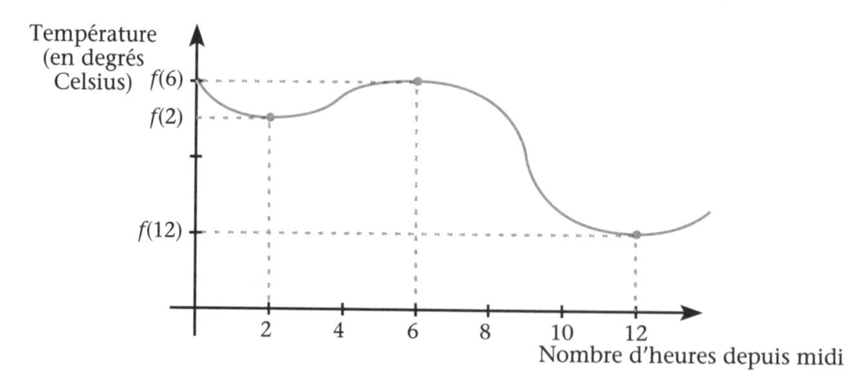

Une des utilités fondamentales de la dérivée est de permettre de trouver les extremums relatifs d'une fonction, comme les valeurs $f(2)$ et $f(12)$ du graphique ci-dessus qui sont des minimums relatifs, de même que $f(6)$, qui est un maximum relatif.

On constate qu'en observant toujours ce graphique, autour du minimum relatif au point $(2, f(2))$, la fonction est décroissante juste avant d'atteindre ce point et est croissante après l'avoir quitté. La même dynamique existe autour de l'autre point $(12, f(12))$ associé à un minimum relatif. Quant au point $(6, f(6))$ qui est associé à un maximum relatif, la fonction est croissante avant de l'atteindre et devient décroissante immédiatement après.

Il en ressort que le fait de connaître les endroits où la fonction est croissante ou décroissante devrait nous aider à trouver les extremums relatifs. La dérivée va nous faciliter la tâche dans la recherche des intervalles de croissance et de décroissance.

Valeurs critiques d'une fonction et intervalles de croissance et de décroissance

Nous avons vu au chapitre 1 (p. 13) qu'une fonction f est **croissante** sur un intervalle $]a, b[$ si la courbe du graphique de la fonction monte lorsque la variable indépendante passe de a à b. Elle est **décroissante** sur l'intervalle $]c, d[$ si la courbe de la fonction descend lorsque la variable indépendante passe de c à d.

Si $f'(x) > 0$ pour tous les x dans l'intervalle $]a, b[$, alors la fonction est croissante sur $]a, b[$.

Si $f'(x) < 0$ pour tous les x dans l'intervalle $]c, d[$, alors la fonction est décroissante sur $]c, d[$.

Une bonne façon de déterminer les intervalles où une fonction f donnée est croissante et ceux où elle est décroissante est de chercher d'abord les endroits où la dérivée n'est ni positive ni négative, soit lorsque la dérivée est nulle ou lorsqu'elle n'existe pas.

Soit c une valeur du domaine de la fonction f. Le nombre c est une **valeur critique de f relative à la dérivée** si $f'(c) = 0$ ou si $f'(c)$ n'existe pas.

Attention !

Pour une fonction f donnée définie par $f(x)$, lorsqu'on cherche à résoudre l'équation $f'(x) = 0$, il est idéal, lorsque :

- $f'(x)$ est une fonction linéaire avec une pente non nulle, de chercher à isoler la variable x pour identifier l'unique solution de l'équation ;
- $f'(x)$ est une fonction quadratique, de chercher à factoriser l'expression ou d'utiliser la formule quadratique présentée au chapitre 1 (p. 21) pour trouver, si elles existent, la ou les solutions de l'équation ;
- $f'(x)$ est une fonction polynomiale de degré plus grand que 2, de chercher à factoriser l'expression pour trouver, si elles existent, la ou les solutions de l'équation.

Dans les deux derniers cas, si la factorisation est possible, il est important de se souvenir que lorsqu'on a une expression de la forme $p(x) \times q(x) = 0$, il faut nécessairement que $p(x) = 0$ ou que $q(x) = 0$ pour que l'égalité initiale soit vérifiée. Il en résulte alors deux équations souvent plus simples à résoudre que l'équation initiale.

Exemple 1

Identifiez les valeurs critiques relatives à la dérivée de la fonction g, dont le graphique apparaît ci-dessous.

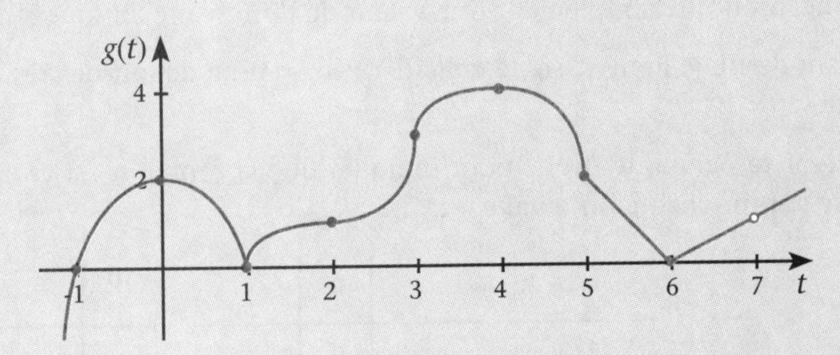

Les valeurs $t = 0$, $t = 2$ et $t = 4$ sont des valeurs critiques, car les tangentes à la courbe pour ces valeurs semblent être horizontales et donc $g'(0) = g'(2) = g'(4) = 0$.

La valeur $t = 3$ est une valeur critique, car la tangente à la courbe pour cette valeur semble être verticale et donc $g'(3)$ n'est pas définie.

Puisque 7 n'est pas une valeur du Dom g, 7 n'est pas une valeur critique de g.

Les valeurs $t = 1$, $t = 5$ et $t = 6$ sont des valeurs critiques, car elles correspondent à des points anguleux pour lesquels la tangente à la courbe n'existe pas.

Les valeurs critiques divisent le domaine d'une fonction en intervalles sur chacun desquels le signe de la dérivée demeure le même. Comme on va le voir dans l'exemple suivant, on peut construire un tableau de variation relatif à la dérivée pour déterminer les intervalles de croissance et de décroissance.

Exemple 2

Soit la fonction $h(x) = 2x^3 - 10x^2 + 1$.

a) Trouvez Dom *h* et les valeurs critiques relatives à la dérivée de la fonction *h*.

On constate que Dom $h = \mathbb{R}$. On obtient la dérivée $h'(x) = 6x^2 - 20x = 2x(3x - 10)$, qui est définie pour tous les réels. Puisque les valeurs critiques sont les valeurs du domaine où la dérivée n'existe pas ou celles où la dérivée s'annule, seule cette dernière situation peut ici permettre de trouver les valeurs recherchées. On pose :

$$h'(x) = 2x(3x - 10) = 0$$

et donc
$$x = 0 \text{ ou } 3x - 10 = 0, \text{ soit } x = \frac{10}{3}$$

Ainsi, les deux valeurs critiques sont $x = 0$ et $x = \frac{10}{3}$.

b) Déterminez les intervalles où la fonction *h* est croissante et ceux où elle est décroissante.

On va construire un tableau de variation relatif à la dérivée en plaçant sur :

- la première ligne les valeurs critiques et les valeurs ne faisant pas partie du domaine de la fonction par ordre croissant, en prévoyant un espace entre chacune pour les intervalles qui se trouvent entre les valeurs critiques, ainsi qu'une colonne avant la plus petite valeur et une colonne après la plus grande valeur;
- les lignes suivantes les facteurs de la dérivée ainsi que les signes de chacun de ces facteurs, selon l'intervalle dans lequel on se trouve (pour identifier le signe dans un intervalle donné, on utilise simplement une valeur de l'intervalle en question);
- l'avant-dernière ligne le signe de la dérivée qu'on a déduit des résultats des lignes précédentes;
- la dernière ligne une flèche pour indiquer que la fonction est croissante (↗) ou décroissante (↘) sur chaque intervalle.

x	$-\infty$	0		$\frac{10}{3}$	$+\infty$
$2x$	-	0	+	+	+
$3x - 10$	-	-	-	0	+
$h'(x)$	+	0	-	0	+
$h(x)$	↗		↘		↗

On peut donc déduire que la fonction *h* est croissante sur les intervalles $-\infty, 0[\cup \left]\frac{10}{3}, +\infty\right.$ et qu'elle est décroissante sur l'intervalle $\left]0, \frac{10}{3}\right[$.

Attention !

Dans le tableau de l'exemple précédent, le symbole ↗ n'indique en rien que la fonction est croissante de façon linéaire. Ce symbole n'a pour but que de préciser le fait que la courbe de la fonction monte lorsqu'on se déplace de gauche à droite sur l'intervalle concerné. La même observation s'applique au symbole ↘.

Maximums et minimums relatifs

On sait maintenant comment trouver théoriquement et de façon précise les intervalles où une fonction est croissante et ceux où elle est décroissante, et le fait d'observer l'un des cas suivants va nous permettre de déterminer les maximums et minimums relatifs (qu'on appelle aussi maximums et minimums locaux). Dans chacun des graphiques ci-dessous, c est une valeur critique de la fonction f et h est une valeur positive aussi petite que l'on veut.

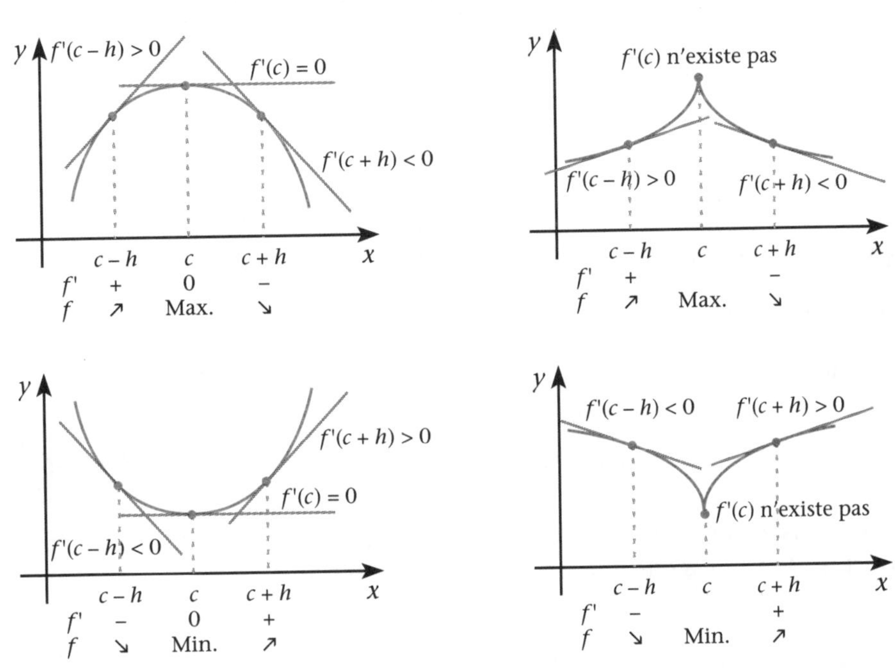

Les observations précédentes mènent au résultat qui suit.

Test de la dérivée première

Soit c une valeur critique d'une fonction $f(x)$ continue sur un intervalle ouvert contenant c.

- Si la dérivée f' est positive partout sur un intervalle $]c - h, c[$ (pour une certaine valeur positive h) et est négative partout sur un intervalle $]c, c + k[$ (pour une certaine valeur positive k), alors on a un maximum relatif en c.
- Si la dérivée f' est négative partout sur un intervalle $]c - h, c[$ (pour une certaine valeur positive h) et est positive partout sur un intervalle $]c, c + k[$ (pour une certaine valeur positive k), alors on a un minimum relatif en c.

Attention !

Dans le test qui précède, il est essentiel que c soit une valeur critique de la fonction f (et donc une valeur du domaine de la fonction) pour avoir un extremum relatif. En effet, si on observe le graphique ci-dessous, où c n'est pas dans le domaine de la fonction, la dérivée f' est négative à gauche de $x = c$ et positive à droite de $x = c$ et, malgré ce fait, on n'a pas de minimum relatif en c.

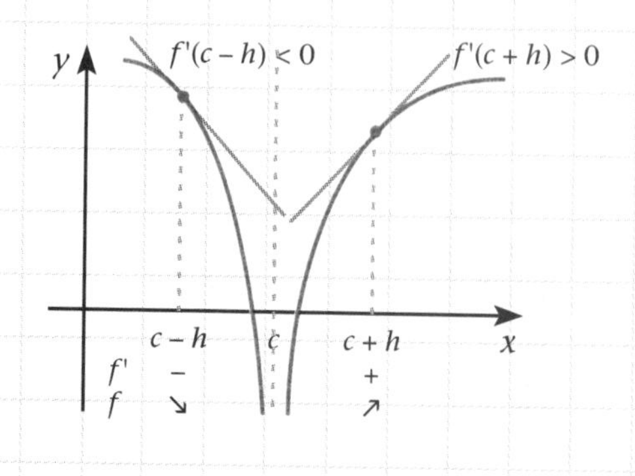

Exemple 3

Trouvez les extremums relatifs de la fonction $f(z) = 5z^5 - 12z^3 + 3$.

Trouvons d'abord les valeurs critiques relatives à la dérivée de la fonction f. On a Dom $f = \mathbb{R}$.

On obtient la dérivée $f'(z) = 25z^4 - 36z^2 = z^2(25z^2 - 36) = z^2(5z - 6)(5z + 6)$,

qui est définie pour tous les nombres réels. Les seules valeurs critiques possibles sont les valeurs de z pour lesquelles :

$$f'(z) = z^2(5z - 6)(5z + 6) = 0, \text{ c'est-à-dire } z = 0,\ z = \frac{6}{5} \text{ et } z = \frac{-6}{5}$$

Déterminons maintenant, à l'aide d'un tableau de variation relatif à la dérivée, les intervalles où la fonction f est croissante et ceux où elle est décroissante.

z	$-\infty$	$\frac{-6}{5}$		0		$\frac{6}{5}$	$+\infty$
z^2	+	+	+	0	+	+	+
$5z - 6$	-	-	-	-	-	0	+
$5z + 6$	-	0	+	+	+	+	+
$f'(z)$	+	0	-	0	-	0	+
$f(z)$	↗	Max.	↘		↘	Min.	↗
		$\left(\frac{-6}{5}, f\left(\frac{-6}{5}\right)\right)$				$\left(\frac{6}{5}, f\left(\frac{6}{5}\right)\right)$	

L'avant-dernière ligne du tableau permet de constater qu'on a un maximum relatif en $z = \frac{-6}{5}$ et un minimum relatif en $z = \frac{6}{5}$. Le maximum relatif est donc $f\left(\frac{-6}{5}\right) = \frac{7059}{625}$ et le minimum est $f\left(\frac{6}{5}\right) = \frac{-3309}{625}$.

Attention !

Il peut arriver que le signe de la dérivée d'une fonction soit le même « immédiatement à gauche et à droite » d'une valeur critique. Par exemple, prenons la fonction $g(t) = t^5$. Puisque $g'(t) = 5t^4$, g' s'annule uniquement lorsque $t = 0$ et la fonction g possède une seule valeur critique qui est $t = 0$. Or, la dérivée $g'(t) = 5t^4$ est positive pour toutes valeurs de t différentes de 0. Ainsi, la fonction g est croissante à gauche et à droite de 0 et il n'y a ni maximum ni minimum relatifs en $t = 0$.

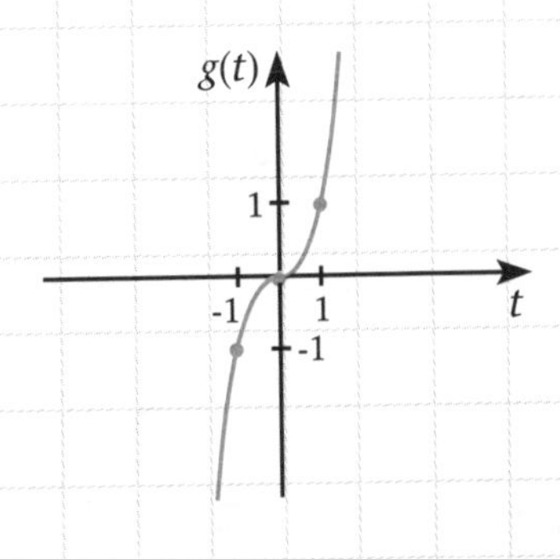

Exemple 4

Trouvez les extremums relatifs de la fonction $k(u) = \frac{1}{u(u+1)}$.

On a Dom $k = \mathbb{R} \setminus \{-1, 0\}$ (on peut vérifier avec la matière du chapitre 3 que les droites d'équation $u = 0$ et $u = -1$ sont deux asymptotes verticales de la fonction k). De plus :

$$k(u) = \frac{1}{u(u+1)} = \frac{1}{u^2+u} \quad \text{et} \quad k'(u) = \frac{-1(2u+1)}{(u^2+u)^2} = \frac{-2u-1}{u^2(u+1)^2}$$

On constate que k' n'est pas définie pour $u = 0$ et $u = 1$. On a $k'(u) = 0$ lorsque le numérateur de $k'(u)$ s'annule, soit lorsque :

$$-2u - 1 = 0 \quad \text{ou} \quad u = \frac{-1}{2}$$

La seule valeur critique de la fonction k est donc $u = \frac{-1}{2}$.

À l'aide d'un tableau de variation relatif à la dérivée, déterminons les intervalles où la fonction f est croissante et ceux où elle est décroissante.

u	$-\infty$	-1		$\frac{-1}{2}$		0	$+\infty$
$-2u-1$	+		+	0	-		-
$u^2(u+1)^2$	+		+	+	+		+
$k'(u)$	+		+	0	-		-
$k(u)$	↗		↗	Max.	↘		↘
		Asymptote verticale		$\left(\frac{-1}{2}, k\left(\frac{-1}{2}\right)\right)$		Asymptote verticale	

On constate donc que la fonction k ne possède pas de minimum relatif et a un seul maximum relatif en $u = \frac{-1}{2}$. Ce maximum relatif est $k\left(\frac{-1}{2}\right) = -4$. Les droites $u = -1$ et $u = 0$ correspondent à des asymptotes verticales.

Attention !

Dans l'exemple précédent, puisque -1 et 0 ne font pas partie du domaine de la fonction k, les colonnes qui leur sont associées dans le tableau de variation n'ont pas à être complétées, mais elles doivent apparaître. Dans ces cas, ces valeurs correspondent à des asymptotes verticales.

Exemple 5

Trouvez les extremums relatifs de la fonction $f(w) = \sqrt{2 - w}$.

On a Dom f = -∞, 2]. Puisque $f(w) = (2 - w)^{\frac{1}{2}}$, on obtient la dérivée suivante :

$$f'(w) = \frac{1}{2}(2 - w)^{\frac{-1}{2}}(-1) = \frac{-1}{2\sqrt{2 - w}}$$

On constate que la dérivée $f'(w)$ ne s'annule jamais et que $f'(w)$ n'existe pas si $w = 2$. La seule valeur critique possible est donc $w = 2$.

Déterminons, à l'aide d'un tableau de variation relatif à la dérivée, les intervalles où la fonction f est croissante et ceux où elle est décroissante.

w	-∞	2
-1	-	
$2\sqrt{2 - w}$	+	
$f'(w)$	-	N'existe pas
$f(w)$	↘	Min.
		(2, $f(2)$)

On a seulement un minimum relatif en $w = 2$; ce minimum relatif est $f(2) = 0$.

Lorsque le domaine d'une fonction est borné supérieurement (ou inférieurement), comme c'est le cas dans l'exemple 5 précédent (où Dom f = -∞, 2]), on constate qu'il est possible qu'un extremum se trouve en cette borne. Une situation comme celle que nous avons étudiée dans l'exemple 5 respecte la définition de minimum relatif présentée dans le chapitre 1 (p. 13).

Exemple 6

Trouvez les extremums relatifs de la fonction $g(t) = \sqrt[5]{t^4}$.

On a Dom g = IR. Puisque $g(t) = t^{\frac{4}{5}}$, on obtient la dérivée suivante :

$$g'(t) = \frac{4}{5}t^{\frac{-1}{5}} = \frac{4}{5\sqrt[5]{t}}$$

On constate que la dérivée $g'(t)$ ne s'annule jamais, mais $g'(t)$ n'existe pas si $t = 0$ et la seule valeur critique possible est donc $t = 0$.

Déterminons, à l'aide d'un tableau de variation relatif à la dérivée, les intervalles où la fonction g est croissante et ceux où elle est décroissante.

t	$-\infty$	0	$+\infty$
4	+		+
$5\sqrt[5]{t}$	-		+
$g'(t)$	-	N'existe pas	+
$g(t)$	↘	Min.	↗
		(0, $g(0)$)	

L'avant-dernière ligne du tableau permet de constater qu'on n'a aucun maximum relatif et seulement un minimum relatif en $t = 0$; ce minimum relatif est $g(0) = 0$.

Exemple 7

Trouvez les extremums relatifs de la fonction $f(x) = x^3 + 2x^2 + 5x + 13$.

On a Dom $f = \mathbb{R}$. On obtient la dérivée $f'(x) = 3x^2 + 4x + 5$, qui est définie pour tous les réels. Puisqu'on ne peut factoriser la dérivée f', si on utilise la formule quadratique $x = \dfrac{-b \pm \sqrt{b^2 - 4ac}}{2a}$ pour résoudre l'équation $f'(x) = 3x^2 + 4x + 5 = 0$, on peut constater que le discriminant $\Delta = b^2 - 4ac$ qui se trouve sous le radical vaut $\Delta = 4^2 - 4 \cdot 3 \cdot 5 = -44$ et qu'il est négatif, ce qui signifie que la dérivée ne s'annule jamais. La fonction ne possède donc aucune valeur critique relative à sa dérivée.

Déterminons, à l'aide d'un tableau de variation relatif à la dérivée, les intervalles où la fonction f est croissante et ceux où elle est décroissante.

x	$-\infty$ $+\infty$
$3x^2 + 4x + 5$	+
$f'(x)$	+
$f(x)$	↗

L'avant-dernière ligne du tableau permet de constater que la fonction est toujours croissante et qu'elle ne possède donc aucun extremum relatif.

Exemple 8

Trouvez les extremums relatifs de la fonction $g(z) = 5^z(3 - z)$.

On a Dom $g = \mathbb{R}$. On obtient, en utilisant la règle de dérivation d'un produit, la dérivée suivante :

$$g'(z) = 5^z \ln 5(3 - z) + 5^z(-1) = 5^z(3 \ln 5 - z \ln 5 - 1)$$

Puisqu'une puissance du nombre 5 ne peut être nulle, la dérivée $g'(z)$ s'annule seulement lorsque :

$$3 \ln 5 - z \ln 5 - 1 = 0, \text{ soit lorsque } z = \frac{3 \ln 5 - 1}{\ln 5}$$

Déterminons les intervalles où la fonction g est croissante et ceux où elle est décroissante.

z	$-\infty$	$\frac{3 \ln 5 - 1}{\ln 5}$	$+\infty$
5^z	+	+	+
$3 \ln 5 - z \ln 5 - 1$	+	0	-
$g'(z)$	+	0	-
$g(z)$	↗	Max.	↘
		$\left(\frac{3 \ln 5 - 1}{\ln 5}, g\left(\frac{3 \ln 5 - 1}{\ln 5}\right)\right)$	

La fonction g n'a pas de minimum relatif et possède un maximum relatif en $z = \frac{3 \ln 5 - 1}{\ln 5}$. Ce maximum relatif est $g\left(\frac{3 \ln 5 - 1}{\ln 5}\right) = 28{,}57$.

Exercices

1. Pour chacune des fonctions suivantes, trouvez les valeurs critiques relatives à la dérivée, les intervalles où la fonction est croissante ou décroissante et les extremums relatifs :

a) $h(t) = t^7 + 3t^6 - 17$ **b)** $f(y) = 2y^3 - y^2 - 2y + 1$ **c)** $g(z) = \sqrt{z}(80 - z)$ **d)** $m(u) = u^2 \times 2^u$

2. Selon le graphique associé à la fonction h, trouvez les valeurs critiques relatives à la dérivée de la fonction h.

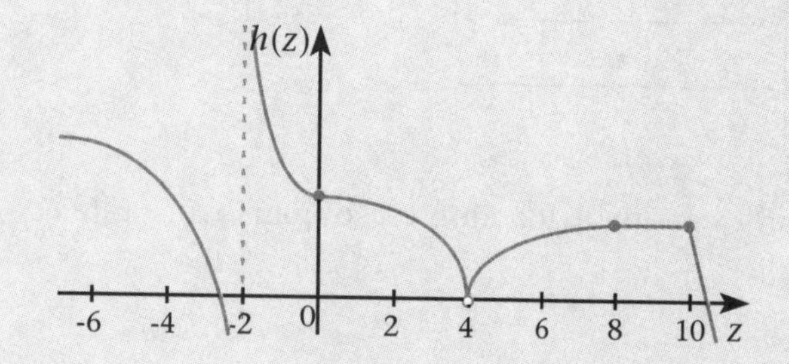

3. Trouvez les intervalles où une fonction est croissante et ceux où elle est décroissante, si *la dérivée de la fonction* est fournie sous sa forme factorisée.

a) $g'(t) = t - 5$

b) $h'(z) = 6 - 5z$

c) $m'(x) = (2x - 3)(4x - 5)$

d) $v'(t) = t(t + 1)(t - 2)$

e) $f'(z) = 4(z + 1)(z - 2)(z + 5)^2$

f) $g'(s) = 5s^3(4s + 1)^2(s + 14)^6$

4. Pour chacune des fonctions suivantes, trouvez les intervalles où la fonction est croissante et ceux où elle est décroissante. Identifiez également les extremums relatifs.

a) $k(z) = -z^2 + 4z - 5$

b) $h(u) = 4u^3 - 12u + 3$

c) $f(t) = 4 - 10t - t^5$

d) $g(z) = 2z^4 + 4z^2 - 1$

e) $w(s) = 2s^6 - 3s^4 + 4$

f) $m(v) = v^3 + 4v^2 - 12v + 1$

g) $g(x) = 3 - (x - 2)^{\frac{2}{3}}$

h) $h(t) = \frac{t - 1}{t + 1}$

i) $m(y) = \frac{3 - y}{y^2 + 1}$

5. Dans la fenêtre de votre calculatrice à affichage graphique, tracez le graphique de la fonction $h(x) = 2x^8 - 5x^3 + 7$ et estimez les valeurs critiques de la fonction h. Confirmez ensuite vos résultats à l'aide de la dérivée.

6. Soit la fonction $g(t) = \frac{t+c}{t+d}$. Trouvez les intervalles de croissance et de décroissance lorsque :

a) $c < d$ **b)** $c > d$

7. Pour les fonctions suivantes, trouvez d'abord la dérivée de la fonction, tracez la fonction et sa dérivée dans la même fenêtre de votre calculatrice à affichage graphique et vérifiez si la fonction est croissante lorsque la dérivée est positive et si la fonction est décroissante lorsque la dérivée est négative.

a) $f(x) = x^2 + 3$ **c)** $h(z) = z^3 - 6z$

b) $g(t) = t^3 + 2t^2 + 1$

8. Pour chacune des fonctions suivantes, trouvez les intervalles où la fonction est croissante et ceux où elle est décroissante. Trouvez également les extremums relatifs.

a) $h(t) = 4 - \ln t$ **d)** $f(t) = e^t + e^{-t}$

b) $g(x) = x - \ln x$ **e)** $m(z) = ze^z$

c) $k(u) = 3 + e^{u^2}$ **f)** $v(n) = 5ne^{-n}$

9. En vous limitant à l'intervalle $]0, 2\pi[$, trouvez pour chacune des fonctions suivantes les intervalles où la fonction est croissante et ceux où elle est décroissante. Trouvez également les extremums relatifs.

a) $h(x) = \sin x$ **c)** $g(z) = 3 \text{ tg } z$

b) $f(t) = 5 \cos (2t)$

10. Montrez à l'aide de la dérivée qu'une fonction quadratique de la forme $g(t) = at^2 + bt + c$ (où $a \neq 0$) a un minimum relatif en $t = \frac{-b}{2a}$ lorsque $a > 0$ ou un maximum relatif en $t = \frac{-b}{2a}$ lorsque $a < 0$.

11. Soit deux fonctions g et h qui sont dérivables sur $\mathbb{R}$ et qui sont positives sur $\mathbb{R}$. Si $g'(t) < 0$ et $h'(t) < 0$ pour tous les nombres réels, montrez que la fonction $f(t) = g(t) \times h(t)$ est décroissante sur $\mathbb{R}$.

12. Trouvez les conditions sur les constantes a, b et c de telle sorte que la fonction $g(t) = t^3 + at^2 + bt + c$ soit croissante sur $\mathbb{R}$.

13. Montrez à l'aide de la dérivée qu'une fonction polynomiale de degré 4 ne peut être ni croissante sur $\mathbb{R}$ ni décroissante sur $\mathbb{R}$.

SECTION 8.2 Dérivées successives d'une fonction

Vitesse et accélération instantanées

Soit une fonction $s(t)$ donnant la position (en kilomètres) d'une voiture par rapport à un point de départ (la voiture se déplace en ligne droite et peut avancer ou reculer), en fonction du temps t (en heures) calculé depuis un moment précis. Nous avons défini au chapitre 6 (p. 179) la vitesse instantanée d'un objet comme étant le taux de variation instantané de la position, soit $v(t) = \lim_{h \to 0} \frac{s(t+h) \text{ km} - s(t) \text{ km}}{h \text{ heure}}$. Par définition de la dérivée, la vitesse instantanée de l'objet est donnée par $v(t) = s'(t)$ et les unités de la vitesse sont des kilomètres à l'heure.

Si on a une voiture qui a une vitesse croissante, il y a forcément une accélération. On définit l'**accélération instantanée** de la voiture comme le taux de variation instantané de la vitesse en fonction du temps. Si $v(t)$ correspond à la vitesse de la voiture au temps t, l'accélération instantanée est donnée par $a(t) = \lim\limits_{h \to 0} \dfrac{v(t+h)\text{ km/h} - v(t)\text{ km/h}}{h\text{ heure}}$. Par définition de la dérivée, $a(t) = v'(t)$ et les unités de l'accélération sont des (kilomètres à l'heure)/h ou des kilomètres à l'heure^2.

Puisque la vitesse instantanée est la dérivée de la position, on a $a(t) = v'(t) = \dfrac{d}{dt}(s'(t))$. On doit donc dériver une fonction obtenue elle-même par dérivation.

Dérivées successives d'une fonction

La dérivée d'une fonction f est f', qui est également une fonction. On peut donc s'intéresser à la dérivée de f'.

Définitions

Soit une fonction f définie par $f(x)$.

La **dérivée seconde de f** $\left(\text{notée } f''(x) \text{ ou } f^{(2)}(x) \text{ ou } \dfrac{d}{dx}\left(\dfrac{df}{dx}\right) \text{ ou } \dfrac{d^2f}{dx^2}\right)$ correspond à la dérivée de la dérivée de f. Par conséquent, $f''(x) = \dfrac{d}{dx}(f'(x))$.

La **dérivée troisième de f** $\left(\text{notée } f'''(x) \text{ ou } f^{(3)}(x) \text{ ou } \dfrac{d^3f}{dx^3}\right)$ correspond à la dérivée de la dérivée seconde de f. Par conséquent, $f'''(x) = \dfrac{d}{dx}(f''(x))$.

Exemple 9

Trouvez la dérivée seconde et la dérivée troisième des fonctions suivantes :

a) $g(z) = z^4 - 2z^3 + 7z - 1$

On a $g'(z) = 4z^3 - 6z^2 + 7$, $g''(z) = 12z^2 - 12z$ et $g'''(z) = 24z - 12$

b) $f(t) = \dfrac{2t}{t+4}$

On a $f'(t) = \dfrac{2(t+4) - 2t(1)}{(t+4)^2} = \dfrac{8}{(t+4)^2} = 8(t+4)^{-2}$

$$f''(t) = 8 \cdot (-2)(t+4)^{-3} \cdot (1) = -16(t+4)^{-3} = \frac{-16}{(t+4)^3}$$

et $f'''(t) = -16 \cdot (-3)(t+4)^{-4} \cdot (1) = 48(t+4)^{-4} = \dfrac{48}{(t+4)^4}$

c) $m(u) = \sqrt[4]{2u+3}$

On a $m(u) = (2u+3)^{\frac{1}{4}}$

et donc $m'(u) = \dfrac{1}{4}(2u+3)^{\frac{-3}{4}}(2) = \dfrac{2}{4}(2u+3)^{\frac{-3}{4}} = \dfrac{1}{2}(2u+3)^{\frac{-3}{4}}$

Ainsi, on a $m''(u) = \dfrac{1}{2} \cdot \dfrac{-3}{4}(2u+3)^{\frac{-7}{4}}(2) = \dfrac{-3}{4}(2u+3)^{\frac{-7}{4}} = \dfrac{-3}{4\sqrt[4]{(2u+3)^7}}$

et $m'''(u) = \dfrac{-3}{4} \cdot \dfrac{-7}{4}(2u+3)^{\frac{-11}{4}}(2) = \dfrac{21}{8}(2u+3)^{\frac{-11}{4}} = \dfrac{21}{8\sqrt[4]{(2u+3)^{11}}}$

Attention !

1) La dérivée $f'(x)$ d'une fonction f est parfois appelée « dérivée première de f ».

2) La dérivée seconde correspond au taux de variation instantané d'un taux de variation instantané.

3) Il est important de bien distinguer l'expression $f^2(t)$ de $f^{(2)}(t)$. Dans le premier cas, $f^2(t)$ est une abréviation du produit $f(t) \times f(t)$, alors que dans le deuxième cas, $f^{(2)}(t)$ correspond à la dérivée seconde de la fonction f.

4) Il est possible de définir de façon continue la **dérivée n^e^ d'une fonction f** $\left(\text{notée } f^{(n)}(x) \text{ ou } \frac{d^nf}{dx^n}\right)$, où n est un nombre entier positif. Par exemple, la dérivée quatrième $f^{(4)}(x)$ est la dérivée de la dérivée troisième de f, la dérivée cinquième $f^{(5)}(x)$ est la dérivée de la dérivée quatrième de f, et ainsi de suite.

Exemple 10

Déduisez la dérivée septième et la dérivée douzième des fonctions suivantes :

a) $f(z) = z^3 - 11z^2 + 13$

On a $f'(z) = 3z^2 - 22z$, $f''(z) = 6z - 22$, $f'''(z) = 6$ et $f^{(4)}(z) = 0$

Puisque la dérivée d'une constante est 0, $f^{(7)}(z) = 0$ et $f^{(12)}(z) = 0$.

b) $h(t) = e^{2t}$

On a $h'(t) = 2\, e^{2t}$, $h''(t) = 2^2e^{2t}$, $h'''(t) = 2^3e^{2t}$ et $h^{(4)}(t) = 2^4e^{2t}$

On soupçonne facilement que $h^{(7)}(t) = 2^7e^{2t}$ et $h^{(12)}(t) = 2^{12}e^{2t}$.

c) $g(q) = \sin (5q)$

On a $g'(q) = 5 \cos (5q)$, $g''(q) = -5^2 \sin (5q)$, $g'''(q) = -5^3 \cos (5q)$ et $g^{(4)}(q) = 5^4 \sin (5q)$

On constate qu'en plus du coefficient de type 5^n, la « partie trigonométrique » des dérivées est « périodique ».

On peut ainsi déduire que $g^{(7)}(q) = -5^7 \cos (5q)$ et $g^{(12)}(q) = 5^{12} \sin (5q)$.

Exemple 11

La position d'une particule en mouvement sur l'axe des x (sur lequel l'unité est le centimètre) est donnée par l'équation $x(t) = 150\,(1 - e^{-2t})$, où t est le temps en secondes qui s'écoule depuis un moment précis.

a) Trouvez la fonction $v(t)$ qui donne la vitesse instantanée de la particule en fonction de t et calculez sa vitesse à $t = 3$ secondes ainsi qu'à $t = 4$ secondes.

Par définition, on a $v(t) = x'(t) = 150(1 - e^{-2t})' = 150(-e^{-2t} \cdot -2) = 300e^{-2t}$ cm/s.

On a $v(3) = 0{,}744$ cm/s et $v(4) = 0{,}101$ cm/s

b) Trouvez la fonction $a(t)$ qui donne l'accélération instantanée de la particule et déterminez si celle-ci possède une vitesse croissante ou décroissante.

On a, par définition, $a(t) = v'(t) = 300(e^{-2t})' = 300(e^{-2t} \cdot (-2)) = -600e^{-2t}$ cm/s^2

Puisque la fonction accélération (la dérivée de la fonction vitesse) est négative pour toutes les valeurs de t, la vitesse de la particule est décroissante, ce qui confirme la baisse de vitesse observée entre 3 secondes et 4 secondes en (a).

Exercices

1. Trouvez la dérivée seconde et la dérivée troisième des fonctions suivantes :

a) $h(t) = t^7 + 3t^6 - 17$ **b)** $f(y) = 2y^3 - y^2 - 2y + 1$ **c)** $g(z) = \sqrt{z}(80 - z)$ **d)** $m(u) = u^2 \times 2^u$

2. Pour les fonctions suivantes, trouvez les dérivées première, seconde et troisième :

a) $g(t) = 5t^3 - 4t^2 + 16t - 34{,}2$

b) $m(x) = x^{13} + 12x^4$

c) $h(z) = (5z + 4)(6z - 2)$

d) $g(v) = (2v - 5)^2(v + 3)^2$

e) $h(y) = \dfrac{2}{1 + y}$

f) $f(x) = \sqrt{3 + 5x}$

3. Trouvez les dérivées demandées.

a) $f''(x)$ si $f(x) = 7x^3 - 6x^5$

b) $\dfrac{d^2y}{dx^2}$ si $y = x^2 - \dfrac{1}{x^2}$

c) $\dfrac{d^3y}{dx^3}$ si $y = (1 + 2x)^3$

d) $\dfrac{d^2\left(\dfrac{1 - x}{1 + x}\right)}{dx^2}$

e) $f^{(4)}(x)$ si $f(x) = x^4 + 7x^3 - 12x^2 + 8x - 31$

f) $y^{(3)}$ si $y = \dfrac{7}{x}$

g) y'' si $xy + 3x - 2y = 4$

4. Calculez les dérivées seconde et troisième et déduisez la dérivée cinquième des fonctions suivantes :

a) $f(x) = \ln x$

b) $g(\mathrm{i}) = t4^t$

c) $f(t) = \sin t$

d) $g(z) = \cos z$

e) $h(z) = e^z \sin z$

SECTION **8.3**
Caractéristiques d'une fonction relatives à la dérivée seconde

On a vu au chapitre 4 (page 116) que le nombre de cellules d'une culture de levure «isolée» dans un environnement contrôlé en fonction du temps peut être donné par un graphique comme celui qui apparaît ci-dessous. Une fonction dite **logistique** de la forme $f(t) = \frac{L}{1 + ae^{-kt}}$ (où L, a et k sont trois paramètres réels positifs) est associée à ce type de courbe (voir l'exemple 6 du chapitre 4, page 116).

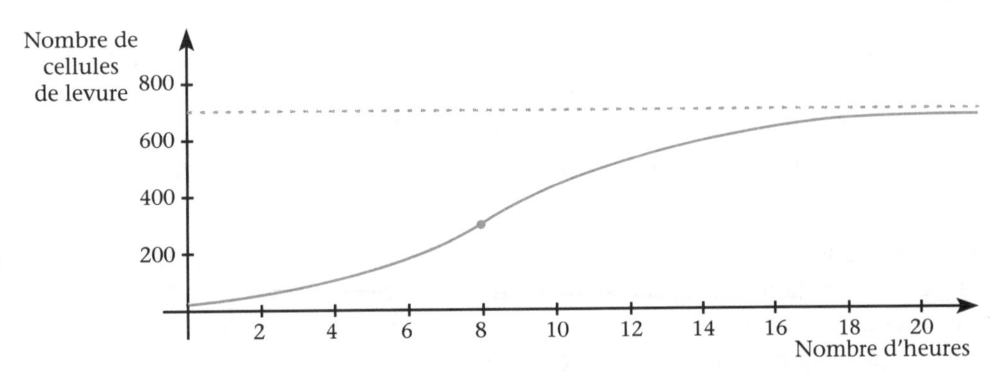

On voit que le rythme de croissance augmente légèrement pendant les huit premières heures et que la courbe est alors concave vers le haut sur l'intervalle]0, 8[. Après ces huit premières heures, la courbe devient concave vers le bas sur l'intervalle]8, +∞ et la croissance ralentit jusqu'à ce que la population se stabilise autour de 675 cellules. Le point d'abscisse 8 joue donc un rôle primordial dans le rythme de croissance de la culture de levure. En fait, si on traçait la tangente à la courbe en plusieurs points, on constaterait que c'est à ce point que la tangente semble avoir la pente la plus élevée et que le rythme de croissance de la culture est à son maximum.

Nous allons voir que la dérivée seconde permet de trouver de façon précise les points en lesquels de telles réalités existent.

Valeurs critiques relatives à la dérivée seconde et intervalles de concavité vers le haut et de concavité vers le bas

Nous avons présenté au chapitre 1 (p. 14) le concept de concavité vers le haut et vers le bas de façon très intuitive. Les outils maintenant acquis vont nous permettre de préciser ce concept. Si on observe le graphique de la fonction g ci-dessous, dont la courbe est concave vers le haut sur l'intervalle]-1, 2[et concave vers le bas sur l'intervalle]2, 6[, on peut constater que sur l'intervalle]-1, 2[, les tangentes à la courbe tracées en divers endroits se trouvent sous la courbe de la fonction g, et sur l'intervalle]2, 6[, les tangentes à la courbe tracées ici et là se trouvent au-dessus de la courbe de la fonction g.

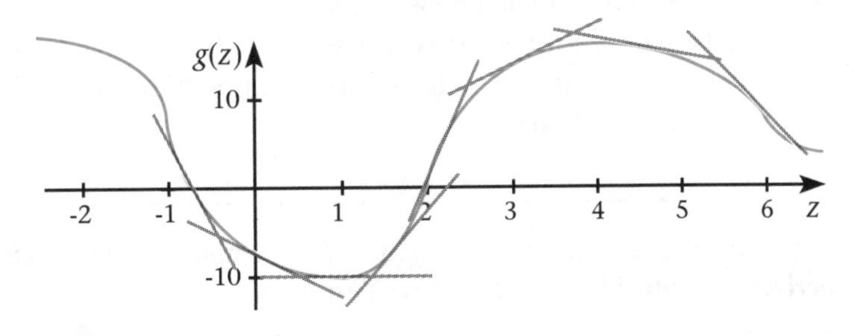

Définitions

La courbe d'une fonction f est **concave vers le haut** sur un intervalle $]a, b[$ si, partout sur cet intervalle, la courbe est située au-dessus des tangentes à la courbe.

La courbe d'une fonction f est **concave vers le bas** sur un intervalle $]c, d[$ si, partout sur cet intervalle, la courbe est située en dessous des tangentes à la courbe.

On peut faire une autre observation très intéressante. Toujours selon le graphique précédent lié à une fonction g :

- sur l'intervalle$]-1, 2[$, on observe que les pentes des tangentes augmentent lorsqu'on se déplace de la gauche vers la droite, ce qui signifie que la dérivée $g'(z)$ associée aux pentes de tangente est une fonction croissante sur $]-1, 2[$. Or, quand une fonction est croissante, sa dérivée est positive comme nous l'avons vu dans la section 8.1 de ce chapitre. En conséquence, la dérivée de $g'(z)$, soit $g''(z)$, est positive sur $]-1, 2[$;
- sur l'intervalle$]2, 6[$, on observe que les pentes des tangentes diminuent lorsqu'on se déplace de la gauche vers la droite, ce qui signifie que la dérivée $g'(z)$ associée aux pentes de tangente est une fonction décroissante sur $]2, 6[$. Or, quand une fonction est décroissante, sa dérivée est négative. En conséquence, la dérivée de $g'(z)$, soit $g''(z)$, est négative sur $]2, 6[$.

Si $f''(x) > 0$ pour tous les x sur l'intervalle $]a, b[$, alors la fonction est concave vers le haut sur $]a, b[$.

Si $f''(x) < 0$ pour tous les x sur l'intervalle $]c, d[$, alors la fonction est concave vers le bas sur $]c, d[$.

Attention !

On constate que la concavité d'une fonction f est directement liée à la dérivée seconde f''. Une façon simple de se rappeler la règle précédente est d'associer les deux yeux «positifs» du bonhomme de gauche ci-dessous à un large sourire concave vers le haut et d'associer les deux yeux «négatifs» du bonhomme de droite ci-dessous à une bouche qui fait la moue et qui est concave vers le bas.

Comme dans le cas de l'étude de la croissance d'une fonction, une bonne façon de déterminer les intervalles où une fonction donnée est concave vers le haut et ceux où elle est concave vers le bas est de chercher d'abord les endroits où la dérivée seconde n'est ni positive ni négative, soit ceux où la dérivée est nulle ou n'existe pas.

Définition

Soit c une valeur du domaine de la fonction f. Le nombre c est une **valeur critique de f relative à la dérivée seconde** si $f''(c) = 0$ ou si $f''(c)$ n'existe pas.

Attention !

On peut noter d'emblée que si une fonction f définie par $f(x)$ n'existe pas en $x = c$, alors forcément $f''(c)$ ne peut exister. Il en est de même si $f'(c)$ n'est pas définie.

Exemple 12

Trouvez les valeurs critiques relatives à la dérivée seconde de la fonction g, dont le graphique apparaît ci-dessous.

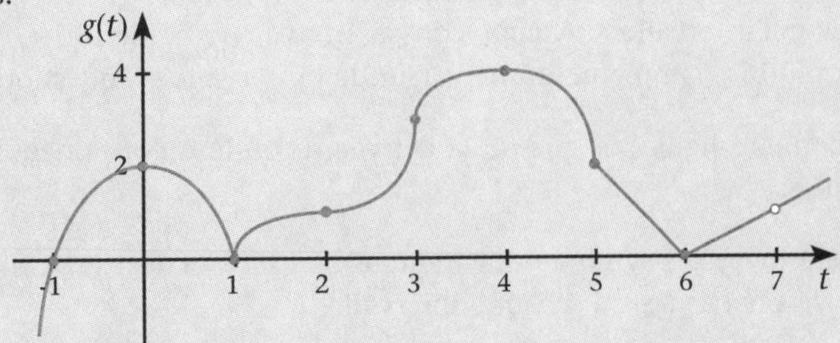

Sur les intervalles]5, 6[,]6, 7[et]7, +∞, puisque la fonction g est définie selon un modèle linéaire de la forme $y = mt + b$, la dérivée première est $\frac{dy}{dt} = m$ et la dérivée seconde est $\frac{d^2y}{dt^2} = 0$. Par conséquent, toutes les valeurs de ces trois intervalles sont des valeurs critiques relatives à la dérivée seconde.

La valeur $t = 2$ est une valeur critique relative à la dérivée seconde, car la fonction à cet endroit n'est ni concave vers le haut ni concave vers le bas, et la dérivée seconde à cet endroit ne peut donc être positive ou négative.

Les valeurs $t = 1$, $t = 3$, $t = 5$ et $t = 6$ sont des valeurs critiques relatives à la dérivée seconde, car la dérivée première n'est pas définie pour ces valeurs et, à plus forte raison, la dérivée seconde.

La valeur $t = 7$ n'est pas une valeur critique relative à la dérivée seconde, car 7 n'est pas dans Dom g.

Les valeurs critiques relatives à la dérivée seconde divisent le domaine d'une fonction en intervalles sur chacun desquels le signe de la dérivée seconde demeure le même, soit positif, soit négatif. On peut donc construire un tableau de variation relatif à la dérivée seconde pour déterminer les intervalles de concavité.

Exemple 13

Soit la fonction $g(u) = u^4 - 6u^2 - 3$. Trouvez les intervalles où la fonction est concave vers le haut et ceux où elle est concave vers le bas.

Trouvons d'abord les valeurs critiques relatives à la dérivée seconde de la fonction f. On a Dom $g = \mathbb{R}$. On obtient :

$$g'(u) = 4u^3 - 12u \text{ et } g''(u) = 12u^2 - 12 = 12(u^2 - 1) = 12(u - 1)(u + 1)$$

Les seules valeurs critiques relatives à la dérivée seconde sont les valeurs de u pour lesquelles

$$g''(u) = 12(u - 1)(u + 1) = 0, \text{ c'est-à-dire } u = 1 \text{ ou } u = -1.$$

On va construire un tableau de variation relatif à la dérivée seconde en plaçant sur :

- la première ligne les valeurs critiques relatives à la dérivée seconde et les valeurs qui ne sont pas dans le domaine de la fonction par ordre croissant, en prévoyant une colonne entre chacune pour les intervalles qui se trouvent entre les valeurs critiques, ainsi qu'une colonne avant la plus petite valeur et une colonne après la plus grande valeur;
- les lignes suivantes les facteurs de la dérivée seconde ainsi que les signes de chacun de ces facteurs, selon l'intervalle sur lequel on se trouve (pour identifier le signe sur un intervalle donné, on utilise simplement une valeur de l'intervalle en question);
- l'avant-dernière ligne le signe de la dérivée seconde qu'on a déduit des résultats des lignes précédentes;
- la dernière ligne un symbole qui indique que la fonction est concave vers le haut (∪) ou concave vers le bas (∩) sur chaque intervalle.

u	$-\infty$	-1		1	$+\infty$
$12(u-1)$	-	-	-	0	+
$u+1$	-	0	+	+	+
$g''(u)$	+	0	-	0	+
$g(u)$	∪		∩		∪

L'avant-dernière ligne du tableau permet de constater que la courbe de la fonction g est concave vers le haut sur $-\infty$, $-1[\cup]1, +\infty$. Elle est concave vers le bas sur l'intervalle $]-1, 1[$.

Attention !

Dans le tableau de l'exemple précédent, le symbole ∪ n'indique en rien que la fonction est d'abord décroissante sur l'intervalle et qu'elle devient croissante par la suite. Ce symbole n'a pour but que de présenter le type de courbure de la fonction, sans spécifier si celle-ci est croissante ou décroissante (ou une combinaison des deux) sur l'intervalle. La même observation s'applique au symbole ∩.

Points d'inflexion d'une fonction

Comme nous l'avions expliqué dans le chapitre 1 (p. 14), un point d'inflexion (noté parfois P. I. dans ce qui suit) de la courbe d'une fonction est un point de la courbe où la concavité change, pour passer de concave vers le haut à concave vers le bas, ou l'inverse.

Dans le graphique présenté au début de la section 8.3 relativement au nombre de cellules d'une culture de levure en fonction du temps, il y a un point d'inflexion dont l'abscisse est $t = 8$ heures, car la courbe est concave vers le haut juste à gauche de $t = 8$ et est concave vers le bas juste à droite de la même valeur.

Dans chacun des graphiques ci-dessous, c est une valeur critique relative à la dérivée seconde de la fonction f et h est une valeur positive aussi petite que l'on veut :

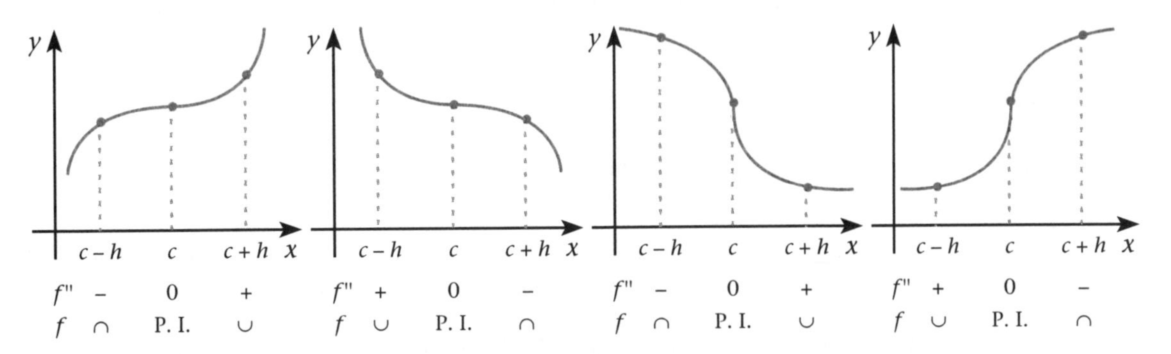

Les observations précédentes mènent au résultat qui suit.

Soit <u>c une valeur critique relative à la dérivée seconde</u> d'une fonction $f(x)$ continue sur un intervalle ouvert contenant c.

- Si la dérivée seconde f'' est positive partout sur un intervalle $]c - h, c[$ (pour une certaine valeur positive h) **et** négative partout sur un intervalle $]c, c + k[$ (pour une certaine valeur positive k), alors c est un point d'inflexion.
- Si la dérivée seconde f'' est négative partout sur un intervalle $]c - h, c[$ (pour une certaine valeur positive h) **et** positive partout sur un intervalle $]c, c + k[$ (pour une certaine valeur positive k), alors c est un point d'inflexion.

Attention !

Dans le résultat qui précède, il est essentiel que c soit une valeur critique relative à la dérivée seconde de la fonction f (et donc une valeur du domaine de la fonction) pour avoir un point d'inflexion. En effet, si on observe le graphique ci-dessous où c n'est pas dans le domaine de la fonction, la dérivée seconde f'' est positive à gauche de $x = c$ et négative à droite de $x = c$ et, malgré ce fait, nous n'avons pas de point d'inflexion en c.

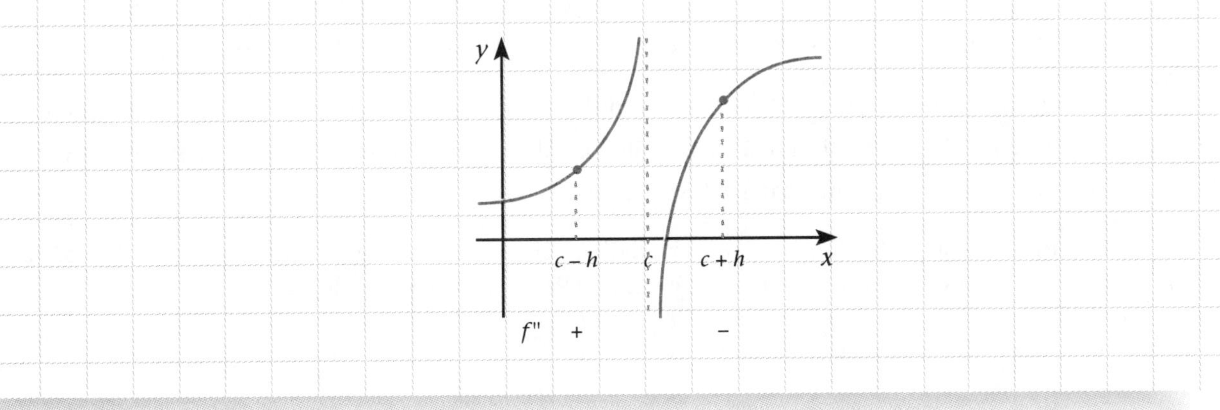

Exemple 14

Soit la fonction $h(x) = 12\sqrt[3]{x}$. Trouvez les intervalles où la fonction est concave vers le haut et ceux où elle est concave vers le bas, ainsi que les points d'inflexion.

Trouvons d'abord les valeurs critiques relatives à la dérivée seconde de la fonction f.
On a Dom f = IR.

Puisque $h(x) = 12x^{\frac{1}{3}}$

on obtient $h'(x) = 12 \cdot \frac{1}{3}x^{\frac{-2}{3}} = \frac{4}{\sqrt[3]{x^2}}$ et $h''(x) = 4 \cdot \frac{-2}{3}x^{\frac{-5}{3}} = \frac{-8}{3\sqrt[3]{x^5}}$

Puisque la dérivée seconde ne s'annule jamais, et qu'elle n'existe pas lorsque $x = 0$, la seule valeur critique relative à la dérivée seconde est $x = 0$.

Déterminons, à l'aide d'un tableau de variation relatif à la dérivée seconde, les intervalles où la fonction h est concave vers le haut et ceux où elle est concave vers le bas.

x	$-\infty$	0	$+\infty$
-8	-		-
$3\sqrt[3]{x^5}$	-		+
$h''(x)$	+		-
$h(x)$	$\cup$	P. I.	$\cap$
		$(0, h(0))$	

La dernière ligne du tableau permet de constater que la courbe de la fonction h est concave vers le haut sur l'intervalle $-\infty$, 0[et concave vers le bas sur]0, $+\infty$. On a donc un point d'inflexion en $x = 0$, soit le point (0, 0).

Exemple 15

Soit la fonction $g(z) = 7 \sin (2z)$. En vous limitant à l'intervalle $]0, 2\pi[$, trouvez les intervalles où la fonction est concave vers le haut et ceux où elle est concave vers le bas, ainsi que les points d'inflexion.

On a Dom g = IR. On obtient :

$$g'(z) = 7 \cos (2z) \cdot 2 = 14 \cos (2z) \quad \text{et} \quad g''(z) = 14 (- \sin (2z)) \cdot 2 = -28 \sin (2z)$$

La dérivée seconde $g''(z) = -28 \sin (2z)$ s'annule si $\sin (2z) = 0$ et donc lorsque $2z = n\pi$, où n est un entier relatif. Si on se limite à l'intervalle $]0, 2\pi[$, les seules valeurs critiques relatives à la dérivée seconde qu'on retient sont $z = \frac{\pi}{2}$, $z = \frac{2\pi}{2} = \pi$ et $z = \frac{3\pi}{2}$.

Déterminons, à l'aide d'un tableau de variation relatif à la dérivée seconde, les intervalles où la fonction g est concave vers le haut et ceux où elle est concave vers le bas.

z	0		$\frac{\pi}{2}$		π		$\frac{3\pi}{2}$		2π
$-28\sin(2z)$		-	0	+	0	-	0	+	
$g''(z)$		-	0	+	0	-	0	+	
$g(z)$		$\cap$	P. I.	$\cup$	P. I.	$\cap$	P. I.	$\cup$	
			$\left(\frac{\pi}{2}, g\left(\frac{\pi}{2}\right)\right)$		$(\pi, g(\pi))$		$\left(\frac{3\pi}{2}, g\left(\frac{3\pi}{2}\right)\right)$		

Ainsi, la courbe de la fonction g est concave vers le haut sur l'intervalle $\left]\frac{\pi}{2}, \pi\right[\cup \left]\frac{3\pi}{2}, 2\pi\right[$ et elle est concave vers le bas sur $\left]0, \frac{\pi}{2}\right[\cup \left]\pi, \frac{3\pi}{2}\right[$. On a trois points d'inflexion, soit $\left(\frac{\pi}{2}, 0\right)$, $(\pi, 0)$ et $\left(\frac{3\pi}{2}, 0\right)$.

Test de la dérivée seconde et extremums relatifs

Nous avons vu à la section 8.1 du présent chapitre qu'il est possible de repérer les extremums relatifs d'une fonction en construisant le tableau de variation relatif à la dérivée première. Il existe une façon de repérer certains extremums relatifs (et parfois tous) d'une fonction f en utilisant sa dérivée seconde et sans avoir à construire le tableau de variation.

Si on observe le graphique ci-dessous de la fonction $f(t)$, on constate qu'au maximum relatif situé en $x = 1$, la tangente à la courbe a une pente nulle et la courbe de la fonction est concave vers le bas (ce qui permet d'avoir d'ailleurs un « sommet »); en conséquence, $f''(1)$ est un nombre négatif. Au minimum relatif situé en $x = 4$, la tangente à la courbe a aussi une pente nulle et la courbe de la fonction est concave vers le haut (ce qui permet d'avoir un « creux de vallée »); en conséquence, $f''(4)$ est un nombre positif.

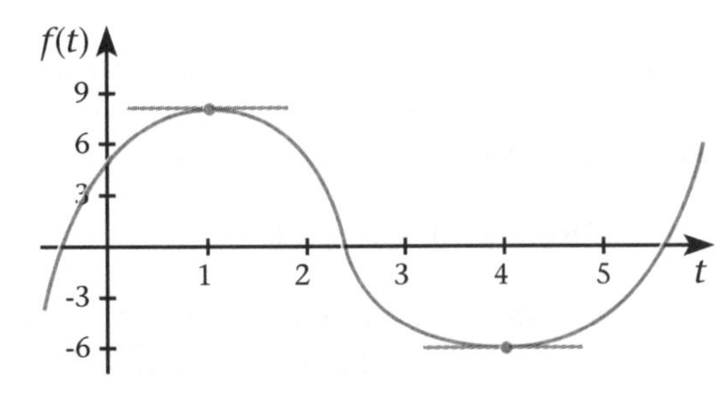

Test de la dérivée seconde pour un maximum ou un minimum relatif

Soit f une fonction continue sur l'intervalle $]a, b[$. Soit c un nombre de l'intervalle $]a, b[$ tel que $f'(c) = 0$.

- Si $f''(c) < 0$, alors $f(c)$ est un maximum relatif.
- Si $f''(c) > 0$, alors $f(c)$ est un minimum relatif.

Exemple 16

Soit la fonction $g(u) = u^3 - 4u^2 + 2$. Utilisez le test de la dérivée seconde pour trouver les extremums relatifs qu'il permet de trouver.

La fonction polynomiale g est une fonction continue sur $\mathbb{R}$ et Dom $g = \mathbb{R}$.

On a $g'(u) = 3u^2 - 8u = u(3u - 8)$.

Les valeurs critiques relatives à la dérivée première de g sont les valeurs de u telles que :

$$g'(u) = u(3u - 8) = 0, \text{ soit } u = 0 \text{ et } u = \frac{8}{3}$$

On peut peut-être trouver des extremums en $u = 0$ et $u = \frac{8}{3}$.

Puisque $g''(u) = 6u - 8$, on a :

- $g''(0) = 6 \cdot (0) - 8 = -8 < 0$ et on a donc un maximum relatif en $u = 0$; le maximum en question est $g(0) = 2$.
- $g''\left(\frac{8}{3}\right) = 6 \cdot \left(\frac{8}{3}\right) - 8 = 16 - 8 = 8 > 0$ et on a donc un minimum relatif en $u = \frac{8}{3}$; le minimum en question est $g\left(\frac{8}{3}\right) = \frac{-202}{27}$.

Attention !

1) Dans l'exemple 16 précédent, si on construisait le tableau de variation de la dérivée première, on constaterait que le test de la dérivée seconde a permis de trouver tous les extremums relatifs. Or, d'une façon générale, le test de la dérivée seconde ne permet pas nécessairement de trouver tous les extremums relatifs. Pour pouvoir l'appliquer, il faut d'abord que $f'(c) = 0$ et que $f''(c)$ soit définie. On a vu jusqu'ici qu'il arrive qu'un extremum relatif se trouve en une valeur où la dérivée première ou la dérivée seconde n'est pas définie.

2) Si toutes les conditions du test de la dérivée seconde sont vérifiées, mais que $f''(c) = 0$, le test ne permet de rien conclure. On pourrait vérifier que pour les fonctions $f(t) = t^5$, $g(t) = t^6$ et $h(t) = -t^8$, par exemple, la valeur $t = 0$ est telle que :

$$f'(0) = g'(0) = h'(0) = 0 \quad \text{et} \quad f''(0) = g''(0) = h''(0) = 0$$

Or, la fonction f ne possède aucun extremum relatif, $t = 0$ est un minimum relatif pour la fonction g et est un maximum relatif pour la fonction h.

L'utilisation du test de la dérivée seconde sera maintes fois pertinente dans le chapitre 9.

Exercices

1. Pour chacune des fonctions suivantes, trouvez les valeurs critiques relatives à la dérivée seconde, les intervalles où la fonction est concave vers le haut ou concave vers le bas et les points d'inflexion :

a) $h(t) = t^7 + 3t^6 - 17$ **b)** $f(y) = 2y^3 - y^2 - 2y + 1$ **c)** $g(z) = \sqrt{z}(80 - z)$ **d)** $m(u) = u^2 \times 2^u$

2. Selon le graphique associé à la fonction h, trouvez les valeurs critiques relatives à la dérivée seconde de la fonction h.

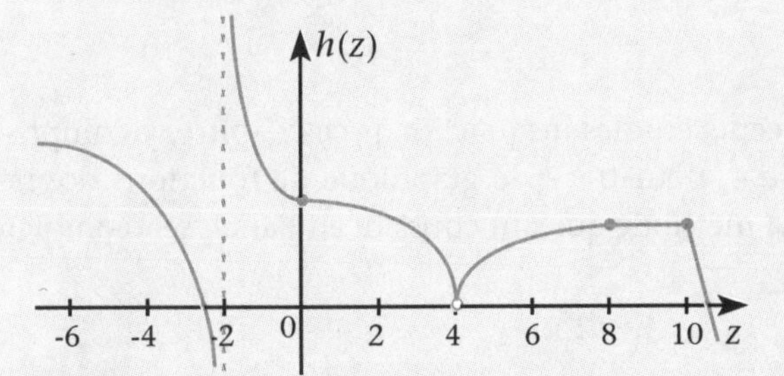

3. Trouvez les intervalles où une fonction est concave vers le haut et ceux où elle est concave vers le bas, si la *dérivée seconde de la fonction* est fournie sous sa forme factorisée.

a) $g''(z) = z + 6$

b) $h''(u) = 19u - 1$

c) $f''(y) = (3y - 1)(5y + 1)$

d) $v''(t) = t^5(1 - t)(2t + 1)$

e) $k''(z) = z^2(z + 1)(z + 21)$

f) $r''(s) = 5s(4 - s)^5(2 - s)^{12}$

4. Trouvez les valeurs critiques relatives à la dérivée seconde de la fonction donnée, les intervalles où la fonction est concave vers le haut et ceux où elle est concave vers le bas, ainsi que les points d'inflexion.

a) $h(t) = t^7$

b) $f(x) = x^6 + 5x^5 - 12$

c) $g(s) = 1 - 3s^2 + s^3 + s^4$

d) $k(x) = (x + 2)^5$

e) $h(z) = (z + 3)^2(z + 4)^3$

f) $s(n) = \dfrac{n}{n + 3}$

g) $b(x) = \dfrac{3}{x^2 + 2}$

h) $h(x) = \sqrt{3 - x}$

i) $f(x) = \dfrac{2}{\sqrt{x + 3}}$

5. Montrez, à l'aide de la dérivée seconde, qu'une fonction polynomiale de degré 3 a exactement un point d'inflexion.

6. Pour chaque fonction suivante, calculez d'abord les dérivées $f'(t)$ et $f''(t)$. À l'aide de la calculatrice à affichage graphique, estimez pour quelles valeurs de t on a $f'(t) = 0$. Appliquez à ces valeurs le test de la dérivée seconde pour vérifier s'il s'agit d'un maximum ou d'un minimum relatif. Tracez ensuite la fonction f sur la calculatrice pour vérifier vos résultats.

a) $f(t) = t^4 + t^3 + t^2 + t + 1$

b) $f(t) = t^6 - 4t^3 + 2t^2 - 33t + 2$

c) $f(t) = t^4 + 0{,}2t^3 - 8t^2 + t$

7. Trouvez les valeurs critiques relatives à la dérivée seconde de la fonction donnée, les intervalles où la fonction est concave vers le haut et ceux où elle est concave vers le bas, ainsi que les points d'inflexion.

a) $f(t) = e^t - e^{-t}$

b) $h(z) = ze^{-z}$

c) $g(x) = x^2 3^x$

d) $m(u) = \ln(u^2 + 4)$

8. Soit la fonction $f(t) = \ln t$, où t est un nombre positif.

a) Trouvez l'équation de la tangente à la courbe de la fonction f au point $(1, f(1))$.

b) Utilisez la concavité et le résultat de (a) pour montrer que $\ln t \leq t - 1$ pour toutes les valeurs de t positives.

9. Soit la fonction $g(t) = e^t$.

a) Trouvez l'équation de la tangente à la courbe de la fonction g au point $(0, g(0))$.

b) Utilisez la concavité et le résultat de (a) pour montrer que $e^t \geq t + 1$ pour tous les nombres réels.

10. En vous limitant à l'intervalle $]0, 2\pi[$, trouvez les valeurs critiques relatives à la dérivée seconde de la fonction donnée, les intervalles où la fonction est concave vers le haut et ceux où elle est concave vers le bas, ainsi que les points d'inflexion.

a) $h(x) = 4 - \sin x$

b) $f(t) = 5\cos(2t)$

c) $g(z) = 3 \operatorname{tg} z$

d) $g(t) = t^2 + \cos t$

SECTION **8.4**

Construction d'un tableau complet de variation et représentation graphique de la courbe d'une fonction

Analyse complète d'une fonction

Nous allons maintenant combiner tous les concepts étudiés jusqu'ici dans ce chapitre, y compris le concept d'asymptotes présenté dans le chapitre 4, pour tracer le graphique de fonctions données avec des informations précises et pertinentes. La méthode qui suit consiste en l'analyse « complète » de la fonction donnée.

Comment **faire**?

Comment tracer le graphique d'une fonction f à l'aide de ses dérivées première et seconde

1) Utilisez la fonction f pour trouver :

- le domaine de la fonction f et déterminer les intervalles sur lesquels la fonction est continue ;
- l'ordonnée à l'origine, si 0 est dans le domaine de f;
- les zéros de la fonction (s'il semble possible de les trouver) ;
- toutes les asymptotes verticales à l'aide des limites infinies ;
- toutes les asymptotes horizontales à l'aide des limites à l'infini.

2) Après avoir dérivé la fonction f, utilisez la dérivée f' pour trouver toutes les valeurs critiques relatives à la dérivée première, soit les valeurs de c dans le Dom f telles que $f'(c) = 0$ ou $f'(c)$ n'existe pas.

3) Après avoir dérivé la fonction f', utilisez la dérivée seconde f'' pour trouver les valeurs critiques relatives à la dérivée seconde, soit les valeurs de c dans le Dom f telles que $f''(c) = 0$ ou $f''(c)$ n'existe pas.

4) À l'aide des informations obtenues précédemment, construisez un tableau qui combine le tableau de variation relatif à la dérivée première avec le tableau de variation relatif à la dérivée seconde. Ensuite :

- déterminez, à l'aide d'une valeur de chaque intervalle délimité par des valeurs consécutives faisant partie de l'ensemble de toutes les valeurs critiques trouvées aux étapes (2) et (3) et des valeurs hors du domaine, le signe respectif des dérivées f' et f'';
- déduisez les intervalles de croissance et de décroissance de la fonction f;
- déduisez les intervalles où la fonction est concave vers le haut et ceux où elle est concave vers le bas ;
- déduisez où se trouvent les minimums et les maximums relatifs ainsi que les points d'inflexion et calculez ceux-ci.

5) À partir de toutes vos observations, déterminez la gradation de chacun des axes x et y (les deux axes doivent permettre de placer l'ensemble des couples trouvés). Placez d'abord les valeurs critiques, l'ordonnée à l'origine, les zéros et les autres points pertinents. Tracez la courbe associée à la fonction f.

Exemple 17

Effectuez une analyse complète de la fonction $h(x) = x^3 - 9x^2 - 48x + 3$ à l'aide des dérivées première et seconde, et tracez son graphique.

Utilisons ici la méthode suggérée dans le tableau précédent.

Étape 1

- Le domaine de la fonction h est IR et la fonction est continue sur IR.
- L'ordonnée à l'origine est $h(0) = 3$.
- Il ne semble pas simple de calculer les zéros de la fonction.
- Puisque Dom h = IR, la fonction h n'a pas d'asymptote verticale.
- Puisque $h(x) = x^3 - 9x^2 - 48x + 3 = x^3\left(1 - \frac{9}{x} - \frac{48}{x^2} + \frac{3}{x^3}\right)$,

  on a $\lim\limits_{x \to +\infty} h(x) = \lim\limits_{x \to +\infty} x^3\left(1 - \frac{9}{x} - \frac{48}{x^2} + \frac{3}{x^3}\right) = +\infty$ et $\lim\limits_{x \to -\infty} h(x) = \lim\limits_{x \to -\infty} x^3\left(1 - \frac{9}{x} - \frac{48}{x^2} + \frac{3}{x^3}\right) = -\infty$.

La fonction h n'a donc pas d'asymptote horizontale.

Étape 2

On a $h'(x) = 3x^2 - 18x - 48 = 3(x^2 - 6x - 16) = 3(x - 8)(x + 2)$.

- La dérivée $h'(x)$ existe pour tous les réels.
- En posant $h'(x) = 3(x - 8)(x + 2) = 0$, on trouve que les valeurs critiques relatives à la dérivée première sont $x = 8$ et $x = -2$.

Étape 3

On a $h''(x) = 6x - 18 = 3(x - 3)$.

- La dérivée seconde $h''(x)$ existe pour tous les réels.
- En posant $h''(x) = 3(x - 3) = 0$, on trouve que la valeur critique relative à la dérivée seconde est $x = 3$.

Étape 4

On construit un grand tableau de variation relatif à la dérivée première et à la dérivée seconde, en plaçant sur la première ligne les valeurs critiques trouvées aux étapes (2) et (3) et les valeurs exclues du domaine, dans l'ordre croissant.

x	$-\infty$	-2		3		8	$+\infty$
$3(x - 8)$	-	-	-	-	-	0	+
$x + 2$	-	0	+	+	+	+	+
$h'(x)$	+	0	-	-	-	0	+
$3(x - 3)$	-	-	-	0	+	+	+
$h''(x)$	-	-	-	0	+	+	+
$h(x)$	↗ ∩	Max.	↘ ∩	P. I.	↘ ∪	Min.	↗ ∪
		$(-2, h(-2))$ $(-2, 55)$		$(3, h(3))$ $(3, -195)$		$(8, h(8))$ $(8, -445)$	

Étape 5

On peut maintenant tracer le graphique de la fonction h, en plaçant d'abord les points relatifs aux valeurs critiques et l'ordonnée à l'origine.

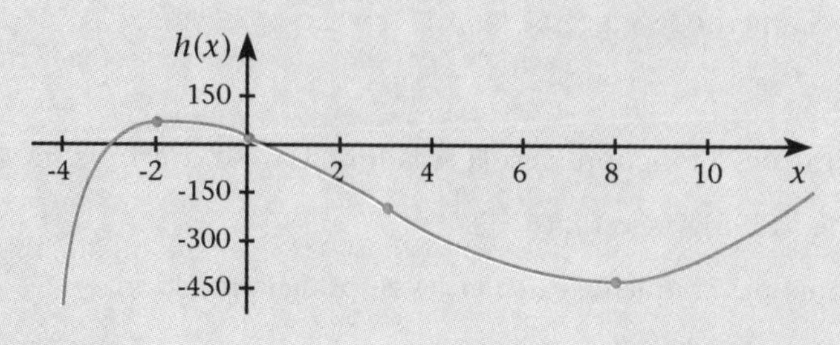

Exemple 18

Effectuez une analyse complète de la fonction $g(t) = 6t^{\frac{1}{3}} + 12t^{\frac{4}{3}} = 6\sqrt[3]{t} + 12t\sqrt[3]{t}$ à l'aide des dérivées première et seconde, et tracez son graphique.

Étape 1

- Le domaine de la fonction g est $\mathbb{R}$ et la fonction est continue sur $\mathbb{R}$.
- L'ordonnée à l'origine est $g(0) = 0$.
- Puisque $g(t) = 6\sqrt[3]{t} + 12t\sqrt[3]{t} = 6\sqrt[3]{t}(1 + 2t)$, les zéros de la fonction g sont $t = 0$ et $t = \frac{-1}{2}$, et les points qui leur sont associés sont forcément $(0, 0)$ et $\left(\frac{-1}{2}; 0\right)$.
- Puisque Dom $g = \mathbb{R}$, la fonction g n'a pas d'asymptote verticale.
- Puisque $g(t) = 6t^{\frac{1}{3}} + 12t^{\frac{4}{3}} = 6t^{\frac{4}{3}}\left(\frac{1}{t} + 2\right)$,

  on a $\lim_{t\to+\infty} g(t) = +\infty$ et $\lim_{t\to-\infty} g(t) = -\infty$.

  La fonction g n'a donc pas d'asymptote horizontale.

Étape 2

On a $g'(t) = 6 \cdot \frac{1}{3}t^{\frac{-2}{3}} + 12 \cdot \frac{4}{3}t^{\frac{1}{3}} = 2t^{\frac{-2}{3}} + 16t^{\frac{1}{3}} = \frac{2}{t^{\frac{2}{3}}} + 16t^{\frac{1}{3}} = \frac{2 + 16t}{t^{\frac{2}{3}}} = \frac{2(1 + 8t)}{t^{\frac{2}{3}}}$

- $g'(0)$ n'est pas définie et 0 est donc une valeur critique relative à la dérivée première de g.
- En posant $g'(t) = 0$, on trouve une deuxième valeur critique, qui est $t = \frac{-1}{8}$.

Étape 3

$$\text{On a } g''(t) = \frac{16 \cdot t^{\frac{2}{3}} - (2 + 16t) \cdot \left(\frac{2}{3}\right)t^{\frac{-1}{3}}}{\left(t^{\frac{2}{3}}\right)^2} = \frac{16t^{\frac{2}{3}} - \left(\frac{4}{3}\right)t^{\frac{-1}{3}} - \left(\frac{32}{3}\right)t^{\frac{2}{3}}}{t^{\frac{4}{3}}}$$

$$= \frac{\frac{16}{3}t^{\frac{2}{3}} - \frac{4}{3t^{\frac{1}{3}}}}{t^{\frac{4}{3}}} = \frac{\frac{16t}{3t^{\frac{1}{3}}} - \frac{4}{3t^{\frac{1}{3}}}}{t^{\frac{4}{3}}} = \frac{4(4t - 1)}{3t^{\frac{5}{3}}}$$

- $g''(0)$ n'est pas définie et 0 est donc une valeur critique relative à la dérivée seconde de g.

- En posant $g''(t) = \dfrac{4(4t-1)}{3t^{\frac{5}{3}}} = 0$, on trouve une deuxième valeur critique relative à la dérivée seconde, qui est $t = \dfrac{1}{4}$.

Étape 4

On construit le tableau de variation relatif à la dérivée première et à la dérivée seconde, en plaçant sur la première ligne les valeurs critiques trouvées aux étapes (2) et (3) et les valeurs exclues du domaine, dans l'ordre croissant.

t	$-\infty$	$\frac{-1}{8}$		0		$\frac{1}{4}$	$+\infty$
$2(1+8t)$	-	0	+		+	+	+
$t^{\frac{2}{3}}$	+	+	+		+	+	+
$g'(t)$	-	0	+		+	+	+
$4(4t-1)$	-	-	-		-	0	+
$3t^{\frac{5}{3}}$	-	-	-		+	+	+
$g''(t)$	+	+	+		-	0	+
$g(t)$	↘ ∪	Min.	↗ ∪	P. I.	↗ ∩	P. I.	↗ ∪
		$\left(\frac{-1}{8}, g\left(\frac{-1}{8}\right)\right)$		$(0, g(0))$		$\left(\frac{1}{4}, g\left(\frac{1}{4}\right)\right)$	
		$\left(\frac{-1}{8}; -2{,}25\right)$		$(0, 0)$		$\left(\frac{1}{4}; 5{,}67\right)$	

Étape 5

On peut maintenant tracer le graphique de la fonction g, en plaçant d'abord les points relatifs aux valeurs critiques, l'ordonnée à l'origine et les zéros.

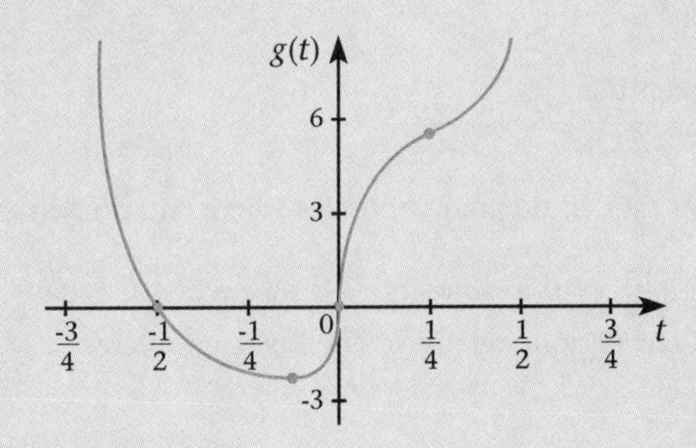

Exemple 19

Effectuez une analyse complète de la fonction $f(z) = \dfrac{\ln z}{z}$ à l'aide des dérivées première et seconde, et tracez son graphique.

Étape 1

- Le domaine de la fonction f est $]0, +\infty$ et la fonction est continue sur $]0, +\infty$.

- L'ordonnée à l'origine n'existe pas, car 0 n'est pas dans le domaine de f.
- On a $f(z) = 0$ si $\ln z = 0$, soit lorsque $z = 1$.
- Puisque 0 ne fait pas partie du domaine, évaluons $\lim_{z \to 0^+} f(z)$ à l'aide d'un tableau de valeurs. Cette étude numérique devient nécessaire du fait que la fonction, constituée du quotient de la fonction transcendante $\ln z$ et de la fonction polynomiale z, a un comportement qu'on n'a pas étudié jusqu'ici.

À lire de droite à gauche

0+ ←	0,000 001	0,000 01	0,000 1	0,001	0,01	0,1	z
	-13 815 510	-1 151 293	-92 103,4	-6907,755	-460,517	-23,025 8	$f(z)$

Il est raisonnable de croire que $\lim_{z \to 0^+} f(z) = -\infty$ et on présume alors que la droite d'équation $z = 0$ est une asymptote verticale.

- Estimons maintenant $\lim_{z \to +\infty} f(z)$ à l'aide d'un tableau de valeurs.

À lire de gauche à droite

z	100	1000	10 000	100 000	1 000 000	→ +∞
$f(z)$	0,046 052	0,006 908	0,000 921 03	0,000 115 13	0,000 013 8	

Il semble raisonnable de conclure que $\lim_{z \to +\infty} f(z) = 0$. En conséquence, $y = 0$ serait une asymptote horizontale.

Étape 2

On a $f'(z) = \dfrac{\frac{1}{z} \cdot z - \ln z \cdot 1}{z^2} = \dfrac{1 - \ln z}{z^2}$

- La dérivée $f'(z)$ est définie pour toutes les valeurs du domaine de la fonction f.
- On a $f'(z) = \dfrac{1 - \ln z}{z^2} = 0$ lorsque $\ln z = 1$ ou $z = e$. Ainsi, dans l'ensemble]0, +∞, le nombre e est la seule valeur critique relative à la dérivée première.

Étape 3

On a $f''(z) = \dfrac{\frac{-1}{z} \cdot z^2 - (1 - \ln z) \cdot 2z}{z^4} = \dfrac{-z - 2z + 2z \ln z}{z^4} = \dfrac{-3z + 2z \ln z}{z^4} = \dfrac{-3 + 2 \ln z}{z^3}$

- La dérivée seconde $f''(z)$ est définie pour toutes les valeurs du domaine de la fonction f.
- On a $f''(z) = \dfrac{-3 + 2 \ln z}{z^3} = 0$ lorsque $\ln z = \dfrac{3}{2}$ ou $z = e^{\frac{3}{2}}$. Ainsi, dans l'ensemble]0, +∞, le nombre $e^{\frac{3}{2}}$ est la seule valeur critique relative à la dérivée seconde.

Étape 4

On construit le tableau de variation relatif à la dérivée première et à la dérivée seconde, en plaçant sur la première ligne les valeurs critiques trouvées aux étapes (2) et (3) et les valeurs exclues du domaine de la fonction f, dans l'ordre croissant.

z	0		e		$e^{\frac{3}{2}}$	$+\infty$
$1 - \ln z$		+	0	-	-	-
z^2		+	+	+	+	+
$f'(z)$		+	0	-	-	-
$-3 + 2 \ln z$		-	-	-	0	+
z^3		+	+	+	+	+
$f''(z)$		-	-	-	0	+
$f(z)$		↗ ∩	Max.	↘ ∩	P. I.	↘ ∪
	Asympt. vert.		$(e, f(e))$		$\left(e^{\frac{3}{2}}, f\left(e^{\frac{3}{2}}\right)\right)$	Asympt. hor.
	$z = 0$		$\left(e, \frac{1}{e}\right)$		$\left(e^{\frac{3}{2}}, \frac{3}{2e^{\frac{3}{2}}}\right)$	$y = 0$

Étape 5

On trace finalement le graphique de la fonction f, en plaçant d'abord les points relatifs aux valeurs critiques.

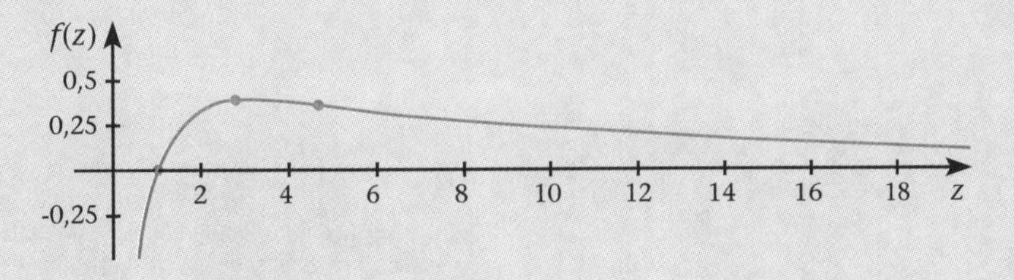

Exercices

1. Pour chaque fonction suivante, effectuez l'analyse complète à l'aide des dérivées première et seconde, et tracez le graphique de la fonction.

a) $h(t) = t^7 + 3t^6 - 17$

b) $f(y) = 2y^3 - y^2 - 2y + 1$

c) $g(z) = \sqrt{z}(80 - z)$

d) $m(u) = u^2 \times 2^u$, en admettant que $\lim\limits_{u \to -\infty} m(u) = 0$

2. Trouvez pour quelles valeurs de t la courbe de la fonction $f(t) = 6t^5 + 3t$ est à la fois croissante et concave vers le bas.

3. Une fonction continue sur $\mathbb{R}$ a les propriétés suivantes :

f est décroissante sur $\mathbb{R}$, f est concave vers le haut sur $\mathbb{R}$, $f(0) = 3$ et $f'(0) = -1$.

a) Combien de zéros la fonction f peut-elle avoir ?

b) Où peuvent se situer ce ou ces zéros ?

c) Est-il possible que $f'(2) = -3$?

4. Pour chaque fonction suivante, effectuez l'analyse complète à l'aide des dérivées première et seconde, et tracez le graphique de la fonction.

a) $f(t) = t^4 + 3t^3 - 2$

b) $h(z) = z^4 - 2z^3 + 3z^2$

c) $m(u) = -3u^5 + 5u^3 - 1$

d) $t(n) = \dfrac{3n+1}{2n-3}$

e) $h(y) = \dfrac{4}{y^4+2}$

f) $g(t) = t + \dfrac{16}{t}$

g) $h(x) = x^2 + \dfrac{1}{5x^2}$

h) $m(z) = -\dfrac{z^2}{1+z}$

i) $f(u) = \dfrac{u^2+3u-1}{u^2}$

j) $v(t) = 4\sqrt[3]{t^5} - 10\sqrt[3]{t^2}$

k) $g(x) = 3x^{\frac{2}{3}} - 2x + 1$

l) $h(z) = 14z^{\frac{6}{7}} - 12z$

5. Pour chaque fonction suivante, effectuez l'analyse complète à l'aide des dérivées première et seconde, et tracez le graphique de la fonction.

a) $h(t) = t \cdot \ln t$, en admettant que $\lim\limits_{t \to 0^+} h(t) = 0$

b) $v(q) = (\ln q)^2$

c) $f(x) = x^2 e^{-x^2}$, en admettant que $\lim\limits_{x \to +\infty} f(x) = 0$ et $\lim\limits_{x \to -\infty} f(x) = 0$

d) $f(u) = \dfrac{e^u + e^{-u}}{e^u - e^{-u}}$

e) $g(z) = \dfrac{3}{e^z + e^{-z}}$

6. Pour chaque fonction suivante, effectuez l'analyse complète à l'aide des dérivées première et seconde, et tracez le graphique de la fonction en vous limitant à l'intervalle $[0, 2\pi]$ en (a), (b) et (c).

a) $g(x) = 4 \cos(2x)$

b) $f(t) = 3 \sin^2 t$

c) $h(z) = -5 \sec z$

d) $v(k) = 3 \arcsin k$

La mathématique au goût du jour

Les mathématiques et l'infographie

Les effets spéciaux apparaissant dans les films projetés sur nos grands écrans sont souvent l'œuvre d'infographistes. Que ce soit dans de tels films, dans les émissions de télé, les vidéoclips, les publicités ou les jeux sur ordinateur, on demande aux infographistes de représenter, grâce à une séquence d'images numériques, des réalités ou des créations purement fictives. Si l'infographie est née d'un besoin de concevoir des simulateurs de vol, elle est maintenant aussi utilisée en médecine, domaine dans lequel il est souvent plus simple de comprendre certaines choses ou de les expliquer lorsqu'elles sont présentées sous forme d'images.

Le travail de l'infographiste exige une bonne connaissance des objets qu'il doit représenter. S'il souhaite, par exemple, reproduire un mouvement particulier, il doit d'abord étudier celui-ci, le décortiquer et en dégager des principes qui se traduisent souvent par des équations mathématiques. Ensuite, un peu comme on le fait pendant la résolution d'un problème, l'infographiste décompose les

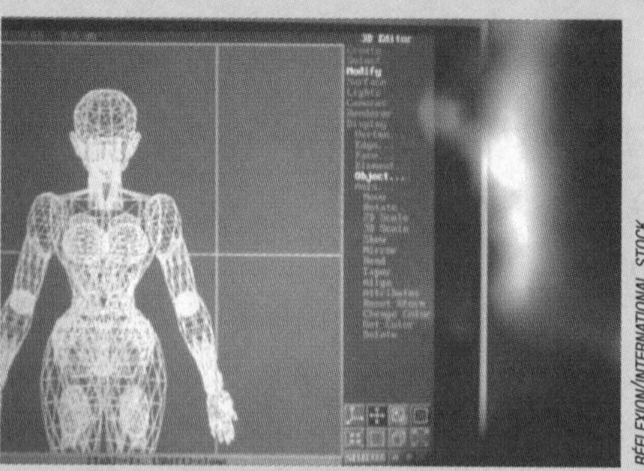

RÉFLEXION/INTERNATIONAL STOCK

Des équations mathématiques permettent à l'infographiste de déplacer des objets dans l'espace de la réalité virtuelle.

objets qui seront utilisés dans les images et qui peuvent sembler complexes en éléments fondamentaux beaucoup plus simples. L'infographiste manipule des points, des courbes et des surfaces pour créer les divers objets et assigne à chaque point de l'objet une texture et une couleur. Il choisit la luminosité et l'angle selon lequel l'image sera présentée pour l'ensemble.

Il est important que l'infographiste ait le contrôle de chaque point de l'image. Toutefois, pour assurer une certaine cohérence entre ces divers points, des modèles mathématiques l'aident à ne pas se préoccuper du mouvement de chaque petit point (sinon, nous ne sommes pas plus avancés qu'à l'époque où la conception des films d'animation exigeait forcément de nombreuses manipulations minutieuses). Les équations mathématiques permettent à l'infographiste de déplacer chaque objet dans l'espace tout en créant une séquence dans laquelle les mouvements sont autant que possible fluides. Par exemple, les mouvements d'objets formés de figures géométriques sont le résultat d'équations comprenant des dérivées parfois relatives à une vitesse ou à une accélération.

En résumé

Soit c une valeur du domaine de la fonction f. Le nombre c est une **valeur critique de f relative à la dérivée** si $f'(c) = 0$ ou si $f'(c)$ n'existe pas.

Test de la dérivée première

Soit c une valeur critique relative à la dérivée d'une fonction $f(x)$ continue sur un intervalle ouvert contenant c.

- Si la dérivée f' est positive partout sur un intervalle $]c - h, c[$ (pour une certaine valeur positive h) et est négative partout sur un intervalle $]c, c + k[$ (pour une certaine valeur positive k), alors on a un maximum relatif en c.
- Si la dérivée f' est négative partout sur un intervalle $]c - h, c[$ (pour une certaine valeur positive h) et est positive partout sur un intervalle $]c, c + k[$ (pour une certaine valeur positive k), alors on a un minimum relatif en c.

Si $f''(x) > 0$ pour tous les x sur l'intervalle $]a, b[$, alors la fonction est concave vers le haut sur $]a, b[$.

Si $f''(x) < 0$ pour tous les x sur l'intervalle $]c, d[$, alors la fonction est concave vers le bas sur $]c, d[$.

Soit c une valeur du domaine de la fonction f. Le nombre c est une **valeur critique de f relative à la dérivée seconde** si $f''(c) = 0$ ou si $f''(c)$ n'existe pas.

Soit c une valeur critique relative à la dérivée seconde d'une fonction $f(x)$ continue sur un intervalle ouvert contenant c.

- Si la dérivée seconde f'' est positive partout sur un intervalle $]c - h, c[$ (pour une certaine valeur positive h) et négative partout sur un intervalle $]c, c + k[$ (pour une certaine valeur positive k), alors c est un point d'inflexion.
- Si la dérivée seconde f'' est négative partout sur un intervalle $]c - h, c[$ (pour une certaine valeur positive h) et positive partout sur un intervalle $]c, c + k[$ (pour une certaine valeur positive k), alors c est un point d'inflexion.

Test de la dérivée seconde pour un maximum ou un minimum relatif

Soit f une fonction continue sur l'intervalle $]a, b[$. Soit c un nombre de l'intervalle $]a, b[$ tel que $f'(c) = 0$.

- Si $f''(c) < 0$, alors $f(c)$ est un maximum relatif.
- Si $f''(c) > 0$, alors $f(c)$ est un minimum relatif.

Problèmes

Section 8.1 (p. 240) Caractéristiques d'une fonction relatives à la dérivée première

1. Le nombre d'articles vendus est donné par la fonction $N(p) = 16 - 0{,}1p$, où p représente le prix de vente (en dollars). Trouvez tous les extremums relatifs de la fonction qui représente le revenu des ventes en fonction de p, à l'aide de la dérivée.

2. Le revenu R d'une entreprise (en milliers de dollars) est donné par la fonction $R(n) = 24n - n^3$, où n est le nombre d'articles produits. Trouvez tous les extremums relatifs de la fonction R, à l'aide de la dérivée.

3. Une compagnie estime que les coûts (en dollars) pour produire n unités sont donnés par la fonction $C(n) = a + bn^2$, où a et b sont deux constantes positives. Le coût unitaire correspond à $U(n) = \frac{C(n)}{n}$. Trouvez tous les extremums relatifs de la fonction U sur l'intervalle $]0, +\infty$, à l'aide de la dérivée.

Section 8.2 (p. 249) Dérivées successives d'une fonction

4. La position d'un objet (en mètres) est donnée par la fonction $h(t) = h_0 + v_{h_0}t + \frac{1}{2}at^2$, où h_0 est la position initiale de l'objet, v_{h_0} est la vitesse initiale de l'objet, a est l'accélération de l'objet et t est le temps écoulé (en secondes) depuis le moment où l'objet a quitté sa position initiale. Trouvez la formule donnant la vitesse instantanée $v(t)$ et celle donnant l'accélération instantanée $a(t)$, et précisez les unités de chacune de ces quantités.

5. La hauteur h (en mètres) d'un objet est donnée par la fonction $h(t) = -4{,}9t^2 + 15t + 4$, où t est le nombre de secondes depuis le moment où l'objet est lancé verticalement en l'air. Trouvez la vitesse instantanée et l'accélération instantanée de l'objet lorsque $t = 3$ secondes.

6. On laisse tomber une bille du toit d'un édifice. La hauteur h (en mètres) de la bille par rapport au sol est donnée par la fonction $h(t) = 170 - 4{,}9t^2$, où t représente le temps (en secondes) depuis le moment où la bille a été lâchée.

a) Trouvez la fonction qui donne la vitesse instantanée $v(t)$ de la bille. Interprétez le signe de cette vitesse.

b) Trouvez la fonction qui donne l'accélération instantanée $a(t)$ de la bille. Interprétez le signe de cette accélération.

c) Après avoir calculé le temps qu'il faut à la bille pour atteindre le sol, trouvez à quelle vitesse (en kilomètres à l'heure) la bille touche celui-ci.

7. Un objet est suspendu à un ressort. Sa hauteur h (en centimètres) relativement au sol est donnée par $h(t) = 3 \cos (2\pi\omega t) + 35$, où ω est une constante positive et t est le temps en secondes depuis un moment précis.

a) Trouvez une fonction donnant la vitesse instantanée v en fonction de t et déterminez l'amplitude et la période de la fonction obtenue.

b) Trouvez une fonction donnant l'accélération instantanée $\boldsymbol{a}$ en fonction de t et déterminez l'amplitude et la période de la fonction obtenue.

Section 8.3 (p. 253)
Caractéristiques d'une fonction relatives à la dérivée seconde

8. Un filet d'eau dont le débit est constant coule dans un vase. Déterminez si le graphique donnant la profondeur de l'eau dans le vase en fonction du temps est concave vers le haut, concave vers le bas, une combinaison des deux (et si oui dans quel ordre), linéaire ou ni l'un ni l'autre, sachant que le vase a une forme :

a) cylindrique avec la base circulaire en bas ;

b) de cône dont la pointe est en bas ;

c) cubique avec une base carrée en bas ;

d) pyramidale avec la base vers le bas.

9. La population P de souris dans un laboratoire est donnée approximativement par la fonction $P(t) = \dfrac{150}{1 + e^{(2 - 0,1t)}}$ où t est le nombre de semaines depuis le début de l'expérience. Estimez à quel moment la population de souris augmente le plus rapidement et calculez la population à ce moment-là.

10. Une compagnie estime que les coûts (en dollars) pour produire n unités sont donnés par la fonction $C(n) = a + bn^2$, où a et b sont deux constantes positives. Le coût unitaire correspond à $U(n) = \dfrac{C(n)}{n}$. Déterminez les intervalles où la fonction U est concave vers le haut et ceux où elle est concave vers le bas.

Section 8.4 (p. 262)
Construction d'un tableau complet de variation et représentation graphique de la courbe d'une fonction

11. Les coûts annuels C (en milliers de dollars) d'une très petite municipalité pour maintenir la qualité de l'eau selon les standards sont donnés par $C(p) = \dfrac{10}{98 - p}$ lorsque p % du réseau est concerné. Ce pourcentage ne peut excéder 98 %. Effectuez une analyse complète de la fonction C sur l'intervalle $[0, 98[$ à l'aide des dérivées première et seconde, et tracez son graphique.

12. Lorsqu'une résistance de 5 ohms est montée en parallèle avec une résistance variable r, la résistance totale est donnée par la fonction $f(r) = \dfrac{5r}{r + 5}$ ohms. Effectuez une analyse complète de la fonction f sur son domaine d'application à l'aide des dérivées première et seconde, et tracez son graphique.

13. Les coûts mensuels globaux de production C (en centaines de dollars) d'une entreprise sont représentés par $C(q) = 190 - 80e^{-0,02q}$, où q est le nombre d'unités produites dans un mois.

a) Déterminez les coûts fixes de l'entreprise, soit les coûts lorsque aucune unité n'a encore été produite.

b) Si on augmente continuellement le nombre q d'unités produites en un mois, qu'arrive-t-il relativement aux coûts mensuels globaux ? Dans ce cas, quelle proportion du coût global est rattachée aux coûts fixes ?

c) Tracez le graphique de la fonction $C(q)$ pour des valeurs de q positives.

Auto-évaluation

1. Pour chaque fonction suivante, effectuez l'analyse complète à l'aide des dérivées première et seconde et tracez le graphique de la fonction.

a) $f(x) = x^3 + 3x^2 - 9x - 2$

b) $g(t) = 2t^5 - 30t^3 + 1$

c) $p(q) = \dfrac{3q}{2q - 1}$

d) $v(s) = \dfrac{s^2}{s^4 + 1}$

e) $m(u) = u^2 \cdot 4^{3u}$, en admettant que $\lim\limits_{u \to -\infty} m(u) = 0$

2. Pour les fonctions g suivantes, trouvez le plus petit entier positif n (s'il en existe un) tel que $g^{(n)}(t) = 0$, quelle que soit la valeur de t.

a) $g(t) = t^2 + 1$

b) $g(t) = t^5 - 3t^4 + 1$

c) $g(t) = 6t^{123} + 56t^{34} - 1$

d) $g(t) = t^{56,1} - 6t^5$

e) $g(t) = \ln t$

f) $g(t) = \cos t$

3. La population d'un petit village est donnée par la fonction $P(t) = \dfrac{7000(t^2 + 1)}{7 + 5t^2}$, où t est le temps en années à partir de janvier 2000.

a) Trouvez la population en janvier 2000.

b) Montrez que la fonction P est croissante sur $]0, +\infty$.

c) En vous limitant à l'intervalle $]0, +\infty$, déterminez les intervalles de concavité vers le haut et vers le bas pour la fonction P.

4. La fonction g est négative, non nulle et continue sur IR et on définit la fonction f par $f(t) = \dfrac{1}{g(t)}$. Si la fonction g :

a) est croissante sur l'intervalle $]3, 5[$, que peut-on déduire au sujet de la fonction f sur l'intervalle $]3, 5[$?

b) a un minimum relatif en $t = 7$, que peut-on déduire au sujet de la fonction f en $t = 7$?

c) est concave vers le haut en $t = 9$, que peut-on dire au sujet de la concavité de la fonction f en $t = 9$?

5. Le pourcentage P % des entreprises qui adoptent une nouvelle technologie est donné par $P(t) = \dfrac{100t^2}{t^2 + 250}$, où t représente le nombre d'années depuis que la nouvelle technologie est disponible.

a) Trouvez les intervalles de croissance et de décroissance de la fonction P ainsi que les extremums relatifs de la fonction.

b) Trouvez les intervalles de concavité vers le haut et de concavité vers le bas de la fonction P, ainsi que les points d'inflexion.

c) Tracez une esquisse du graphique de la fonction P sur l'intervalle $[0, +\infty$ afin de déduire ce qui se passe au point d'inflexion dans cette zone.

6. Montrez, à l'aide de la dérivée première, que l'équation :

a) $x^{11} - x^{10} = 5$ possède une et une seule solution;

b) $x^{18} - x^{17} = 5$ possède deux et seulement deux solutions.

7. Cherchez un lien entre le degré n (où n est un entier positif supérieur ou égal à 2) d'une fonction polynomiale et :

a) le nombre maximal d'extremums relatifs que la fonction peut avoir;

b) le nombre maximal de points d'inflexion que la fonction peut avoir.

Chapitre 9

Problèmes d'optimisation

Plan du chapitre

Objectifs

D'ICI LA FIN DE CE CHAPITRE, VOUS DEVRIEZ POUVOIR :

- DÉTERMINER LE DOMAINE D'APPLICATION D'UNE FONCTION, DANS UN CONTEXTE DONNÉ ;
- TROUVER LES EXTREMUMS ABSOLUS D'UNE FONCTION SUR UN INTERVALLE DONNÉ ;
- RÉSOUDRE DES PROBLÈMES D'OPTIMISATION À L'AIDE DE LA DÉRIVÉE PREMIÈRE OU DE LA DÉRIVÉE SECONDE, SELON LE CAS.

« En général, il faut se redresser pour être grand : il n'y a qu'à rester comme on est pour être petit. »

PIERRE DE MARIVAUX (1688-1763), *La Vie de Marianne*.

Le cours de l'histoire

L'intégration des « outils » issus du calcul différentiel dans l'algèbre

Même si le calcul infinitésimal (le calcul qui met en jeu l'infini) laissé en héritage par Newton et Leibniz est rattaché à des concepts qui ne sont pas encore clairement définis au début du XVIIIe siècle (dont l'infini lui-même, qu'on utilise avec beaucoup de précautions), les méthodes de calcul différentiel ont fait leurs preuves. Ainsi, les mathématiques peuvent se démarquer de plus en plus de la philosophie. Jusqu'ici, les mathématiciens étaient, la plupart du temps, également des philosophes.

PUBLIPHOTO/SCIENCE PHOTO LIBRARY

Leonhard Euler (1707-1783)

Leonhard Euler (1707-1783), bachelier à l'âge de 15 ans à la Faculté de philosophie de Bâle, en Suisse, considère le calcul infinitésimal comme une simple extension de l'algèbre. Selon lui, il suffit simplement d'ajouter la dérivation et l'intégration (dont il sera question dans le dernier chapitre du présent manuel) aux opérations algébriques déjà connues et de les considérer au même titre que la somme ou l'extraction de racine, par exemple. Il souhaite ainsi éliminer de l'analyse toute considération géométrique ou relative aux difficultés rattachées à l'infini.

Pour Euler, les fonctions constituent le concept fondamental de toute construction mathématique. Il en vient à diviser les fonctions en deux grandes catégories : les fonctions algébriques et les fonctions transcendantes. Les fonctions algébriques sont constituées de quantités variables combinées entre elles par les opérations ordinaires de l'algèbre (la somme, la différence, le produit, le quotient et l'extraction de racine). Euler définit les fonctions transcendantes comme étant celles qui font intervenir des opérations autres que les opérations ordinaires de l'algèbre (pensons aux fonctions exponentielles, logarithmiques ou trigonométriques, par exemple) et celles qui font intervenir les opérations algébriques, mais appliquées une infinité de fois. Certains ont constaté par la suite qu'une telle définition des fonctions transcendantes était incomplète et vague. En effet, certaines fonctions sont, selon les valeurs qu'on donne à la variable indépendante, tantôt algébriques, tantôt transcendantes, au sens qu'Euler donne à ces mots.

L'approche d'Euler, considérée par plusieurs comme manquant de rigueur, lui permet tout de même de découvrir une grande variété de nouveaux résultats, qu'il présente dans son manuel intitulé Institutions de calcul différentiel *publié en 1755, dans lequel il rassemble ses résultats sur le sujet, ainsi que ceux de ses prédécesseurs et de ses contemporains.*

Avant d'aller plus loin

Préalables

1. Trouvez :

a) l'aire d'un cercle dont le rayon est de 4 centimètres;

b) l'aire d'un rectangle dont un des côtés mesure 6 mètres et dont le périmètre est de 30 mètres;

c) la circonférence d'un cercle dont la surface est de 4π millimètres carrés;

d) le périmètre d'un rectangle dont un des quatre côtés mesure 4 centimètres et dont la diagonale mesure 5 centimètres.

2. Tracez trois rectangles :

a) qui ont la même aire, mais pas le même périmètre;

b) qui ont le même périmètre, mais pas la même aire.

3. Présentez une formule qui donne :

a) la distance entre le point (x_1, y_1) et le point (x_2, y_2);

b) le volume d'un cylindre droit de rayon r et de hauteur h;

c) la surface du cylindre de (b).

Langages mathématique et graphique

1. Définissez en vos mots :

a) le domaine d'une fonction f;

b) un maximum relatif d'une fonction f;

c) un minimum relatif d'une fonction f.

2. Dessinez :

a) un cercle et inscrivez un rectangle dans celui-ci;

b) un demi-cercle et inscrivez un triangle rectangle dans celui-ci de telle sorte que l'hypoténuse corresponde au diamètre du demi-cercle;

c) un triangle isocèle et identifiez ses côtés congrus;

d) un triangle équilatéral et identifiez ses côtés congrus;

e) une sphère et inscrivez un cylindre droit dans celui-ci.

SECTION 9.1 Domaine d'application, maximum et minimum absolus d'une fonction

Domaine d'application d'une fonction

Soit la fonction $A(r) = \pi r^2$ qui donne l'aire (en centimètres carrés) d'un cercle de rayon r (en centimètres). Le domaine de la fonction A est clairement l'ensemble des réels $\mathbb{R}$, puisque A est une fonction quadratique. Or, nous n'avons pas, dans un tel contexte concret, à travailler avec les valeurs de r négatives. À quoi correspondrait alors un cercle ayant un rayon de -3 centimètres, mais une surface de 9π centimètres carrés? On peut même considérer que la valeur $r = 0$ ne donne pas lieu à un cercle (à moins, bien sûr, de répondre par l'affirmative à la question «philosophique» : un cercle de rayon 0 est-il un cercle?).

On acceptera de travailler avec des valeurs de r dans l'intervalle $]0, +\infty$. Mais une nouvelle question se pose alors : est-il réaliste de parler, par exemple, d'un cercle qui a un rayon de 15 milliards de centimètres? Si un tel cercle n'est pas «réalisable», il demeure tout de même crédible et on ne bornera donc pas supérieurement la variable r.

On le sait, le domaine d'une fonction est l'ensemble de toutes les valeurs réelles pour lesquelles une fonction à une variable est définie. Dans des circonstances concrètes, il arrive toutefois que certaines des valeurs du domaine d'une fonction n'aient pas vraiment de sens. Le **domaine d'application d'une fonction f** est :

- un ensemble défini préalablement et fourni avec la fonction

  ou,

- lorsque la fonction est associée à un contexte donné, l'ensemble de toutes les valeurs c que la variable indépendante peut prendre et pour lesquelles :

  i) $f(c)$ est définie,

  ii) c et $f(c)$ possèdent, dans le contexte donné, une signification «crédible».

Attention!

1) La condition **(i)** ci-dessus stipule en fait que le domaine d'application est un sous-ensemble du domaine de la fonction f.

2) Dans certains contextes, la variable considérée est discrète, c'est-à-dire qu'elle ne peut prendre concrètement que des valeurs entières positives. Dans ces situations, nous allons d'abord étudier le problème avec tous les réels positifs (à moins que d'autres restrictions ne viennent limiter de façon encore plus contraignante le domaine d'application) et nous prendrons à la fin seulement une décision en ce qui concerne le résultat à retenir.

Exemple 1

Soit un terrain rectangulaire dont la superficie est de 200 mètres carrés. Exprimez le périmètre de ce terrain en fonction d'une seule variable et déterminez ensuite le domaine d'application de la fonction trouvée.

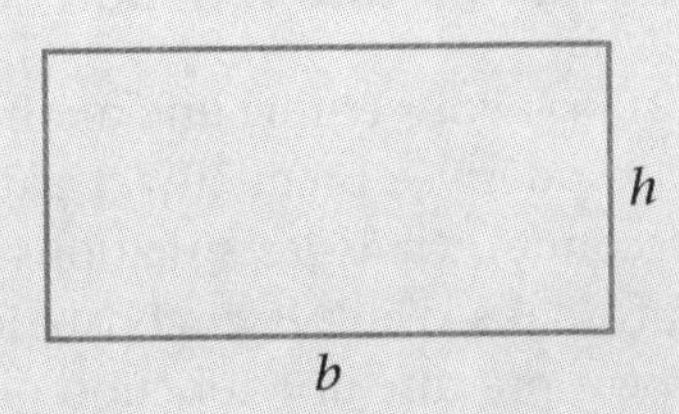

Supposons que le rectangle associé au terrain a une longueur de b centimètres et une largeur de h centimètres. Si on exprime le périmètre P de ce rectangle, on obtient $P = 2b + 2h$. Or, on demande que ce périmètre P soit exprimé à l'aide d'une seule variable. Puisque l'aire du rectangle est $b \cdot h = 200$, on peut définir $b = \frac{200}{h}$ et en effectuant la substitution appropriée, on a :

$$P = 2\left(\frac{200}{h}\right) + 2h = \frac{400}{h} + 2h$$

Puisque cette fonction est exprimée avec une seule variable indépendante, on peut écrire $P(h) = \frac{400}{h} + 2h$. On a Dom $P = \mathbb{R} \setminus \{0\}$. Comme on doit éliminer toutes les valeurs négatives de h quand on place la fonction P dans le contexte, le domaine d'application est $]0, +\infty$.

Exemple 2

Soit un terrain rectangulaire dont le périmètre est de 200 mètres et dont la surface est non nulle. Exprimez la surface de ce terrain en fonction d'une seule variable et déterminez ensuite le domaine d'application de la fonction trouvée.

Supposons que le rectangle associé au terrain a une longueur de b centimètres et une largeur de h centimètres. Si on exprime l'aire A de ce rectangle, on obtient $A = b \cdot h$. Or, puisque le périmètre du rectangle est $2b + 2h = 200$, on peut définir $b = \frac{200 - 2h}{2} = 100 - h$ et en substituant cette valeur dans l'expression initiale trouvée pour A, on a :

$$A = (100 - h)h$$

On peut écrire $A(h) = (100 - h)h$. On a Dom $A = \mathbb{R}$. Puisqu'on doit éliminer toutes les valeurs négatives pour h quand on place la fonction A dans le contexte, le domaine d'application se limite aux valeurs positives. De plus, h ne peut valoir 0, car la surface du rectangle serait alors nulle (ce qui est contraire à l'hypothèse) et puisque $b = 100 - h > 0$ (pour la même raison), h doit être inférieure à 100. Le domaine d'application de la fonction A est donc $]0, 100[$.

Attention !

Quand on établit le domaine d'application, il est essentiel de tenir compte de tous les éléments du contexte. Il peut être pertinent de vérifier la « crédibilité » du domaine d'application en validant des valeurs près de la borne inférieure et d'autres près de la borne supérieure de l'intervalle trouvé (dans le cas où la borne est $-\infty$ ou $+\infty$, on choisit, selon le contexte, une valeur a telle que $|a|$ est très élevée).

Maximum et minimum absolus d'une fonction

Dans le chapitre précédent, nous avons étudié une méthode pour trouver les extremums relatifs de diverses fonctions à l'aide de la dérivée première (et parfois de la dérivée seconde, dans l'application du test de la dérivée seconde). Dans les situations concrètes, si la recherche des extremums relatifs nous intéresse parfois, dans d'autres circonstances, ce sont la valeur la plus élevée et la valeur la moins élevée que peut prendre une fonction qui nous intéressent.

Définitions

Soit f une fonction définie par $f(x)$ sur un intervalle I (qui peut être ouvert, semi-ouvert ou fermé).

Le nombre M est un **maximum absolu de f dans l'intervalle I** si, pour toutes les valeurs de x dans I, $M \geq f(x)$.

Le nombre N est un **minimum absolu de f dans l'intervalle I** si, pour toutes les valeurs de x dans I, $N \leq f(x)$.

Soit la fonction g ci-dessous définie sur l'intervalle $[1, 6]$. La plus grande valeur que prend la fonction g est 8, atteinte au point (3, 8). Ainsi, 8 est le maximum absolu de g (il correspond ici à un maximum relatif).

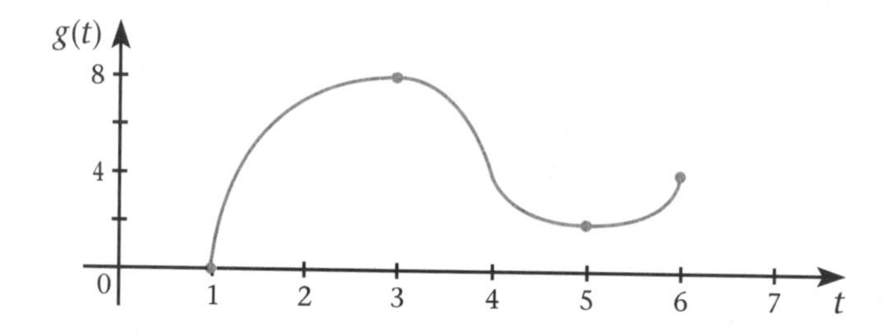

La plus petite valeur que prend la fonction g est 0, atteinte au point (1, 0) ; 0 est donc le minimum absolu de g (il est également un minimum relatif). Le nombre 2 est un minimum relatif de la fonction g, mais n'est pas, par définition, un minimum absolu.

Exemple 3

À l'aide du graphique de la page suivante, trouvez le maximum et le minimum absolus de la fonction $h(x) = \frac{1}{x}$, en vous limitant à l'intervalle :

a) $]0, +\infty$

Puisque sur cet intervalle, la fonction ne prend pas de valeurs plus grandes que les autres, ni plus petites que les autres, la fonction h ne possède pas d'extremum absolu sur cet intervalle.

b) $[0,1 ; +\infty$

La fonction étant décroissante sur cet intervalle (la dérivée $h'(x) = \frac{-1}{x^2}$, qui est toujours négative pour $x \neq 0$, le confirme), si elle atteint un maximum, c'est forcément en sa borne inférieure. Ainsi, le maximum absolu de la fonction h sur l'intervalle donné est $h(0,1) = \frac{1}{0,1} = 10$. L'intervalle $[0,1 ; +\infty$ n'étant pas borné supérieurement, la fonction ne possède pas de minimum absolu.

c)]1, 5]

Puisque la borne inférieure de cet intervalle n'est pas incluse dans le domaine d'application, la fonction ne possède pas de maximum absolu. La fonction étant décroissante, le minimum absolu est atteint à la borne supérieure 5 et vaut $h(5) = \frac{1}{5}$.

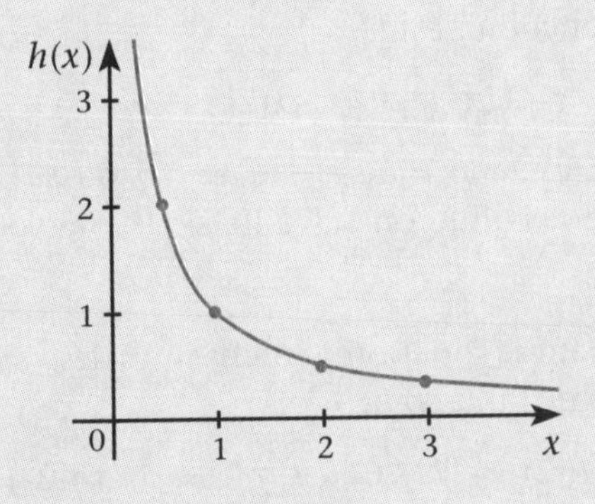

Attention !

1) Il est possible qu'un maximum absolu ou qu'un minimum absolu soit atteint en plus d'une valeur de la variable indépendante. Il est également possible qu'il n'existe pas de maximum ou de minimum absolu, comme dans l'exemple 3(a) précédent.

2) On peut remarquer dans l'exemple 3(c) que la fonction h ne possède pas de maximum absolu ; 1 ne peut être un maximum absolu, car on ne peut avoir $h(x) = 1$ pour aucune valeur du domaine d'application]1, 5].

Le théorème suivant est accepté sans preuve.

Théorème

Une fonction continue sur un intervalle fermé $[a, b]$ possède nécessairement un maximum absolu et un minimum absolu sur $[a, b]$.

Selon ce théorème, pour retracer les extremums absolus d'une fonction f sur un intervalle fermé $[a, b]$, on doit :

i) trouver les valeurs critiques relatives à la dérivée première de la fonction f qui se situent dans l'intervalle $[a, b]$;

ii) évaluer la fonction f en chaque valeur critique trouvée à l'étape **(i)**, ainsi qu'aux deux bornes a et b de l'intervalle ;

iii) établir le maximum absolu comme étant la plus grande valeur calculée à l'étape **(ii)** et le minimum absolu comme étant la plus petite valeur calculée à l'étape **(ii)**.

Exemple 4

Trouvez les extremums absolus de $f(x) = 2x^4 + 4x^3 - 10x^2 + 3$ dans l'intervalle [-2, 2].

Puisque l'intervalle sur lequel on travaille est fermé, on peut utiliser le théorème précédent ainsi que la démarche suggérée.

i) Le domaine de la fonction f est $\mathbb{R}$.

On a $$f'(x) = 8x^3 + 12x^2 - 20x = 4x(2x^2 + 3x - 5) = 4x(2x + 5)(x - 1)$$

Ainsi, la dérivée s'annule lorsque $x = 0$, $x = \frac{-5}{2}$ ou $x = 1$ et ces valeurs correspondent aux valeurs critiques de f. Puisqu'on travaille sur l'intervalle [-2, 2], on retient seulement les valeurs 0 et 1.

ii) On calcule maintenant la fonction f en chacune des valeurs retenues à l'étape **(i)**, de même qu'aux deux bornes de l'intervalle.

On a $$f(-2) = -37,\ f(0) = 3,\ f(1) = -1 \text{ et } f(2) = 27$$

iii) Le maximum absolu de f est 27 et son minimum absolu est -37.

Attention !

Dans l'énoncé du théorème précédent, l'hypothèse sur la continuité de la fonction sur l'intervalle $[a, b]$, de même que celle concernant le fait que l'intervalle est fermé doivent être nécessairement vérifiées pour qu'on puisse appliquer le résultat. Les deux graphiques qui suivent présentent des fonctions qui ne possèdent pas d'extremums relatifs.

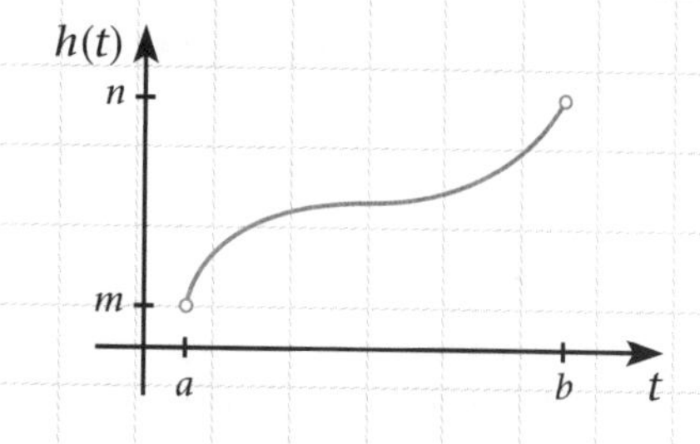

La fonction h ci-dessus est continue sur l'intervalle ouvert $]a, b[$ et ne possède pas d'extremums absolus. En effet, m n'est pas un minimum absolu, puisque cette valeur n'est jamais prise par la fonction. Pour la même raison, n n'est pas un maximum absolu.

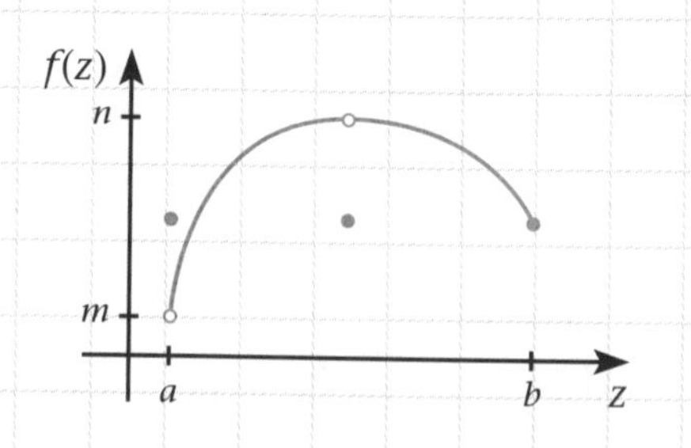

La fonction f ci-dessus n'est pas continue sur l'intervalle fermé $[a, b]$, bien qu'elle soit définie partout sur cet intervalle. Elle ne possède ni maximum ni minimum absolus.

Que fait-on lorsque l'intervalle I sur lequel on travaille est semi-ouvert ou ouvert ou lorsque la fonction n'est pas continue sur l'intervalle donné ? Comme nous l'avons indiqué précédemment, l'existence d'un maximum ou d'un minimum absolu n'est pas garantie dans ces circonstances. Pour retracer les extremums absolus d'une fonction f sur un intervalle semi-ouvert ou ouvert, on doit :

i) trouver les valeurs critiques relatives à la dérivée première de la fonction f qui se situent dans l'intervalle I;

ii) construire le tableau de variation relatif à la dérivée première, selon l'intervalle I sur lequel on travaille, et déterminer (s'ils existent) les extremums relatifs de la fonction f, en considérant les bornes admises dans l'intervalle I;

iii) établir (s'il existe) le maximum absolu comme étant la plus grande valeur calculée en un des maximums relatifs trouvés à l'étape **(ii)** ou en une borne permise de l'intervalle I, ainsi que le minimum absolu (s'il existe) comme étant la plus petite valeur calculée en un des minimums relatifs trouvés à l'étape **(ii)** ou en une borne admise de l'intervalle I.

Exemple 5

Le coût total C de production (en dizaines de dollars) pour un mois dans une entreprise est donné par la fonction $C(q) = 16 + q^2$, où q représente le nombre d'unités produites mensuellement. Le coût de production unitaire U (en dollars par unité) est, par conséquent, défini par $U(q) = \frac{C(q)}{q} = \frac{16 + q^2}{q}$. Trouvez pour combien d'unités produites le coût unitaire moyen est maximal et pour combien d'unités produites il est minimal.

Déterminons d'abord le domaine d'application. On a Dom $U = \mathbb{R} \setminus \{0\}$. Puisque, dans le contexte, $q \geq 0$, le domaine d'application dans lequel on travaille est $]0, +\infty$, soit un intervalle ouvert.

i) On a $$U'(q) = \frac{2q(q) - (16 + q^2)(1)}{q^2} = \frac{q^2 - 16}{q^2} = \frac{(q-4)(q+4)}{q^2}$$

Ainsi, la dérivée s'annule lorsque $q = 4$ ou $q = -4$ et elle existe pour toutes les valeurs de Dom U. L'unique valeur critique à retenir dans le domaine d'application est donc $q = 4$.

ii) On construit maintenant le tableau de variation relatif à la dérivée première pour la fonction U.

q	0		4	$+\infty$
$q - 4$		-	0	+
$q + 4$		+	+	+
q^2		+	+	+
$U'(q)$		-	0	+
$U(q)$		↘	Min.	↗

iii) On peut déduire que le coût unitaire minimal (soit le minimum absolu) est atteint lorsque $q = 4$ et sa valeur est $U(4) = 8$ dizaines de dollars par unité, soit 80 \$/unité. Le tableau permet de conclure que la fonction U ne possède pas de maximum absolu et donc pas de coût unitaire maximal.

Attention !

Dans l'exemple précédent, si la valeur de q en laquelle le minimum absolu est atteint n'avait pas été un nombre entier, mais plutôt $q = 3,7$ par exemple, il aurait été pertinent de calculer $U(3)$ et $U(4)$ pour déterminer où se trouve la plus petite valeur entre les deux. Il n'aurait pas fallu systématiquement présumer que le minimum se trouve nécessairement en $q = 4$, qui est plus près que 3 de 3,7.

Exemple 6

Trouvez les extremums absolus de $g(z) = (z^2 - 8)e^z$ sur l'intervalle [-1, 3[.

Puisque l'intervalle sur lequel on travaille est semi-ouvert, on ne peut pas utiliser le théorème cité plus tôt.

i) Le domaine de la fonction g est $\mathbb{R}$.

On a $$g'(z) = 2z(e^z) + (z^2 - 8)e^z = e^z(z^2 + 2z - 8) = e^z(z + 4)(z - 2)$$

et la dérivée existe pour tous les nombres réels. La dérivée s'annule lorsque $z = -4$ ou $z = 2$. On retient de ces valeurs critiques la valeur $z = 2$, puisqu'on travaille sur l'intervalle [-1, 3[.

ii) Si on applique le test de la dérivée seconde, on calcule d'abord, à partir de $g'(z) = e^z(z^2 + 2z - 8)$:

$$g''(z) = e^z(z^2 + 2z - 8) + e^z(2z + 2) = e^z(z^2 + 4z - 6)$$

On calcule maintenant $g''(2) = 6e^2$ qui est positive. En conséquence, selon le test de la dérivée seconde, on atteint un minimum relatif en $z = 2$ (ce qui veut dire que la fonction était décroissante juste avant $z = 2$ et devient croissante juste après $z = 2$).

iii) On a $g(-1) = \frac{-7}{e} = -2{,}575$ et $g(2) = -4e^2 = -29{,}56$. Puisqu'il n'y a pas de valeurs critiques entre -1 et 2, la fonction atteint un minimum absolu en $z = 2$, et ce minimum est $g(2) = -29{,}56$. Avant de conclure quoi que ce soit quant au maximum absolu, on doit voir si la fonction g, croissante sur]2, 3[, excède $g(-1) = -2{,}575$ lorsque z s'approche de 3.

On a $$\lim_{z\to 3^-} g(z) = \lim_{z\to 3^-} (z^2 - 8)e^z = (3^2 - 8)e^3 = e^3 = 20{,}086$$

Ainsi, la fonction g excède $g(-1) = -2{,}575$ et ne possède pas de maximum absolu dans l'intervalle [-1, 3[.

Exercices

1. Pour une certaine entreprise, les coûts quotidiens C (en dollars) pour produire n unités en une journée sont donnés par $C(n) = n^3 - 21n^2 + 135n$. On vend 63 \$ chacune des unités produites et on réussit à toutes les vendre.

a) Trouvez une fonction donnant les profits P de l'entreprise, sachant que ceux-ci correspondent aux revenus desquels on soustrait les coûts.

b) Déterminez le domaine d'application de la fonction trouvée en (a), en notant qu'un profit négatif est possible et correspond à une perte.

c) Trouvez combien d'unités doivent être produites en un jour pour maximiser les profits de l'entreprise.

2. Trouvez (s'ils existent) les extremums absolus de la fonction $f(t) = t^3 - 27t + 4$ sur l'intervalle :

a) $[-5, 3]$ **b)** $[-20, 3]$ **c)** $[0, 1]$

3. Trouvez (s'ils existent) les extremums absolus de la fonction $g(z) = z^3 + 5z^2 + 3z + 1$ sur l'intervalle :

a) $]-0,3\,; -0,4[$ **b)** $-\infty, -12]$ **c)** $]-3, 0[$

4. Trouvez (s'ils existent) les extremums absolus de la fonction $k(v) = (v - 4)^4$ sur l'intervalle :

a) $[0, 8]$ **b)** $]1, 4[$ **c)** $\mathbb{R}$

5. Trouvez (s'ils existent) les extremums absolus de la fonction $h(t) = 5t - \frac{2}{t^3}$ sur l'intervalle :

a) $[-5, -1]$ **b)** $]0,01\,; 7]$ **c)** $\mathbb{R} \setminus \{0\}$

6. Trouvez (s'ils existent) les extremums absolus de la fonction $m(u) = \sqrt{u^4 + 16}$ sur l'intervalle :

a) $]0, 3[$ **b)** $]-1, 3[$ **c)** $[\sqrt{3}, \sqrt[4]{84}]$

7. Trouvez (s'ils existent) les extremums absolus de la fonction $f(x) = (2x - x^2)^{\frac{4}{3}}$ sur l'intervalle :

a) $[0, 2]$ **b)** $[-1, 3]$ **c)** $]0, +\infty$

8. Trouvez (s'ils existent) les extremums absolus des fonctions suivantes :

a) $h(x) = \frac{\ln x}{x}$ sur $]0, 12]$

b) $f(z) = -z + \ln z$ sur $[0,5\,; 1,1[$

c) $g(t) = (t^2 - 1)2^t$ sur $[-4, 1]$

9. Soit la fonction g définie par $g(z) = e^z - kz$, où k est une constante comprise entre 0 et 1.

a) Déterminez le minimum absolu de la fonction g.

b) Déduisez que $e^z > kz$ pour tout z réel, lorsque $0 < k < 1$.

10. Trouvez (s'ils existent) les extremums absolus des fonctions suivantes sur $[0, \pi]$:

a) $f(t) = \sin t \cos t$

b) $h(x) = \cos^2 x + \sin x$

11. Déterminez (s'ils existent) les extremums absolus des fonctions suivantes sur $[0, 2\pi]$ et déterminez pour quelles valeurs de x les fonctions atteignent leurs extremums absolus.

a) $g(x) = \cos x + \sin x$

b) $f(x) = \cos 2x - \sin 2x$

c) $h(x) = \text{tg}\left(\frac{x}{8}\right)$

d) $k(x) = 4 \cos 2x + 2 \cos x$

e) $r(x) = \sin(\cos x)$

f) $s(x) = \cos(4 \sin x)$

SECTION 9.2 Résolution de problèmes appliqués d'optimisation

Les Nord-Américains sont de grands consommateurs de boissons gazeuses. Les fabricants qui mettent ces boissons gazeuses en canette ont intérêt à réduire leur coût relatif à la fabrication du contenant, qui a une forme qui s'apparente à un cylindre fermé aux extrémités. Le contenu annoncé sur le contenant est habituellement de 355 millilitres (ou 355 centimètres cubes). Quelles sont les dimensions d'une canette cylindrique de 370 centimètres cubes (on ajoute un peu d'espace au contenant pour que la quantité de 355 millilitres puisse y entrer sans difficulté), soit la hauteur et le rayon du cylindre, qui permettent d'utiliser le moins d'aluminium possible? La réponse à cette question sera donnée plus loin dans cette section.

Dans ce problème, on cherche clairement le minimum absolu d'une fonction... qui n'est pas exprimée de façon explicite dans l'énoncé. Nous allons voir comment résoudre certains problèmes dans lesquels il faut découvrir la fonction à maximiser ou à minimiser à partir des informations fournies. Nous pourrons ensuite procéder comme nous l'avons vu dans la section précédente.

Un **problème d'optimisation** est un problème dans lequel on cherche à optimiser une certaine quantité. Les problèmes d'optimisation présentés dans ce cours vont nous amener à maximiser ou à minimiser une quantité définie préalablement, comme dans les exemples qui suivent.

Exemple 7

La propriétaire d'une petite salle de cinéma a fixé un prix d'entrée de 5 $ pour les projections du mardi soir et elle vend en moyenne 250 billets. Elle souhaite vérifier l'impact d'une augmentation du prix d'entrée. En observant les résultats des tests qu'elle a faits par le passé, elle estime que chaque fois qu'elle augmente de 0,25 $ ce prix d'entrée, elle vend 5 billets de moins. Quel prix doit-elle exiger à l'entrée si elle veut maximiser ses revenus pour un mardi soir, sachant que les coûts liés à la projection d'un film l'obligent à ne pas ouvrir la salle lorsqu'elle vend moins de 50 billets ?

La démarche que nous allons utiliser pour résoudre ce problème s'appliquera à tous les problèmes d'optimisation présentés par la suite.

1) On cherche à maximiser les revenus notés R (en dollars) de la propriétaire de la salle, qui correspondent à R = Nombre de billets vendus × Prix du billet.

   On sait que le nombre d'augmentations de 0,25 $ du prix du billet modifie à la fois le prix du billet et le nombre de personnes dans la salle. Il est donc pertinent de s'intéresser à x = nombre d'augmentations de 0,25 $ du prix d'entrée (lorsque celui-ci est initialement de 5 $).

2) On a nécessairement :

$$\text{Prix de vente du billet (en dollars)} = 5 + 0{,}25x$$

   De plus, puisque chaque augmentation fait diminuer le nombre de clients de 5, on a :

$$\text{Nombre de billets vendus} = 250 - 5x$$

   On obtient donc, à la suite de x augmentations de 0,25 $, des revenus :

$$\begin{aligned} R(x) &= \text{Nombre de billets vendus} \times \text{Prix du billet} \\ &= (250 - 5x) \times (5 + 0{,}25x) \\ &= -1{,}25x^2 + 37{,}5x + 1250 \end{aligned}$$

   et on cherche à maximiser cette fonction quadratique.

3) On a Dom $R = \mathbb{R}$. Toutefois, le domaine d'application est plus restreint. Puisque la propriétaire souhaite vérifier les effets d'une augmentation, x ne peut être négative. De plus, les contraintes font en sorte que le nombre de billets vendus doit être tel que :

$$250 - 5x \geq 50, \text{ c'est-à-dire } 200 \geq 5x \text{ ou } x \leq 40$$

   Le domaine d'application est donc l'intervalle fermé [0, 40].

4) Puisque R est une fonction continue sur $\mathbb{R}$ et qu'on travaille sur un intervalle fermé, on peut procéder comme suit. On cherche d'abord les valeurs critiques de R.

On a $R'(x) = -2{,}5x + 37{,}5$, qui s'annule lorsque $x = \frac{37{,}5}{2{,}5} = 15$

On peut calculer maintenant la fonction R à cette valeur critique ainsi qu'aux bornes de l'intervalle fermé, et on a :

$$R(0) = 1250,\ R(15) = 1531{,}25 \text{ et } R(40) = 750$$

Le maximum absolu est atteint en $x = 15$.

5) Pour maximiser ses revenus, la propriétaire devrait augmenter 15 fois son prix d'entrée de 0,25 \$, soit le fixer à $5 + 0{,}25(15) = 8{,}75$ \$. Elle aurait alors des revenus de $R(15) = 1531{,}25$ \$.

Comment **faire**?

Marche à suivre pour résoudre un problème d'optimisation

1) Déterminez clairement la ou les variables concernées, de même que la quantité qui doit être optimisée (celle dont on cherche le maximum ou le minimum absolu). Notez celles-ci à l'aide d'une lettre et trouvez les unités qui leur sont rattachées. Chaque fois que c'est possible, tracez une représentation graphique et indiquez dans celle-ci les mesures inconnues et pertinentes.

2) Tentez d'exprimer la quantité qui doit être optimisée en fonction d'une seule autre variable. Pour ce faire, utilisez les liens connus entre les diverses variables concernées.

- Lorsque le contexte traité met en évidence une figure géométrique, il est parfois bon de se rappeler à cette étape-ci les formules qui donnent le périmètre ou l'aire de figures telles que le cercle ou le rectangle, de même que celles qui donnent le volume des solides le plus fréquemment rencontrés (les parallélépipèdes, les sphères, les cylindres et les cônes, entre autres).
- Il faut accorder de l'importance au sens de certains mots ou aux définitions de certains concepts (comme la distance entre deux points dans le plan ou la pente d'une tangente, par exemple).

3) Une fois que vous avez trouvé la fonction à optimiser, déterminez le domaine de la fonction, puis son domaine d'application.

4) Analysez la fonction à optimiser à l'aide des valeurs critiques correspondantes et des résultats présentés précédemment pour ce qui est des extremums absolus.

5) Répondez clairement à la question posée, en utilisant, comme toujours, les unités pertinentes.

Exemple 8

Trouvez deux nombres strictement plus grands que 0, dont la somme est 50 et dont le triple du premier nombre auquel on soustrait 300 fois l'inverse multiplicatif du second donne un résultat maximal.

1) Soit t et y respectivement les premier et deuxième nombres recherchés. On souhaite maximiser la quantité notée $G = 3t - \frac{300}{y}$, où $t > 0$ et $y > 0$.

2) On sait par hypothèse que $t + y = 50$ et donc $y = 50 - t$. Par conséquent, on obtient $G(t) = 3t - \frac{300}{50 - t}$, qu'on souhaite maximiser.

3) On constate assez facilement que Dom $G = \mathbb{R} \setminus \{50\}$. Pour déterminer le domaine d'application, on peut rappeler que $t > 0$ et $y > 0$ et que comme $y = 50 - t > 0$, $t < 50$. Le domaine d'application est donc l'intervalle ouvert $]0, 50[$.

4) Cherchons les valeurs critiques de la fonction G.

On a :

$$G'(t) = 3 - \frac{-300 \cdot (-1)}{(50 - t)^2} = \frac{3(50 - t)^2 - 300}{(50 - t)^2} = \frac{3(2500 - 100t + t^2) - 300}{(50 - t)^2}$$

$$= \frac{3t^2 - 300t + 7200}{(50 - t)^2} = \frac{3(t^2 - 100t + 2400)}{(50 - t)^2} = \frac{3(t - 40)(t - 60)}{(50 - t)^2}$$

La dérivée s'annule lorsque $t = 40$ ou $t = 60$ et elle existe pour toutes les valeurs du domaine de la fonction G. La seule valeur critique qu'on retient est 40.

t	0		40		50
$3(t - 40)$		-	0	+	
$t - 60$		-	-	-	
$(50 - t)^2$		+	+	+	
$G'(t)$		+	0	-	
$G(t)$		↗	Max.	↘	

On a donc un maximum absolu lorsque $t = 40$ et ce maximum absolu est $G(40)$.

5) Pour maximiser la quantité G, les deux nombres recherchés sont $t = 40$ et $y = 50 - 40 = 10$.

Exemple 9

Un câble électrique doit être installé entre la centrale située au point A sur le plan qui suit et une nouvelle entreprise qui se trouve au point B, à 6 kilomètres en amont, de l'autre côté du fleuve Saint-Laurent qui a 1 kilomètre de largeur dans cette région. Puisque la société responsable de l'électricité est propriétaire des terrains qui longent la rive sud du fleuve, elle compte utiliser un câble souterrain de la centrale à un point C sur la rive sud, qui va longer ensuite la rive jusqu'au point B à l'aide d'un câble aérien. Si le câble souterrain entraîne des frais de 250 \$ par mètre alors que le câble aérien ne coûte que 175 \$ par mètre, déterminez la position du point C qui permettrait de minimiser les frais relatifs à ce raccordement.

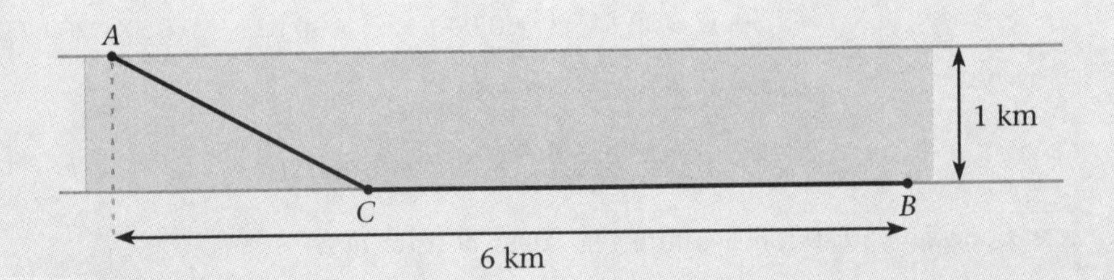

1) On cherche à minimiser les frais notés F (en dollars) associés aux longueurs du câble souterrain et du câble aérien. Pour exprimer ces deux longueurs respectives, définissons par x la distance (en mètres) entre le point C et le point qui se trouve « en face » de A, de l'autre côté du fleuve, soit le point D, comme le montre le graphique ci-dessous.

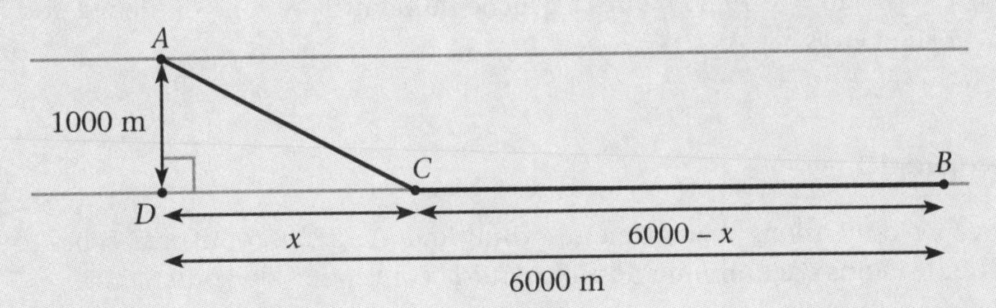

2) Les frais relatifs au raccordement sont donnés par :

$$F = 250 \text{ (longueur du segment } \overline{AC}) + 175 \text{ (longueur du segment } \overline{BC})$$

Il est clair que la longueur du segment $\overline{BC}$ est de $6000 - x$, alors que, à l'aide du théorème de Pythagore, la longueur du segment $\overline{AC}$ est $\sqrt{1000^2 + x^2}$.

On a donc :

$$F(x) = 250\sqrt{1000^2 + x^2} + 175(6000 - x) = 250\sqrt{1\,000\,000 + x^2} + 1\,050\,000 - 175x$$

qui est la fonction dont on cherche le minimum absolu.

3) On peut constater que Dom $F = \mathbb{R}$. Toutefois, le domaine d'application est plus restreint. Puisqu'il n'y aucun intérêt à placer le point C à droite de B ou à gauche du point D, on se limitera à des valeurs de x dans l'intervalle $[0, 6000]$, qui sera le domaine d'application.

4) F est une fonction continue sur $\mathbb{R}$ et on travaille sur un intervalle fermé. On cherche d'abord les valeurs critiques de F. En dérivant la fonction F, on obtient :

$$F'(x) = \frac{250}{2\sqrt{1\,000\,000 + x^2}}(2x) - 175 = \frac{250x}{\sqrt{1\,000\,000 + x^2}} - 175$$

Cette dérivée existe pour tous les nombres réels et s'annule lorsque :

$$\frac{250x}{\sqrt{1\,000\,000 + x^2}} = 175$$

$$250x = 175\sqrt{1\,000\,000 + x^2}$$

$$(250x)^2 = \left(175\sqrt{1\,000\,000 + x^2}\right)^2$$

$$62\ 500x^2 = 30\ 625(1\ 000\ 000 + x^2) = 30\ 625\ 000\ 000 + 30\ 625x^2$$

$$31\ 875x^2 = 30\ 625\ 000\ 000$$

$$x^2 = \frac{30\ 625\ 000\ 000}{31\ 875} \approx 960\ 784{,}31$$

et donc $x \approx 980{,}20$ (on se limite à la valeur positive de x).

Si on calcule les frais en cette valeur critique ainsi qu'aux deux bornes de l'intervalle sur lequel on travaille, on a $F(0) = 1\ 300\ 000$, $F(980{,}20) = 1\ 228\ 535{,}71$ et $F(6000) = 1\ 520\ 690{,}63$. Le minimum absolu est donc atteint lorsque $x = 980{,}20$.

5) Pour minimiser les frais de raccordement, le point C doit donc être placé à $6000 - 980{,}20 = 5019{,}80$ mètres à gauche du point B, le long du fleuve, soit à un peu plus de 5 kilomètres.

Exemple 10

Trouvez les dimensions d'une canette cylindrique de 370 centimètres cubes, qui permettent d'utiliser le moins d'aluminium possible pour la conception du contenant.

1) On connaît déjà le volume du cylindre, soit 370 centimètres cubes. On cherche à minimiser la quantité de métal utilisée pour la conception de la canette, soit la surface totale du cylindre.

Posons :

h = la hauteur du cylindre (en centimètres),

r = le rayon du cylindre (en centimètres) et

A = la surface totale du cylindre (en centimètres carrés).

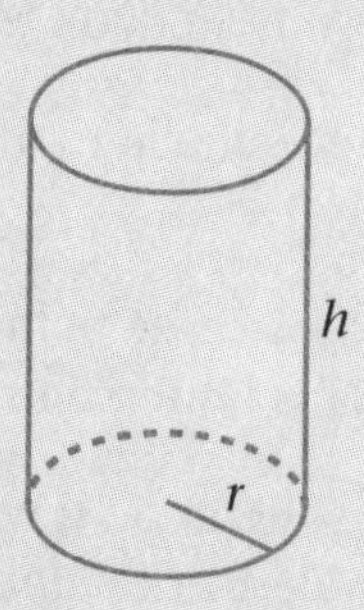

2) On cherche à optimiser la surface totale du cylindre A, et on va tenter d'exprimer celle-ci à l'aide d'une seule autre variable. Puisqu'un cylindre est constitué de deux cercles et d'un rectangle, et puisque ce rectangle a la hauteur du cylindre et une longueur qui égale la circonférence de chaque cercle de rayon r, on a la surface :

$$A = \pi r^2 + \pi r^2 + 2\pi r \cdot h = 2\pi r^2 + 2\pi rh = 2\pi r(r + h)$$

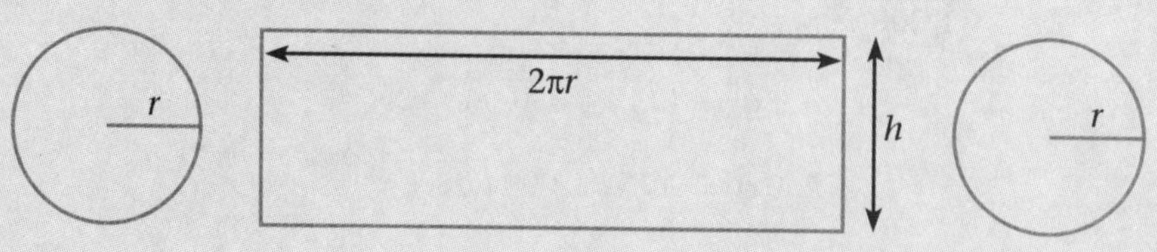

On voit ici les variables r et h, mais on souhaite qu'une seule de celles-ci y soit. On doit alors chercher un lien entre ces deux variables. On sait que le volume souhaité est de 370 centimètres cubes. Or, le volume d'un cylindre est égal à la surface du cercle à sa base multipliée par la hauteur du cylindre.

On a donc $\pi r^2 h = 370$

Par conséquent, $h = \dfrac{370}{\pi r^2}$

et on peut substituer cette valeur dans l'expression de la surface A.

On obtient alors :

$$A = 2\pi r(r + h) = 2\pi r\left(r + \frac{370}{\pi r^2}\right) = 2\pi r^2 + \frac{740\pi r}{\pi r^2} = 2\pi r^2 + \frac{740}{r}$$

et donc la fonction à minimiser est $A(r) = 2\pi r^2 + \dfrac{740}{r}$.

3) On a Dom $A = \mathbb{R} \setminus \{0\}$ et le domaine d'application de la fonction A est $]0, +\infty$.

4) Construisons le tableau de variation de la fonction A. On peut vérifier que :

$$A'(r) = 4\pi r - \frac{740}{r^2} = \frac{4\pi r^3 - 740}{r^2} = \frac{4\pi\left(r^3 - \frac{740}{4\pi}\right)}{r^2} = \frac{4\pi\left(r^3 - \frac{185}{\pi}\right)}{r^2}$$

Cette dérivée existe pour toutes les valeurs du domaine de A et s'annule lorsque $r^3 = \dfrac{185}{\pi}$, soit lorsque $r = \sqrt[3]{\dfrac{185}{\pi}} \approx 3,89$. On obtient alors le tableau suivant :

r	0		$\sqrt[3]{\frac{185}{\pi}}$	$+\infty$
4π		+	+	+
$r^3 - \frac{185}{\pi}$		-	0	+
r^2		+	+	+
$A'(r)$		-	0	+
$A(r)$		↘	Min.	↗

On atteint donc une surface minimale lorsque $r = \sqrt[3]{\dfrac{185}{\pi}} \approx 3,89$ et $A\left(\sqrt[3]{\dfrac{185}{\pi}}\right)$ est le minimum absolu de la fonction A.

5) Puisqu'on demande les dimensions de la canette qui exigeraient le moins d'aluminium, on a $r \approx 3,89$ centimètres et, par conséquent, $h = \dfrac{370}{\pi r^2} = 7,78$ centimètres. La canette qui a une surface minimale a donc un rayon de 3,89 centimètres et une hauteur de 7,78 centimètres. Il reste maintenant à savoir si une telle canette est facile à tenir et convient aux concepteurs et conceptrices sur le plan esthétique.

Attention !

Dans l'exemple précédent, à l'étape 2, nous avions l'équation $\pi r^2 h = 370$ et nous avons fait le choix d'exprimer h en fonction de r, plutôt que r en fonction de h. Si nous avions opté pour l'autre possibilité, nous aurions obtenu $r = \sqrt{\frac{370}{\pi h}}$ et, par conséquent, $A = 2\pi r(r + h) = 2\pi\sqrt{\frac{370}{\pi h}}\left(\sqrt{\frac{370}{\pi h}} + h\right)$. Dans ce cas, il aurait pu être plus laborieux de dériver la fonction A obtenue.

Exercices

1. Un manufacturier produit une boîte rectangulaire avec une base carrée et un volume de 128 mètres cubes. Le coût des matériaux pour faire le dessus et les quatre côtés de la boîte est de 3 $ par mètre carré, alors qu'il est de 5 $ par mètre carré pour le fond, qui doit être plus solide. Trouvez les dimensions de la boîte qui minimiseraient les coûts des matériaux.

2. Trouvez deux nombres dont :

a) la somme est 10 et le produit est maximal;

b) la somme est 16 et la somme des carrés est minimale.

3. Le quotient $\frac{x}{y}$ de deux nombres est 2. Trouvez x et y, si la somme de y et du carré de x est minimale.

4. Trouvez deux nombres a et b supérieurs ou égaux à 0 tels que :

a) $a + 2b = 12$ et tels que ab est maximal;

b) $a + 3b = 30$ et tels que a^2b est maximal.

5. À partir de la figure ci-dessous, trouvez les coordonnées du point A, sachant que le rectangle est entièrement dans le premier quadrant et qu'il a la plus grande surface possible.

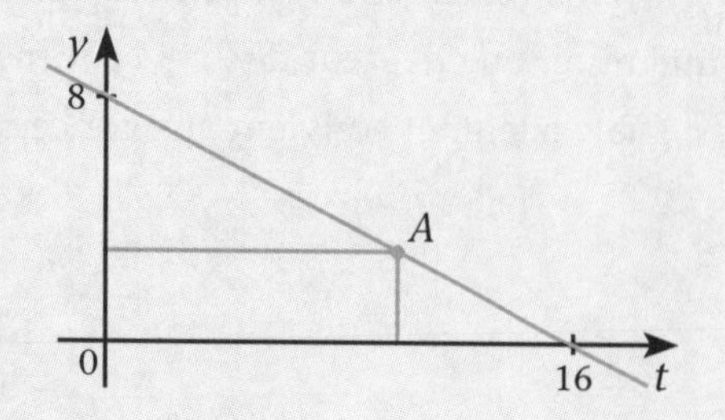

6. Calculez la longueur du troisième côté d'un triangle isocèle dont les deux côtés congrus mesurent 25 centimètres, de telle sorte que l'aire totale du triangle soit maximale.

7. Trouvez les dimensions du rectangle qui peut être inscrit dans un cercle de rayon 1 et dont :

a) la surface est maximale;

b) le périmètre est maximal.

8. Trouvez les dimensions du rectangle qui peut être inscrit dans un demi-cercle qui a un rayon de 1 unité de rayon et dont :

a) la surface est maximale;

b) le périmètre est maximal.

9. Un triangle rectangle est inscrit dans un demi-cercle qui a un rayon de 30 centimètres. Le diamètre du demi-cercle est l'hypoténuse du triangle. Déterminez la valeur des deux angles aigus du triangle, qui font en sorte que l'aire du triangle est maximale.

10. Les côtés congrus d'un triangle isocèle ont une longueur de 10 centimètres. Déterminez l'angle entre les côtés congrus qui permet d'obtenir une superficie maximale du triangle.

11. Trouvez la pente de la droite passant par le point (5, 3) qui coupe les axes horizontaux et verticaux de telle sorte que l'aire de la région du premier quadrant entre cette droite et les deux axes est minimale.

12. Déterminez le ou les points qui sont le plus près possible du point (0, 0) et qui se trouvent :

a) sur la droite $y = 2z - 4$;

b) sur la courbe $y = \sqrt{5x + 3}$.

13. Sur le cercle centré en (0, 0) et de rayon 6, quel est le point qui se trouve :

a) le plus près du point (-10, 5) ?

b) le plus éloigné du point (-10, 5) ?

14. Déterminez le point sur la courbe de la fonction $h(z) = \sin z$, limitée à l'intervalle $]0, 2\pi[$, en lequel la pente de la tangente à la courbe est minimale.

15. Déterminez le point sur la courbe de la fonction $g(u) = 5 \text{ arccotg } u$ en lequel la pente de la tangente à la courbe est minimale.

16. Déterminez le point sur la courbe de la fonction $g(z) = ze^z$ en lequel la pente de la tangente à la courbe est minimale.

17. Déterminez le point sur la courbe de la fonction $h(t) = (\ln t)^5$, limitée à l'intervalle $[1, +\infty$, en lequel la pente de la tangente à la courbe est maximale.

18. Une ligne de 30 centimètres de longueur est coupée en deux, afin de permettre la formation de deux figures géométriques fermées. Où doit-on couper la ligne si on souhaite minimiser la somme des aires des deux figures tracées et si celles-ci sont un cercle et :

a) un carré ?

b) un triangle équilatéral ?

19. On forme un cône circulaire en coupant un secteur d'un cercle qui a un rayon de 150 millimètres. Déterminez la hauteur du cône dont le volume est le plus élevé qu'on puisse obtenir, sachant que le volume d'un cône circulaire de hauteur h et de rayon r est de $\frac{\pi r^2 h}{3}$.

20. Trouvez les dimensions du cylindre droit inscrit dans une sphère qui a un rayon de 3 centimètres et telles que le volume du cylindre est maximal.

21. Soit une droite définie par l'équation

$$ax + by + c = 0 \text{ (où } a^2 + b^2 \neq 0\text{)}.$$

Montrez que la distance minimale entre un point quelconque (m, n) et la droite en question est donnée par :

$$\frac{|am + bn + c|}{\sqrt{a^2 + b^2}}$$

La mathématique au goût du jour

Les mathématiques et les négociations

Nous sommes de plus en plus témoins de regroupements importants d'entreprises. Lors des négociations pour les fusions d'entreprises, s'il est parfois facile d'établir un énoncé de principe pour le partage des coûts communs relatifs aux infrastructures, il faut dans d'autres cas plusieurs mois aux avocats et aux relationnistes pour concrétiser les ententes. Une façon de répartir les coûts entre les associés est de placer les personnes concernées dans un certain ordre et de demander à la première personne d'assumer les coûts relatifs à ses besoins propres, comme si elle était seule dans la galère. Ensuite, on demande à la deuxième personne d'assumer les frais additionnels relatifs à ses besoins spécifiques, et ainsi de suite jusqu'à la dernière personne. On comprend toutefois que ce procédé désavantage la première personne «en ligne».

Grâce aux mathématiques et aux ordinateurs, il devient facile de considérer tous les ordres possibles et d'adopter comme répartition finale des coûts la moyenne des répartitions dans chacun des cas (ce procédé a le mérite d'éviter des discussions parfois puériles et interminables). Les mathématiques permettent de traduire dans un langage programmable les diverses contraintes institutionnelles qui sont parfois très nombreuses, ainsi que les particularités de la règle de partage recherchée.

Les transactions boursières représentent un type particulier de négociations. Une formule mathématique que MM. Fisher Black et Myron Scholes (qui ont obtenu le prix Nobel de l'économie à la fin du XXe siècle pour leurs travaux) ont découvert au début des années 70 permet de chiffrer la valeur des contrats d'option, qui sont des outils utiles aux spéculateurs puisqu'ils fixent le prix futur d'un titre boursier. Cette formule aide, entre autres, les gestionnaires à déterminer le pourcentage d'options à ajouter à un portefeuille d'actions afin de protéger sa valeur. Au fil du temps, les gens de la Bourse ont ajusté la formule de Black et Scholes selon leur expérience, afin de réduire les erreurs d'évaluation parfois commises. D'autres tentent maintenant de concevoir un programme informatique qui peut déduire par lui-même une formule de plus en plus adaptée aux diverses situations possibles.

Certains procédés fondés sur des modèles mathématiques facilitent plusieurs types de transactions.

En résumé

Soit f une fonction définie par $f(x)$ sur un intervalle I (qui peut être ouvert, semi-ouvert ou fermé). Le nombre M est un **maximum absolu de f dans l'intervalle I** si, pour toutes les valeurs de x dans I, $M \geq f(x)$. Le nombre N est un **minimum absolu de f dans l'intervalle I** si, pour toutes les valeurs de x dans I, $N \leq f(x)$.

Théorème : Une fonction continue sur un intervalle fermé $[a, b]$ possède nécessairement un maximum absolu et un minimum absolu sur $[a, b]$.

Pour retracer les extremums absolus d'une fonction f sur un intervalle fermé $[a, b]$, on doit :

i) trouver les valeurs critiques relatives à la dérivée première de la fonction f qui se trouvent dans l'intervalle $[a, b]$;

ii) évaluer la fonction f en chaque valeur critique trouvée à l'étape **(i)**, ainsi qu'aux deux bornes a et b de l'intervalle;

iii) établir le maximum absolu comme étant la plus grande valeur calculée à l'étape **(ii)** et le minimum absolu comme étant la plus petite valeur calculée à l'étape **(ii)**.

Pour retracer les extremums absolus d'une fonction f sur un intervalle semi-ouvert ou ouvert, on doit :

i) trouver les valeurs critiques relatives à la dérivée première de la fonction f qui se trouvent dans l'intervalle I;

ii) construire le tableau de variation relatif à la dérivée première, selon l'intervalle I sur lequel on travaille et déterminer (s'ils existent) les extremums relatifs de la fonction f, en considérant les bornes admises dans l'intervalle I;

iii) établir (s'il existe) le maximum absolu comme étant la plus grande valeur calculée en un des maximums relatifs trouvés à l'étape **(ii)** ou en une borne permise de l'intervalle I, ainsi que le minimum absolu (s'il existe) comme étant la plus petite valeur calculée en un des minimums relatifs trouvés à l'étape **(ii)** ou en une borne admise de l'intervalle I.

Problèmes

Section 9.1 (p. 276)
Domaine d'application, maximum et minimum absolus d'une fonction

1. Un objet est lancé verticalement vers le ciel avec une vitesse initiale de 32 mètres par seconde et est lâché d'une hauteur de 1,5 mètre du sol. La hauteur de l'objet est donnée par $h(t) = -4{,}9t^2 + 32t + 1{,}5$, où t représente le temps depuis que l'objet est lancé. Trouvez la hauteur maximale à laquelle monte l'objet.

2. Dans certaines circonstances, la vitesse V à laquelle une rumeur circule dans un milieu plutôt petit est proportionnelle à la proportion p de la population qui connaît la rumeur et à la proportion de la population qui ne la connaît pas. Ainsi, $V(p) = kp(1 - p)$, où k est une constante de proportionnalité positive. Trouvez pour quelle valeur de p la vitesse V est la plus élevée.

3. Quand une personne tousse, le diamètre de sa trachée diminue. Le flux d'air F qui passe par la trachée est donné par $F(r) = k(R - r)r^4$, où r est le rayon de la trachée sous la pression de l'air libéré par les poumons, R est le rayon de la trachée lorsqu'il n'y a aucune pression et k est une constante positive. Trouvez le rayon r pour lequel le flux est maximal.

4. Le coût C (en dollars) pour produire n kilowatts d'électricité en un an est donné par la fonction $C(n) = An + B$, où A représente le coût pour chaque kilowatt produit et B représente les coûts fixes (A et B sont deux nombres positifs non nuls). Le coût de production unitaire U (en dollars par kilowatt) est défini par $U(n) = \frac{C(n)}{n}$. Sachant qu'on ne peut produire plus de 300 000 kilowatts d'électricité en un an, trouvez (s'ils existent) les extremums absolus du coût unitaire.

5. Si, dans un circuit électrique pour lequel la tension est de 10 volts, on a une résistance fixe de 20 ohms et une résistance variable r (en ohms) placées en série, alors le courant I (en ampères) est donné par $I(r) = \frac{10}{20 + r}$. Si la résistance variable ne peut excéder 60 ohms, trouvez (s'ils existent) les extremums absolus :

a) du courant I;

b) du taux de variation instantané du courant I par rapport à r.

6. L'efficacité E d'une vis particulière est définie par $E(A) = \frac{A(1 - kA)}{A + k}$, où A est l'angle positif (en radians) indiqué dans le dessin ci-dessous et k, une constante positive qui dépend de la friction du matériau dans lequel la vis est insérée. Trouvez l'angle pour lequel l'efficacité E est maximale, si A se trouve dans l'intervalle $]0, \frac{\pi}{2}[$.

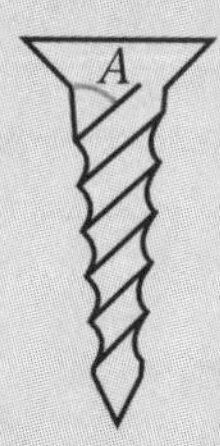

7. Une génératrice produit un courant I (en ampères) qui est donné en fonction du temps t (en secondes) par $I(t) = 3 \sin (15\pi t)$, où $t \geq 0$. Trouvez pour quelles valeurs de t le courant est maximal.

8. La position d (en mètres) d'un mobile en fonction du temps est donnée par $d(t) = 6 \sin (5t)$, où t est le temps en secondes et t est dans l'intervalle $[0, \frac{\pi}{5}]$. Déterminez :

a) la distance maximale qui sépare le mobile de son point de départ;

b) la vitesse instantanée maximale de ce mobile;

c) l'accélération instantanée minimale de ce mobile.

9. Dans un endroit précis dans le nord du Québec, la température moyenne T de l'air (en degrés Celsius) pour un mois est approximativement donnée par :

$$T(n) = 16 \sin \left(\frac{\pi}{6}(n - 4)\right) - 3{,}5$$

où n représente le numéro du mois dans l'année (par exemple, $n = 1$ pour le mois de janvier et $n = 9$ pour le mois de septembre). Trouvez pour quelles valeurs de n dans l'intervalle $[0, 12]$ la température atteint ses extremums absolus et déterminez ceux-ci.

10. Une balle de baseball est frappée avec un angle initial A par rapport à l'horizontale et possède une vitesse initiale de 40 mètres par seconde. La balle décrit une trajectoire parabolique dont la distance horizontale d est donnée par $d = \frac{40^2}{g} \sin (2A)$, où g correspond à l'accélération gravitationnelle de 9,8 mètres par seconde². Déterminez l'angle A, compris dans l'intervalle $]0, \frac{\pi}{2}[$, pour lequel la distance d de la balle est maximale et calculez cette distance.

11. Le courant électrique I (en ampères) est donné par la fonction $I(t) = \cos (4\pi t) + 2 \sin (4\pi t)$, où t est le temps en secondes. Trouvez les plus petites valeurs positives de t pour lesquelles la fonction I atteint un maximum et un minimum absolus et déteminez ceux-ci.

Section 9.2 (p. 283)
Résolution de problèmes appliqués d'optimisation

12. Un grand terrain longe une intersection de routes. On souhaite faire sur ce terrain un jardin rectangulaire et creuser un fossé étroit d'une longueur totale de 150 mètres, seulement sur les deux côtés du jardin annexé aux routes. Trouvez les dimensions du jardin qui permettraient de maximiser sa surface.

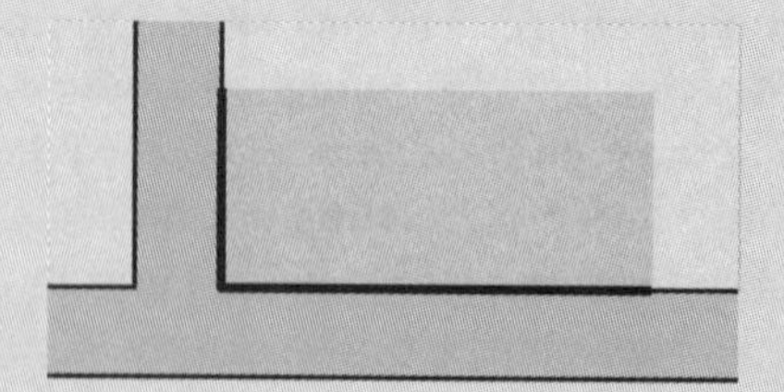

13. Dans un grand champ permettant plusieurs marges de manœuvre, on doit construire un enclos rectangulaire ayant une surface de 1,5 kilomètre carré. Sachant que trois côtés seulement de cet enclos seront clôturés (une rivière longeant l'autre côté), trouvez les dimensions de l'enclos qui permettraient de minimiser la longueur de la clôture qu'on devra régulièrement repeindre.

14. Une boîte sans couvercle dont le fond est rectangulaire doit avoir une largeur qui est égale au double de sa hauteur. Si la boîte doit également avoir une aire extérieure totale de 2000 centimètres carrés, trouvez les dimensions de la boîte qu'on peut fabriquer et qui possède un volume maximal.

15. D'un carton mesurant 20 centimètres sur 35 centimètres, on veut retrancher un carré ayant x centimètres sur x centimètres des quatre coins pour ensuite former une boîte sans couvercle, en repliant les quatre rebords. Quelle doit être la valeur de x pour maximiser le volume?

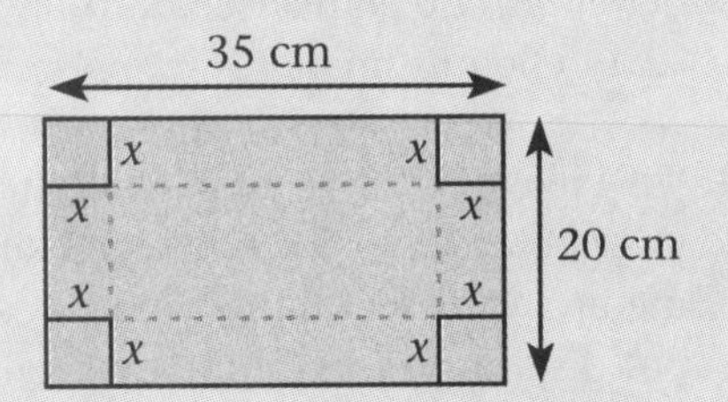

16. Une designer veut concevoir une boîte rectangulaire à base carrée qui a un volume de 200 centimètres cubes. Quelles dimensions doit-elle choisir pour obtenir une boîte :

a) avec couvercle ayant une surface extérieure minimale?

b) sans couvercle ayant une surface extérieure minimale?

17. La designer du problème nº 16 doit à nouveau concevoir une boîte rectangulaire à base carrée qui a un volume de 200 mètres cubes. Si elle souhaite minimiser les coûts de fabrication, quelles dimensions doit-elle choisir pour obtenir une boîte :

a) sans couvercle, si les coûts par mètre carré pour le fond sont le double des coûts par mètre carré pour les côtés?

b) avec couvercle, si les coûts par mètre carré pour le fond et le dessus sont le double des coûts par mètre carré pour les côtés?

18. Une compagnie d'autobus demande 10 dollars par individu pour un court voyage auquel prennent part 30 personnes. Chaque personne qui s'ajoute à ce groupe fait en sorte que le prix diminue de 0,25 $. Combien de personnes doit-il y avoir au total pour que la compagnie puisse maximiser ses revenus?

19. Une compagnie ferroviaire est prête à exploiter une liaison Montréal-Toronto si 300 personnes consentent à débourser 235 $ pour l'aller-retour. La compagnie estime que chaque réduction de 8 $ sur ce prix inciterait 12 personnes de plus à se joindre au groupe. Trouvez le prix d'un aller-retour qui permettrait à la compagnie d'obtenir un revenu maximal, sachant que la capacité maximale du train est de 396 passagers.

20. La propriétaire d'un hôtel qui compte 50 chambres luxueuses sait que, durant la haute saison, elle peut toutes les louer si le prix est de 180 $ par nuit. Par expérience, pour chaque hausse de 20 $ de ce coût, la propriétaire perd des clients et deux chambres restent libres. À quel coût doit-elle louer les chambres, sachant qu'elle souhaite maximiser :

a) les revenus?

b) les profits, alors que les frais de nettoyage et les autres frais pour chaque chambre occupée s'élèvent à 100 $ par jour?

21. Une page de manuel scolaire a un périmètre de 98 centimètres. Si cette page comprend des marges de 4 centimètres en haut, de 2,5 centimètres sur les deux côtés et de 3 centimètres en bas, quelles dimensions la page doit-elle avoir pour que la surface imprimée soit maximale, si le texte :

a) occupe tout l'espace entre les marges?

b) est imprimé sur deux colonnes séparées de 2 centimètres?

22. Une compagnie qui fait la livraison de colis partout au Québec n'accepte pas de livrer un paquet dont la hauteur additionnée au périmètre de sa base excède 500 centimètres. Trouvez les dimensions d'un paquet qui peut être livré, qui possède un volume maximal et qui est :

a) une boîte rectangulaire à base carrée;

b) un colis cylindrique à base circulaire.

23. On évalue parfois la force d'une poutre en considérant le produit de sa largeur par le cube de sa hauteur. Trouvez les dimensions qu'on doit donner à la largeur et à la hauteur d'une poutre de 10 mètres de longueur, si elle est fabriquée à partir d'un billot cylindrique de 46 centimètres de diamètre et de 10 mètres de longueur et si on souhaite obtenir une poutre de force maximale.

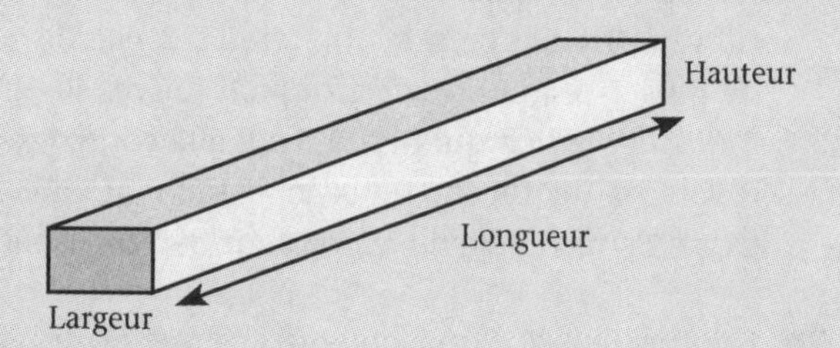

24. Une fenêtre a la forme d'un rectangle surmonté d'une autre forme dont la base a la largeur du rectangle. Le périmètre du rectangle étant de 8 mètres, déterminez les dimensions de ce rectangle si la fenêtre a une surface maximale et si la partie supérieure de la fenêtre est :

a) un demi-cercle;

b) un triangle équilatéral.

25. Une piste de course qui doit avoir nécessairement 400 mètres de longueur doit entourer un terrain formé d'un rectangle et de deux demi-cercles situés à ses extrémités. Quelles doivent être les dimensions du terrain rectangulaire pour que l'aire de celui-ci soit maximale?

26. Trouvez les dimensions d'une boîte de conserve cylindrique qui a un volume de 284 centimètres cubes, sachant qu'on cherche à minimiser les coûts de la matière première servant à sa fabrication et que ces coûts sont directement proportionnels à la surface de la boîte. On doit considérer les deux extrémités du cylindre.

27. Un concepteur doit fabriquer une petite capsule qui sera remplie de 0,5 centimètre cube de médicament. La capsule est formée d'un cylindre droit auquel on ajoute à chaque extrémité deux demi-sphères s'ajustant parfaitement au cylindre. Déterminez les dimensions du cylindre et des demi-sphères de telle sorte que la surface totale de la capsule soit minimale. (Le volume d'une sphère de rayon r est $\frac{4\pi r^3}{3}$ et sa surface est de $4\pi r^2$.)

28. Trouvez le rayon et la hauteur du cylindre droit de volume maximal inscrit dans une sphère de rayon r.

29. Le bateau *Sirène II* se trouve à 10 kilomètres au sud du bateau *Neptune*. Le *Neptune* se déplace en ligne droite vers l'ouest à une vitesse de 4 kilomètres à l'heure, alors que le *Sirène II* se déplace en ligne droite vers le nord à une vitesse de 4,5 kilomètres à l'heure. Dans combien de temps la distance séparant les deux bateaux sera-t-elle minimale?

30. Un village A est situé à 3 kilomètres d'une rivière et le village B est situé à 2 kilomètres de la même rivière rectiligne. Par le passé, deux pompes distantes de 5 kilomètres étaient installées le long de la rivière pour accommoder chacun des deux villages. Où doit-on installer la nouvelle pompe le long de la rivière, si celle-ci doit desservir les deux villages et si on souhaite minimiser la longueur totale des tuyaux joignant la pompe à chaque village?

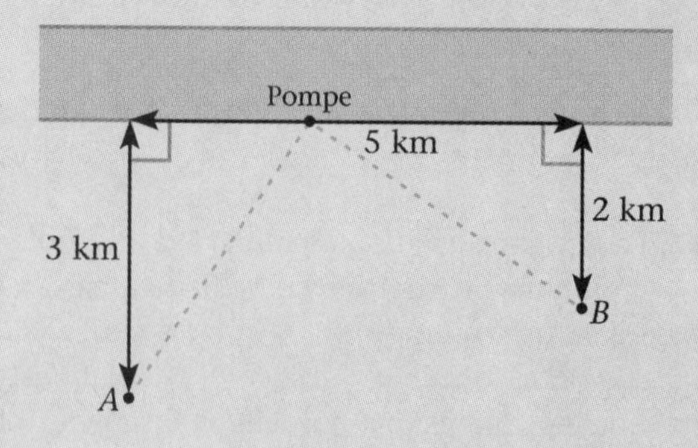

31. Une personne doit partir du point A et se rendre au point C de l'autre côté d'une rivière qui a une largeur de 0,4 kilomètre (le point B se trouve exactement en face du point A).

Sur des distances raisonnablement courtes, la personne nage à une vitesse de 2 kilomètres à l'heure et court à une vitesse de 11 kilomètres à l'heure. Trouvez vers quel point sur la rive opposée, entre B et C, il est idéal pour elle de se diriger, si elle souhaite minimiser le temps nécessaire pour se rendre de A à C et si le point C est à :

a) 0,3 kilomètre du point B;

b) 1 kilomètre du point B.

32. Une compagnie, dont les revenus annuels sont de 115 000 $, dépense 9500 $ par année en publicité. Elle estime que chaque fois qu'elle double la somme affectée à la publicité, ses revenus augmentent de 20 %. Évaluez la somme que la compagnie devrait dépenser en publicité pour maximiser ses bénéfices, si ceux-ci sont établis en soustrayant les dépenses en publicité des revenus.

33. On doit déplacer plusieurs tiges métalliques très rigides de diverses longueurs dans un corridor, dont le plan est retracé ci-dessous. Déterminez la longueur maximale que peut avoir une tige qu'on doit glisser sur le sol et qu'on doit passer à cet endroit.

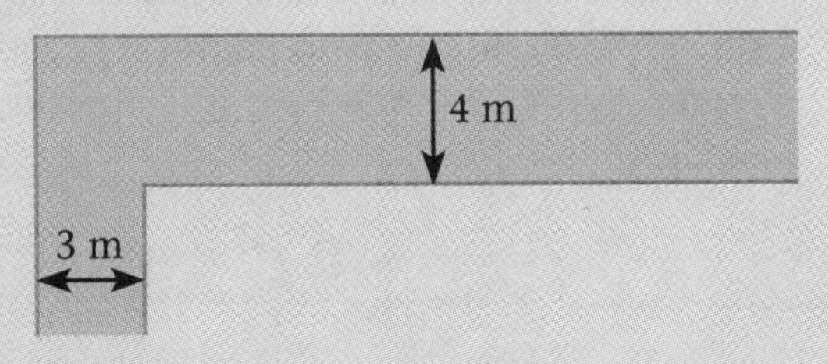

34. Une boîte à fleurs, dont on voit le plan ci-dessous, est construite avec trois planches de 55 centimètres de longueur et de 30 centimètres de largeur (on ne tient pas compte de leur épaisseur). Puisque la boîte doit être placée entre deux murets, il n'est pas nécessaire de fermer ses extrémités. Déterminez l'angle A à choisir pour que le volume de la boîte soit maximal.

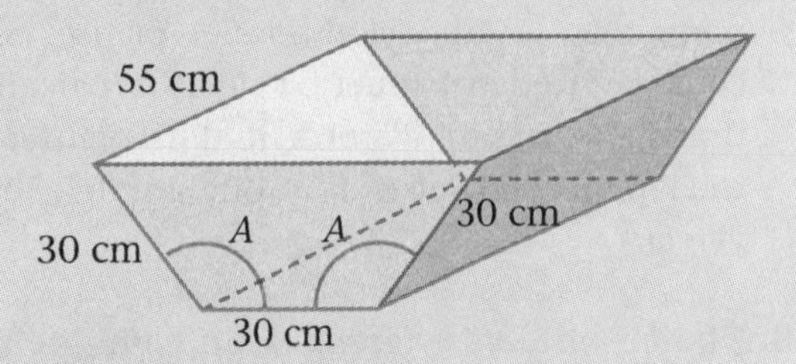

35. Le bas d'un écran de cinéma qui a une hauteur de 15 mètres se trouve à une hauteur de 6 mètres par rapport aux yeux des cinéphiles dans la salle. Si l'on considère que la vision est à son meilleur lorsque l'ouverture de l'angle A tracé sur la figure ci-dessous est maximale, déterminez à quelle distance d du mur doit se placer une personne pour avoir la meilleure vision possible.

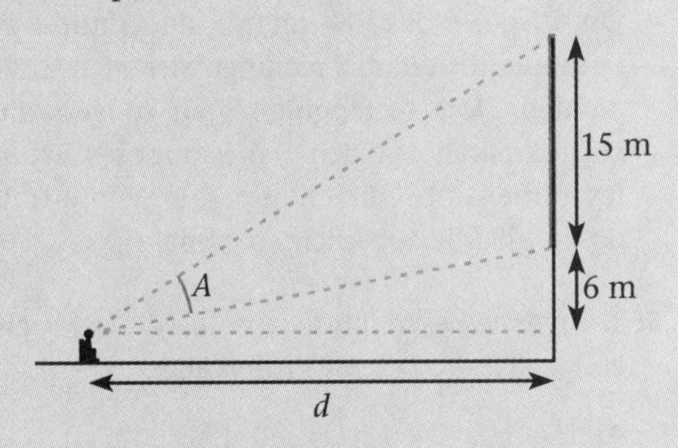

36. Un architecte doit concevoir un grand vitrail ayant la forme d'un secteur de cercle et dont la surface est nécessairement de 40 mètres carrés. Le contour de ce vitrail doit être constitué d'un matériau très difficile à trouver et, par conséquent, très coûteux. Déterminez le rayon et l'angle A du secteur de cercle à utiliser pour que le vitrail ait un périmètre minimal.

Auto-évaluation

1. Quelles sont les dimensions d'un terrain rectangulaire qui aurait une surface maximale tout en étant délimité sur les quatre côtés par une clôture de 450 mètres ?

2. Le propriétaire d'un verger a un revenu annuel de 50 $ par arbre lorsqu'il plante 200 pommiers. Le revenu par arbre diminue de 0,10 $ pour chaque arbre additionnel planté. Si le coût d'entretien annuel est de 18 $ par arbre, trouvez combien d'arbres il doit planter au total pour maximiser le profit annuel lié au verger.

3. Une ébéniste veut fabriquer un coffre de bois rectangulaire avec couvercle dont la profondeur doit être de 50 centimètres et dont le volume sera de 10 000 centimètres cubes. Si le bois du couvercle du coffre coûte 0,50 dollar par centimètre carré et que le bois servant au reste coûte 0,30 dollar par centimètre carré, trouvez les dimensions du coffre qui permettraient de minimiser les frais liés au bois utilisé pour la fabrication.

4. On dispose de 300 mètres de clôture pour entourer un champ rectangulaire et le diviser en deux lots rectangulaires au moyen d'une clôture parallèle à deux côtés opposés. Trouvez les dimensions du champ qui permettraient d'obtenir une superficie maximale.

5. Trouvez les extremums absolus de la fonction $g(x) = -5x^3 + 32x^2$, sur l'intervalle :

a) $[1, 6]$

b) $]0, 4[$

c) $]-1, 5[$

d) $-\infty, 2]$

6. On doit photographier un arbuste se trouvant en haut d'une falaise mesurant 10 mètres. La taille de l'arbuste est de 1,2 mètre. On veut s'assurer de voir l'arbuste en entier sur la photographie. La distance d (en mètres) entre la base de la falaise et l'appareil photographique modifie l'angle de visée A (en radians). Trouvez le distance d qui permet d'avoir le meilleur angle de visée possible, soit un angle A maximal.

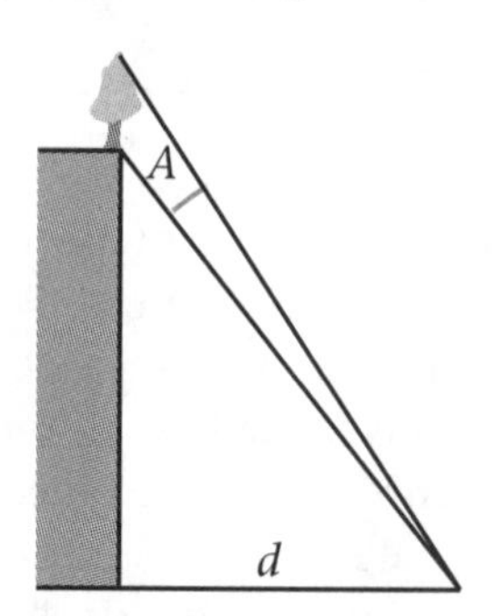

7. Deux usines nucléaires A et B sont distantes de 110 kilomètres. L'usine B émet huit fois plus de particules que l'usine A. Lorsqu'on se trouve entre les deux usines, à x kilomètres de l'usine A, la concentration C des émissions de particules dans l'air est donnée par :

$$C(x) = \frac{K}{x^2} + \frac{8K}{(110 - x)^2}$$

où K est une constante de proportionnalité positive. Si on doit construire un dortoir pour les employés de ces centrales et que celui-ci doit se trouver entre les deux usines, à combien de kilomètres de l'usine A doit-on le construire si on souhaite que la concentration de particules soit la plus faible possible ?

8. Un gobelet de papier en forme de cône doit contenir 160 millilitres (ou 160 centimètres cubes) d'eau. Déterminez la hauteur et le rayon du cône qui permettent de minimiser la quantité de papier utilisée pour fabriquer le gobelet, celui-ci ayant été formé à partir d'un secteur de cercle.

Chapitre 10

Diverses utilisations de la dérivée et de la différentielle

Plan du chapitre

Objectifs

D'ICI LA FIN DE CE CHAPITRE, VOUS DEVRIEZ POUVOIR :

- DÉRIVER UNE ÉQUATION IMPLICITE ;
- TROUVER LA PENTE DE LA TANGENTE EN UN POINT D'UNE COURBE DÉFINIE PAR UNE ÉQUATION IMPLICITE ;
- RÉSOUDRE DIVERS PROBLÈMES DE TAUX DE VARIATION LIÉS ;
- UTILISER LA DIFFÉRENTIELLE POUR ÉVALUER CERTAINES QUANTITÉS ;
- UTILISER ADÉQUATEMENT LA MÉTHODE DE NEWTON POUR TROUVER UN OU DES ZÉROS D'UNE FONCTION.

« Des millions de gens ont vu tomber une pomme, Newton est le seul qui se soit demandé pourquoi [elle tombait]. »

BERNARD BARUCH

Le cours de l'histoire

Quelques mots sur les travaux d'Isaac Newton sur le calcul différentiel

Dans l'histoire des sciences, Isaac Newton (1642-1727) est une des personnes les plus connues. Dans le cadre de ses études à l'université de Cambridge, Newton a eu l'occasion de lire les écrits de René Descartes et de Pierre de Fermat, deux de ses prédécesseurs dans le domaine du calcul différentiel. Le livre le plus complet qu'ait écrit Newton sur le sujet (et plusieurs croient que c'est le tout premier dans ce domaine) sera publié dans sa version anglaise après sa mort et dans sa version française en 1740, sous le titre La Méthode des fluxions et des suites infinies.

PUBLIPHOTO/ÉDIMÉDIA

Isaac Newton (1642-1727)

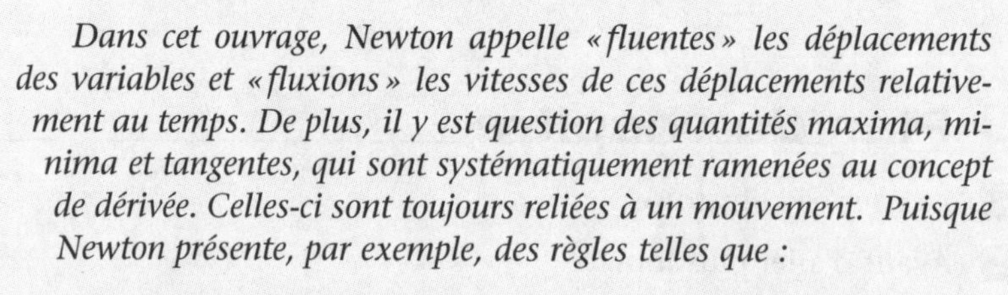

Dans cet ouvrage, Newton appelle « fluentes » les déplacements des variables et « fluxions » les vitesses de ces déplacements relativement au temps. De plus, il y est question des quantités maxima, minima et tangentes, qui sont systématiquement ramenées au concept de dérivée. Celles-ci sont toujours reliées à un mouvement. Puisque Newton présente, par exemple, des règles telles que :

- *la dérivée d'un polynôme est la somme des dérivées de chacun des termes du polynôme et*
- *la dérivée de chaque terme d'un polynôme de la forme* ax^n *est* anx^{n-1},

il donne un sens au mot « calcul » dans l'expression « calcul différentiel ».

Une fonction n'est pas toujours polynomiale mais, pour un très grand nombre de fonctions non polynomiales, il est possible de trouver un polynôme d'un certain degré (relativement élevé dans certains cas) qui offre une très bonne approximation de la fonction elle-même, sur un intervalle prédéterminé. Ainsi, très souvent, l'étude d'une fonction pour un intervalle donné peut être ramenée à celle d'un polynôme adéquat, dont on peut facilement connaître la dérivée. Dans l'œuvre de Newton, l'approche qui consiste à chercher le développement d'une fonction sous sa forme polynomiale approximée, pour ensuite la dériver terme à terme, est fondamentale. Newton ne discute pas souvent de la validité de sa démarche générale, mais il en fait mention, tient compte des possibilités de dérapage et choisit des approches adéquates.

Newton a le mérite de faire du calcul différentiel et de « son frère », le calcul intégral, une discipline unifiée. De plus, il suggère qu'on peut modéliser des systèmes physiques très complexes au moyen de mathématiques dites pures. Par exemple, il montre que les découvertes relatives aux lois du mouvement planétaire sont décrites à partir de lois universelles qui peuvent s'exprimer à l'aide de fonctions relativement simples.

Avant d'aller plus loin

Préalables

1. Trouvez la dérivée des fonctions suivantes :

a) $g(t) = t^4 + 6t^3 - 2t$

b) $f(x) = \frac{x}{x - 5}$

c) $h(z) = \sqrt{z^2 - 3}$

d) $k(u) = e^{(5u + 7)}$

2. Trouvez $\frac{dz}{dy}$ lorsque $y = 1$, sachant que :

a) $z = 4t^2 - 5$ et $t = 7y + 8y^3$

b) $z = 5^{(x + 3)}$ et $x = \ln (y^2 + y)$

3. Écrivez la formule donnant :

a) la circonférence C et la surface totale A d'un cercle de rayon r;

b) le volume V et la surface totale A d'un cube dont l'arête mesure t unités;

c) le volume V et la surface totale A d'une sphère de rayon r;

d) le volume V d'un cône de hauteur h et dont la base est un cercle de rayon r;

e) le volume V d'un cylindre de rayon r et de hauteur h.

4. Voici deux fonctions continues sur IR qui possèdent un seul zéro. Trouvez deux valeurs entières consécutives a et b telles que l'intervalle $[a, b]$ contient un zéro de la fonction.

a) $g(x) = x^3 + x^2 + x - 20$

b) $f(t) = t^5 + 2t^4 - t + 2$

Langages mathématique et graphique

1. Tracez un cercle de rayon 6 centré en (0, 0) dans un plan cartésien.

a) Identifiez les points où la pente de la tangente est nulle.

b) Dans quels quadrants la pente de la tangente est-elle négative ?

c) Pour une valeur de la variable indépendante positive inférieure au rayon, combien de tangentes au cercle sont définies ? Ont-elles des pentes égales en valeur absolue ?

2. Une personne se dirige vers un lampadaire dont la lumière est à une certaine hauteur. On s'intéresse à la longueur de l'ombre de la personne. Représentez schématiquement cette situation et déterminez les quantités variables et celles qui sont constantes.

3. Tracez un graphique d'une courbe croissante. Tracez une tangente à la courbe en un point $(a, f(a))$ de la fonction. Indiquez sur votre graphique le point $(z, 0)$ qui est l'intersection de la tangente et l'axe horizontal.

a) Trouvez l'équation de cette tangente en utilisant $f'(a)$, $f(a)$, a et z.

b) Isolez z dans l'équation obtenue en (a).

SECTION 10.1 Dérivation implicite

Le thème de cette section et celui de la section 10.2 reposent principalement sur l'utilisation de la dérivation en chaîne, présentée au chapitre 7. Cette règle s'énonce comme suit : d'une façon générale, si $y = f(x)$ et si $x = g(t)$, et si ces deux fonctions sont dérivables, alors on peut former la fonction composée $y = f(x) = f(g(t)) = (f \circ g)(t)$ qui est dérivable de telle sorte que $\frac{dy}{dt} = \frac{dy}{dx} \times \frac{dx}{dt}$.

Équations implicites

Quand on écrit $y = x^4 + 6x^2 - \frac{5}{x+1}$, on définit **explicitement** la variable dépendante y en fonction de la variable indépendante x et si on a besoin de trouver $\frac{dy}{dx}$, il suffit de dériver l'expression $x^4 + 6x^2 - \frac{5}{x+1}$ selon les règles présentées jusqu'ici. On obtient alors :

$$\frac{dy}{dx} = 4x^3 + 12x + \frac{5}{(x+1)^2}$$

Il peut arriver toutefois qu'on ait une équation de la forme $y^8 + 6y^6 + xy - 7 = 0$, dans laquelle il n'est pas possible d'exprimer y de façon explicite en fonction de x. Une telle équation (dite **implicite**) exprime tout de même une relation entre x et y. Si on donne une valeur à x, on peut lui associer une ou des valeurs de y et lorsque plus d'une valeur de y peut être obtenue, on en conserve une seule pour respecter l'unicité de l'image avec une fonction. Par exemple, avec l'équation $y^8 + 6y^6 + xy - 7 = 0$, lorsque $x = 0$, on obtient :

$$y^8 + 6y^6 - 7 = 0$$

et on peut montrer que les valeurs $y = -1$ et $y = 1$ vérifient cette équation et qu'elles sont les seules.

Ainsi, on a les points (0, -1) et (0, 1) sur la courbe définie par l'équation $y^8 + 6y^6 + xy - 7 = 0$. Si on précise lequel des deux points on souhaite retenir, on peut alors dire que y est définie de façon unique lorsque $x = 0$.

Lorsqu'on sait, par exemple, que $y^8 + 6y^6 + xy - 7 = 0$, on peut souhaiter connaître $\frac{dy}{dx}$ pour certaines valeurs de x et y. Puisqu'on ne peut, au préalable, exprimer explicitement y en fonction de x à partir de cette équation, on va avoir recours à la dérivation implicite.

Dérivation implicite

Soit l'équation $y^2 + x = 0$ associée à une parabole horizontale de sommet (0, 0). Si on cherche la pente de la tangente à la courbe au point d'abscisse $x = -1$, on peut d'abord trouver l'ordonnée correspondant à $x = -1$. À partir de l'équation, on a :

$$y^2 - 1 = (y - 1)(y + 1) = 0$$

et donc $y = 1$ ou $y = -1$. Si on décide de travailler avec la partie supérieure de la parabole associée à cette équation (soit au point (-1, 1)), on a :

$$y^2 = -x \text{ et } y = \sqrt{-x}$$

On peut alors trouver $\frac{dy}{dx} = \frac{-1}{2\sqrt{-x}}$, ce qui permet de déterminer la pente de la tangente à la courbe au point (-1, 1), soit :

$$\left.\frac{dy}{dx}\right|_{(-1,\,1)} = \frac{-1}{2\sqrt{-(-1)}} = \frac{-1}{2}$$

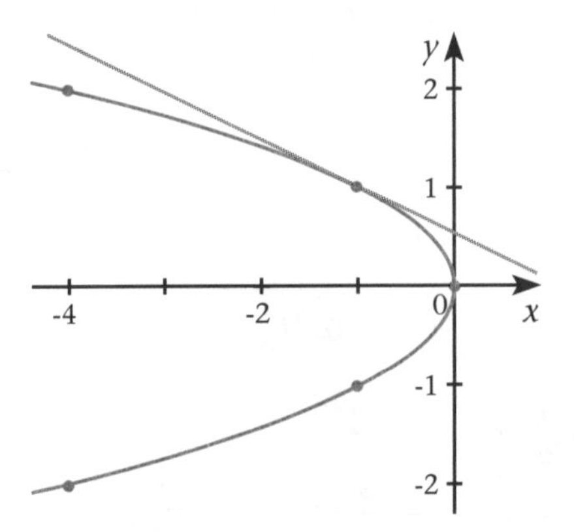

Comment aurions-nous pu procéder si nous n'avions pu exprimer explicitement y en fonction de x, à partir de l'équation $y^2 + x = 0$? On sait que y dépend de x et on peut écrire $f(x)$ au lieu de y.

On a : $$(f(x))^2 + x = 0$$

Dérivons les deux côtés de cette équation par rapport à x.

On obtient :

$$\frac{d}{dx}((f(x))^2 + x) = \frac{d}{dx}(0)$$

$$\frac{d}{dx}((f(x))^2) + \frac{d}{dx}(x) = \frac{d}{dx}(0)$$

$$2f(x)\frac{d}{dx}f(x) + 1 = 0$$

Attention !

Le passage de l'avant-dernière ligne à la dernière ligne s'explique de la façon suivante. Puisque $y = f(x)$ dépend de x, lorsqu'on effectue $\frac{d}{dx}(y^2) = \frac{d}{dx}((f(x))^2)$, en posant $g(y) = y^2$, par le principe de dérivation en chaîne, on a :

$$\frac{d}{dx}(y^2) = \frac{d}{dx}(g(y)) = \frac{d(g(y))}{dy} \times \frac{dy}{dx} = 2y\frac{d}{dx}(f(x)) = 2f(x)\frac{d}{dx}f(x)$$

Si on isole maintenant $\frac{d}{dx}f(x) = f'(x)$ dans le résultat obtenu, on a :

$$f'(x) = \frac{-1}{2f(x)} = \frac{-1}{2y}$$

Au point (-1, 1), la pente de la tangente est donc $f'(-1) = \frac{-1}{2(1)} = \frac{-1}{2}$.

En procédant comme on vient de le faire, on effectue une dérivation implicite, puisqu'en dérivant par rapport à x les expressions de gauche et de droite de l'équation $y^2 + x = 0$, on sous-entend que y dépend implicitement de x.

Exemple 1

Soit l'équation $t^4 - 4ty + y^3 = 27$. Trouvez d'abord $\frac{dy}{dt}$ et calculez ensuite la pente de la tangente à la courbe lorsque $t = 0$.

On a

$$\frac{d}{dt}(t^4 - 4ty + y^3) = \frac{d}{dt}(27)$$

et donc, en considérant que, par l'équation donnée, la variable y est fonction de t, on a :

$$4t^3 - 4y - 4t\frac{dy}{dt} + 3y^2\frac{dy}{dt} = 0$$

Si on cherche à isoler $\frac{dy}{dt}$, on a :

$$\frac{dy}{dt}(3y^2 - 4t) = 4y - 4t^3$$

et donc

$$\frac{dy}{dt} = \frac{4(y - t^3)}{3y^2 - 4t}$$

Lorsque $t = 0$, on trouve à partir de l'équation initiale que $y^3 = 27$ et donc $y = 3$. Par conséquent, on a :

$$\left.\frac{dy}{dt}\right|_{(0,\,3)} = \frac{4(3 - 0^3)}{3(3)^2 - 4(0)} = \frac{12}{27} = \frac{4}{9}$$

Attention !

1) Dans l'exemple qui précède, pour pouvoir trouver la pente de la tangente en $t = 0$, il a fallu nécessairement trouver la valeur de y lorsque $t = 0$, malgré le fait que y ne soit pas définie de façon explicite par rapport à t. Pour les situations présentées dans ce manuel, la valeur de la variable dépendante sera :
   - ou bien déjà connue,
   - ou bien facile à calculer à partir des acquis.
2) D'une façon générale, une fois qu'une équation implicite à deux variables x et y est dérivée, il est relativement simple d'isoler $\frac{dy}{dt}$, car l'équation obtenue possède une forme affine relativement à $\frac{dy}{dt}$.

Exemple 2

La fonction qui donne le nombre d'articles vendus N (en milliers d'unités) en fonction du prix de vente (en dollars) d'un article p est définie par $N = \frac{150}{p^3 + 2p^2 + 4}$. Trouvez $\frac{dp}{dN}$ lorsque $p = 3$ \$ et interprétez le résultat.

Avant de procéder à la dérivation, on peut transformer l'équation de façon à éliminer le dénominateur.

On a $$N \cdot (p^3 + 2p^2 + 4) = 150$$

Si on dérive maintenant de part et d'autre de l'équation par rapport à N, on a :

$$\frac{d}{dN}(N \cdot (p^3 + 2p^2 + 4)) = \frac{d}{dN}(150)$$

$$(p^3 + 2p^2 + 4) + N \cdot \left(3p^2 \frac{dp}{dN} + 4p\frac{dp}{dN}\right) = 0$$

Si on cherche à isoler $\frac{dp}{dN}$, on a :

$$\frac{dp}{dN}(3p^2 + 4p) = \frac{-p^3 - 2p^2 - 4}{N}$$

et donc $$\frac{dp}{dN} = \frac{-p^3 - 2p^2 - 4}{N(3p^2 + 4p)}$$

Lorsque $p = 3$, $N = \frac{150}{3^3 + 2(3)^2 + 4} = \frac{150}{49}$

et, par conséquent, $\left.\frac{dp}{dN}\right|_{p=3,\, N=\frac{150}{49}} = \frac{-(3)^3 - 2(3)^2 - 4}{\left(\frac{150}{49}\right)(3(3)^2 + 4(3))} = -0{,}76$ \$/millier d'unités.

Ainsi, lorsque $\frac{150}{49} = 3{,}061$ milliers d'unités sont vendues, le prochain millier d'unités vendues devrait permettre de réduire le prix de vente unitaire d'environ 0,76 \$.

Comment **faire**?

Comment dériver une équation implicite

D'une façon générale, lorsqu'une équation définit implicitement une variable y en fonction de t, on peut trouver $\frac{dy}{dt}$ en procédant comme suit :

- si l'équation est, comme dans l'exemple 2 précédent, constituée à gauche ou à droite de l'égalité d'un quotient de fonctions, on peut d'abord effectuer un produit croisé pour éliminer le ou les dénominateurs en question;
- on doit dériver les deux côtés de l'équation par rapport à t, en se rappelant que la dérivée de chaque terme impliquant y doit inclure le facteur $\frac{dy}{dt}$ (ceci est une conséquence de la dérivation en chaîne);
- on doit effectuer les opérations algébriques pertinentes qui permettent d'isoler $\frac{dy}{dt}$.

Si on souhaite calculer $\frac{dy}{dt}$ en un point spécifique (a, b), on doit substituer $x = a$ et $y = b$ dans l'expression donnant $\frac{dy}{dt}$. Si seule l'abscisse ou l'ordonnée du point (a, b) est fournie, on doit se servir de l'équation implicite initiale pour trouver la valeur de l'autre variable, s'il y a lieu.

Dérivation logarithmique

Une approche permet, dans certaines circonstances, de simplifier la recherche de la dérivée d'une fonction formée de produits, de quotients ou de puissances.

Par exemple, le calcul de la dérivée de $f(t) = \frac{t^4\sqrt{t+5}}{(t+3)^6}$ pourrait sembler plutôt lourd. On peut simplifier ce calcul en appliquant d'abord le logarithme de part et d'autre de l'égalité, puis en effectuant une dérivation implicite. En utilisant les propriétés des logarithmes, on a :

$$\ln f(t) = \ln \frac{t^4\sqrt{t+5}}{(t+3)^6} = \ln (t^4) + \ln (\sqrt{t+5}) - \ln (t+3)^6$$

$$\ln f(t) = 4 \ln t + \frac{1}{2} \ln (t+5) - 6 \ln (t+3)$$

Puis, en dérivant de part et d'autre par rapport à t, on obtient :

$$\frac{1}{f(t)} \cdot \frac{d}{dt}(f(t)) = \frac{4}{t} + \frac{1}{2(t+5)} - \frac{6}{t+3}$$

En isolant $\frac{d}{dt}(f(t))$, on obtient :

$$f'(t) = \frac{d}{dt}(f(t)) = f(t)\left(\frac{4}{t} + \frac{1}{2(t+5)} - \frac{6}{t+3}\right) = \frac{t^4\sqrt{t+5}}{(t+3)^6}\left(\frac{4}{t} + \frac{1}{2(t+5)} - \frac{6}{t+3}\right)$$

Cette dérivée n'est valable toutefois que pour les valeurs de t qui font en sorte que :

- $\frac{t^4\sqrt{t+5}}{(t+3)^6}$ est définie (donc lorsque $t \geq -5$ et $t \neq -3$);
- $\frac{t^4\sqrt{t+5}}{(t+3)^6}$ est positive et non nulle car, sinon, $\ln f(t)$ n'est pas défini;
- l'expression obtenue $f'(t)$ est définie (donc lorsque $t \neq 0$, $t \neq -5$, $t \neq -3$ et $t \geq -5$).

Exemple 3

Trouvez la dérivée de $g(x) = \frac{x^7(x^2-3)^4}{(5x+3)^3}$ à l'aide de la dérivation logarithmique, pour les valeurs de x telles que $g(x) > 0$ et telles que $x \neq \frac{-3}{5}$.

On a

$$\ln g(x) = \ln \frac{x^7(x^2-3)^4}{(5x+3)^3} = \ln x^7 + \ln (x^2-3)^4 - \ln (5x+3)^3$$

$$\ln g(x) = 7 \ln x + 4 \ln (x^2-3) - 3 \ln (5x+3)$$

Puis, en dérivant de part et d'autre par rapport à x, on obtient :

$$\frac{1}{g(x)} \cdot \frac{d}{dx}(g(x)) = \frac{7}{x} + \frac{4}{x^2-3} \cdot 2x - \frac{3}{5x+3} \cdot 5$$

et en isolant $\frac{d}{dx}(g(x))$, on obtient :

$$g'(x) = \frac{d}{dx}(g(x)) = g(x)\left(\frac{7}{x} + \frac{8x}{x^2-3} - \frac{15}{5x+3}\right) = \frac{x^7(x^2-3)^4}{(5x+3)^3}\left(\frac{7}{x} + \frac{8x}{x^2-3} - \frac{15}{5x+3}\right)$$

pour les valeurs de x telles que $g(x) > 0$ et telles que $x \neq 0$, $x^2 \neq 3$ et $x \neq \frac{-3}{5}$.

Exercices

1. Trouvez la pente de la tangente à la courbe définie par chacune des équations suivantes, dans lesquelles y est la variable dépendante :

a) $t^4y + y^4t = 14t$ au point (1, -2) **b)** $5y^2 + x^4y + 3x = 6$ lorsque $y = 0$

2. Pour les trois équations ci-dessous pour lesquelles on suppose que $y > 0$:

(i) trouvez $\frac{dy}{dt}$ par dérivation implicite;

(ii) isolez y dans l'équation et trouvez ensuite $\frac{dy}{dt}$;

(iii) vérifiez que les deux résultats obtenus en *(i)* et *(ii)* sont équivalents.

a) $5t^2 + y = 7$

b) $ty^2 = 6$

c) $t^2 + y^2 = 81$

3. Trouvez $\frac{dy}{dx}$ à partir des équations suivantes :

a) $x^2 - y^2 = 25$

b) $x = y(y - 1)$

c) $x^2y^2 + y^2 = 6$

d) $2x + 5xy + 8x^2 - 16y^2 + 16 = 0$

e) $x\sqrt{y} + y\sqrt{x} + xy = 3$

f) $xy^3 + 3y + 6x^3 + 4 = 0$

g) $2xy^2 + x^2y - 6y - 5 = 0$

h) $x^3 + 5x + x^3y^3 - 1 = 0$

i) $x = \sqrt{y^2 + 2y + 2}$

j) $x = \frac{y^3 - 3}{2y + 3}$

k) $\sqrt{x} + 7xy + \sqrt{y} = 9$

l) $\frac{y}{x} + xy = 16$

4. Pour chacune des équations suivantes, trouvez la pente de la tangente au point donné. La variable y est, dans chaque cas, la variable dépendante.

a) $\frac{t + y}{t - y} = 7$ au point (4, 3)

b) $x^3 + y^3 = 2$ au point (1, 1)

c) $\sqrt{u} + \sqrt{y} = 6$ au point (9, 9)

d) $\frac{(x + 1)^2}{25} + \frac{(y - 2)^2}{9} = 1$ au point $\left(3, \frac{1}{5}\right)$

5. L'équation $y^2 + x^2y = 3x^2$ définit une courbe qui passe par les points (2, 2) et (0, 0). Trouvez (si possible) la pente de la tangente à la courbe en chacun de ces deux points.

6. Si $2x^2\sqrt{w} + w^5 + x^4 = 32$, trouvez $\frac{dw}{dx}$ ainsi que la pente de la tangente à la courbe lorsque $x = 0$.

7. Montrez qu'en un point (a, b) sur le cercle de rayon r centré en (0, 0) la tangente est nécessairement perpendiculaire au rayon allant du point (0, 0) au point (a, b).

8. Trouvez $\frac{dy}{dt}$ sachant que :

a) $y = e^y + \ln t$

b) $e^{ty} = ty$

c) $\ln(ty^2) = t + y^2$

d) $e^y \ln t = y^2t$

e) $t^2 + 2^{ty} + y = 15$

f) $\log_5(ty) = t + y$

9. Évaluez la pente de la tangente à la courbe de $y = g(z)$ au point :

a) (ln 4, 4 ln 4) si $4y = ze^{2z}$

b) (1, 0) si $e^z \ln z = z^2y + y^3$

10. Trouvez $\frac{dy}{dz}$ sachant que :

a) $z = \sin y$

b) $\cos y = \sin z$

c) $\sin(yz) = y$

d) $\sin y \cos z = \sin y + \cos z$

e) $\operatorname{cotg}(4y^3) = z^2 \cos z$

f) $\sec(z + y) = 45yz$

g) $\frac{\operatorname{tg} z}{\operatorname{cotg} y} = \frac{y}{z}$

h) $5z^3y^5 + \cos(5y^3) = 2z^4$

i) $z^2 + y^2 = \arcsin y$

j) $\operatorname{arcsec} z = \arccos(y^2z)$

11. Évaluez la pente de la tangente à la courbe de $y = f(x)$:

a) au point $(0, \pi)$ si $\sin y + \cos x = \frac{\pi}{y}$

b) au point $\left(0, \frac{\pi}{2}\right)$ si $\cos y + \text{arctg}\, x = yx$

12. Calculez la dérivée des fonctions suivantes, en utilisant la dérivation logarithmique et en précisant pour quelles valeurs de la variable indépendante la dérivée s'applique :

a) $f(x) = (x + 1)^{\frac{2}{x}}$

b) $h(u) = u^{(4u)}$

c) $g(x) = (x^4 + 3)^{\ln x}$

d) $f(t) = t^{\cos t}$

13. Calculez $\frac{d^2y}{dt^2}$ si :

a) $y^2 + t^2y = t$

b) $e^y + ty = t^2$

c) $\cos y + \sin t = y$

SECTION 10.2 Taux de variation liés

Quand un cube de glace fond à la température de la pièce, son volume V, sa surface totale A et la longueur de son arête x (en supposant que le bloc conserve une forme cubique durant la fonte) changent continuellement à mesure que s'écoule le temps t. Les taux de variation de ces quantités par rapport au temps sont respectivement $\frac{dV}{dt}$, $\frac{dA}{dt}$ et $\frac{dx}{dt}$, et on pourrait constater que si le bloc conserve sa forme de cube pendant la fonte, tous ces taux sont liés.

Nous allons voir que la règle de dérivation en chaîne (rappelée au début de la section 10.1) nous vient en aide à nouveau, en permettant l'établissement de liens entre divers taux de variation liés.

Exemple 4

Le coût C pour produire q unités est donné par $C(q) = 2q^2 + 50$ milliers de dollars. La compagnie estime que le taux de variation de la production q relativement au temps t est de 0,04 unité par jour. Calculez le taux de croissance des coûts de production par rapport au temps au moment où la compagnie produit 10 unités en une journée.

On cherche $\frac{dC}{dt}$ lorsque $q = 10$, sachant que $\frac{dq}{dt} = 0{,}04$ unité par jour.

On a donc $$\frac{dC}{dt} = \frac{dC}{dq} \times \frac{dq}{dt} = 4q \cdot 0{,}04 = 0{,}16q$$

Lorsque $q = 10$, $$\frac{dC}{dt} = 0{,}16(10) = 1{,}6 \text{ millier de \$/jour.}$$

Exemple 5

Une nappe de pétrole se répand circulairement sur l'océan. Le rayon de la nappe augmente de 0,05 kilomètre par jour. Calculez à quel taux augmente la surface de la nappe de pétrole, lorsque celle-ci a un rayon de 1,2 kilomètre.

La surface A d'un cercle de rayon r est donnée par $A = \pi r^2$. On cherche $\frac{dA}{dt}$, où t représente le temps (en jours) et on sait que $\frac{dr}{dt} = 0{,}05$ kilomètre par jour.

On a $\frac{dA}{dt} = \frac{dA}{dr} \times \frac{dr}{dt} = 2\pi r \cdot 0{,}05 = 0{,}1\pi r$

et lorsque $r = 1{,}2$ kilomètre, $\frac{dA}{dt} = 0{,}1\pi(1{,}2) = 0{,}37$ km²/jour

La surface de la nappe de pétrole augmente à une vitesse de 0,37 kilomètre carré par jour.

Attention !

Dans l'exemple 5, si le rayon avait plutôt diminué à chaque jour, on aurait écrit $\frac{dr}{dt} = -0{,}05$ kilomètre par jour. Le signe du taux de variation indique une augmentation ou une diminution d'une certaine quantité.

Exemple 6

Deux motos marines se trouvant sur un lac gigantesque quittent le même point à 9 h. La première moto marine se dirige vers le nord et 15 minutes plus tard, elle se trouve à 15 kilomètres du point de départ et avance à ce moment précis à une vitesse de 90 kilomètres à l'heure. La seconde moto marine se dirige vers l'ouest et 15 minutes après son départ, elle se trouve à 13 kilomètres du point de départ et avance à une vitesse de 80 kilomètres à l'heure. Calculez à quel taux augmente la distance entre les deux véhicules à 9 h 15.

Représentons la situation à l'aide d'un schéma dans lequel x représente la distance parcourue par le second véhicule et y, la distance parcourue par la première moto marine.

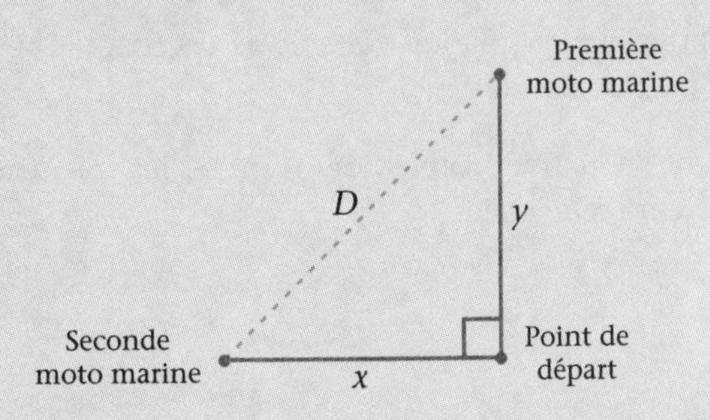

La distance D entre les deux motos marines est donnée en tout temps par $D = \sqrt{x^2 + y^2} = (x^2 + y^2)^{\frac{1}{2}}$, selon le théorème de Pythagore.

Si t est le temps en heures, on cherche $\frac{dD}{dt}$, sachant que $x = 13$ kilomètres, $\frac{dx}{dt} = 80$ kilomètres à l'heure, $y = 15$ kilomètres et $\frac{dy}{dt} = 90$ kilomètres à l'heure.

On a donc $$\frac{dD}{dt} = \frac{1}{2}(x^2 + y^2)^{\frac{-1}{2}} \cdot \left(2x\frac{dx}{dt} + 2y\frac{dy}{dt}\right) = \frac{1}{\sqrt{x^2 + y^2}} \cdot \left(x\frac{dx}{dt} + y\frac{dy}{dt}\right)$$

et lorsqu'on substitue toutes les valeurs connues, on obtient :

$$\frac{dD}{dt} = \frac{1}{\sqrt{13^2 + 15^2}} \cdot (13(80) + 15(90)) = \frac{1}{\sqrt{394}} \cdot 2390 = 120{,}41 \text{ km/h}.$$

Ainsi, à 9 h 15, la distance entre les deux motos marines augmente à ce moment précis à une vitesse de 120,41 kilomètres à l'heure.

Attention !

Dans l'exemple 6, si on souhaitait connaître la vitesse à laquelle augmente la distance entre les deux motos marines à 9 h 11 ou à 9 h 23, par exemple, il faudrait alors connaître la position et la vitesse de chacune des motos marines à ce moment. Si la vitesse des deux véhicules était constante, il serait possible de trouver cette information. Rien ne nous indique ici que c'est le cas.

Comment **faire** ?

Comment travailler à résoudre un problème comprenant des taux de variation liés

Pour résoudre un problème faisant intervenir des taux de variation liés, il est conseillé de :

1) définir et nommer les variables concernées, à l'aide d'un dessin au besoin et en distinguant bien les quantités qui sont constantes de celles qui sont variables dans le problème;

2) trouver une équation reliant chacune des variables définies en (1);

3) dériver l'équation obtenue en (2) par rapport à la variable adéquate, pour obtenir une équation reliant les taux de variation pertinents;

4) déterminer la valeur de chaque variable et de chaque taux nécessaires pour calculer la valeur ou le taux demandé;

5) substituer dans l'équation trouvée en (3) toutes les valeurs déterminées à l'étape (4), pour déduire la valeur recherchée.

Exemple 7

Une personne avance en ligne droite vers la porte d'un immeuble, à une vitesse constante de 7 kilomètres à l'heure. Une caméra de surveillance située à 30 mètres du sol, au-dessus de cette porte, suit le mouvement de la personne. Lorsque cette dernière est à 45 mètres de la porte, trouvez le taux de variation de l'angle A (en radians par seconde) dans le schéma ci-dessous.

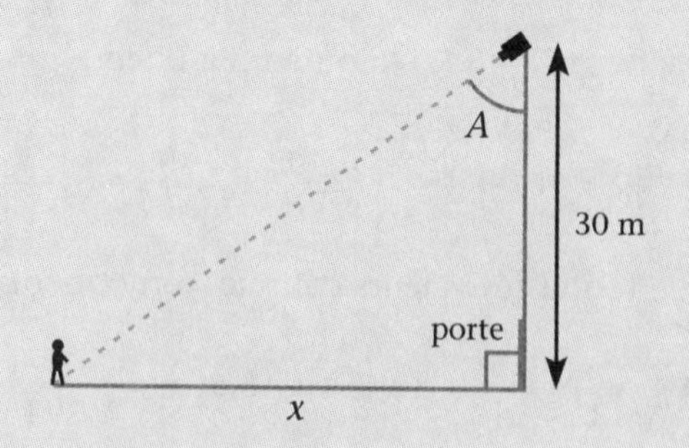

Notons d'abord que la hauteur de la caméra ne change pas, mais que la distance entre la porte et la personne qui s'en approche varie. Appelons cette distance x. Puisque plusieurs distances sont établies en mètres et qu'on cherche un taux de variation relativement à des secondes, convertissons la vitesse de la personne en mètres par seconde. On a :

$$\frac{7 \text{ km}}{1 \text{ h}} = \frac{7000 \text{ m}}{3600 \text{ s}} = \frac{35}{18} \text{ m/s}$$

Ainsi, $\frac{dx}{dt}$ est constante et vaut $\frac{-35}{18}$ m/s (le signe négatif découlant du fait que la distance x diminue).

On cherche $\frac{dA}{dt}$ au moment où $x = 45$ mètres.

Puisque $\quad \text{tg } A = \frac{x}{30}$

on a $\quad x = 30 \text{ tg } A$

et $\quad \frac{dx}{dt} = \frac{d}{dt}(30 \text{ tg } A) = 30 \sec^2 A \frac{dA}{dt}$

Or, lorsque $\quad x = 45$ mètres,

on a $\quad \text{tg } A = \frac{45}{30} = \frac{3}{2} = 1{,}5$

et donc $\quad A = \text{arctg } (1{,}5) = 0{,}983$ rad

Alors, si on substitue les valeurs connues dans : $\quad \frac{dx}{dt} = 30 \sec^2 A \frac{dA}{dt}$

on obtient $\quad \frac{-35}{18} = 30 \sec^2(0{,}983)\frac{dA}{dt}$

et donc $\quad \frac{dA}{dt} = \frac{-35}{18 \cdot 30 \sec^2(0{,}983)} = \frac{-7 \cos^2(0{,}983)}{18 \cdot 6} = -0{,}0199 \text{ rad/sec}$

En conséquence, lorsque la personne se trouve à 45 mètres de la porte, l'angle A diminue à un taux de 0,019 radian par seconde.

Exercices

1. Le déversement d'un produit chimique a lieu dans un endroit difficile d'accès. Le produit se répand en une nappe circulaire sur l'eau. Le rayon r de la nappe est donné par $r = 0{,}5 + 0{,}07t$ kilomètres, où t est le nombre de jours depuis l'incident (où $0 \leq t \leq 40$).

a) Deux semaines après le début du déversement, quel est le taux de variation par rapport au temps :

i) du rayon de la nappe?

ii) de la circonférence C de la nappe?

iii) de la surface A de la nappe?

b) Au bout de combien de jours la surface de la nappe augmente-t-elle à un taux de 1,1 kilomètre carré par jour ?

2. Trouvez $\frac{dy}{dt}$ sachant que :

a) $y = 5 + 3w$ et $\frac{dw}{dt} = 4$

b) $y = 7x - 3$, $\frac{dx}{dt} = 5$ et $x = -17$

c) $y = u^2 + 3$, $\frac{du}{dt} = -4$ et $u = -1$

d) $y = 4 - 5q^3$, $\frac{dq}{dt} = 1$ et $q = 1$

e) $y = \frac{-6}{1 + x}$, $\frac{dx}{dt} = -2$ et $x = 2$

f) $y = \frac{2 - z}{2 + 3z}$, $\frac{dz}{dt} = 3$ et $z = 0$

g) $k^2 + y^2 = 4$, $\frac{dk}{dt} = 3$, $k = \sqrt{3}$ et $y = 1$

h) $y^2 - x^2 = x$, $\frac{dx}{dt} = 3$, $x = 4$ et $y = \sqrt{20}$

3. Si la longueur des côtés d'un carré augmente à un taux de 15 centimètres par minute, trouvez à quel taux augmente la superficie du carré, au moment où :

a) la longueur des côtés du carré est de 30 centimètres ;

b) l'aire du carré est de 100 centimètres carrés.

4. Un cercle a un rayon r qui varie en fonction du temps t (en minutes) selon l'équation $r(t) = 0{,}07t + 15$ centimètres. Évaluez le taux de variation de l'aire A par rapport au temps, lorsque :

a) $r = 4$ centimètres **b)** $t = 6$ minutes

5. Si le volume d'un cube diminue de 5 mètres cubes par seconde, trouvez à quel taux varie chacun de ses côtés lorsque :

a) ceux-ci mesurent 3 mètres ;

b) le volume du cube est de 60 mètres cubes.

6. Dans un triangle rectangle ayant un angle aigu constant de 25°, la longueur de l'hypoténuse croît à une vitesse de 2 centimètres par minute. Lorsque la longueur de cette hypoténuse est de 10 centimètres, calculez la vitesse à laquelle varie :

a) le côté opposé à l'angle de 25° ;

b) la surface du triangle.

7. Soit un triangle rectangle dont l'hypoténuse conserve toujours une longueur de 100 centimètres. Si l'angle aigu A diminue selon un taux de variation constant de $\frac{dA}{dt} = -0{,}5$ radian par minute, calculez, lorsque $A = \frac{\pi}{6}$, le taux de variation par rapport au temps de :

a) la longueur du côté opposé à A ;

b) la surface du triangle.

8. Soit le triangle ayant un côté de 5 centimètres et un autre de 7 centimètres entre lesquels on trouve un angle A et soit x, le côté opposé à l'angle A. Sachant que $\frac{dA}{dt} = 0{,}1$ radian à l'heure, déterminez le taux de variation de x par rapport au temps t, lorsque :

a) $A = \frac{\pi}{3}$ radian **b)** $x = 4$ mètres

9. On a une sphère de rayon r, de surface totale A et de volume V. Déterminez :

a) $\frac{dA}{dr}$ si $V = 12$ centimètres cubes

b) A si $\frac{dV}{dr} = 2$ centimètres cubes par centimètre

c) $\frac{dr}{dV}$ si $A = 5$ centimètres carrés

d) $\frac{dV}{dA}$ si $r = 5$ centimètres

SECTION 10.3 Différentielle

Si $y = f(x)$, quand on écrit $\frac{dy}{dx}$ (qui correspond à la dérivée $f'(x)$ et à la pente d'une tangente à la courbe de la fonction f), on fait d'une certaine façon une comparaison avec l'écriture $\frac{\Delta y}{\Delta x}$ correspondant à la pente de la sécante passant par les points $(x, f(x))$ et $(x + \Delta x, f(x + \Delta x))$. Dans ce cas, on définit :

$$\Delta y = f(x + \Delta x) - f(x)$$

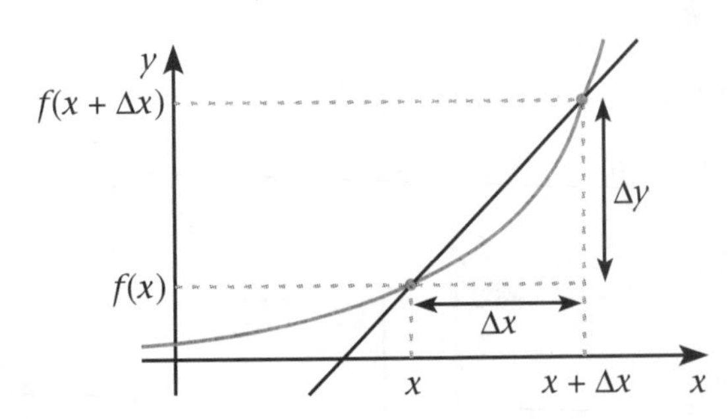

Dans l'expression $\frac{dy}{dx}$, que veulent dire les symboles dy et dx pris séparément et appelés des différentielles ? Considérons la **différentielle dx comme une variable indépendante qui peut prendre des valeurs arbitraires**.

(En réalité, comme nous allons le voir plus loin, nous donnerons souvent à la différentielle dx des valeurs positives ou négatives très près de 0.)

Si la fonction f définie par $f(x)$ est une fonction dérivable, on définit alors **la différentielle** :

$$dy = f'(x)dx$$

Ainsi, si $dx \neq 0$, alors $\frac{dy}{dx} = f'(x)$ et on a une notation connue et citée précédemment.

Comme le suggère le graphique ci-dessous, puisque $\frac{dy}{dx} = f'(x) =$ pente de la tangente, les différentielles dx et dy correspondent respectivement à des déplacements horizontal et vertical sur la tangente à la courbe de la fonction f au point $(x, f(x))$.

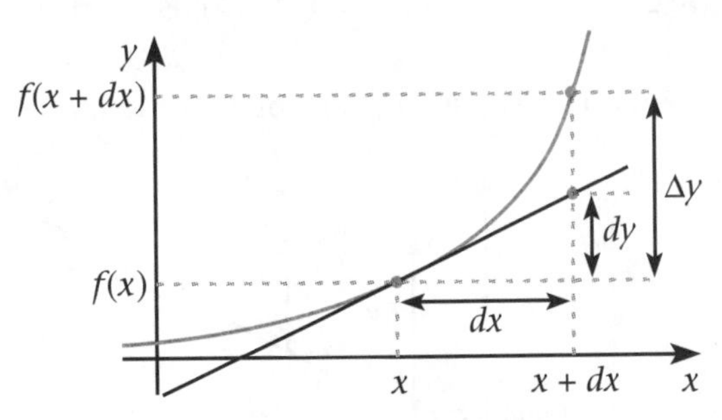

Pour bien comprendre la différence entre Δy et dy, posons $\Delta x = dx$. Dans ce cas, si on part du point $(x, f(x))$,

$$\Delta y = f(x + \Delta x) - f(x)$$

représente le déplacement vertical sur la courbe de f, résultant d'un déplacement Δx sur l'axe des x et

$$dy = f'(x)dx$$

représente la variation verticale sur la tangente à la courbe de f, résultant d'un déplacement $dx = \Delta x$ sur l'axe des x.

Exemple 8

Si $y = g(t) = t^4$, calculez Δy, dy et l'écart $\Delta y - dy$ lorsque t passe de la valeur 2 à la valeur 2,003.

On a $\qquad \Delta t = dt = 2{,}003 - 2 = 0{,}003$

et $\qquad \Delta y = g(2{,}003) - g(2) = 2{,}003^4 - 2^4 = 16{,}0962 - 16 = 0{,}0962$

Puisque $\qquad dy = g'(t)dt = 4t^3\, dt$

$$dy = 4(2)^3 \cdot (0{,}003) = 0{,}096$$

Dans ce cas, l'écart $\Delta y - dy = 0{,}096\,2 - 0{,}096 = 0{,}000\,2$.

On constate que Δy et dy ont sensiblement la même valeur.

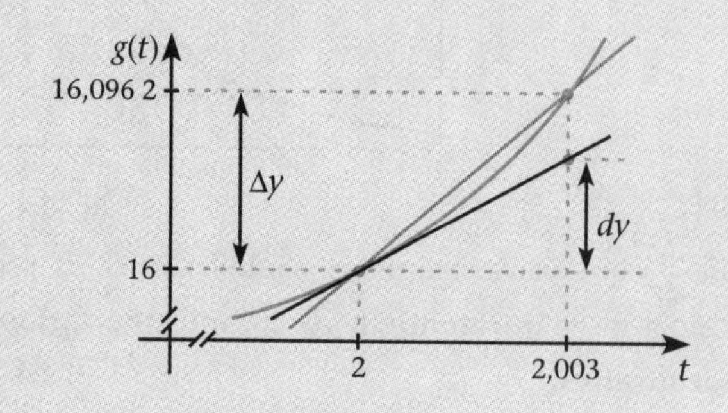

Exemple 9

Si $y = f(x) = \sqrt[3]{x} = x^{\frac{1}{3}}$, calculez Δy et dy lorsque x passe de la valeur 8 à la valeur 7,95.

On a $\qquad \Delta x = dx = 7{,}95 - 8 = -0{,}05$

et $\qquad \Delta y = h(7{,}95) - h(8) = \sqrt[3]{7{,}95} - \sqrt[3]{8} = 1{,}995\,825 - 2 = -0{,}004\,175$

Puisque $\qquad dy = f'(x)dx = \frac{1}{3}x^{\frac{-2}{3}}dx = \frac{1}{3(\sqrt[3]{x})^2}dx$

$$dy = \frac{1}{3(\sqrt[3]{8})^2} \cdot (-0{,}05) = \frac{1}{3(2)^2} \cdot (-0{,}05) = -0{,}004\,167$$

On constate à nouveau que Δy et dy ont sensiblement la même valeur.

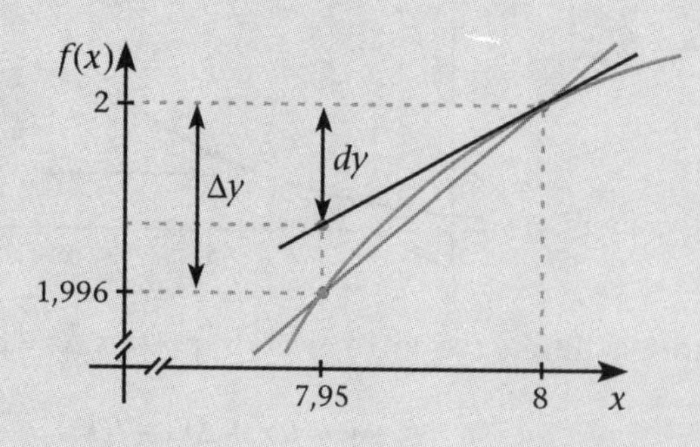

On constate, à partir des deux exemples précédents, qu'il est possible **d'approximer** Δy par dy lorsque Δx et dx prennent des valeurs très petites. Soit une fonction $y = f(x)$ et soit $(a, f(a))$ un point de la courbe.

Pour de petites valeurs de Δx, les valeurs de y sur la tangente et la courbe sont presque semblables (en fait, elles sont différentes de l'écart $|dy - \Delta y|$) et on a, lorsque x et a sont près l'une de l'autre et si $\Delta x = dx$:

$$\Delta y \approx dy$$

$$f(a + \Delta x) - f(a) \approx f'(a)\, dx$$

$$f(a + \Delta x) \approx f(a) + f'(a)\, dx$$

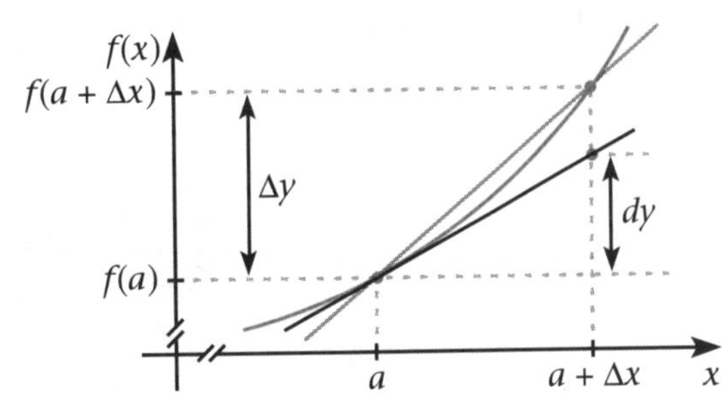

Ainsi, si on souhaite calculer $f(a + \Delta x)$, mais qu'il est plus facile de calculer $f(a)$ et $f'(a)$, on peut avoir recours, lorsque Δx est près de 0, à cette formule pour évaluer $f(a + \Delta x)$. On parle alors d'**approximation par la tangente** (ou d'approximation différentielle).

Exemple 10

Évaluez $\frac{1}{10,3}$ à l'aide d'une approximation par la tangente.

Soit la fonction $y = g(t) = \frac{1}{t} = t^{-1}$, dont on connaît la valeur $g(10) = \frac{1}{10} = 0,1$.

On veut évaluer $\frac{1}{10,3} = g(10,3) = g(10 + 0,3)$. Or, $g'(t) = \frac{-1}{t^2}$ et donc $g'(10) = \frac{-1}{10^2} = -0,01$.

Puisque $\Delta t = dt = 10,3 - 10 = 0,3$, on a :

$g(10,3) = g(10 + 0,3) \approx g(10) + g'(10)dt = 0,1 + -0,01 \cdot 0,3 = 0,1 - 0,003 = 0,097$

(La valeur exacte de $\frac{1}{10,3}$ est environ 0,097 09.)

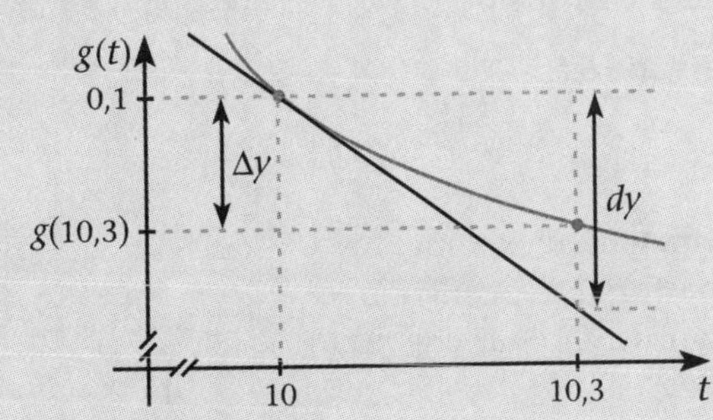

Exemple 11

Évaluez $e^{-0,2}$ à l'aide d'une approximation par la tangente.

Soit la fonction $y = h(x) = e^x$, dont on connaît la valeur $h(0) = e^0 = 1$.

On veut évaluer $e^{-0,2} = h(-0,2) = h(0 + (-0,2))$

Or, $h'(x) = e^x$ et donc $h'(0) = e^0 = 1$

Puisque $\Delta x = dx = -0,2 - 0 = -0,2$

on a $h(-0,2) = h(0 + -0,2) \approx h(0) + h'(0)dx = 1 + 1 \cdot (-0,2) = 1 - 0,2 = 0,8$

(La valeur exacte de $e^{-0,2}$ est environ 0,818 7.)

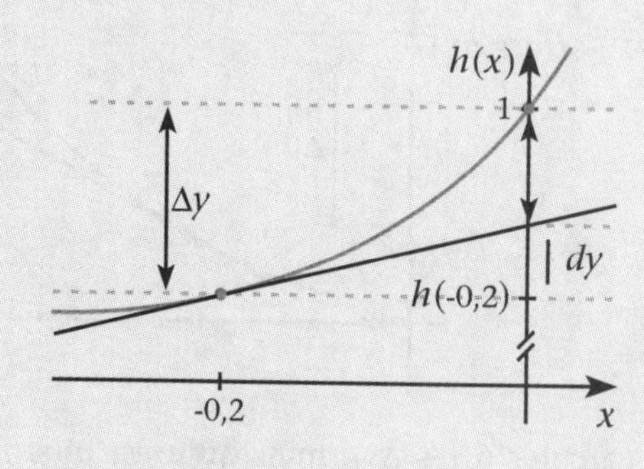

Lorsqu'on effectue une approximation par la tangente pour une fonction f à partir du point $(a, f(a))$, l'erreur commise lors de cette approximation est donnée par :

$$\text{Erreur} = f(a + \Delta x) - (f(a) + f'(a)dx) = f(a + \Delta x) - f(a) - f'(a)dx$$

Par exemple, dans l'exemple 11 précédent, l'erreur commise est :

$$h(0 - 0,2) - (h(0) + h'(0) \cdot (-0,2)) = 0,8187 - (1 - 0,2) = 0,0187$$

Exercices

1. Pour les fonctions suivantes, posez $\Delta t = dt$ et trouvez Δy et dy lorsque :

a) $y = f(t) = 3t^2 + 5t + 1$ et t passe de 0 à 0,1

b) $y = g(t) = \dfrac{5}{t - 1}$ et t passe de 6 à 5,7

c) $y = h(t) = \sqrt{14 - t^2}$ et t passe de 2 à $\sqrt{5}$

2. Trouvez une formule permettant d'exprimer Δy en fonction de Δt et une formule permettant d'exprimer dy en fonction de dt, pour chaque fonction suivante :

a) $y = 3t - 6$

b) $y = t^2 + 4t - 1$

c) $y = e^{5t}$

d) $y = \cos t$

3. Soit $y = t^2$. Si $t = 3$, calculez Δy et dy lorsque :

a) $\Delta t = dt = 2$

b) $\Delta t = dt = 0,5$

c) $\Delta t = dt = 0,01$

4. Trouvez une approximation de Δy en calculant dy lorsque la variable t varie comme il est souhaité :

   a) $y = \frac{1}{t+3}$ lorsque t passe de 2 à 1,97.

   b) $y = \sqrt{t^2 + 3}$ lorsque t passe de 1 à 1,12.

5. Utilisez une approximation par la tangente pour évaluer les quantités ci-contre :

   a) $\sqrt{100,5}$

   b) $\sqrt{80}$

   c) $\sqrt[3]{8,08}$

   d) $\sqrt[3]{26}$

   e) $\sqrt[6]{65}$

   f) $(2,04)^3$

   g) $(32,3)^{\frac{4}{5}}$

   h) $3^{1,02}$

   i) $11^{0,1}$

   j) ln (0,98)

   k) sin (31°)

   l) tg (44°)

SECTION 10.4 Méthode de Newton

Nous devons régulièrement faire face à des situations où nous devons trouver les zéros d'une fonction. Si l'on sait comment trouver de façon exacte les zéros d'une fonction affine du type $f(x) = mx + b$ ou d'une fonction quadratique $g(t) = at^2 + bt + c$, il n'est pas aussi simple de trouver les valeurs exactes des zéros d'une fonction polynomiale de degré supérieur ou égal à trois, à moins que la fonction ne se factorise facilement, comme c'est le cas avec la fonction suivante :

$$f(x) = x^3 + 5x^2 + 6x = x(x^2 + 5x + 6) = x(x + 2)(x + 3)$$

Il n'est souvent pas plus simple de trouver les zéros d'une fonction faisant intervenir des fonctions exponentielles, logarithmiques, trigonométriques ou trigonométriques inverses. La méthode de Newton va nous permettre de trouver de bonnes approximations des zéros dans plusieurs de ces cas.

Les zéros d'une fonction $f(t)$ sont les valeurs de t pour lesquelles $f(t) = 0$, ce qui correspond graphiquement aux endroits où la fonction coupe l'axe horizontal. On peut déduire une formule qui permet de calculer diverses approximations d'un zéro, à partir d'une première approximation.

Supposons qu'on cherche la valeur du zéro z pour la fonction f dont le graphique apparaît ci-dessous. À partir d'une première approximation t_1 (effectuée en estimant à l'œil une valeur pouvant être à proximité d'un zéro), l'équation de la tangente qui passe par le point d'abscisse $(t_1, f(t_1))$ est donnée par :

$$\frac{y - f(t_1)}{t - t_1} = f'(t_1)$$

et donc

$$y - f(t_1) = f'(t_1)(t - t_1)$$

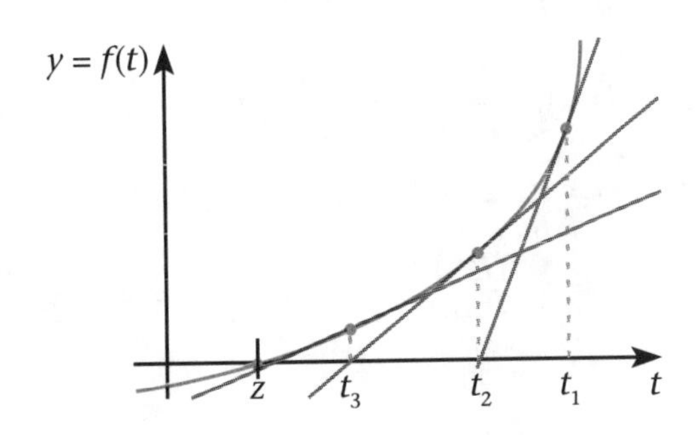

Si $f'(t_1) \neq 0$, alors la tangente n'est pas horizontale et coupe l'axe horizontal des t, supposons au point $(t_2, 0)$ qui doit vérifier l'équation de la tangente. On a alors :

$$0 - f(t_1) = f'(t_1)(t_2 - t_1)$$

Si on isole t_2, on obtient :

$$t_2 - t_1 = \frac{-f(t_1)}{f'(t_1)} \text{ et donc } t_2 = t_1 - \frac{f(t_1)}{f'(t_1)}$$

Si on reprend le même procédé pour trouver une nouvelle approximation à partir de t_2, on arrive à :

$$t_3 = t_2 - \frac{f(t_2)}{f'(t_2)}, \text{ à condition que } f'(t_2) \neq 0$$

On peut répéter ainsi le processus aussi longtemps qu'on le souhaite et espérer s'approcher d'un zéro de la fonction.

Méthode de Newton

Soit une fonction f définie par $f(t)$, dont la dérivée $f'(t)$ existe.

Soit t_1 une valeur pouvant servir de première approximation pour un zéro de la fonction f.

Si $f'(t_1) \neq 0$, alors $\quad t_2 = t_1 - \frac{f(t_1)}{f'(t_1)}$ est une nouvelle approximation du zéro.

Si $f'(t_2) \neq 0$, alors $\quad t_3 = t_2 - \frac{f(t_2)}{f'(t_2)}$ est une autre approximation du zéro.

On peut poursuivre ainsi. Si t_n est la n^e approximation du zéro (où $n = 1, 2, 3, 4, 5, ...$) et

si $f'(t_n) \neq 0$, alors $\quad t_{n+1} = t_n - \frac{f(t_n)}{f'(t_n)}$ est une nouvelle approximation du zéro.

Exemple 12

Soit la fonction $f(t) = t^3 - 2t - 6$. Puisque f est une fonction continue, que $f(2) = -2$ et que $f(3) = 15$, la fonction possède un zéro dans l'intervalle [2, 3]. Évaluez ce zéro en partant de $t_1 = 2$ et en trouvant t_4 avec la méthode de Newton.

On a $\quad f'(t) = 3t^2 - 2$

Puisque $\quad f'(2) = 3(2)^2 - 2 = 10 \neq 0$ et $f(2) = -2$

on a $\quad t_2 = t_1 - \frac{f(t_1)}{f'(t_1)} = 2 - \frac{f(2)}{f'(2)} = 2 - \frac{-2}{10} = 2{,}2$

Puisque $\quad f'(2{,}2) = 3(2{,}2)^2 - 2 = 12{,}52 \neq 0$ et $f(2{,}2) = 0{,}248$

on a $\quad t_3 = t_2 - \frac{f(t_2)}{f'(t_2)} = 2{,}2 - \frac{f(2{,}2)}{f'(2{,}2)} = 2{,}2 - \frac{0{,}248}{12{,}52} = 2{,}180$

Puisque $f'(2{,}180) = 3(2{,}180)^2 - 2 = 12{,}257 \neq 0$ et $f(2{,}180) = 0{,}000\,232$

on a $$t_4 = t_3 - \frac{f(t_3)}{f'(t_3)} = 2{,}180 - \frac{f(2{,}180)}{f'(2{,}180)} = 2{,}180 - \frac{0{,}000\,232}{12{,}257} = 2{,}179\,98$$

On peut donc estimer que le zéro de la fonction f dans l'intervalle [2, 3] est 2,179 98.

Attention !

1) On peut choisir l'approximation initiale t_1 de façon à maximiser l'efficacité de la méthode de Newton.

- On peut effectuer le calcul de l'image de certaines valeurs réelles du domaine de la fonction, afin de vérifier si une des valeurs sélectionnées possède une image près de 0.
- Si on travaille avec une fonction continue f et si, pour deux valeurs entières consécutives b et $b + 1$ du domaine de la fonction, on a $f(b) \times f(b + 1) < 0$, on s'assure que la fonction change de signe entre b et $b + 1$ et qu'il existe un zéro entre ces deux valeurs. On peut alors choisir comme première approximation $t_1 = b$ ou $t_1 = b + 1$.

2) Si vous êtes habile avec la calculatrice graphique, vous pouvez concevoir, pour une fonction prédéterminée, un programme permettant d'estimer un ou des zéros de la fonction à l'aide de la méthode de Newton.

Exemple 13

À l'aide de la méthode de Newton, évaluez $\sqrt{8}$ à quatre décimales.

On peut noter que 8 est une solution de l'équation $x^2 - 8 = 0$. Cherchons donc le zéro positif de la fonction $g(x) = x^2 - 8$.

On a $g(2) = -4$ et $g(3) = 1$. Ainsi, le zéro recherché se trouve entre 2 et 3 (et probablement plus près de 3 que de 2).

Prenons $x_1 = 3$.

On a $g'(x) = 2x$

Puisque $g'(3) = 6 \neq 0$ et $g(3) = 1$

on a $$x_2 = x_1 - \frac{g(x_1)}{g'(x_1)} = 3 - \frac{g(3)}{g'(3)} = 3 - \frac{1}{6} = 2{,}833\,3$$

Puisque $g'(2{,}833\,3) = 5{,}666\,6 \neq 0$ et $g(2{,}833\,3) = 0{,}027\,59$

on a $$x_3 = x_2 - \frac{g(x_2)}{g'(x_2)} = 2{,}833\,3 - \frac{g(2{,}833\,3)}{g'(2{,}833\,3)} = 2{,}833\,3 - \frac{0{,}027\,59}{5{,}666\,6} = 2{,}829\,4$$

Puisque $g'(2{,}829\,4) = 5{,}658\,8 \neq 0$ et $g(2{,}829\,4) = 0{,}005\,50$

on a $$x_4 = x_3 - \frac{g(x_3)}{g'(x_3)} = 2{,}829\,4 - \frac{g(2{,}829\,4)}{g'(2{,}829\,4)} = 2{,}829\,4 - \frac{0{,}005\,50}{5{,}658\,8} = 2{,}828\,4$$

Puisque $g'(2{,}828\,4) = 5{,}656\,8 \neq 0$ et $g(2{,}828\,4) = -0{,}000\,153$

on a $$x_5 = x_4 - \frac{g(x_4)}{g'(x_4)} = 2{,}828\,4 - \frac{g(2{,}828\,4)}{g'(2{,}828\,4)} = 2{,}828\,4 - \frac{-0{,}000\,153}{5{,}656\,8} = 2{,}828\,4$$

Puisque les quatre premières décimales n'ont pas changé de x_4 à x_5, on peut croire qu'on a l'approximation souhaitée et donc $\sqrt{8} \approx 2{,}828\,4$.

Attention !

Si, pour la recherche d'un zéro d'une fonction $f(t)$, à un moment donné, $f'(t_n) = 0$, alors la tangente au point $(t_n, f(t_n))$ est horizontale et il n'est plus possible de trouver une intersection avec l'axe horizontal. On doit alors cesser d'utiliser la méthode. On peut reprendre celle-ci avec une autre approximation initiale ou adopter une autre méthode de recherche.

Il arrive parfois que la méthode de Newton nous éloigne de la solution recherchée et même de toute solution. Observons la fonction h dont une partie du graphique est tracée ci-dessous. La fonction h possède comme plus grand zéro la valeur z (l'axe des t est une asymptote horizontale lorsque $t \to +\infty$).

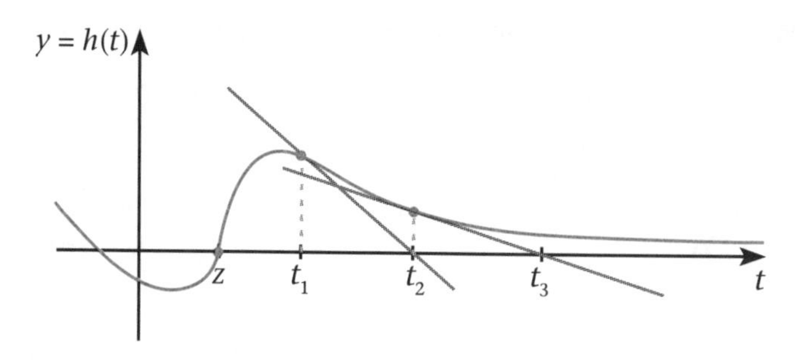

Si on choisit une première approximation t_1 un peu trop éloignée de z, les approximations t_2, t_3 et les approximations suivantes vont donner lieu à des valeurs de plus en plus élevées qui nous éloignent du zéro recherché.

Le choix de la première approximation peut donc être déterminant pour trouver ou non une approximation d'un zéro. Dans d'autres circonstances (comme dans l'exercice n° 3 qui suit), quel que soit le choix de la première approximation (à moins que ce ne soit le zéro lui-même), on s'éloigne systématiquement du zéro recherché.

Dans d'autres circonstances encore, il arrive que les approximations obtenues à l'aide de la méthode de Newton nous amènent à trouver une autre solution que celle que nous avons ciblée, comme c'est le cas avec la fonction g dont le graphique apparaît ci-dessous. La fonction g définie par $g(x)$ possède un zéro de valeur négative z_1 et un zéro de valeur positive z_2.

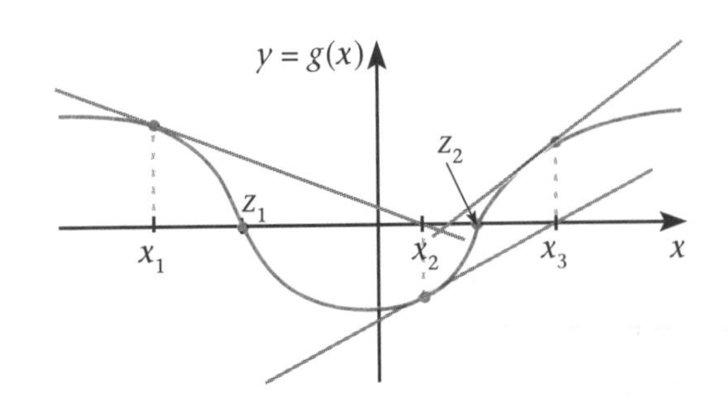

Si on choisit comme première estimation du zéro z_1 la valeur x_1 sur le graphique, on obtient deux approximations subséquentes x_2 et x_3 qui nous amènent à trouver le zéro positif z_2, plutôt que le zéro négatif z_1. L'exercice n° 4 qui suit présente une situation similaire.

Exercices

1. Évaluez une solution pour les équations suivantes, en utilisant la méthode de Newton afin d'obtenir l'approximation t_5, à partir de la valeur t_1 donnée.

a) $t^3 - t^2 - 2 = 0$, avec $t_1 = 2$

b) $t^5 + t^4 = 4 - t$, avec $t_1 = 1$

2. Utilisez la méthode de Newton pour trouver une approximation à trois décimales du ou des zéros demandés pour les fonctions suivantes :

a) $f(t) = 4t^2 + 3t - 5$, qui possède un zéro positif et un zéro négatif;

b) $g(z) = z^6 + 2z - 1$, qui possède un zéro positif et un zéro négatif;

c) $h(A) = A - 3 \sin A$, qui possède un seul zéro positif.

3. Soit la fonction $f(x) = \sqrt[5]{x}$. On voit que $x = 0$ est un zéro de la fonction f. Supposons qu'on avait cherché à évaluer cette valeur avec la méthode de Newton. Trouvez à quelle valeur de x_5 on serait arrivés en utilisant comme première approximation la valeur x_1 donnée, et observez ce qui se passe.

a) $x_1 = 1$

b) $x_1 = 0{,}001$

4. Soit la fonction $g(t) = 3t^2 - t^3 - 1$. Évaluez un zéro avec la méthode de Newton, en trouvant la valeur de t_5 si on utilise comme première approximation :

a) $t_1 = 1{,}5$

b) $t_1 = 1{,}75$

5. Utilisez la méthode de Newton pour donner une approximation à trois décimales de l'unique solution réelle des équations suivantes :

a) $u^3 = 1 - u$

b) $x^5 + x^3 = x^2 - 2{,}5$

c) $t^5 = 6 + t^2$

6. Utilisez la méthode de Newton (s'il y a lieu) pour donner une approximation à trois décimales des abscisses des points d'intersection des deux courbes données. Si vous le désirez, à l'aide de la calculatrice à affichage graphique, choisissez une première approximation.

a) $y = t^3$ et $y = t^2 + 2$, sachant qu'il y a un point d'intersection

b) $y = x^2$ et $y = \sqrt{3x}$, sachant qu'il y a un point d'intersection autre que le point (0, 0)

c) $y = u^2$ et $y = 2^u$, sachant qu'il y a un point d'intersection autre que les points (2, 4) et (4, 16)

d) $y = e^{-x}$ et $y = \ln x$, sachant qu'il y a un point d'intersection

e) $y = v$ et $y = \cos v$, sachant qu'il y a un point d'intersection

7. a) Montrez que le nombre $\frac{1}{K}$ (où K est un nombre réel différent de 0) est l'unique zéro de la fonction $f(t) = K - \frac{1}{t}$.

b) Pour trouver une approximation du nombre $\frac{1}{K}$, utilisez la méthode de Newton et montrez que $t_{n+1} = t_n(2 - Kt_n)$, où $n = 1, 2, 3, \ldots$

c) Utilisez la formule précédente pour évaluer à quatre décimales les nombres $\frac{1}{6}$ et $\frac{1}{14}$ en utilisant $t_1 = 0{,}1$.

8. a) Montrez que le nombre $\sqrt{K}$ (où K est un nombre réel supérieur ou égal à 0) est l'unique zéro positif de la fonction $g(x) = K - x^2$.

b) Pour trouver une approximation du nombre $\sqrt{K}$, utilisez la méthode de Newton pour montrer que $x_{n+1} = \frac{1}{2}\left(x_n + \frac{K}{x_n}\right)$, où $n = 1, 2, 3, \ldots$

c) Utilisez la formule précédente pour évaluer à quatre décimales les nombres $\sqrt{7}$ et $\sqrt{21}$, en utilisant comme valeur de t_1 les valeurs entières le plus près des valeurs recherchées.

9. À l'aide de la méthode de Newton, trouvez une approximation à trois décimales de l'abscisse du point associé au minimum de la fonction $f(t) = t^4 + t^2 + 8t$.

La mathématique au goût du jour

Les utilités du langage mathématique

Le langage symbolique a permis et permet encore aujourd'hui aux mathématiques de jouer un rôle important dans de nombreux domaines. Plusieurs phénomènes physiques, chimiques et biologiques défient notre intuition. Pour comprendre des choses auxquelles nos sens n'ont pas accès, comme tout ce qui touche, par exemple, au domaine des atomes et des molécules, au monde vivant microscopique et, sur un tout autre plan, à l'astronomie, les mots du quotidien n'étaient pas adéquats et il fallait utiliser un langage permettant une grande précision. Le langage mathématique répond à cette exigence. Alors que les mots du langage courant sont souvent trop vagues et approximatifs pour être utilisés dans les domaines scientifiques, le langage mathématique ne laisse pas place à l'interprétation.

Il est étonnant de constater que le langage mathématique, souvent utilisé par certains d'abord pour sa beauté et son efficacité, a amené des chercheurs à faire des découvertes qui ont vite trouvé des applications dans le monde réel. Par exemple, le langage symbolique a permis de prédire mathématiquement l'expansion de l'univers 10 ans avant que les télescopes deviennent assez puissants pour permettre de le voir.

À la base de plusieurs procédés utilisés en cryptographie (la science du codage secret) permettant de protéger, par exemple, les transactions effectuées par Internet se trouvent des problèmes de factorisation d'un nombre en nombres premiers sur lesquels se penchent depuis très longtemps des personnes qui ne pouvaient soupçonner l'application à laquelle donneraient lieu leurs découvertes. La théorie des nombres est ainsi devenue fort utile pour assurer la confidentialité des transactions financières courantes, des communications militaires et des opérations des services secrets.

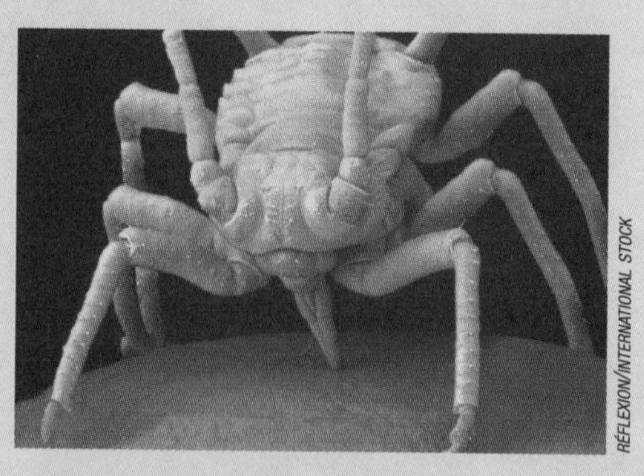

RÉFLEXION/INTERNATIONAL STOCK

Le langage mathématique permet de décrire, mieux que le langage courant, le monde microscopique.

En résumé

Lorsqu'une équation définit implicitement une variable y en fonction de t, on peut trouver $\frac{dy}{dt}$ en procédant comme suit :

- on doit dériver les deux côtés de l'équation fournie par rapport à t, en se rappelant que la dérivée de chaque terme comprenant y doit inclure le facteur $\frac{dy}{dt}$ (ceci est une conséquence de la dérivation en chaîne);
- on doit effectuer les opérations algébriques pertinentes qui permettent d'isoler $\frac{dy}{dt}$.

On a $\Delta y = f(x + \Delta x) - f(x)$ qui représente le déplacement vertical sur la courbe de f, résultant d'un déplacement Δx sur l'axe des x

et $dy = f'(x)dx$ qui représente la variation verticale sur la tangente à la courbe de f, résultant d'un déplacement $dx = \Delta x$ sur l'axe des x.

Méthode de Newton

Soit une fonction f définie par $f(t)$, dont la dérivée $f'(t)$ existe. Soit t_1 une valeur pouvant servir de première approximation pour un zéro de la fonction f.

Si $f'(t_1) \neq 0$, alors $t_2 = t_1 - \frac{f(t_1)}{f'(t_1)}$ est une nouvelle approximation du zéro.

Si $f'(t_2) \neq 0$, alors $t_3 = t_2 - \frac{f(t_2)}{f'(t_2)}$ est une autre approximation du zéro.

Si t_n est la n^e approximation du zéro (où $n = 1, 2, 3, 4, 5, ...$) et si $f'(t_n) \neq 0$,

alors $t_{n+1} = t_n - \frac{f(t_n)}{f'(t_n)}$ est une nouvelle approximation du zéro.

Problèmes

Section 10.1 (p. 302)
Dérivation implicite

1. Si p représente le prix d'un article (en dollars) et n est le nombre d'articles produits, calculez $\frac{dn}{dp}$ pour la valeur de n ou de p donnée (on suppose que n et p sont positifs).

a) $p = 20 - 3n$, $n = 4$ articles

b) $p = \frac{7}{2 + n^2}$, $n = 3$ articles

c) $n^2 + p^2 = 36$, $p = 5$ \$

d) $4n^2 + 25p^2 = 125$, $p = 2$ \$

2. Supposons que le taux de production de photosynthèse T (en unités) est relié à l'intensité lumineuse positive I (mesurée en lumens) par la formule $T = \frac{2I}{8 + I^2}$. Trouvez $\frac{dI}{dT}$ lorsque :

a) $I = 2$ lumens **b)** $T = \frac{1}{\sqrt{8}}$ unité

Section 10.2 (p. 308)
Taux de variation liés

3. Le coût de production C (en dollars) est donné par $C(n) = 16 + 0{,}3n^2$, où n est le nombre d'articles fabriqués. Ce nombre augmente à un taux constant de 30 articles par mois. Trouvez le taux de variation des coûts de production par rapport au temps, lorsque $n = 150$.

4. Le nombre d'articles vendus est $n = 1000 - 0{,}2p$ (où p est le prix de vente en dollars) et la quantité n augmente à un taux constant de 10 unités par semaine. Trouvez le taux de variation de p par rapport au temps et interprétez le résultat.

5. Une particule se déplace selon une trajectoire circulaire définie par $x^2 + (y + 1)^2 = 25$, où $x \geq 0$ et $y \geq -1$. Le taux de variation de x par rapport au temps est de 5 centimètres par seconde. Évaluez le taux de variation de y par rapport au temps lorsque :

a) $x = -4$ **b)** $y = 3$

6. Le nombre de résidences dans une ville est donné par $N(t) = \sqrt{5 + 2t}$ milliers de maisons, où t est le nombre d'années écoulées depuis le 1er janvier 2001. Si la valeur moyenne des résidences en question est de $V(t) = 71 + 0{,}3t$ milliers de dollars et si la municipalité impose à chaque année des taxes municipales de 0,5 % de la valeur de la maison, trouvez à quel taux les revenus municipaux annuels vont augmenter en janvier 2006.

7. On jette un caillou dans une mare d'eau tranquille et il provoque des ondes circulaires dont le rayon croît à un taux constant de 8 centimètres par seconde. Quand le rayon est de 35 centimètres, calculez à quelle vitesse l'aire du cercle augmente.

8. Un déversement de pétrole se répand en une nappe circulaire sur l'eau. Au moment où le rayon de la nappe est de 2,2 kilomètres, il croît de 0,7 kilomètre par jour. Trouvez à ce moment précis le taux de variation par rapport au temps de :

a) la circonférence de la nappe de pétrole;

b) la surface de la nappe de pétrole.

9. Après l'utilisation d'un médicament, le rayon d'une tumeur sphérique décroît à une vitesse de 1 millimètre par semaine. Trouvez le taux de variation du volume de la tumeur par rapport au temps, au moment où :

a) le rayon est de 5 millimètres;

b) le volume est de 50 millimètres cubes.

10. Le volume d'une cellule sphérique croît à un taux constant de 0,5 millimètre cube toutes les 20 heures. Trouvez à quel taux par heure croît son rayon lorsque celui-ci est égal à 0,2 millimètre.

11. Un cube de glace de 800 centimètres cubes se trouvant dans une glacière fond à une vitesse de $-0{,}8x^2$ centimètres cubes à l'heure, où x est la mesure de l'arête du cube (en centimètres).

a) Trouvez le taux de variation $\frac{dx}{dt}$.

b) Déterminez le volume du cube dans 12 heures.

c) Déterminez le temps qu'il faut pour que le cube de glace ait complètement fondu.

12. Un verger compte 100 pommiers. La production moyenne par arbre est actuellement de 80 kilogrammes de pommes par année et elle augmente de 5 kilogrammes par année. Si on prévoit que le prix des pommes augmentera de 20 ¢ du kilo à chaque année et s'il est actuellement de 1,50 $ du kilo, trouvez le taux auquel les revenus annuels du verger (pour la vente des pommes) vont augmenter dans la prochaine année, sachant que le nombre d'arbres ne change pas.

13. Les frais d'inscription annuels d'une université sont en moyenne de 2000 $ par étudiant et l'université compte 3000 étudiants. Si les frais augmentent de 120 $ par année et si la clientèle baisse de 30 personnes par année, trouvez le taux de variation des revenus annuels de l'université pour la prochaine période de deux ans.

14. Une fusée s'élevant verticalement vers le ciel est surveillée à partir d'une station radar située au sol, à 5 kilomètres de la plate-forme de lancement. Trouvez la vitesse de la fusée au moment où elle atteint une altitude de 4 kilomètres, sachant qu'à ce moment précis la distance entre la fusée et le radar s'accroît au taux de 2000 kilomètres à l'heure.

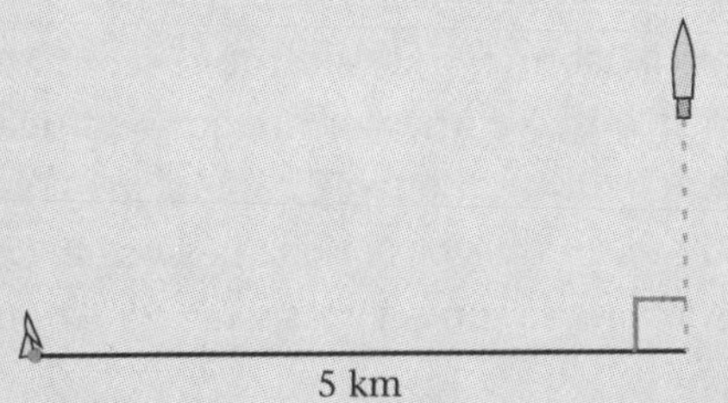

15. Une femme mesurant 1,5 mètre s'approche à une vitesse constante de 5 kilomètres à l'heure d'un lampadaire dont la lumière est à une hauteur de 12 mètres du sol. Calculez à quelle vitesse la longueur de son ombre varie.

16. On tire un radeau vers un quai d'une hauteur de 3 mètres à l'aide d'un câble. La longueur du câble diminue à une vitesse de 0,05 mètre par seconde.

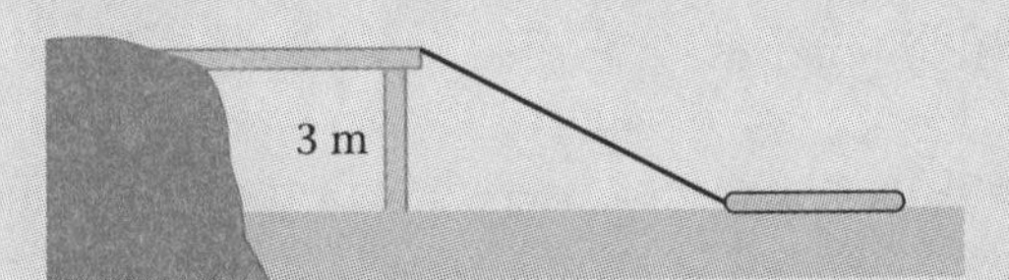

Déterminez à quelle vitesse le radeau s'approche de la base du quai, lorsqu'il est situé à 10 mètres de celui-ci.

17. Une personne court à une vitesse de 7 kilomètres à l'heure en direction d'un point de rencontre qui se trouve 1 kilomètre au nord de l'endroit où elle se trouve. Au même moment, une deuxième personne, qui se trouve à 1,5 kilomètre à l'ouest du point de rencontre, court à une vitesse de 9 kilomètres à l'heure en direction du point de rencontre. Trouvez à quel taux la distance qui sépare les deux personnes change à ce moment précis.

18. Deux piétons contournent un grand terrain vague rectangulaire par deux chemins différents, en quittant en même temps le point A pour aller au point C. Claude marche à une vitesse constante de 5 kilomètres à l'heure et passe par le point B (voir le schéma qui suit) Sylvie marche à une vitesse constante de 6 kilomètres à l'heure et passe par le point D. Calculez le taux de variation de la distance qui les sépare par rapport au temps :

a) au bout de 5 minutes;

b) au bout de 10 minutes.

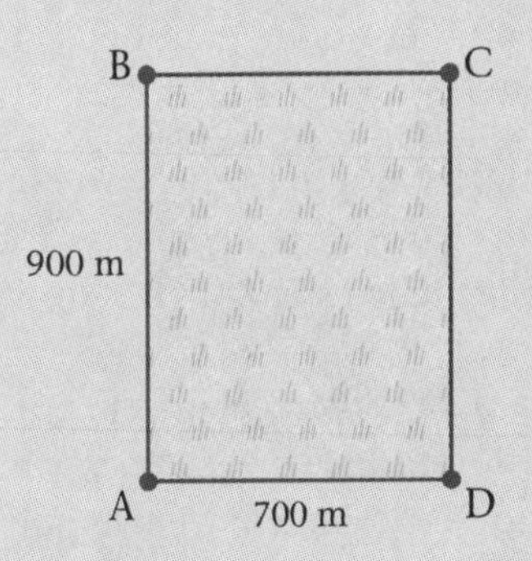

19. Un réservoir d'eau a la forme d'un cône dont la pointe est vers le bas. Le rayon et la hauteur du cône sont indiqués dans le dessin ci-dessous. Si l'eau tombe dans le réservoir à un débit constant de 1 mètre cube par minute, trouvez, au moment où le niveau d'eau est de 2,5 mètres dans le cône, le taux de variation par rapport au temps :

a) du niveau de l'eau dans le cône;

b) de la surface de l'eau dans le cône.

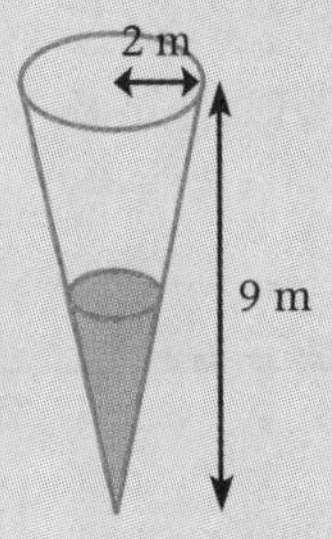

20. Un contenant cylindrique d'un diamètre de 16 centimètres perd son liquide à un taux de $\ln(h^4)$ centimètres cubes par minute, où h est le niveau du liquide dans le contenant et $h < 1$ centimètre. Calculez à quelle vitesse le niveau du liquide descend dans le contenant, lorsqu'il y reste :

a) 100 centimètres cubes de liquide;

b) 20 centimètres cubes de liquide.

21. Une échelle de 20 mètres est appuyée contre un mur et le bas de cette échelle glisse et s'éloigne du mur à une vitesse de 0,4 mètre par seconde. Calculez à quelle vitesse :

a) le haut de l'échelle descend contre le mur, au moment où le bas se trouve à 10 mètres du mur ;

b) le haut de l'échelle descend contre le mur, au moment où le haut de l'échelle se trouve à 6 mètres du sol ;

c) l'angle A qui se trouve entre le mur et le haut de l'échelle augmente, lorsque le bas de l'échelle est à 2 mètres du mur.

22. Une caméra est située au sol, à 50 mètres d'un point de chute, et vise une parachutiste qui descend verticalement vers le point de chute à la vitesse de 22 kilomètres à l'heure. Déterminez le taux de variation par rapport au temps de l'angle d'élévation A de la caméra (relativement au sol) lorsque :

a) $A = \frac{\pi}{20}$ radian ;

b) la distance entre la parachutiste et le sol est de 50 mètres.

23. Une locomotive se déplace en ligne droite à la vitesse de 1,2 kilomètre par minute, le long d'une voie ferrée, vers l'ouest. Une caméra placée à 0,7 kilomètre de la voie ferrée suit la locomotive.

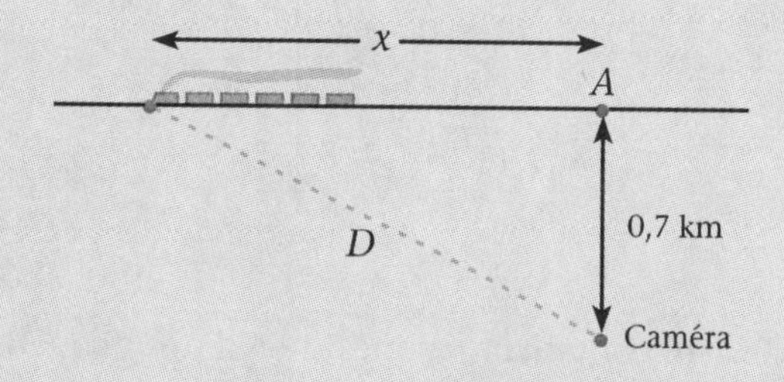

a) Trouvez le taux de variation de D par rapport au temps t, lorsque le train est à 0,1 kilomètre du point A.

b) Trouvez x si $\frac{dD}{dt} = 1$ kilomètre par minute.

c) Trouvez le taux de variation de l'angle de rotation de la caméra lorsque le train est à 0,3 kilomètre du point A.

24. Deux bateaux partent du même point A, mais en prenant deux directions créant un angle de 49° au point A. Si la vitesse constante des deux bateaux est de 7 kilomètres à l'heure et de 11 kilomètres à l'heure, calculez la vitesse à laquelle varie la distance entre les deux bateaux au bout de trois heures après le départ.

25. Une personne qui se trouve en haut d'une falaise observe une voiture qui se dirige vers un tunnel dont l'entrée est dans la falaise, 150 mètres plus bas que la personne. La voiture se déplace à une vitesse de 95 kilomètres à l'heure.

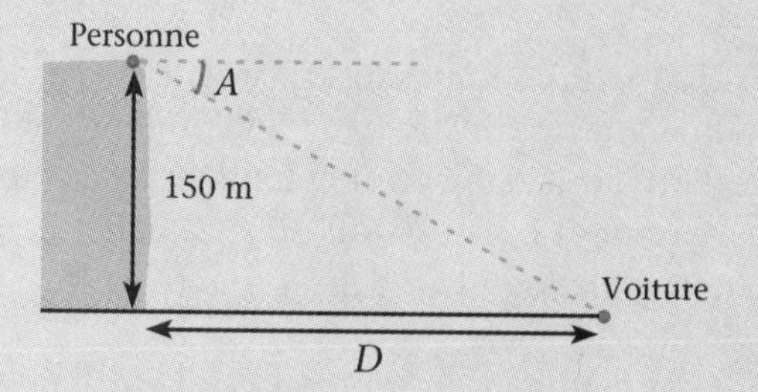

Déterminez le taux de variation de l'angle A par rapport au temps lorsque la voiture se trouve à 200 mètres du tunnel.

26. Une personne observe deux trains qui vont se croiser sur deux rails parallèles. La personne est à 100 mètres de la voie la plus proche et à 115 mètres de la deuxième voie. Les deux trains roulent à une vitesse constante de 90 kilomètres à l'heure.

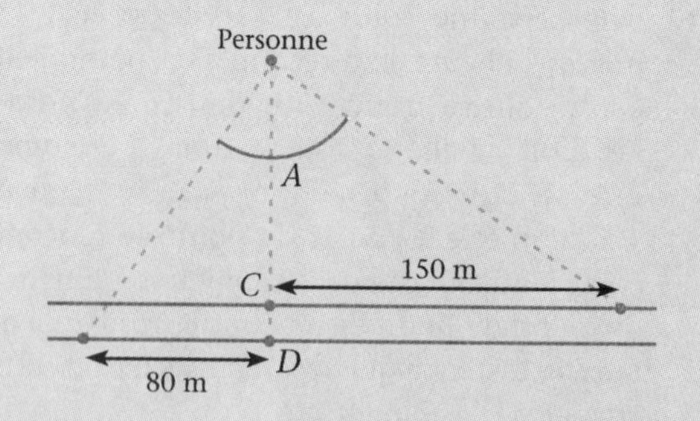

Calculez le taux de variation de l'angle de visée A de la personne lorsque le train T_1 est à 150 mètres du point C et lorsque, au même moment, le train T_2 est à 80 mètres du point D.

Section 10.3 (p. 313)
Différentielle

27. Un trottoir entoure un parc carré dont le côté mesure 0,5 kilomètre. Le trottoir a une largeur de 2 mètres.

a) À l'aide des différentielles, évaluez la surface totale du trottoir.

b) Trouvez la surface exacte du trottoir en question.

28. On a formé une cible pour des dards en traçant plusieurs cercles ayant le même centre. Les deux plus grands cercles ont des rayons respectifs de 17 centimètres et 17,2 centimètres.

a) À l'aide de différentielles, évaluez la surface qui est comprise entre ces deux cercles.

b) Trouvez la surface exacte de cette zone.

29. On étend sur les six faces d'un cube dont le côté mesure 30 centimètres une couche de peinture de 1 millimètre d'épaisseur.

a) À l'aide de différentielles, évaluez le volume de la peinture utilisée.

b) Trouvez le volume réel de peinture.

30. Un fil de cuivre d'un rayon de 3 millimètres et d'une longueur de 25 millimètres est recouvert d'une fine couche de caoutchouc de 0,4 millimètre d'épaisseur (sauf à ses extrémités).

a) À l'aide de différentielles, évaluez le volume de caoutchouc utilisé pour recouvrir le fil.

b) Trouvez le volume réel de caoutchouc.

Auto-évaluation

1. Trouvez $\frac{dy}{dx}$ dans les problèmes suivants :

a) $xy = x - y$

b) $xy + 3 = \frac{x + 2y^2}{xy - 4x}$

c) $xy + x^2y^2 + x^3y^3 = 8$

d) $y \ln x + x \ln y = 5$

e) $5^{(yx-2)} = x^2$

f) $\sin y = x \cos y$

g) $\text{arctg}\,(yx) = 3 \arccos y$

2. Le rayon d'un ballon sphérique croît à raison de 3 centimètres par minute. Trouvez le taux de variation :

a) de la quantité d'hélium dont le ballon est gonflé lorsque le rayon est de 15 centimètres;

b) de la quantité d'hélium dont le ballon est gonflé lorsque le volume de ce dernier est de 50 centimètres cubes;

c) de la surface totale du ballon, lorsque le rayon est de 20 centimètres.

3. Pour chacune des équations suivantes, trouvez la pente de la tangente au point donné (la variable y est, dans chaque cas, la variable dépendante) :

a) $x^2 + y^2 = 25$ au point (-3, 4)

b) $z^2y^2 = 9$ au point (-3, -1)

4. Le nombre d'articles vendus N est donné par $N(p) = 15 - 0{,}3p$, où p est le prix de l'article (en dollars), et le nombre d'articles vendus augmente à un taux de 15 articles par semaine. Trouvez le taux de variation :

a) du prix de vente par rapport au temps;

b) du revenu par rapport au temps lorsque $N = 10$ articles.

5. Les côtés congrus d'un triangle isocèle mesurent 2 mètres et la longueur de la base du triangle diminue à une vitesse de 0,1 mètre par minute. Par rapport au temps, lorsque la base est de 0,5 mètre, calculez le taux de variation :

a) de la hauteur du triangle;

b) de la surface du triangle;

c) du périmètre du triangle.

6. Un individu O se dirige perpendiculairement à un mur, à la vitesse constante de 5 kilomètres à l'heure, vers un point p situé au centre de ce mur de 50 mètres de longueur. Déterminez le taux de variation de l'angle A par rapport au temps lorsque l'individu est à 15 mètres du mur.

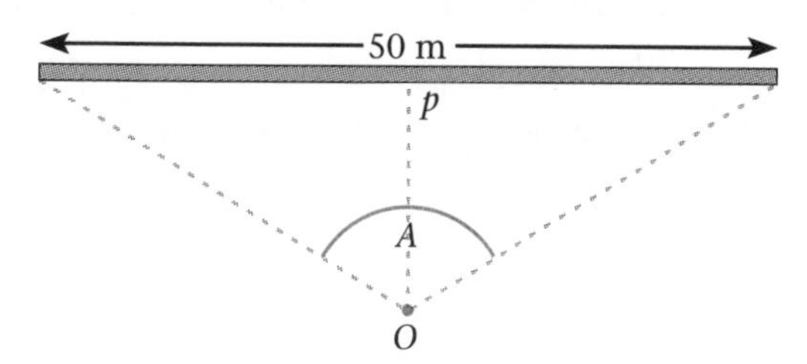

7. Un canot pneumatique se dirige vers un phare dont la lumière se trouve à 75 mètres au-dessus de l'eau. La personne qui conduit le canot peut observer la lumière du phare avec un angle d'élévation de A radians. Si x est la distance entre le canot et la base du phare, déterminez le taux de variation de A par rapport au temps, lorsque le canot avance à une vitesse de 1,2 mètre par seconde lorsqu'il se trouve à 55 mètres de la base du phare.

8. Un métal se dilate à la chaleur. On crée à l'aide de ce métal un cylindre d'un rayon de 20 millimètres et d'une hauteur de 50 millimètres, et on le réchauffe. Calculez le taux de variation du volume du cylindre en fonction de la température :

a) si le rayon augmente de 0,001 millimètre par degré Celsius et que la hauteur ne change pas;

b) si la hauteur augmente de 0,001 millimètre par degré Celsius et que le rayon ne change pas;

c) si le rayon et la hauteur augmentent de 0,001 millimètre par degré Celsius.

9. Soit $y = \frac{3}{u}$. Si $u = 1$, calculez Δy et dy, lorsque :

a) $\Delta u = du = 2$

b) $\Delta u = du = 0{,}5$

c) $\Delta u = du = 0{,}001$

10. Évaluez la valeur $\sqrt{50}$:

a) à l'aide d'une approximation par la tangente;

b) à l'aide de la méthode de Newton, en vous inspirant de l'exercice nº 8 de la section 10.4 et en trouvant la valeur x_4.

Chapitre 11

Intégrale indéfinie et intégrale définie

Plan du chapitre

Objectifs

D'ICI LA FIN DE CE CHAPITRE, VOUS DEVRIEZ POUVOIR :

- TROUVER UNE INTÉGRALE INDÉFINIE À L'AIDE D'OPÉRATIONS MATHÉMATIQUES PERTINENTES ET DE TECHNIQUES APPROPRIÉES ;
- DÉTERMINER UNE FONCTION À PARTIR DE SON TAUX DE VARIATION ET DE CERTAINES CARACTÉRISTIQUES ADDITIONNELLES ;
- CALCULER DES AIRES SOUS LA COURBE À L'AIDE DE L'INTÉGRALE DÉFINIE ;
- MODÉLISER UNE SITUATION À L'AIDE D'UNE INTÉGRALE DÉFINIE.

« L'esprit qui travaille en surface a certainement beaucoup plus d'idées que celui qui travaille en profondeur... »

JULIEN BENDA (1867-1956)

Le cours de l'histoire

Quelques mots sur les travaux de Gottfried Wilhelm Leibniz concernant le calcul intégral

Gottfried Wilhelm Leibniz (1646-1716) va s'intéresser toute sa vie au droit, à la philosophie et aux mathématiques. Malgré le fait qu'il soit surtout impliqué dans le monde administratif et politique allemand, il cherche à élaborer un langage plus précis et souple pour l'ensemble des domaines de la pensée et apporte une contribution majeure aux mathématiques. D'ailleurs, plusieurs des notations utilisées actuellement en calcul différentiel et intégral ont été suggérées pour la première fois par Leibniz.

PUBLIPHOTO/EXPLORER

Gottfried Wilhelm Leibniz (1646-1716)

Leibniz n'est formé en mathématiques qu'entre 1672 et 1676 par Huygens (1629-1695), à Paris. Il n'écrit jamais d'ouvrage sur les mathématiques, mais publie toutefois de très nombreux articles sur les sujets qui l'intéressent, entre 1682 et 1713. Leibniz fait l'inventaire de diverses notations (qu'il modifie fréquemment en vue de les améliorer), ainsi que des méthodes de transformations ou de changements de variables dans le calcul différentiel et intégral. Il souhaite algébriser les processus qui font appel à l'infini, afin de les rendre plus automatiques.

Une polémique s'engage au sujet de la découverte du calcul différentiel et intégral. Newton a rédigé un traité complet sur le calcul différentiel et intégral avant 1672, mais cet ouvrage n'est pas publié (il ne le sera qu'après sa mort, soit après 1727). Leibniz prétend qu'il n'a jamais pris connaissance des résultats que Newton a trouvés, et il est le premier (à partir de 1682) à publier ses résultats sur le sujet dans de nombreux articles. Ses publications s'échelonneront sur une trentaine d'années.

La cinétique et la géométrie sont les sources d'inspiration de Newton, alors que c'est l'algèbre qui est la source d'inspiration de Leibniz. Chez Newton, l'intégrale est indéfinie; il propose avec prudence qu'intégrer, c'est faire l'inverse de la dérivation. C'est l'intégrale définie qui intéresse d'abord Leibniz. Nous verrons la différence entre ces deux types d'intégrale dans le présent chapitre.

Les deux hommes ont le mérite d'avoir créé une discipline spécifique, qui permet de « construire un objet inconnu » (par exemple, le graphique d'une fonction) à partir de certaines propriétés de l'objet en question, données par la dérivée première ou la dérivée seconde.

Avant d'aller plus loin

Préalables

1. Trouvez la dérivée des fonctions suivantes :

a) $f(x) = x^4 + 2x^3 - 7x + 8$

b) $g(t) = (t^4 + 2t)^{112}$

c) $h(z) = e^z + \ln z$

d) $k(u) = \cos u - \sin u$

2. Trouvez une fonction f telle que sa dérivée est :

a) $f'(t) = 4t^3$

b) $f'(a) = a^3$

c) $f'(z) = \frac{1}{z}$ si $z > 0$

d) $f'(x) = 7e^x$

e) $f'(u) = \cos u - \sin u$

f) $f'(v) = 12 \sec^2 v$

3. Exprimez les quantités suivantes sous la forme x^n.

a) $\frac{1}{x^3}$ **b)** $\sqrt{x^5}$ **c)** $\frac{1}{\sqrt[5]{x^7}}$

4. Calculez les différentielles dy pour les expressions suivantes :

a) $y = 6x^2 + 7x - 12$

b) $y = \frac{u^2 + 1}{u - 1}$

c) $y = \ln (t^5 + 3t)$

d) $y = \text{cosec}\,(3z + \pi)$

5. Trouvez la surface de la région du plan cartésien se trouvant entre l'axe des x, les droites verticales $x = 2$ et $x = 6$ et la courbe d'équation :

a) $y = f(x) = 12$

b) $y = g(x) = 7x$

c) $y = h(x) = \begin{cases} 3x - 4 & \text{si } x < 4 \\ 8 & \text{si } 4 \leq x \leq 7 \end{cases}$

Langages mathématique et graphique

1. Traduisez en langage mathématique les phrases suivantes :

a) La dérivée de la somme des fonctions $F(x)$ et $G(x)$ est la somme des dérivées respectives des deux fonctions.

b) La dérivée du produit d'une fonction $F(x)$ par une constante a est le produit de la constante a par la dérivée de la fonction $F(x)$.

2. Une façon de noter la somme des termes

$$y_1 + y_2 + y_3 + y_4$$

est d'écrire $\sum_{i=1}^{4} y_i$. Le symbole de sommation Σ représente une somme de termes, dans laquelle l'indice i prend les valeurs entières de 1 à 4. De même,

$$t_1 + t_2 + t_3 + ... + t_8 = \sum_{j=1}^{8} t_j$$

(j prend ici les valeurs entières de 1 à 8). Exprimez les sommes suivantes à l'aide d'une sommation :

a) $f(x_1) + f(x_2) + f(x_3) + f(x_4) + f(x_5)$

b) $g(t_1) + g(t_2) + g(t_3) + ... + g(t_{17})$

c) $3h(z_1) + 3h(z_2) + 3h(z_3) + ... + 3h(z_n)$

d) $1k(w_1) + 2k(w_2) + 3k(w_3) + ... + nk(w_n)$

e) $1 - 4 + 9 - 16 + 25 - 36 + ... - 100 + 121$

f) $\frac{1^3}{2} + \frac{2^3}{3} + \frac{3^3}{4} + ... + \frac{19^3}{20}$

SECTION **11.1**

Primitives, concept d'intégrale indéfinie et règles d'intégration indéfinie

Concept de primitive

La dérivée d'une fonction peut être interprétée comme un taux de variation de la variable dépendante par rapport à une variation de une unité de la variable indépendante. Par exemple, si la fonction $C(q)$ donne le coût total de fabrication pour produire q unités par semaine, alors $\frac{dC}{dq} = C'(q)$ donne le taux de variation du coût total par rapport à q (on appelle ce taux de variation le coût marginal).

Supposons maintenant que la production de chaque unité supplémentaire augmente les coûts de production de 100 \$. Le coût marginal est alors de 100 \$ par unité et donc $\frac{dC}{dq} = 100$ \$/unité. Quelle serait la fonction donnant le coût total de production ? La fonction $C(q)$ recherchée doit être telle que sa dérivée est $C'(q) = 100$. Une fonction possible est $C_1(q) = 100q$ \$. On peut toutefois penser à $C_2(q) = 100q + 5000$ \$ ou $C_3(q) = 100q + 20\,000$ \$. En effet, les dérivées de $C_1(q)$, $C_2(q)$ et $C_3(q)$ donnent bien un coût marginal de 100 \$/unité. Ces trois fonctions sont appelées des primitives de $C'(q) = 100$.

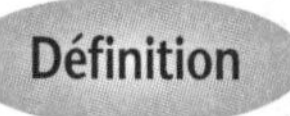

La fonction F est une **primitive de la fonction f** si F est dérivable et si $F'(t) = f(t)$.

Exemple 1

Trouvez cinq primitives distinctes de la fonction $g(t) = 2t$.

On cherche des fonctions $G(t)$ telles que $G'(t) = 2t$. Puisque $(t^2)' = 2t$ et puisque la dérivée d'une constante est 0, on peut choisir, par exemple :

$$G_1(t) = t^2,\ G_2(t) = t^2 - 4,\ G_3(t) = t^2 + 67{,}3$$

$$G_4(t) = t^2 - \pi \text{ et } G_5(t) = t^2 + e^3$$

L'exemple précédent suggère que si $F(x)$ est une primitive de la fonction $f(x)$, alors, automatiquement, si K est une constante, $F(x) + K$ est également une primitive de f. En effet, la dérivée d'une constante étant 0 :

$$\frac{d}{dx}(F(x) + K) = \frac{d}{dx}(F(x)) + \frac{d}{dx}(K) = \frac{d}{dx}(F(x)) + 0 = f(x)$$

Le théorème suivant donne plus de précisions sur la nature des diverses primitives d'une fonction donnée.

Théorème

Soit deux primitives $F(t)$ et $G(t)$ d'une fonction $f(t)$. Alors, il existe nécessairement une constante K telle que $F(t) = G(t) + K$.

Pour prouver ce théorème, remarquons d'abord que si $H(t)$ est une fonction continue telle que $H'(t) = 0$ pour tous les t réels, alors le graphique de la fonction $H(t)$ a une pente nulle pour toute les valeurs de t et la tangente à la courbe est horizontale en chaque point. Cela veut dire que la fonction H est associée à une droite horizontale et donc $H(t) = K$, où K est une constante. En conséquence, si $F(t)$ et $G(t)$ sont deux primitives de $f(t)$, alors :

$$H(t) = F(t) - G(t) \text{ est telle que } H'(t) = F'(t) - G'(t) = f(t) - f(t) = 0$$

pour tous les t.

Ainsi, $$H(t) = K \text{ (où } K \text{ est une constante)}$$

et donc $$F(t) - G(t) = K \text{ ou } F(t) = G(t) + K$$

En conséquence, dès qu'on réussit à trouver une primitive F d'une fonction f, on peut exprimer l'ensemble de toutes les primitives à l'aide d'une expression de la forme $F(t) + K$, où K est une constante (appelée constante d'intégration).

Concept d'intégrale indéfinie

Il existe un symbole pour noter l'ensemble des primitives de la fonction $f(x)$. Il s'agit de :

$$\int f(x)\,dx$$

qu'on appelle une intégrale indéfinie. Le symbole $\int$ (qui ressemble à un S allongé) est le signe d'intégration, la fonction f est appelée **l'intégrande** et dx est la différentielle définie au chapitre 10 (p. 313). Pour l'instant, la présence de cette différentielle dx peut être interprétée comme une précision quant à la variable indépendante dans le contexte. Dans la section 11.3, nous verrons que les deux symboles $\int$ et dx ont un sens qui nous aidera à mieux comprendre pourquoi ils sont associés. Nous verrons également pourquoi on ajoute le qualificatif «indéfinie» au mot intégrale.

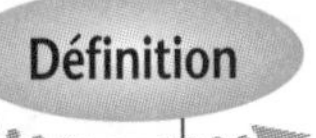

L'intégrale indéfinie de $f(x)$ est la famille de toutes les primitives associées à une fonction $f(x)$.

À la suite du théorème précédent, si $F(x)$ est une primitive de $f(x)$, alors :

$$\int f(x)\,dx = F(x) + K,$$

où K est une constante appelée **constante d'intégration**. Dans ce qui suit, il sera sous-entendu que K représente la constante d'intégration. On doit ajouter la constante d'intégration dans le processus d'intégration indéfinie, puisque le résultat représente alors *toute la famille des fonctions dont la fonction dérivée est la fonction* $f(x)$. Et chercher l'ensemble des primitives de f se traduit par l'expression «intégrer la fonction f».

Règles et propriétés de l'intégrale indéfinie

Pour l'instant, le seul moyen dont on dispose pour trouver une intégrale est de puiser intuitivement dans les fonctions déjà connues pour retracer une primitive d'une fonction donnée. Plus loin dans ce chapitre, nous verrons quelques méthodes qui permettent d'intégrer des fonctions relativement simples. Comme pour les dérivées, il existe une série de formules qui permettent d'obtenir directement les intégrales recherchées. Dans un deuxième cours de calcul différentiel et intégral, l'intégration occupe une place importante et des méthodes d'intégration plus élaborées sont présentées.

Exemple 2

Trouvez les intégrales indéfinies suivantes :

a) $\int dv$

On a $$\int dv = \int 1\, dv$$

et puisque $$\frac{d}{dv}(v) = 1$$

$$\int dv = \int 1\, dv = v + K$$

b) $\int 3t^2\, dt$

On a $$\int 3t^2\, dt = t^3 + K$$

car $$\frac{d}{dt}(t^3 + K) = 3t^2 + 0 = 3t^2$$

c) $\int 7u^6\, du$

On a $$\int 7u^6\, du = u^7 + K$$

car $$\frac{d}{du}(u^7 + K) = 7u^6 + 0 = 7u^6$$

d) $\int u^6\, du$

On cherche une primitive $F(u)$ telle que $F'(u) = u^6$. On sait que $(u^7)' = 7u^6$; par conséquent, si on pose $F(u) = \frac{1}{7}u^7$,

on a $$F'(u) = \left(\frac{1}{7}u^7\right)' = \frac{1}{7}(u^7)' = \frac{1}{7} \cdot 7u^6 = u^6$$

Ainsi, on a $$\int u^6\, du = \frac{1}{7}u^7 + K$$

e) $\int w^{104}\, dw$

Puisque $$\left(\frac{1}{105}w^{105}\right)' = \frac{1}{105}(w^{105})' = \frac{1}{105} \cdot 105w^{104} = w^{104}$$

on a $$\int w^{104}\, dw = \frac{1}{105}w^{105} + K$$

Des exemples précédents, on peut déduire les règles I1 et I2 suivantes :

Règle I1 $$\int du = \int 1\, du = u + K$$

En effet, $\frac{d}{du}(u + K) = 1 + 0 = 1$.

Règle I2 Si n est un nombre réel différent de -1, alors :

$$\int u^n\, du = \frac{1}{n+1}u^{n+1} + K = \frac{u^{n+1}}{n+1} + K$$

En effet, $\frac{d}{du}\left(\frac{1}{n+1}u^{n+1} + K\right) = \frac{1}{n+1}(n+1)u^{n+1-1} + 0 = u^n$.

Attention !

On remarque que la règle I2 ne peut s'appliquer lorsque n = -1, car la quantité n + 1 est alors nulle et l'expression $\frac{1}{n+1}u^{n+1}$ n'est pas définie dans ce cas.

Exemple 3

Trouvez les intégrales indéfinies suivantes :

a) $\int \frac{du}{u^{12}}$

On a $$\int \frac{du}{u^{12}} = \int \frac{1}{u^{12}}\, du = \int u^{-12}\, du = \frac{1}{-12+1}u^{-12+1} + K \text{ (selon I2)}$$

et donc $$\int \frac{du}{u^{12}} = \frac{u^{-11}}{-11} + K = \frac{-1}{11u^{11}} + K$$

b) $\int \frac{1}{\sqrt{t}}\, dt$

On a $$\int \frac{1}{\sqrt{t}}\, dt = \int t^{\frac{-1}{2}}\, dt = \frac{1}{\left(-\frac{1}{2}+1\right)}t^{\left(-\frac{1}{2}+1\right)} + K \text{ (selon I2)}$$

et donc $$\int \frac{1}{\sqrt{t}}\, dt = \frac{1}{\frac{1}{2}}t^{\frac{1}{2}} + K = 2\sqrt{t} + K$$

Attention !

On peut vérifier le résultat d'une intégrale indéfinie en dérivant la réponse finale obtenue et en observant si on obtient l'intégrande de l'intégrale. Dans l'exemple 3(a), on a bien :

$$\frac{d}{du}\left(\frac{-1}{11u^{11}} + K\right) = \frac{d}{du}\left(\frac{-1}{11}u^{-11} + K\right) = \frac{-1}{11}(-11u^{-12}) + 0 = u^{-12} = \frac{1}{u^{12}}$$

Dans la situation présentée dans la règle I2, qu'arrive-t-il lorsque n = -1, soit lorsqu'on cherche $\int u^{-1}\, du = \int \frac{du}{u}$? La règle I3 qui suit répond à cette question.

Règle I3	$\int u^{-1}\, du = \int \frac{du}{u} = \ln \lvert u \rvert + K$

En effet, $$\frac{d}{du}(\ln \lvert u \rvert + K) = \begin{cases} \frac{d}{du}(\ln u + K) = \frac{1}{u} + 0 = \frac{1}{u} & \text{si } u > 0 \\ \frac{d}{du}(\ln (-u) + K) = \frac{1}{-u}(-1) + 0 = \frac{1}{u} & \text{si } u < 0 \end{cases}$$

On peut noter que la règle I3 peut également s'écrire :

$$\int u^{-1}\, du = \int \frac{du}{u} = \ln |Ku|$$

car selon les propriétés des logarithmes, $\ln |Ku| = \ln |K| + \ln |u| = \ln |u| + K_1$, où $K_1 = \ln |K|$.

On peut facilement déduire les deux règles I4 et I5 des règles déjà établies pour la dérivée, à savoir que :

> la dérivée de $aF(x)$, soit une fonction multipliée par une constante a, est égale à la multiplication $a\,F'(x)$, soit la multiplication de la constante a par la dérivée $F'(x)$

et que

> la dérivée d'une somme $F(x) + G(x)$ est la somme des dérivées $F'(x) + G'(x)$.

Règle I4	Si a est une constante réelle, alors $\int af(x)\, dx = a \int f(x)\, dx$.
Règle I5	$\int (f(x) + g(x))\, dx = \int f(x)\, dx + \int g(x)\, dx$ et $\int (f(x) - g(x))\, dx = \int f(x)\, dx - \int g(x)\, dx$.

La règle I5 est également valide lorsque le nombre de fonctions est supérieur à 2. On a donc, si n est un nombre naturel :

$$\int (f_1(x) + f_2(x) + f_3(x) + \ldots + f_n(x))\, dx = \int f_1(x)\, dx + \int f_2(x)\, dx + \int f_3(x)\, dx + \ldots + \int f_n(x)\, dx$$

et

$$\int (f_1(x) - f_2(x) - f_3(x) - \ldots - f_n(x))\, dx = \int f_1(x)\, dx - \int f_2(x)\, dx - \int f_3(x)\, dx - \ldots - \int f_n(x)\, dx$$

Ce qui précède permet maintenant d'intégrer un polynôme quelconque.

Exemple 4

Trouvez l'intégrale indéfinie $\int (5t^3 + 4t^2 - 3t + 12)\, dt$.

On a $\int (5t^3 + 4t^2 - 3t + 12)\, dt$

$= \int 5t^3\, dt + \int 4t^2\, dt - \int 3t\, dt + \int 12\, dt$ par la règle I5 généralisée

$= 5 \int t^3\, dt + 4 \int t^2\, dt - 3 \int t\, dt + 12 \int dt$ par la règle I4

$= 5\left(\frac{t^4}{4} + K_1\right) + 4\left(\frac{t^3}{3} + K_2\right) - 3\left(\frac{t^2}{2} + K_3\right) + 12(t + K_4)$ par les règles I2 et I1

$= \frac{5t^4}{4} + \frac{4t^3}{3} - \frac{3t^2}{2} + 12t + 5K_1 + 4K_2 - 3K_3 + 12K_4$

$= \frac{5t^4}{4} + \frac{4t^3}{3} - \frac{3t^2}{2} + 12t + K$, où $K = 5K_1 + 4K_2 - 3K_3 + 12K_4$

Dans l'exemple qui précède, on remarque que dès qu'on intègre plusieurs termes simultanément, une constante d'intégration apparaît pour chaque intégrale particulière. Il est possible de faire apparaître une seule constante d'intégration K, qui combine toutes celles obtenues pour chaque intégrale particulière.

Exemple 5

Trouvez l'intégrale indéfinie $\int\left(10x^{\frac{1}{2}} - 6x^{\frac{-2}{3}} - 4x^{\frac{5}{6}} + \frac{1}{x}\right) dx$.

On a $\int\left(10x^{\frac{1}{2}} - 6x^{\frac{-2}{3}} - 4x^{\frac{5}{6}} + \frac{1}{x}\right) dx$

$$= \int 10x^{\frac{1}{2}}\,dx - \int 6x^{\frac{-2}{3}}\,dx - \int 4x^{\frac{5}{6}}\,dx + \int \frac{1}{x}\,dx \text{ par la règle I5}$$

$$= 10\int x^{\frac{1}{2}}\,dx - 6\int x^{\frac{-2}{3}}\,dx - 4\int x^{\frac{5}{6}}\,dx + \int \frac{1}{x}\,dx \text{ par la règle I4}$$

$$= 10\left(\frac{x^{\frac{3}{2}}}{\frac{3}{2}}\right) - 6\left(\frac{x^{\frac{1}{3}}}{\frac{1}{3}}\right) - 4\left(\frac{x^{\frac{11}{6}}}{\frac{11}{6}}\right) + \ln|x| + K \text{ par les règles I2 et I3}$$

$$= \frac{20x^{\frac{3}{2}}}{3} - 18x^{\frac{1}{3}} - \frac{24x^{\frac{11}{6}}}{11} + \ln|x| + K$$

Exemple 6

Trouvez l'intégrale indéfinie $\int \sqrt{u}(5u + 3)\,du$.

On a $\int \sqrt{u}(5u + 3)\,du = \int (5u\sqrt{u} + 3\sqrt{u})\,du = \int\left(5u^{\frac{3}{2}} + 3u^{\frac{1}{2}}\right) du$

$$= \int 5u^{\frac{3}{2}}\,du + \int 3u^{\frac{1}{2}}\,du \text{ par la règle I5}$$

$$= 5\left(\frac{u^{\frac{5}{2}}}{\frac{5}{2}}\right) + 3\left(\frac{u^{\frac{3}{2}}}{\frac{3}{2}}\right) + K \text{ par les règles I4 et I2}$$

$$= 2u^{\frac{5}{2}} + 2u^{\frac{3}{2}} + K$$

Il existe des règles concernant l'intégration des fonctions exponentielles.

Règle I6	$\int e^u\,du = e^u + K$
Règle I7	Si b représente une base positive, alors $\int b^u\,du = \frac{b^u}{\ln b} + K$.

En effet, $\frac{d}{du}(e^u + K) = e^u + 0 = e^u$ et $\frac{d}{du}\left(\frac{b^u}{\ln b} + K\right) = \frac{d}{du}\left(\frac{1}{\ln b}b^u + K\right) = \frac{1}{\ln b}b^u \ln b + 0 = b^u$.

Exemple 7

Calculez $\int 2^{2w}(1 + 5^w)\,dw$.

On a $\int 2^{2w}(1 + 5^w)\,dw = \int (2^2)^w(1 + 5^w)\,dw = \int 4^w(1 + 5^w)\,dw$

$$= \int (4^w + 4^w \cdot 5^w)\,dw = \int (4^w + (4 \cdot 5)^w)\,dw$$

$= \int (4^w + 20^w)dw = \int 4^w dw + \int 20^w dw$ par la règle I5

$= \frac{4^w}{\ln 4} + \frac{20^w}{\ln 20} + K$ par la règle I7

Les règles I8, I9 et I10 découlent directement des dérivées des fonctions trigonométriques.

Règle I8	$\int \sin u \, du = -\cos u + K$ et $\int \cos u \, du = \sin u + K$
Règle I9	$\int \sec^2 u \, du = \text{tg } u + K$ et $\int \text{cosec}^2 u \, du = -\text{cotg } u + K$
Règle I10	$\int \sec u \text{ tg } u \, du = \sec u + K$ et $\int \text{cosec } u \text{ cotg } u \, du = -\text{cosec } u + K$

En effet,

$$\frac{d}{du}(-\cos u + K) = -(-\sin u) + 0 = \sin u,$$

$$\frac{d}{du}(\sin u + K) = \cos u + 0 = \cos u,$$

$$\frac{d}{du}(\text{tg } u + K) = \sec^2 u + 0 = \sec^2 u,$$

$$\frac{d}{du}(-\text{cotg } u + K) = -(-\text{cosec}^2 u) + 0 = \text{cosec}^2 u,$$

$$\frac{d}{du}(\sec u + K) = \sec u \text{ tg } u + 0 = \sec u \text{ tg } u \quad \text{et}$$

$$\frac{d}{du}(-\text{cosec } u + K) = -(-\text{cosec } u \text{ cotg } u) + 0 = \text{cosec } u \text{ cotg } u.$$

Exemple 8

Calculez $\int (7 \cos A - 6 \sec^2 A) \, dA$.

On a $\int (7 \cos A - 6 \sec^2 A) \, dA = 7 \int \cos A \, dA - 6 \int \sec^2 A \, dA$ par les règles I4 et I5

$= 7 \sin A - 6 \text{ tg } A + K$ par les règles I8 et I9

Les règles I11, I12 et I13 découlent directement des dérivées des fonctions trigonométriques inverses.

Règle I11	$\int \frac{du}{\sqrt{1-u^2}} = \arcsin u + K$ et $\int \frac{-du}{\sqrt{1-u^2}} = \arccos u + K$
Règle I12	$\int \frac{du}{1+u^2} = \text{arctg } u + K$ et $\int \frac{-du}{1+u^2} = \text{arccotg } u + K$
Règle I13	$\int \frac{du}{\lvert u \rvert \sqrt{u^2-1}} = \text{arcsec } u + K$ et $\int \frac{-du}{\lvert u \rvert \sqrt{u^2-1}} = \text{arccosec } u + K$

Les vérifications des règles I11, I12 et I13 ne sont pas faites ici, mais sont laissées en exercice.

Attention !

Il peut paraître surprenant que $\int \frac{-du}{\sqrt{1-u^2}} = \arccos u + K_1$,

alors qu'on a également $\int \frac{-du}{\sqrt{1-u^2}} = -\int \frac{du}{\sqrt{1-u^2}} = -\arcsin u + K_2$.

On peut simplement remarquer que les fonctions $f(u) = -\arcsin u$ et $g(u) = \arccos u$ ne se démarquent l'une de l'autre que par une constante. En fait, on a observé dans l'exercice n° 2 de la section 5.4 du chapitre 5 (p. 161) que $\arcsin u + \arccos u = \frac{\pi}{2}$ et donc $\arccos u = -\arcsin u + \frac{\pi}{2}$.

Étudions maintenant quelques problèmes dont la résolution passe par la recherche d'une intégrale indéfinie.

Exemple 9

Trouvez l'équation des courbes dont la pente de la tangente est définie par $\frac{dy}{dx} = -x + 7$.

Soit une fonction $F(x)$ telle que sa dérivée est $F'(x) = -x + 7$. Cherchons l'intégrale indéfinie de ce résultat, pour trouver la famille des primitives $F(x)$. On a :

$$F(x) = \int (-x + 7)\, dx = \frac{-x^2}{2} + 7x + K$$

Cette expression représente la famille des courbes recherchées. Dans ce cas, il est question de paraboles, les fonctions $F(x)$ étant des fonctions quadratiques.

On l'a dit, pour une fonction f donnée, on a une infinité de primitives $F(x)$ qui se distinguent les unes des autres par la constante d'intégration. Lorsqu'en plus de connaître la fonction f on a une ou des informations supplémentaires, il est parfois possible de trouver une primitive particulière qui satisfait à toutes les exigences indiquées.

Par exemple, supposons qu'on souhaite déterminer la primitive de la famille de toutes les courbes trouvées dans l'exemple 9 qui remplit la condition particulière $F(3) = 5$.

Puisque $$F(x) = \frac{-x^2}{2} + 7x + K$$

si $$F(3) = \frac{-3^2}{2} + 7(3) + K = 5$$

on peut déduire que $$K = 5 + \frac{9}{2} - 21 = \frac{-23}{2}$$

La primitive particulière recherchée est donc $F(x) = \frac{-x^2}{2} + 7x - \frac{23}{2}$.

Exemple 10

Trouvez la fonction donnant le coût total de production $C(q)$ pour produire q unités par mois, si le taux de variation de ce coût total est de $\frac{dC}{dq} = 300$ \$/unité et si les coûts fixes (soit les coûts alors qu'aucune unité n'est encore produite) sont de 1200 \$ pour un mois.

On a $\qquad \frac{dC}{dq} = C'(q) = 300$

et donc $\qquad C(q) = \int 300\, dq = 300q + K$

Puisque les coûts fixes $\qquad C(0) = 1200$

$$C(0) = 300(0) + K = 1200$$

et alors $\qquad K = 1200$

Donc, $\qquad C(q) = 300q + 1200$ \$

On a déjà vu qu'un objet qui se déplace selon une ligne droite, et dont la position par rapport à un point fixe est donnée t secondes après le départ par $s(t)$, a une vitesse v telle que :

$$v(t) = \frac{d}{dt}(s(t)) = s'(t)$$

Par conséquent, $\int v(t)\, dt = s(t)$.

Il est donc possible de déduire la fonction donnant la position d'un objet en intégrant la vitesse appropriée.

Exemple 11

Soit un objet qui se déplace selon une ligne droite avec une vitesse définie par $v(t) = 2t^2 + 5t + 1$ m/s et tel que sa position au temps $t = 0$ est de 4 mètres. Trouvez la fonction donnant la position $s(t)$ et déterminez la position de l'objet après 7 secondes.

Puisque la fonction position s est obtenue par $s(t) = \int v(t)\, dt$,

on a $\qquad s(t) = \int (2t^2 + 5t + 1)\, dt = 2\frac{t^3}{3} + 5\frac{t^2}{2} + t + K$

Puisque $\qquad s(0) = 4,\ s(0) = 2\frac{0^3}{3} + 5\frac{0^2}{2} + 0 + K = 4$

et donc $\qquad K = 4$

Ainsi, $\qquad s(t) = \frac{2t^3}{3} + \frac{5t^2}{2} + t + 4$ m

et après 7 secondes, la position de l'objet est la suivante :

$$s(7) = \frac{2(7)^3}{3} + \frac{5(7)^2}{2} + 7 + 4 = \frac{686}{3} + \frac{245}{2} + 11 = \frac{2173}{6} \approx 362{,}17 \text{ m}$$

Exercices

1. Calculez les intégrales indéfinies suivantes :

a) $\int w^{65}\,dw$

b) $\int (4t^5 + 5t^3)\,dt$

c) $\int \left(x^{\frac{2}{3}} - \frac{1}{\sqrt[5]{x}} + \frac{5}{x}\right) dx$

d) $\int 3u(u^4 - 7u)\,du$

e) $\int \frac{v^5 + 8v^2}{v^4}\,dv$

f) $\int (2e^n - 7^n + \sqrt{2}n)\,dn$

g) $\int \frac{4^{-x} + 1}{4^{-x}}\,dx$

h) $\int \left(4 \sin t - 6 \operatorname{cosec} t \operatorname{cotg} t + \frac{5}{t^2 + 1}\right) dt$

2. Trouvez les intégrales indéfinies suivantes :

a) $\int 12\,dx$

b) $\int 5n^4\,dn$

c) $\int t^{119}\,dt$

d) $\int \frac{1}{v^{10}}\,dv$

e) $\int du$

f) $\int \frac{-6}{w}\,dw$

g) $\int \sqrt[3]{a}\,da$

h) $\int \frac{5}{\sqrt{q^7}}\,dq$

i) $\int (3t^2 + 7t - 3)\,dt$

j) $\int \left(p^{\frac{3}{4}} + p^{\frac{-4}{3}}\right) dp$

k) $\int (4y^{\frac{1}{4}} + y^{0,4} - 3y^{-0,4})\,dy$

l) $\int (5s^2 + s + s^{-1})\,ds$

m) $\int (4u - 2)(5 - 3u)\,du$

n) $\int w^3(13w^{-5} - 11w^2)\,dw$

o) $\int \frac{2a + 3}{a}\,da$

p) $\int \frac{6t^7 - 3t}{t^4}\,dt$

q) $\int \frac{z + 1}{\sqrt{z}}\,dz$

r) $\int \left(5u + \frac{3 + u^{-1}}{u^4}\right) du$

3. Trouvez les intégrales indéfinies suivantes :

a) $\int (4e^q + q^3 - 7)\,dq$

b) $\int 5^x\,dx$

c) $\int (e^y - e^7 + 7^y)\,dy$

d) $\int \frac{1,1^z}{3,2}\,dz$

e) $\int \left(6^v + \frac{1}{v \ln 6}\right) dv$

f) $\int \frac{e^{-t} + 1}{e^{-t}}\,dt$

4. Trouvez les intégrales indéfinies suivantes :

a) $\int (\sin x - \cos x)\,dx$

b) $\int -17 \sec^2 A\,dA$

c) $\int 9 \sec z \operatorname{tg} z\,dz$

d) $\int (5 \operatorname{cosec}^2 y - 4 \sec^2 y)\,dy$

e) $\int (u - 8 \sec u \operatorname{tg} u)\,du$

5. Trouvez une fonction f qui possède la dérivée et la caractéristique donnée.

a) $f'(x) = 5$ et $f(4) = 0$

b) $f'(z) = z^2 - 2z + 5$ et $f(1) = 2$

c) $f'(s) = \sqrt{s}$ et $f(9) = -2$

d) $f'(x) = x^{\frac{3}{2}} - x^{\frac{5}{4}} + 4x - \frac{2}{x}$ et $f(1) = 1$

e) $f'(q) = 6 + e^q$ et $f(\ln 3) = 8$

f) $f'(t) = \cos t + \sin t$ et $f(\pi) = 3$

6. Déterminez l'équation qui définit la courbe :

a) qui passe par le point (2, 3), dont la pente de la tangente en ce point est 4 et dont la courbe est définie par $\frac{d^2y}{dx^2} = 4x$;

b) telle que $\frac{d^2y}{du^2} = 30 - 7u$, $\frac{dy}{du} = 24$ lorsque $u = -3$ et telle que $y = 25$ lorsque $u = 12$;

c) pour laquelle $\frac{d^2y}{dt^2} = \frac{12}{t^4}$ et qui est tangente à la droite d'équation $3t + y = 5$ au point (1, 2).

SECTION 11.2 Intégration avec un changement de variable

Les règles d'intégration présentées dans la section précédente sont insuffisantes pour permettre de trouver une très grande variété d'intégrales indéfinies. Nous allons étudier une méthode impliquant un changement de variable (appelée la **méthode de substitution**), qui repose fondamentalement sur la règle de dérivation en chaîne.

Supposons qu'on souhaite trouver l'intégrale indéfinie $\int (x^2 + 4)^5 2x\, dx$. On remarque que si on pose $u = x^2 + 4$, alors la différentielle (telle qu'elle est définie dans le chapitre 10, p. 313) est $du = 2x\, dx$

et donc $\int (x^2 + 4)^5 2x\, dx = \int u^5\, du$, dont l'intégrale est connue.

En effet,
$$\int u^5\, du = \frac{u^6}{6} + K$$

et puisque
$$u = x^2 + 4$$

$$\int (x^2 + 4)^5 2x\, dx = \frac{(x^2 + 4)^6}{6} + K$$

Dans l'intégrale précédente, on a le terme $x^2 + 4$ dont la dérivée $2x$ se trouve également dans l'intégrale.

D'une façon générale, si on a une intégrale de la forme $\int f(g(x))\, g'(x)\, dx$ à trouver, on peut poser $u = g(x)$. On a alors la différentielle $du = g'(x)\, dx$.

Par conséquent, l'intégrale devient :

$$\int f(g(x))\, g'(x)\, dx = \int f(u)\, du$$

Dans ce cas, un changement de variable judicieux peut permettre de simplifier l'intégrale à trouver.

Exemple 12

Calculez $\int 3x^2(x^3 - 11)^{23}\, dx$.

Posons $u = x^3 - 11$. Dans ce cas, on a la différentielle $du = 3x^2\, dx$.

Ainsi,
$$\int 3x^2(x^3 - 11)^{23}\, dx = \int (x^3 - 11)^{23} 3x^2\, dx = \int u^{23}\, du = \frac{u^{24}}{24} + K$$

et puisque
$$u = x^3 - 11$$

on obtient
$$\int 3x^2(x^3 - 11)^{23}\, dx = \frac{(x^3 - 11)^{24}}{24} + K$$

Attention !

Si, au départ, on intégrait une fonction dont la variable indépendante est x, il faudrait s'assurer d'exprimer le résultat final avec cette même variable indépendante. Par exemple, dans l'exemple précédent, il ne faut pas terminer la résolution du problème avec $\int 3x^2(x^3 - 11)^{23}\, dx = \frac{u^{24}}{24} + K$.

Comment choisit-on le terme qu'on doit remplacer dans l'intégrale ? Il est important de définir comme nouvelle variable une expression dont la dérivée se trouve elle-même dans l'intégrale et qui permet d'obtenir une nouvelle intégrale dans laquelle la variable initiale n'apparaît plus.

Exemple 13

Calculez $\int \frac{5t^4}{\sqrt{t^5+1}}\,dt.$

Posons $u = t^5 + 1$. On a alors la différentielle $du = 5t^4\,dt$.

Ainsi, $\int \frac{5t^4}{\sqrt{t^5+1}}\,dt = \int \frac{1}{(t^5+1)^{\frac{1}{2}}}5t^4\,dt = \int \frac{1}{u^{\frac{1}{2}}}\,du = \int u^{\frac{-1}{2}}\,du = \frac{u^{\frac{1}{2}}}{\frac{1}{2}} + K = 2u^{\frac{1}{2}} + K = 2\sqrt{u} + K$

et puisque $u = t^5 + 1$

on obtient $\int \frac{5t^4}{\sqrt{t^5+1}}\,dt = 2\sqrt{t^5+1} + K$

Si on avait plutôt posé $u = 5t^4$ dans l'exemple précédent, on aurait eu comme différentielle $du = 20t^3\,dt$ et il n'aurait pas été possible de transformer le dénominateur de telle sorte que l'intégrale ne contienne plus de trace de «l'ancienne variable t». La substitution « partielle » $\int \frac{u}{\sqrt{t^5+1}}\,dt$ n'aurait pas permis d'arriver à un résultat.

Exemple 14

Calculez $\int 3\frac{\ln z}{5z}\,dz.$

On a $\int 3\frac{\ln z}{5z}\,dz = \frac{3}{5}\int \frac{\ln z}{z}\,dz$

Posons $u = \ln z$. Dans ce cas, on a la différentielle $du = \frac{1}{z}\,dz.$

Ainsi, $\frac{3}{5}\int \frac{\ln z}{z}\,dz = \frac{3}{5}\int \ln z \frac{1}{z}\,dz = \frac{3}{5}\int u\,du = \frac{3}{5}\cdot\frac{u^2}{2} + K = \frac{3u^2}{10} + K$

et puisque $u = \ln z$

on obtient $\int 3\frac{\ln z}{5z}\,dz = \frac{3(\ln z)^2}{10} + K$

Exemple 15

Calculez $\int 6e^{12k}\,dk.$

On a $\int 6e^{12k}\,dk = 6\int e^{12k}\,dk$

Posons $u= 12k$. Dans ce cas, on a la différentielle $du = 12\,dk$.

Puisque $dk = \frac{1}{12}\,du$

on a $6\int e^{12k}\,dk = 6\int e^u\frac{1}{12}\,du = \frac{6}{12}\int e^u\,du = \frac{1}{2}\cdot e^u + K$

et puisque $u = 12k$

on obtient $\int 6e^{12k}\,dk = \frac{e^{12k}}{2} + K$

Exemple 16

Calculez $\int \frac{t-4}{t^2-8t}\,dt$.

Posons $u = t^2 - 8t$. Dans ce cas, on a la différentielle $du = (2t - 8)\,dt = 2(t - 4)\,dt$.

Ainsi, $(t-4)\,dt = \frac{1}{2}\,du$

et $\int \frac{t-4}{t^2-8t}\,dt = \int \frac{1}{t^2-8t}(t-4)\,dt = \int \frac{1}{u}\cdot\frac{1}{2}\,du = \frac{1}{2}\ln|u| + K$

Puisque $u = t^2 - 8t$

on obtient $\int \frac{t-4}{t^2-8t}\,dt = \frac{1}{2}\ln|t^2-8t| + K$

Attention !

La réponse de l'exemple 16 peut également s'écrire :

$$\int \frac{t-4}{t^2-8t}\,dt = \frac{1}{2}\ln|t^2-8t| + K = \ln|t^2-8t|^{\frac{1}{2}} + K = \ln\sqrt{|t^2-8t|} + K$$

Exemple 17

Calculez $\int (4x^2 - 8x)\sin(x^3 - 3x^2)\,dx$.

On a $\int (4x^2-8x)\sin(x^3-3x^2)\,dx = 4\int (x^2-2x)\sin(x^3-3x^2)\,dx$

Posons $u = x^3 - 3x^2$.

On a alors $du = (3x^2 - 6x)\,dx = 3(x^2 - 2x)\,dx$

et donc $(x^2-2x)\,dx = \frac{1}{3}\,du$

En conséquence,

$$4\int (x^2-2x)\sin(x^3-3x^2)\,dx = 4\int \sin(x^3-3x^2)\,(x^2-2x)\,dx$$
$$= 4\int \sin u \cdot \frac{1}{3}\,du = \frac{4}{3}(-\cos u) + K$$

Puisque $u = x^3 - 3x^2$

on obtient $4\int (x^2-2x)\sin(x^3-3x^2)\,dx = -\frac{4}{3}\cos(x^3-3x^2) + K$

Exemple 18

Trouvez la fonction donnant le revenu total $R(q)$ (en dollars) lorsqu'on vend q milliers d'articles par mois, si le taux de variation de ce revenu est donné par $\frac{dR}{dq} = 5q(8-q^2)^{\frac{4}{3}}$ \$/millier d'articles et si les revenus sont nuls lorsqu'on ne vend aucun article.

On a $\frac{dR}{dq} = R'(q) = 5q(8 - q^2)^{\frac{4}{3}}$

et donc $R(q) = \int 5q(8 - q^2)^{\frac{4}{3}}\, dq = 5 \int q(8 - q^2)^{\frac{4}{3}}\, dq$

Posons $u = 8 - q^2$. On a alors la différentielle $du = -2q\, dq$

et donc $q\, dq = \frac{du}{-2}$

Par conséquent, $R(q) = 5 \int (8 - q^2)^{\frac{4}{3}} q\, dq = 5 \int u^{\frac{4}{3}} \frac{du}{-2} = \frac{-5}{2} \int u^{\frac{4}{3}}\, du = \frac{-5}{2} \frac{u^{\frac{7}{3}}}{\frac{7}{3}} + K$

$$= \frac{-5}{2} \cdot \frac{3}{7} u^{\frac{7}{3}} + K = \frac{-15}{14}(8 - q^2)^{\frac{7}{3}} + K$$

Puisqu'on sait que $R(0) = 0$

$$R(0) = \frac{-15}{14}(8 - 0^2)^{\frac{7}{3}} + K = \frac{-15}{14}\left(8^{\frac{1}{3}}\right)^7 + K = \frac{-15}{14} 2^7 + K = 0$$

et donc $K = \frac{15}{14} \cdot 128 = \frac{960}{7}$

Ainsi, $R(q) = \frac{960}{7} - \frac{15}{14}(8 - q^2)^{\frac{7}{3}}$ dollars

Exercices

1. Calculez les intégrales indéfinies suivantes :

a) $\int 8(3 - 5t)^5\, dt$

b) $\int (3z^2 + 13)^{56}\, 7z\, dz$

c) $\int \sqrt[5]{9x + 2}\, dx$

d) $\int \frac{\ln 7u}{4u}\, du$

e) $\int 9t\, e^{t^2 + 4}\, dt$

f) $\int \frac{\cos A}{\sin A}\, dA$

2. Trouvez les intégrales indéfinies suivantes :

a) $\int (5v + 3)^{12}\, dv$

b) $\int 6(t - 2)(t^2 - 4t + 9)^7\, dt$

c) $\int (w^4 + 1)(w^5 + 5w - 18)\, dw$

d) $\int \frac{3}{7x + 1}\, dx$

e) $\int \frac{8z + 2}{4z^2 + 2z - 3}\, dz$

f) $\int v\sqrt{3v^2 - 7}\, dv$

g) $\int \frac{\sqrt{t^{\frac{2}{3}} + 7}}{t^{\frac{1}{3}}}\, dt$

h) $\int \frac{\ln 6y}{7y}\, dy$

i) $\int -9\frac{\sqrt{\ln q}}{7q}\, dq$

3. Trouvez les intégrales indéfinies suivantes :

a) $\int 3^{t-1}\, dt$

b) $\int 5xe^{6x^2 - 8}\, dx$

c) $\int \frac{e^{\frac{1}{w^4}}}{w^5}\, dw$

d) $\int \frac{5^t}{5^t - 7}\, dt$

e) $\int \frac{e^z - e^{-z}}{e^z + e^{-z}}\, dz$

f) $\int \frac{1}{v \ln v}\, dv$

4. Trouvez les intégrales indéfinies suivantes :

a) $\int \cos 5u\, du$

b) $\int 7 \sin (\pi - v)\, dv$

c) $\int q^2 \sin (2 + q^3)\, dq$

d) $\int \frac{\sin \sqrt{s}}{\sqrt{s}}\, ds$

e) $\int \cos t \sqrt{\sin t}\, dt$

f) $\int (x + 2) \cos (x^2 + 4x)\, dx$

g) $\int \sec^2 (5s)\, ds$

h) $\int v \operatorname{cosec}^2 (3v^2)\, dv$

i) $\int \operatorname{cosec} (3y) \operatorname{cotg} (3y)\, dy$

5. Trouvez une fonction g qui possède la dérivée et la caractéristique donnée.

a) $g'(x) = 5x(x^2 + 7)^6$ et $g(0) = 10$

b) $g'(t) = \sqrt{t + 7}$ et $g(2) = -5$

c) $g'(z) = 5z4^{z^2+7}$ et $g(-2) = 1$

d) $g'(\theta) = \cos(3\theta - \pi)$ et $g\left(\frac{\pi}{2}\right) = 1$

6. Déterminez l'équation qui définit la courbe telle que $\frac{d^2y}{du^2} = e^{5u-8}$, $\frac{dy}{du} = 5$ lorsque $u = 2$ et telle que $y = 10$ lorsque $u = 4$.

SECTION 11.3 Théorème fondamental du calcul intégral et intégrale définie

Lien entre une intégrale et la surface d'une région donnée

Comme nous l'avons vu dans l'exemple 11 de ce chapitre, lorsqu'un objet se déplace selon une ligne droite et que sa position est donnée par $s(t)$ t secondes après le départ, l'objet a une vitesse au temps t telle que :

$$v(t) = s'(t) \text{ et, par conséquent, } \int v(t)\, dt = s(t)$$

Dans ce cas, le lien qui unit la position d'un objet à sa vitesse peut s'exprimer par une intégrale.

Lorsqu'on se déplace à une vitesse constante de 100 kilomètres à l'heure sur une route pendant 2 heures, on sait que la distance parcourue est alors de 100 km/h · 2 h = 200 km. On constate que cette distance correspond à la surface de la région délimitée par les droites horizontales $v(t) = 100$ et $v = 0$ (l'axe des t) et par les droites verticales $t = 0$ heure et $t = 2$ heures.

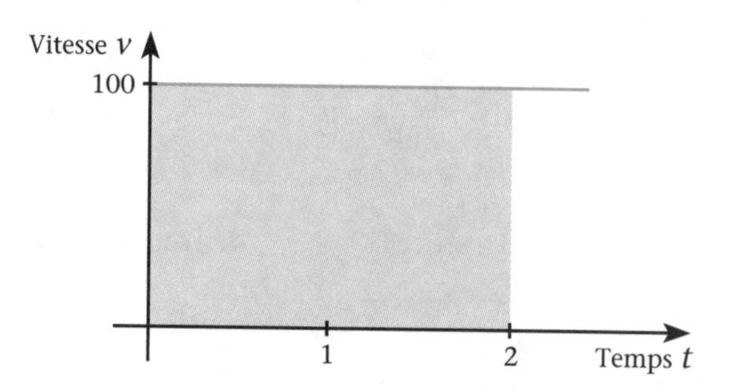

Si la vitesse varie dans le temps, peut-on établir ainsi un lien entre la distance parcourue et une surface ? Étudions de façon intuitive ce qui se passe lorsque la vitesse augmente de façon constante. Supposons que $v(t) = 50t$, où t est le temps en heures depuis le départ du véhicule. Intéressons-nous à la distance parcourue entre 0 heure et 2 heures.

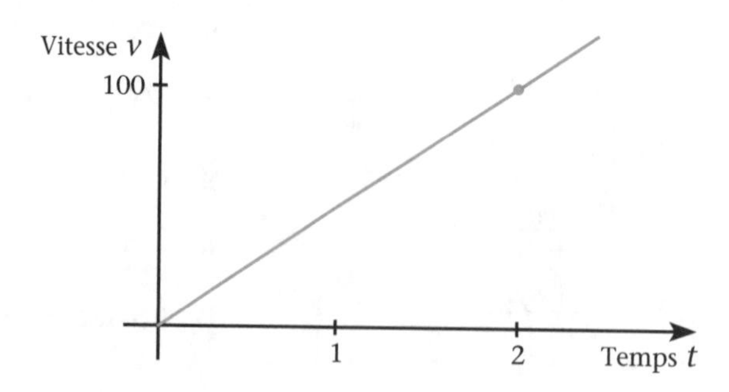

La vitesse augmente de façon constante et on peut comprendre intuitivement que si la vitesse était de $v(0) = 0$ kilomètre à l'heure au départ et qu'elle était de $v(2) = 50(2) = 100$ kilomètres à l'heure au bout de 2 heures, on a, puisque la vitesse augmente de façon constante, une vitesse moyenne de $\frac{100 \text{ km/h} - 0 \text{ km/h}}{2 \text{ h}} = 50 \text{ km/h}$.

À une vitesse constante moyenne de 50 kilomètres à l'heure, on sait que la distance parcourue serait alors de $50 \text{ km/h} \cdot 2 \text{ h} = 100 \text{ km}$.

Or, on peut remarquer que si on prend la surface de la région délimitée par la droite d'équation $v(t) = 50t$, la droite horizontale $v(t) = 0$ et les droites verticales $t = 0$ et $t = 2$ heures, on obtient un triangle dont la surface est :

$$\frac{\text{Base} \times \text{Hauteur}}{2} = \frac{2 \text{ h} \cdot 100 \text{ km/h}}{2} = 100 \text{ km},$$

ce qui donne la distance évaluée intuitivement précédemment, à partir d'une vitesse moyenne de 50 kilomètres à l'heure.

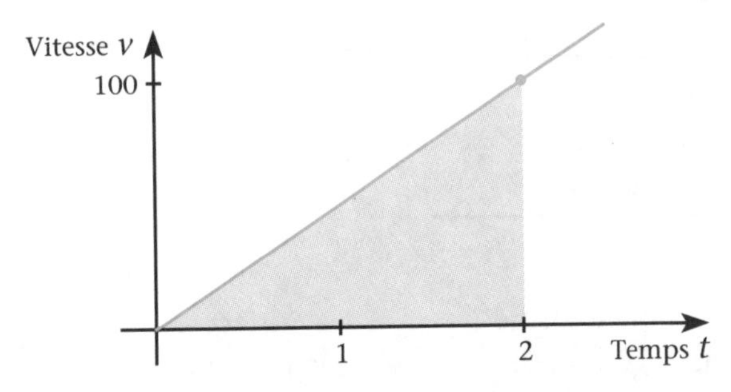

Dans les deux cas étudiés, la distance parcourue est à la fois liée à une intégrale comprenant la fonction vitesse et à une surface d'une région délimitée par la fonction vitesse. Il semble donc y avoir un lien entre une intégrale et la surface sous une courbe.

Théorème fondamental du calcul intégral et concept de l'intégrale définie

Nous allons voir dans ce qui suit que le lien suggéré dans le paragraphe qui précède existe bel et bien. Toutefois, la présentation qui est faite ici n'est pas formelle, le thème de l'intégration étant expliqué plus en détail dans un deuxième cours de calcul différentiel et intégral.

Soit une fonction continue $y = f(x)$ croissante dans l'intervalle $[a, b]$. On veut approximer l'aire définie par la courbe $f(x)$ et l'axe des x, entre les droites verticales $x = a$ et $x = b$.

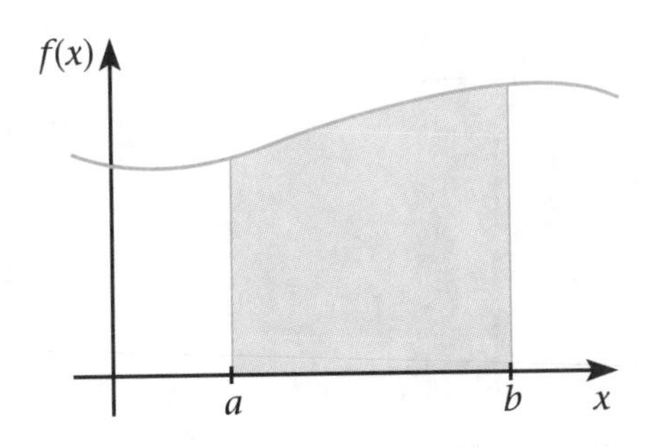

Attention !

Dans ce qui suit, il sera fréquent de parler uniquement de la surface sous la courbe sur l'intervalle $[a, b]$. Il s'agit de la région délimitée :

- par une fonction positive sur un intervalle $[a, b]$,
- par l'axe horizontal de la variable indépendante et
- par les droites verticales passant par les points $(a, 0)$ et $(b, 0)$.

Si on se réfère aux deux schémas ci-dessous, on peut déduire les inégalités qui suivent et qui s'appliquent au cas particulier qui nous intéresse :

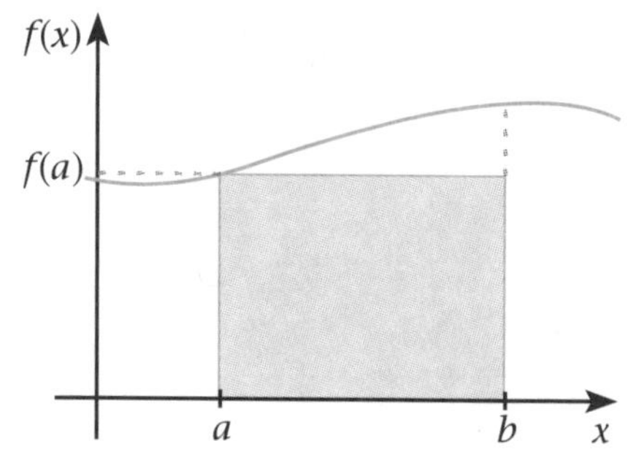

f(x)
(b, f(b))
f(b)
a
b
x

Surface du rectangle formé des sommets $(a, 0)$, $(b, 0)$, $(a, f(a))$ et $(b, f(a))$ $\leq$ Surface de la région recherchée $\leq$ Surface du rectangle formé des sommets $(a, 0)$, $(b, 0)$, $(a, f(b))$ et $(b, f(b))$.

$$f(a) \cdot (b - a) \quad \leq \quad \text{Surface de la région recherchée} \quad \leq \quad f(b) \cdot (b - a)$$

On obtient ici une borne inférieure et une borne supérieure pour la surface recherchée. Il est possible de préciser cette évaluation de la façon suivante. On peut subdiviser l'intervalle en deux sous-intervalles et chercher la somme totale des aires des deux rectangles construits. Subdivisons donc l'intervalle $[a, b]$ en deux intervalles de même longueur $\frac{b-a}{2}$: $[a, a + \frac{b-a}{2}]$ et $[a + \frac{b-a}{2}, b]$.

Si on se réfère aux deux schémas ci-dessous, on peut déduire les nouvelles inégalités qui suivent et qui s'appliquent au cas particulier qui nous intéresse :

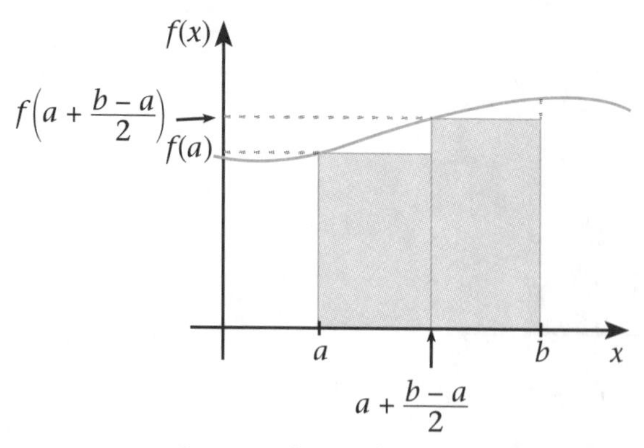

f(x)
f(b)
$f\left(a + \frac{b-a}{2}\right)$
a
b
x
$a + \frac{b-a}{2}$

Somme des surfaces des rectangles $\leq$ Surface de la région recherchée $\leq$ Somme des surfaces des rectangles

$$f(a) \cdot \frac{(b-a)}{2} + f\left(a + \frac{b-a}{2}\right) \cdot \frac{(b-a)}{2} \quad \leq \quad \text{Surface de la région recherchée} \quad \leq \quad f\left(a + \frac{b-a}{2}\right) \cdot \frac{(b-a)}{2} + f(b) \cdot \frac{(b-a)}{2}$$

On obtient une nouvelle borne inférieure et une nouvelle borne supérieure pour la surface recherchée, et ces deux bornes sont à la fois plus près l'une de l'autre et délimitent plus précisément la valeur souhaitée.

Si on reprend le même principe en augmentant constamment le nombre de rectangles dont la largeur est constante, on soupçonne que les deux bornes vont être de plus en plus près l'une de l'autre et la borne supérieure va s'approcher, à plus forte raison, de la surface recherchée. Intéressons-nous à cette borne supérieure.

Subdivisons de la même façon l'intervalle $[a, b]$, mais maintenant en n sous-intervalles de largeur $\frac{b-a}{n}$ et posons la valeur $x_i = a + i\,\frac{(b-a)}{n}$ (x_i représente la borne supérieure de chaque sous-intervalle retenu), où $i = 1, 2, 3, \ldots, n$. Par la suite, construisons n rectangles de base $\frac{b-a}{n}$ et de hauteur $f(x_i)$. La surface de chaque rectangle est donc $f(x_i)\,\frac{b-a}{n}$.

En faisant la somme de toutes les surfaces des rectangles, on obtient la surface totale :

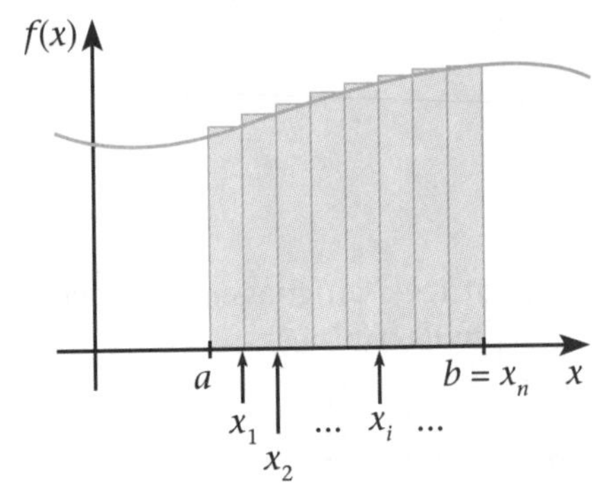

$$S_n = f(x_1)\,\frac{b-a}{n} + f(x_2)\,\frac{b-a}{n} + f(x_3)\,\frac{b-a}{n} + \ldots + f(x_n)\,\frac{b-a}{n} = \sum_{i=1}^{n} f(x_i)\,\frac{b-a}{n}$$

Si on pose $\Delta x = \frac{b-a}{n}$, on obtient $$S_n = \sum_{i=1}^{n} f(x_i)\,\Delta x.$$

On obtient alors une approximation de la surface initiale recherchée, et cette approximation est d'autant meilleure que le nombre n de rectangles est élevé.

Exemple 19

Évaluez, à l'aide de la formule suggérée précédemment et donnant S_n, l'aire sous la courbe de la fonction $f(x) = x^2$, dans l'intervalle $[0, 5]$:

a) en divisant l'intervalle $[0, 5]$ en cinq sous-intervalles de même largeur.

Puisqu'on divise l'intervalle en 5 sous-intervalles,

on a $$x_i = a + i\,\frac{b-a}{n} = 0 + i\,\frac{(5-0)}{5} = i$$

et donc $$x_1 = 1,\ x_2 = 2,\ x_3 = 3,\ x_4 = 4 \text{ et } x_5 = 5$$

On a
$$\begin{aligned} S_5 = \sum_{i=1}^{5} f(x_i)\,\frac{5-0}{5} &= f(x_1)\cdot 1 + f(x_2)\cdot 1 + f(x_3)\cdot 1 + f(x_4)\cdot 1 + f(x_5)\cdot 1 \\ &= f(1)\cdot 1 + f(2)\cdot 1 + f(3)\cdot 1 + f(4)\cdot 1 + f(5)\cdot 1 \\ &= 1^2 + 2^2 + 3^2 + 4^2 + 5^2 = 55 \text{ unités}^2 \end{aligned}$$

b) en divisant l'intervalle [0, 5] en 10 sous-intervalles de même largeur.

Puisqu'on divise l'intervalle en 10 sous-intervalles,

on a $$x_i = a + i\,\frac{b-a}{n} = 0 + i\,\frac{(5-0)}{10} = 0{,}5i$$

et on obtient alors :

$$\begin{aligned} S_{10} = \sum_{i=1}^{10} f(x_i)\,\frac{5-0}{10} &= f(x_1)\cdot 0{,}5 + f(x_2)\cdot 0{,}5 + f(x_3)\cdot 0{,}5 + \ldots + f(x_9)\cdot 0{,}5 + f(x_{10})\cdot 0{,}5 \\ &= 0{,}5(f(0{,}5) + f(1) + f(1{,}5) + \ldots + f(4{,}5) + f(5)) \\ &= 0{,}5(0{,}5^2 + 1^2 + 1{,}5^2 + 2^2 + 2{,}5^2 + 3^2 + 3{,}5^2 + 4^2 + 4{,}5^2 + 5^2) \\ &= 0{,}5(96{,}25) = 48{,}125 \text{ unités}^2 \end{aligned}$$

Attention !

Si vous êtes habile avec la calculatrice à affichage graphique, vous pouvez concevoir, pour une fonction et des valeurs de a et b prédéterminées, un programme permettant de calculer la valeur de S_n pour diverses valeurs de n.

Une façon d'accroître la précision de l'approximation de l'exemple 19 est d'augmenter le nombre n de rectangles. On peut alors soupçonner que :

$$\text{Aire sous la courbe de la fonction } f \text{ entre } a \text{ et } b = \lim_{n\to+\infty} S_n = \lim_{n\to+\infty}\left(\sum_{i=1}^{n} f(x_i)\,\Delta x\right)$$

Reprenons l'exemple 19 avec $f(x) = x^2$, dont on cherche la surface sous la courbe dans l'intervalle [0, 5]. Si on subdivise cet intervalle en n sous-intervalles de même largeur,

on a $$\frac{b-a}{n} = \frac{5-0}{n} = \frac{5}{n}$$

et puisque $$x_i = a + i\,\frac{b-a}{n} = 0 + i\,\frac{5}{n} = i\,\frac{5}{n}$$

$$f(x_i) = \left(i\,\frac{5}{n}\right)^2 = i^2\,\frac{25}{n^2}$$

Dans ce cas, $$S_n = \sum_{i=1}^{n} f(x_i)\,\frac{5}{n} = \frac{5}{n}\sum_{i=1}^{n} i^2\,\frac{25}{n^2} = \frac{5^3}{n^3}\sum_{i=1}^{n} i^2$$

Or, on pourrait prouver par induction (ce qu'on ne fera pas ici) que :

$$\sum_{i=1}^{n} i^2 = 1^2 + 2^2 + 3^3 + \ldots + n^2 = \frac{1}{6}n(n+1)(2n+1), \text{ si } n \text{ est un entier positif.}$$

Donc, $$S_n = \frac{5^3}{n^3}\frac{1}{6}n(n+1)(2n+1) = \frac{5^3}{6}\frac{n(n+1)(2n+1)}{n^3}$$

et :

Aire sous la courbe de la fonction f entre a et $b = \lim_{n\to+\infty} S_n$

$$= \lim_{n\to+\infty}\left(\frac{5^3}{6}\frac{n(n+1)(2n+1)}{n^3}\right) = \frac{5^3}{6}\lim_{n\to+\infty}\left(\frac{(n+1)(2n+1)}{n^2}\right)$$

$$= \frac{5^3}{6}\lim_{n\to+\infty}\left(\frac{2n^2+3n+1}{n^2}\right) = \frac{5^3}{6}\lim_{n\to+\infty}\left(\frac{n^2\left(2+\frac{3}{n}+\frac{1}{n^2}\right)}{n^2}\right)$$

$$= \frac{5^3}{6}\lim_{n\to+\infty}\left(2+\frac{3}{n}+\frac{1}{n^2}\right) = \frac{5^3}{6}\cdot 2 = \frac{5^3}{3}\text{ unités}^2$$

On devine que cette façon de procéder peut devenir très laborieuse si la fonction avec laquelle on travaille est relativement complexe.

Or, dans ce qui précède, on évalue que la surface recherchée entre 0 et 5 est $\frac{5^3}{3}$. On peut remarquer que $F(t) = \frac{t^3}{3}$ est une primitive de la fonction $f(t) = t^2$ avec laquelle on travaillait. On constate qu'il semble à nouveau y avoir un lien entre la surface délimitée par une fonction et une primitive de la fonction en question. Un théorème très important en calcul intégral permet de confirmer ce lien.

Théorème fondamental du calcul intégral

Soit f une fonction non négative et continue sur l'intervalle $[a, b]$. Alors, si $F(x)$ est une primitive de $f(x)$:

Aire sous la courbe entre a et $b = F(b) - F(a)$, qu'on note aussi par $\int_b^a f(x)\,dx$ ou $F(x)\big|_a^b$

On a déjà indiqué que : Aire sous la courbe entre a et $b = \lim_{n\to+\infty} S_n = \lim_{n\to+\infty}\left(\sum_{i=1}^{n} f(x_i)\,\Delta x\right)$

Cette dernière expression est également notée $\int_b^a f(x)\,dx$, qu'on appelle **intégrale définie** (par opposition aux intégrales indéfinies, qui ne sont pas définies en fonction d'un intervalle particulier).

On peut faire remarquer que : le symbole $\int$ représente la lettre S pour le mot « somme » (on fait ici référence à la somme des aires des rectangles). De plus, lorsque n devient de plus en plus grand, $\Delta x = \frac{b-a}{n}$ devient de plus en plus petit et s'approche de 0. On peut alors poser :

$\Delta x = dx$ (la différentielle dx a été définie dans le chapitre 10, p. 313).

Les valeurs a et b sont respectivement appelées la **borne d'intégration inférieure** et la **borne d'intégration supérieure**.

Attention !

Ce qu'on note aujourd'hui « $\int x\,dx$ » était noté par Leibniz « omn. $\overline{x\ ad\ x}$ » (la partie sous la barre horizontale pourrait être entre parenthèses). L'abréviation « omn. » est une abréviation du mot latin *omnium*, qui veut dire « toutes » (comme dans « toutes » les lignes qui permettent de couvrir une surface donnée). Leibniz remplace finalement ce symbole par un S allongé (signifiant « somme de »), qui va devenir le $\int$ utilisé ici.

Exemple 20

Utilisez le théorème fondamental pour calculer l'aire sous la courbe de la fonction $f(x) = x^2$, dans l'intervalle [0, 5].

Puisque f est une fonction positive dans l'intervalle [0, 5],

on a $$\text{Aire sous la courbe de } f \text{ entre 0 et 5} = \int_0^5 x^2\,dx$$

et puisqu'une primitive de $f(x) = x^2$ est de la forme $F(x) = \frac{x^3}{3} + K$,

on a $$\text{Aire sous la courbe de } f \text{ entre 0 et 5} = \int_0^5 x^2\,dx = F(5) - F(0) = \left(\frac{5^3}{3} + K\right) - \left(\frac{0^3}{3} + K\right)$$

$$= \frac{5^3}{3} + K - 0 - K = \frac{5^3}{3} \approx 41{,}67 \text{ unités}^2.$$

Attention !

1) Dans l'exemple 20, on aurait également pu présenter le calcul de l'intégrale définie de la façon suivante :

$$\text{Aire sous la courbe de } f \text{ entre 0 et 5} = \int_0^5 x^2\,dx = \left(\frac{x^3}{3} + K\right)\Bigg|_0^5$$

$$= \left(\frac{5^3}{3} + K\right) - \left(\frac{0^3}{3} + K\right) = \frac{5^3}{3} \text{ unités}^2$$

2) On constate, à partir de l'exemple 20, que le choix de la constante d'intégration importe peu lorsqu'on calcule une intégrale définie, car la soustraction qu'on doit effectuer va nécessairement faire disparaître cette constante. En effet, si $F(x) + K$ est une primitive de $f(x)$ (où K est une constante), alors :

$$\int_a^b f(x)\,dx = (F(x) + K)\Big|_a^b = (F(b) + K) - (F(a) + K)$$

$$= F(b) + K - F(a) - K = F(b) - F(a)$$

Puisque la constante d'intégration ne joue aucun rôle déterminant dans le calcul d'une intégrale définie, on la laissera tomber dans ce type de calcul.

Exemple 21

Utilisez le théorème fondamental pour calculer l'aire sous la courbe de la fonction $g(t) = 6t^2 - 3t + 5$, dans l'intervalle [-1, 3].

Puisque g est une fonction positive dans l'intervalle [-1, 3] (on peut le vérifier en constatant que la fonction quadratique est associée à une parabole concave vers le haut dont le sommet est $\left(\frac{1}{4}, \frac{37}{8}\right)$), on a Aire sous la courbe de g entre -1 et 3 $= \int_{-1}^{3} (6t^2 - 3t + 5)\, dt$

$$= \left(6\frac{t^3}{3} - 3\frac{t^2}{2} + 5t\right)\Big|_{-1}^{3} = \left(2t^3 - \frac{3t^2}{2} + 5t\right)\Big|_{-1}^{3}$$

$$= \left(2(3)^3 - \frac{3(3)^2}{2} + 5(3)\right) - \left(2(-1)^3 - \frac{3(-1)^2}{2} + 5(-1)\right)$$

$$= \frac{111}{2} - \left(\frac{-17}{2}\right) = 64 \text{ unités}^2$$

Attention !

Sur certaines calculatrices graphiques, il existe une commande qui permet d'évaluer une intégrale définie d'une fonction sur un intervalle. La commande suivante :

fnint (*expression, variable, inférieure, supérieure, précision*)

donne une valeur approximative de l'intégrale d'une expression par rapport à une variable, entre une borne inférieure et une borne supérieure, et selon la précision souhaitée.

Par exemple, la commande fnint($6t^2 - 3t + 5$, t, -1, 3, 0,001) permet d'évaluer la surface sous la courbe de la fonction $g(t) = 6t^2 - 3t + 5$, entre $t = -1$ et $t = 3$, comme dans l'exemple 21 précédent. Le résultat de 64 est la réponse exacte. Dans un tel contexte, la calculatrice effectue le calcul de la surface à l'aide d'une méthode qui ne sera pas présentée ici.

Grâce à l'opération $\int f(x)\, dx$ disponible sur certaines calculatrices graphiques, il est également possible de voir se hachurer la surface sous la courbe souhaitée.

La méthode utilisée fournit très souvent de bonnes approximations. Il demeure toutefois important de savoir que la calculatrice «interprète» la définition de l'intégrale définie et que cette interprétation peut parfois donner de mauvais résultats.

On peut noter que les intégrales définies ont certaines propriétés. Les deux premières propriétés ID1 et ID2 découlent directement des propriétés I4 et I5 de l'intégrale indéfinie.

Propriété ID1 Si k est un nombre réel, alors $\int_a^b kf(x)\, dx = k \int_a^b f(x)\, dx$.

Propriété ID2 On a $\int_a^b (f(x) + g(x))\, dx = \int_a^b f(x)\, dx + \int_a^b g(x)\, dx$

et $\int_a^b (f(x) - g(x))\, dx = \int_a^b f(x)\, dx - \int_a^b g(x)\, dx$

On a également les propriétés suivantes, qui découlent de la définition de l'intégrale définie.

Propriété ID3 $\int_a^a f(x)\,dx = 0$

Propriété ID4 $\int_a^b f(x)\,dx = -\int_b^a f(x)\,dx$

Propriété ID5 Si $a \leq b \leq c$, alors $\int_a^b f(x)\,dx + \int_b^c f(x)\,dx = \int_a^c f(x)\,dx$.

En effet, si $F(x)$ est une primitive de $f(x)$, alors :

$$\int_a^a f(x)\,dx = F(a) - F(a) = 0,$$

$$\int_a^b f(x)\,dx = F(b) - F(a) = -(F(a) - F(b)) = -\int_b^a f(x)\,dx$$

$$\text{et } \int_a^b f(x)\,dx + \int_b^c f(x)\,dx = [F(b) - F(a)] + [F(c) - F(b)] = F(c) - F(a) = \int_a^c f(x)\,dx$$

Exemple 22

Utilisez le théorème fondamental pour calculer l'aire sous la courbe de la fonction $h(z) = e^{3z}$, dans l'intervalle [1, 2].

Puisque f est une fonction positive dans l'intervalle [1, 2],

on a Aire sous la courbe de h entre 1 et 2 $= \int_1^2 e^{3z}\,dz$

Or, avant d'évaluer cette intégrale définie, on va trouver l'intégrale indéfinie $\int e^{3z}\,dz$ pour connaître une primitive de la fonction h. Si on pose $u = 3z$, on a $du = 3dz$ et donc $dz = \frac{du}{3}$.

On a donc $\int e^{3z}\,dz = \int e^u \frac{du}{3} = \frac{1}{3}\int e^u\,du = \frac{1}{3}e^u + K = \frac{1}{3}e^{3z} + K$

Par conséquent, Aire sous la courbe de h entre 1 et 2 $= \left(\frac{1}{3}e^{3z}\right)\Big|_1^2$

$$= \left(\frac{1}{3}e^{3(2)}\right) - \left(\frac{1}{3}e^{3(1)}\right)$$

$$= \frac{e^6}{3} - \frac{e^3}{3} = \frac{e^3(e^3 - 1)}{3} \approx 127{,}78 \text{ unités}^2$$

Terminons cette section avec une application qui nous permettra de constater qu'il est possible d'utiliser une intégrale définie dans certaines circonstances concrètes.

Exemple 23

Le taux de variation instantané du coût total de production d'une entreprise est donné par $\frac{dC}{dq} = 2q\sqrt{5 + q^2}$ milliers de dollars par unité, où q représente le nombre d'unités produites. Sachant que les coûts fixes sont de 5000 $ (soit les coûts lorsque aucune unité n'est produite), trouvez le coût total de production pour 10 unités produites, à l'aide d'une intégrale définie.

Si $C(q)$ est la fonction qui donne le coût total (en milliers de dollars), on cherche la valeur de $C(10)$ et on connaît $C(0) = 5$.

Puisque $$C(10) - C(0) = \int_0^{10} 2q\sqrt{5 + q^2}\, dq$$

on a donc $$C(10) = C(0) + \int_0^{10} 2q\sqrt{5 + q^2}\, dq = 5 + \int_0^{10} 2q\sqrt{5 + q^2}\, dq$$

Cherchons une primitive de l'intégrale indéfinie $\int 2q\sqrt{5 + q^2}\, dq$.

Posons $u = 5 + q^2$.

On a alors $$du = 2q\, dq$$

et donc $$\int 2q\sqrt{5 + q^2}\, dq = \int (5 + q^2)^{\frac{1}{2}}\, 2q\, dq = \int u^{\frac{1}{2}}\, du$$

$$= \frac{u^{\frac{3}{2}}}{\frac{3}{2}} + K = \frac{2}{3}(5 + q^2)^{\frac{3}{2}} + K$$

Par conséquent, $$C(10) = 5 + \int_0^{10} 2q\sqrt{5 + q^2}\, dq = 5 + \left(\frac{2}{3}(5 + q^2)^{\frac{3}{2}}\right)\Bigg|_0^{10}$$

$$= 5 + \left(\frac{2}{3}(5 + (10)^2)^{\frac{3}{2}}\right) - \left(\frac{2}{3}(5 + (0)^2)^{\frac{3}{2}}\right)$$

$$= 5 + 717{,}29 - 7{,}45 = 714{,}84 \text{ milliers de dollars}$$

Exercices

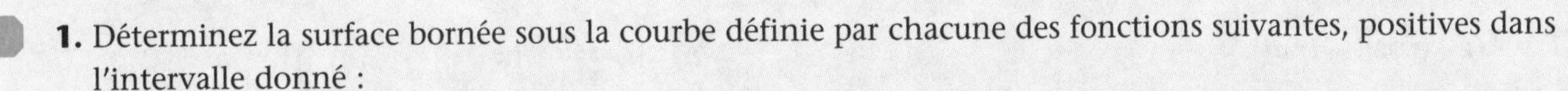

1. Déterminez la surface bornée sous la courbe définie par chacune des fonctions suivantes, positives dans l'intervalle donné :

a) $h(x) = 3 + x^2 - x^3$ dans l'intervalle [-2, 1]

b) $k(u) = \sqrt{5u + 3}$ dans l'intervalle [1, 4]

c) $g(t) = 6^t$ dans l'intervalle [0,1; 1]

d) $f(z) = 4 \sin z$ dans l'intervalle $[0, \pi]$

2. Évaluez l'aire sous la courbe des fonctions suivantes et dans les intervalles donnés, en utilisant comme approximation la somme S_n des aires des rectangles, lorsque $n = 4$ et $n = 8$.

a) $f(t) = 2t + 3$ dans l'intervalle [0, 4]

b) $k(u) = \frac{1}{u}$ dans l'intervalle [2, 8]

c) $g(t) = 20t^3$ dans l'intervalle [0, 2]

d) $f(x) = e^x$ dans l'intervalle [0, 1]

3. Tracez le graphique de la fonction donnée dans la fenêtre d'affichage de la calculatrice graphique et trouvez, à l'aide des formules de surface utilisées en géométrie, la surface associée à l'intégrale définie donnée.

a) $h(z) = 5$ et $\int_{-1}^{5} h(z)\, dz$

b) $k(u) = 6u$ et $\int_{3}^{10} k(u)\, du$

c) $f(t) = 2t + 1$ et $\int_{1}^{5} f(t)\, dt$

d) $c(q) = |q|$ et $\int_{-3}^{4} c(q)\, dq$

e) $f(x) = \sqrt{1 - x^2}$ et $\int_{-1}^{1} f(x)\, dx$

f) $k(t) = \sqrt{16 - t^2}$ et $\int_{0}^{4} k(t)\, dt$

4. Si on a $\int_2^3 g(t)\,dt = 5$, $\int_3^5 g(t)\,dt = 8$ et $\int_2^5 h(t)\,dt = 7$, déduisez la valeur des intégrales définies suivantes, si c'est possible.

a) $\int_3^5 -6g(t)\,dt$

b) $\int_3^2 g(t)\,dt$

c) $\int_3^4 g(t)\,dt$

d) $\int_2^5 g(t)\,dt$

e) $\int_2^3 (g(t))^2\,dt$

f) $\left(\int_2^3 g(t)\,dt\right)^2$

g) $\int_2^5 (g(t) + h(t))\,dt$

h) $\int_5^2 (2h(t) - 3)\,dt$

i) $\int_2^5 (2g(t) - 6h(t))\,dt$

5. Calculez les intégrales définies suivantes :

a) $\int_0^1 (5x + 4)\,dx$

b) $\int_0^3 (1 + 2u + u^2)\,du$

c) $\int_{-5}^5 (w^2 - 10)\,dw$

d) $\int_4^9 (4x^4 - \sqrt{x})\,dx$

e) $\int_1^{16} (\sqrt{k} - \sqrt[4]{k})\,dk$

f) $\int_1^e \left(7v^2 - \frac{1}{v}\right)dv$

6. Calculez les intégrales définies suivantes :

a) $\int_2^5 (z - e^z)\,dz$

b) $\int_{-2}^2 (y^4 - 4^y)\,dy$

c) $\int_1^3 \left(e^{2n} - \frac{e}{n}\right)dn$

7. Calculez les intégrales définies suivantes :

a) $\int_0^\pi \sin x\,dx$

b) $\int_{\frac{-\pi}{2}}^{\frac{\pi}{2}} (\cos t + t)\,dt$

c) $\int_0^1 \frac{du}{\sqrt{1 - u^2}}$

8. Soit la surface bornée par la courbe $y = 7t^2 + 3$ et l'axe horizontal des t.

a) Déterminez la surface dans l'intervalle [-3, 3].

b) Déterminez la surface dans l'intervalle [0, 3].

c) Comparez les résultats obtenus en (a) et (b) et expliquez pourquoi un des deux est le double de l'autre.

9. Calculez la surface des régions bornées par chacune des fonctions suivantes, par l'axe des t et par les droites $t = a$ et $t = b$.

a) $g(t) = 1 - t$, $a = -5$ et $b = -1$

b) $h(t) = t^4 + 3$, $a = -2$ et $b = 2$

c) $f(t) = 3t^2 - 5t$, $a = 2$ et $b = 12$

d) $v(t) = 4t^3 - 5t^2$, $a = 2$ et $b = 3$

e) $d(t) = 1 - \frac{2}{t}$, $a = 2$ et $b = 4$

f) $s(t) = \frac{t + 1}{t}$, $a = 0{,}01$ et $b = 0{,}5$

g) $k(t) = e^t$, $a = 2$ et $b = 6$

h) $q(t) = \sin(\pi t)$, $a = 0$ et $b = 1$

10. À l'aide de la calculatrice à affichage graphique, évaluez la surface relative à l'intégrale définie donnée.

a) $\int_0^3 \frac{5}{1 + w^2}\,dw$

b) $\int_0^4 \ln(t + 2)\,dt$

c) $\int_0^1 e^{-u^2}\,du$

SECTION 11.4 Aire entre deux courbes

Soit deux fonctions continues $f(t)$ et $g(t)$ telles que sur l'intervalle $[a, b]$, $f(t) \geq g(t) \geq 0$. On souhaite trouver la surface entre les courbes des fonctions f et g.

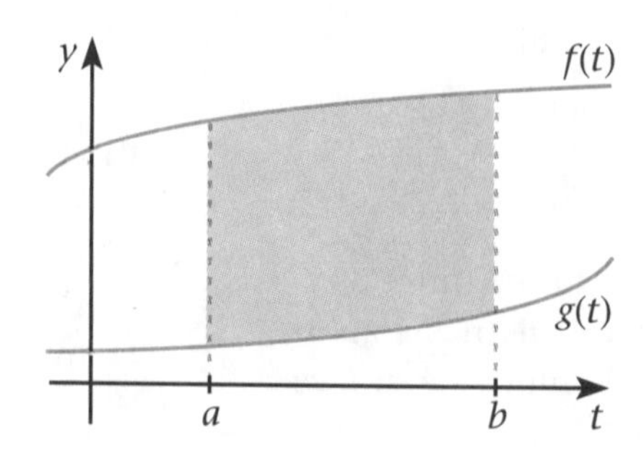

On constate qu'il suffit de prendre l'aire sous la courbe de la fonction f et de lui soustraire l'aire sous la courbe de la fonction g.

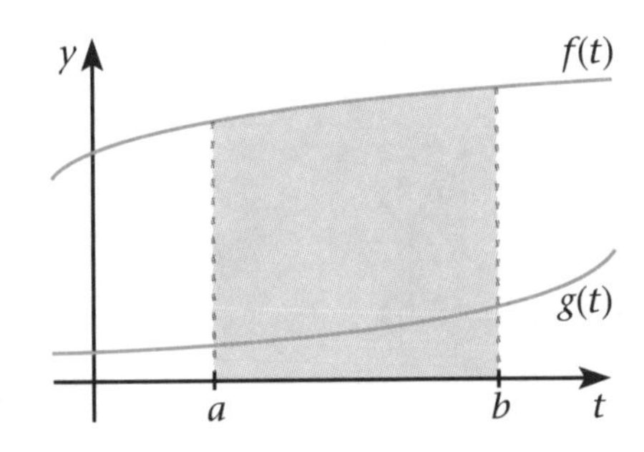

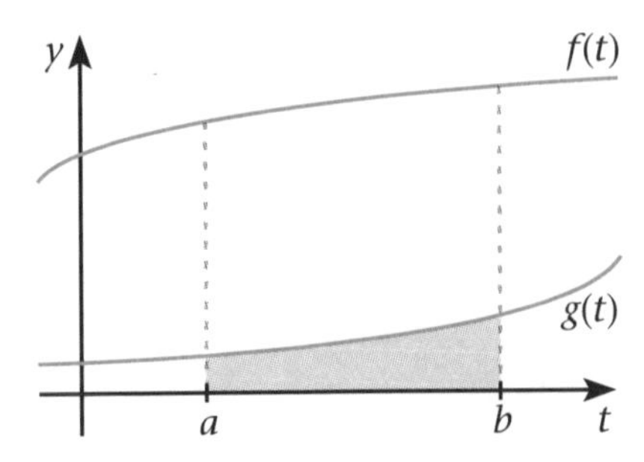

On a alors :

$$\text{Aire entre les courbes } f \text{ et } g = \int_a^b f(t)\, dt - \int_a^b g(t)\, dt = \int_a^b (f(t) - g(t))\, dt, \text{ selon la propriété ID2.}$$

Exemple 24

Trouvez l'aire entre les courbes $f(t) = \sqrt{t}$ et $g(t) = t^3$, lorsque t est compris entre 0 et 1.

On peut constater que partout dans l'intervalle [0, 1], on a $f(t) \geq g(t)$.

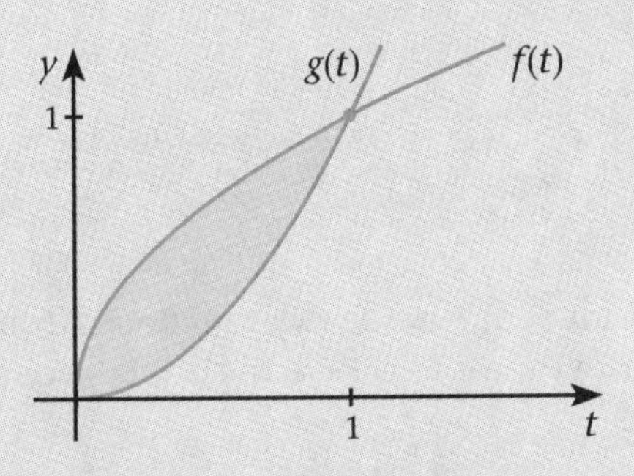

On a donc Aire entre les courbes de f et $g = \int_0^1 (f(t) - g(t))\, dt$

$$= \int_0^1 (t^{\frac{1}{2}} - t^3)\, dt = \left(\frac{t^{\frac{3}{2}}}{\frac{3}{2}} - \frac{t^4}{4} \right)\Bigg|_0^1$$

$$= \left(\frac{2(1)^{\frac{3}{2}}}{3} - \frac{1^4}{4} \right) - \left(\frac{2(0)^{\frac{3}{2}}}{3} - \frac{0^4}{4} \right)$$

$$= \frac{2}{3} - \frac{1}{4} = \frac{8}{12} - \frac{3}{12} = \frac{5}{12} \text{ unité}^2$$

Exemple 25

Trouvez l'aire de la surface délimitée par les courbes $h(z) = 3 + z$ et $k(z) = z^2 + 1$.

Pour trouver les points d'intersection des deux courbes, on pose $h(z) = k(z)$. Dans ce cas, on a :

$$3 + z = z^2 + 1$$

$$z^2 - z - 2 = 0$$

$$(z - 2)(z + 1) = 0$$

et donc les deux courbes se coupent lorsque $z = 2$ ou $z = -1$.

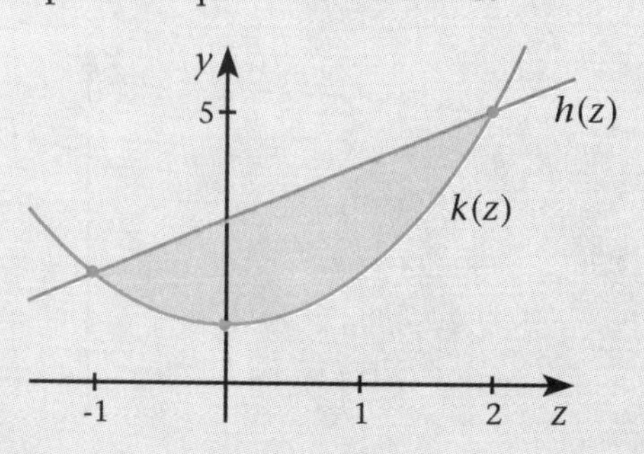

Puisque la fonction $h(z)$ est au-dessus de $k(z)$ dans l'intervalle [-1, 2] (voir le graphique), alors on a :

$$\text{Aire entre les courbes de } h \text{ et } k = \int_{-1}^{2} (h(z) - k(z))\, dz$$

$$= \int_{-1}^{2} (3 + z - (z^2 + 1))\, dz = \int_{-1}^{2} (2 + z - z^2)\, dz$$

$$= \left(2z + \frac{z^2}{2} - \frac{z^3}{3}\right)\Bigg|_{-1}^{2}$$

$$= \left(2(2) + \frac{2^2}{2} - \frac{2^3}{3}\right) - \left(2(-1) + \frac{(-1)^2}{2} - \frac{(-1)^3}{3}\right)$$

$$= \frac{10}{3} - \left(-\frac{7}{6}\right) = \frac{27}{6} = \frac{9}{2} \text{ unités}^2$$

Qu'arrive-t-il maintenant si une partie des fonctions $f(t)$ ou $g(t)$ pour lesquelles on cherche l'aire entre les deux courbes se trouve sous l'axe horizontal, comme dans le schéma suivant ?

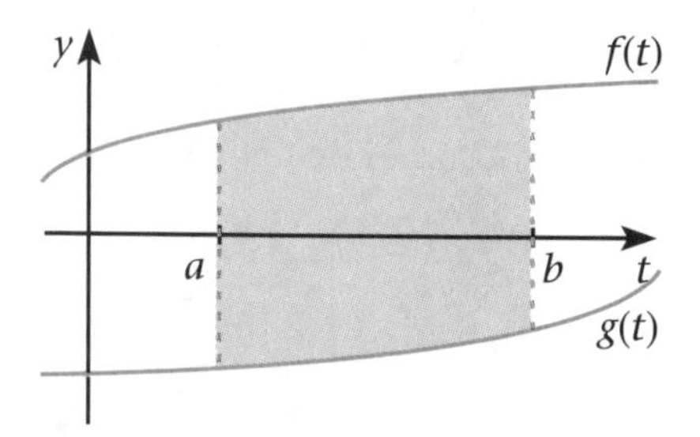

Il demeure évident, en observant la figure ci-dessus, qu'il est possible de trouver une valeur positive K suffisamment grande qui peut être additionnée à la fonction g, de telle sorte que le graphique de cette fonction soit décalé verticalement et se trouve dans l'intervalle $[a, b]$ au-dessus de l'axe horizontal. Dans ce cas, la fonction $G(t) = g(t) + K$ serait positive sur $[a, b]$. Si on additionne la même constante K à la fonction $f(t)$, on décale également verticalement le graphique de cette fonction et on obtient une fonction positive $F(t) = f(t) + K$ sur l'intervalle $[a, b]$.

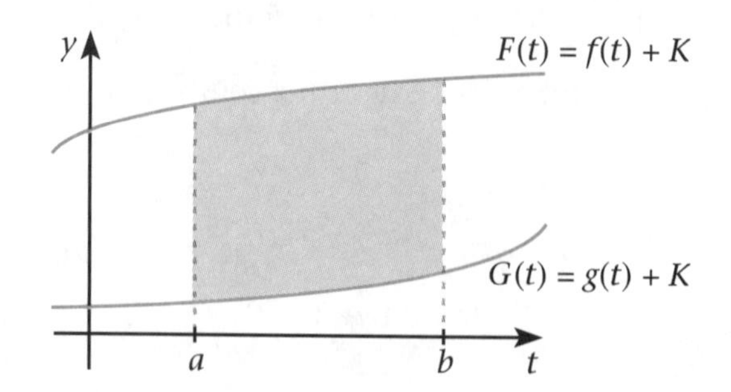

Cette translation verticale appliquée aux deux fonctions ne modifie pas la surface comprise entre les deux fonctions initiales. Puisque $F(t)$ et $G(t)$ sont deux fonctions positives, on a alors :

$$\begin{aligned}\text{Aire entre les courbes } f(t) \text{ et } g(t) &= \text{Aire entre les courbes } F(t) \text{ et } G(t)\\ &= \int_a^b F(t)\,dt - \int_a^b G(t)\,dt = \int_a^b (F(t) - G(t))\,dt\\ &= \int_a^b (f(t) + K - (g(t) + K))\,dt = \int_a^b (f(t) - g(t))\,dt\end{aligned}$$

Ainsi, que les fonctions soient positives ou négatives, dès que $f(t) \geq g(t)$ sur l'intervalle $[a, b]$, automatiquement :

$$\text{Aire entre les courbes de } f \text{ et } g = \int_a^b (f(t) - g(t))\,dt$$

Exemple 26

Trouvez l'aire qui est sous l'axe des x et au-dessus de la courbe $f(x) = x^4 - 1$, dans le troisième quadrant.

Pour trouver les points d'intersection de l'axe des x et de la courbe associée à la fonction f, on pose $f(x) = 0$. Dans ce cas, on a :

$$x^4 - 1 = 0$$

$$(x^2 - 1)(x^2 + 1) = 0$$

$$(x - 1)(x + 1)(x^2 + 1) = 0$$

et donc les deux courbes se coupent lorsque $x = 1$ ou $x = -1$.

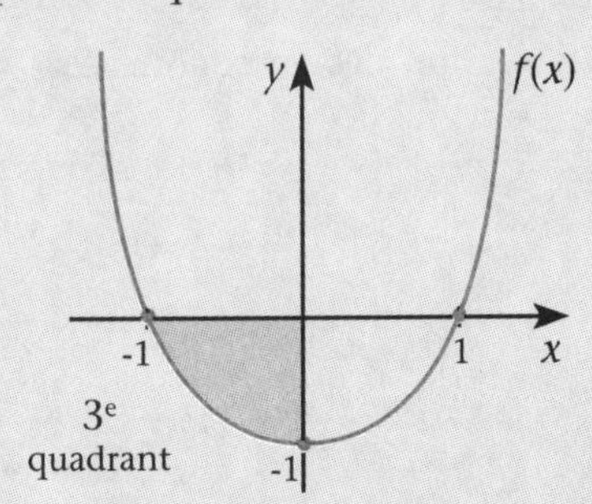

Puisqu'on s'intéresse à une surface qui se trouve dans le troisième quadrant, les bornes d'intégration seront ici -1 et 0. La fonction qui borne supérieurement la région qui nous intéresse est $g(x) = 0$ (l'axe des x) et celle qui la borne inférieurement est $f(x) = x^4 - 1$.

On a donc

$$\begin{aligned}\text{Aire entre l'axe des } x \text{ et la courbe de } f &= \int_{-1}^{0} (g(x) - f(x))\,dx\\ &= \int_{-1}^{0} (0 - (x^4 - 1))\,dx = \int_{-1}^{0} (-x^4 + 1)\,dx\\ &= \left(-\frac{x^5}{5} + x\right)\Big|_{-1}^{0}\\ &= \left(-\frac{0^5}{5} + 0\right) - \left(-\frac{(-1)^5}{5} + (-1)\right)\\ &= 0 - \left(-\frac{4}{5}\right) = \frac{4}{5} \text{ unité}^2\end{aligned}$$

Si on se réfère à l'exemple précédent, lorsqu'on cherche la surface entre une courbe négative $f(x)$ et l'axe horizontal associé à la variable indépendante x, on travaille comme si on cherchait l'aire de la région comprise entre la fonction $g(x) = 0$ (soit l'équation de l'axe des x) et la fonction $f(x)$.

On a alors Aire recherchée $= \int_a^b (g(x) - f(x))\, dx = \int_a^b (0 - f(x))\, dx = \int_a^b -f(x)\, dx = -\int_a^b f(x)\, dx$

Exemple 27

Déterminez l'aire bornée par les courbes $f(t) = -2t$ et $g(t) = 3 - t^2$, sur l'intervalle [0, 4].

Si on trace la courbe des deux fonctions concernées sur l'intervalle [0, 4], on constate qu'à un moment donné la courbe de la fonction $g(t)$ est au-dessus de celle de la fonction $f(t)$, alors que sur une autre partie, la courbe de $f(t)$ est à son tour au-dessus de la courbe de $g(t)$.

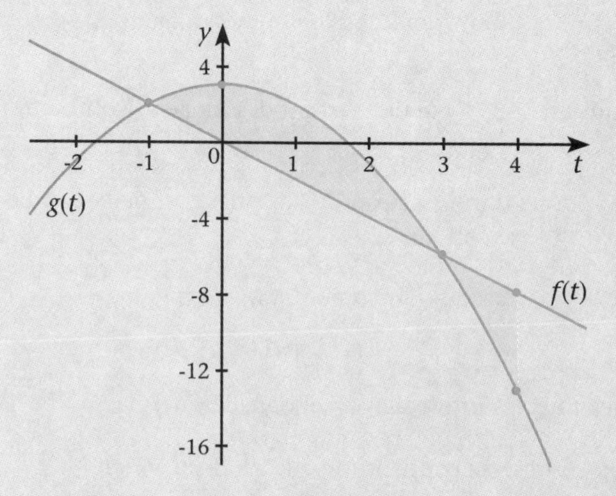

Cherchons les points d'intersection des deux courbes.

On a

$$f(t) = g(t)$$
$$-2t = 3 - t^2$$
$$t^2 - 2t - 3 = 0$$
$$(t - 3)(t + 1) = 0$$

et donc les deux courbes se coupent lorsque $t = 3$ ou $t = -1$.

Ainsi, sur l'intervalle [0, 3], la courbe de $g(t)$ est au-dessus de celle de $f(t)$ et l'aire entre les deux courbes sur cet intervalle est donnée par $\int_0^3 (g(t) - f(t))\, dt$. Sur l'intervalle [3, 4], c'est plutôt la courbe de $f(t)$ qui se trouve au-dessus de celle de $g(t)$ et l'aire pour cette région sera donnée par $\int_3^4 (f(t) - g(t))\, dt$.

Ainsi,

$$\text{Aire totale cherchée} = \int_0^3 (g(t) - f(t))\, dt + \int_3^4 (f(t) - g(t))\, dt$$

$$= \int_0^3 (3 - t^2 - (-2t))\, dt + \int_3^4 (-2t - (3 - t^2))\, dt$$

$$= \int_0^3 (3 - t^2 + 2t)\, dt + \int_3^4 (-2t - 3 + t^2)\, dt$$

$$= \left(3t - \frac{t^3}{3} + t^2\right)\Bigg|_0^3 + \left(-t^2 - 3t + \frac{t^3}{3}\right)\Bigg|_3^4$$

$$= \left(3(3) - \frac{3^3}{3} + 3^2\right) - \left(3(0) - \frac{0^3}{3} + 0^2\right) + \left(-(4)^2 - 3(4) + \frac{4^3}{3}\right) - \left(-(3)^2 - 3(3) + \frac{3^3}{3}\right)$$

$$= \frac{27}{3} - 0 - \frac{48}{3} - \left(\frac{-81}{3}\right) = \frac{60}{3} = 20 \text{ unités}^2$$

Comment faire ?

Comment trouver la surface entre deux courbes

Pour trouver la surface entre les courbes de deux fonctions $f(t)$ et $g(t)$, vous pouvez procéder de la façon suivante :

1) Tracez un graphique de la région souhaitée, en dessinant dans un même plan cartésien les courbes des fonctions $f(t)$ et $g(t)$ et en déterminant algébriquement (si possible) les points d'intersection des deux courbes.

2) Déterminez tous les intervalles $[a, b]$ dans lesquels la courbe de $f(t)$ se trouve au-dessus de celle de $g(t)$ et calculez $\int_a^b (f(t) - g(t))\, dt$ pour chacun de ces intervalles.

3) Déterminez tous les intervalles $[c, d]$ dans lesquels la courbe de $g(t)$ se trouve au-dessus de celle de $f(t)$ et calculez $\int_c^d (g(t) - f(t))\, dt$ pour chacun de ces intervalles.

4) L'aire totale est la somme des aires trouvées aux étapes 2 et 3.

Exercices

1. Trouvez l'aire qui est entre les courbes des deux fonctions données.

a) $f(t) = t + 7$ et $g(t) = 9 - t^2$

b) $h(x) = 3x^3$ et $k(x) = 12x$

2. Trouvez la surface de la région bornée par les courbes des fonctions suivantes :

a) $g(x) = x^2 + 4$ et $h(x) = -3$, pour $0 \leq x \leq 4$

b) $f(x) = 5x - x^2$ et $h(x) = 6x + 2$, pour $2 \leq x \leq 5$

c) $f(t) = t^2$ et $g(t) = t$, pour $-1 \leq t \leq 5$

d) $s(t) = t^2$ et $h(t) = \frac{8}{t}$, pour $2 \leq t \leq 3$

e) $h(y) = \sqrt[3]{y}$ et $k(y) = y$, pour $-8 \leq y \leq 1$

f) $c(q) = |q|$ et $d(q) = \frac{q}{2} + 2$, pour $-2 \leq q \leq 4$

g) $h(z) = e^z$ et $k(z) = \frac{1}{z}$, pour $1 \leq z \leq 3$

h) $f(u) = \sin u$ et $g(u) = \cos u$, pour $0 \leq u \leq \pi$

3. Trouvez la surface de la région fermée bornée par les courbes des fonctions suivantes :

a) $f(x) = 9$ et $h(x) = x^2$

b) $f(z) = z^2 + 3z - 1$ et $h(z) = -z^2 + 5z + 3$

c) $g(t) = t^2 + t$ et $f(t) = 8t$

d) $k(x) = x$ et $g(x) = x^3 - 3x$

e) $h(u) = u^4 + 1$ et $p(u) = 2u^2$

f) $f(x) = x^3 - 3x$ et $g(x) = 13x$

4. Trouvez le nombre k tel que la droite verticale $x = k$ divise en deux parties de même surface la région délimitée par le graphique de la fonction $f(x) = \sqrt{x}$, l'axe des x et les droites verticales d'équation $x = 0$ et $x = 4$.

5. À l'aide de la calculatrice à affichage graphique, tracez les deux fonctions données dans la même fenêtre d'affichage, estimez les points d'intersection (avec une précision de deux décimales), puis déterminez la surface entre les deux courbes à l'aide d'intégrales définies appropriées.

a) $h(x) = x^5 + x^2 - 2x$ et $k(x) = x$

b) $f(t) = t^5 + t^2 - 5t$ et $g(t) = 0{,}8t^3$

c) $c(u) = 3u^5 + 7u^4 - 8u$ et $d(u) = u + 2$

d) $r(y) = y^5 + y^4 - 3y$ et $s(y) = 4y - y^3 - y^5$

La **mathématique** **au goût du jour**

Les mathématiques et la génétique

Depuis plusieurs années, certains mathématiciens se joignent à des biologistes, entre autres, pour tenter de concevoir des structures mathématiques qui permettent de mieux comprendre certains processus biologiques. Des ingénieurs moléculaires travaillent, par exemple, à recueillir les séquences des génomes de certaines espèces de bactéries, de certaines espèces animales et végétales et, bien sûr, des êtres humains. Lorsqu'on s'intéresse à de telles séquences, on constate rapidement qu'elles sont constituées d'un nombre phénoménal de données. Chez l'être humain, le «livre du génome humain» comprend plus de deux milliards de mots de trois caractères écrits à partir des lettres A, C, G et T, associées aux quatre molécules qui se combinent pour constituer les chromosomes.

La traduction de telles séquences n'a pas sa raison d'être si celles-ci sont incomprises. Les mathématiques sont alors mises à contribution. Quels avantages y a-t-il à comprendre ces longues séquences? On sait maintenant que certaines maladies génétiques possèdent de longues séquences répétitives et il peut devenir important, dans le but d'enrayer ces maladies, de déceler les répétitions parmi la multitude de données pour mieux les analyser. Un autre avantage est d'étudier comment évoluent les gènes des espèces vivantes pour voir comment ils se modifient et se réorganisent dans un contexte d'adaptation et pour trouver certains liens de parenté entre les organismes vivants.

Sur un autre plan, la théorie des nœuds, élaborée par le mathématicien C.F. Gauss afin de modéliser l'enroulement de fils électriques, trouve des applications en génétique. On sait que l'ADN peut atteindre une longueur de un mètre dans un noyau de cellule ayant un diamètre d'à peine 10^{-6} mètre. En fait, l'ADN est par la force des choses enroulé dans la cellule. Certains processus biologiques font intervenir des enzymes qui coupent les brins d'ADN, leur font subir un certain nombre de croisements et les réunissent ensuite.

Les spécialistes de la biologie moléculaire et les théoriciens des nœuds travaillent ensemble pour mieux comprendre comment se structurent et se modifient les divers nœuds de l'ADN. Une meilleure connaissance des actions des enzymes, à l'aide de l'analyse des nœuds, peut mener à une meilleure compréhension des transformations cellulaires et peut aider l'être humain à trouver des solutions pour combattre certaines maladies génétiques.

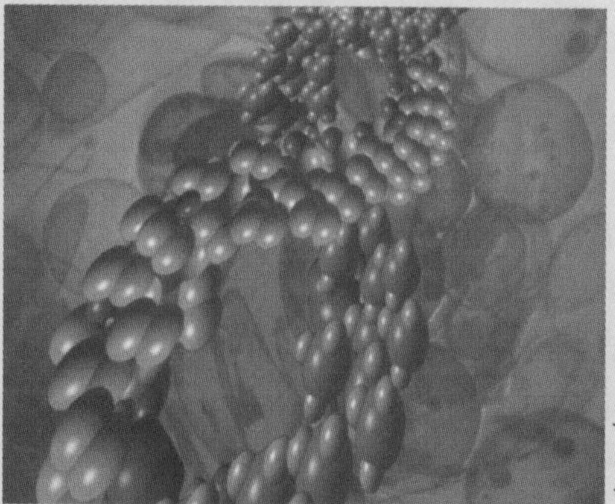

L'utilisation de concepts mathématiques facilite l'étude du génome humain.

En résumé

La fonction F est une **primitive** de la fonction f si F est dérivable et si $F'(t) = f(t)$.

L'**intégrale indéfinie** de $f(x)$ est la famille de toutes les primitives associées à une fonction $f(x)$.

Règle I1 $\int du = \int 1\, du = u + K$

Règle I2 Si n est un nombre réel différent de -1, alors $\int u^n\, du = \frac{1}{n+1} u^{n+1} + K = \frac{u^{n+1}}{n+1} + K$.

Règle I3 $\int u^{-1}\, du = \int \frac{du}{u} = \ln |u| + K$

Règle I4 Si a est une constante réelle, alors $\int af(x)\, dx = a \int f(x)\, dx$.

Règle I5 $\int (f(x) + g(x))\, dx = \int f(x)\, dx + \int g(x)\, dx$

et $\int (f(x) - g(x))\, dx = \int f(x)\, dx - \int g(x)\, dx$

Règle I6 $\int e^u\, du = e^u + K$

Règle I7 Si b représente une base positive, alors $\int b^u\, du = \frac{b^u}{\ln b} + K$.

Règle I8 $\int \sin u\, du = -\cos u + K$ et $\int \cos u\, du = \sin u + K$

Règle I9 $\int \sec^2 u\, du = \operatorname{tg} u + K$ et $\int \operatorname{cosec}^2 u\, du = -\operatorname{cotg} u + K$

Règle I10 $\int \sec u \operatorname{tg} u\, du = \sec u + K$ et $\int \operatorname{cosec} u \operatorname{cotg} u\, du = -\operatorname{cosec} u + K$

Règle I11 $\int \frac{du}{\sqrt{1 - u^2}} = \arcsin u + K$ et $\int \frac{-du}{\sqrt{1 - u^2}} = \arccos u + K$

Règle I12 $\int \frac{du}{1 + u^2} = \operatorname{arctg} u + K$ et $\int \frac{-du}{1 + u^2} = \operatorname{arccotg} u + K$

Règle I13 $\int \frac{du}{|u|\sqrt{u^2 - 1}} = \operatorname{arcsec} u + K$ et $\int \frac{-du}{|u|\sqrt{u^2 - 1}} = \operatorname{arccosec} u + K$

Théorème fondamental du calcul intégral

Soit f une fonction non négative et continue sur l'intervalle $[a, b]$. Alors, si $F(x)$ est une primitive de $f(x)$:

$$\text{Aire sous la courbe entre } a \text{ et } b = F(b) - F(a), \text{ qu'on note aussi par } \int_a^b f(x)\, dx \text{ ou } F(x)\Big|_a^b$$

Si on a deux fonctions f et g telles que $f(t) \geq g(t)$ sur l'intervalle $[a, b]$, alors :

$$\text{Aire entre les courbes de } f \text{ et } g = \int_a^b (f(t) - g(t))\, dt$$

Problèmes

Section 11.1 (p. 332)
Primitives, concept d'intégrale indéfinie et règles d'intégration indéfinie

1. Pour chaque taux de variation instantané suivant associé à une fonction revenu $R(q)$, où q est le nombre d'unités vendues, trouvez l'ensemble des fonctions $R(q)$ qui possèdent le taux en question.

a) $\frac{dR}{dq} = 27 - 0{,}5q$

b) $\frac{dR}{dq} = 300q - q^2$

c) $\frac{dR}{dq} = q(55 - q)$

2. Pour chaque taux de variation instantané suivant associé à une fonction coût de production $C(q)$, où q est le nombre d'unités produites, trouvez l'ensemble des fonctions $C(q)$ qui possèdent le taux en question.

a) $\frac{dC}{dq} = q^2 + 150q$

b) $\frac{dC}{dq} = 5(q + 3)(q + 15)$

c) $\frac{dC}{dq} = 1000 - 0{,}1e^q$

3. Le taux de variation instantané des revenus $R(q)$ est donné par $\frac{dR}{dq} = 25 - 3q$, où q représente le nombre d'unités vendues. Trouvez la fonction donnant les revenus, sachant que ceux-ci sont nuls lorsqu'on ne vend aucune unité.

4. Le taux de variation instantané du coût de production d'un article est donné par $\frac{dC}{dq} = 3q^4 + 4q - 2$, où q représente le nombre d'unités fabriquées. Trouvez le coût total de production lorsqu'on fabrique 5 unités, sachant que les coûts fixes (avant d'avoir produit la première unité) sont de 300 $.

5. Un objet se déplace en ligne droite à une vitesse donnée par $v(t) = 5t^2 + 2t + 10$ mètres par seconde (où t est le temps en secondes et $t \geq 0$) et sa position au temps $t = 0$ est de 12 mètres par rapport à un point fixe.

a) Trouvez la fonction donnant la position $s(t)$ par rapport au point fixe.

b) Déterminez la position de l'objet après 2 secondes.

c) Déterminez la position de l'objet lorsque celui-ci se déplace à une vitesse de 13 mètres par seconde.

6. Une balle est lancée en l'air avec une vitesse initiale de 12 mètres par seconde. On a alors une accélération de $a(t) = -9{,}8$ mètres par seconde², où t est le temps (en secondes) qui s'est écoulé depuis le moment où la balle a quitté la main de la personne qui la lançait.

a) Trouvez la fonction $v(t)$ donnant la vitesse de la balle en fonction du temps t.

b) Trouvez la fonction $s(t)$ donnant la position de la balle si celle-ci est lancée d'une hauteur initiale de 2 mètres à partir du sol.

7. Une balle est lancée en l'air avec une vitesse initiale de v_0 mètres par seconde et l'accélération est de -9,8 mètres par seconde². Si la balle a une hauteur initiale de s_0 mètres, trouvez la fonction $s(t)$ donnant la position de la balle au temps t (en secondes) qui s'est écoulé depuis le moment où la balle a quitté la main de la personne qui la lançait.

8. On estime qu'une violente épidémie se répand dans une ville importante selon un taux de variation $\frac{dN}{dt} = 2 + 3\sqrt{t}$ personnes par heure, à partir du moment où l'épidémie a été déclarée. À ce moment précis, on estime que 5 personnes étaient déjà malades. Trouvez $N(t)$ donnant le nombre de personnes malades en fonction de t et déterminez combien de gens seront malades deux jours après le début de l'épidémie.

9. Dans un territoire déterminé, une population P de lynx augmente à un taux de $\frac{dP}{dt} = 2{,}7e^{0{,}3t}$, où t est le nombre d'années écoulées depuis le 1er août 2001, alors que la population était de 300 lynx. Évaluez le nombre de lynx en date du 1er août 2007.

Section 11.2 (p. 341)
Intégration avec un changement de variable

10. Trouvez la fonction D donnant la demande pour un produit en fonction du prix de vente p, sachant que le taux de variation de cette demande est donné par $D'(p) = \frac{-12p}{(4p^2 + 1)^2}$ et sachant que la demande est de 2 articles lorsque le prix de vente est de 5 $.

11. Le taux auquel des tonnes de métaux sont extraites d'une mine est de $\frac{dQ}{dt} = \frac{-20t^3}{(t^4 + 3)^3} + 8$ tonnes par mois, où t est le nombre de mois depuis le tout début de l'exploitation de la mine, alors que rien n'avait été extrait du sol. Trouvez la quantité de métal extraite durant les deux premières années de l'exploitation.

12. Supposons que le taux auquel une personne mémorise une liste de noms est donné par $\frac{dN}{dt} = \frac{6}{\sqrt{5t+2}}$ noms par minute, où t est le nombre de minutes durant lesquelles la personne mémorise les noms de la liste qu'elle vient d'obtenir. Initialement, la personne connaissait déjà 10 noms et les avait mémorisés. Trouvez combien de noms elle aura mémorisés après avoir étudié la liste pendant une heure.

13. Le tableau d'un grand maître est acheté aujourd'hui pour une somme de 3 millions de dollars et on prévoit que sa valeur va croître à une vitesse de $\frac{dV}{dt} = 0{,}05e^{0{,}12t}$ millions de dollars par année, où t est le nombre d'années à partir d'aujourd'hui. Calculez la valeur de ce tableau dans 5 ans.

14. L'intensité d'un courant I (en ampères) est le taux de variation instantané de la charge q (en coulombs) par rapport au temps t (en secondes). Le courant dans un circuit est de $I(t) = 14e^{-3t}$ ampères et la charge initiale est de 0 coulomb. Trouvez la fonction décrivant la charge au temps t et calculez la charge après 0,2 seconde.

15. Une quantité de substance radioactive particulière, dont le poids est aujourd'hui de 200 grammes, se dégrade à un taux de $\frac{dQ}{dt} = -15e^{-0{,}11t}$ grammes par an, où t est le nombre d'années et $t \leq 25$ (lorsque $t > 25$, le modèle mathématique suggéré n'est plus valide). Trouvez la quantité de substance qui restera dans 20 ans.

16. Le taux de dépréciation d'une machine ayant une valeur initiale de 2 millions de dollars est donné par $\frac{dV}{dt} = -150te^{-0{,}04t^2}$ milliers de dollars par année, où t est le nombre d'années depuis l'achat de la machine. Calculez la valeur de la machine 8 ans après son achat.

17. La population d'une certaine ville augmente à un taux de $\frac{dP}{dt} = \frac{2e^{0{,}09t}}{3 + e^{0{,}09t}}$ milliers de personnes par année, où t est le temps (en années) qui s'écoule à compter d'aujourd'hui. Trouvez la fonction $P(t)$ donnant la population de cette ville, sachant que celle-ci compte actuellement 23 500 personnes.

18. La puissance P (en watts) dans un circuit électrique est le taux de variation instantané de l'énergie E (en joules) par rapport au temps t (en secondes). De plus, la puissance P satisfait la relation $P = RI^2$, où R correspond à la résistance (en ohms) et I au courant (en ampères). Le courant dans un circuit ayant une résistance de 100 ohms est de $I(t) = 0{,}8 \sin (2\pi t)$ ampères et l'énergie E est initialement de 0 joule.

a) Trouvez la fonction décrivant l'énergie E au temps t. On rappelle l'identité trigonométrique $\sin^2 A = \frac{1}{2}(1 - \cos 2A)$.

b) Calculez l'énergie totale obtenue après 10 secondes.

Section 11.3 (p. 346)
Théorème fondamental du calcul intégral et intégrale définie

19. Un objet tombe à une vitesse de $-11t$ mètres par seconde, t secondes après avoir été échappé (le signe de la vitesse indique simplement que l'objet se dirige vers le sol). Trouvez la distance parcourue par cet objet, durant :

a) les 2 premières secondes de la chute;

b) les 5 premières secondes de la chute.

20. Un électron, d'abord immobile, subit une accélération donnée par $a(t) = 1{,}3t$ mètre par microseconde², où t est le temps (en microsecondes) qui s'écoule depuis le départ de l'électron.

a) Évaluez la vitesse de l'électron 10 µs après son départ.

b) Calculez le distance $d(t)$ parcourue par l'électron durant les 8 premières microsecondes.

21. Une entreprise veut acheter une nouvelle machine automatique fabriquée en Gaspésie. Cette machine peut être expédiée à Laval au coût de 25 000 $. On estime que le taux annuel de l'épargne E due à l'utilisation de cette machine sera de $\frac{dE}{dt} = 3000t$ dollars par année, où t est le nombre d'années après l'achat.

a) Déterminez si la machine aura été rentable au bout de 5 ans.

b) Déterminez après combien d'années exactement la machine devient rentable.

c) Si on doit ajouter aux coûts indiqués des coûts d'installation et des coûts de réglage totalisant 17 000 $, déterminez après combien d'années la machine devient rentable.

22. On estime que les ventes vont augmenter à un taux de $\frac{dN}{dt} = 20\sqrt{5t + 12}$ articles par semaine, où t est le nombre de semaines écoulées depuis le début d'une campagne publicitaire. Trouvez le nombre total d'articles qui seront vendus durant les quatrième et cinquième semaines de la campagne.

23. Une entreprise veut acheter un appareil au prix de 3000 $. On estime que le taux annuel de l'épargne E due à l'utilisation de cet appareil sera de $\frac{dE}{dt} = \frac{8500}{(t + 2)^2}$ dollars par année, où t est le nombre d'années suivant l'achat de l'appareil. Pour justifier l'achat de l'appareil, on considère qu'il doit être rentable après 3 ans d'utilisation. Déterminez si on doit ou non acheter l'appareil.

24. Après l'introduction d'un nouvel article sur le marché, le taux de variation des ventes est donné par $\frac{dN}{dt} = \frac{5t}{(3 + t^2)^2}$ centaines d'articles par semaine, où t est le nombre de semaines depuis l'arrivée de l'article sur les rayons. Trouvez le nombre d'articles vendus durant les deux premières semaines suivant l'arrivée de l'article.

25. Du gaz naturel sera extrait d'un site selon un taux de $\frac{dQ}{dt} = 2e^{0{,}4t}$ millions de litres par année, où t est le nombre d'années à compter d'aujourd'hui. À ce taux, trouvez combien de litres seront extraits dans la deuxième moitié de la prochaine décennie.

26. La population d'une certaine ville augmente selon un taux de variation de $\frac{dN}{dt} = 500e^{0{,}03t}$ personnes par année, où t est le nombre d'années à partir d'aujourd'hui.

a) Trouvez de combien de personnes la population va augmenter durant les 8 prochaines années.

b) A-t-on l'information nécessaire pour trouver la population actuelle ?

27. Une entreprise veut acheter une machine pour automatiser un peu plus une chaîne de production. Le coût d'achat de la machine est de 50 000 $. L'analyste de l'entreprise a estimé que le taux annuel de l'épargne E due à l'utilisation de cette nouvelle machine est représenté par la relation $\frac{dE}{dt} = 50e^{-0,9t}$ milliers de dollars par année, où t est le nombre d'années après l'achat. Déterminez si le coût d'achat est récupéré après 4 ans d'utilisation.

Section 11.4 (p. 356)
Aire entre deux courbes

28. Dans certaines régions, le taux de naissance $\frac{dN}{dt}$ surpasse de beaucoup le taux de mortalité $\frac{dM}{dt}$, où t est le temps, ce qui fait en sorte que des problèmes de surpopulation pourraient survenir. L'accroissement total d'une population au terme de k années à partir d'aujourd'hui est donné par :

$$\int_0^k \text{(Taux de naissance – Taux de mortalité) } dt,$$

si on ne tient pas compte des phénomènes d'immigration et d'émigration. Si, dans un pays donné, le taux de naissance est représenté par $\frac{dN}{dt} = 0,01t^3 - 0,15t^2 + 1,2$ million de personnes par année et le taux de mortalité est représenté par $\frac{dM}{dt} = 1,1 - 0,05t$ million de personnes par année (où t représente le nombre d'années à partir d'aujourd'hui), calculez l'accroissement de la population dans les 20 prochaines années.

29. Soit les fonctions donnant les coûts $C(q) = 40 - 4q$ et les revenus $R(q) = 18q - q^2$, où q est le nombre d'articles produits et vendus en un jour.

a) Après avoir tracé les courbes associées aux deux fonctions dans le même plan cartésien, calculez la surface délimitée par les deux courbes.

b) Déterminez la fonction donnant le profit en fonction de q.

c) Après avoir tracé la fonction donnant le profit, montrez que l'aire de la surface entre la courbe de cette fonction et l'axe horizontal est égale à la surface obtenue en (a).

Auto-évaluation

1. Trouvez les intégrales indéfinies suivantes :

a) $\int t^7\, dt$

b) $\int \frac{8}{5x^4}\, dx$

c) $\int \left(3y^{\frac{1}{4}} - \frac{\ln 7}{y}\right) dy$

d) $\int \frac{v^4 - 1}{\sqrt{v}}\, dv$

e) $\int 70t^2(3t^3 + \sqrt{8})\, dt$

f) $\int 4e^w\, dw$

g) $\int \sqrt{7} \sec^2 u\, du$

h) $\int 5(-7x + 13)^4\, dx$

i) $\int \frac{6n + 3}{(4n^2 + 4n)^7}\, dn$

j) $\int \frac{t^4}{\sqrt{t^5 - 9}}\, dt$

k) $\int \frac{4(\ln v)^6}{7v}\, dv$

l) $\int \frac{e^{4x}}{3 - e^{4x}}\, dx$

2. Une pièce d'équipement d'une valeur initiale de 35 000 $ se déprécie selon un taux de $\frac{dV}{dt} = -1500e^{-0,15t}$ dollars par année, où t est le nombre d'années depuis l'achat. Trouvez la valeur de l'appareil 7 ans après l'achat.

3. Calculez les intégrales définies suivantes :

a) $\int_3^2 6t^3\, dt$

b) $\int_1^4 \left(\frac{5}{\sqrt{u}} + \frac{\sqrt{u}}{5}\right) du$

c) $\int_{-5}^5 (w^{-2} - w^2)\, dw$

d) $\int_{-2}^{10} (e^s + 7)\, ds$

e) $\int_0^1 (5x + 4)^5\, dx$

f) $\int_2^3 k^2\sqrt{k^3 + 1}\, dk$

4. Le volume d'une tumeur croît à un taux de $\frac{dV}{dt} = 0,5e^{0,04t}$ millimètre cube par semaine, où t est le nombre de semaines depuis que le diagnostic a été posé. Trouvez l'augmentation du volume de la tumeur durant les 5e, 6e et 7e semaines après le diagnostic.

5. Calculez l'aire sous la courbe des fonctions suivantes, positives dans l'intervalle donné.

a) $g(z) = z^4$ dans l'intervalle [-2, 2]

b) $h(x) = x^3 + 3x - 1$ dans l'intervalle [3, 6]

c) $f(t) = t(t - 2)$ dans l'intervalle [-5, -1]

d) $g(n) = \frac{5}{n + 4}$ dans l'intervalle [-3, 6]

e) $k(u) = e^{5u}$ dans l'intervalle [-3, 3]

f) $f(x) = 2 \cos x$ dans l'intervalle $\left[\frac{-\pi}{4}, \frac{\pi}{4}\right]$

6. Si le taux de variation du coût total de production est donné par $\frac{dC}{dq} = 5q^2 + 2$ dollars par centaine d'unités produites, où q est justement le nombre de centaines d'unités produites, et si les coûts fixes sont de 350 $, trouvez la fonction C donnant les coûts totaux.

7. Trouvez l'aire de la région fermée délimitée par :

a) $f(x) = x^2 + 5$ et $g(x) = 4 + x$, pour $0 \leq x \leq 2$

b) $g(t) = t^2$ et $f(t) = 50 - t^2$

c) $c(t) = t^2 - 5t + 4$ et $d(t) = -t^2 + 5t - 4$, pour $0 \leq t \leq 4$

d) $h(z) = \sqrt[7]{z}$ et $k(z) = z$

8. Un mobile a une accélération décrite en fonction du temps t (en secondes) par $a(t) = 1{,}2t + 2$ mètres par seconde².

a) Trouvez la fonction donnant la vitesse du mobile en fonction du temps, si elle était initialement de 4 mètres par seconde.

b) Trouvez la fonction donnant la distance s parcourue par le mobile en fonction du temps, sachant que celle-ci était initialement de 0 mètre par rapport à un point fixe.

9. La population d'une certaine ville augmente selon un taux de variation de $\frac{dN}{dt} = 675 \cdot 2^{0{,}08t}$ personnes par année, où t est le nombre d'années écoulées depuis le 1er mai 2001. Évaluez de combien de personnes la population va augmenter entre le 1er mai 2010 et le 1er mai 2015.

10. Une ressource naturelle a une réserve totale de N unités. On suppose de cette ressource sera extraite au taux de $\frac{dQ}{dt} = ae^{-bt}$ unités par année, où t est le nombre d'années écoulées depuis le début de l'extraction et où a et b sont deux nombres positifs. Montrez que le temps T nécessaire pour épuiser toute la réserve est donné par :

$$T = -\frac{\ln\left(1 - \frac{bN}{a}\right)}{b}$$

Corrigé

Chapitre 1 (p. 1)

Avant d'aller plus loin (p. 3)

Préalables

1. **a)** 28 **b)** $\frac{5}{2}$ **c)** 5 **d)** 0

2. **a)** $-2t^2 + 6t - 5$ **c)** $\frac{5x - 18}{(x - 4)(x - 3)}$

b) $\frac{2x + 1}{x(x + 1)}$ **d)** $\frac{3(x - 5)}{x + 7}$

3. **a)** $z = 1$ **c)** $x = 19$ **e)** $x = \frac{1}{4}$

b) $t \geq \frac{-8}{7}$ **d)** $w < \frac{1}{2}$ **f)** $x \geq 6$

4. **a)** $\frac{11}{7}$ **b)** 3

5. **a)** $x^2 + \underline{\ 6x\ } + 9$

b) $(z - \underline{\ 7\ })^2$

c) $x^2 + 18x + \underline{\ 81\ } = (x + \underline{\ 9\ })^2$

Langages mathématique et graphique

1. **a)** IN est l'ensemble de tous les nombres naturels, soit l'ensemble {0, 1, 2, 3, 4, 5, 6, ...}.

b) $\mathbb{Z}$ est l'ensemble de tous les entiers relatifs, soit l'ensemble {..., -3, -2, -1, 0, 1, 2, 3, ...}.

c) $\mathbb{Q}$ est l'ensemble de tous les nombres fractionnaires, soit l'ensemble de tous les nombres qui peuvent être notés sous la forme $\frac{p}{q}$, où p et q sont des entiers relatifs et $q \neq 0$.

d) IR est l'ensemble de tous les nombres réels.

2. **a)** [1, 17[est l'ensemble de tous les nombres réels compris entre 1 et 17, 1 inclus et 17 exclu.

b)]3, 4[est l'ensemble de tous les nombres réels compris entre 3 et 4 exclusivement.

c) -∞, 7[est l'ensemble de tous les nombres réels strictement inférieurs à 7.

7 IR

d) [100, +∞ est l'ensemble de tous les nombres réels plus grands ou égaux à 100.

100 IR

3. Plusieurs dessins sont possibles. Par exemple :

a) **b)** **c)**

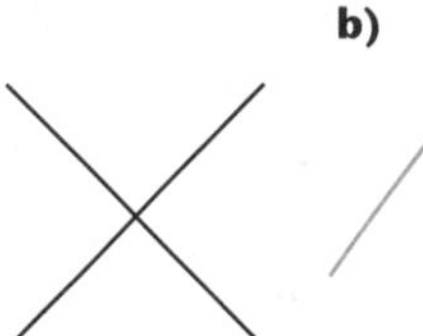

4. Plusieurs réponses sont possibles. Par exemple :

a)

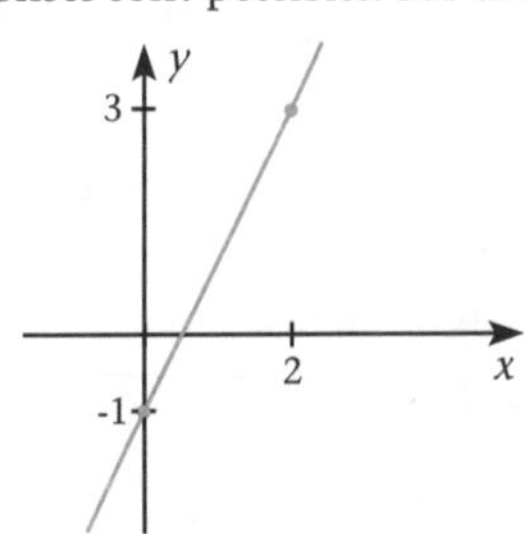

b)

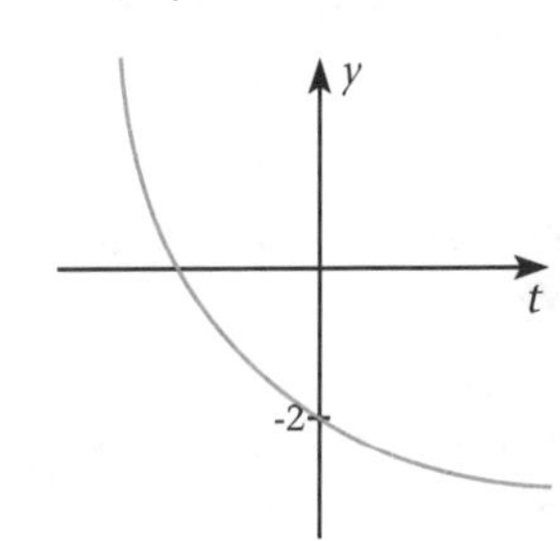

c)

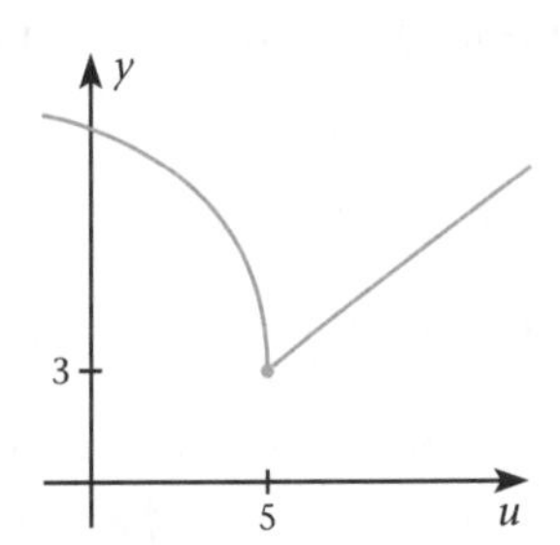

5. Une variable, telle que x ou y, est une quantité qui est susceptible de prendre plusieurs valeurs (et donc de varier). Une constante, telle que 3 ou $\frac{-1}{2}$, est une quantité qui conserve toujours la même valeur.

Exercices 1.1 (p. 7-8)

1. **a)** Les images de 5 et -7 sont $f(5) = 31$ et $f(-7) = -29$.

Pour la préimage de 0, on a $6 + 5m = 0$, soit $m = \frac{-6}{5}$.

Pour la préimage de 3, on a $6 + 5m = 3$, soit $5m = -3$ et $m = \frac{-3}{5}$.

b) Les images de 5 et -7 sont $H(5) = \frac{21}{2}$ et $H(-7) = \frac{45}{2}$.

Pour la préimage de 0, on a $\frac{t^2 - 4}{2} = 0$, $t^2 = 4$ et $t = \sqrt{4} = 2$ ou $t = -\sqrt{4} = -2$.

Pour la préimage de 3, on a $\frac{t^2 - 4}{2} = 3$, $t^2 - 4 = 6$, $t^2 = \sqrt{10}$ et $t = \sqrt{10}$ ou $t = -\sqrt{10}$.

c) Les images de 5 et -7 sont $s(5) = \frac{-2}{627}$ et $s(-7) = \frac{-2}{2403}$.

Pour la préimage de 0, on a $\frac{-2}{2 + t^4} = 0$ ou $-2 = 0$, ce qui est impossible; 0 n'a pas de préimage.

Pour la préimage de 3, on a $\frac{-2}{2 + t^4} = 3$, $-2 = 3(2 + t^4)$, ce qui est impossible car le terme de gauche est négatif et celui de droite est positif; 3 n'a pas de préimage.

2. a) 0 **c)** 154 **e)** $a^2 - 3a$
b) 108 **d)** $\frac{-14}{9}$ **f)** $(s + t)^2 - 3(s + t)$

3. a) Les images de 2, 4 et -3 sont respectivement $f(2) = f(4) = f(-3) = 12$.

Il n'y a pas de préimages pour 1 et 4.

b) Les images de 2, 4 et -3 sont respectivement $f(2) = 2$, $f(4) = 4$ et $f(-3) = -3$.

La préimage de 1 est 1 et la préimage de 4 est 4.

c) Les images de 2, 4 et -3 sont respectivement $g(2) = \frac{9}{7}$, $g(4) = \frac{21}{7} = 3$ et $g(-3) = \frac{14}{7} = 2$.
Les préimages de 1 sont $\pm\sqrt{2}$ et les préimages de 4 sont $\pm\sqrt{23}$.

d) Les images de 2 et 4 sont respectivement $s(2) = \frac{4}{5}$ et $s(4) = \frac{6}{7}$; $s(-3)$ n'existe pas et -3 n'a pas d'image.

La préimage de 1 n'existe pas est 1 et la préimage de 4 est $\frac{-10}{3}$.

4. Les graphiques (b) et (c)

Exercices 1.2 (p. 14-15)

1. Plusieurs réponses sont possibles. Par exemple :

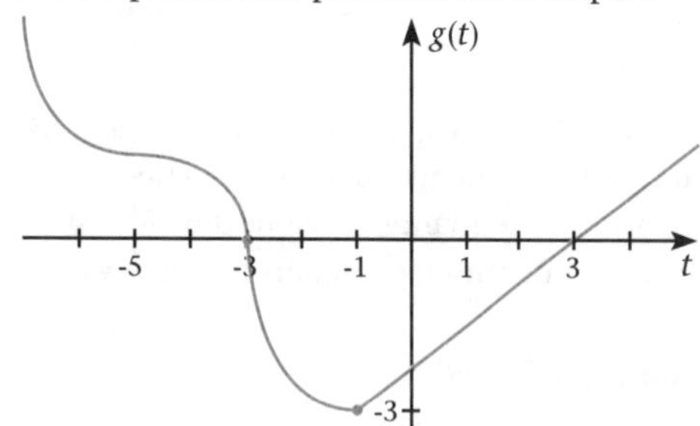

2. a) Domaine = IR et Image = {3}

b) Domaine = IR et Image = IR

c) Domaine = IR et Image = [-50, +∞

d) Domaine = IR et Image = $-\infty, \frac{17}{4}]$

e) Domaine = IR et Image = [-3, 5]

f) Domaine = [-6, -2] ∪ [4, 6] et Image = [-1, 1] ∪ [2, 4]

3. a) IR
b) IR \ {0}
c) IR \ {-4}
d) IR \ {0}
e) IR \ {0}
f) IR
g) [0, +∞
h) -∞, 17]
i) IR
j) $\left[\frac{-12}{7}, +\infty\right.$
k) -∞, -1] ∪]0, +∞
l) -∞, -6] ∪]4, +∞

4. a) IR **c)** $IR \setminus \left\{\frac{1}{3}\right\}$ **e)** $\left]\frac{-87}{2}, +\infty\right.$
b) IR \ {0} **d)** $-\infty, \frac{6}{5}]$ **f)** IR \ {-2}

5. a) [2, +∞ **c)** [2, +∞ **e)** [2, +∞
b) [-5, +∞ **d)** [2, +∞ **f)**]2, +∞

6. a) Ord. : 0 — Zéro : 0
b) Ord. : n'existe pas — Zéro : -4
c) Ord. : $\frac{7}{3}$ — Zéro : n'existe pas
d) Ord. : $\sqrt{17}$ — Zéro : 17
e) Ord. : $\sqrt[3]{9}$ — Zéro : $\frac{-3}{2}$
f) Ord. : $\sqrt[4]{12}$ — Zéro : $\frac{-12}{7}$
g) Ord. : n'existe pas — Zéro : -1
h) Ord. : n'existe pas — Zéro : -6

7. a) Ord. : -4 — Zéro : $\frac{4}{7}$
b) Ord. : n'existe pas — Zéro : n'existe pas
c) Ord. : 2 — Zéro : -2
d) Ord. : $\sqrt{6}$ — Zéro : $\frac{6}{5}$
e) Ord. : $\frac{34}{\sqrt{87}}$ — Zéro : n'existe pas
f) Ord. : $\sqrt[3]{2}$ — Zéro : n'existe pas

8. a) Oui. $g^{-1}(t) = 10 - t$.
b) Non. Les couples (0, 23) et (1, 23), par exemple.
c) Non. Les couples (1, 2) et (-1, 2), par exemple.
d) Oui. $p^{-1}(z) = \sqrt[3]{\frac{z - 19{,}7}{7}}$.

9. a) 4 **c)** 196 **e)** $4x^2 - 6$
b) -2 **d)** $(4x - 6)^2$

10. a) $f^{-1}(r) = \frac{r - 6}{5}$ **d)** $(g \circ f)(r) = 20r + 17$
b) $g^{-1}(r) = \frac{r + 7}{4}$ **e)** $(g \circ f)^{-1} = \frac{r - 17}{20}$
c) $f^{-1} \circ g^{-1}(r) = \frac{r - 17}{20}$

11. a) Int. de croissance :]-100, +∞
Int. de décroissance : -∞, -100[

Min. relatif : -50, en $x = -100$
Max. relatif : aucun

Int. conc. vers le haut : IR
Int. conc. vers le bas : aucun

b) Int. de croissance : IR
Pas d'int. de décroissance

Min. relatif : aucun
Max. relatif : aucun

Int. conc. vers le haut : aucun
Int. conc. vers le bas : aucun

c) Int. de croissance : -∞, 1[
Int. de décroissance :]1, +∞

Min. relatif : aucun
Max. relatif : 4, en $x = 1$

Int. conc. vers le haut : -∞, 1[∪]1, +∞
Int. conc. vers le bas : aucun

d) Int. de croissance : -∞, -3[∪]2, +∞
Int. de décroissance :]-2, 1[

Min. relatif : -4, pour tout x dans [1, 2]
Max. relatif : 4, pour tout x dans [-3, -2]

Int. conc. vers le haut :]-2, 0[∪]2, +∞
Int. conc. vers le bas : aucun

12. a) Int. de croissance :]0, +∞
Int. de décroissance : -∞, 0[

Min. relatif : -4
Max. relatif : aucun

b) Int. de croissance : -∞, 7[
Int. de décroissance :]7, +∞

Min. relatif : aucun
Max. relatif : 4

c) Int. de croissance : -∞; -0,8[∪]0, +∞
Int. de décroissance :]-0,8; 0[

Min. relatif : 0
Max. relatif : 0,082

13. Plusieurs réponses sont possibles. Par exemple :

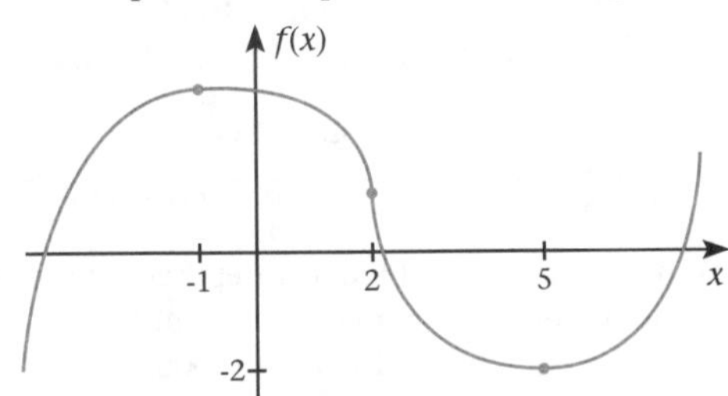

Exercices 1.3 (p. 19-20)

1. a) Soit F les frais de livraison (en dollars) et x la distance parcourue (en kilomètres). On a $F(x) = 150 + 0{,}075x$.
On a $F(153) = 150 + 0{,}075(153) = 161{,}48$ \$.

b) Posons $y = 150 + 0{,}075x$. Inversons les rôles de x et y ; on a alors $x = 150 + 0{,}075y$. Isolons maintenant y.
On a $y = F^{-1}(x) = \dfrac{x - 150}{0{,}075}$.
On a donc $F^{-1}(215{,}18\ \$) = \dfrac{215{,}18 - 150}{0{,}075} = 869{,}07$ km.

2. a) $m = 5$, 4 et $\frac{-4}{5}$

b) $m = \frac{-3}{4}$, $\frac{5}{4}$ et $\frac{5}{3}$

c) $m = 0$, 17 et pas de zéro

d) $m = \frac{1}{3}$, $\frac{-25}{3}$ et 25

e) m non définie, pas d'ordonnée et -1

f) $m = \frac{12}{7}$, $\frac{24}{7}$ et -2

3. a) Aucune droite
b) D_2 ou D_5
c) D_1
d) D_7
e) Aucune droite
f) D_3
g) D_6
h) D_4

4. a) Oui. Quels que soient les deux couples utilisés, la pente est toujours la même.

b) $B = \frac{-23}{2}A + \frac{51}{2}$

c) $A = \frac{-2}{23}B + \frac{51}{23}$

5. a) $f(x) = \frac{7}{2}x - 6$

b) $f(x) = \frac{-5}{6}x + \frac{43}{6}$

c) $f(x) = -2$

d) Aucune fonction affine

e) $f(x) = \frac{1}{2}x + \frac{5}{2}$

f) Aucune fonction affine

6. a) Parallèles, car les pentes sont toutes égales à 7.

b) Non parallèles. On a des pentes égales à 13, 12,95 et 13,09.

7. a) Non perpendiculaires. Le produit des deux pentes n'est pas -1.

b) Perpendiculaires. Le produit des deux pentes est -1.

Exercices 1.4 (p. 23-24)

1. a) On a Dom g = IR \ ({0} ∪]4, 5]).

b) $g(-1000) = -2995$; $g(-1) = 2$; $g(-0{,}1) = 4{,}7$; $g(0)$ n'est pas définie ; $g(0{,}1) = 0{,}01$; $g(3) = 9$; $g(3{,}98) = 15{,}84$; $g(4) = 16$; $g(4{,}07)$ n'est pas définie ; $g(5)$ n'est pas définie et $g(100) = -98$.

c) Lorsque $t < 0$, on a $3t + 5 = 0$ si $t = \frac{-5}{3}$, qui est donc un zéro.

Lorsque $0 < t \leq 4$, on a $t^2 = 0$ si $t = 0$, qu'on ne peut retenir ici, car 0 ne fait pas partie de l'intervalle auquel on s'intéresse présentement.

Lorsque $t > 5$, on a $2 - t = 0$ si $t = 2$, qu'on ne peut retenir ici, car 2 ne fait pas partie de l'intervalle auquel on s'intéresse.

La fonction a donc un seul zéro, qui est $\frac{-5}{3}$.

2.

	Sommet	Zéros	Concavité	Intervalle de croissance	Intervalle de décroissance
a)	(0, 0)	0	Vers le haut	]0, +∞	-∞, 0[
b)	(-3, -4)	-1 et -5	Vers le haut	]-3, +∞	-∞, -3[
c)	(-0,01 ; -3)	Aucun zéro	Vers le bas	-∞; -0,01[	]-0,01 ; +∞
d)	(-5, 0)	-5	Vers le haut	]-5, +∞	-∞, -5[
e)	(2, 0)	2	Vers le haut	]2, +∞	-∞, 2[
f)	$\left(\frac{-1}{720}, 43{,}60\right)$	-0,60 et 0,60	Vers le bas	$-\infty, \frac{-1}{720}\Big[$	$\Big]\frac{-1}{720}, +\infty$

3. a) C_4
b) Aucune parabole
c) C_6
d) C_3
e) C_2
f) C_5
g) Aucune parabole
h) C_1

4. Plusieurs réponses sont possibles. Par exemple :

a) $f(x) = (x - 2)(x - 3)(x - 4)$

b) $f(x) = 2(x + 5)(x - 2)(x - 6)$

c) $f(x) = (x - 1)(x + 4)^3$

d) $f(x) = (x - 12)^6(x + 12)^6$

e) $f(x) = 17x(x + 1)(x + 2)(x + 3)(x + 4)$

5. **a)** 3 **b)** 3 **c)** 3 **d)** -32,95 **e)** -3 **f)** -21,716 9 **g)** -23 **h)** 8,08 **i)** 12 **j)** 400

6.

	Domaine	Image	Zéros
a)	IR	$]-\infty, -5] \cup]1, +\infty[$	Aucun
b)	IR	$[-2, +\infty$	0
c)	IR	IR	-2
d)	IR	IR	0 et 8

Problèmes (p. 28-32)

Section 1.1

1. **a)** Oui. **b)** 50 kPa **c)** 9000 m

2. **a)** En 1998, la population du village était de 870 habitants.

b) En 1990, la population du village était de 936 habitants.

c) En 1970, la population du village était de 1100 habitants.

3. On a $7C + 6T = 90$, donc $C(T) = \frac{90 - 6T}{7}$.

Section 1.2

4. **a)** Pour une surface de 1600 m², le coût total de construction est de $C(1600)$ $.

b) Pour un coût total de 75 570 $, on peut construire une boutique ayant une surface de $C^{-1}(75\ 570)$ m².

5. **a)** Au prix de 750 $, on vend 12 réfrigérateurs en une semaine.

b) Au prix de 1250 $, on vend 3 réfrigérateurs en une semaine.

c) Lorsqu'on vend 100 réfrigérateurs en une semaine, c'est que le prix de ceux-ci était de 200 $ par unité.

d) Lorsqu'on vend un seul réfrigérateur en une semaine, c'est que le prix de celui-ci était de 1900 $.

6. Une courbe décroissante

7. **a)** La petite fusée **b)** La montgolfière **c)** L'hélicoptère **d)** La montgolfière **e)** La petite fusée

8. Concave vers le haut

9. Concave vers le haut

10. On a $p = 0{,}75 + 0{,}05t$ et $R(t) = 6{,}9375 + 0{,}425t - 0{,}0025t^2$.

11. On a $r = 15 - t$ et $A(t) = \pi(15 - t)^2$.

Section 1.3

12. **a)** Oui, $m = -\frac{11}{6}$, 100.

b) $P(18) = 67$ %. Il y a 67 % des personnes qui se trouvaient entre les deux bateaux qui sont retrouvées si la distance entre les deux groupes de recherche est de 18 mètres.

c) $P^{-1}(d) = \frac{6}{11}(100 - d)$ ou $P^{-1}(d) = \frac{-6}{11}(d - 100)$

d) $P^{-1}(12) = 48$ mètres. Pour avoir 12 % des chances de retrouver quelqu'un qui se trouve entre les deux bateaux, il faut maintenir une distance de 48 mètres entre ceux-ci.

13. **a)** Oui, $m = 0{,}6$ (chaque fois que la température augmente de 1 °C, la vitesse du son augmente de 0,6 mètre par seconde) et 332. [Quand il fait 0 °C, la vitesse du son est de 332 mètres par seconde.]

b) La vitesse du son est de $V(14) = 340{,}4$ mètres par seconde. En 2,3 secondes, le son parcourt une distance de 782,92 mètres.
Donc, la largeur du canyon $= \frac{782{,}92}{2} = 391{,}46$ m.

c) $V^{-1}(T) = \frac{T - 332}{0{,}6}$

d) Le son voyage alors à une vitesse de $\frac{100 \text{ m}}{0{,}29 \text{ s}} = 344{,}83$ m/s. $V^{-1}(344{,}83) = 21{,}38$ °C.

e) Le son voyage alors à une vitesse de $\frac{1500 \text{ m}}{4{,}25 \text{ s}} = 352{,}94$ m/s. $V^{-1}(352{,}94) = 34{,}9$ °C.

14. **a)** Si N = nombre de billots entreposés dans la cour du moulin et j = nombre de jours écoulés depuis aujourd'hui, $N(j) = 150\ 000 - 5000x$.

b) $N(7) = 115\ 000$ billots

c) Après 28,9 jours

d) Après 30 jours

15. **a)** Si V = valeur de l'ordinateur (en dollars) et n = nombre d'années depuis l'achat, $V(n) = -550n + 3600$

b) $m = -550$ indique que la valeur de l'ordinateur diminue de 550 $ par année. L'ordonnée 3600 indique qu'initialement, la valeur de l'ordinateur était de 3600 $.

c) 6,09 ans après l'achat

16. **a)** $C(F) = \frac{5}{9}F - \frac{160}{9}$ **b)** -40 °C = -40 °F **c)** $C(K) = K - 273{,}15$ **d)** Il n'y en a pas.

Section 1.4

17. **a)** $s(t) = 1{,}4t^2 + 50t$ **b)** $s(6) = 350{,}4$ m **c)** $s(7) - s(3) = 256$ m **d)** $s(t) = 0{,}9t^2$ **e)** 57,6 m

18. a) $S(p) = 8p^2 - 12p$

b) $V(p) = 2p^2(p - 3) = 2p^3 - 6p^2$

19. a) Si d = distance d'arrêt (en mètres) et v = vitesse (en kilomètres à l'heure) de la voiture au moment de freiner, alors $d(v) = \frac{29}{6050}v^2$.

b) $d(70) = 23{,}49$ m

c) $d(240) = 276{,}10$ m (plus d'un quart de kilomètre!)

d) 118,23 km/h

20. On a $V(p) = kp(1 - p) = kp - kp^2$, où k est la constante de proportionnalité. Le sommet de la parabole associée à cette fonction est en $p = -\frac{k}{-2k} = \frac{1}{2}$. Ainsi, c'est lorsque la proportion est de 0,5 (soit lorsque 50 % des gens connaissent la rumeur) que la vitesse de propagation est la plus élevée.

21. a) 180 \$

b) 277,50 \$

c) Si S = salaire (en dollars) pour une soirée et h = nombre d'heures pendant lesquelles le musicien a joué durant la soirée, alors :

$$S(h) = \begin{cases} 0 & \text{si } h = 0 \\ 180 & \text{si } 0 < h \leq 4 \\ 65h - 80 & \text{si } h > 4 \end{cases}$$

22. Si M = montant d'intérêt reçu (en dollars) et x = somme d'argent (en dollars) investie dans un dépôt à terme, alors :

$$M(x) = \begin{cases} 0{,}045x & \text{si } 0 \leq x < 2000 \\ 0{,}047x & \text{si } 2000 \leq x \leq 10\,000 \\ 0{,}049x & \text{si } x > 10\,000 \end{cases}$$

Auto-évaluation (p. 33-34)

1. a) $[-2, +\infty$ et $[-6, +\infty$

b) 6

c) -1,9, 1 et 3

d) Int. de croissance : $]-2, 0[\cup]2, +\infty$
Int. de décroissance : $]0, 2[$

e) Max. relatif : 6 et min. relatif : -6 et -3

f) Int. concave vers le bas : $]-2, 1[$
Int. concave vers le haut : $]1, 2[$

g) (1, 0) est le seul point d'inflexion.

2. a) Oui, la pente est $c^2 = (3{,}0 \cdot 10^8)^2 = 9{,}0 \cdot 10^{16}$

b) La masse perdue est de $0{,}049 \cdot 10^{-27}$ kg et l'énergie dégagée est $E = 4{,}41 \cdot 10^{-12}$ J.

c) On a $10^{16} \cdot (4{,}41 \cdot 10^{-12}) = 4{,}41 \cdot 10^4 = 44\,100$ joules

3. a) Dom $f = \mathbb{R}$, Dom $g = \mathbb{R} \setminus \{1\}$,
Dom $h = \left[\frac{-1}{4}, +\infty\right.$ et Dom $\left(\frac{f}{g}\right) = \mathbb{R} \setminus \{0, 1\}$

b) -2

c) N'existe pas

d) $12z + 4$

e) $\sqrt{\frac{3z + 1}{1 - z}}$

f) $\sqrt{48z^4 + 5}$

g) $3\left(\frac{z + 3}{-z - 2}\right)^2 + 1$

h) $\frac{z}{1 + z}$

i) $\frac{z^2 - 1}{4}$

4. $E(T) = 22{,}4 + 2{,}4T$, où $0 \leq T \leq 28$.

5. a) Oui. $M^{-1}(x) = \frac{x}{4}$

b) Oui. $f^{-1}(s) = \frac{s - 2}{5}$

c) Non. Les couples (1, 9) et (-1, 9), par exemple.

d) Oui. $v^{-1}(t) = \frac{t + 6}{t - 4}$

6. a) 237,50 \$

b) 5700 \$

c) Si T = montant de la taxe de bienvenue (en dollars) et p = prix d'achat de la maison (en dollars), alors :

$$T(p) = \begin{cases} 0{,}005p & \text{si } 0 \leq p \leq 50\,000 \\ 0{,}01p - 250 & \text{si } 50\,000 < x \leq 250\,000 \\ 0{,}015p - 1500 & \text{si } x > 250\,000 \end{cases}$$

7. a) 1650 \$

b) 4140 \$

c) Si C = coût total de production (en dollars) et n = nombre d'articles produits, alors :

$$C(n) = \begin{cases} \frac{33n}{40} & \text{si } 0 \leq n \leq 4000 \\ 0{,}84n - 60 & \text{si } n > 4000 \end{cases}$$

Chapitre 2 (p. 35)

Avant d'aller plus loin (p. 37)

Préalables

1. Plusieurs réponses sont possibles. Par exemple :

a) 2,01 ; 2,02 ; 2,003 ; 2,000 07 ; 2,000 000 1.

b) -0,001 ; -0,005 ; 0 ; 0,000 3 ; 0,000 001.

c) 17,483 ; 17,49 ; 17,493 ; 17,499 ; 17,499 99.

d) -3,95 ; -3,99 ; -3,999 ; -3,999 9 ; -3,999 963 4.

2. a) -4   **b)** 8   **c)** -3   **d)** Non définie

e) -2000   **f)** 0,006   **g)** 36   **h)** 0

i) 0,000 001   **j)** -2   **k)** 0   **l)** Non définie

3. a) Dom $g = \mathbb{R}$ et Ima $g = \mathbb{R}$

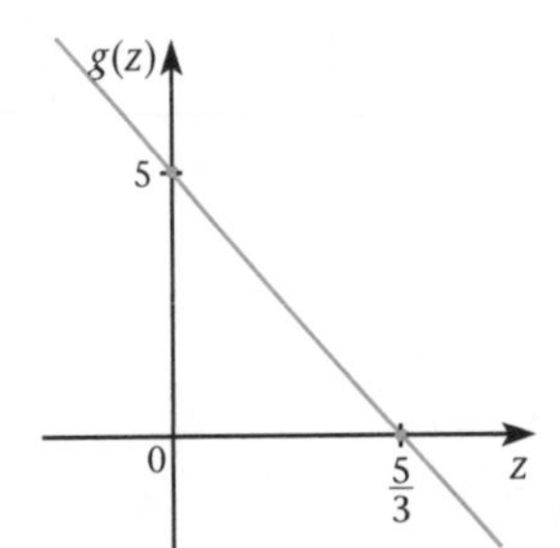

b) Dom $h = \mathbb{R}$ et
Ima $h = -\infty, 8]$

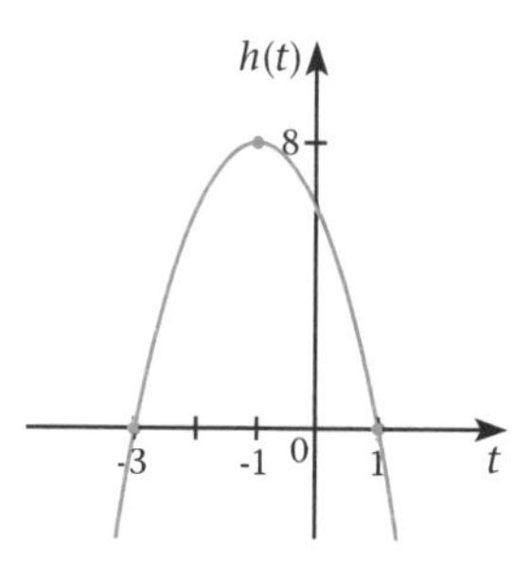

c) Dom $f = \mathbb{R}$ et
Ima $f = \mathbb{R}$

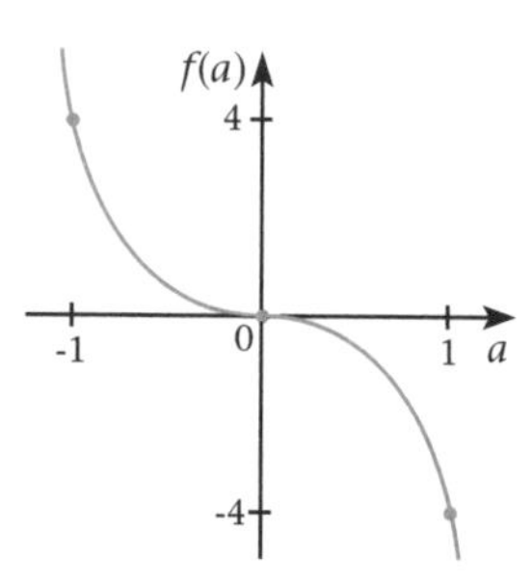

d) Dom $r = \mathbb{R}$ et
Ima $r = \mathbb{R}$

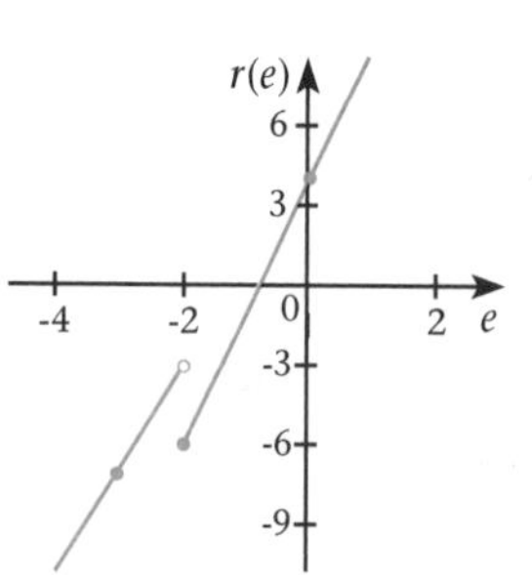

4. a) $y = \frac{7}{4}x$

b) $y = \frac{-4}{3}x - \frac{31}{3}$

Langages mathématique et graphique

1. Plusieurs réponses sont possibles. Par exemple :

a) $f(t) = 3$

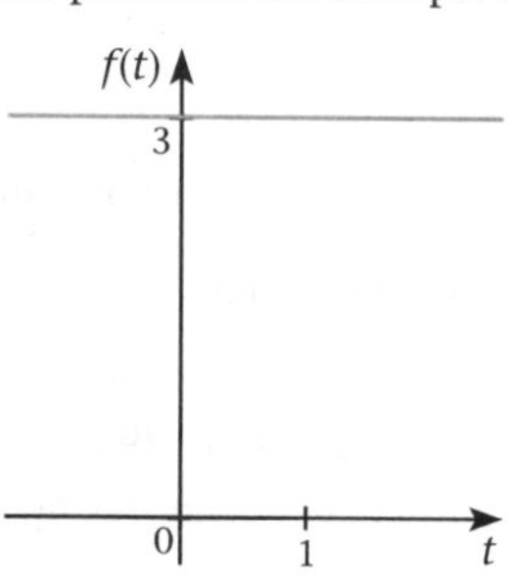

b) $g(x) = 2x + 1$

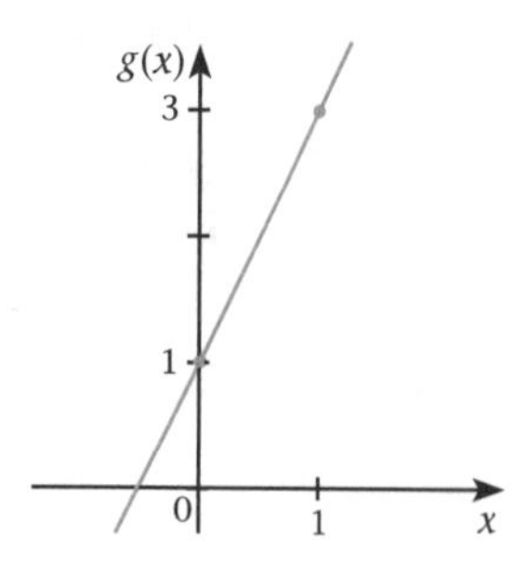

c) $h(t) = t^2 - 4$

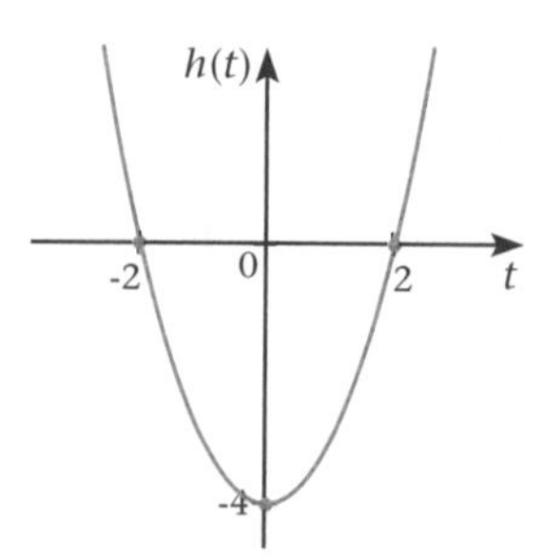

d) $m(z) = z^3$

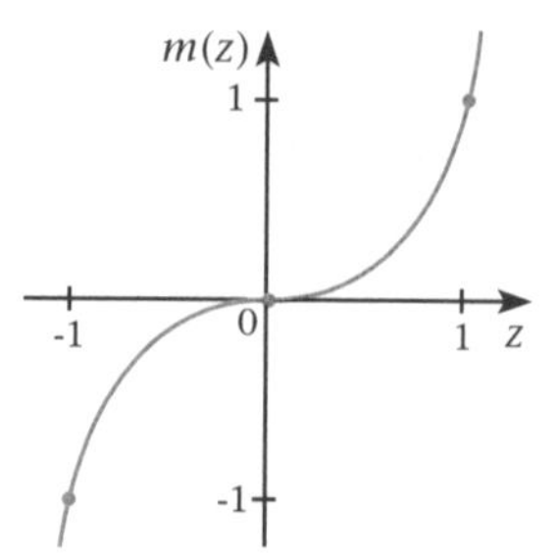

e) $f(x) = \begin{cases} 1 & \text{si } x \geq 0 \\ -1 & \text{si } x < 0 \end{cases}$

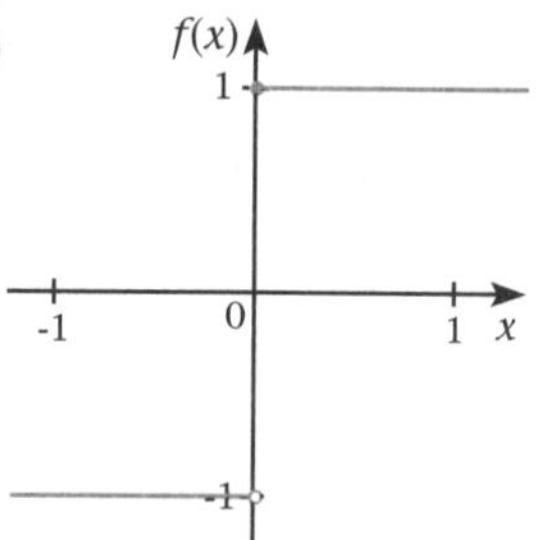

2. Plusieurs réponses sont possibles. Par exemple :

a) Les trois lignes horizontales pointillées (lorsqu'on va de bas en haut) indiquent respectivement sur l'axe vertical la position des images de 1,5 ; 1,8 et 1,9.

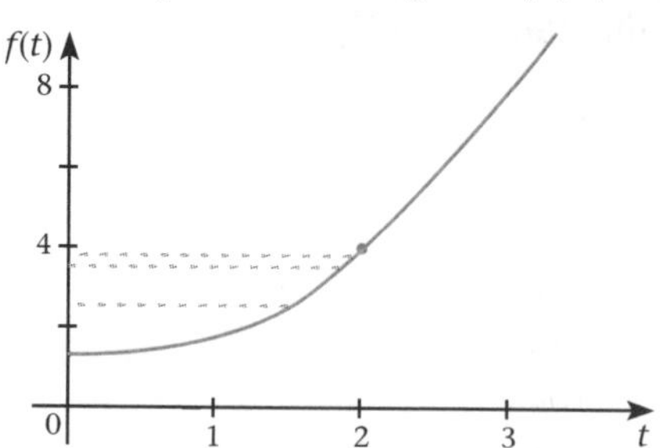

b) Les trois lignes verticales pointillées (lorsqu'on va de droite à gauche) indiquent respectivement sur l'axe horizontal la position des préimages de 4,5 ; 4,2 et 4,1.

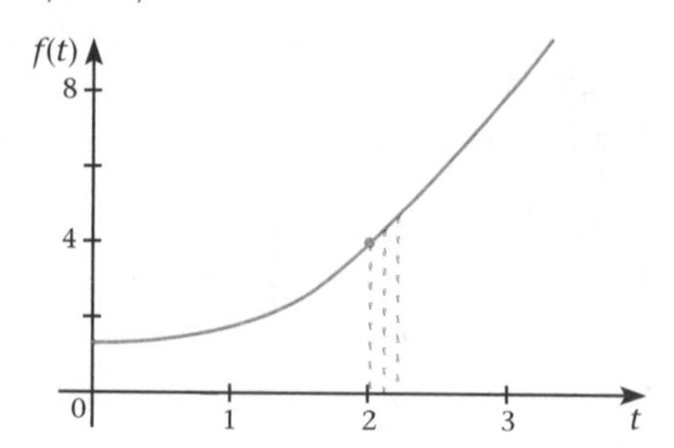

3. Plusieurs réponses sont possibles. Par exemple :

a)

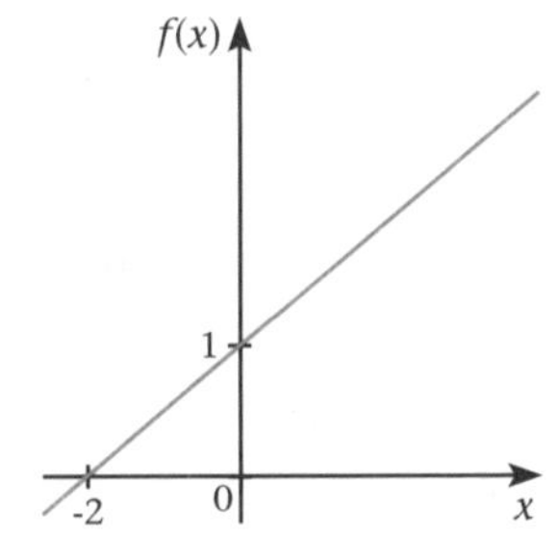

b)

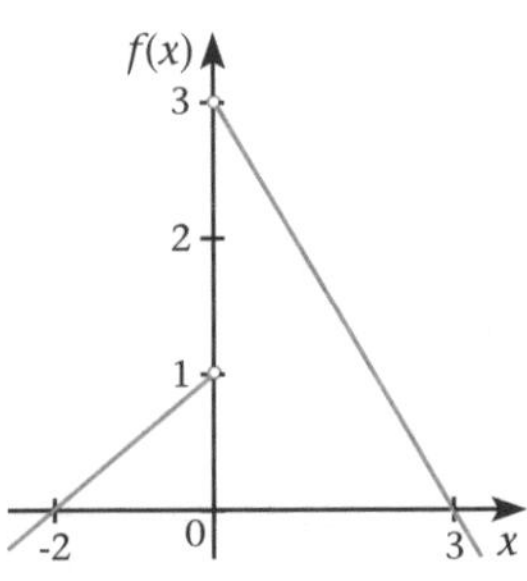

c)

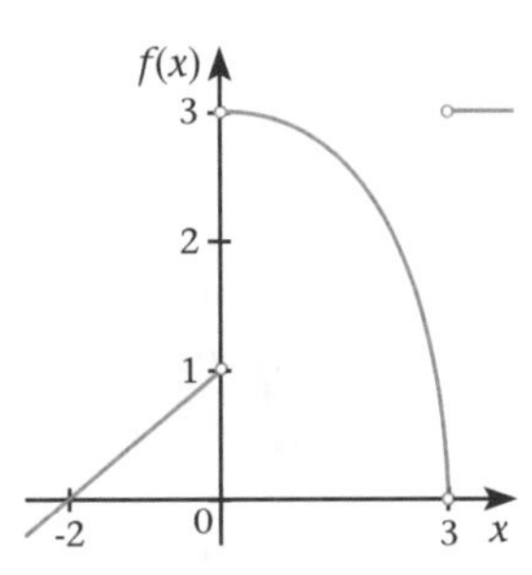

d)

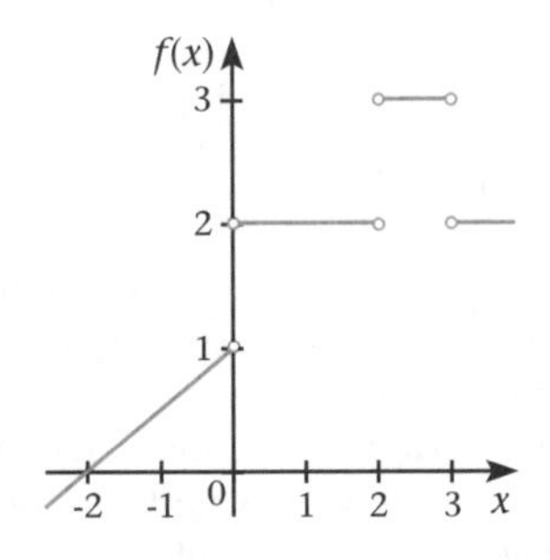

Exercices 2.1 (p. 43-44)

1. **a)** 0 **b)** Non définie **c)** 0 **d)** 6 **e)** Non définie **f)** Non définie **g)** Non définie **h)** 3 **i)** Non définie **j)** Non définie **k)** 6 **l)** 6 **m)** 0 **n)** 0 **o)** 0

2. **a)** $\lim_{t \to 5^-} g(t) = 18$ **b)** $\lim_{z \to -2^+} h(z) = -19{,}7$

3. **a)** $\lim_{t \to 4^-} g(t) = 16$ **b)** $\lim_{x \to 16^+} h(x) = 4$ **c)** $\lim_{z \to -1^-} k(z) = -5{,}5$ **d)** $\lim_{x \to -0{,}59^+} m(x) = 0$

4. **a)** 2 **b)** 2 **c)** 2 **d)** ~~2~~ 4 **e)** 4 **f)** 4 **g)** 5 **h)** 5 **i)** 3 **j)** -1 **k)** 1 **l)** -1

5. **a)** $\lim_{z \to 5^+} f(x) = 22$ et $\lim_{x \to 5^-} f(x) = 22$

b) $\lim_{x \to 0^+} f(x) = -1$ et $\lim_{x \to 0^-} f(x) = 1$

c) $\lim_{x \to -5^+} f(x) = -10$ et $\lim_{x \to -5^-} f(x) = -10$

d) $\lim_{x \to 9^+} f(x) = 6$ et $\lim_{x \to 9^-} f(x) = 6$

6. $\lim_{t \to 2^+} g(t) = 4$ et $\lim_{t \to 2^-} g(t) = 7$

7. **a)** -1 **b)** -1 **c)** $\frac{1}{3}$ **d)** $\frac{1}{3}$

Exercices 2.2 (p. 46-47)

1. Étudions le comportement de la fonction f lorsque $t \to -3^-$. Dans ce cas, $f(t) = 3t + 8{,}6$. On obtient :

À lire de gauche à droite

t	-3,01	-3,001	-3,000 1	-3,000 01	-3,000 001	$\to -3^-$
$f(t)$	-0,43	-0,403	-0,400 3	-0,400 03	-0,400 003	

On a donc $\lim_{t \to -3^-} f(t) = -0{,}4$.

Étudions maintenant le comportement de la fonction f lorsque $t \to -3^+$. Dans ce cas, $f(t) = t^2 + t - 6{,}5$.
On obtient :

À lire de droite à gauche

$-3^+ \leftarrow$	-2,999 999	-2,999 99	-2,999 9	-2,999	-2,99	t
	-0,500 005	-0,500 05	-0,500 5	-0,504 999	-0,549 9	$f(t)$

On a $\lim_{t \to -3^+} f(t) = -0{,}5$.

Puisque la limite à gauche est différente de la limite à droite, $\lim_{t \to -3} f(t)$ n'existe pas.

2. **a)** $\lim_{x \to 13} g(x) = -10$ **b)** $\lim_{t \to -0{,}4} h(t) = -0{,}6$

3. **a)** Non **b)** Non **c)** Non **d)** Oui **e)** Non **f)** Oui

4. **a)** $\lim_{t \to -20} g(t) = 0$

b) $\lim_{t \to -10} g(t)$ n'existe pas, car la limite à gauche n'est pas égale à la limite à droite.

c) $\lim_{t \to 0} g(t) = 0$

d) $\lim_{t \to 10} g(t) = 6$

e) $\lim_{t \to 20} g(t) = -8$

f) $\lim_{t \to 30} g(t) = 0$

5. **a)** -4 **b)** -1 **c)** -4 **d)** 5 **e)** $\frac{5}{2}$ **f)** 11

6. **a)** -64 **b)** N'existe pas **c)** 5 **d)** -11 **e)** N'existe pas **f)** 4

7. **a)** -14 **b)** -108 **c)** 2

8. a) $\lim_{x\to -2^-} f(x) = 2$ et $\lim_{x\to -2^+} f(x) = 2$

b) $\lim_{x\to -1^-} f(x) = -2$ et $\lim_{x\to -1^+} f(x) = -2$

c) $\lim_{x\to 2^-} f(x) = 1$ et $\lim_{x\to 2^+} f(x) = 1$

d) $\lim_{x\to 0^-} f(x) = 0$ et $\lim_{x\to 0^+} f(x) = 0$

e) $\lim_{x\to 0^-} f(x) = 6$ et $\lim_{x\to 0^+} f(x) = 6$

f) $\lim_{x\to 4^-} f(x) = 32$ et $\lim_{x\to 4^+} f(x) = 32$

Exercices 2.3 (p. 55)

1. a) On a $\lim_{q\to -10} -5q = -5\left(\lim_{q\to -10} q\right)$ (selon la règle R3)

$= -5\,(-10)$ (selon la règle R2)

$= 50$

b) On a $\lim_{c\to 1,1} mc^2 = m\left(\lim_{c\to 1,1} c^2\right)$ (selon la règle R3)

$= m(1,1)^2$ (selon la règle R7)

$= 1,21m$

c) On a $\lim_{y\to 2,1} (4y^5 - 2y^3 + 2,3) = 4(2,1)^5 - 2(2,1)^3 + 2,3$

(selon la règle R8)

$= 163,36 - 18,52 + 2,3 = 147,14$

d) On a $\lim_{u\to 6} \dfrac{u^2 + 3u + 4}{7 - u} = \dfrac{\lim_{u\to 6} (u^2 + 3u + 4)}{\lim_{u\to 6} (7 - u)}$

(selon la règle R9, si $\lim_{u\to 6} (7 - u) \neq 0$)

$= \dfrac{6^2 + 3 \cdot 6 + 4}{7 - 6}$ (selon la règle R8)

$= \dfrac{36 + 18 + 4}{1} = 58$

e) On a $\lim_{k\to -2} (3k^2 - k^3 + k)^3 = \left(\lim_{k\to -2} (3k^2 - k^3 + k)\right)^3$

(selon la règle R10)

$= (3(-2)^2 - (-2)^3 - 2)^3$

(selon la règle R8)

$= 18^3 = 5832$

f) On a $\lim_{a\to 1} \left(\dfrac{a^2 - 2a + 1}{1 - a^3}\right)^{18} = \left(\lim_{a\to 1} \dfrac{a^2 - 2a + 1}{1 - a^3}\right)^{18}$

(selon la règle R10)

$= \left(\dfrac{\lim_{a\to 1} (a^2 + 2a + 1)}{\lim_{a\to 1} (1 - a^3)}\right)^{18}$

(selon la règle R9, si $\lim_{a\to 1} (1 - a^3) \neq 0$)

Or, puisque $\lim_{a\to 1} (1 - a^3) = 1 - (1)^3 = 0$ (selon la règle R8), on ne peut calculer cette limite en appliquant ce qu'on connaît jusqu'ici.

g) On doit nécessairement évaluer les limites à gauche et à droite.

On a $\lim_{s\to -10^-} h(s) = \lim_{s\to -10^-} (2s + 15)^2$, car si $s < -10$, $h(s) = (2s + 15)^2$

$= \left(\lim_{s\to -10^-} (2s + 15)\right)^2$ (selon la règle R10)

$= (2(-10) + 15)^3$ (selon la règle R8)

$= (-5)^2 = 25$

On a $\lim_{s\to -10^+} h(s) = \lim_{s\to -10^+} (s + 35,1)$, car si $s > -10$, $h(s) = s + 35,1$

$= -10 + 35,1$ (selon la règle R8)

$= 25,1$

Puisque la limite à gauche et la limite à droite ne sont pas égales, $\lim_{s\to -10} h(s)$ n'existe pas.

2. a) 32 **b)** 12,141 6 **c)** 67 **d)** 100 **e)** 42 **f)** -28

3. a) -12

b) 5

c) 32

d) Non connue (information insuffisante)

e) $\frac{-3}{4}$

f) 28

g) -64

h) 64

i) $\frac{-5}{2}$

j) -15

k) -8

l) Les règles connues jusqu'ici ne permettent pas d'évaluer cette limite, car $\lim_{t\to 5} j(t) = 0$.

m) 0

n) $\frac{-125}{64}$

o) 100

p) -32

q) 1

r) 10

4. a) 6 **b)** -3 **c)** 104 **d)** 12,2 **e)** $\frac{-6}{5}$ **f)** -288 **g)** 21 **h)** -10 **i)** 6 **j)** 12 **k)** 1 **l)** $\frac{10}{3}$ **m)** 13 **n)** -6 **o)** N'existe pas **p)** 11 **q)** 4 **r)** 26

Exercices 2.4 (p. 63-64)

1. On peut d'abord remarquer que Dom $f = \mathbb{R} \setminus \{-1\}$. Il est donc sûr qu'il y a une discontinuité en $x = -1$, car $h(-1)$ n'est pas définie. Chacun des morceaux de la fonction h est défini par une fonction polynomiale, et on sait que toutes ces fonctions sont continues sur $\mathbb{R}$. Il suffit donc d'analyser de façon plus spécifique la continuité de la fonction aux valeurs où sa définition change, soit aux valeurs -3, -2 et 3 (on sait déjà que la fonction est discontinue en $a = -1$).

En $a = -3$:

- on a $h(-3) = 2(-3)^2 - 5 = 18 - 5 = 13$ et $h(-3)$ est définie;
- on a $\lim_{a\to -3^-} h(a) = \lim_{a\to -3^-} (a + 6) = -3 + 6 = 3$ et $\lim_{a\to -3^+} h(a) = \lim_{a\to -3^+} (2a^2 - 5) = 2(-3)^2 - 5 = 13$;
- donc $\lim_{a\to -3} h(a)$ n'existe pas et la fonction h est discontinue en $a = -3$.

En $a = -2$:

- on a $h(-2) = 3$ et $h(-2)$ est définie;
- on a $\lim_{a\to -2^-} h(a) = \lim_{a\to -2^-} (2a^2 - 5) = 2(-2)^2 - 5 = 3$ et $\lim_{a\to -2^+} h(a) = \lim_{a\to -2^+} 3 = 3$;

- donc $\lim_{a\to -2} h(a) = 3 = h(-2)$ et la fonction h est continue en -2.

En $a = 3$:

- on a $h(3) = 2{,}8$ et $h(3)$ est définie;
- on a $\lim_{a\to 3^-} h(a) = \lim_{a\to 3^-} 2{,}98 = 2{,}98$
  et $\lim_{a\to 3^+} h(a) = \lim_{a\to 3^+} \left(a - \frac{1}{5}\right) = 3 - \frac{1}{5} = 2{,}8$;
- donc $\lim_{a\to 3^-} h(a) \neq \lim_{a\to 3^+} h(a)$, la $\lim_{a\to 3} h(a)$ n'existe pas et la fonction h n'est pas continue en 3.

Par conséquent, la fonction f est continue sur $\mathbb{R} \setminus \{-3, -1, 3\}$.

2. En $x = -1$, $h(-1)$ n'est pas définie.

En $x = 1$, la limite n'est pas définie, car la limite à droite n'existe pas.

En $x = 2$, la limite n'est pas définie, car la limite à gauche n'existe pas.

En $x = 3$, la limite est définie, de même que $h(3)$, mais la limite n'est pas égale à $h(3)$.

3. **a)** $\mathbb{R} \setminus (\{-1\} \cup]1, 2[)$ **d)** $\mathbb{R} \setminus]1, 2]$
b) $\mathbb{R} \setminus (\{-1\} \cup [1, 2])$ **e)** $\{3\}$
c) $[1, 2[$ **f)** $\mathbb{R} \setminus (\{-1, 3\} \cup [1, 2])$

4. **a)** f est continue en $x = -27$, $x = -1$, $x = 0$, $x = 1$ et $x = \frac{6}{5}$.

b) f est continue en $x = -8$, $x = -5$, $x = 0$, $x = 4{,}9$, $x = 5$ et $x = 5{,}02$.

c) f est continue en $x = -1$, $x = 0$, $x = 3{,}4$, $x = \frac{17}{4}$ et $x = 108$.

f est discontinue en $x = 4$, car $\lim_{x\to 4} f(x) = 17 \neq f(4) = 16$.

d) f est continue en $x = -3$, $x = -0{,}99$, $x = 3$ et $x = \pi$.

f est discontinue en $x = 0$, car $f(0)$ n'est pas définie.

e) f est continue en $x = -3$, $x = 3{,}9$, $x = 4$, $x = 7{,}1$ et $x = 12$.

f est discontinue en $x = 0$, car $f(0)$ n'est pas définie.

f est discontinue en $x = 7$, car $\lim_{x\to 7} f(x)$ n'existe pas (la limite à gauche est différente de la limite à droite).

5. **a)** $f(0) = -1$ et $f(1) = 0{,}5$

b) La fonction f possède au moins un zéro dans l'intervalle $]0, 1[$, puisqu'elle est continue sur $\mathbb{R}$ (f est une fonction polynomiale) et qu'elle change de signe entre 0 et 1.

6. **a)** $f(1{,}148\,6) = -0{,}000\,856\,1$ et $f(1{,}148\,7) = 0{,}000\,014\,321$

b) La fonction f possède au moins un zéro dans l'intervalle $]1{,}148\,6, 1{,}148\,7[$, puisqu'elle est continue sur $\mathbb{R}$ (f est une fonction polynomiale) et qu'elle change de signe dans l'intervalle.

c) La fonction f a un zéro lorsque $x^5 - 2 = 0$, soit lorsque $x^5 = 2$ ou $x = \sqrt[5]{2}$. C'est la seule valeur réelle qui vérifie l'équation. Puisqu'il y a un zéro entre 1,148 6 et 1,148 7, le zéro en question est $\sqrt[5]{2}$.

7. **a)** Non **c)** Non **e)** Non **g)** Oui
b) Oui **d)** Oui **f)** Oui **h)** Non

8. **a)** f est continue sur $\mathbb{R}$.

b) k est continue sur $\mathbb{R}$.

c) g est continue sur $\mathbb{R} \setminus \{-3\}$.

d) m est continue sur $\mathbb{R} \setminus \{2\}$.

e) s est continue sur $\mathbb{R} \setminus \{-14\}$.

f) v est continue sur $\mathbb{R} \setminus \{7\}$.

g) f est continue sur $\mathbb{R} \setminus \{1, 2, 3\}$.

h) h est continue sur $\mathbb{R} \setminus \{1\}$.

9. **a)** $a = 2$ **c)** Aucune valeur de a possible
b) $a = -1$ **d)** $a = 2$ ou $a = -2$

Problèmes (p. 66-67)

Section 2.1

1. 123,46 newtons

2. **a)** 321,26 m **b)** $\lim_{t\to 12^-} h(t) = 321{,}26$

Section 2.3

3. **a)** $\lim_{x\to 2000} M(x)$ n'existe pas, $\lim_{x\to 8000} M(x) = 376$ \$, $\lim_{x\to 10\,000} M(x)$ n'existe pas, $\lim_{x\to 250\,000} M(x) = 12\,250$ \$

b) Il est de loin préférable d'investir 2000 \$.

c) Il est de loin préférable d'investir 10 000,01 \$.

Section 2.4

4. **a)** Si F représente les frais mensuels (en dollars) relatifs à l'eau et x représente le nombre de litres d'eau utilisés en un mois, alors on a

$$F(x) = \begin{cases} 0{,}034x & \text{si } 0 \leq x \leq 3000 \\ 0{,}047x - 39 & \text{si } x > 3000 \end{cases}$$

b) La fonction est continue en $x = 3000$.

5. **a)** On a $C(d) = \begin{cases} 0 & \text{si } 0 \leq d \leq 25 \\ 1{,}50d - 37{,}5 & \text{si } d > 25 \end{cases}$

b) $\lim_{d\to 24{,}7} C(d) = 0$, $\lim_{d\to 25} C(d) = 0$, $\lim_{d\to 25{,}2} C(d) = 0{,}30$ \$, $\lim_{d\to 100} C(d) = 112{,}50$ \$.

c) La fonction est continue en $d = 25$.

6. **a)** On a $C(v) = \begin{cases} 0{,}02v & \text{si } 0 \leq v \leq 250 \\ 0{,}035v & \text{si } v > 250 \end{cases}$

b) $\lim_{v\to 231} C(v) = 4{,}62$ \$, $\lim_{v\to 250} C(v)$ n'existe pas, $\lim_{v\to 250{,}5} C(v) = 8{,}77$ \$.

c) La fonction est discontinue en $v = 250$.

7. **a)** $\lim_{h\to 0^+} S(h) = 180$ \$, $\lim_{h\to 3,9} S(h) = 180$ \$, $\lim_{h\to 4} S(h) = 180$ \$, $\lim_{h\to 6} S(h) = 310$ \$

b) La fonction est continue en $h = 4$.

Auto-évaluation (p. 68)

1. **a)** h **b)** b **c)** hX **d)** $X + Y$ **e)** $X - Y$ **f)** $X \cdot Y$ **g)** $q(b)$ **h)** $\frac{X}{Y}$, à condition que $Y \neq 0$ **i)** X^h, à condition que X^h soit définie

2. **a)** $\lim_{x\to 4} f(x) = 17$ **b)** $\lim_{x\to 0} f(x)$ n'existe pas **c)** $\lim_{x\to -1} f(x) = 2$ **d)** $\lim_{x\to 10} f(x)$ n'existe pas **e)** $\lim_{x\to 0} f(x) = 18$

3. **a)** 18 **b)** 10 **c)** N'existe pas **d)** 8 **e)** 7,5 **f)** N'existe pas **g)** 9,5 **h)** 9,5 **i)** 9,5 **j)** 12,5 **k)** 0,6 **l)** N'existe pas

4. La fonction T est continue en $p = 50\ 000$ et en $p = 250\ 000$.

5. **a)** $a = -18$ **b)** Aucune valeur de a **c)** $a = 2$

6. **a)** f est continue sur $\mathbb{R} \setminus \{0\}$.

b) g est continue sur $\mathbb{R} \setminus (\{-1\} \cup [4, 5])$.

Chapitre 3 (p. 69)

Avant d'aller plus loin (p. 70)

Préalables

1. **a)** Dom $p = \mathbb{R} \setminus \{-1\}$ **b)** Dom $g = \mathbb{R} \setminus \{0, -8\}$ **c)** Dom $v = \mathbb{R} \setminus \{0\}$ **d)** Dom $c = \mathbb{R} \setminus \{-9, 9\}$ **e)** Dom $h = [-9, +\infty$ **f)** Dom $g = -\infty, \frac{18}{5}]$ **g)** Dom $f = \mathbb{R}$ **h)** Dom $s = \left[\frac{-7}{6}, +\infty\right.$

2. **a)** $6t^4(2 - 3t^2)$ **b)** $4x^2(9x^5 + 4x - 15)$ **c)** $3a(1 + 3a^3 - 5a^2)$ **d)** $p^4 - 17p^3 + 23$

3. **a)** x^3 **b)** $\frac{1}{r^{15}}$ **c)** $\frac{2z}{3}$ **d)** 3

4. **a)** 4 **b)** -6 **c)** 3 **d)** -5 **e)** 1 **f)** 14

5. **a)** $x = \pm\sqrt{15}$ **b)** $q = \sqrt[5]{-16}$

Langages mathématique et graphique

1. **a)** $w \to -2^-$ **b)** $\lim_{t\to 17^+} k(t) = -10$

2. **a)** Lorsque z s'approche de 1,9 par des valeurs plus petites que 1,9, les valeurs prises par $g(z)$ s'approchent de plus en plus de 12.

b) Lorsque a s'approche de 5, que ce soit par des valeurs plus petites que 5 ou plus grandes que 5, les valeurs prises par $m(a)$ s'approchent de plus en plus de -6.

3. Plusieurs réponses sont possibles. Par exemple :

a) 1001, 1002, 1500, 10 000, 250 000

b) -1 000 001, -1 000 005, -2 000 000, -3 500 000, -10 000 000, -367 000 000

c) -0,09 ; -0,05 ; -0,004 5 ; -0,000 006 7

d) 0,000 09 ; 0,000 085 ; 0,000 076 ; 0,000 055 ; 0,000 012 ; 0,000 008 7 ; 0,000 000 000 035 4

4. Plusieurs réponses sont possibles. Par exemple :

a) **b)**

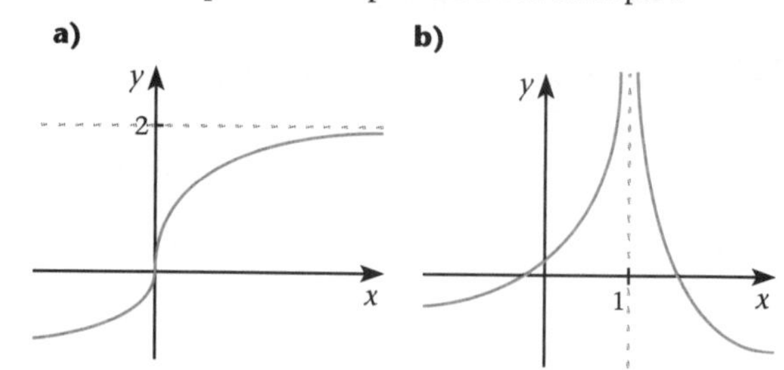

Exercices 3.1 (p. 82-83)

1. **a)** On a Dom $f = \mathbb{R} \setminus \{-19\}$. Évaluons la limite à droite quand s s'approche de 19.

On a $\lim_{s\to -19^+} f(s) = \lim_{s\to -19^+} \frac{-19}{s + 19}$, qui est de la forme $\frac{-19}{0^+}$.

On a alors $\lim_{s\to -19^+} f(s) = -\infty$.

Par conséquent, $s = 19$ est une asymptote verticale.

b) On a Dom $p = \mathbb{R} \setminus \{5\}$. Évaluons la limite à gauche quand a s'approche de 5.

On a $\lim_{a\to 5^-} p(a) = \lim_{a\to 5^-} \frac{a + 3}{a - 5}$, qui est de la forme $\frac{8}{0^-}$.

On a donc $\lim_{a\to 5^-} p(a) = -\infty$.

Par conséquent, $a = 5$ est une asymptote verticale.

c) On a Dom $h = \mathbb{R} \setminus \{12, -\pi\}$. Étudions la limite à droite quand z s'approche de 12.

On a $\lim_{z\to 12^+} h(z) = \lim_{z\to 12^+} \frac{5z}{(z - 12)(z + \pi)}$ qui est de la forme $\frac{60}{0^+ \cdot (12 + \pi)}$. Puisque le quotient de deux quantités positives (le numérateur est de plus en plus près de 60, alors que le dénominateur s'approche du produit du nombre positif $12 + \pi$ et de quantités positives de plus en plus près de 0) est positif, $\lim_{z\to 12^+} h(z) = +\infty$. Par conséquent, $z = 12$ est une asymptote verticale.

Étudions maintenant la limite à droite quand z s'approche de $-\pi$.

On a $\lim_{z \to -\pi^+} h(z) = \lim_{z \to -\pi^+} \frac{5z}{(z - 12)(z + \pi)}$ qui est de la forme $\frac{-5\pi}{(-\pi - 12) \cdot 0^+}$.

On peut déduire que $\lim_{z \to -\pi^+} h(z) = +\infty$ et $z = -\pi$ est aussi une asymptote verticale.

d) On peut remarquer que
$k(x) = \frac{x^3 + 1}{x^4 - 4x^2} = \frac{x^3 + 1}{x^2(x^2 - 4)} = \frac{x^3 + 1}{x^2(x - 2)(x + 2)}$.
On a donc Dom $k = \mathbb{R} \setminus \{-2, 0, 2\}$.
Étudions d'abord la limite à droite quand x s'approche de 0.

On a $\lim_{x \to 0^+} k(x) = \lim_{x \to 0^+} \frac{x^3 + 1}{x^2(x - 2)(x + 2)}$ qui est de la forme $\frac{1}{0^+ \cdot (-2) \cdot 2}$.

On a alors $\lim_{x \to 0^+} k(x) = -\infty$. Par conséquent, $x = 0$ est une asymptote verticale.

Étudions maintenant la limite à droite quand x s'approche de -2.

On a la limite $\lim_{x \to -2^+} k(x) = \lim_{x \to -2^+} \frac{x^3 + 1}{x^2(x - 2)(x + 2)}$ qui est de la forme $\frac{-7}{4 \cdot (-4) \cdot 0^+}$.

On a alors $\lim_{x \to -2^+} k(x) = +\infty$. Par conséquent, $x = -2$ est une asymptote verticale.

Étudions maintenant la limite à droite quand x s'approche de 2.

On a la limite $\lim_{x \to 2^+} k(x) = \lim_{x \to 2^+} \frac{x^3 + 1}{x^2(x - 2)(x + 2)}$ qui est de la forme $\frac{9}{4 \cdot 0^+ \cdot 4}$.

On a alors $\lim_{x \to 2^+} k(x) = +\infty$. Par conséquent, $x = 2$ est une asymptote verticale.

2. a) $\lim_{x \to 0^+} f(x) = +\infty$, $\lim_{x \to 0^-} f(x) = -\infty$, $\lim_{x \to +\infty} f(x) = 0$ et $\lim_{x \to -\infty} f(x) = 0$

b) $\lim_{b \to 2^+} h(b) = +\infty$, $\lim_{b \to 2^-} h(b) = -\infty$, $\lim_{b \to +\infty} h(b) = 0$ et $\lim_{b \to -\infty} h(b) = 0$

c) $\lim_{q \to -5^+} k(q) = -\infty$, $\lim_{q \to -5^-} k(q) = +\infty$, $\lim_{q \to +\infty} k(q) = 0$ et $\lim_{q \to -\infty} k(q) = 0$

d) $\lim_{s \to \left(\frac{5}{3}\right)^+} v(s) = -\infty$, $\lim_{s \to \left(\frac{5}{3}\right)^-} v(s) = +\infty$, $\lim_{s \to +\infty} v(s) = +\infty$ et $\lim_{s \to -\infty} v(s) = -\infty$

3. a) Dom $g = \mathbb{R} \setminus \{0\}$. $\lim_{t \to 0} g(t)$ n'existe pas, car la limite à droite est 1 et la limite à gauche est -1.

b) Non, car $\lim_{t \to 0} f(t) = \lim_{t \to 0} g(t)$ n'existe pas.

4. a) *i)* Oui *ii)* non *iii)* oui **b)** *i)* Oui *ii)* oui *iii)* non

5. a) $x = 0$ et $x = 2$

b) Aucune asymptote verticale

c) $w = 0$ et $w = 10$

d) $t = 0$ et $t = 9$

6. Plusieurs réponses sont possibles. Par exemple :

a)

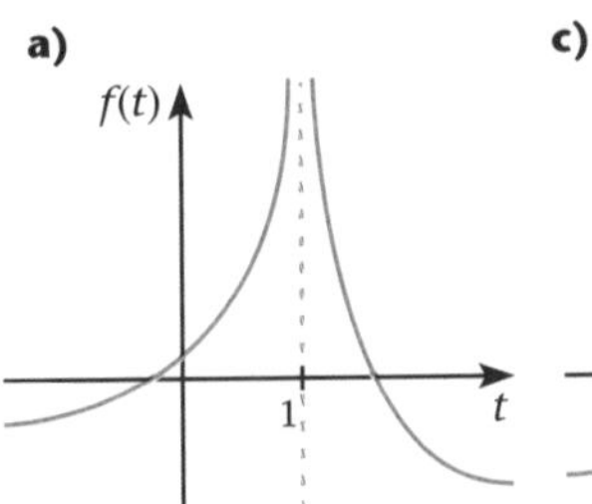

c)

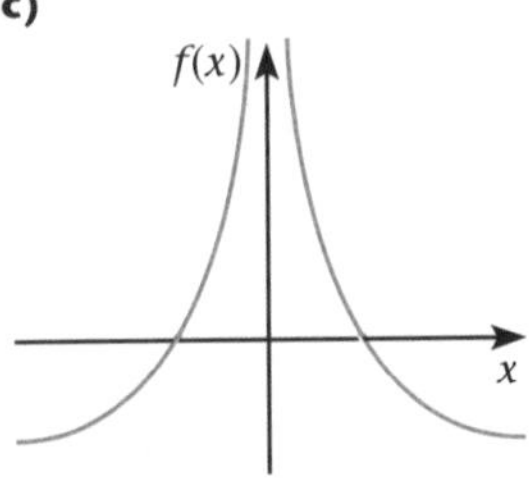

b)

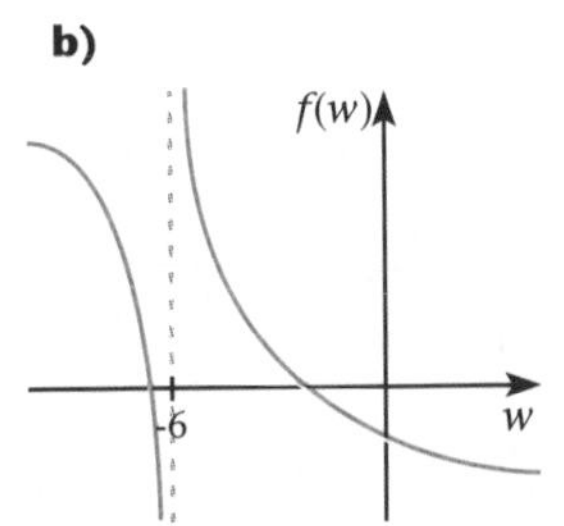

d)

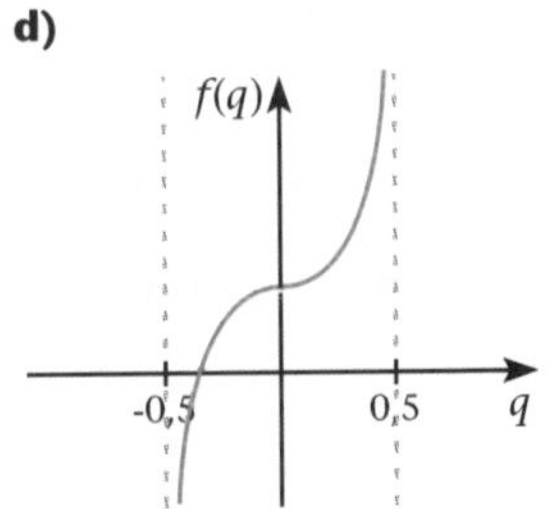

7.

a) $-\infty$	**h)** $+\infty$	**o)** $+\infty$
b) $+\infty$	**i)** N'existe pas	**p)** $+\infty$
c) N'existe pas	**j)** $-\infty$	**q)** $-\infty$
d) $-\infty$	**k)** $-\infty$	**r)** $+\infty$
e) $+\infty$	**l)** N'existe pas	**s)** $-\infty$
f) $+\infty$	**m)** N'existe pas	**t)** $+\infty$
g) $+\infty$	**n)** N'existe pas	**u)** $-\infty$

8. a) $b = 1$

b) $x = 0$

c) $a = \frac{-3}{2}$

d) $z = -1$, $z = \frac{-1}{2}$ et $z = \frac{-1}{3}$

e) $t = 5$

f) $r = \sqrt[3]{36}$

g) $i = 3$ et $i = -3$

9. a) Non

b) Non, jamais

c) Non, jamais

d) Non, jamais

Exercices 3.2 (p. 90-92)

1. a) Évaluons la limite à l'infini de la fonction f.
On a $\lim_{s \to +\infty} f(s) = \lim_{s \to +\infty} \frac{-19}{s + 19}$ qui est de la forme $\frac{-19}{+\infty}$.
Donc, on a $\lim_{s \to +\infty} f(s) = 0$ et la droite $y = 0$ est une asymptote horizontale.
Pour la limite à moins l'infini,
on a $\lim_{s \to -\infty} f(s) = \lim_{s \to -\infty} \frac{-19}{s + 19}$ qui est de la forme $\frac{-19}{-\infty}$.

Donc, on a $\lim_{s \to -\infty} f(s) = 0$.

La droite $y = 0$ est la seule asymptote horizontale de la fonction f.

b) Évaluons la limite à l'infini de la fonction p.

$$\text{On a } \lim_{a \to +\infty} p(a) = \lim_{a \to +\infty} \frac{a + 3}{a - 5} = \lim_{a \to +\infty} \frac{a\left(1 + \frac{3}{a}\right)}{a\left(1 - \frac{5}{a}\right)}$$

$$= \lim_{a \to +\infty} \frac{1 + \frac{3}{a}}{1 - \frac{5}{a}} = \frac{1}{1} = 1$$

Donc, la droite $y = 1$ est une asymptote horizontale.
Pour la limite à moins l'infini,

$$\text{on a } \lim_{a\to-\infty} p(a) = \lim_{a\to-\infty} \frac{a+3}{a-5} = \lim_{a\to-\infty} \frac{a\left(1+\frac{3}{a}\right)}{a\left(1-\frac{5}{a}\right)}$$

$$= \lim_{a\to-\infty} \frac{1+\frac{3}{a}}{1-\frac{5}{a}} = \frac{1}{1} = 1$$

Ainsi, la droite $y = 1$ est la seule asymptote horizontale de la fonction p.

c) On note d'abord que :

$$h(z) = \frac{5z^2}{(z-12)(z+\pi)} = \frac{5z^2}{z^2 + (\pi - 12)z - 12\pi}.$$

Évaluons la limite à l'infini de la fonction h.

$$\text{On a } \lim_{z\to+\infty} h(z) = \lim_{z\to+\infty} \frac{5z^2}{z^2\left(1+\frac{\pi-12}{z}-\frac{12\pi}{z^2}\right)}$$

$$= \lim_{z\to+\infty} \frac{5}{1+\frac{\pi-12}{z}-\frac{12\pi}{z^2}} = 5$$

Donc, la droite $y = 5$ est une asymptote horizontale.
Pour la limite à moins l'infini,

$$\text{on a } \lim_{z\to-\infty} h(z) = \lim_{z\to-\infty} \frac{5z^2}{z^2\left(1+\frac{\pi-12}{z}-\frac{12\pi}{z^2}\right)}$$

$$= \lim_{z\to-\infty} \frac{5}{1+\frac{\pi-12}{z}-\frac{12\pi}{z^2}} = 5$$

Ainsi, la droite $y = 5$ est la seule asymptote horizontale de la fonction h.

d) $k(x) = \dfrac{x^5+1}{x^4-4x^2}$

Évaluons la limite à l'infini de la fonction k.

$$\text{On a } \lim_{x\to+\infty} k(x) = \lim_{x\to+\infty} \frac{x^5+1}{x^4-4x^2} = \lim_{x\to+\infty} \frac{x^5\left(1+\frac{1}{x^5}\right)}{x^4\left(1-\frac{4}{x^2}\right)}$$

$$= \lim_{x\to+\infty} \frac{x\left(1+\frac{1}{x^5}\right)}{1-\frac{4}{x^2}} = +\infty$$

Pour la limite à moins l'infini,

$$\text{on a } \lim_{x\to-\infty} k(x) = \lim_{x\to-\infty} \frac{x^5+1}{x^4-4x^2} = \lim_{x\to-\infty} \frac{x^5\left(1+\frac{1}{x^5}\right)}{x^4\left(1-\frac{4}{x^2}\right)}$$

$$= \lim_{x\to-\infty} \frac{x\left(1+\frac{1}{x^5}\right)}{1-\frac{4}{x^2}} = -\infty$$

La fonction k n'a aucune asymptote horizontale.

2. **a)** $y = 40$ **c)** $y = -6$
b) $y = 0$ et $y = 8$ **d)** Aucune asymptote horizontale

3. Plusieurs réponses sont possibles. Par exemple :

a) **b)**

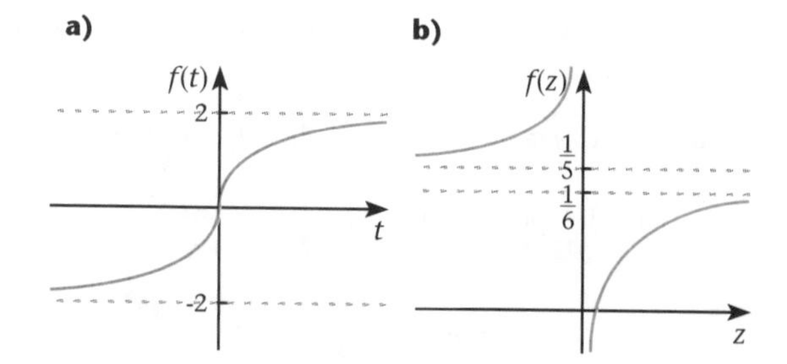

c) **d)**

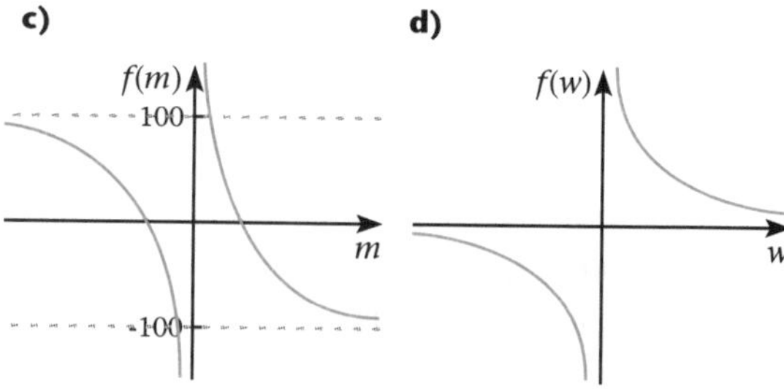

4. **a)** 0 **b)** 0 **c)** 0 **d)** 8 **e)** 0 **f)** $\frac{1}{8}$ **g)** $+\infty$ **h)** 0 **i)** $-\infty$ **j)** $-\infty$ **k)** $\frac{-5}{3}$ **l)** $-\infty$ **m)** $\frac{1}{3}$ **n)** $+\infty$ **o)** $-\infty$

5. **a)** $y = 0$
b) Aucune asymptote horizontale
c) $y = \frac{7}{2}$
d) $y = 0$
e) Aucune asymptote horizontale
f) Aucune asymptote horizontale
g) $y = \frac{1}{2}$

6. **a)** $\lim_{x\to+\infty} f(x) = \frac{3}{2}$ et $\lim_{x\to-\infty} f(x) = \frac{3}{2}$; $y = \frac{3}{2}$ est une asymptote horizontale.
b) $\lim_{x\to+\infty} f(x) = 0$ et $\lim_{x\to-\infty} f(x) = 0$; $y = 0$ est une asymptote horizontale.
c) $\lim_{x\to+\infty} f(x) = -\infty$ et $\lim_{x\to-\infty} f(x) = +\infty$; il n'y a pas d'asymptote horizontale.
d) $\lim_{x\to+\infty} f(x) = +\infty$ et $\lim_{x\to-\infty} f(x) = +\infty$; il n'y a pas d'asymptote horizontale.
e) $\lim_{x\to+\infty} f(x) = -\infty$ et $\lim_{x\to-\infty} f(x) = +\infty$; il n'y a pas d'asymptote horizontale.
f) $\lim_{x\to+\infty} f(x) = -\infty$ et $\lim_{x\to-\infty} f(x) = -\infty$; il n'y a pas d'asymptote horizontale.

7. **a)** Non
b) Non, jamais
c) Non, jamais

8. **a)** Évaluons la limite à l'infini de la fonction g.

$$\text{On a } \lim_{t\to+\infty} g(t) = \lim_{t\to+\infty} \frac{at+b}{ct+d} = \lim_{t\to+\infty} \frac{t\left(a+\frac{b}{t}\right)}{t\left(c+\frac{d}{t}\right)}$$

$$= \lim_{t\to+\infty} \frac{a+\frac{b}{t}}{c+\frac{d}{t}} = \frac{a+0}{c+0} = \frac{a}{c}$$

Donc, la droite $y = \frac{a}{c}$ est une asymptote horizontale.
Pour la limite à moins l'infini,

$$\text{on a } \lim_{t\to-\infty} g(t) = \lim_{t\to-\infty} \frac{at+b}{ct+d} = \lim_{t\to-\infty} \frac{t\left(a+\frac{b}{t}\right)}{t\left(c+\frac{d}{t}\right)}$$

$$= \lim_{t\to-\infty} \frac{a+\frac{b}{t}}{c+\frac{d}{t}} = \frac{a+0}{c+0} = \frac{a}{c}$$

Ainsi, la droite $y = \frac{a}{c}$ est la seule asymptote horizontale de la fonction g.

b) Soit la fonction polynomiale $f(x) = \frac{p(x)}{q(x)}$ où degré $p(x) = n$ et degré $q(x) = m$.

Alors $p(x) = ax^n + r(x)$, où le degré de $r(x) \leq n - 1$ et $q(x) = bx^m + s(x)$, où le degré de $s(x) \leq m - 1$.

On a $\lim\limits_{x \to +\infty} f(x) = \lim\limits_{x \to +\infty} \frac{p(x)}{q(x)} = \lim\limits_{x \to +\infty} \frac{ax^n + r(x)}{bx^m + s(x)}$

$= \lim\limits_{x \to +\infty} \frac{x^n\left(a + \frac{r(x)}{x^n}\right)}{x^m\left(b + \frac{s(x)}{x^m}\right)}$

Si $n > m$, alors la limite a comme résultat $+\infty$ ou $-\infty$, et puisque le résultat serait $+\infty$ ou $-\infty$ pour la limite à moins l'infini, f n'a aucune asymptote horizontale.

Si $n = m$, $\lim\limits_{x \to +\infty} \frac{x^n\left(a + \frac{r(x)}{x^n}\right)}{x^m\left(b + \frac{s(x)}{x^m}\right)} = \lim\limits_{x \to +\infty} \frac{a + \frac{r(x)}{x^n}}{b + \frac{s(x)}{x^m}} = \frac{a}{b}$, et

puisque le résultat serait le même pour la limite à moins l'infini, f a une seule asymptote horizontale qui est $y = \frac{a}{b}$.

Si $n < m$, $\lim\limits_{x \to +\infty} \frac{x^n\left(a + \frac{r(x)}{x^n}\right)}{x^m\left(b + \frac{s(x)}{x^m}\right)} = \lim\limits_{x \to +\infty} \frac{a + \frac{r(x)}{x^n}}{x^{m-n}\left(b + \frac{s(x)}{x^m}\right)}$

(qui a la forme $\frac{a}{+\infty}$) dont le résultat est 0, et puisque le résultat serait équivalent pour la limite à moins l'infini, f a une seule asymptote horizontale qui est $y = 0$.

9. a) 1 **b)** 1 **c)** Oui

10. (1) est associé à la fonction f_1

(2) est associé à la fonction f_4.

(4) est associé à la fonction f_3

(6) est associé à la fonction f_2.

(3) et (5) ne sont associés à aucune fonction polynomiale, car une fonction polynomiale ne peut avoir d'asymptote horizontale.

11. Si le degré d'une fonction polynomiale $f(x)$ est un nombre impair n, alors

ou bien $\lim\limits_{x \to +\infty} f(x) = +\infty$ et $\lim\limits_{x \to -\infty} f(x) = -\infty$ (si le coefficient de x^n est positif),

ou bien $\lim\limits_{x \to +\infty} f(x) = -\infty$ et $\lim\limits_{x \to -\infty} f(x) = +\infty$ (si le coefficient de x^n est négatif).

Ainsi, la fonction est négative pour certaines valeurs de x et positive pour certaines autres valeurs de x. De plus, une fonction polynomiale est continue sur IR. En conséquence, il est sûr que la courbe de la fonction f coupe l'axe horizontal des x en au moins un endroit.

Exercices 3.3 (p. 96)

1. a) On a $\lim\limits_{a \to -\infty} \frac{\sqrt{9a^4 - 3a^3 + 7,4}}{6a^2 - 3,5} = \lim\limits_{a \to -\infty} \frac{\sqrt{a^4\left(9 - \frac{3}{a} + \frac{7,4}{a^4}\right)}}{a^2\left(6 - \frac{3,5}{a^2}\right)}$

$= \lim\limits_{a \to -\infty} \frac{a^2\sqrt{9 - \frac{3}{a} + \frac{7,4}{a^4}}}{a^2\left(6 - \frac{3,5}{a^2}\right)}$

$= \lim\limits_{a \to -\infty} \frac{\sqrt{9 - \frac{3}{a} + \frac{7,4}{a^4}}}{6 - \frac{3,5}{a^2}}$

qui est de la forme $\frac{\sqrt{9 - 0 + 0}}{6 - 0}$.

Le résultat est donc $\frac{3}{6} = \frac{1}{2}$.

b) On a $\lim\limits_{d \to +\infty} \frac{d + 14}{\sqrt{d^6 + 3d}} = \lim\limits_{d \to +\infty} \frac{d\left(1 + \frac{14}{d}\right)}{\sqrt{d^6\left(1 + \frac{3}{d^5}\right)}}$

$= \lim\limits_{d \to +\infty} \frac{d\left(1 + \frac{14}{d}\right)}{d^3\sqrt{\left(1 + \frac{3}{d^5}\right)}}$

$= \lim\limits_{d \to +\infty} \frac{\left(1 + \frac{14}{d}\right)}{d^2\sqrt{\left(1 + \frac{3}{d^5}\right)}}$

Cette limite est de la forme $\frac{1 + 0}{+\infty \cdot \sqrt{1 + 0}}$. La limite recherchée est donc 0.

c) $\lim\limits_{z \to 5^-} (\sqrt{25 - z^2} + \sqrt{5 - z})$

Puisque les expressions sous les radicaux demeurent positives lorsque z est inférieure à 5, la limite existe et on a :

$\lim\limits_{z \to 5^-} (\sqrt{25 - z^2} + \sqrt{5 - z}) = \sqrt{0^+} + \sqrt{0^+} = 0 + 0 = 0.$

d) On doit étudier la limite à gauche et à droite avant de pouvoir tirer une conclusion pour cette limite. Lorsque t s'approche de 12 par des valeurs plus petites que 12 ($t \to 12^-$), le dénominateur de l'expression n'est pas défini. En conséquence, la limite à gauche n'existe pas et il en est de même pour

$\lim\limits_{t \to 12} \frac{t^2 - 4t}{\sqrt{t - 12}}$.

2. a) $\lim\limits_{t \to 6^+} \sqrt{6 - t}$ n'est pas définie et $\lim\limits_{t \to 6^-} \sqrt{6 - t} = 0$

b) $\lim\limits_{a \to 0^+} \sqrt{a^2} = 0$ et $\lim\limits_{a \to 0^-} \sqrt{a^2} = 0$

c) $\lim\limits_{w \to -5^+} \sqrt[3]{w + 5} = 0$ et $\lim\limits_{w \to -5^-} \sqrt[3]{w + 5} = 0$

d) $\lim\limits_{u \to -100^+} \sqrt[4]{u + 100} = 0$ et $\lim\limits_{u \to -100^-} \sqrt[4]{u + 100}$ n'est pas définie.

3. La fonction est continue sur IR \ {-1}.

4. a) 4 **b)** 3 **c)** 0 **d)** 1 **e)** 0 **f)** 1

5. a) $\lim\limits_{x \to +\infty} f(x) = 0$ **b)** $\lim\limits_{x \to +\infty} f(x) = +\infty$ **c)** $\lim\limits_{x \to +\infty} f(x) = 3$ **d)** $\lim\limits_{x \to -\infty} f(x) = 8$

6. a) 1 **b)** N'existe pas **c)** 0 **d)** 0 **e)** 0 **f)** N'existe pas **g)** $-\infty$ **h)** N'existe pas **i)** -1 **j)** $+\infty$ **k)** $+\infty$

Problèmes (p. 98-101)

Section 3.1

1. a) $U(25) = 186{,}36$ \$/unité

b) $U(1) = 4506{,}36$ \$/unité

c) On a $\lim\limits_{q \to 0^+} U(q) = +\infty$. Plus la quantité d'unités produites tend à diminuer vers 0, plus le coût unitaire devient élevé sans être borné.

2. $\lim\limits_{n \to 0^+} U(n) = +\infty$. Plus la quantité de kilowatts produits tend à diminuer vers 0, plus le coût unitaire de production devient élevé sans être borné.

3. $\lim\limits_{t \to 0^+} I(t) = +\infty$. Plus le temps durant lequel le courant excite le tissu vivant tend à s'approcher de 0, plus l'intensité du courant nécessaire pour atteindre le seuil de tolérance est élevée, sans être bornée.

4. a) $I(r) = \dfrac{10}{20 + r}$

b) On a $\lim\limits_{r \to 0^+} I(r) = \dfrac{1}{2}$. Plus la résistance variable r a une valeur petite qui s'approche de 0, plus le courant qui passe dans le circuit est près de 0,5 ampère.

5. a) $R(x) = \dfrac{36 \cdot 10^{-8}}{\pi x^2}$ ohms

b) On a $\lim\limits_{x \to 0^+} R(x) = +\infty$. Plus le rayon du fil est petit et tend à être près de 0, plus la résistance du fil est grande, sans être bornée.

6. a) $f(f_2) = \dfrac{1{,}6 f_2}{1{,}6 + f_2}$ centimètre

b) $\lim\limits_{f_2 \to 0^+} f(f_2) = 0$. Plus la distance focale de la deuxième lentille est petite et est proche de 0 centimètre, plus la distance focale équivalente f s'approche elle-même de 0 centimètre.

7. a) $F(r) = \dfrac{3{,}6 \cdot 10^{-2}}{r^2}$ newtons. Dom $F = \mathbb{R} \setminus \{0\}$

b) On a $\lim\limits_{r \to 0^+} F(r) = +\infty$. Plus la distance entre les deux charges est petite et se rapproche de 0 mètre, plus la force d'attraction entre les deux charges augmente sans être bornée.

8. a) $P(V) = \dfrac{12{,}423}{V}$

b) $\lim\limits_{V \to 0^+} P(V) = +\infty$. Plus le volume du ballon diminue et s'approche de 0 litre, plus la pression dans celui-ci augmente, sans être bornée.

9. a) $P_0(k) = \dfrac{17{,}50}{1 + k}$

b) $\lim\limits_{k \to 0^+} P_0(k) = 17{,}50$. Plus le rendement annuel de l'action est petit et s'approche de 0 %, plus la valeur actuelle de l'action s'approche de 17,50 \$ (soit de la somme du dividende de 1,25 \$ et de la valeur de l'action au bout d'un an, soit 16,25 \$).

10. a) $\sqrt[6]{\dfrac{C}{D}}$

b) $\lim\limits_{r \to 0^+} P(r) = +\infty$. Plus la distance entre les deux atomes diminue et s'approche de 0, plus l'énergie potentielle relative à la force entre les deux atomes tend à augmenter sans être bornée.

Section 3.2

11. a) $U(3500) = 7{,}65$ \$/unité

b) $U(1\,000\,000) = 6{,}364$ \$/unité

c) $\lim\limits_{q \to +\infty} U(q) = 6{,}36$ \$/unité. Plus la quantité d'unités produites augmente sans être bornée, plus le coût unitaire s'approche de 6,36 \$/unité.

12. a) $\lim\limits_{n \to +\infty} U(n) = A$ \$/unité

b) On a une asymptote horizontale $y = A$. Plus la quantité de kilowatts produits augmente sans être bornée, plus le coût unitaire s'approche de A dollars par unité. En fait, plus le nombre de kilowatts produits augmente, plus les frais fixes tendent à perdre de l'importance dans le calcul du coût unitaire.

13. a) $\lim\limits_{t \to +\infty} I(t) = C$ ampères.

b) Plus le temps durant lequel le courant excite le tissu est grand et n'est pas borné, plus le courant nécessaire pour atteindre le seuil de tolérance s'approche de C ampères.

14. a) $\lim\limits_{r \to +\infty} I(r) = 0$.

b) Plus la valeur de la résistance variable r augmente sans être bornée, plus le courant devient faible et s'approche de 0 ampère.

15. a) $\lim\limits_{x \to +\infty} R(x) = 0$.

b) Plus le rayon x du fil augmente sans être borné, plus la résistance du fil de 2 mètres de longueur diminue et s'approche de 0 ohm.

16. a) $\lim\limits_{f_2 \to +\infty} f(f_2) = 1{,}6$ centimètre.

b) Plus la distance focale de la deuxième lentille augmente sans être bornée, plus la distance focale équivalente f s'approche de 1,6 centimètre (qui correspond à la distance focale de la première lentille).

17. a) $\lim\limits_{r \to +\infty} F(r) = 0$ newton.

b) Plus la distance entre les deux charges électriques augmente sans être bornée, plus la force d'attraction entre les deux charges diminue et s'approche de 0 newton.

18. a) $\lim\limits_{V \to +\infty} P(V) = 0$ atmosphère.

b) Plus le volume du ballon augmente sans être borné, plus la pression dans le ballon diminue et s'approche de 0 atmosphère.

Section 3.3

19. a) 1,011 44 · m_0. Ainsi, l'électron a pris « 1,144 % de son poids initial ».

b) $\lim\limits_{v \to c^-} m = +\infty$. Plus la vitesse de l'électron s'approcherait de la vitesse de la lumière c, plus sa masse augmenterait sans être bornée.

Auto-évaluation (p. 101-102)

1. a) $+\infty$ **b)** $-\infty$ **c)** $-\infty$ **d)** $-\infty$ **e)** $-\infty$ **f)** N'existe pas **g)** 0 **h)** $-\infty$ **i)** $\frac{18}{7}$ **j)** $\frac{1}{6}$ **k)** 0 **l)** $-\infty$ **m)** $\frac{3}{4}$ **n)** N'existe pas **o)** -1

2. a) *i)* Oui *ii)* oui *iii)* oui **b)** *i)* Oui *ii)* oui *iii)* non

3. a) Asymptotes verticales : $t = 7$ et $t = -2$
Asymptote horizontale : $y = 0$

b) Asymptotes verticales : $z = 8$ et $z = -8$
Asymptote horizontale : $y = 2$

c) Asymptote verticale : $x = \frac{-12}{5}$
Asymptote horizontale : $y = \frac{-3}{5}$

d) Asymptotes verticales : $q = 0$ et $q = -17$
Asymptote horizontale : $y = -1$

e) Asymptotes verticales : $x = 1$ et $x = -1$
Asymptote horizontale : $y = \frac{1}{2}$

f) Asymptotes verticales : $a = 2$ et $a = -2$
Aucune asymptote horizontale.

g) Asymptotes verticales : $x = 4$ et $x = 4{,}001$
Asymptote horizontale : $y = 3$

h) Asymptotes verticales : $t = 4$ et $t = -4$
Asymptote horizontale : $y = 3{,}506\ 5$

i) Aucune asymptote verticale
Asymptote horizontale : $y = \frac{1}{3}$

j) Asymptotes verticales : $a = 5$, $a = 4{,}99$ et $a = 5{,}01$
Asymptote horizontale : $y = \pi$

4. Plusieurs réponses sont possibles. Par exemple :

a) $h(x) = \frac{17}{10 - x}$

b) $g(u) = \frac{1}{u} - \frac{1}{2}$

c) $f(t) = \frac{3}{t^2 + 1} + 3$

d) $p(a) = \frac{(4{,}5 - a)^2}{(a - 3)^2(a - 6)^2} - 200$

5. a) La hauteur est donnée par $h(r) = \frac{371}{\pi r^2}$.

b) $\lim\limits_{r \to 0^+} h(r) = +\infty$

c) $\lim\limits_{r \to +\infty} h(r) = 0$

d) $A(r) = 2\pi r^2 + \frac{742}{r}$

e) $\lim\limits_{r \to +\infty} A(r) = +\infty$

6. Plusieurs réponses sont possibles. Par exemple :

a) $f(z) = 19 - \frac{1}{z}$

b) $f(t) = \frac{-0{,}7t^2 + 24t}{t^2 + 1}$

c) $f(x) = \frac{3}{x - 4}$

d) $f(n) = \frac{123}{(n + 3)^2}$

Chapitre 4 (p. 103)

Avant d'aller plus loin (p. 105)

Préalables

1. a) 1, -1 et 3
b) 1000, -1000 et 59 049
c) -8, 8 et $\frac{1}{9}$
d) $-\frac{1}{8}$, $\frac{1}{8}$ et $\frac{1}{\sqrt{3}}$
e) 0, 0 et 1

2. a) $x = 5$ **b)** $a = 12$ **c)** $z = 5$ **d)** $v = \frac{1}{13}$ **e)** $d = 0$ **f)** $b = 4$ **g)** $s = 17$ **h)** $y = -7$ **i)** $x = \frac{1}{2}$

3. a) Croissante sur IR
b) Décroissante sur IR
c) Décroissante sur IR
d) Croissante sur IR
e) Croissante sur IR
f) Croissante sur IR
g) Croissante sur IR

Langages mathématique et graphique

1. a) Plus les valeurs de t augmentent sans être bornées supérieurement, plus les valeurs calculées de $g(t)$ s'approchent de 0.

b) Plus les valeurs de t diminuent sans être bornées inférieurement, plus les valeurs calculées de $h(t)$ s'approchent de 0.

c) Plus les valeurs de x s'approchent de 0 par des valeurs supérieures à 0, plus les valeurs calculées de $f(x)$ diminuent sans être bornées inférieurement.

d) Plus les valeurs de z s'approchent de 0 par des valeurs inférieures à 0, plus les valeurs calculées de $d(z)$ augmentent sans être bornées supérieurement.

2. Plusieurs réponses sont possibles. Toutefois, la courbe devrait avoir l'allure générale ci-dessous.

a)

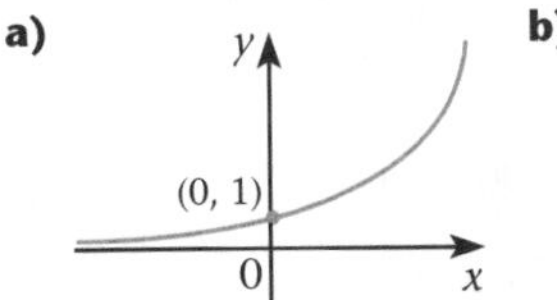

b)

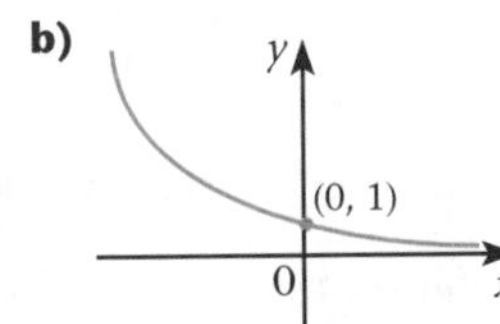

3. Plusieurs réponses sont possibles. Toutefois, la courbe devrait avoir l'allure générale ci-dessous.

a) **b)**

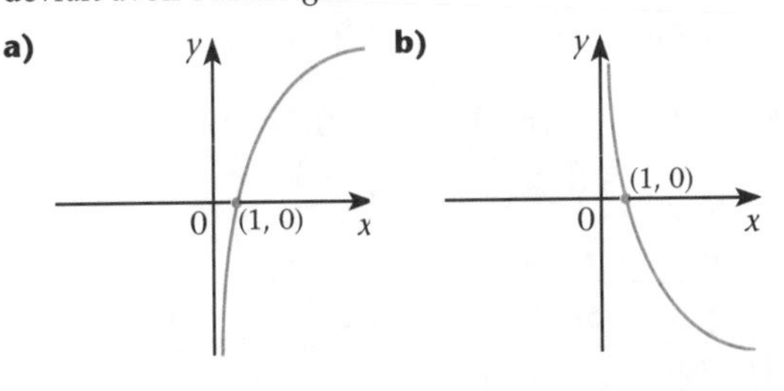

4. a) Plusieurs réponses sont possibles. Par exemple :

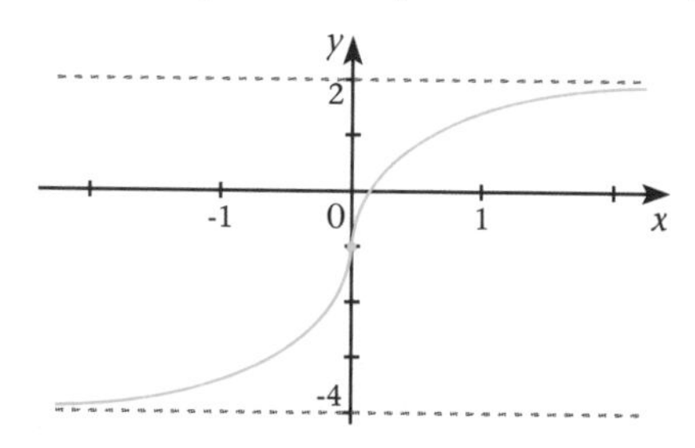

b) Une fonction continue sur IR ne peut avoir d'asymptote verticale, puisque son domaine est IR.

Exercices 4.1 (p. 113-114)

1. a) A est une constante positive non nulle. Puisque $g(20) = 3 = Ab^{20}$ et $g(22) = 2{,}3 = Ab^{22}$, on constate que $\frac{g(22)}{g(20)} = \frac{Ab^{22}}{Ab^{20}} = b^2$ et $\frac{g(22)}{g(20)} = \frac{2{,}3}{3} = 0{,}766\ 7$. Ainsi, on a :

$b^2 = 0{,}766\ 7$, $b = \sqrt{0{,}766\ 7} = 0{,}875\ 6$ et $f(x) = A \cdot 0{,}875\ 6^x$.

Puisque $g(20) = 3 = Ab^{20}$, $A = \frac{3}{0{,}875\ 6^{20}} = 42{,}762$.

Le modèle cherché est donc $g(x) = 42{,}762 \cdot (0{,}875\ 6^x)$.

b) $g(0) = 42{,}762$, $g(20) = 22{,}008$ et $g(-10) = 161{,}436$.

c) Puisque la base $b = 0{,}875\ 6$ est inférieure à 1 et puisque A est positive, la fonction g est décroissante, $\lim\limits_{t \to +\infty} g(t) = 0$ et $\lim\limits_{t \to -\infty} g(t) = +\infty$.

2. a) 8^{12} **b)** 42 **c)** $12^{a+1} \cdot 5^{a-2}$ **d)** $\frac{3}{2^{x-1}}$

3. a) $y = 2$ **b)** $k = 3$ **c)** $b = \frac{1}{6}$ **d)** $n = \frac{1}{3}$ **e)** $n = -1$ **f)** $k = \frac{3}{5}$ **g)** $t = \frac{2}{7}$ **h)** $h = 0$ **i)** $v = 0$ **j)** $t = -8$ ou $t = 0$ **k)** $z = 2$ ou $z = 3$ **l)** $t = 3$ ou $t = -3$

4.

	Domaine	Image	Ordonnée à l'origine	Zéros	Intervalles de croissance ou de décroissance	Intervalles de concavité
a)	IR	] 0, +∞	1	Aucun	Croissante sur IR	Vers le haut sur IR
b)	IR	] 0, +∞	1	Aucun	Croissante sur IR	Vers le haut sur IR
c)	IR	] 0, +∞	1	Aucun	Décroissante sur IR	Vers le haut sur IR
d)	IR	] 0, +∞	1	Aucun	Décroissante sur IR	Vers le haut sur IR

5. $\lim\limits_{x \to -\infty} 1{,}001^x = 0$ et $\lim\limits_{x \to +\infty} 1{,}001^x = +\infty$

6. $\lim\limits_{x \to -\infty} 0{,}992^x = +\infty$ et $\lim\limits_{x \to +\infty} 0{,}992^x = 0$

7. a) Croissante, +∞ **b)** Décroissante, 0 **c)** Décroissante, 0 **d)** Décroissante, -∞ **e)** Croissante, 0 **f)** Croissante, 0

8. a) 1 **b)** 0 **c)** N'existe pas

9. a) $\lim\limits_{t \to -\infty} g(t) = 0$ et $\lim\limits_{t \to +\infty} g(t) = +\infty$

b) $\lim\limits_{z \to -\infty} h(z) = +\infty$ et $\lim\limits_{z \to +\infty} h(z) = 0$

c) $\lim\limits_{b \to -\infty} t(b) = 1$ et $\lim\limits_{b \to +\infty} t(b) = +\infty$

d) $\lim\limits_{a \to -\infty} m(a) = -\infty$ et $\lim\limits_{a \to +\infty} m(a) = 3$

e) $\lim\limits_{x \to -\infty} f(x) = +\infty$ et $\lim\limits_{x \to +\infty} f(x) = +\infty$

f) $\lim\limits_{q \to -\infty} k(q) = 0$ et $\lim\limits_{q \to +\infty} k(q) = 0$

g) $\lim\limits_{w \to -\infty} p(w) = +\infty$ et $\lim\limits_{w \to +\infty} p(w) = +\infty$

h) $\lim\limits_{t \to -\infty} q(t) = +\infty$ et $\lim\limits_{t \to +\infty} q(t) = +\infty$

10. Pour toutes les fonctions de l'exercice 3, la seule asymptote horizontale est $y = 0$.

11. a) $y = 0$ **b)** $y = 0$ **c)** $y = 0$ **d)** $y = 0$ **e)** $y = 12$ **f)** $y = 5$ **g)** $y = -12$ **h)** Aucune

12. a) $h(z) = 6{,}423 \cdot (0{,}859)^z$

b) 7,477; 6,423; 5,517; 2,054

c) $\lim\limits_{z \to +\infty} h(z) = 0$ et $\lim\limits_{z \to -\infty} h(z) = +\infty$

13. a) $f(t) = 3 \cdot 2^t$ **b)** $f(t) = 8 \cdot (0{,}25)^t$ **c)** $f(t) = 9^t - 1$ **d)** $f(t) = 2 \cdot 3^t$

Exercices 4.2 (p. 117-118)

1. a) $D(0) = A(1 - e^0) = A(1 - 1) = 0$. Si aucune somme n'est investie en publicité, la demande sera nulle.

b) Puisque $e^{-kp} = (e^{-k})^p$ et que e^{-k} est un nombre inférieur à 1, l'expression e^{-kp} est décroissante sur IR. Par conséquent, $-e^{-kp}$ est croissante sur IR, et il en est de même de $1 - e^{-kp}$. En conclusion, la fonction D est croissante sur IR.

c) L'expression e^{-kp} est décroissante sur IR et $\lim\limits_{p \to +\infty} e^{-kp} = 0$. Par conséquent, $\lim\limits_{p \to +\infty} D(p) = A \cdot 1 = A$. Ainsi, puisque la fonction D est croissante sur IR et que $\lim\limits_{p \to +\infty} D(p) = A$, même si la somme investie en publicité augmente autant qu'on le souhaite, la demande ne dépassera jamais le nombre A (qu'on appelle « le niveau de saturation de la demande »).

2. $\lim\limits_{x \to +\infty} \left(1 + \frac{1}{x}\right)^x \approx 2{,}718$

3. a) Non, oui, oui **b)** Oui, non, non

4. a) 1 **b)** 17 **c)** 0 **d)** 0 **e)** 1 **f)** -1

5. a) $\lim\limits_{x \to +\infty} f(x) = 1$ **b)** $\lim\limits_{t \to -\infty} f(t) = 5$ **c)** $\lim\limits_{z \to +\infty} h(z) = 5$ **d)** $\lim\limits_{k \to +\infty} f(k) = 0$ **e)** $\lim\limits_{q \to +\infty} c(q) = 2$ **f)** $\lim\limits_{y \to +\infty} k(y) = \frac{7}{3}$

6. a) Aucune asymptote verticale. L'asymptote horizontale est $y = 0$. La fonction est décroissante sur IR.

b) L'asymptote verticale est $x = \ln 6 \approx 1{,}792$. Les asymptotes horizontales sont $y = 0$ et $y = \frac{2}{3}$. La fonction est croissante sur $-\infty, \ln 6[\cup]\ln 6, +\infty$.

c) Aucune asymptote verticale. Les asymptotes horizontales sont $y = 0$ et $y = -0{,}206$. La fonction est décroissante sur IR.

d) L'asymptote verticale est $x \approx -5{,}130$. Les asymptotes horizontales sont $y = 0$ et $y = \frac{5}{13}$. La fonction est décroissante sur $-\infty, -5{,}130[\cup]-5{,}130, +\infty$.

7. **a)** $\lim_{x \to +\infty} f(x) = 0$ et $\lim_{x \to -\infty} f(x) = 0$
b) $\lim_{x \to +\infty} f(x) = 0$ et $\lim_{x \to -\infty} f(x) = 0$
c) $\lim_{x \to +\infty} f(x) = 0$ et $\lim_{x \to -\infty} f(x) = 0$

Exercices 4.3 (p. 123-124)

1. **a)** Soit $V(t)$ la valeur de l'ordinateur, t années après son achat. On a $V(t) = V_0 (1 - k)^t$, où V_0 est la valeur initiale de l'ordinateur et k est le taux de décroissance périodique positif. Dans le contexte, $k = 0{,}20$ et $V(t) = 1599{,}99 \cdot 0{,}8^t$. Puisque dans trois ans, cinq années se seront écoulées depuis l'achat, on cherche $V(5) = 1599{,}99 \cdot 0{,}8^5 = 524{,}28$ \$.
b) On cherche t tel que
$V(t) = 1599{,}99 \cdot 0{,}8^t = \frac{1}{10} \cdot 1599{,}99$.
On obtient d'abord $0{,}8^t = \frac{\frac{1}{10} \cdot 1599{,}99}{1599{,}99} = \frac{1}{10}$ et donc
$$t = \log_{0,8}\left(\frac{1}{10}\right) = \frac{\log\left(\frac{1}{10}\right)}{\log 0{,}8} = 10{,}3188 \text{ années.}$$
Ainsi, le nombre d'années recherché est de 10,32 ans environ.

2. **a)** $x = 4^3 = 64$ **e)** $x = \frac{1}{3}$
b) $x = 3^3 = 27$ **f)** $x = 10^1 = 10$
c) $x = \left(\frac{1}{2}\right)^{-4} = 16$ **g)** $x = e$
d) $x = 5^{-3} = \frac{1}{125}$ **h)** $x = 1$

3. **a)** Fausse **g)** Fausse
b) Fausse **h)** Vraie (propriété L7)
c) Fausse **i)** Fausse
d) Fausse **j)** Vraie (propriété L6)
e) Fausse **k)** Fausse
f) Vraie (propriété L5) **l)** Vraie (propriété L8)

4. **a)** 2,772 6 **c)** -0,223 1 **e)** -2,995 7
b) 6,437 6 **d)** 0,223 1 **f)** 2,609 4

5. Le graphique obtenu est celui de la fonction constante
$g(x) = \log e$, puisque $g(x) = \frac{\ln x}{\log x} = \frac{\frac{\log x}{\log e}}{\log x} = \frac{1}{\log e} = 2{,}302\ 6$.

6. **a)** $f(x) = e^{1,504x}$ **e)** $f(x) = -7e^{0,182x}$
b) $f(x) = e^{2,302x}$ **f)** $f(x) = 5e^{-0,223x}$
c) $f(x) = e^{-0,051x}$ **g)** $f(x) = -4{,}7e^{-0,010x}$
d) $f(x) = 3{,}4e^{2,845x}$ **h)** $f(x) = 17e^{-x}$

7. **a)** $f(t) = 3 \cdot e^{(\ln 2)t}$ **c)** $f(t) = 128 \cdot e^{(\ln 0,5)t}$
b) $f(t) = -18 \cdot e^{(\ln 3)t}$

8. **a)** $y = 1{,}585\ 0$ **f)** $u = -10{,}556\ 5$
b) $z = 0{,}861\ 4$ **g)** $v = \frac{3}{2}$
c) $x = -1{,}796\ 9$ **h)** $n = 0$
d) $m = -2{,}320\ 4$ **i)** $y = 0{,}181\ 0$
e) $a = 1{,}984\ 3$ **j)** $x = 0{,}705\ 2$
k) $p = 4{,}799\ 2$ **o)** $z = -2{,}723\ 2$
l) $b = -0{,}166\ 0$ **p)** $x = 1$
m) $k = 7{,}228\ 3$ **q)** $q = \ln 2 = 0{,}693\ 1$
n) $j = 1{,}157\ 4$ **r)** $u = -6{,}59$

9. **a)** $x = -11$ **e)** $v = -\frac{24}{25}$ **i)** $u = 4$
b) $k = 13$ **f)** $q = \frac{16}{7}$ **j)** $x = 5$
c) $z = 100$ **g)** $x = 2$
d) $x = -\frac{8}{9}$ **h)** $t = 2$

10. **a)** $x \approx -4{,}246$ et $x \approx 3{,}424$
b) Les zéros de la fonction $y = 17 + 4x - e^x$ sont en même temps les solutions de l'équation $17 + 4x = e^x$.

Exercices 4.4 (p. 128)

1. **a)** La fonction logarithmique g de base $\frac{7}{8}$ est décroissante sur]0, +∞. On a, par conséquent,
$\lim_{x \to 0^+} g(x) = +\infty$ et $\lim_{x \to +\infty} g(x) = -\infty$,
la droite $x = 0$ étant une asymptote verticale et la fonction étant décroissante.
b) La fonction logarithmique g de base e est croissante sur]0, +∞. On a, par conséquent, $\lim_{x \to 0^+} g(x) = -\infty$, la droite $x = 0$ étant une asymptote verticale et la fonction étant croissante et $\lim_{x \to +\infty} g(x) = +\infty$.
c) L'expression $\log x$ (de base 10) est croissante sur]0, +∞. Par conséquent, g est décroissante sur]0, +∞. On a $\lim_{x \to 0^+} g(x)$, qui est de la forme $\frac{6}{-\infty}$ et donc égale à 0.
De même, $\lim_{x \to +\infty} g(x)$ est de la forme $\frac{6}{+\infty}$ et est égale à 0.
d) La quantité $\log_{13} x$ est croissante sur]0, +∞, de même que l'expression $4 + \log_{13} x$ qui se trouve au dénominateur de g. Ainsi, l'expression $\frac{15}{4 + \log_{13} x}$ est décroissante sur IR et la fonction g est, par symétrie par rapport à l'axe des x, croissante sur]0, +∞. Lorsque x tend vers 0^+, l'expression $\log_{13} x$ devient de plus en plus grande sans être bornée, $\lim_{x \to 0^+} g(x)$ est de la forme $\frac{-15}{4 - \infty}$ et donc $\lim_{x \to +\infty} g(x) = 0$.
De même, $\lim_{x \to +\infty} g(x)$ est de la forme $\frac{-15}{4 + \infty}$ et $\lim_{x \to +\infty} g(x) = 0$.

2. **a)**]-3, +∞ **c)** $\left]\frac{19}{6}, +\infty\right.$ **e)** IR
b) -∞, 5[**d)** -∞, -4[∪]4, +∞ **f)** $\left.-\infty, \frac{13}{7}\right[$

3. **a)** g est croissante sur]0, +∞.
b) h est croissante sur]0, +∞.
c) f est croissante sur]0, +∞.
d) n est décroissante sur]0, +∞.
e) b est croissante sur]0, +∞.
f) g est croissante sur]0, +∞.

4. Dans chaque cas, on obtient le graphique de la droite d'équation $y = x$.

a) On a $y = \log (10^x) = x$. **c)** On a $y = 10^{\log x} = x$.

b) On a $y = \ln (e^x) = x$. **d)** On a $y = e^{\ln x} = x$.

5. a) $+\infty$ **c)** $-\infty$ **e)** 0

b) $+\infty$ **d)** $+\infty$ **f)** 0

6. a) $f^{-1}(t) = \ln t$ **e)** $f^{-1}(x) = -\ln x$

b) $k^{-1}(u) = e^{\left(\frac{u}{5}\right)}$ **f)** $g^{-1}(z) = \ln\left(6 - \frac{4}{z}\right)$

c) $g^{-1}(x) = \dfrac{\ln\left(\frac{x}{35}\right)}{-0,9}$ **g)** $r^{-1}(t) = -0,5 \ln\left(\frac{-0,7}{t} - 3,4\right)$

d) $H^{-1}(z) = 0,5\, e^{\frac{(z-3)}{5}}$ **h)** $C^{-1}(q) = -2 \ln\left(13 - \frac{5}{q}\right)$

Problèmes (p. 130-133)

Section 4.1

1.

Q

Q_0

temps

2. 18 473,45 $

3. a) 12 % capitalisé tous les 6 mois

b) 4 % capitalisé tous les 3 mois

c) 8 % capitalisé tous les 3 mois

4. a) Environ 1755 personnes

b) Environ 2598 insectes

5. a) 4032 $ **b)** 2090,19 $ **c)** 343,17 $

6. a) La proportion est donnée par $2^{\left(\frac{t}{6} - 5\right)}$, où t est le nombre de jours depuis le début de « l'invasion ».

b) 4,42 % **c)** 30 jours

Section 4.2

7. $Q(t) = 250 \cdot e^{-0,004t}$

8. a) 9081,56 $ **b)** 9478,85 $ **c)** 9480,00 $

9. a) 19,32 % **b)** 24,91 % **c)** 75 %

10. a) 11 000 $ **c)** 57,89 %

b) 58,34 % **d)** 19 000 $; 57,89 %

Section 4.3

11. a) $x(0) = 0$ **b)** Croissante sur IR **c)** $\frac{A}{k}$ unités

12. a) $V(t) = 18\,000 \cdot 0,85^t$, où V est la valeur (en dollars) de l'imprimante et t est le nombre d'années écoulées depuis le 15 janvier 2000.

b) 1449,66 $

c) 9,25 ans

d) $\lim_{t \to +\infty} V(t) = 0$. À très long terme, la valeur de l'imprimante sera de 0 $.

13. a) 13,89 ans **b)** 13,89 ans

14. a) 18,31 ans

b) Le résultat ne serait pas différent.

15. a) 13,25 ans **b)** 20,48 ans **c)** 35 ans

16. a) 13,25 ans **b)** 23,73 ans **c)** 70 ans

17. 4 heures 6 minutes

18. 14,21 ans

Section 4.4

19. 18,02 ans

20. a) 70,71 unités **b)** 141,42 unités

21. 12,68 jours

22. a) $A(p) = \log_{0,999\,879} p$

b) Environ 2645 ans av. J.-C.

23. a) $D(I) = 10 \log\left(\frac{I}{10^{-12}}\right) = 10 [\log I - \log (10^{-12})] = 10 [\log I - (-12) \log 10] = 120 + 10 \log I.$

b) 60 dB

c) $D^{-1}(I) = \sqrt[10]{10^{(I-120)}}$

d) 10^{-4} W/m²

24. a) Un pH de 3,20

b) $3,16 \cdot 10^{-7}$ moles/L

c) La solution devient plus acide.

25. a) 4,5 à l'échelle de Richter

b) 6,0 à l'échelle de Richter

Auto-évaluation (p. 134)

1. 5821,29 $

2. a) $b = \frac{1}{3}$ **f)** $z = 0,528\,32$ ou $z = 1,068\,62$

b) $k = \frac{5}{3}$ **g)** $m = -2$ **k)** $t = -1,356\,92$

c) $y = \frac{3}{20}$ **h)** $k = 2,530\,1$ **l)** $k = 0,910\,24$

d) $t = 1$ **i)** $y = 0$ **m)** $y = -2,999\,58$

e) $z = 1,056\,64$ **j)** $x = 0,137\,50$ **n)** $z = \frac{8}{3}$

3. a) 74,73 kg **b)** 105,91 jours **c)** 68 kg

4. a) L'ordonnée à l'origine est 15 et l'unique zéro est $z = 0,941\,63$.

b) L'ordonnée à l'origine est 0 et les zéros sont $t = 0,271\,05$ et $t = 0$.

c) L'ordonnée à l'origine est -11,8 et l'unique zéro est $q = -2,599\,28$.

d) L'ordonnée à l'origine est 0 et l'unique zéro est $a = 0$.

e) L'ordonnée à l'origine est 0 et l'unique zéro est $s = 1{,}5$.

f) L'ordonnée à l'origine est 0,18 et l'unique zéro est $t = 0{,}797\,49$.

g) Aucune ordonnée à l'origine et l'unique zéro est $z = -1{,}058\,87$.

h) Aucune ordonnée à l'origine et le zéro est $y = 12{,}826\,96$.

i) Aucune ordonnée à l'origine et le zéro est $x = 8$.

j) L'ordonnée à l'origine est 0,693 15 et le zéro est $w = -1$.

5. a) Dom $f = \mathbb{R} \setminus \{0\}$; $t = 0$ est une asymptote verticale et il n'y a pas d'asymptote horizontale.

b) Dom $g = \mathbb{R} \setminus \{0\}$; $x = 0$ est une asymptote verticale et il n'y a pas d'asymptote horizontale.

c) Dom $k =]0, +\infty$; $z = 0$ est une asymptote verticale et il n'y a pas d'asymptote horizontale.

d) Dom $h = \mathbb{R}$; il n'y a pas d'asymptote verticale et il n'y a pas d'asymptote horizontale.

e) Dom $w = \mathbb{R}$; il n'y a pas d'asymptote verticale et $y = 1$ est l'asymptote horizontale.

f) Dom $p = \left]0, \frac{1}{12}\right[$; $t = 0$ et $t = \frac{1}{12}$ sont les asymptotes verticales et il n'y a pas d'asymptote horizontale.

6. a) $(f \circ g)\,(t) = e^{\ln t} = t$; Dom $(f \circ g) =]0, +\infty$

b) $(g \circ f)\,(t) = \ln e^{t} = t$; Dom $(g \circ f) = \mathbb{R}$

c) $(f \circ f)\,(t) = e^{(e^t)}$; Dom $(f \circ f) = \mathbb{R}$

d) $(g \circ g)\,(t) = \ln(\ln t)$; Dom $(g \circ g) =]1, +\infty$

7. a) 119 926,77 $ **c)** Dans 8,22 ans.

b) 191 005,35 $

8. a) Croissante sur $[0, +\infty$

b) 150 appareils assemblés par jour

c) 11,31 %

d) 69,88 %

Chapitre 5 (p. 135)

Avant d'aller plus loin (p. 137)

Préalables

1. a) Faux **b)** Vrai **c)** Vrai **d)** Vrai

2. a) Faux **b)** Vrai **c)** Vrai **d)** Faux

3. $\cos A = \dfrac{\text{Côté adjacent}}{\text{Hypoténuse}}$, $\sin A = \dfrac{\text{Côté opposé}}{\text{Hypoténuse}}$,

$\text{tg}\, A = \dfrac{\text{Côté opposé}}{\text{Côté adjacent}}$, $\sec A = \dfrac{\text{Hypoténuse}}{\text{Côté adjacent}}$,

$\text{cosec}\, A = \dfrac{\text{Hypoténuse}}{\text{Côté opposé}}$ et $\text{cotg}\, A = \dfrac{\text{Côté adjacent}}{\text{Côté opposé}}$.

4. a) Ce sont les valeurs a qui ne sont pas dans le domaine de la fonction et qui sont telles que $\lim\limits_{x \to a^+} f(x) = +\infty$ ou $-\infty$ ou $\lim\limits_{x \to a^-} f(x) = +\infty$ ou $-\infty$.

b) Ce sont les valeurs b qui sont telles que $\lim\limits_{x \to +\infty} f(x) = b$ ou $\lim\limits_{x \to -\infty} f(x) = b$.

Langages mathématique et graphique

1. a) 45° 45°

c)

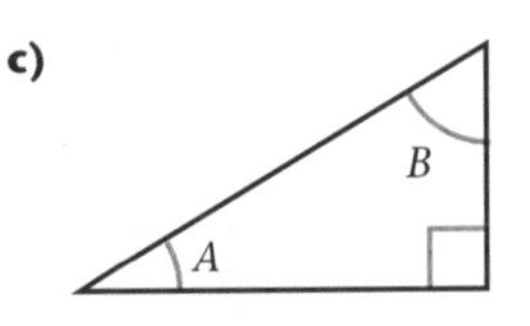

b)

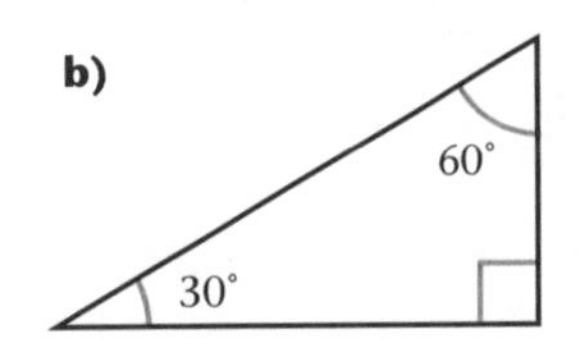

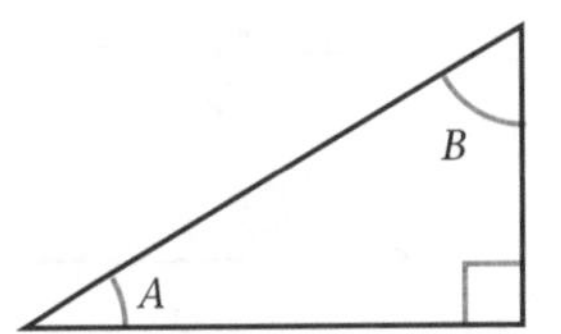

2.

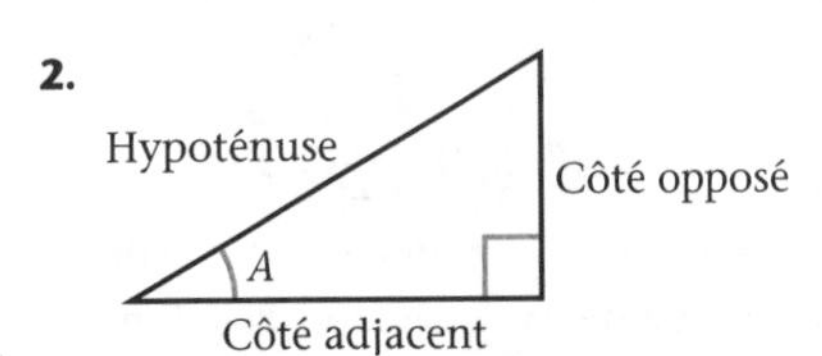

Selon le théorème de Pythagore,
$(\text{Côté adjacent})^2 + (\text{Côté opposé})^2 = (\text{Hypoténuse})^2$.

3. Plusieurs réponses sont possibles. Par exemple :

a)

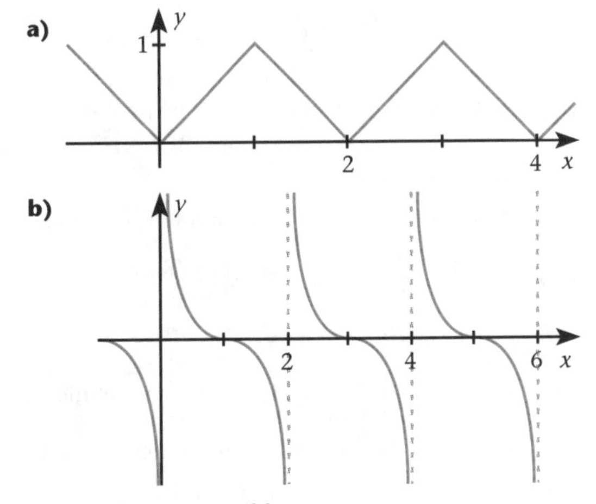

c) Ce n'est pas possible.

Exercices 5.1 (p. 141-142)

1. a) On a $\text{tg}\, 42° = \dfrac{h}{43 \text{ cm}}$ et donc $h = \text{tg}\,(42°) \cdot 43 = 38{,}717$ cm.

b) Par Pythagore, on n'a que la longueur de l'hypoténuse $= \sqrt{43^2 + 38{,}717^2} = 57{,}862$ cm.

c) On n'a que $42° = \dfrac{42° \cdot 2\pi}{360°} = 0{,}733$ rad. Ainsi, la longueur de l'arc $k = 43 \cdot 0{,}733$ rad $= 31{,}521$ cm.

2. a) 0,297 rad **c)** 12,641 rad **e)** 0,055 rad

b) 5,672 rad **d)** -18,064 rad

3. a) 10,588°
b) 1°
c) 390°
d) -19,48°
e) -20 626,48°

4. a) $\frac{3}{5}$; $\frac{4}{5}$; $\frac{4}{3}$
b) 0,962 ; 0,271 ; 0,282
c) 0,196 ; 0,981
d) 0,975 ; 0,228

5. a)

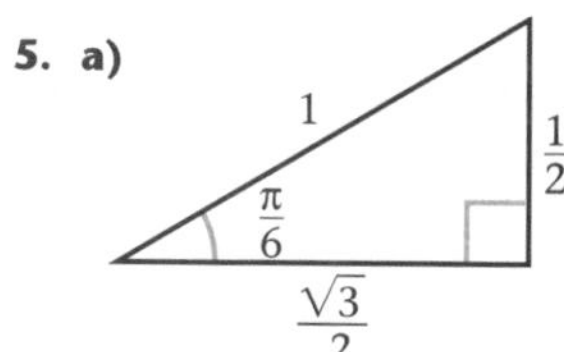

b) $\frac{\sqrt{3}}{2}$; $\frac{1}{2}$; $\frac{1}{\sqrt{3}} = \frac{\sqrt{3}}{3}$
c) $\frac{\pi}{3}$
d) $\frac{1}{2}$; $\frac{\sqrt{3}}{2}$; $\sqrt{3}$

6. a)

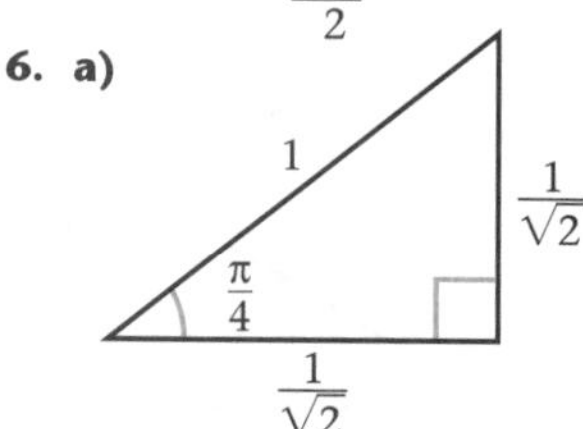

b) $\frac{\sqrt{2}}{2}$; $\frac{\sqrt{2}}{2}$; 1

Exercices 5.2 (p. 150)

1. a) Dom $M = \mathbb{R} \setminus \{..., -\frac{3\pi}{2}, -\frac{\pi}{2}, \frac{\pi}{2}, \frac{3\pi}{2}, \frac{5\pi}{2}, ...\}$

b) Puisque $M(t) = \sec t = \frac{1}{\cos t}$ et que la période de la fonction cosinus est de 2π, la période de la fonction $M(t)$ est également de 2π.

c) On a $\lim\limits_{t \to \left(\frac{\pi}{2}\right)^-} \sec t = +\infty$ et $\lim\limits_{t \to \left(\frac{\pi}{2}\right)^+} \sec t = -\infty$ et la droite verticale $t = \frac{\pi}{2}$ est une asymptote verticale. On a également $\lim\limits_{t \to \left(\frac{3\pi}{2}\right)^-} \sec t = -\infty$ et $\lim\limits_{t \to \left(\frac{3\pi}{2}\right)^+} \sec t = +\infty$ et la droite verticale $t = \frac{3\pi}{2}$ est une asymptote verticale. Puisque la période de la fonction sécante est de 2π, il y a alors une asymptote verticale pour chaque valeur de t telle que $t = \frac{\pi}{2} + n\pi = \frac{(2n+1)\pi}{2}$, où n est un entier relatif.

d) La fonction M n'a pas d'asymptote horizontale.

2. a) $\frac{\sqrt{3}}{2}$; $-\frac{1}{2}$; $-\frac{\sqrt{3}}{3}$
b) $-\frac{\sqrt{3}}{2}$; $-\frac{1}{2}$; $\frac{\sqrt{3}}{3}$
c) $-\frac{\sqrt{2}}{2}$; $\frac{\sqrt{2}}{2}$; -1
d) $-\frac{1}{2}$; $-\frac{\sqrt{3}}{2}$; $\sqrt{3}$
e) -1 ; 0 ; 0
f) 0 ; -1 ; non définie

3. a) Dom $g = \mathbb{R}$. La fonction cosinus est continue sur $\mathbb{R}$.

b) Il n'y a aucune asymptote verticale.

4. a) Oui
b) Oui
c) Non
d) Non
e) Oui
f) Oui

5. a) Sur l'intervalle [-3,2 ; 3,2], les deux fonctions ont des valeurs relativement similaires.
$\lim\limits_{x \to +\infty} f(x)$ et $\lim\limits_{x \to -\infty} f(x)$ n'existent pas, $\lim\limits_{x \to +\infty} g(x) = +\infty$ et $\lim\limits_{x \to -\infty} g(x) = +\infty$.

b) Sur l'intervalle [-4, 4], les deux fonctions ont des valeurs relativement similaires.
$\lim\limits_{x \to +\infty} f(x)$ et $\lim\limits_{x \to -\infty} f(x)$ n'existent pas, $\lim\limits_{x \to +\infty} g(x) = +\infty$ et $\lim\limits_{x \to -\infty} g(x) = -\infty$.

6. a) 0
b) N'existe pas
c) 0
d) 0
e) 0

7. a) Dom $N = \mathbb{R} \setminus \{..., -2\pi, -\pi, 0, \pi, 2\pi, ...\}$

b) $P = 2\pi$; il n'y a pas d'asymptote horizontale.

c) $\lim\limits_{t \to \pi^-} \operatorname{cosec} t = +\infty$ et $\lim\limits_{t \to \pi^+} \operatorname{cosec} t = -\infty$. Les asymptotes verticales ont des équations de la forme $t = n\pi$, où n est un entier relatif.

Exercices 5.3 (p. 153)

1. a) $\cos A \operatorname{cosec} A \operatorname{tg} A = \cos A \frac{1}{\sin A} \frac{\sin A}{\cos A} = 1$

b)
$$\frac{\sin 2z}{1 + \cos 2z} = \frac{2 \sin z \cos z}{1 + \cos^2 z - \sin^2 z} = \frac{2 \sin z \cos z}{2 \cos^2 z} = \frac{\sin z}{\cos z} = \operatorname{tg} z$$

c)
$$2 \operatorname{cotg}(2x) = 2 \frac{\cos(2x)}{\sin(2x)} = 2 \frac{\cos^2 x - \sin^2 x}{2 \sin x \cos x}$$
$$= \frac{\cos^2 x}{\sin x \cos x} - \frac{\sin^2 x}{\sin x \cos x}$$
$$= \frac{\cos x}{\sin x} - \frac{\sin x}{\cos x} = \operatorname{cotg} x - \operatorname{tg} x$$

2. a) $\frac{\sqrt{24}}{5} = \frac{2\sqrt{6}}{5}$
b) $\frac{4\sqrt{6}}{25}$
c) $-\frac{23}{25}$
d) $2\sqrt{6}$
e) $-\frac{4\sqrt{6}}{23}$

3. a) $\sin(0 - A) = \sin 0 \cos A - \sin A \cos 0 = -\sin A$,
$\cos(0 - A) = \cos 0 \cos A + \sin 0 \sin A = \cos A$,
$\operatorname{tg}(-A) = \frac{\sin(-A)}{\cos(-A)} = \frac{-\sin A}{\cos A} = -\operatorname{tg} A$

b) $\sin\left(\frac{\pi}{2} - A\right) = \sin \frac{\pi}{2} \cos A - \sin A \cos \frac{\pi}{2} = \cos A$,
$\cos\left(\frac{\pi}{2} - A\right) = \cos \frac{\pi}{2} \cos A + \sin \frac{\pi}{2} \sin A = \sin A$,
$$\operatorname{tg}\left(\frac{\pi}{2} - A\right) = \frac{\sin\left(\frac{\pi}{2} - A\right)}{\cos\left(\frac{\pi}{2} - A\right)} = \frac{\cos A}{\sin A} = \operatorname{cotg} A$$

c) $\sin(A \pm 2n\pi) = \sin A \cos(2n\pi) \pm \sin(2n\pi) \cos A$
$= \sin A$,
$\cos(A \pm 2n\pi) = \cos A \cos(2n\pi) \mp \sin A \sin(2n\pi)$
$= \cos A$,
$$\operatorname{tg}(A \pm 2n\pi) = \frac{\sin(A \pm 2n\pi)}{\cos(A \pm 2n\pi)} = \frac{\sin A}{\cos A} = \operatorname{tg} A$$

4. a)
$$\operatorname{tg}(t + u) = \frac{\sin(t + u)}{\cos(t + u)} = \frac{\sin t \cos u + \sin u \cos t}{\cos t \cos u - \sin t \sin u}$$
$$= \frac{\frac{\sin t \cos u}{\cos t \cos u} + \frac{\sin u \cos t}{\cos t \cos u}}{\frac{\cos t \cos u}{\cos t \cos u} - \frac{\sin t \sin u}{\cos t \cos u}} = \frac{\frac{\sin t}{\cos t} + \frac{\sin u}{\cos u}}{1 - \frac{\sin t \sin u}{\cos t \cos u}}$$
$$= \frac{\operatorname{tg} t + \operatorname{tg} u}{1 - \operatorname{tg} t \operatorname{tg} u}$$

b)
$$\operatorname{tg}(t - u) = \frac{\sin(t - u)}{\cos(t - u)} = \frac{\sin t \cos u - \sin u \cos t}{\cos t \cos u + \sin t \sin u}$$
$$= \frac{\frac{\sin t \cos u}{\cos t \cos u} - \frac{\sin u \cos t}{\cos t \cos u}}{\frac{\cos t \cos u}{\cos t \cos u} + \frac{\sin t \sin u}{\cos t \cos u}} = \frac{\frac{\sin t}{\cos t} - \frac{\sin u}{\cos u}}{1 + \frac{\sin t \sin u}{\cos t \cos u}}$$
$$= \frac{\operatorname{tg} t - \operatorname{tg} u}{1 - \operatorname{tg} t \operatorname{tg} u}$$

c) $\operatorname{tg} 2t = \operatorname{tg}(t + t) = \dfrac{\operatorname{tg} t + \operatorname{tg} t}{1 - \operatorname{tg} t \operatorname{tg} t}$ (selon (a))
$= \dfrac{2 \operatorname{tg} t}{1 - \operatorname{tg}^2 t}$

5. a) $\cos 2A = \cos(A + A) = \cos^2 A - \sin^2 A$
$= (1 - \sin^2 A) - \sin^2 A = 1 - 2\sin^2 A$

b) $\cos 2A = \cos(A + A) = \cos^2 A - \sin^2 A$
$= \cos^2 A - (1 - \cos^2 A) = 2\cos^2 A - 1$

c) On a $\cos A = \cos\left(\frac{A}{2} + \frac{A}{2}\right) = 1 - 2\sin^2\left(\frac{A}{2}\right)$ (selon (a))

Donc, $\sin^2\left(\frac{A}{2}\right) = \dfrac{1 - \cos A}{2}$

d) $\frac{1}{2}(\operatorname{tg} A + \operatorname{cotg} A) = \frac{1}{2}\left(\dfrac{\sin A}{\cos A} + \dfrac{\cos A}{\sin A}\right)$
$= \frac{1}{2}\left(\dfrac{\sin^2 A + \cos^2 A}{\cos A \sin A}\right)$
$= \dfrac{1}{2\cos A \sin A}$
$= \dfrac{1}{\sin 2A}$
$= \operatorname{cosec} 2A$

e) $(1 + \operatorname{tg}^2 A)\cos^2 A - \sin^2 A = \sec^2 A \cos^2 A - \sin^2 A$
$= 1 - \sin^2 A = \cos^2 A$

f) $\dfrac{1}{1 - \sin A} + \dfrac{1}{1 + \sin A} = \dfrac{1 + \sin A + 1 - \sin A}{(1 - \sin A)(1 + \sin A)}$
$= \dfrac{2}{1 - \sin^2 A} = \dfrac{2}{\cos^2 A} = 2\sec^2 A$

6. a)
$\sin 3A = \sin(2A + A) = \sin(2A)\cos A + \sin A \cos(2A)$
$= [2\sin A \cos A]\cos A + \sin A[\cos^2 A - \sin^2 A]$
$= 3\sin A \cos^2 A - \sin^3 A$

$\cos 3A = \cos(2A + A) = \cos(2A)\cos A - \sin(2A)\sin A$
$= [\cos^2 A - \sin^2 A]\cos A - [2\sin A \cos A]\sin A$
$= \cos^3 A - 3\sin^2 A \cos A$

b)
$\sin 4A = \sin(2(2A)) = 2\sin(2A)\cos(2A)$
$= 2[2\sin A \cos A][\cos^2 A - \sin^2 A]$
$= 4\sin A \cos A[\cos^2 A - \sin^2 A]$

$\cos 4A = \cos(2(2A)) = [\cos^2(2A) - \sin^2(2A)]$
$= [\cos^2 A - \sin^2 A]^2 - [2\sin A \cos A]^2$
$= \cos^4 A - 6\sin^2 A \cos^2 A + \sin^4 A$

Exercices 5.4 (p. 161-162)

1. a) Par définition, on sait que
$t = \arcsin(-0{,}9) = -1{,}120$ rad.
On a donc $-1{,}119\,8 + 2\pi = 5{,}163\,4$ rad, comme première solution entre 0 et 2π. Si on travaillait sur le cercle trigonométrique, on verrait qu'il y a un deuxième angle t entre 0 et 2π tel que $P(t)$ a une ordonnée de -0,9.
Ce deuxième angle est $\pi + 1{,}119\,8 = 4{,}261\,4$ rad. Les deux solutions principales sont donc t = 4,261 4 rad et $t = 5{,}163\,4$ rad.

b) On a $\sin(0{,}5x) = 0{,}75$ et on sait que, par définition, $0{,}5x = \arcsin(0{,}75) = 0{,}848\,1$ rad. On a donc $x = \dfrac{0{,}848\,1}{0{,}5} = 1{,}696\,1$ rad comme première solution, entre 0 et 2π.
Si on travaillait sur le cercle trigonométrique, on verrait qu'il y a un deuxième angle $0{,}5x$ entre 0 et 2π tel que $P(0{,}5x)$ a une ordonnée de 0,75.
Ce deuxième angle est $0{,}5x = \pi - 0{,}848\,1 = 2{,}293\,5$ rad.
Dans ce cas, $x = \dfrac{2{,}293\,5}{0{,}5} = 4{,}587\,0$ rad. Les deux solutions principales sont donc $x = 1{,}696\,1$ rad et $x = 4{,}587\,0$ rad.

c) On a $\cos^2 x - 1 = 0$ et donc $(\cos x - 1)(\cos x + 1) = 0$;
$\cos x - 1 = 0$ et $\cos x = 1$ ou bien
$\cos x + 1 = 0$ et $\cos x = -1$.
On peut en déduire que $x = \arccos(1) = 0$ ou $x = \arccos(-1) = \pi$. Les deux seules solutions principales sont $x = 0$ rad et $x = \pi$ rad.

d) Il est possible de factoriser l'expression de gauche pour obtenir $(\cos A - 3)(\cos A + 1) = 0$, ce qui revient à dire que ou bien $\cos A - 3 = 0$, ou bien $\cos A + 1 = 0$.
Si $\cos A - 3 = 0$, alors $\cos A = 3$, ce qui est impossible puisque pour tout angle A, $-1 \leq \cos A \leq 1$.
Il reste le cas où $\cos A + 1 = 0$ ou $\cos A = -1$. Entre 0 et 2π, cette équation n'admet qu'une seule solution, qui est $A = \pi$.

2. a) Si $x = \sin A = \cos B$, alors $A = \arcsin x$ et $B = \arccos x$ et donc $\arcsin x + \arccos x = A + B = \frac{\pi}{2}$.

b) Si $x = \sec B = \operatorname{cosec} A$, alors $A = \operatorname{arccosec} x$ et $B = \operatorname{arcsec} x$ et donc $\operatorname{arcsec} x + \operatorname{arccosec} x = B + A = \frac{\pi}{2}$.

c) Si $x = \operatorname{tg} A = \operatorname{cotg} B$, alors $A = \operatorname{arctg} x$ et $B = \operatorname{arccotg} x$ et donc $\operatorname{arctg} x + \operatorname{arccotg} x = A + B = \frac{\pi}{2}$.

3. a) Si $x = \sin A$, on a $\sin(-A) = -\sin A = -x$. On a donc $A = \arcsin x$ et $-A = \arcsin(-x)$.
Ainsi, $\arcsin(-x) = -A = -\arcsin x$.

b) Si $x = \operatorname{tg} A$, on a $\operatorname{tg}(-A) = -\operatorname{tg} A = -x$. On a donc $A = \operatorname{arctg} x$ et $-A = \operatorname{arctg}(-x)$.
Ainsi, $\operatorname{arctg}(-x) = -A = -\operatorname{arctg} x$.

c) Si $x = \operatorname{tg} A$ et $y = \operatorname{tg} B$.
On a alors $\operatorname{tg}(A + B) = \dfrac{\operatorname{tg} A + \operatorname{tg} B}{1 - \operatorname{tg} A \operatorname{tg} B} = \dfrac{x + y}{1 - xy}$.
Ainsi, $A + B = \operatorname{arctg}\left(\dfrac{x + y}{1 - xy}\right)$
et donc $\operatorname{arctg} x + \operatorname{arctg} y = \operatorname{arctg}\left(\dfrac{x + y}{1 - xy}\right)$.

4. a) Soit $\cos A = x = \frac{x}{1}$
Alors $A = \arccos x$ et
$\sin(\arccos x) = \sin A = \sqrt{1 - x^2}$

1 ; $\sqrt{1 - x^2}$; A ; x

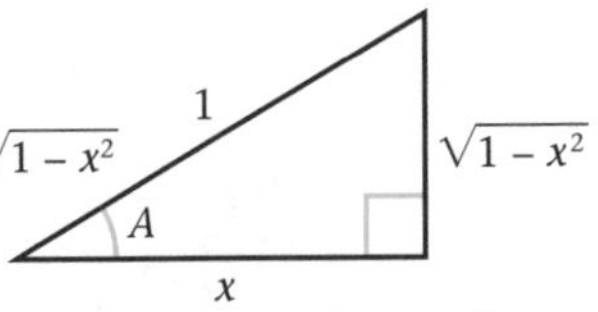

b) Soit $\sin A = x = \frac{x}{1}$
Alors $A = \arcsin x$ et
$\cos(\arcsin x) = \cos A = \sqrt{1 - x^2}$

1 ; x ; A ; $\sqrt{1 - x^2}$

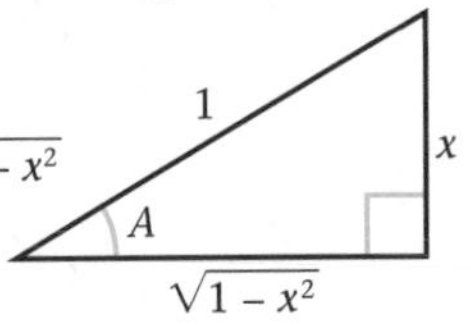

c) Soit $\operatorname{tg} A = x = \frac{x}{1}$
Alors $A = \operatorname{arctg} x$ et
$\sec(\operatorname{arctg} x) = \sec A = \dfrac{1}{\cos A} = \sqrt{1 + x^2}$
En conséquence,
$\sec^2(\operatorname{arctg} x) = 1 + x^2$

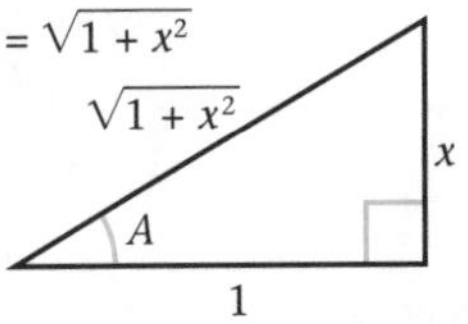

$\sqrt{1 + x^2}$; x ; A ; 1

5. **a)** $y = \frac{\pi}{2}$ **b)** $y = 0$ **c)** $y = \pi$ et $y = 0$

6. **a)** 2,547 **c)** 4,189 **e)** 4,249
b) 3,394 **d)** -1,471 **f)** 1,717

7. **a)** $w = 0$ ou $w = \pi$

b) $A = \frac{3\pi}{8}$, $A = \frac{7\pi}{8}$, $A = \frac{11\pi}{8}$, $A = \frac{15\pi}{8}$, $A = 1{,}120$ ou $A = 2{,}022$

c) $x = \pi$

d) $z = 0{,}730$, $z = 2{,}412$, $z = 3{,}871$ ou $z = 5{,}553$

e) $u = \frac{\pi}{2}$, $u = \frac{3\pi}{2}$, $u = \frac{7\pi}{6}$ ou $u = \frac{11\pi}{6}$

f) $t = 0$, $t = 1{,}231$, $t = \pi$ ou $t = 5{,}052$

Problèmes (p. 163-165)

Section 5.1

1. **a)** $h = 15 \sin A$ **b)** 13,24 m

2. **a)** 126 000°/min **b)** $\frac{35\pi}{3}$ rad/s (ou 36,65 rad/s)

3. **a)** 1080°/s **b)** 21 600π rad/h

Section 5.2

4. **a)** $r = \frac{5(2\pi - A)}{\pi}$ **b)** $h = \frac{\sqrt{100\pi A - 25A^2}}{\pi}$

5. -11,5 °C ; 10,36 °C ; -17,36 °C

6. **a)** $A = 7{,}5$ m **c)** 7,59 m
b) 17,99 m et 11,25 m **d)** 15 h 6 min; 18 m

7. **a)** Vitesse de la lumière dans le solide $= \frac{6 \sin B}{\sqrt{3}} \cdot 10^8$ m/s.

b) $1{,}24 \cdot 10^8$ m/s **c)** $2{,}31 \cdot 10^8$ m/s

Section 5.3

8. Plusieurs réponses sont possibles. Par exemple :
$T(n) = 16 \cos\left(\frac{\pi}{6}(n - 7)\right) - 3{,}5$
$P(t) = 7{,}5 \cos\left(0{,}507t - \frac{\pi}{2}\right) + 10{,}5$

Section 5.4

9. **a)**

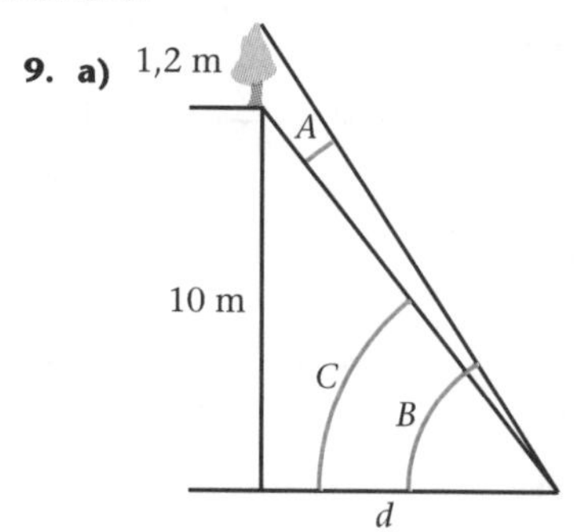

On a $A = B - C$. Or, $\text{tg } B = \frac{10 + 1{,}2}{d}$ et $\text{tg } C = \frac{10}{d}$

Donc, $B = \text{arctg}\left(\frac{11{,}2}{d}\right)$, $C = \text{arctg}\left(\frac{10}{d}\right)$

et $A = \text{arctg}\left(\frac{11{,}2}{d}\right) - \text{arctg}\left(\frac{10}{d}\right)$

b) 3,24° et 2,68°

10. **a)** 113,41 m **c)** $A = 0{,}5 \arcsin\left(\frac{d \cdot g}{40^2}\right)$
b) 45° ou $\frac{\pi}{4}$ **d)** 33,37°

11.

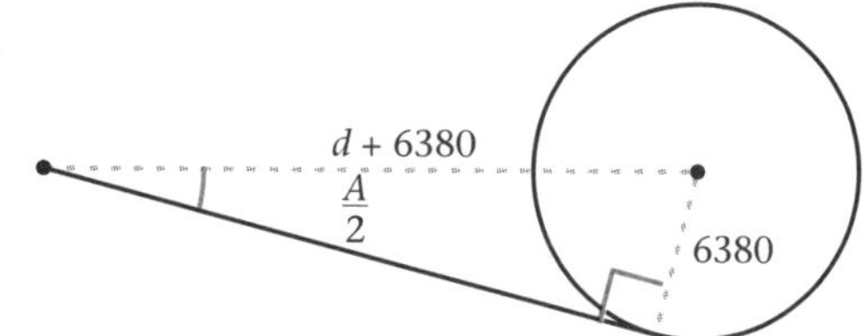

a) On a $\sin\left(\frac{A}{2}\right) = \frac{\text{Côté opposé}}{\text{Hypoténuse}} = \frac{6380}{6380 + d}$

b) $d = \frac{6380}{\sin\left(\frac{A}{2}\right)} - 6380$

c) 16 766,35 km

d) $A = 2 \arcsin\left(\frac{6380}{6380 + d}\right)$ **e)** 8,99°

12. $n = \frac{6}{\pi} \arcsin\left(\frac{T + 3{,}5}{16}\right) + 4$

a) $n = 4$ **c)** $n = 6{,}166$
b) $n = 5{,}070$ **d)** $n = 1{,}834$

13. $t = \frac{1}{0{,}507} \arcsin\left(\frac{P - 10{,}5}{7{,}5}\right)$

a) 12 h 24 environ **c)** 6 h 20 environ
b) 2 h 7 environ **d)** 8 h 16 environ

Auto-évaluation (p. 166)

1. **a)** Aucune asymptote horizontale. $x = n$ (où n est un nombre relatif) est l'équation des asymptotes verticales.

b) Aucune asymptote horizontale. Aucune asymptote verticale.

c) Aucune asymptote horizontale. $t = \frac{1 + 2n}{8}$ (où n est un nombre relatif) est l'équation des asymptotes verticales.

2. **a)** y_0 est l'amplitude. Par rapport à la position de la masse au repos, la masse monte de y_0 centimètres plus haut et de y_0 centimètres plus bas. y_0 est un nombre positif dans le contexte.

b) k est la hauteur initiale (par rapport au sol) de la masse au repos. k est un nombre positif.

c) 15 oscillations

3. **a)** 30,96° **b)** 60,95°

4. **a)** 0 **c)** 0
b) 0 **d)** N'existe pas

5. **a)** $\frac{\cos A \sec A}{\text{tg}^2 A + 1} = \frac{\cos A \sec A}{\sec^2 A} = \frac{\cos A}{\sec A} = \cos^2 A$

b)

$$\frac{\sin A \text{ cotg } A + \cos A}{2 \text{ cotg } A} = \frac{\sin A \frac{\cos A}{\sin A} + \cos A}{2 \frac{\cos A}{\sin A}} = \frac{2 \cos A}{\frac{2 \cos A}{\sin A}} = \sin A$$

c) $(\sin A + \cos A)^2 - 2 \sin A \cos A - \text{cosec } A \sin A$
$= \sin^2 A + 2 \sin A \cos A + \cos^2 A - 2 \sin A \cos A - 1$
$= 1 - 1 = 0$

d) $\sin\left(\frac{\pi}{4}+A\right)+\cos\left(\frac{\pi}{4}+A\right)=\sin\frac{\pi}{4}\cos A+\sin A\cos\frac{\pi}{4}$
$+\cos\frac{\pi}{4}\cos A-\sin\frac{\pi}{4}\sin A=\frac{\sqrt{2}}{2}\cos A+\sin A\,\frac{\sqrt{2}}{2}$
$+\frac{\sqrt{2}}{2}\cos A-\frac{\sqrt{2}}{2}\sin A$
$=2\,\frac{\sqrt{2}}{2}\cos A=\sqrt{2}\cos A$

6. a) Dom g = $\mathbb{R}\setminus\{\ldots,-2\pi,-\pi,0,\pi,2\pi,\ldots\}$

b) $P=\pi$; il n'y a pas d'asymptote horizontale.

c) $\lim\limits_{t\to\pi^-}\operatorname{cotg} t=-\infty$ et $\lim\limits_{t\to\pi^+}\operatorname{cotg} t=+\infty$. Les asymptotes verticales ont des équations de la forme $t=n\pi$, où n est un entier relatif.

7. a) 0,926 rad **b)** 53,05°

Chapitre 6 (p. 167)

Avant d'aller plus loin... (p. 169)

Préalables

1. a) $\frac{5}{2}$ **c)** 0

b) -1,0286 **d)** Non définie

2. a) $y=2x+1$

b) $y=1{,}2x-2{,}8$

c) $y=0$

3. a) $x^2+2xh+h^2$

b) $x^3+3x^2h+3xh^2+h^3$

c) $x^4+4x^3h+6x^2h^2+4xh^3+h^4$

4. a) $g(3+h)=18+5h$ et $g(x+h)=5x+5h+3$

b) $g(3+h)=3h+h^2$ et $g(x+h)=x^2+2xh+h^2-3x-3h$

c) $g(3+h)=\frac{9+3h}{1+h}$ et $g(x+h)=\frac{3x+3h}{x+h-2}$

d) $g(3+h)=\sqrt{3+h}-3$ et $g(x+h)=\sqrt{x+h}-3$

5. a) $(x-4)(x+4)$ **c)** $(x+2)(x+3)$

b) $hx(h-x^2)$ **d)** $(x-2)(x^2+2x+4)$

Langages mathématique et graphique

1. Plusieurs réponses sont possibles. Par exemple :

a) **b)**

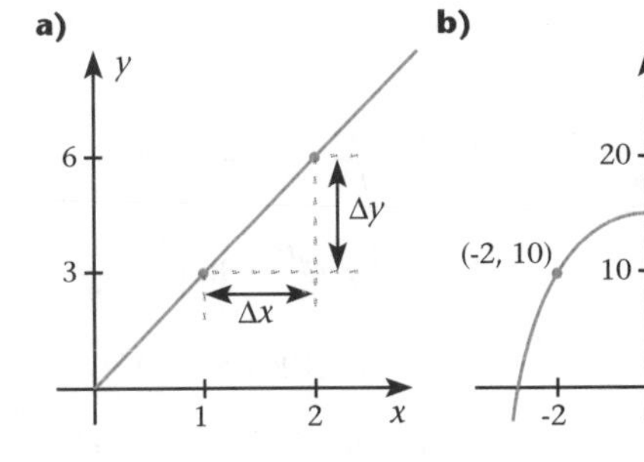

c) **d)**

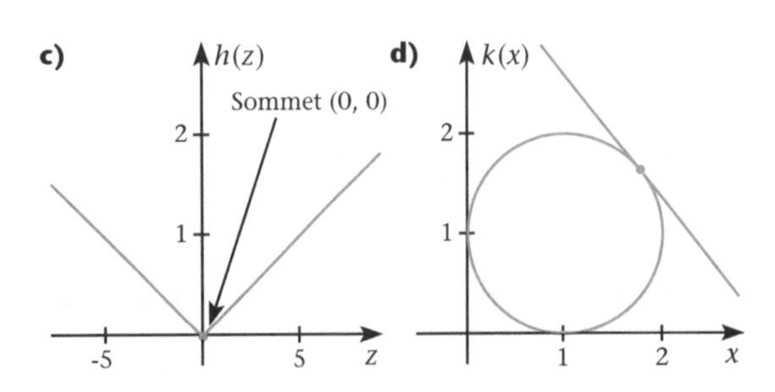

2. Plusieurs réponses sont possibles. Par exemple :

a) [4; 4,1]; [4; 4,01]; [4; 4,001]; [4; 4,0001]; [4; 4,00001]

b) [-1,51; -1,5]; [-1,501; -1,5]; [-1,5001; -1,5]; [-1,50001; -1,5]; [-1,500001; -1,5]

3. a) $\lim\limits_{t\to 0^+} f(t)$ **b)** $\lim\limits_{x\to 0} g(x)$

4. Plusieurs réponses sont possibles. Par exemple :

a) Une vitesse correspond à la distance parcourue divisée par le temps nécessaire pour parcourir cette distance.

b) Un instant est un très court laps de temps.

Exercices 6.1 (p. 174-175)

1. a) $\text{TVM}_{[7,10]}=\frac{A(10)-A(7)}{10-7}=\frac{4\pi(10)^2-4\pi(7)^2}{3}$
$=\frac{4\pi\cdot 51}{3}=213{,}63\ \text{cm}^2/\text{cm}$

Lorsque le rayon du ballon passe de 7 centimètres à 10 centimètres, l'aire totale du ballon augmente en moyenne de 213,63 centimètres carrés pour chaque hausse de 1 centimètre du rayon. La pente de la sécante passant par (7, $A(7)$) et (10, $A(10)$) est de 213,63.

b) $\text{TVM}_{[4,7]}=\frac{V(7)-V(4)}{7-4}=\frac{\frac{4}{3}\pi(7)^3-\frac{4}{3}\pi(4)^3}{3}$
$=\frac{\frac{4}{3}\pi\cdot 279}{3}=389{,}56\ \text{cm}^3/\text{cm}.$

Lorsque le rayon du ballon passe de 4 centimètres à 7 centimètres, le volume du ballon augmente en moyenne de 389,56 centimètres cubes pour chaque hausse de 1 centimètre du rayon. La pente de la sécante passant par (4, $V(4)$) et (7, $V(7)$) est de 389,56.

2. a) $\frac{4}{3}$ **b)** $-\frac{1}{6}$ **c)** $-\frac{4}{5}$ **d)** 0,5 **e)** 0

3. Plusieurs réponses sont possibles. Par exemple :

a) [-2, -1]; [-2, 0]; [2, 4] **c)** [-2, 1]; [2, 3]; [1, 4]

b) [0, 1]; [0, 2]; [1, 2]

4. a) $-\frac{3}{2}$ **c)** 0 **e)** 0 **g)** 3

b) -6 **d)** 6 **f)** $-\frac{3}{2}$

5. a) [0, 1] **b)** [3, 4]

6 **a)** 19 **c)** 16,03 **e)** 4

b) 16,3 **d)** 16,003 **f)** -14

g) Plusieurs réponses sont possibles. Par exemple, $[-\frac{4}{3}; 0]$ ou $[-3; \frac{5}{3}]$.

7. $TVM_{[a, b]} = m$. Avec une droite, le taux de variation moyen ne change jamais et correspond à la pente constante de la droite.

8. 0

Exercices 6.2 (p. 187-189)

1. **a)** $\lim_{t\to4} \frac{t^2 - 6t + 8}{4 - t} = \lim_{t\to4} \frac{(t-2)(t-4)}{-(t-4)}$

$= \lim_{t\to4} \frac{(t-2)}{-1} = \frac{4-2}{-1} = -2$

b) $\lim_{u\to1} \frac{\frac{3}{u} - \frac{u+5}{1+u}}{u-1} = \lim_{u\to1} \frac{\frac{3(1+u) - u(u+5)}{u(1+u)}}{u-1}$

$= \lim_{u\to1} \left(\frac{3 + 3u - u^2 - 5u}{u(1+u)} \cdot \frac{1}{u-1}\right)$

$= \lim_{u\to1} \left(\frac{3 - 2u - u^2}{u(1+u)} \cdot \frac{1}{u-1}\right)$

$= \lim_{u\to1} \left(\frac{-(u+3)(u-1)}{u(1+u)} \cdot \frac{1}{u-1}\right)$

$= \lim_{u\to1} \frac{-(u+3)}{u(1+u)} = \frac{-4}{1 \cdot 2} = -2$

c) On a $\lim_{h\to0} \frac{2^{1+h} - 2}{h} = \lim_{h\to0} 2 \cdot \left(\frac{2^h - 1}{h}\right)$

$= 2 \cdot \lim_{h\to0} \left(\frac{2^h - 1}{h}\right)$

Puisque $2 = e^{\ln 2}$

on a $2^h = (e^{\ln 2})^h = e^{h\ln 2}$

Donc, on a $\lim_{h\to0} \frac{2^{1+h} - 2}{h} = 2 \cdot \lim_{h\to0} \left(\frac{e^{h\ln 2} - 1}{h}\right)$

Posons $y = h \ln 2$

On a alors $h = \frac{y}{\ln 2}$ et si $h \to 0$, alors $y \to 0$

On déduit que :

$\lim_{h\to0} \frac{2^{1+h} - 2}{h} = 2 \cdot \lim_{y\to0} \frac{e^y - 1}{\frac{y}{\ln 2}} = 2 \ln 2 \cdot \lim_{y\to0} \left(\frac{e^y - 1}{y}\right)$

$= 2 \ln 2 \cdot 1 = 2 \ln 2$

d) $\lim_{x\to0} \frac{\tan 3x}{x} = \lim_{x\to0} \frac{\sin 3x}{x \cos 3x} = \lim_{x\to0} \left(\frac{\sin 3x}{x} \cdot \frac{1}{\cos 3x}\right)$

$= \lim_{x\to0} \frac{\sin 3x}{x} \cdot \lim_{x\to0} \frac{1}{\cos 3x} = \lim_{x\to0} \frac{\sin 3x}{x} \cdot \frac{1}{1}$

$= \lim_{x\to0} \frac{\sin 3x}{x}$

Dans cette dernière limite, posons $y = 3x$ et donc $x = \frac{y}{3}$ (si $x \to 0$, alors $y \to 0$). On déduit que :

$\lim_{x\to0} \frac{\tan 3x}{x} = \lim_{x\to0} \frac{\sin 3x}{x} = \lim_{y\to0} \frac{\sin y}{\frac{y}{3}} = 3 \cdot \lim_{y\to0} \frac{\sin y}{y}$

$= 3 \cdot 1 = 3$

2. **a)**]-2, 0[et]3, 4[**b)**]0, 2[**c)**]2, 3[

3. Pente de la tangente au point C, pente de la sécante passant par B et C, pente de la tangente au point B, pente de la sécante passant par les points A et B, pente de la tangente au point A, pente de la sécante passant par les points (0,0) et A.

4. **a)** $y_3 = 6^x$

b) $y_1 = 2^x$

5. **a)** 4 **c)** -3,4 **e)** 0,210 **g)** 0,5

b) -22 **d)** 4,32 **f)** 40,236 **h)** 6,773

6. **a)** 4 **f)** 0 **k)** 1 **p)** 32

b) 3 **g)** $\frac{3}{2}$ **l)** 3 **q)** $\sqrt{2}$

c) $\frac{-3}{4}$ **h)** $\frac{5}{4}$ **m)** $\frac{1}{2}$ **r)** $\sqrt{3}$

d) 12 **i)** 1 **n)** $\frac{4}{3}$

e) -6 **j)** $\frac{1}{4}$ **o)** $2b^2$

7. **a)** 4. La pente de la tangente à la courbe de g au point $(3, g(3))$ est 4.

b) -2. La pente de la tangente à la courbe de h au point $(-1, h(-1))$ est -2.

8. **a)** 7 **b)** 4 **c)** 24 **d)** 32

9. 8

10. **a)** $\frac{1}{4}$ **b)** $\frac{-1}{\pi^2}$ **c)** -17 **d)** -2

11. **a)** 2 **d)** $\frac{1}{6}$ **g)** $\sqrt{2}$

b) $\frac{1}{6}$ **e)** $\frac{-2}{\sqrt{3} + 1}$ **h)** $\sqrt{10}$

c) $\frac{1}{2\sqrt{3}}$ **f)** $2\sqrt{7}$ **i)** $\frac{-1}{16}$

12. **a)** $\frac{1}{2\sqrt{2}}$ **b)** $\frac{5}{36}$ **c)** $\frac{-1}{4}$ **d)** $\frac{-3}{4\sqrt{2}}$

13. **a)** 18 **d)** $\frac{1}{2}$ **g)** $\frac{1}{2}$

b) 5 **e)** 1 **h)** $\frac{7}{2}$

c) 2 **f)** 1 **i)** 0

14. **a)** 0 **b)** 1 **c)** 0

Exercices 6.3 (p. 197-198)

1. **a)** $g'(t) = \lim_{h\to0} \frac{g(t+h) - g(t)}{h}$

$= \lim_{h\to0} \frac{5(t+h)^2 - 4 - (5t^2 - 4)}{h}$

$= \lim_{h\to0} \frac{5(t^2 + 2th + h^2) - 4 - (5t^2 - 4)}{h}$

$= \lim_{h\to0} \frac{5t^2 + 10th + 5h^2 - 5t^2}{h} = \lim_{h\to0} \frac{10th + 5h^2}{h}$

$= \lim_{h\to0} \frac{h(10t + 5h)}{h} = \lim_{h\to0} (10t + 5h) = 10t$

Donc $g'(t) = 10t$. On a $g'(0) = 0$ et la fonction g est dérivable sur IR.

b) $k'(n) = \lim_{h \to 0} \frac{k(n+h) - k(n)}{h} = \lim_{h \to 0} \frac{\frac{-12}{n+h} - \frac{-12}{n}}{h}$

$= \lim_{h \to 0} \frac{-12n + 12(n+h)}{n(n+h)} \cdot \frac{1}{h}$

$= \lim_{h \to 0} \frac{-12n + 12n + 12h}{n(n+h)h} = \lim_{h \to 0} \frac{12h}{n(n+h)h}$

$= \lim_{h \to 0} \frac{12}{n(n+h)} = \frac{12}{n \cdot n} = \frac{12}{n^2}$

Donc $k'(n) = \frac{12}{n^2}$ · $k'(0)$ n'existe pas et k est dérivable sur IR \ {0}.

c) $f'(t) = \lim_{h \to 0} \frac{f(t+h) - f(t)}{h}$

$= \lim_{h \to 0} \frac{\sqrt{2 - 3(t+h)} - \sqrt{2 - 3t}}{h}$

$= \lim_{h \to 0} \frac{(\sqrt{2 - 3(t+h)} - \sqrt{2 - 3t})(\sqrt{2 - 3(t+h)} + \sqrt{2 - 3t})}{h(\sqrt{2 - 3(t+h)} + \sqrt{2 - 3t})}$

$= \lim_{h \to 0} \frac{2 - 3(t+h) - (2 - 3t)}{h(\sqrt{2 - 3(t+h)} + \sqrt{2 - 3t})}$

$= \lim_{h \to 0} \frac{-3h}{h(\sqrt{2 - 3(t+h)} + \sqrt{2 - 3t})}$

$= \lim_{h \to 0} \frac{-3}{(\sqrt{2 - 3(t+h)} + \sqrt{2 - 3t})}$

$= \frac{-3}{\sqrt{2 - 3t} + \sqrt{2 - 3t}} = \frac{-3}{2\sqrt{2 - 3t}}$

On a donc $f'(t) = \frac{-3}{2\sqrt{2 - 3t}}$; $f'(0) = \frac{-3}{2\sqrt{2}}$;

f est dérivable sur $-\infty, \frac{2}{3}$ [.

d) $r'(x) = \lim_{h \to 0} \frac{r(x+h) - r(x)}{h} = \lim_{h \to 0} \frac{8^{2(x+h)} - 8^{2x}}{h}$

$= \lim_{h \to 0} \frac{8^{2x}(8^2)^h - 8^{2x}}{h}$

$= 8^{2x} \cdot \lim_{h \to 0} \frac{64^h - 1}{h} = 8^{2x} \cdot \lim_{h \to 0} \frac{e^{(\ln 64)h} - 1}{h}$

Posons $y = h$ (ln 64) et donc $h = \frac{y}{\ln 64}$ (si $h \to 0$, alors $y \to 0$). On a alors :

$r'(x) = 8^{2x} \cdot \lim_{y \to 0} \frac{e^y - 1}{\frac{y}{\ln 64}} = 8^{2x} \cdot \ln 64 \cdot \lim_{y \to 0} \frac{e^y - 1}{y}$

$= 8^{2x} \cdot \ln 64 \cdot 1 = 8^{2x} \cdot \ln 64$

Donc, $r'(x) = 8^{2x} \cdot \ln 64$. On a $r'(0) = \ln 64$ et r est dérivable sur IR.

2. **a)** $f'(x) = 5$ **b)** $f'(x) = 2x + 4$ **c)** $f'(x) = -12x - 3$

3. **a)** $f'(t) = 4$; IR
b) $h'(z) = 2z$; IR
c) $m'(q) = 4q$; IR
d) $v'(t) = -6t + 48$; IR
e) $s'(r) = 10r + 7$; IR
f) $g'(u) = 3u^2$; IR
g) $f'(t) = \frac{-1}{(t+2)^2}$; IR \ {-2}
h) $p'(q) = \frac{4}{(2q - 17)^2}$; IR \ $\left\{\frac{17}{2}\right\}$
i) $h'(w) = \frac{-8}{3w^3}$; IR \ {-2}
j) $f'(s) = \frac{1}{2\sqrt{s + 4}}$; IR
k) $g'(t) = \frac{1}{2\sqrt{t - 3}}$;]3, +∞
l) $h'(a) = \frac{3}{2\sqrt{3a + 4}}$; $]-\frac{4}{3}$, +∞
m) $k'(u) = \frac{-1}{2\sqrt{4 - u}}$; -∞, 4[

4. **a)** $g'(x) = 2^x \ln 2$ **b)** $h'(z) = 5^{z+1} \ln 5$

5. **a)** $g'(t) = -3 \sin t$ **b)** $f'(x) = 28 \cos (4x)$

6. **a)** 6 **b)** 16 **c)** -16 **d)** 6 **e)** $\frac{-2}{125}$ **f)** 18 **g)** $\frac{1}{6}$ **h)** 1

7. **a)** $y = 6a + 3$ **b)** $y = 14t - 94$ **c)** $y = 0{,}12z - 0{,}016$

8. $y = 2t - 3$

9. **a)** Oui **b)** Oui **c)** Non **d)** Oui **e)** Oui

10. 0,017 453 292

11. **a)** IR \ {3} **b)** IR \ {-2} **c)** IR \ {4} **d)** IR \ {0} **e)** IR \ {1} **f)** IR \ {0} **g)** IR

12. **a)** Non **b)** Non **c)** Oui

Problèmes (p. 201-203)

Section 6.1

1. **a)** 0,1 m/s; 0,11 m/s; 0,133 m/s; 0,175 m/s
b) Elle semble accélérer.

2. Il est le plus élevé sur [0 an, 3 ans] et il est le moins élevé sur [9 ans, 12 ans].

3. **a)** 28 m/s **b)** 10 m/s **c)** $A = 12{,}2$ s

4. Accélération moyenne$_{[0\,;\,1,5]}$ = 1,5 m/s^2 et accélération moyenne$_{[1,5\,;\,3]}$ = 4,5 m/s^2. La première accélération moyenne est plus petite que la seconde.

5. **a)** 5 km/h **b)** 4,80 km/h **c)** 1,48 m/s **d)** 1,20 m/s

Section 6.2

6. C, A, D, E, B, F

7. **a)** Positive, positive, nulle, négative
b) Nulle, positive, nulle, négative

8. **a)** 9,94 m/s **b)** 9,75 m/s **c)** 9 m/s

9. **a)** 16 441,27 personnes par année. Entre 1998 et 2002, la hausse moyenne de la population a été de 16 441,27 personnes par année.
b) 17 379,25 personnes par année. Pour l'année 2004, si la tendance prévue se maintient, la hausse de la population devrait être environ de 17 379 personnes.

10. La vitesse moyenne est de $\frac{200 \text{ km}}{2}$ h = 100 km/h. La vitesse instantanée du véhicule est une fonction continue. Si la vitesse instantanée n'a jamais été de 100 kilomètres à l'heure :

- ou bien elle a comme maximum une valeur $M < 100$ kilomètres à l'heure, la distance parcourue en 2 heures serait au plus de $2M$ et alors la vitesse moyenne serait au maximum de $\frac{2M}{2} = M < 100$ km/h,
- ou bien elle a comme minimum une valeur $m > 100$ kilomètres à l'heure, la distance parcourue en 2 heures serait au moins de $2m$ et la vitesse moyenne serait alors au minimum de $\frac{2m}{2} = m > 100$ km/h.

Dans les deux cas, il y a une contradiction et il a donc fallu que la vitesse instantanée soit à un certain moment de 100 kilomètres à l'heure.

11. a) 125,66 cm²/cm. Lorsque le rayon du ballon est de 5 centimètres, l'aire totale du ballon augmenterait de 125,66 centimètres carrés si le rayon passait de 5 centimètres à 6 centimètres. La pente de la tangente passant par $(5, A(5))$ est de 125,66.

b) 1809,56 cm³/cm. Lorsque le rayon du ballon est de 12 centimètres, le volume du ballon augmenterait de 1809,56 centimètres cubes si le rayon passait de 12 centimètres à 13 centimètres. La pente de la tangente passant par $(12, V(12))$ est de 1809,56.

12. $h'(A) = 45 \cos A$ et donc

$h'\left(\frac{\pi}{6}\right) = 45 \cos\left(\frac{\pi}{6}\right) = 38{,}97$ m/rad

13. a) 800 art./sem. Si le rythme prévu se maintient, le nombre de ventes durant la deuxième semaine qui suit la campagne devrait augmenter de 800 articles.

b) -400 art./sem. Si le rythme prévu se maintient, le nombre de ventes durant la huitième semaine qui suit la campagne devrait diminuer de 400 articles.

14. a) 0,353 55 million de dollars par centaine d'articles vendus. Une fois les 200 premiers articles vendus, on peut s'attendre à ce que les 100 prochains articles vendus génèrent une hausse des profits de 353 553,39 $.

b) 0,25 million de dollars par centaine d'articles vendus. Une fois les 600 premiers articles vendus, on peut s'attendre à ce que les 100 prochains articles vendus génèrent une hausse des profits de 250 000 $.

Section 6.3

15. a) $P'(q) = 8 - 2q$

b) -6 millions de dollars par centaine de camions vendus. Une fois les 700 premiers camions vendus, on peut s'attendre à ce que les 100 prochains camions vendus entraînent une baisse des profits de 6 millions de dollars.

16. a) $B'(n) = -4n + 150$

b) 30 $ par unité. Une fois les 30 premières unités fabriquées, on peut s'attendre à ce que la prochaine unité fabriquée entraîne une hausse du bénéfice de 30 $.

17. On a $P'(x) = \frac{-1}{x^2}$ et $P'(2) = -0{,}25$ $ par million d'articles vendus. Une fois les 2 000 000 premiers articles vendus, on peut s'attendre à ce que le prochain million d'articles vendus entraîne une baisse du prix de l'article de 25 cents.

18. a) $N'(t) = \frac{-100}{(t+4)^2}$

b) -4 caisses par semaine. Durant la deuxième semaine qui suit la fin de la campagne publicitaire, le nombre de caisses de bière vendues devrait diminuer d'environ 4.

19. a) $R(p) = 1000\,(48p - 4p^2)$

b) $R'(p) = 1000\,(48 - 8p)$

c) 24 000 $/$. Lorsque le prix de vente unitaire est de 3 dollars, la prochaine hausse de 1 dollar de ce prix de vente entraînerait une hausse des revenus de 24 000 $.

Auto-évaluation (p. 204)

1. **a)** $\frac{-1}{25}$ **b)** 18 **c)** $\frac{12}{7}$ **d)** $\frac{-1}{2}$ **e)** 6 **f)** $\frac{4}{3}$ **g)** 1 **h)** $\sqrt{12} = 2\sqrt{3}$ **i)** $\frac{9}{8}$ **j)** -4 **k)** -5 **l)** 5

2. a) $P'(n) = \frac{-18}{(2+3n)^2}$

b) -0,0918 $/art. Si on a vendu 4 articles, le fait de vendre une unité additionnelle ferait en sorte que le prix de l'article diminuerait de 9 cents.

3. La fonction n'est pas continue en $t = 0$, car $\lim_{t\to 0} \frac{\sin t}{t} = 1 \neq h(0) = 0{,}99$.
Pour les autres valeurs réelles, la fonction $h(t) = \frac{\sin t}{t}$ est continue, puisqu'elle est le quotient de deux fonctions continues dont le dénominateur ne s'annule jamais pour des valeurs de t non nulles. Donc, h est continue sur $\mathbb{R} \setminus \{0\}$.

4. **a)** $g(3)$ **b)** $g(4) - g(2)$ **c)** $TVM_{[0,\,3]}$ **d)** $\frac{g(4) - g(1)}{4 - 1}$ **e)** $g'(2)$

f) le taux de variation instantané en $t = 1$

5. **a)** $f'(t) = 10t$ **b)** $g'(x) = 12x^2 - 2$ **c)** $m'(a) = \frac{-24}{(4-3a)^2}$ **d)** $g'(t) = \frac{-1}{2\sqrt{(t-1)^3}}$ **e)** $h'(x) = 7^x \ln 7$ **f)** $f'(x) = 7 \cos x$

6. a) 3,25 milliers de dollars par unité produite. Lorsque la production passe de 5 unités à 8 unités, le coût de production moyen pour chaque unité additionnelle est de 3250 $.

b) $C'(10) = 5$ milliers de dollars par unité. Lorsque la production est de 10 unités, le coût de production augmenterait d'environ 5000 $ pour fabriquer une 11e unité.

c) $U(q) = \frac{100}{q} + \frac{q}{4}$. Donc, $U(5) = 21{,}25$ $/unité.

d) $U'(q) = \frac{-100}{q^2} + \frac{1}{4}$

Chapitre 7 (p. 205)

Avant d'aller plus loin (p. 207)

Préalables

1. **a)** $h'(t) = 7$ **d)** $k'(u) = 4u - 2$ **g)** $g'(z) = 9^z \ln 9$

b) $g'(t) = 2t$ **e)** $C'(q) = \frac{-5}{2q^2}$

c) $f'(t) = 2t - 7$ **f)** $f'(x) = \frac{3}{2\sqrt{x}}$

2. **a)** Vrai **b)** Faux **c)** Faux

3. **a)** $t^{\frac{1}{19}}$ **c)** $t^{\frac{2}{3}}$ **e)** $t^{\frac{-7}{3}}$

b) $t^{\frac{3}{2}}$ **d)** t^{-3} **f)** t^{-1}

4. **a)** $(g \circ h)(t) = 3t^2 - 12t + 5$

b) $(h \circ g)(t) = 9t^2 + 18t + 5$

c) $g(g(t)) = 9t + 20$

d) $g^2(t) = 9t^2 + 30t + 25$

e) $h^2(t) = t^4 - 8t^3 + 16t^2$

f) $h(h(t)) = t^4 - 8t^3 + 12t^2 + 16t$

g) $g^{-1}(t) = \frac{t - 5}{3}$

Langages mathématique et graphique

1. Plusieurs réponses sont possibles. Par exemple :

a)

b)

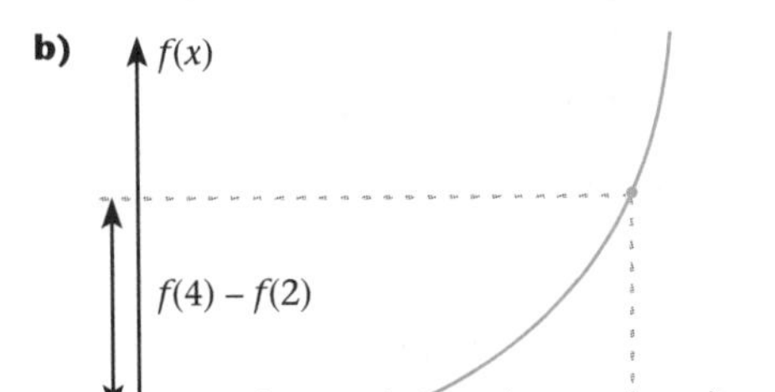

c) La quantité correspond à la pente de la sécante tracée ci-dessous.

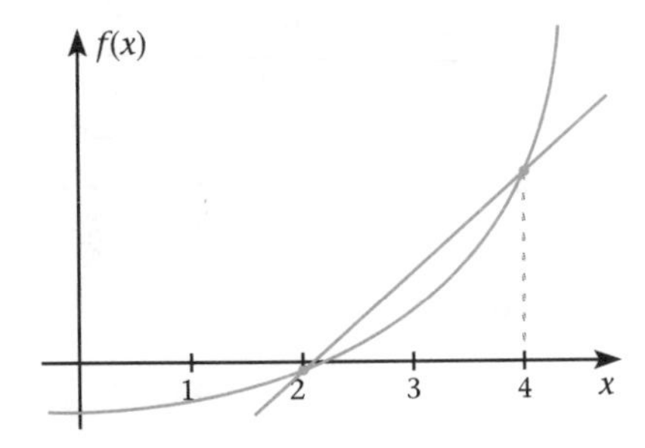

d)

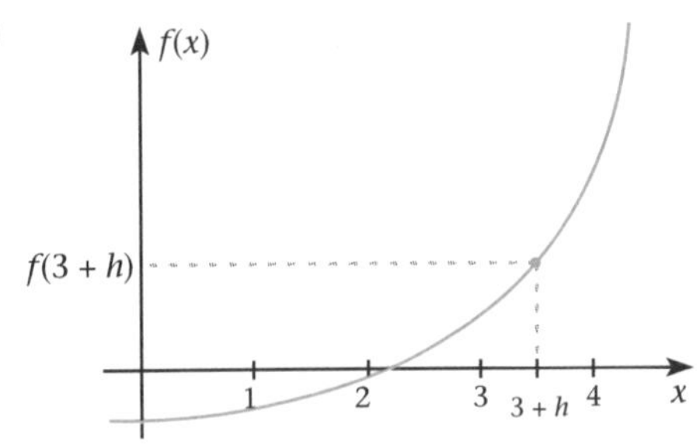

e) La quantité correspond à la pente de la sécante tracée ci-dessous.

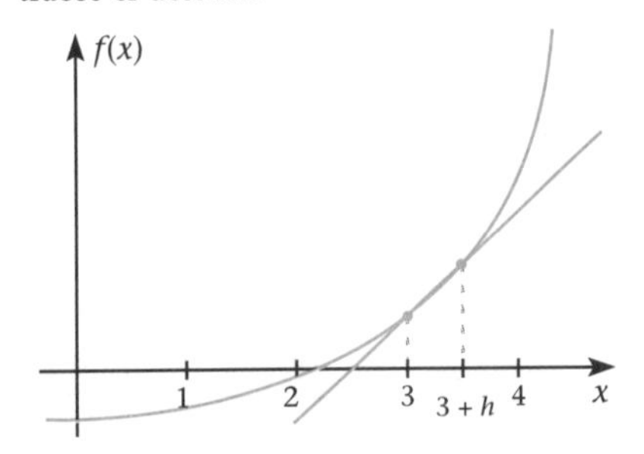

f) La quantité correspond à la pente de la tangente tracée ci-dessous.

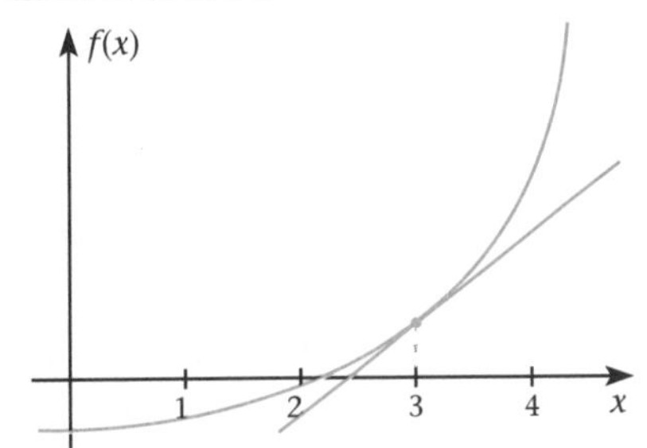

2. $g'(a) = \lim_{h \to 0} \frac{g(a + h) - g(a)}{h}$

= Pente de la tangente à la courbe de g en $t = a$.

3. **a)** La population est de 250 000 personnes en 2015.

b) En 2015, la population devrait diminuer d'environ 1525 personnes dans le courant de l'année qui va suivre.

Exercices 7.1 (p. 214-216)

1. **a)** $g'(t) = 0$

b) $h'(x) = 10(x^{0,2})' = 10 \cdot 0,2x^{0,2-1} = 2x^{-0,8}$

c) $k'(q) = (6q^3)' - (7q)' + (3)' = 6(q^3)' - 7(q)' + (3)'$
$= 6 \cdot 3q^2 - 7 + 0 = 18q^2 - 7$

d) $f'(u) = (2u^7)' \cdot (4u + 3) + 2u^7 \cdot (4u + 3)'$
$= 14u^6 \cdot (4u + 3) + 2u^7 \cdot 4$
$= 56u^7 + 42u^6 + 8u^7 = 64u^7 + 42u^6$

e) $g'(x) = \frac{(5x + 1)'(2 - 3x) - (5x + 1)(2 - 3x)'}{(2 - 3x)^2}$

$= \frac{(5)(2 - 3x) - (5x + 1)(-3)}{(2 - 3x)^2}$

$= \frac{10 - 15x + 15x + 3}{(2 - 3x)^2} = \frac{13}{(2 - 3x)^2}$

f) $C'(v) = 3\left(v^{\frac{1}{2}}\right)' + \dfrac{(4v^3)'(2 + 5v) - (4v^3)(2 + 5v)'}{(2 + 5v)^2}$

$= 3\left(\frac{1}{2}v^{\frac{-1}{2}}\right) + \dfrac{(12v^2)(2 + 5v) - (4v^3)(5)}{(2 + 5v)^2}$

$= \dfrac{3}{2\sqrt{v}} + \dfrac{24v^2 + 60v^3 - 20v^3}{(2 + 5v)^2}$

$= \dfrac{3}{2\sqrt{v}} + \dfrac{24v^2 + 40v^3}{(2 + 5v)^2}$

2. **a)** $f'(t) = 0$
b) $h'(z) = 0$
c) $k'(u) = 0$
d) $m'(v) = 0$
e) $m'(t) = 45t^{44}$
f) $g'(x) = 103x^{102}$
g) $h'(z) = 3{,}78z^{2{,}78}$
h) $k'(u) = 0{,}99u^{-0{,}01}$
i) $d'(v) = \frac{-5}{v^6}$
j) $q'(x) = \frac{-4}{x^5}$
k) $s'(z) = \frac{-9{,}1}{z^{10{,}1}}$
l) $C'(q) = \frac{9}{7}q^{\frac{2}{7}}$
m) $g'(x) = \frac{-4}{3}x^{\frac{-7}{3}}$
n) $f'(z) = \dfrac{2}{3\sqrt[3]{z}}$
o) $k'(s) = \frac{8}{7}\sqrt[7]{s}$
p) $h'(t) = \dfrac{-2}{5t\sqrt[5]{t^2}}$

3. **a)** $m'(a) = 14a^6$
b) $h'(t) = -520t^9$
c) $k'(z) = 2z^6$
d) $d'(x) = -9x^{-5}$
e) $v'(x) = \frac{-36}{x^3}$
f) $k'(q) = \dfrac{2}{\sqrt[11]{q^{10}}}$
g) $s'(u) = \dfrac{-2e}{7u\sqrt[7]{u^2}}$
h) $q'(n) = \dfrac{-16}{n\sqrt[5]{n^4}}$

4. Les fonctions de l'exercice nº 2(h), (i), (j), (k), (m), (n), (p) et celles de l'exercice nº 3(d), (e), (f), (g), (h).

5. **a)** $f'(t) = 2t - 1$
b) $g'(x) = 10x - 7$
c) $m'(z) = -13 + 2\pi z$
d) $k'(u) = 3 \cdot 7^3u^2 + \dfrac{1}{\sqrt{2}}$
e) $h'(q) = -3q^2 - 7q^6$
f) $f'(x) = 16x^3 + \dfrac{1}{x^5}$
g) $g'(t) = 6 + \dfrac{6}{t^2}$
h) $j'(x) = \frac{25}{9}x^{\frac{2}{3}} - \dfrac{1}{49x^{\frac{6}{7}}}$

6. $t = 0$ et $t = \frac{-8}{3}$

7. **a)** $x = 0$
b) $t = 2$ ou $t = -2$
c) $z = 0$ ou $z = 4$
d) $q = 3$ ou $q = -3$

8. **a)** $g'(t) = 12t + 1$
b) $g'(x) = 3x^2 + 24x + 44$
c) $f'(t) = 5t(-9t^7 + 24t^4 - 5t^3 + 8)$
d) $k'(x) = 4x^3 + 30x^2 + 70x + 50$

9. **a)** 13 **b)** -7 **c)** 34 **d)** $\frac{-23}{2}$

10. **a)** $f'(x) = 4x(x^2 - 1)$
b) $f'(x) = 6x(x^2 - 1)^2$
c) $f'(x) = 8x(x^2 - 1)^3$
d) $f'(x) = 2nx(x^2 - 1)^{n-1}$

11. **a)** $f'(z) = \dfrac{1}{(z + 1)^2}$
b) $m'(x) = \dfrac{-2}{(x - 1)^2}$
c) $d'(t) = \dfrac{10}{(2t + 4)^2}$
d) $f'(z) = \dfrac{7}{(3 - 2z)^2}$
e) $v'(x) = \dfrac{-6}{(4x - 1)^2}$
f) $g'(r) = \dfrac{2r^5 + 9r^4 + 10r + 15}{(5 - r^4)^2}$
g) $k'(q) = \dfrac{-q^2 + 8q - 9}{q^4}$
h) $f'(t) = \dfrac{-2t^5 - 12t^4 + 4t^3 + 2t^2 + 2}{(t^4 + 2t)^2}$
i) $h'(a) = \dfrac{5 - 6\sqrt{a} - a}{2\sqrt{a}(a + 5)^2}$
j) $p'(q) = \dfrac{-5q^3 - 12q^2\sqrt{q} - 3q - 12\sqrt{q}}{2\sqrt{q}(q^3 + 3q)^2}$
k) $s'(t) = \dfrac{\frac{3}{5}t^{\frac{-4}{5}} - \frac{1}{20}t^{\frac{-11}{20}}}{(\sqrt[4]{t} + 3)^2}$

12. Les fonctions de l'exercice nº 5(f), (g), (h), celles de l'exercice nº 8(c) et celles de l'exercice nº 11(g), (h), (i), (j), (k).

13. **a)** $g'(t) = \frac{3}{2} + \frac{11}{2t^2}$ **b)** $g'(t) = \frac{3}{2} + \frac{11}{2t^2}$

14. **a)** -7 **b)** $\left(\frac{3}{10}, \frac{309}{20}\right)$

15. **a)** $y = \frac{-11}{6}z + \frac{3}{2}$ **b)** $y = \frac{9}{8}u + \frac{3}{2}$

16. $y = 6t$ et $y = -18t$

17. La pente de la première droite est -6 et celle de la deuxième droite est $\frac{1}{6}$. Puisque $-6 \cdot \frac{1}{6} = -1$, les deux droites sont perpendiculaires.

Exercices 7.2 (p. 219-220)

1. **a)** $g'(t) = 7(t - 2)^6 \cdot (t - 2)' = 7(t - 2)^6$

b) $h'(z) = 3(6z - 1)^2 \cdot (6z - 1)' = 3(6z - 1)^2 \cdot (6)$
$= 18(6z - 1)^2$

c) $k'(u) = ((u + 3)^{\frac{-1}{2}})' = -\frac{1}{2}(u + 3)^{\frac{-3}{2}} \cdot (u + 3)'$
$= \dfrac{-1}{2(u + 3)^{\frac{3}{2}}} \cdot (1) = \dfrac{-1}{2\sqrt{(u + 3)^3}}$

d) $d'(t) = 3(2t + 12)^2 \cdot (2t + 12)' \cdot (t^2 - 3)^4$
$+ (2t + 12)^3 \cdot 4(t^2 - 3)^3 \cdot (t^2 - 3)'$
$= 3(2t + 12)^2 \cdot (2) \cdot (t^2 - 3)^4$
$+ (2t + 12)^3 \cdot 4(t^2 - 3)^3 \cdot (2t)$
$= 6(2t + 12)^2 \cdot (t^2 - 3)^4 + 8t(2t + 12)^3 \cdot (t^2 - 3)^3$
$= 2(2t + 12)^2 \cdot (t^2 - 3)^3 \cdot (3(t^2 - 3) + 4t(2t + 12))$
$= 2(2t + 12)^2 (t^2 - 3)^3(11t^2 + 48t - 9)$

e)

$$h'(y) = \frac{(y^4 + 3y^3 - 2y^2)' \cdot (4y - 3)^7 - (y^4 + 3y^3 - 2y^2) \cdot ((4y - 3)^7)'}{(4y - 3)^{14}}$$

$$= \frac{(4y^3 + 9y^2 - 4y) \cdot (4y - 3)^7 - (y^4 + 3y^3 - 2y^2) \cdot 7(4y - 3)^6 \cdot (4y - 3)'}{(4y - 3)^{14}}$$

$$= \frac{(4y^3 + 9y^2 - 4y) \cdot (4y - 3) - (y^4 + 3y^3 - 2y^2) \cdot 7(4)}{(4y - 3)^8}$$

$$= \frac{y(4y^2 + 9y - 4) \cdot (4y - 3) - 28y(y^3 + 3y^2 - 2y)}{(4y - 3)^8}$$

$$= \frac{y(-12y^3 - 60y^2 + 13y + 12)}{(4y - 3)^8}$$

f) $m'(t) = \left(\left(t^{\frac{1}{2}} + 7\right)^{\frac{1}{2}}\right)' = \frac{1}{2}\left(\left(t^{\frac{1}{2}} + 7\right)^{\frac{-1}{2}}\right) \cdot \left(t^{\frac{1}{2}} + 7\right)'$

$$= \frac{1}{2(t^{\frac{1}{2}} + 7)^{\frac{1}{2}}} \cdot \left(\frac{1}{2}t^{\frac{-1}{2}}\right)$$

$$= \frac{1}{2\sqrt{t^{\frac{1}{2}} + 7}} \cdot \left(\frac{1}{2t^{\frac{1}{2}}}\right) = \frac{1}{4\sqrt{t}\sqrt{\sqrt{t} + 7}}$$

2. **a)** $\frac{dy}{dx} = 12x - 18$

b) $\frac{dy}{dx} = -144(-12x^2 + 24x - 65)(x - 1)$

c) $\frac{dy}{dx} = \frac{3}{2}(18x^2 - 1)\sqrt{6x^3 - x + 11}$

d) $\frac{dy}{dx} = \frac{5}{2}x^{\frac{3}{2}}$

e) $\frac{dy}{dx} = \frac{(2x^4 + 3x - 2)(3x^4 + 1)}{x^3}$

f) $\frac{dy}{dx} = \frac{1}{(x + 2)^2}$

g) $\frac{dy}{dx} = \left(1 + \frac{1}{2\sqrt{\frac{x + 1}{x - 1}}}\right)\left(\frac{-2}{(x - 1)^2}\right)$

h) $\frac{dy}{dx} = \left(1 + \frac{3}{4}\left(x^{\frac{1}{2}} + x^{\frac{5}{6}}\right)^{\frac{-1}{4}}\right)\left(\frac{1}{2}x^{\frac{-1}{2}} + \frac{5}{6}x^{\frac{-1}{6}}\right)$

3. $\frac{d}{dx}(f(g(x))) = mn$

4. **a)** $m'(v) = 4(1 + v)^3$

b) $h'(z) = 20(4z + 3)^4$

c) $g'(x) = 27x^2(x^3 - 4)^8$

d) $f'(u) = \frac{-4}{7(5 - u)^{\frac{3}{7}}}$

e) $f'(t) = 162t^5 + 192t^2$

f) $h'(v) = 6(v - 1)(v^2 - 2v)^2$

g) $h'(y) = \frac{21y}{2\sqrt[4]{(3y^2 + 5)^3}}$

h) $m'(u) = -2(2u + 4)^4(7 - 9u)(63u + 1)$

i) $s'(q) = -(3 - q)^{11}(4 - q)^{12}(87 - 25q)$

j) $f'(x) = \frac{-6 - 14x^4}{(x^4 - 3)^3}$

k) $h'(t) = \frac{1}{15\sqrt[3]{t^2}\sqrt[5]{(\sqrt[3]{t} + 8)^4}}$

l) $k'(z) = \frac{1}{8\sqrt{z}\sqrt{\sqrt{z} + 2}\sqrt{\sqrt{\sqrt{z} + 2} + 2}}$

5. Les fonctions de l'exercice n° 4(k), (l).

6. **a)** $C'(d) = \frac{3}{\sqrt{d}} - \frac{1}{8d\sqrt{d}}$ **b)** $C'(d) = \frac{3}{\sqrt{d}} - \frac{1}{8d\sqrt{d}}$

7. Premièrement, (-3, 0) est bien un point de la courbe de g. De plus, $g'(-3) = 0$.

8. Puisque $h'(x) = f'(x^3) \cdot 3x^2$, alors $h'(2) = 120$.

Exercices 7.3 (p. 224-225)

1. **a)** $g'(t) = 3(e^t)' - (t^e)' = 3e^t - et^{e-1}$

b) $h'(z) = (7z)' + (z^7)' + (\ln |z|)' = 7^z \ln 7 + 7z^6 + \frac{1}{z}$

c) $f'(n) = (\ln 5) \cdot (5^n)' = (\ln 5) \cdot (5^n \ln 5) = (\ln 5)^2 \cdot 5^n$

d) $f'(x) = 5 \cdot (8^x)' - (x7^x)'$

$= 5 \cdot (8^x \ln 8) - (x)' \cdot 7^x - x \cdot (7^x)'$

$= 5 \cdot (8^x \ln 8) - (1) \cdot 7^x - x \cdot (7^x \ln 7)$

$= 5 \cdot 8^x \ln 8 - 7^x - x7^x \ln 7$

e) $k'(u) = (e^{11u})' - (11^u)' = e^{11u} \cdot (11u)' - 11^u \ln 11$

$= 11e^{11u} - 11^u \ln 11$

f) $d'(t) = (\log_9 t)' \cdot 9^{t+3} + (\log_9 t) \cdot (9^{t+3})'$

$= \frac{1}{t \ln 9} \cdot 9^{t+3} + (\log_9 t) \cdot (9^{t+3} \ln 9) \cdot (t + 3)'$

$= \frac{1}{t \ln 9} \cdot 9^{t+3} + (\log_9 t) \cdot (9^{t+3} \ln 9) \cdot (1)$

$= 9^{t+3}\left(\frac{1}{t \ln 9} + (\log_9 t) \cdot \ln 9\right)$

2. **a)** $g'(x) = 3e^x$

b) $h'(x) = \frac{-8}{x^5} + \frac{e^x}{2}$

c) $m'(x) = 6e^{2x} + 4e^x$

d) $m'(t) = \frac{e^t(4 + t)}{(5 + t)^2}$

e) $f'(z) = \frac{22e^z}{(3 - 4e^z)^2}$

f) $m'(z) = e^2 - 2e^{2z}$

g) $f'(v) = 6v - 0{,}16e^{0{,}4v}$

h) $g'(z) = \frac{3z^2 + 3e^{3z} - 3}{8}$

i) $k'(s) = \frac{e^{(s+3)}(1 + 2s)}{\sqrt{2s}}$

j) $h'(q) = \frac{3(1 + q^2 - q^3)}{4e^{3q}}$

k) $f'(x) = \frac{5e^{5x}}{2\sqrt{e^{5x}}}$

l) $g'(z) = \frac{-7(e^z - 7)}{2(e^z - 7z)\sqrt{e^z - 7z}}$

m) $v'(t) = \frac{7e^t - te^t - 14}{(5 - t)^3}$

n) $f'(x) = 14^x \ln 14$

o) $g'(y) = 5 \ln 2 \cdot 2^{5y+3}$

p) $k'(z) = 8^z(1 + z \ln 8)$

q) $h'(t) = 10^t 11^{2t}(\ln 10 + 2 \ln 11)$

r) $n'(q) = \frac{5^{3q}(6^q(3 \ln 5 - \ln 6) - 9q \ln 5 + 3)}{(6^q - 3q)^2}$

s) $h'(x) = e^{(e^{e^x} + e^x + x)}$

t) $f'(u) = 3^{2^{u-5}}2^{u-5} \ln 3 \ln 2$

u) $g'(y) = \frac{45^y(2 \ln 45 - e^y(\ln 45 - 1)}{(2 - e^{-y})^2}$

3. a) $f'(t) = 5 + \frac{5}{t}$

b) $c'(x) = x^7(8 \ln x + 1)$

c) $r'(s) = e^s\left(\frac{9}{s} - 12s^3 - 3s^4 + 9 \ln s\right) + 12s(1 - 2s^4 + 2 \ln s)$

d) $f'(x) = \frac{-5}{x \ln^2 x}$

e) $g'(t) = \frac{t^3(1 - 3 \ln t) + 5}{t(5 + t^3)^2}$

f) $m'(a) = \frac{5(1 - 3a - a^2 + 3a \ln a + 2a^2 \ln a)}{a(a^2 + 3a - 1)^2}$

g) $k'(u) = \frac{1}{u}$

h) $f'(x) = \frac{5}{x}$

i) $g'(t) = \frac{5t^3 + 15}{t^4}$

j) $m'(z) = \frac{2z^2 - z - 1}{z}$

k) $h'(x) = \frac{e^2x^e - 3}{x}$

l) $g'(z) = (5z^4 + 2e^{2z}) \ln (4z) + z^4 + \frac{e^{2z}}{z}$

m) $j'(q) = e^{-q}\left(\frac{1}{q} - \ln (5q)\right)$

n) $j'(x) = \frac{24x}{3x^2 - 5}$

o) $f'(z) = \frac{-3}{2z \ln z \sqrt{\ln z}}$

p) $m'(u) = 2e^{2u} (\ln u)^3 + \frac{3e^{2u}(\ln u)^2}{u}$

q) $k'(v) = \frac{1}{v \ln (\ln v) \ln v}$

r) $g'(x) = \frac{1}{x \ln 4}$

s) $f'(t) = \frac{5(2t + 3)}{(t^2 + 3t)\ln 7}$

t) $h'(v) = \frac{v^5 + 6v^2 - (v - 3)(5v^4 + 12v) \log_{0,2} (v - 3) \ln 0,2}{(v - 3)(v^5 + 6v^2)^2 \ln 0,2}$

u) $m'(z) = (3z^2 - 9) \log (z^7 - 4z) + \frac{(z^3 - 9z)(7z^6 - 4)}{(z^7 - 4z) \ln 10}$

4. a) $y = t + 1$ b) $y = 2x$

5. $(0, 4 (1 - \ln 4))$ et $\left(\frac{\ln 4 - 1}{\ln 4}, 0\right)$

6. a) $g'(t) = 4^t5^t(\ln 4 + \ln 5) = 20^t \ln 20$

b) $g'(t) = 20^t \ln 20$

7. a) $f'(x) = x^x(\ln x + 1)$

b) $g'(x) = (x + 3)^{2x}\left(2 \ln (x + 3) + \frac{2x}{x + 3}\right)$ et

$h'(x) = (x^2 + e^x)^{(x + 1)}\left(\ln (x^2 + e^x) + \frac{(x + 1)(2x + e^x)}{x^2 + e^x}\right)$

Exercices 7.4 (p. 227)

1. a) $g'(t) = (\sin t)' - (\cos t)' = \cos t - (-\sin t) = \cos t + \sin t$

b) $h'(z) = 3[(\sin z)' \cdot \cos z + \sin z \cdot (\cos z)']$
$= 3[\cos z \cdot \cos z + \sin z \cdot (-\sin z)]$
$= 3(\cos^2 z - \sin^2 z)$

c) $k'(u) = (u^2)' \cdot \text{tg } u + u^2 \cdot (\text{tg } u)'$
$= 2u \cdot \text{tg } u + u^2 \cdot (\sec^2 u) = u(2 \text{ tg } u + u \sec^2 u)$

d) $h'(y) = \frac{(\cos y)' \cdot \sin (y + 3) - \cos y \cdot (\sin (y + 3))'}{\sin^2 (y + 3)}$

$= \frac{(-\sin y) \cdot \sin (y + 3) - \cos y \cdot \cos (y + 3) \cdot (y + 3)'}{\sin^2 (y + 3)}$

$= -\frac{\cos y \cdot \cos (y + 3) + \sin y \cdot \sin (y + 3)}{\sin^2 (y + 3)}$

$= -\frac{\cos (y - (y + 3))}{\sin^2 (y + 3)}$ selon l'identité I5 du chapitre 5

$= -\frac{\cos (-3)}{\sin^2 (y + 3)} = -\frac{\cos 3}{\sin^2 (y + 3)}$

car $\cos (-A) = \cos A$ pour tout angle A

e) $f'(n) = ((\sec (4n))^5)' = 5(\sec (4n))^4) \cdot (\sec (4n))'$
$= 5(\sec (4n))^4) \cdot (\sec (4n) \cdot \text{tg } (4n) \cdot 4)$
$= 20 \sec^5 (4n) \text{ tg } (4n)$

f) $m'(t) = ((\cos (t^6))^{\frac{1}{2}})' = \frac{1}{2}(\cos (t^6))^{\frac{-1}{2}} \cdot (\cos (t^6))'$

$= \frac{1}{2 (\cos (t^6))^{\frac{1}{2}}} \cdot (-\sin (t^6) \cdot 6t^5) = \frac{-3t^5 \sin (t^6)}{\sqrt{\cos (t^6)}}$

2. a) $(\text{cotg } x)' = \left(\frac{\cos x}{\sin x}\right)' = \frac{-\sin^2 x - \cos^2 x}{\sin^2 x}$

$= \frac{-(\sin^2 x + \cos^2 x)}{\sin^2 x} = \frac{-1}{\sin^2 x} = -\text{cosec}^2 x$

b) $(\sec x)' = \left(\frac{1}{\cos x}\right)' = \frac{-(-\sin x)}{\cos^2 x} = \frac{1}{\cos x} \frac{\sin x}{\cos x} = \sec x \text{ tg } x$

c) $(\text{cosec } x)' = \left(\frac{1}{\sin x}\right)' = \frac{-(\cos x)}{\sin^2 x} = \frac{-1}{\sin x} \frac{\cos x}{\sin x}$

$= -\text{cosec } x \text{ cotg } x$

3. a) $g'(x) = \sin x + x \cos x$

b) $f'(z) = e^z(\text{tg } z + \sec^2 z)$

c) $h'(A) = \frac{\sin A - A \cos A}{\sin^2 A}$

d) $h'(t) = \cos^2 t - \sin^2 t$

e) $f'(y) = \sec^2 y - \text{cosec}^2 y$

f) $g'(x) = -7 \cos^6 x \sin x$

g) $f'(t) = 5 \sin^4 t \cos t$

h) $f'(t) = 5t^4 \cos (t^5)$

i) $h'(z) = \frac{\cos z}{2\sqrt{\sin z}}$

j) $k'(u) = \frac{-\text{cotg } u}{\sqrt{\sin u}}$

k) $g'(z) = -3z^2 \sin (z^3)$

l) $h'(t) = -\sin t \cos (\cos t)$

m) $m'(v) = -\cos v \sin (\sin v)$

n) $k'(x) = 24 \cos^2 (1 - 2x) \sin (1 - 2x)$

o) $m'(t) = 3t^2 (\cos (3t) - t \sin (3t))$

p) $f'(t) = -24\pi \sin (4\pi t + 2\pi)$

q) $g'(z) = 8 \cos \left(4z + \frac{\pi}{3}\right)$

r) $h'(x) = \pi \sec^2 \left(\pi x + \frac{\pi}{2}\right)$

s) $f'(x) = \text{cosec}^3 x \sec^4 x (4 \text{ tg } x - 3 \text{ cotg } x)$

t) $g'(t) = \dfrac{-3 \text{ cosec}^2 (3t) \text{ tg } (2t) - 2 \text{ cotg } (3t) \sec^2 (2t)}{\text{tg}^2 (2t)}$

u) $h'(z) = (6z^5 - 5) \sec^2 (z^6 - 5z) \sec (z^2) +$
$2z \text{ tg } (z^6 - 5z) \sec (z^2) \text{ tg } (z^2)$

4. a) $f'(x) = 2 \sin x \cos x - 2 \sin x \cos x = 0$

b) $f'(x) = 0$

5. a) $f'(u) = e^u \cos (e^u)$

b) $h'(x) = -2x\, e^{x^2} \sin (e^{x^2})$

c) $g'(t) = \dfrac{\cos (\ln |t|)}{t}$

d) $h'(A) = \text{cotg } A$

e) $k'(t) = \dfrac{-t \sin t \ln t - \cos t}{t \ln^2 t}$

f) $p'(x) = \dfrac{\cos x}{x} - \ln x \sin x$

Exercices 7.5 (p. 230)

1. a) $g'(t) = (\arccos (t^2))' = \dfrac{-1}{\sqrt{1 - (t^2)^2}} \cdot (t^2)' = \dfrac{-2t}{\sqrt{1 - t^4}}$

b) $f'(x) = -\sin (\arcsin x^3) \cdot (\arcsin x^3)'$
$= -x^3 \cdot \dfrac{1}{\sqrt{1 - (x^3)^2}} \cdot (x^3)'$
$= -x^3 \cdot \dfrac{1}{\sqrt{1 - (x^3)^2}} \cdot 3x^2 = \dfrac{-3x^5}{\sqrt{1 - x^6}}$

c) $k'(u) = (u)' \cdot \arcsin^2 (3u) + u(\arcsin^2 (3u))'$
$= (1) \cdot \arcsin^2 (3u) +$
$u \cdot 2 \arcsin (3u) \cdot (\arcsin (3u))'$
$= \arcsin^2 (3u) + 2u \cdot \arcsin (3u) \cdot \dfrac{1}{\sqrt{1 - (3u)^2}} (3u)'$
$= \arcsin^2 (3u) + \dfrac{6u \arcsin (3u)}{\sqrt{1 - 9u^2}}$

2. a) $f^{-1}(x) = \arccos x$ est la fonction réciproque de la fonction $f(x) = \cos x$. Or,
$f'(x) = (\cos x)' = -\sin x$ et $f'(f^{-1} (x)) = -\sin (\arccos x)$.
Or, selon l'identité trigonométrique I1 du chapitre 5, on a :
$\sin^2 (\arccos x) = 1 - \cos^2 (\arccos x) = 1 - x^2$ et donc
$\sin (\arccos x) = \sqrt{1 - x^2}$, car si $0 \leq x \leq 1 < \pi$, alors $\sin x \geq 0$.
Donc, $f'(f^{-1} (x)) = -\sin (\arccos x) = -\sqrt{1 - x^2}$
En conséquence,
$(\arccos x)' = (f^{-1})'(x) = \dfrac{1}{f'(f^{-1} (x))} = \dfrac{1}{-\sqrt{1 - x^2}}$
$= \dfrac{-1}{\sqrt{1 - x^2}}$

b) $f^{-1}(x) = \text{arctg } x$ est la fonction réciproque de la fonction $f(x) = \text{tg } x$.
Or, $f'(x) = (\text{tg } x)' = \sec^2 x$ et
$f'(f^{-1} (x)) = \sec^2 (\text{arctg } x) = 1 + (\text{tg } (\text{arctg } x))^2$
(voir l'identité trigonométrique I2 du chapitre 5)
$= 1 + x^2$, car $\text{tg } (\text{arctg } x) = x$
En conséquence,
$(\text{arctg } x)' = (f^{-1})' (x) = \dfrac{1}{f'(f^{-1} (x))} = \dfrac{1}{1 + x^2}$

c) $f^{-1}(x) = \text{arccotg } x$ est la fonction réciproque de la fonction $f(x) = \text{cotg } x$.
Or, $f'(x) = (\text{cotg } x)' = -\text{cosec}^2 x$ et
$f'(f^{-1} (x)) = -\text{cosec}^2 (\text{arctg } x)$
$= -(1 + (\text{cotg } (\text{arccotg } x))^2)$
(voir l'identité trigonométrique I3 du chapitre 5)
$= -(1 + x^2)$, car $\text{cotg } (\text{arcotg } x) = x$
En conséquence,
$(\text{arccotg } x)' = (f^{-1})'(x) = \dfrac{1}{f'(f^{-1} (x))} = \dfrac{1}{-(1 + x^2)} = \dfrac{-1}{1 + x^2}$

d) $f^{-1}(x) = \text{arcsec } x$ est la fonction réciproque de la fonction $f(x) = \sec x$.
Or, $f'(x) = (\sec x)' = \sec x \cdot \text{tg } x$ et
$f'(f^{-1} (x)) = \sec (\text{arcsec } x) \cdot \text{tg } (\text{arcsec } x)$
$= x \cdot \text{tg } (\text{arcsec } x)$
Or, selon l'identité trigonométrique I2 du chapitre 5), on a :
$\text{tg}^2 (\text{arcsec } x) = \sec^2 (\text{arcsec } x) - 1 = x^2 - 1$
et donc $\text{tg } (\text{arcsec } x) = \sqrt{x^2 - 1}$ si $x \geq 1$
et $\text{tg } (\text{arcsec } x) = -\sqrt{x^2 - 1}$ si $x \leq -1$
Donc, $f'(f^{-1} (x)) = x \cdot \text{tg } (\text{arcsec } x) = |x| \cdot \sqrt{x^2 - 1}$
En conséquence,
$(\text{arcsec } x)' = (f^{-1})' (x) = \dfrac{1}{f'(f^{-1} (x))} = \dfrac{1}{|x|\sqrt{x^2 - 1}}$

e) $f^{-1}(x) = \text{arccosec } x$ est la fonction réciproque de la fonction $f(x) = \text{cosec } x$.
Or, $f'(x) = (\text{cosec } x)' = -\text{cosec } x \cdot \text{cotg } x$ et
$f'(f^{-1} (x)) = -\text{cosec } (\text{arccosec } x) \cdot \text{cotg } (\text{arccosec } x)$
$= -x \cdot \text{cotg } (\text{arccosec } x)$
Or, selon l'identité trigonométrique I3 du chapitre 5, on a :
$\text{cotg}^2 (\text{arccosec } x) = \text{cosec}^2 (\text{arccosec } x) - 1 = x^2 - 1$ et donc
$\text{cotg } (\text{arccosec } x) = \sqrt{x^2 - 1}$ si $x \geq 1$ et
$\text{cotg } (\text{arccosec } x) = -\sqrt{x^2 - 1}$ si $x \leq -1$
Donc, $f'(f^{-1} (x)) = -x \cdot \text{cotg } (\text{arccosec } x)$
$= -|x| \cdot \sqrt{x^2 - 1}$
En conséquence,
$(\text{arccosec } x)' = (f^{-1})' (x) = \dfrac{1}{f'(f^{-1} (x))} = \dfrac{1}{-|x|\sqrt{x^2 - 1}} = \dfrac{-1}{|x|\sqrt{x^2 - 1}}$

3. a) $f'(t) = \dfrac{18t}{\sqrt{1 - 81t^4}}$

b) $g'(x) = \dfrac{3 \cos (\text{arctg } (3x - 2))}{1 + (3x - 2)^2}$

c) $h'(z) = 3\pi$

d) $k'(u) = \text{arccosec } u - \dfrac{u}{|u|\sqrt{u^2 - 1}}$

e) $k'(A) = 153 \dfrac{(\text{arcsec } 9A)^{16}}{|9A|\sqrt{81A^2 - 1}}$

f) $f(x) = \dfrac{28x}{(1 + (1 + x^2)^2)(\text{arccotg } (1 + x^2))^2}$

4. a) $f'(t) = 0$ **b)** $g'(t) = 0$ **c)** $h'(t) = 0$

Dans les trois cas, la fonction est constante et vaut $\frac{\pi}{2}$, car elle correspond à la somme des deux angles aigus d'un triangle rectangle.

Problèmes (p. 232-234)

Section 7.1

1. 50,265 cm³/cm. On estime que si le rayon de la tumeur passe de 2 à 3 centimètres, le volume de celle-ci va augmenter d'environ 50,265 centimètres cubes.

2. $\frac{dV}{dx} = 9x^2$. Lorsque la mesure x de la base augmente, le volume augmente également.

3. 1,375 centaine de $/unité. Lorsque le nombre d'unités produites est de 16, la production d'une unité additionnelle devrait entraîner un coût de production supplémentaire d'environ 137,50 $.

4. $F'(r) = \frac{-4{,}608 \cdot 10^{-30}}{r^3}$. Lorsque la distance r entre l'électron et le proton augmente, la force d'attraction diminue.

5. **a)** $P'(r) = \frac{6(Dr^6 - 2C)}{r^{13}}$ **b)** $r = \sqrt[6]{\frac{2C}{D}}$

6. 0,33574 millier de $/%. Lorsque la pureté est de 12 %, le fait de vouloir hausser ce pourcentage d'un autre pour cent fait augmenter le coût d'environ 335,74 $.

7. $N'(35) = -0{,}063$ millier d'unités/dollars. Lorsque le prix de vente est de 35 $, une augmentation de 1 $ du prix devrait faire diminuer le nombre d'articles vendus d'environ 63 unités.

8. **a)** $C'(25) = 6{,}36$ $/unité. Lorsqu'on a produit 25 unités, le fait d'en produire une autre devrait faire augmenter le coût mensuel de production d'environ 6,36 $.

b) $U'(25) = -7{,}20$ $/unité. Lorsqu'on a produit 25 unités, le fait d'en produire une autre devrait faire diminuer le coût de production unitaire d'environ 7,20 $.

9. **a)** $C'(x) = \frac{1 - x}{(x + 1)^3}$

b) Lorsque $x > 1$, $C'(x) < 0$ et donc après une heure, la concentration du médicament dans le sang diminue.

Section 7.2

10. $m'(v) = \frac{m_0 v}{c^2\left(1 - \frac{v^2}{c^2}\right)^{\frac{3}{2}}}$

Lorsque la vitesse de la particule augmente, sa masse « relativiste » augmente, car $m'(v) > 0$.

Section 7.3

11. $P'(3) = 856{,}28$ $. Après avoir vendu 3 unités, le fait d'en vendre un autre devrait faire augmenter les profits quotidiens de 856,28 $ environ.

12. **a)** $C(n) = 100ne^{-n}$.

b) $C'(5) = -2{,}70$ $/centaine d'articles. Si on produit 500 articles, le fait d'en produire une centaine additionnelle devrait diminuer le coût total de production d'environ 2,70 $.

13. $A'(2) = 179{,}30$ $/1000 $ de dépense. Après avoir dépensé 2000 $ en publicité, le fait de dépenser un autre 1000 $ pour la publicité devrait faire augmenter le chiffre d'affaires d'environ 179,30 $.

14. $N'(7) = 4{,}535$ appareils/jour. Après une semaine de production, une journée de production de plus devrait permettre d'assembler environ 4,5 appareils supplémentaires.

15. $C'(100) = 0{,}216\,5$ centaine de $/unité. Après avoir préparé 100 unités, la prochaine unité devrait faire augmenter les coûts de production d'environ 21,65 $.

16. $P'(10) = 1{,}467$ %/an. Après 10 ans, le pourcentage d'entreprises qui utilisent une nouvelle technologie devrait augmenter d'environ 1,47 % durant la prochaine année.

17. **a)** $N'(t) = \frac{130e^t(4 + e^{\frac{t}{2}})}{(2 + e^{\frac{t}{2}})^2}$

b) $N'(t) > 0$. Lorsque le nombre d'années augmente, le nombre d'ours augmente également.

18. **a)** $P(24) = 53{,}73$ $. L'article qui coûte aujourd'hui 50 $ devrait en coûter 53,73 $ dans deux ans.

b) $P'(24) = 0{,}16$ $/mois. Après deux ans, le prix de l'article devrait augmenter de 0,16 $ dans le prochain mois.

c) $t = 15{,}51$ mois à partir d'aujourd'hui.

19. $P'(3) = -6{,}811$ milliers de personnes par décennie. En 2020, l'évolution de la population sera telle qu'au cours de la décennie suivante, la population devrait diminuer d'environ 6811 personnes.

20. **a)** $\left.\frac{dF}{dn}\right|_{n=4} = 73{,}56$ $/an. Après quatre ans, la valeur du placement devrait augmenter d'environ 73,56 $ pour la prochaine année.

b) $\left.\frac{dF}{di}\right|_{i=4} = 58{,}49$ $/an. Si le taux d'intérêt annuel est de 4 %, le fait d'augmenter celui-ci de 1 % devrait faire augmenter la valeur du placement d'environ 58,49 $.

Section 7.4

21. $V'(0{,}25) = 0$ V. Une fois rendue à $t = 0{,}25$ seconde, la tension ne devrait pas changer si t augmente de 1 seconde.

22. $I'(1) = -141{,}37$ A/s. Après 1 seconde, le courant devrait diminuer d'environ 141,37 ampères dans la prochaine seconde.

23. $T'(5) = 7{,}255°$/mois. À partir du mois de mai, la température moyenne de l'air devrait augmenter d'environ 7,26° dans le prochain mois.

24. $d'(2) = 0{,}523$ m/h. À partir de 19 h, la distance verticale ***d*** devrait augmenter d'environ 0,523 mètre dans la prochaine heure.

Section 7.5

25. $A'(3) = 0{,}008\,43$ rad/m. Lorsque l'appareil photographique se trouve à 3 mètres de la base de la falaise, le fait d'éloigner celui-ci d'un autre mètre devrait faire augmenter l'angle A d'environ 0,008 4 radian.

Auto-évaluation (p. 235-236)

1. **a)** $g'(x) = 7x^6 - 10x^3 + 6$

b) $f'(t) = \frac{15}{2}t^{\frac{1}{4}} - \frac{8}{3t^{\frac{1}{9}}} - \frac{54}{7t^{\frac{1}{7}}}$

c) $c'(z) = \frac{-8}{z^9} + \frac{2}{21z^{\frac{1}{3}}} + \frac{9}{4z^{\frac{7}{4}}}$

d) $k'(u) = 90u^5 - 36u^3 + 25u\sqrt{u} - \frac{3}{\sqrt{u}}$

e) $m'(q) = \frac{q^2(2q^5 - 10q^2 + 12)}{(4 - q^5)^2}$

f) $g'(t) = 45(t^5 + 12t - 1)^{44}(5t^4 + 12)$

g) $p'(q) = \frac{24q^2(4q^3 + 1)^3(6q^4 + 3q + 14)}{(7 - 3q^4)^7}$

h) $k'(w) = 60w(4w^3 + 1)^4(5w^2 - 9)^5(9w^3 - 9w + 1)$

i) $f'(x) = \frac{4x^3(4x - 5)^2 + 19}{3(4x - 5)^2 \sqrt[3]{\left(x^4 - \frac{3x + 1}{4x - 5}\right)^2}}$

j) $g'(v) = \frac{2}{21\sqrt[3]{v}\sqrt[7]{(\sqrt[3]{v^2} + 17)^6}}$

2. **a)** $g'(x) = -15e^{-15x} + \frac{1}{x}$

b) $f'(t) = 5 - 2te^{(t^2 + 3)}$

c) $c'(n) = 3e^{3n}(3n^6 + 6n^5 - 2n^3 - 2n^2 + 1)$

d) $k'(x) = 2e^{2x} \ln |2x| + \frac{e^{2x}}{x}$

e) $m'(v) = \frac{4v^3 + 3e^{3v}}{v^4 + e^{3v}}$

f) $g'(t) = \frac{5 + t^3(1 - 3 \ln t)}{t \ln 4(5 + t^3)^2}$

g) $h'(z) = \ln 3\ ((\ln 3)^{z-1} \ln (\ln 3) + z^{(\ln 3 - 1)} + 1)$

h) $m'(z) = \frac{3(z^2 + 3^{z-1} \ln 3 - z^3 - 3z)}{e^{3z}}$

i) $n'(x) = \frac{x^{2,5}(3{,}5 - x \ln 3{,}5)}{3{,}5^x}$

3. **a)** $g'(x) = 4 \cos (4x - 7)$

b) $f'(t) = 36t^2 \cos (6t^3 + 2) \sin (6t^3 + 2)$

c) $c'(z) = \sin^5 z \cos^6 z\ (6 \cos^2 z - 7 \sin^2 z)$

d) $h'(s) = 320s^3 \sec^2 (s^4 + 2)$

e) $k'(u) = 3(u \sec u + 4 \operatorname{cotg} u)^2 \cdot$
$(\sec u + u \sec u \operatorname{tg} u - 4 \operatorname{cosec}^2 u)$

f) $r'(v) = \frac{-6 \cos (3v)}{(1 + \sin (3v))^2}$

g)
$$f'(x) = \frac{2 \sec^2 x \operatorname{tg} x\ (\operatorname{cosec}^3 x - 5) + 3 \operatorname{cosec}^3 x \operatorname{cotg} x\ (\sec^2 x + 4)}{(\operatorname{cosec}^3 x - 5)^2}$$

h) $g'(t) = e^t(\sin 2t + \cos 3t + 2 \cos 2t - 3 \sin 3t)$

i) $h'(z) = -35\ (\cos 7z - \operatorname{tg} 7z)^4\ (\sin 7z + \sec^2 7z)$

4. Les fonctions f, g et q ont la même tangente en (0, 1).

Les fonctions k, m, n, r et s ont la même tangente en (0, 1).

5. $\left.\frac{dy}{dt}\right|_{t = 2\lambda} = \frac{2\pi A}{\lambda}$ m/s

6. $y = -4x - 5$

7. **a)** $\frac{dy}{dx} = (2x^4 + 2x^3 - 2x^2 + 8x + 2)(4x^3 + 3x^2 - 2x + 4)$

b) $\frac{dy}{dx} = 12 \cos 3(x^3 - 4x^2 + x) \cdot (3x^2 - 8x + 1)$

c) $\frac{dy}{dx} = \frac{2(e^{5x} - 4^{3x})(5e^{5x} - 3\ (\ln 4)\ 4^{3x})}{(e^{5x} - 4^{3x})^2 + 45}$

d) $\frac{dy}{dx} = \frac{60(x^4 - 4x + 2)^4(x^3 - 1)}{((x^4 - 4x + 2)^5 + 2)^2}$

Chapitre 8 (p. 237)

Avant d'aller plus loin (p. 239)

Préalables

1. **a)** Asympt. vert. : $t = 0$ et asympt. horiz. : $y = 0$

b) Asympt. vert. : $z = 2$ et asympt. horiz. : $y = 0$

c) Aucune asympt. vert. et asympt. horiz. : $y = 0$

d) Asympt. vert. : $v = \frac{5}{2}$ et $v = 0$ et asympt. horiz. : $y = 2$

2. **a)** $f'(t) = \frac{-2}{t^2}$ et $\frac{d}{dt}(f'(t)) = \frac{4}{t^3}$

b) $g'(z) = \frac{6}{(z - 2)^2}$ et $\frac{d}{dz}(g'(z)) = \frac{-12}{(z - 2)^3}$

c) $h'(x) = 5^x \ln 5$ et $\frac{d}{dx}(h'(x)) = 5^x(\ln 5)^2$

3. **a)** $t = 7$ ou $t = \frac{-5}{2}$

b) $w = 4$ ou $w = 1$

c) $x = -1$ ou $x = \frac{2}{3}$

d) $z = 0$, $z = 3$ ou $z = -3$

e) $u = 0$ ou $u = 2$

f) Aucune solution

g) $t = -14$, $t = 6$ ou $t = -2$

4. **a)** $f'(4) = 52$

b) $g'(1) = 3$

c) $h'(0) = 0$

d) $m'(1) = 4 \ln 4 + 1 \approx 6{,}545$

e) $k'\left(\frac{\pi}{2}\right) = -6$

Langages mathématique et graphique

1. $f(3)$ est la valeur de l'ordonnée du point pour lequel l'abscisse est 3 et

$f'(3)$ est la pente de la tangente à la courbe de f au point $(3, f(3))$.

2. Plusieurs réponses sont possibles. Par exemple :

a) **c)**

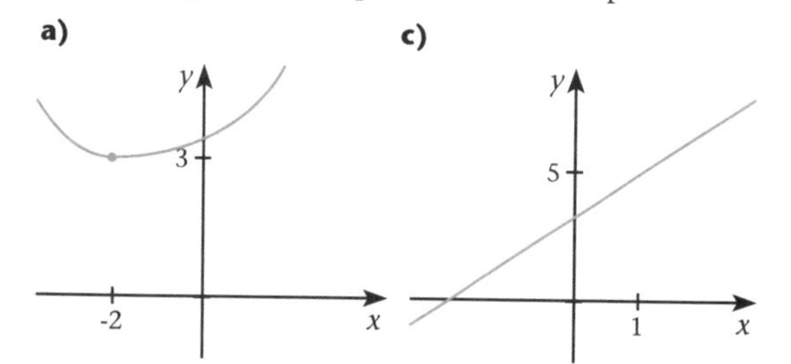

b)

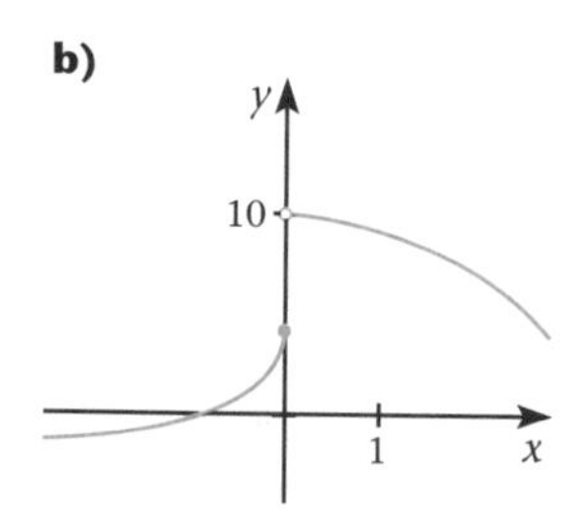

3. Plusieurs réponses sont possibles. Par exemple :

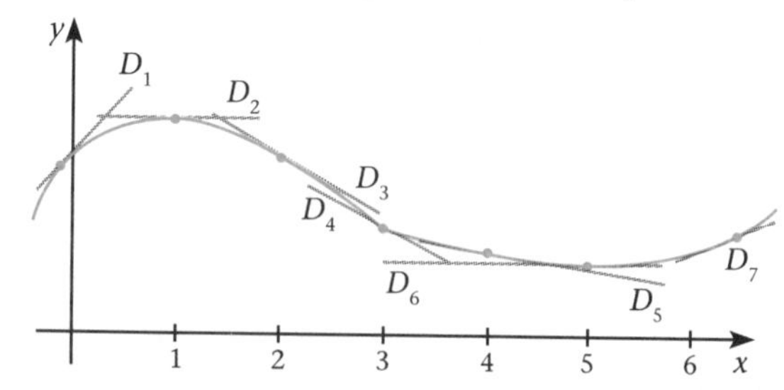

Si m_i est la pente de la droite D_i, alors :

- m_1 et m_7 sont positives,
- m_2 et m_6 sont nulles et
- m_3, m_4 et m_5 sont négatives.

4. a) $x = a$ est une asymptote verticale si $\lim\limits_{x \to a^+} f(x) = +\infty$, ou bien $\lim\limits_{x \to a^+} f(x) = -\infty$, ou bien $\lim\limits_{x \to a^-} f(x) = +\infty$ ou bien $\lim\limits_{x \to a^-} f(x) = -\infty$.

b) $y = b$ est une asymptote horizontale si $\lim\limits_{x \to +\infty} f(x) = b$ ou $\lim\limits_{x \to -\infty} f(x) = b$.

Exercices 8.1 (p. 248-249)

1. a) $t = 0$ et $t = \frac{-18}{7}$ sont les valeurs critiques.

La fonction h est croissante sur $-\infty, \frac{-18}{7}\left[\cup \right]0, +\infty$ et décroissante sur $\left]\frac{-18}{7}, 0\right[$.

Le maximum relatif est $h\left(\frac{-18}{7}\right) = 106{,}90$ et le minimum relatif est $h(0) = -17$.

b) $y = \frac{1 - \sqrt{13}}{6} \approx -0{,}434$ et $y = \frac{1 + \sqrt{13}}{6} \approx 0{,}768$ sont les valeurs critiques.

La fonction f est croissante sur $-\infty; -0{,}434\ [\cup\ ]0{,}768; +\infty$ et décroissante sur $]-0{,}434; 0{,}768[$.

Le maximum relatif est $f(-0{,}434) = 1{,}516$ et le minimum relatif est $f(0{,}768) = -0{,}220$.

c) $z = 0$ et $z = \frac{80}{3}$ sont les valeurs critiques.

La fonction g est croissante sur $\left]0, \frac{80}{3}\right[$ et décroissante sur $\left]\frac{80}{3}, +\infty\right.$.

Le maximum relatif est $g\left(\frac{80}{3}\right) = 275{,}41$.

d) $u = 0$ et $u = \frac{-2}{\ln 2} \approx -2{,}885$ sont les valeurs critiques.

La fonction m est croissante sur $-\infty; -2{,}885[\ \cup\ ]0, +\infty$ et décroissante sur $]-2{,}885; 0[$.

Le maximum relatif est $m(-2{,}885) = 1{,}127$ et le minimum relatif est $h(0) = 0$.

2. $z = 0$ et z dans l'intervalle $[8, 10]$.

3. a) g est décroissante sur $-\infty, 5[$ et g est croissante sur $]5, +\infty$.

b) h est croissante sur $-\infty, \frac{6}{5}\left[\right.$ et

h est décroissante sur $\left]\frac{6}{5}, +\infty\right.$.

c) m est croissante sur $-\infty, \frac{5}{4}\left[\cup \right]\frac{3}{2}, +\infty$ et

m est décroissante sur $\left]\frac{5}{4}, \frac{3}{2}\right[$.

d) v est croissante sur $]-1, 0[\ \cup\ ]2, +\infty$ et v est décroissante sur $-\infty, -1[\ \cup\ ]0, 2[$.

e) f est croissante sur $-\infty, -5[\ \cup\ ]-5, -1[\ \cup\ ]2, +\infty$ et f est décroissante sur $]-1, 2[$.

f) g est décroissante sur $-\infty, -14[\ \cup \left]-14, \frac{-1}{4}\right[\cup \left]\frac{-1}{4}, 0\right[$ et g est croissante sur $]0, +\infty$.

4. a) k est croissante sur $-\infty, 2[$ et décroissante sur $]2, +\infty$.
Le maximum relatif est $k(2) = -1$.

b) h est croissante sur $-\infty, -1[\ \cup\ ]1, +\infty$ et décroissante sur $]-1, 1[$.
Le maximum relatif est $h(-1) = 11$ et le minimum relatif est $h(1) = -5$.

c) f est décroissante sur $\mathbb{R}$. f n'a pas d'extremum relatif.

d) g est décroissante sur $-\infty, 0[$ et croissante sur $]0, +\infty$.
Le minimum relatif est $g(0) = -1$.

e) w est croissante sur $]-1, 0[\ \cup\ ]1, +\infty$ et décroissante sur $-\infty, -1[\ \cup\ ]0, 1[$.
Le maximum relatif est $w(0) = 4$ et le minimum relatif est $w(-1) = w(1) = 3$.

f) m est croissante sur $-\infty; -3{,}737\ 0[\ \cup\ ]1{,}070\ 4; +\infty$ et décroissante sur $]-3{,}737\ 0; 1{,}070\ 4[$.
Le maximum relatif est $m(-3{,}737\ 0) = 49{,}516\ 8$ et le minimum relatif est $m(1{,}070\ 4) = -6{,}035\ 3$.

g) g est croissante sur $-\infty, 2[$ et décroissante sur $]2, +\infty$.
Le maximum relatif est $g(2) = 3$.

h) h est croissante sur $-\infty, -1[\ \cup\ ]-1, +\infty$. h n'a pas d'extremum relatif.

i) m est croissante sur $-\infty, (3 - \sqrt{10})[\ \cup\ ](3 + \sqrt{10}), +\infty$ et décroissante sur $](3 - \sqrt{10}); (3 + \sqrt{10})[$.

Le maximum relatif est $m(3 - \sqrt{10}) = 3{,}081$ et le minimum relatif est $m(3 + \sqrt{10}) = -0{,}081\ 1$.

5. $x = 0$ et $x = \sqrt[5]{\frac{15}{16}} \approx 0{,}987\,2$

6. a) g est croissante sur $\mathbb{R} \setminus \{-d\}$.

b) g est décroissante sur $\mathbb{R} \setminus \{-d\}$.

7. a) f est décroissante sur $-\infty, 0[$ et croissante sur $]0, +\infty$.

b) g est croissante sur $-\infty; \frac{-4}{3}\left[\cup \right]0; +\infty$ et décroissante sur $\left]\frac{-4}{3}; 0\right[$.

c) h est croissante sur $-\infty; -\sqrt{2}[\cup]\sqrt{2}; +\infty$ et décroissante sur $]-\sqrt{2}; \sqrt{2}[$.

8. a) h est décroissante sur $]0, +\infty$. Il n'y a aucun extremum relatif.

b) g est décroissante sur $]0, 1[$ et croissante sur $]1, +\infty$. Le minimum relatif est $g(1) = 1$.

c) k est décroissante sur $-\infty, 0[$ et croissante sur $]0, +\infty$. Le minimum relatif est $k(0) = 4$.

d) f est décroissante sur $-\infty, 0[$ et croissante sur $]0, +\infty$. Le minimum relatif est $f(0) = 2$.

e) m est décroissante sur $-\infty, -1[$ et croissante sur $]-1, +\infty$. Le minimum relatif est $m(-1) = \frac{-1}{e}$.

f) v est croissante sur $-\infty, 1[$ et décroissante sur $]1, +\infty$. Le maximum relatif est $v(1) = \frac{5}{e}$.

9. a) h est croissante sur $\left]0, \frac{\pi}{2}\right[\cup \left]\frac{3\pi}{2}, 2\pi\right[$ et décroissante sur $\left]\frac{\pi}{2}, \frac{3\pi}{2}\right[$.

Le maximum relatif est $h\left(\frac{\pi}{2}\right) = 1$ et

le minimum relatif est $h\left(\frac{3\pi}{2}\right) = -1$.

b) f est croissante sur $\left]\frac{\pi}{2}, \pi\right[\cup \left]\frac{3\pi}{2}, 2\pi\right[$ et décroissante sur $\left]0, \frac{\pi}{2}\right[\cup \left]\pi, \frac{3\pi}{2}\right[$.

Le maximum relatif est $f(\pi) = -5$ et

le minimum relatif est $f\left(\frac{\pi}{2}\right) = f\left(\frac{3\pi}{2}\right) = -5$.

c) g est croissante sur $\left]0, \frac{\pi}{2}\right[\cup \left]\frac{\pi}{2}, \frac{3\pi}{2}\right[\cup \left]\frac{3\pi}{2}, 2\pi\right[$.

Il n'y a aucun extremum relatif.

10. On a $g'(t) = 2at + b$, qui s'annule lorsque $t = \frac{-b}{2a}$. Un tableau de variation permet de constater que :

- lorsque $a > 0$, g est décroissante sur $-\infty, \frac{-b}{2a}\left[\right.$ et croissante sur $\left]\frac{-b}{2a}, +\infty\right.$, et a donc un minimum relatif en $t = \frac{-b}{2a}$;
- lorsque $a < 0$, g est croissante sur $-\infty, \frac{-b}{2a}\left[\right.$ et décroissante sur $\left]\frac{-b}{2a}, +\infty\right.$, et a donc un maximum relatif en $t = \frac{-b}{2a}$.

11. $f'(t) = g'(t) \times h(t) + g(t) \times h'(t) < 0$, car tous les termes à droite de l'égalité sont négatifs pour tous les nombres réels t. f est donc décroissante sur $\mathbb{R}$.

12. c est un nombre réel quelconque et $a^2 < 3b$.

13. Si $f(x) = ax^4 + bx^3 + cx^2 + dx + e$ (où $a \neq 0$), alors $f'(x) = 4ax^3 + 3bx^2 + 2cx + d$.

La dérivée f' est une fonction polynomiale continue sur $\mathbb{R}$ de degré 3.

Puisque $f'(x) = x^3\left(4a + \frac{3b}{x} + \frac{2c}{x^2} + \frac{d}{x^3}\right)$:

- si $a > 0$, $\lim\limits_{x \to -\infty} f(x) = -\infty$ et $\lim\limits_{x \to +\infty} f(x) = +\infty$. Donc, la dérivée f' coupe l'axe des x et doit changer de signe;
- si $a < 0$, $\lim\limits_{x \to -\infty} f(x) = +\infty$ et $\lim\limits_{x \to +\infty} f(x) = -\infty$. Donc, la dérivée f' coupe l'axe des x et doit changer de signe.

Ainsi, puisque $f'(x)$ change de signe, f est forcément à certains endroits croissante et à d'autres, décroissante.

Exercices 8.2 (p. 252)

1. a) $h''(t) = 42t^5 + 90t^4$ et $h'''(t) = 210t^4 + 360t^3$

b) $f''(y) = 12y - 2$ et $f'''(y) = 12$

c) $g''(z) = \frac{-80 - 3z}{4z^{\frac{3}{2}}}$ et $g'''(z) = \frac{240 + 3z}{8z^{\frac{5}{2}}}$

d) $m''(u) = 2^u(2 + 4u \ln 2 + u^2 (\ln 2)^2)$ et $m'''(u) = 2^u \ln 2\,(6 + 6u \ln 2 + u^2 (\ln 2)^2)$

2. a) $g'(t) = 15t^2 - 8t + 16$, $g''(t) = 30t - 8$ et $g'''(t) = 30$

b) $m'(x) = 13x^{12} + 48x^3$, $m''(x) = 156x^{11} + 144x^2$ et $m'''(x) = 1716x^{10} + 288x$

c) $h'(z) = 60z + 14$, $h''(z) = 60$ et $h'''(z) = 0$

d) $g'(v) = 2(2v - 5)(v + 3)(4v + 1)$, $g''(v) = 48v^2 + 24v - 118$ et $g'''(v) = 96v + 24$

e) $h'(y) = \frac{-2}{(1 + y)^2}$, $h''(y) = \frac{4}{(1 + y)^3}$ et $h'''(y) = \frac{-12}{(1 + y)^4}$

f) $f'(x) = \frac{5}{2\sqrt{3 + 5x}}$, $f''(x) = \frac{-25}{4\sqrt{(3 + 5x)^3}}$ et $f'''(x) = \frac{375}{8\sqrt{(3 + 5x)^5}}$

3. a) $42x - 120x^3$

b) $2 - \frac{6}{x^4}$

c) 48

d) $\frac{4}{1 + x^3}$

e) 24

f) $\frac{-42}{x^4}$

g) $\frac{2(y + 3)}{(x - 2)^2}$ ou $\frac{-4}{(x - 2)^3}$

4. a) $f''(x) = \frac{-1}{x^2}$, $f'''(x) = \frac{2}{x^3}$ et $f^{(5)}(x) = \frac{24}{x^5}$

b) $g''(t) = 4^t \ln 4\,(2 + t \ln 4)$, $g'''(t) = 4^t(\ln 4)^2(3 + t \ln 4)$ et $g^{(5)}(t) = 4^t(\ln 4)^4(5 + t \ln 4)$

c) $f''(t) = -\sin t$, $f'''(t) = -\cos t$ et $f^{(5)}(t) = \cos t$

d) $g''(z) = -\cos z$, $g'''(z) = \sin z$ et $g^{(5)}(z) = -\sin z$

e) $h''(z) = 2e^z \cos z$, $h'''(z) = 2e^z(\cos z - \sin z)$ et $h^{(5)}(z) = -4e^z(\sin z + \cos z)$

Exercices 8.3 (p. 260-261)

1. a) $t = 0$ et $t = \frac{-15}{7}$ sont les valeurs critiques.

La courbe de h est concave vers le haut sur $\left]\frac{-15}{7}, +\infty\right.$ et concave vers le bas sur $-\infty, \frac{-15}{7}\left[\right.$.

Le seul point d'inflexion est le point $\left(\frac{-15}{7}; 65,987\right)$.

b) $y = \frac{1}{6}$ est la seule valeur critique.

La courbe de f est concave vers le haut sur $\left]\frac{1}{6}, +\infty\right.$ et concave vers le bas sur $\left.-\infty, \frac{1}{6}\right[$.

Le seul point d'inflexion est le point $\left(\frac{1}{6}; 0,648\right)$.

c) $z = 0$ est la seule valeur critique.

La courbe de g est concave vers le bas sur]0, +∞.

Il n'y a pas de point d'inflexion.

d) $y = \frac{-2-\sqrt{2}}{\ln 2} \approx -4,926$ et $y = \frac{-2+\sqrt{2}}{\ln 2} \approx -0,845\ 1$ sont les valeurs critiques.

La courbe de m est concave vers le haut sur -∞; -4,926[∪]-0,8451; +∞ et concave vers le bas sur]-4,926; -0,8451[.

Les deux points d'inflexion sont les points (-4,926; 0,798) et (-0,8451; 0,397).

2. $z = 0$ et tous les z sur l'intervalle [8, +∞.

3. a) La courbe de g est concave vers le haut sur]-6, +∞ et concave vers le bas sur -∞, -6[.

b) La courbe de h est concave vers le haut sur $\left]\frac{1}{19}, +\infty\right.$ et concave vers le bas sur $\left.-\infty, \frac{1}{19}\right[$.

c) La courbe de f est concave vers le haut sur $\left.-\infty, \frac{-1}{5}\right[\cup \left]\frac{1}{3}, +\infty\right.$ et concave vers le bas sur $\left]\frac{-1}{5}, \frac{1}{3}\right[$.

d) La courbe de v est concave vers le haut sur $\left.-\infty, \frac{-1}{2}\right[\cup]0, 1[$ et concave vers le bas sur $\left]\frac{-1}{2}, 0\right[\cup]1, +\infty$.

e) La courbe de k est concave vers le haut sur -∞, -21[∪]-1, 0[∪]0, +∞ et concave vers le bas sur]-21, -1[.

f) La courbe de r est concave vers le haut sur]0, 2[∪]2, 4[et concave vers le bas sur -∞, 0[∪]4, +∞.

4. a) La courbe de h est concave vers le haut sur]0, +∞ et concave vers le bas sur -∞, 0[. Le point d'inflexion est (0, 0).

b) La courbe de f est concave vers le haut sur $\left.-\infty, \frac{-10}{3}\right[\cup]0, +\infty$ et concave vers le bas sur $\left]\frac{-10}{3}, 0\right[$. Les points d'inflexion sont $\left(\frac{-10}{3}; -697,87\right)$ et (0, -12).

c) La courbe de g est concave vers le haut sur $-\infty, -1\left[\cup \right]\frac{1}{2}, +\infty$ et concave vers le bas sur $\left]-1, \frac{1}{2}\right[$.

Les points d'inflexion sont (-1, -2) et $\left(\frac{1}{2}, \frac{7}{16}\right)$.

d) La courbe de k est concave vers le haut sur]-2, +∞ et concave vers le bas sur -∞, -2[. Le point d'inflexion est (-2, 0).

e) La courbe de h est concave vers le haut sur]-4; -3,64[∪]-3,16; +∞ et concave vers le bas sur -∞, -4[∪]-3,64; -3,16[. Les points d'inflexion sont (-4, 0), (-3,64; 0,019) et (-3,16; 0,015).

f) La courbe de s est concave vers le haut sur -∞, -3[et concave vers le bas sur]-3, +∞. Il n'y a pas de point d'inflexion.

g) La courbe de b est concave vers le haut sur $\left.-\infty, -\sqrt{\frac{2}{3}}\right[\cup \left]\sqrt{\frac{2}{3}}, +\infty\right.$ et concave vers le bas sur $\left]-\sqrt{\frac{2}{3}}, \sqrt{\frac{2}{3}}\right[$. Les points d'inflexion sont $\left(-\sqrt{\frac{2}{3}}, \frac{9}{8}\right)$ et $\left(\sqrt{\frac{2}{3}}, \frac{9}{8}\right)$.

h) La courbe de h est concave vers le bas sur -∞, 3[. Il n'y a pas de point d'inflexion.

i) La courbe de f est concave vers le haut sur]-3, +∞. Il n'y a pas de point d'inflexion.

5. Si $f(x) = ax^3 + bx^2 + cx + d$ (où $a \neq 0$), alors $f'(x) = 3ax^2 + 2bx + c$ et $f''(x) = 6ax + 2b$. La dérivée seconde est une fonction linéaire dont la pente est $6a \neq 0$. Une telle fonction linéaire possède un seul zéro (appelons le u) et est toujours positive d'un côté de $x = u$ et toujours négative de l'autre côté de $x = u$. Ainsi, la fonction f est concave vers le haut d'un côté de x = u et concave vers le bas de l'autre côté de $x = u$. Il y a forcément un point d'inflexion en $x = u$ et c'est le seul.

6. a) On a $f'(t) = 4t^3 + 3t^2 + 2t + 1$ et $f''(t) = 12t^2 + 6t + 2$.

La dérivée première s'annule environ à $t = -0,61$ et puisque $f''(-0,61) = 2,81$, il s'agit d'un minimum relatif.

b) On a $f'(t) = 6t^5 - 12t^2 + 4t - 33$ et $f''(t) = 30t^4 - 24t + 4$.

La dérivée première s'annule environ à $t = 1,56$ et puisque $f''(1,56) = 144,23$, il s'agit d'un minimum relatif.

c) On a $f'(t) = 4t^3 + 0,6t^2 - 16t + 1$ et $f''(t) = 12t^2 + 1,2t - 16$.

La dérivée première s'annule environ à $t = -2,11$, $t = 0,063$ et t = 1,89.

Puisque $f''(-2,11) = 34,89$, on a un minimum relatif en $t = -2,11$.

Puisque $f''(0,063) = -15,88$, on a un maximum relatif en $t = 0,063$.

Puisque $f''(1,89) = 15,89$, on a un minimum relatif en $t = 1,89$.

7. a) La courbe de f est concave vers le haut sur]0, +∞ et concave vers le bas sur -∞, 0[. Le point d'inflexion est (0, 0).

b) La courbe de h est concave vers le haut sur]2, +∞ et concave vers le bas sur -∞, 2[. Le point d'inflexion est $\left(2, \frac{2}{e^2}\right)$.

c) La courbe de g est concave vers le haut sur $\left]-\infty, \frac{-2-\sqrt{2}}{\ln 3}\right[\cup \left]\frac{-2+\sqrt{2}}{\ln 3}, +\infty\right[$ et concave vers le bas sur $\left]\frac{-2-\sqrt{2}}{\ln 3}, \frac{-2+\sqrt{2}}{\ln 3}\right[$. Les points d'inflexion sont $\left(\frac{-2-\sqrt{2}}{\ln 3}; 0{,}318\right)$ et $\left(\frac{-2+\sqrt{2}}{\ln 3}; 0{,}158\right)$.

d) La courbe de m est concave vers le haut sur $]-2, 2[$ et concave vers le bas sur $]-\infty, -2[\cup]2, +\infty[$. Les points d'inflexion sont (-2; ln 8) et (2; ln 8).

8. a) $y = t - 1$

b) Puisque $f''(t) = \frac{-1}{t^2} < 0$ pour tous les nombres réels $t > 0$, la courbe de f est concave vers le bas et se trouve par définition sous les tangentes à la courbe. Ainsi, $f(t) = \ln t \leq t - 1$.

9. a) $y = t + 1$

b) Puisque $g''(t) = e^t > 0$ pour tous les nombres réels, la courbe de g est concave vers le haut sur IR et se trouve par définition au-dessus des tangentes à la courbe. Ainsi, $g(t) = e^t \geq t + 1$.

10. a) La courbe de h est concave vers le haut sur $]0, \pi[$ et concave vers le bas sur $]\pi, 2\pi[$. Le point d'inflexion est $(\pi, 4)$.

b) La courbe de f est concave vers le haut sur $\left]\frac{\pi}{4}, \frac{3\pi}{4}\right[\cup \left]\frac{5\pi}{4}, \frac{7\pi}{4}\right[$ et concave vers le bas sur $\left]0, \frac{\pi}{4}\right[\cup \left]\frac{3\pi}{4}, \frac{5\pi}{4}\right[\cup \left]\frac{7\pi}{4}, 2\pi\right[$. Les points d'inflexion sont $\left(\frac{\pi}{4}, 0\right)$, $\left(\frac{3\pi}{4}, 0\right)$, $\left(\frac{5\pi}{4}, 0\right)$ et $\left(\frac{7\pi}{4}, 0\right)$.

c) La courbe de g est concave vers le haut sur $\left]0, \frac{\pi}{2}\right[\cup \left]\pi, \frac{3\pi}{2}\right[$ et concave vers le bas sur $\left]\frac{\pi}{2}, \pi\right[\cup \left]\frac{3\pi}{2}, 2\pi\right[$. Le point d'inflexion est $(\pi, 0)$.

d) La courbe de g est concave vers le haut sur IR. Il n'y a donc pas de point d'inflexion.

Exercices 8.4 (p. 267-268)

1. Voir les «exercices» précédents pour les détails généraux sur la fonction.

a)

t	$-\infty$	$\frac{-18}{7}$		$\frac{-15}{7}$		0	$+\infty$
$h'(t)$	+	0	-	-	-	0	+
$h''(t)$	-	-	-	0	+	+	+
$h(t)$	↗ ∩	Max.	↘ ∩	P. I.	↘ ∪	Min.	↗ ∪
		$\left(\frac{-18}{7}; 106{,}90\right)$		$\left(\frac{-15}{7}; 65{,}99\right)$		(0, -17)	

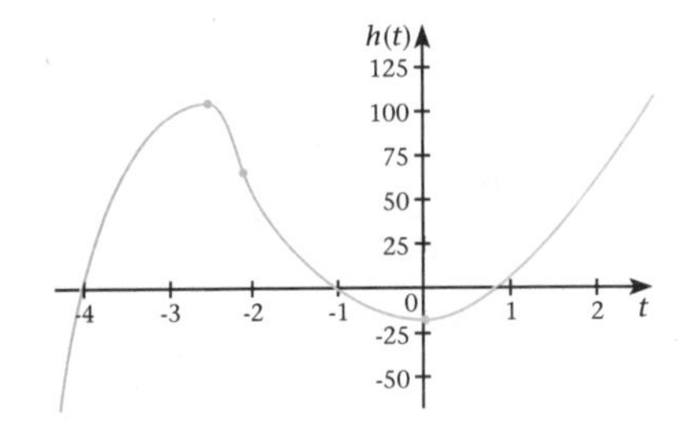

b) On a le point (0, 1).

y	$-\infty$	-0,434		$\frac{1}{6}$		0,768	$+\infty$
$f'(y)$	+	0	-	-	-	0	+
$f''(y)$	-	-	-	0	+	+	+
$f(y)$	↗ ∩	Max.	↘ ∩	P. I.	↘ ∪	Min.	↗ ∪
		(-0,434; 1,52)		$\left(\frac{1}{6}, 0{,}65\right)$		(0,768, -0,22)	

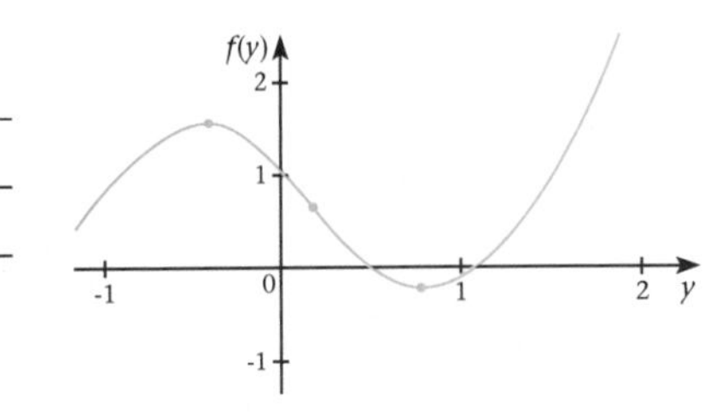

c) On a le point (80, 0).

z	0		$\frac{80}{3}$	$+\infty$
$g'(z)$		+	0	-
$g''(z)$		-	-	-
$g(z)$	Min.	↗ ∩	Max.	↘ ∩
	(0, 0)		$\left(\frac{80}{3}; 275{,}41\right)$	

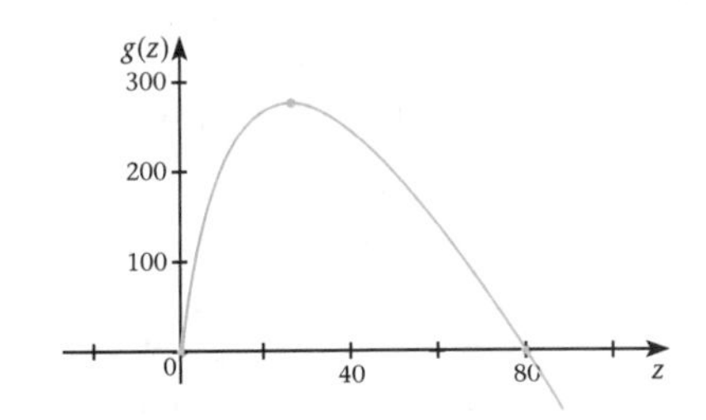

d) On a comme asymptote horizontale $y = 0$, lorsque $u \to -\infty$. On a $\lim_{u \to +\infty} m(u) = +\infty$.

u	$-\infty$	-4,93		-2,89		-0,85		0	$+\infty$
$m'(u)$	+	+	+	0	-	-	-	0	+
$m''(u)$	+	0	-	-	-	0	+	+	+
$m(u)$	↗ ∪	P. I.	↗ ∩	Max.	↘ ∩	P. I.	↘ ∪	Min.	↗ ∪
		(-4,93; 0,80)		(-2,89; 1,13)		(-0,85; 0,40)		(0, 0)	

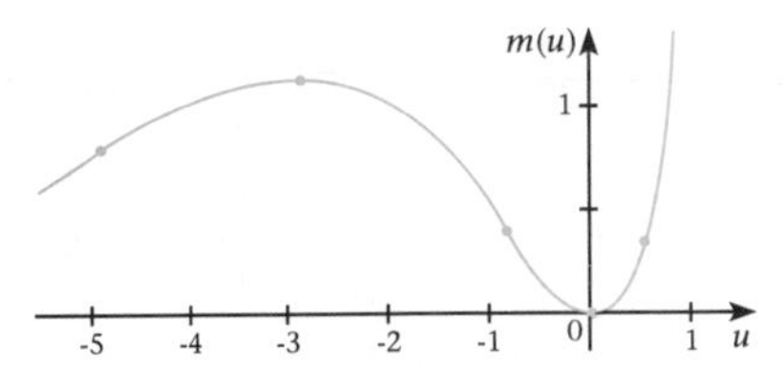

2. Pour les valeurs de t sur l'intervalle $-\infty, 0[$.

3. a) La fonction possède au plus un zéro.

b) Si la fonction possède un zéro, celui-ci se trouve dans l'intervalle $]0, +\infty$.

c) Non

4. a) Dom $f = \mathbb{R}$. On a le point (0, -2).

t	$-\infty$	$\frac{-9}{4}$		$\frac{-3}{2}$		0	$+\infty$
$f'(t)$	-	0	+	+	+	0	+
$f''(t)$	+	+	+	0	-	0	+
$f(t)$	↘ ∪	Min.	↗ ∪	P. I.	↗ ∩	P. I.	↗ ∪
		(-2,25 ; -10,54)		(-1,5 ; -7,06)		(0, -2)	

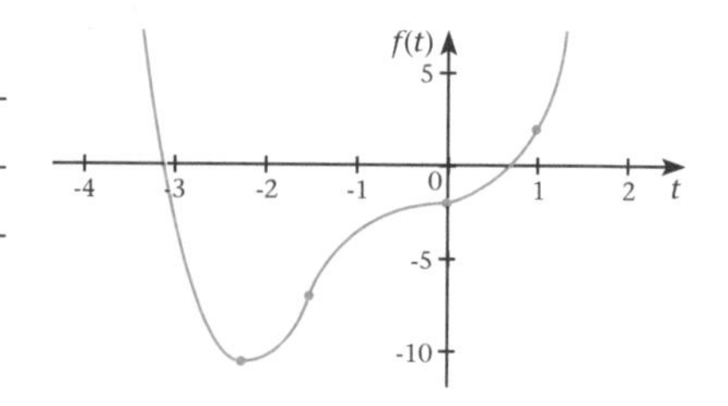

b) Dom $h = \mathbb{R}$. On a le point (0, 0), qui est le seul zéro de la fonction.

z	$-\infty$	0	$+\infty$
$h'(z)$	-	0	+
$h''(z)$	+	+	+
$h(z)$	↘ ∪	Min.	↗ ∪
		(0, 0)	

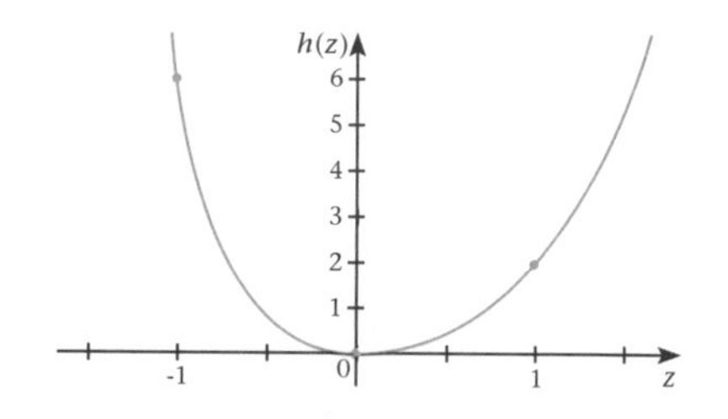

c) Dom $m = \mathbb{R}$. On a le point (0, -1).

u	$-\infty$	-1		$-\sqrt{0,5}$		0		$\sqrt{0,5}$		1	$+\infty$
$m'(u)$	-	0	+	+	+	0	+	+	+	0	-
$m''(u)$	+	+	+	0	-	0	+	0	-	-	-
$m(u)$	↘ ∪	Min.	↗ ∪	P. I.	↗ ∩	P. I.	↗ ∪	P. I.	↗ ∩	Max.	↘ ∩
		(-1, -3)		(-0,71 ; -2,24)		(0, -1)		(0,71 ; 0,24)		(1, 1)	

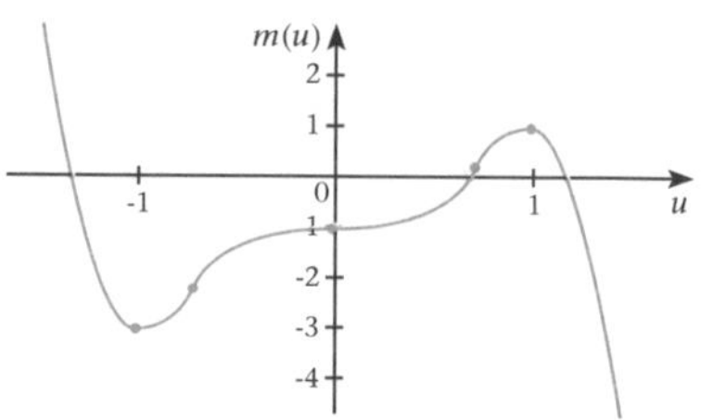

d) Dom $t = \mathbb{R} \setminus \left\{\frac{3}{2}\right\}$. On a le point $\left(0, \frac{-1}{3}\right)$. $n = \frac{-1}{3}$ est un zéro de la fonction. $y = \frac{3}{2}$ est une asymptote horizontale (lorsque $n \rightarrow -\infty$ et lorsque $n \rightarrow +\infty$) et $n = \frac{3}{2}$ est une asymptote verticale.

n	$-\infty$	$\frac{3}{2}$	$+\infty$
$t'(n)$	-		-
$t''(n)$	-		+
$t(n)$	↘ ∩		↘ ∪
		A.V.	

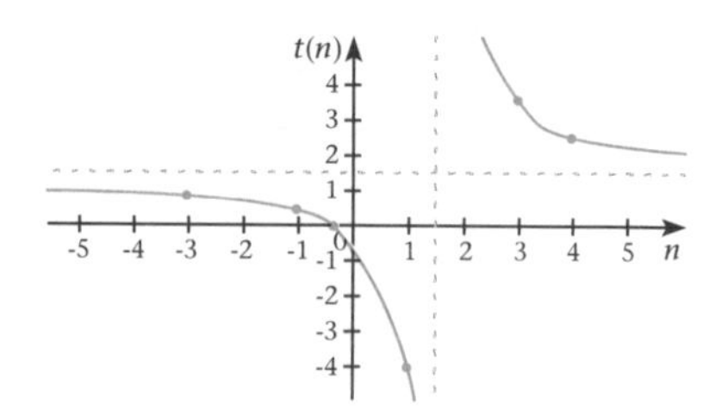

e) Dom $h = \mathbb{R}$. On a le point (0, 2). $h(y) = 0$ est une asymptote horizontale, lorsque $y \rightarrow -\infty$ et lorsque $y \rightarrow +\infty$.

y	$-\infty$	$-\sqrt[4]{\frac{6}{5}}$		0		$\sqrt[4]{\frac{6}{5}}$	$+\infty$
$h'(y)$	+	+	+	0	-	-	-
$h''(y)$	+	0	-	0	-	0	+
$h(y)$	↗ ∪	P. I.	↗ ∩	Max.	↘ ∩	P. I.	↘ ∪
		(-1,05 ; 1,25)		(0, 2)		(1,05 ; 1,25)	

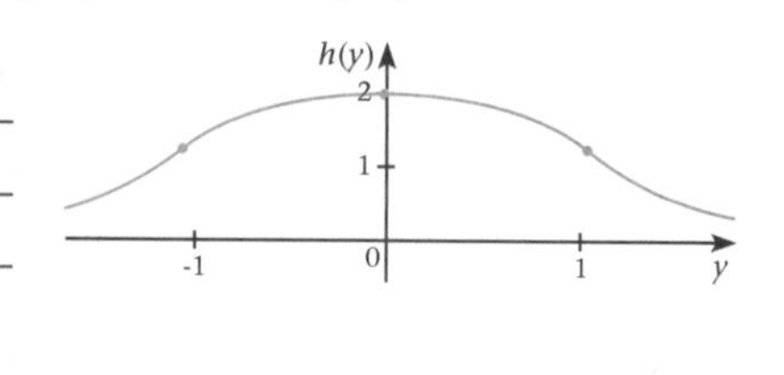

f) Dom $g = \mathbb{R} \setminus \{0\}$. La fonction g n'a pas de zéro. $t = 0$ est une asymptote verticale.

t	$-\infty$	-4		0		4	$+\infty$
$g'(t)$	+	0	-		-	0	+
$g''(t)$	-	-	-		+	+	+
$g(t)$	↗ ∩	Max.	↘ ∩		↘ ∪	Min.	↗ ∪
		(-4, -8)		A.V.		(4, 8)	

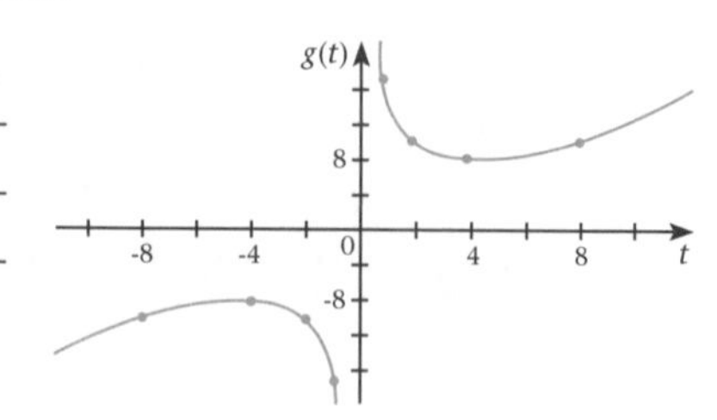

g) Dom $h = \mathbb{R} \setminus \{0\}$. La fonction h n'a pas de zéro. $x = 0$ est une asymptote verticale.

x	$-\infty$	$-\sqrt[4]{\frac{1}{5}}$		0		$\sqrt[4]{\frac{1}{5}}$	$+\infty$
$h'(x)$	-	0	+		-	0	+
$h''(x)$	+	+	+		+	+	+
$h(x)$	↘ ∪	Min.	↗ ∪		↘ ∪	Min.	↗ ∪
		(-0,67 ; 0,89)		A.V.		(0,67 ; 0,89)	

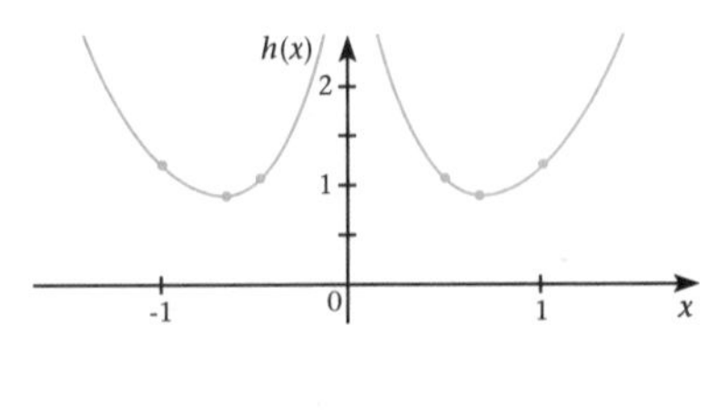

h) Dom $m = \mathbb{R} \setminus \{-1\}$. On a le point (0, 0). $z = -1$ est une asymptote verticale.

z	$-\infty$	-2		-1		0	$+\infty$
$m'(z)$	-	0	+		+	0	-
$m''(z)$	+	+	+		-	-	-
$m(z)$	↘ ∪	Min.	↗ ∪		↗ ∩	Max.	↘ ∩
		(-2, 4)		A.V.		(0, 0)	

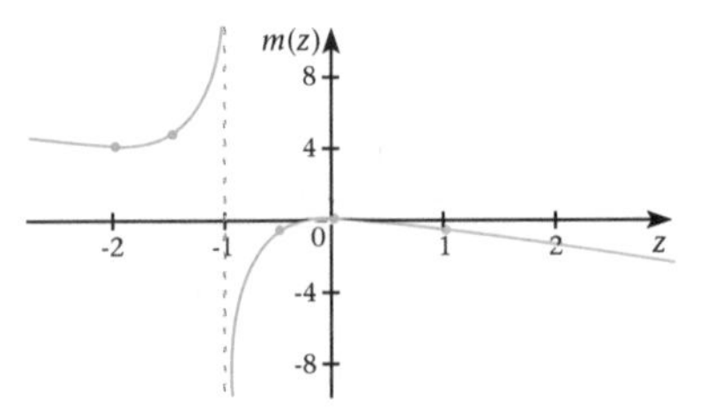

i) Dom $f = \mathbb{R} \setminus \{0\}$. Les zéros sont $\frac{-3+\sqrt{13}}{2} = 0{,}303$ et $\frac{-3-\sqrt{13}}{2} = -3{,}303$. $u = 0$ est une asymptote verticale et $y = 1$ est une aymptote horizontale, lorsque $u \to -\infty$ et lorsque $u \to +\infty$.

u	$-\infty$	0		$\frac{2}{3}$		1	$+\infty$
$f'(u)$	-		+	0	-	-	-
$f''(u)$	-		-	-	-	0	+
$f(u)$	↘ ∩		↗ ∩	Max.	↘ ∩	P. I.	↘ ∪
		A.V.		(0,67 ; 3,25)		(1, 3)	

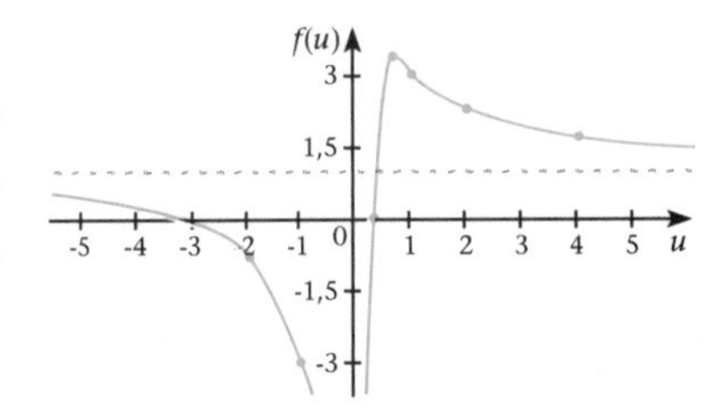

j) Dom $v = \mathbb{R}$. On a le point (0, 0). 0 et $\frac{5}{2}$ sont les zéros de la fonction.

t	$-\infty$	$\frac{-1}{2}$		0		1	$+\infty$
$v'(t)$	+	+	+		-	0	+
$v''(t)$	-	0	+		+	+	+
$v(t)$	↗ ∩	P. I.	↗ ∪	Max.	↘ ∪	Min.	↗ ∪
		(-0,5 ; -7,56)		(0, 0)		(1, -6)	

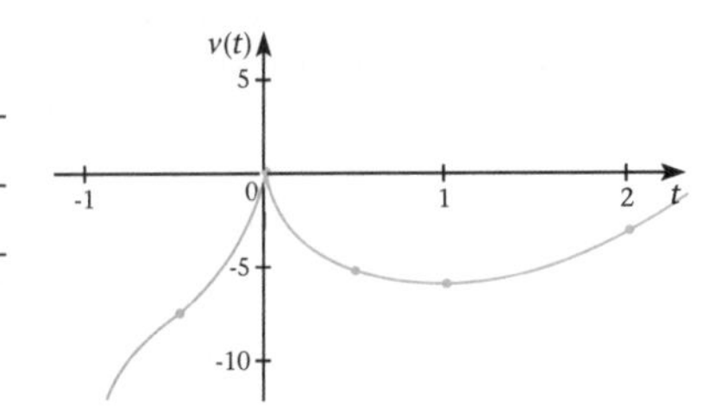

k) Dom $g = \mathbb{R}$. On a le point (0, 1). Il n'y a pas d'asymptote horizontale.

x	$-\infty$	0		1	$+\infty$
$g'(x)$	-		+	0	-
$g''(x)$	-		-	-	-
$g(x)$	↘ ∩	Min.	↗ ∩	Max.	↘ ∩
		(0, 1)		(1, 2)	

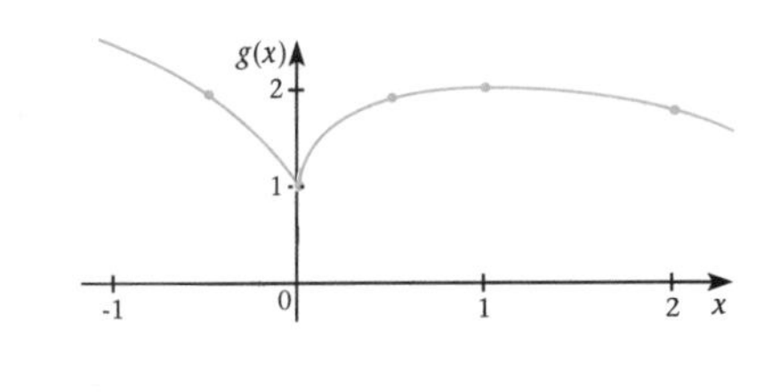

l) Dom $h = \mathbb{R}$. On a le point (0, 0). Il n'y a pas d'asymptote horizontale.

z	$-\infty$	0		1	$+\infty$
$h'(z)$	-		+	0	-
$h''(z)$	-		-	-	-
$h(z)$	↘ ∩	Min.	↗ ∩	Max.	↘ ∩
		(0, 0)		(1, 2)	

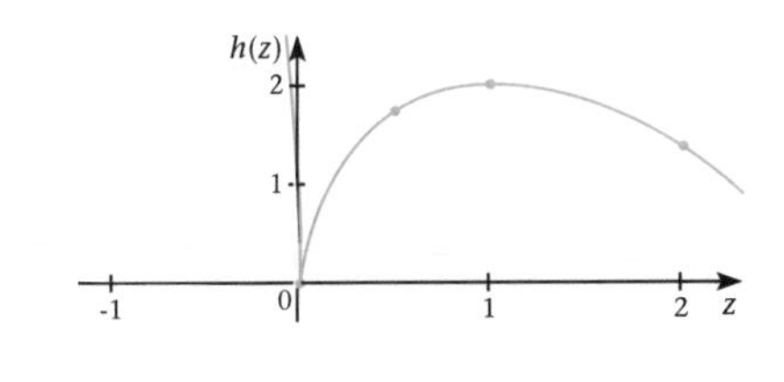

5. a) Dom $h =]0, +\infty$. On a le point (1, 0). Il n'y a pas d'asymptote horizontale.

t	0		$\frac{1}{e}$	$+\infty$
$h'(t)$		-	0	+
$h''(t)$		+	+	+
$h(t)$		↘ ∪	Min.	↗ ∪
	A.V.		(0,37 ; -0,37)	

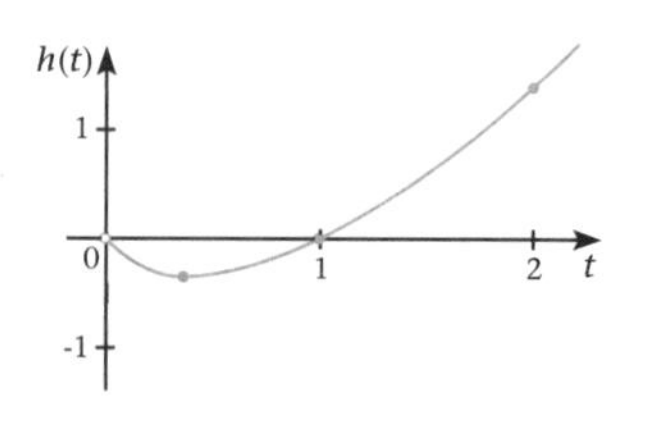

b) Dom $v =]0, +\infty$. 1 est l'unique zéro de la fonction. $q = 0$ est une asymptote verticale. Il n'y a pas d'asymptote horizontale.

q	0		1		e	$+\infty$
$v'(q)$		-	0	+	+	+
$v''(q)$		+	+	+	0	-
$v(q)$		↘ ∪	Min.	↗ ∪	P. I.	↗ ∩
	A.V.		(1, 0)		(2,71 ; 1)	

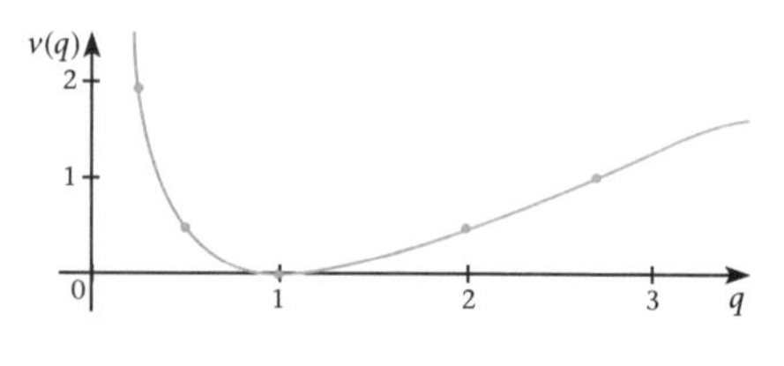

c) Dom $f = \mathbb{R}$. On a le point (0, 0). $y = 0$ est une asymptote horizontale (lorsque $x \to +\infty$ et lorsque $x \to -\infty$).

x	$-\infty$	-1,51		-1		-0,66		0		0,66		1		1,51	$+\infty$
$f'(x)$	+	+	+	0	-	-	-	0	+	+	+	0	-	-	-
$f''(x)$	+	0	-	-	-	0	+	+	+	0	-	-	-	0	+
$f(x)$	↗ ∪	P. I.	↗ ∩	Max.	↘ ∩	P. I.	↘ ∪	Min.	↗ ∪	P. I.	↗ ∩	Max.	↘ ∩	P. I.	↘ ∪
		(-1,51 ; 0,23)		(-1 ; 0,37)		(-0,66 ; 0,28)		(0, 0)		(0,66 ; 0,28)		(1 ; 0,37)		(1,51 ; 0,23)	

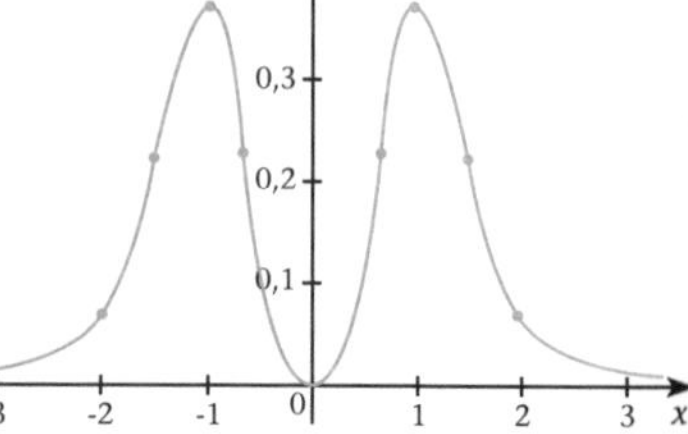

d) Dom $f = \mathbb{R} \setminus \{0\}$. La fonction f n'a pas de zéro. $y = 1$ est une asymptote horizontale (lorsque $u \to +\infty$) et $y = -1$ est une asymptote horizontale (lorsque $u \to -\infty$). $u = 0$ est une asymptote verticale.

u	$-\infty$	0	$+\infty$
$f'(u)$	-		-
$f''(u)$	-		+
$f(u)$	↘ ∩		↘ ∪
		A.V.	

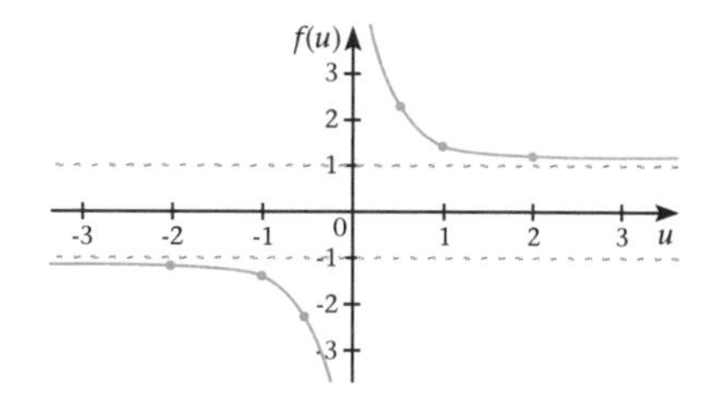

e) Dom $g = \mathbb{R}$. On a le point $\left(0, \frac{3}{2}\right)$. La fonction g n'a pas de zéro. $y = 0$ est une asymptote horizontale (lorsque $z \to +\infty$ et lorsque $z \to -\infty$).

z	$-\infty$	-0,88		0		0,88	$+\infty$
$g'(z)$	+	+	+	0	-	-	-
$g''(z)$	+	0	-	-	-	0	+
$g(z)$	↗ ∪	P. I.	↗ ∩	Max.	↘ ∩	P. I.	↘ ∪
		(-0,88 ; 1,06)		(0 ; 1,5)		(0,88 ; 1,06)	

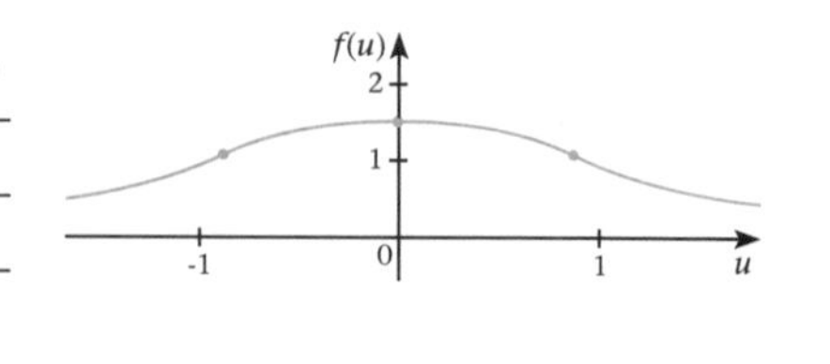

6. a) On travaille sur $[0, 2\pi]$. On a le point $(0, 4)$.

x	0		$\frac{\pi}{4}$		$\frac{\pi}{2}$		$\frac{3\pi}{4}$		π		$\frac{5\pi}{4}$		$\frac{3\pi}{2}$		$\frac{7\pi}{4}$		2π
$g'(x)$	0	-	-	-	0	+	+	+	0	-	-	-	0	+	+	+	0
$g''(x)$	-	-	0	+	+	+	0	-	-	-	0	+	+	+	0	-	-
$g(x)$	Max.	↘ ∩	P. I.	↘ ∪	Min.	↗ ∪	P. I.	↗ ∩	Max.	↘ ∩	P. I.	↘ ∪	Min.	↗ ∪	P. I.	↗ ∩	Max.
	$(0, 4)$		$\left(\frac{\pi}{4}, 0\right)$		$\left(\frac{\pi}{2}, -4\right)$		$\left(\frac{3\pi}{4}, 0\right)$		$(\pi, 4)$		$\left(\frac{5\pi}{4}, 0\right)$		$\left(\frac{3\pi}{2}, -4\right)$		$\left(\frac{7\pi}{4}, 0\right)$		$(2\pi, 4)$

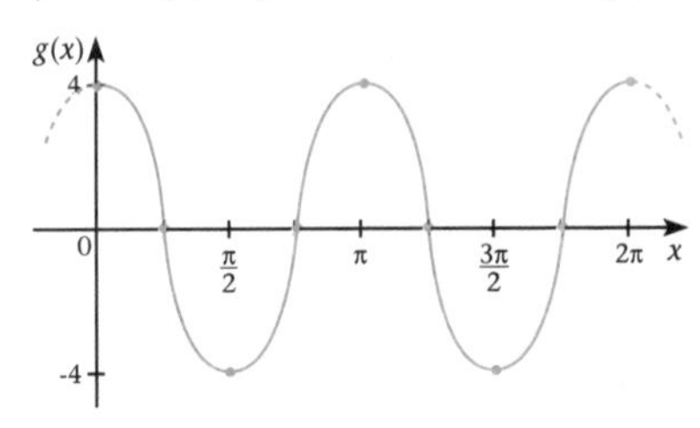

b) On travaille sur $[0, 2\pi]$. On a le point $(0, 0)$.

t	0		$\frac{\pi}{4}$		$\frac{\pi}{2}$		$\frac{3\pi}{4}$		π		$\frac{5\pi}{4}$		$\frac{3\pi}{2}$		$\frac{7\pi}{4}$		2π
$f'(t)$	0	+	+	+	0	-	-	-	0	+	+	+	0	-	-	-	0
$f''(t)$	+	+	0	-	-	-	0	+	+	+	0	-	-	-	0	+	+
$f(t)$	Min.	↗ ∪	P. I.	↗ ∩	Max.	↘ ∩	P. I.	↘ ∪	Min.	↗ ∪	P. I.	↗ ∩	Max.	↘ ∩	P. I.	↘ ∪	Min.
	$(0, 0)$		$\left(\frac{\pi}{4}; 1{,}5\right)$		$\left(\frac{\pi}{2}, 3\right)$		$\left(\frac{3\pi}{4}; 1{,}5\right)$		$(\pi, 0)$		$\left(\frac{5\pi}{4}; 1{,}5\right)$		$\left(\frac{3\pi}{2}; 3\right)$		$\left(\frac{7\pi}{4}; 1{,}5\right)$		$(2\pi, 0)$

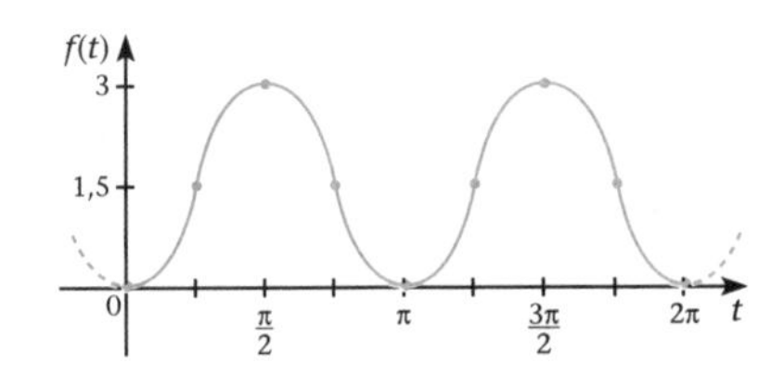

c) On travaille sur $[0, 2\pi] \setminus \left\{\frac{\pi}{2}, \frac{3\pi}{2}\right\}$. On a le point $(0, -5)$.

z	0		$\frac{\pi}{2}$		π		$\frac{3\pi}{2}$		2π
$h'(z)$	0	-		-	0	+		+	0
$h''(z)$	-	-		+	+	+		-	-
$h(z)$	Max.	↘ ∩		↘ ∪	Min.	↗ ∪		↗ ∩	Max.
	$(0, -5)$		A.V.		$(\pi, 5)$		A.V.		$(2\pi, -5)$

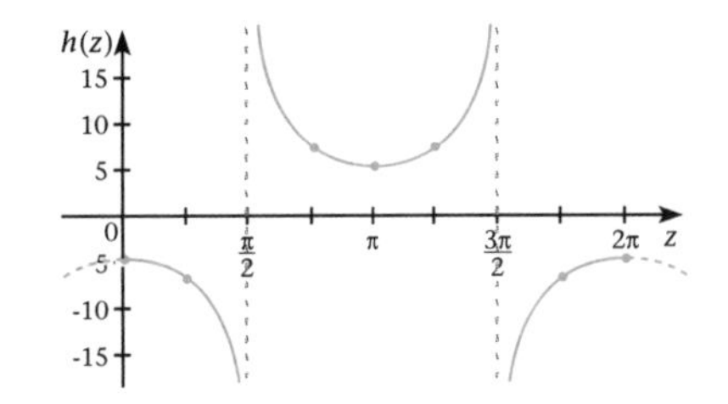

d) On a Dom $v = [-1, 1]$. On a le point $(0, 0)$.

k	-1		0		1
$v'(k)$		+	+	+	
$v''(k)$		-	0	+	
$v(k)$	Min.	↗ ∩	P. I.	↗ ∪	Max.
	$\left(-1, \frac{-3\pi}{2}\right)$		$(0, 0)$		$\left(1, \frac{3\pi}{2}\right)$

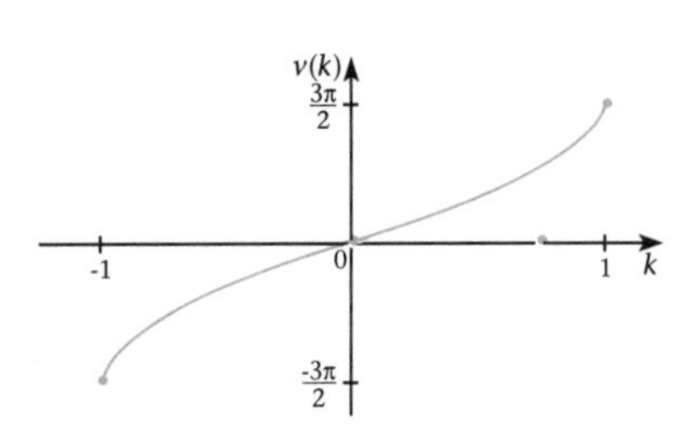

Problèmes (p. 270-271)

Section 8.1

1. Le maximum relatif est $R(80) = 640$ \$.

2. Le maximum relatif est $R(\sqrt{8}) = 45\,254{,}83$ \$ et le minimum relatif est $R(-\sqrt{8}) = -45\,254{,}83$ \$.

3. Le minimum relatif est $U\left(\sqrt{\frac{a}{b}}\right) = 2\sqrt{ab}$ \$/unité.
Pas de maximum relatif.

Section 8.2

4. $v(t) = v_{h_0} + at$ m/s et $a(t) = a$ m/s^2.

5. La vitesse instantanée est de -14,4 mètres par seconde et l'accélération instantanée est de -9,8 mètres par seconde^2.

6. a) $v(t) = -9{,}8t$ m/s. Le signe négatif indique que la bille se dirige vers le sol.

b) $a(t) = -9{,}8$ m/s^2. Une accélération négative est associée à une accélération orientée vers le sol.

c) $v(5{,}89) = -57{,}72$ m/s. Donc, la bille touche le sol avec une vitesse de 57,72 mètres par seconde ou 207,80 kilomètres à l'heure.

7. a) $v(t) = -6\pi\omega \sin(2\pi\omega t)$. L'amplitude est de $6\pi\omega$ unités et la période est de $\frac{1}{\omega}$ seconde^{-1}.

b) $a(t) = -12(\pi\omega)^2 \cos(2\pi\omega t)$. L'amplitude est de $12(\pi\omega)^2$ unités et la période est de $\frac{1}{\omega}$ seconde^{-1}.

Section 8.3

8. a) linéaire
b) concave vers le bas
c) linéaire
d) concave vers le haut

9. Lorsque $t = 20$ semaines, le taux de variation instantané $P'(t)$ est à son maximum et la population est alors de 75 souris.

10. La courbe de U est concave vers le bas sur $-\infty, 0[$ et concave vers le haut sur $]0, +\infty$.

Section 8.4

11. Dom $C = \mathbb{R} \setminus \{98\}$, mais on travaille sur $[0, 98[$. $p = 98$ est une asymptote verticale.

p	0		98
$C'(p)$	+	+	
$C''(p)$	+	+	
$C(p)$	Min.	↗ ∪	
	$\left(0; \frac{10}{98}\right)$		A.V.

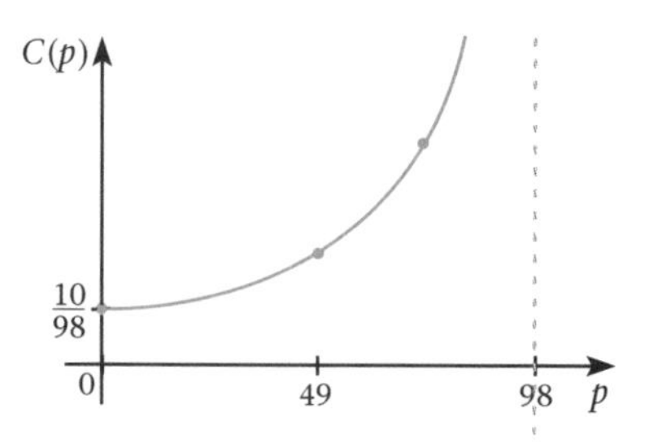

12. On travaille sur $[0, +\infty$. On a le point $(0, 0)$. $y = 5$ est une asymptote horizontale lorsque $r \to +\infty$.

r	0	$+\infty$
$f'(r)$	+	+
$f''(r)$	-	-
$f(r)$	Min.	↗ ∩
	(0, 0)	

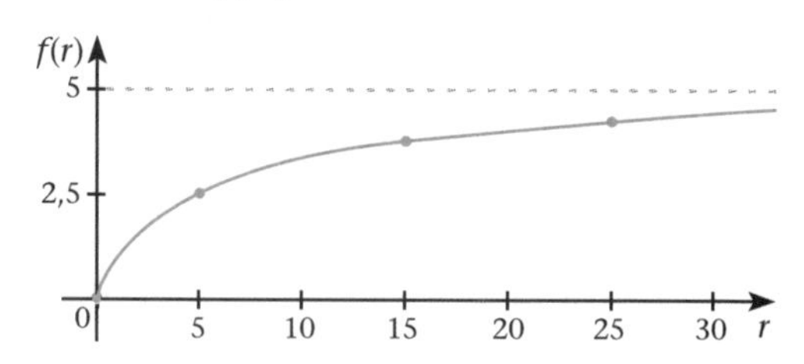

13. a) $C(0) = 110$ centaines de dollars

b) $\lim\limits_{q \to +\infty} C(q) = 190$ centaines de dollars. 57,89 %

c) On travaille sur $[0, +\infty$. On a le point $(0, 110)$. $y = 190$ est une asymptote horizontale lorsque $q \to +\infty$.

q	0	$+\infty$
$C'(q)$	+	+
$C''(q)$	-	-
$C(q)$	Min.	↗ ∩
	(0, 110)	

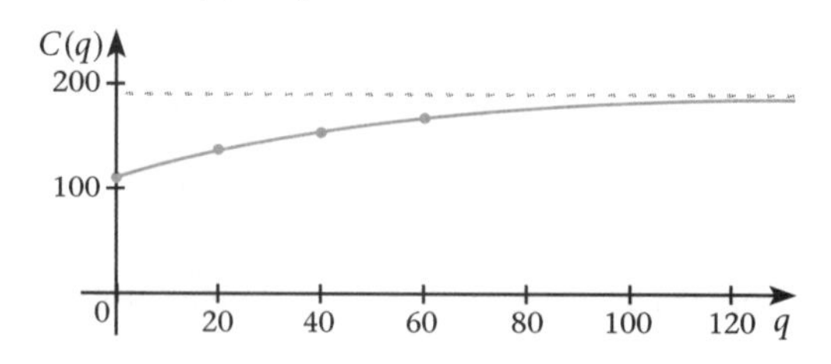

Auto-évaluation (p. 272)

1. a) Dom $f = \mathbb{R}$. On a le point (0, -2).

x	$-\infty$	-3		-1		1	$+\infty$
$f'(x)$	+	0	-	-	-	0	+
$f''(x)$	-	-	-	0	+	+	+
$f(x)$	↗ ∩	Max.	↘ ∩	P. I.	↘ ∪	Min.	↗ ∪
		(-3, 25)		(-1, 9)		(1, -7)	

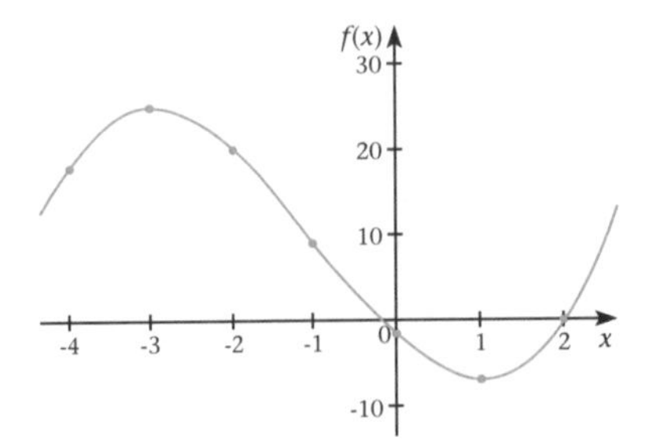

b) Dom $g = \mathbb{R}$. On a le point (0, -1).

t	$-\infty$	-0,95		-0,67		0		0,67		0,95	$+\infty$
$g'(t)$	+	0	-	-	-	0	-	-	-	0	+
$g''(t)$	-	-	-	0	+	0	-	0	+	+	+
$g(t)$	↗ ∩	Max.	↘ ∩	P. I.	↘ ∪	P. I.	↘ ∩	P. I.	↘ ∪	Min.	↗ ∪

(-0,95 ; 0,025)(-0,67 ; -0,37) (0 ; -1) (0,67 ; -1,63) (0,95 ; -2,02)

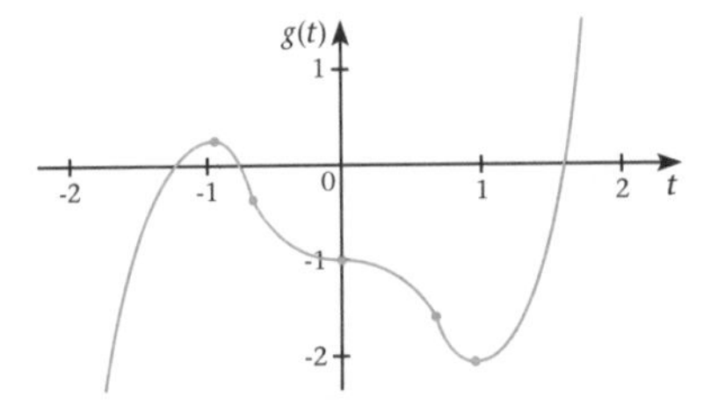

c) Dom $g = \mathbb{R} \setminus \left\{\frac{1}{2}\right\}$. On a la point (0, 0). $q = \frac{1}{2}$ est une asymptote verticale et $y = \frac{3}{2}$ est une asymptote horizontale (lorsque $q \to +\infty$ et lorsque $q \to -\infty$).

q	$-\infty$	$\frac{1}{2}$	$+\infty$
$p'(q)$	-		-
$p''(q)$	-		+
$p(q)$	↘ ∩		↘ ∪
		A.V.	

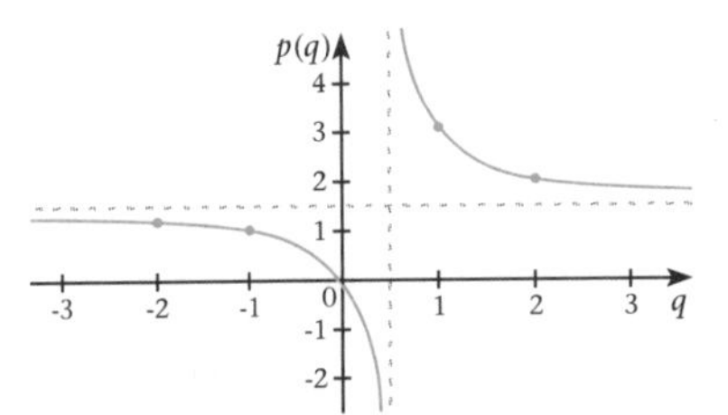

d) Dom $v = \mathbb{R}$. On a la point (0, 0). $y = 0$ est une asymptote horizontale (lorsque $s \to +\infty$ et lorsque $s \to -\infty$).

s	$-\infty$	-1,41		-1		-0,54		0		0,54		1		1,41	$+\infty$
$v'(s)$	+	+	+	0	-	-	-	0	+	+	+	0	-	-	-
$v''(s)$	+	0	-	-	-	0	+	+	+	0	-	-	-	0	+
$v(s)$	↗ ∪	P. I.	↗ ∩	Max.	↘ ∩	P. I.	↘ ∪	Min.	↗ ∪	P. I.	↗ ∩	Max.	↘ ∩	P. I.	↘ ∪

(-1,41 ; 0,40) (-1 ; 0,5) (-0,54 ; 0,27) (0, 0) (0,54 ; 0,27) (1 ; 0,5) (1,41 ; 0,40)

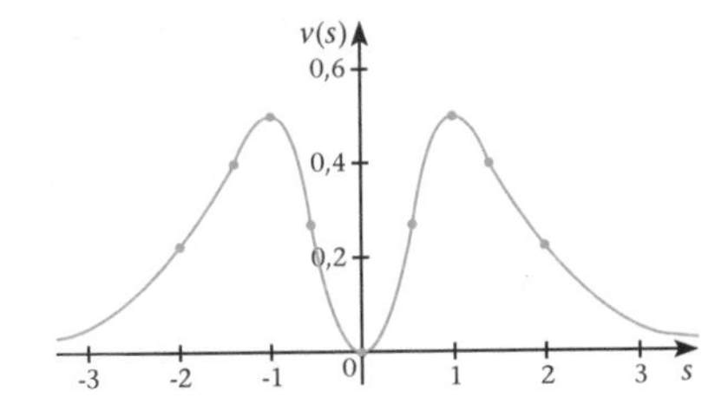

e) Dom $m = \mathbb{R}$. On a le point (0, 0). $y = 0$ est une asymptote horizontale (lorsque $u \to -\infty$).

u	$-\infty$	-0,82		-0,48		-0,14		0	$+\infty$
$m'(u)$	+	+	+	0	-	-	-	0	+
$m''(u)$	+	0	-	-	-	0	+	+	+
$m(u)$	↗ ∪	P. I.	↗ ∩	Max.	↘ ∩	P. I.	↘ ∪	Min.	↗ ∪

(-0,82 ; 0,022) ↑ (-0,14 ; 0,011) (0, 0)
(-0,48 ; 0,031)

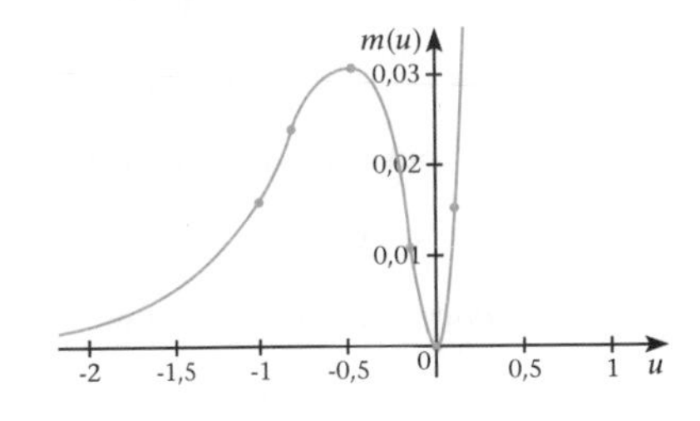

2. a) $n = 3$
b) $n = 6$
c) $n = 124$
d) Aucun
e) Aucun
f) Aucun

3. a) $P(0) = 1000$ personnes

b) On a $P'(t) = \dfrac{28\,000t}{(7 + 5t^2)^2} > 0$ dès que $t > 0$, et donc P est croissante sur $]0, +\infty$.

c) La courbe de P est concave vers le haut sur $]0 ; 0{,}68[$ et concave vers le bas sur $]0{,}68 ; +\infty$.

4. On a $f'(t) = \dfrac{-g'(t)}{g^2(t)}$, où $g^2(t)$ est toujours positive et

$f''(t) = \dfrac{-g''(t)g(t) + 2(g'(t))^2}{g^3(t)}$, où $g^3(t)$ est toujours négative.

a) Puisque $g'(t) > 0$ sur $]3, 5[$, $f'(t) < 0$ sur $]3, 5[$ et f est décroissante sur le même intervalle.

b) Puisque $g'(t) < 0$ tout juste à droite de 7 et $g'(t) > 0$ tout juste à gauche de 7, on peut déduire que la fonction f a un maximum relatif en $t = 7$.

c) Puisque $g''(9) > 0$, $f''(9)$ est constituée d'un numérateur positif et d'un dénominateur négatif et $f''(9) < 0$, ce qui veut dire que la courbe de la fonction f est concave vers le bas en $t = 9$.

5. a) La fonction P est croissante sur $]0, +\infty$ et décroissante sur $-\infty, 0[$. Le minimum relatif est $P(0) = 0$ % des entreprises.

b) La courbe de la fonction est concave vers le haut sur $]-9{,}13 ; 9{,}13[$ et concave vers le bas sur $-\infty ; -9{,}13] \cup [9{,}13 ; +\infty$. Les points d'inflexion sont $(-9{,}13 ; 25$ %$)$ et $(9{,}13 ; 25$ %$)$.

c) Le point d'inflexion $(9{,}13 ; 25$ %$)$ est associé au moment où la croissance du pourcentage d'entreprises qui adoptent la nouvelle technologie est à son maximum, soit 9,13 ans après que la nouvelle technologie a été disponible.

6. a) Montrons que la fonction $f(x) = x^{11} - x^{10} - 5$, qui est continue sur $\mathbb{R}$, ne possède qu'un seul zéro. À l'aide d'un tableau de variation, on peut vérifier que :

- f est croissante sur $-\infty, 0[$ jusqu'au maximum relatif $f(0) = -5$ (donc aucun zéro à gauche de $x = 0$) ;
- f est décroissante sur $\left]0, \dfrac{10}{11}\right[$ jusqu'au minimum relatif $f\left(\dfrac{10}{11}\right)$ et f est ensuite croissante sur $\left]\dfrac{10}{11}, +\infty\right.$. Puisque $\lim\limits_{x\to+\infty} f(x) = +\infty$,
car $f(x) = x^{11} - x^{10} - 5 = x^{11}\left(1 - \dfrac{1}{x} - \dfrac{5}{x^{11}}\right)$,
la courbe continue doit traverser l'axe des x pour une première et une dernière fois, ce qui correspond au seul zéro recherché.

b) Montrons que la fonction $g(x) = x^{18} - x^{17} - 5$, qui est continue sur $\mathbb{R}$, possède exactement deux zéros. À l'aide d'un tableau de variation, on peut vérifier que :

- g est décroissante sur $-\infty, 0[\cup \left]0, \dfrac{17}{18}\right[$ jusqu'au minimum relatif $g\left(\dfrac{17}{18}\right) = -5{,}021$.
Puisque $\lim\limits_{x\to-\infty} g(x) = +\infty$,
car $g(x) = x^{18} - x^{17} - 5 = x^{18}\left\{1 - \dfrac{1}{x} - \dfrac{5}{x^{18}}\right\}$,
la courbe continue doit traverser l'axe des x une première fois à gauche de $\dfrac{17}{18}$, ce qui correspond à un premier zéro ;
- g est croissante sur $\left]\dfrac{17}{18}, +\infty\right.$. Puisque $\lim\limits_{x\to+\infty} g(x) = +\infty$, la courbe doit traverser l'axe des x pour une deuxième et dernière fois, ce qui correspond au deuxième et dernier zéro cherché.

7. a) Puisque la dérivée de la fonction polynomiale est de degré $n - 1$, il ne peut y avoir plus de $n - 1$ valeurs critiques relatives à la dérivée première de la fonction et celle-ci possède donc un maximum de $n - 1$ extremums relatifs.

b) Puisque la dérivée seconde de la fonction polynomiale est de degré $n - 2$, il ne peut y avoir plus de $n - 2$ valeurs critiques relatives à la dérivée seconde de la fonction et celle-ci possède donc un maximum de $n - 2$ points d'inflexion.

Chapitre 9 (p. 273)

Avant d'aller plus loin (p. 275)

Préalables

1. a) 16π ou 50,27 cm²
b) 54 m²
c) 4π ou 12,57 mm
d) 14 cm

2. Plusieurs réponses sont possibles. Par exemple :

a)

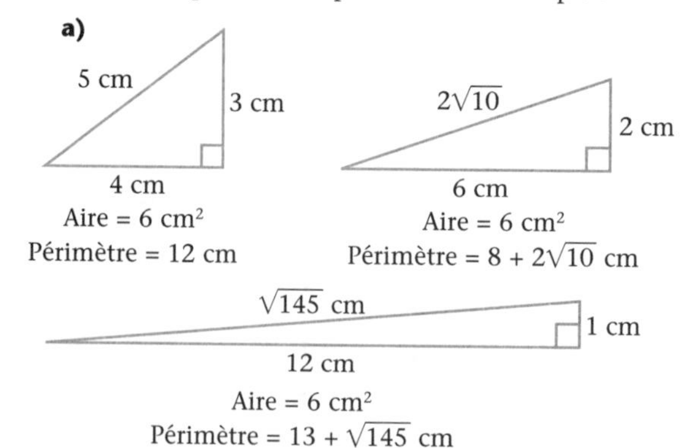

b)

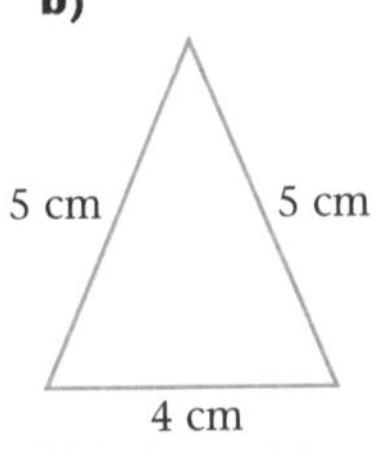

Périmètre = 14 cm
Aire = $2\sqrt{21}$ cm^2

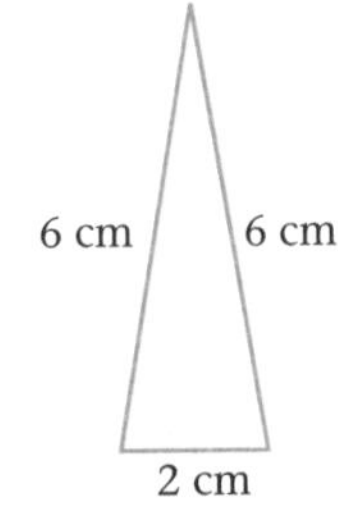

Périmètre = 14 cm
Aire = $\sqrt{35}$ cm^2

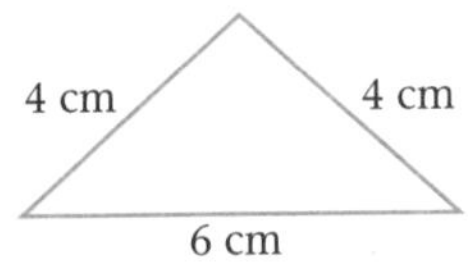

Périmètre = 14 cm
Aire = $3\sqrt{7}$ cm^2

3. a) Distance = $\sqrt{(x_1 - x_2)^2 + (y_1 - y_2)^2}$

b) Volume = $\pi r^2 h$

c) Surface = $2\pi r(r + h)$

Langages mathématique et graphique

1. Plusieurs réponses sont possibles. Par exemple :

a) l'ensemble de toutes les valeurs que peut prendre la variable indépendante et pour lesquelles la fonction f est définie;

b) une valeur M pour laquelle il existe une valeur de m dans le domaine de la fonction f telle que $f(m) = M$ et telle que $M \geq f(x)$ pour les x du domaine qui se retrouvent dans un certain intervalle ouvert contenant m;

c) une valeur N pour laquelle il existe une valeur de n dans le domaine de la fonction f telle que $f(n) = N$ et telle que $N \leq f(x)$ pour les x du domaine qui se retrouvent dans un certain intervalle ouvert contenant n.

2. Plusieurs réponses sont possibles. Par exemple :

a)

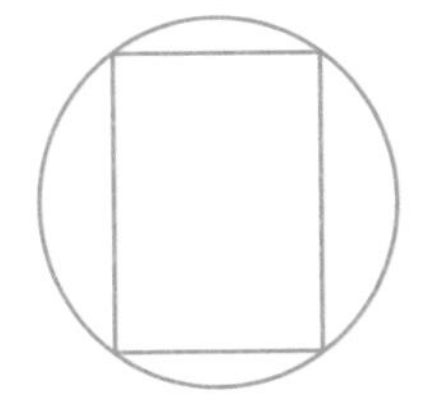

d)

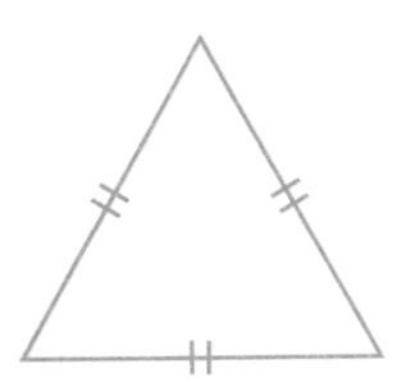

b)

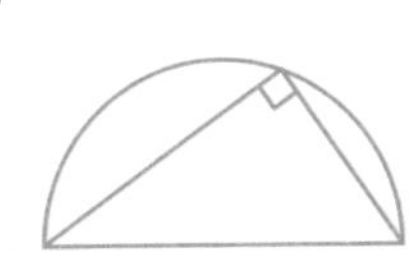

e)

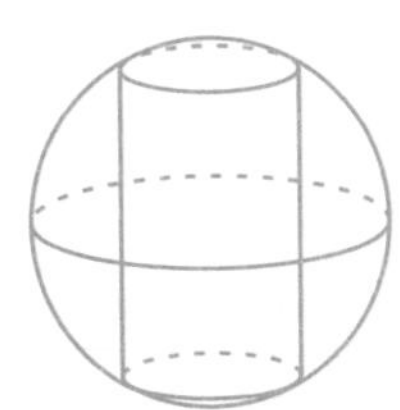

c)

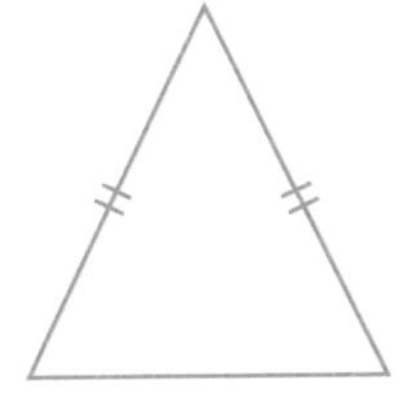

Exercices 9.1 (p. 282-283)

1. a) $P(n) = -n^3 + 21n^2 - 72n$ dollars

b) $[0, +\infty$

c) 12 unités par semaine; le profit est alors de 432 $.

2. a) Max. : $f(-3) = 58$ et min. : $f(3) = -50$

b) Max. : $f(-3) = 58$ et min. : $f(-20) = -7456$

c) Max. : $f(0) = 4$ et min. : $f(1) = -22$

3. a) Max. et min. inexistants

b) Max. : $g(-12) = -1043$ et min. inexistant

c) Max. inexistant et min. : $g\left(\frac{-1}{3}\right) = \frac{14}{27}$

4. a) Max. : $k(0) = k(8) = 256$ et min. : $k(4) = 0$

b) Max. et min. inexistants

c) Max. inexistant et min. : $k(4) = 0$

5. a) Max. : $h(-1) = -3$ et min. : $h(-5) = -24{,}98$

b) Max. : $h(7) = 34{,}99$ et min. inexistant

c) Max. et min. inexistants

6. a) Max. et min. inexistants

b) Max. inexistant et min. : $m(0) = 4$

c) Max. : $m(\sqrt[4]{84}) = 10$ et min. : $m(\sqrt{3}) = 5$

7. a) Max. : $f(1) = 1$ et min. : $f(0) = f(2) = 0$

b) Max. : $f(-1) = f(3) = 4{,}33$ et min. : $f(0) = f(2) = 0$

c) Max. inexistant et min. : $f(2) = 0$

8. a) Max. : $h(e) = \frac{1}{e}$ et min. inexistant

b) Max. : $f(1) = -1$ et min. : $f(0{,}5) = -1{,}193$

c) Max. : $g(-3{,}198) = 1{,}005$ et min. : $g(0{,}313) = -1{,}12$

9. a) $g(\ln k) = k(1 - \ln k)$

b) Puisque $g(\ln k) = k(1 - \ln k) > k > 0$ (car $\ln k$ est négatif) et que $g(\ln k)$ est le minimum absolu de la fonction g, $g(z) = e^z - kz \geq g(\ln k) > k > 0$ et $e^z > kz$ pour tout z réel.

10. a) Max. : $f\left(\frac{\pi}{4}\right) = \frac{1}{2}$ et min. : $f\left(\frac{3\pi}{4}\right) = \frac{-1}{2}$

b) Max. : $h\left(\frac{\pi}{6}\right) = h\left(\frac{5\pi}{6}\right) = \frac{5}{4}$ et
min. : $h(0) = h\left(\frac{\pi}{2}\right) = h(\pi) = 1$

11. a) Max. : $g\left(\frac{\pi}{4}\right) = \sqrt{2}$ et min. : $g\left(\frac{5\pi}{4}\right) = -\sqrt{2}$

b) Max. : $f\left(\frac{7\pi}{8}\right) = f\left(\frac{15\pi}{8}\right) = \sqrt{2}$ et
min. : $f\left(\frac{3\pi}{8}\right) = f\left(\frac{11\pi}{8}\right) = -\sqrt{2}$

c) Max. : $h(2\pi) = 1$ et min. : $h(0) = 0$

d) Max. : $k(0) = k(2\pi) = 6$ et
min. : $k(1{,}696) = k(4{,}587) = -4{,}125$

e) Max. : $r(0) = r(2\pi) = 0{,}841$ et min. : $r(\pi) = -0{,}841$

f) Max. : $s(0) = s(\pi) = s(2\pi) = 1$ et
min. : $s(0{,}903) = s(2{,}238) = s(4{,}045) = s(5{,}380) = -1$

Exercices 9.2 (p. 290-291)

1. Les côtés de la base carrée sont de $\sqrt[3]{96} \approx 4{,}58$ cm et sa hauteur est de 6,11 cm.

2. a) 5 et 5 **b)** 8 et 8

3. $x = \frac{-1}{4}$ et $y = \frac{-1}{8}$

4. a) $a = 6$ et $b = 3$ **b)** $a = 20$ et $b = \frac{10}{3}$

5. (8, 4)

6. Le troisième côté mesure $25\sqrt{2} \approx 35{,}36$ cm.

7. a) Largeur et hauteur de $\sqrt{2}$ unité

b) Largeur et hauteur de $\sqrt{2}$ unité

8. a) Largeur de $\sqrt{2}$ unité, hauteur de $\frac{\sqrt{2}}{2}$ unité

b) Largeur de $2\sqrt{\frac{4}{5}}$ unité, hauteur de $\sqrt{\frac{1}{5}}$ unité

9. Deux angles de $\frac{\pi}{4}$ radian

10. $\frac{\pi}{2}$ radian

11. Une pente de $\frac{-3}{5}$

12. a) $\left(\frac{8}{5}, \frac{-4}{5}\right)$ **b)** $\left(\frac{-3}{5}, 0\right)$

13. a) (-5,37 ; 2,68) **b)** (5,37 ; -2,68)

14. $(\pi, 0)$

15. $\left(0, \frac{5\pi}{2}\right)$

16. $\left(-2, \frac{-2}{e^2}\right)$

17. $(e^4, 1024)$

18. a) $\frac{30\pi}{4+\pi}$ cm pour le cercle et $\frac{120}{4+\pi}$ cm pour le carré

b) $\frac{30\pi\sqrt{3}}{9+\pi\sqrt{3}}$ cm pour le cercle et $\frac{270}{9+\pi\sqrt{3}}$ cm pour le triangle équilatéral

19. $\sqrt{7500} \approx 86{,}60$ mm

20. Un rayon de $\sqrt{6} \approx 2{,}45$ cm et une hauteur de $2\sqrt{3} \approx 3{,}46$ cm

21. Soit un point (x, y) un point sur la droite d'équation $ax + by + c = 0$

La distance d entre (m, n) et (x, y) est :

$d = \sqrt{(x-m)^2 + (y-n)^2}$

Puisque $y = \frac{-ax-c}{b}$, on a :

$$d = \sqrt{(x-m)^2 + \left(\frac{-ax-c}{b} - n\right)^2} = \sqrt{(x-m)^2 + \left(\frac{ax+c}{b} + n\right)^2}$$

dont on cherche le minimum.

Cherchons plutôt pour quelle valeur de x la quantité

$$d^2(x) = (x-m)^2 + \left(\frac{ax+c}{b} + n\right)^2$$

On a $(d^2(x))' = 2(x-m) + 2\left(\frac{ax+c}{b} + n\right) \cdot \left(\frac{a}{b}\right)$

et $(d^2(x))' = 0$ si $x - m + \left(\frac{ax}{b} + \frac{c}{b} + n\right)\left(\frac{a}{b}\right) = 0$

ou $$x = \frac{m - \frac{ac}{b^2} - \frac{an}{b}}{1 + \frac{a^2}{b^2}} = \frac{mb^2 - ac - abn}{a^2 + b^2}$$

On peut montrer que la dérivée seconde de $d^2(x)$ en cette valeur est positive (car $d^2(x)$ est une fonction quadratique concave vers le haut) et donc, selon le test de la dérivée seconde, on a un minimum absolu en cette valeur particulière de x. Le minimum est :

$$d\left(\frac{mb^2 - ac - abn}{a^2 + b^2}\right)$$
$$= \sqrt{\left(\frac{mb^2 - ac - abn}{a^2 + b^2} - m\right)^2 + \left(\frac{a}{b}\left(\frac{mb^2 - ac - abn}{a^2 + b^2}\right) + \frac{c}{b} + n\right)^2}$$
$$= \sqrt{\frac{(a^2 + b^2)(am + bn + c)^2}{(a^2 + b^2)}}$$
$$= \sqrt{\frac{(am + bn + c)^2}{a^2 + b^2}} = \frac{|am + bn + c|}{\sqrt{a^2 + b^2}}$$

Problèmes (p. 293-297)

Section 9.1

1. Une hauteur de 53,74 m

2. La proportion $p = \frac{1}{2}$

3. $r = \frac{4}{5}R$

4. Pas de maximum absolu. Le minimum absolu est $U(300\,000) = A + \frac{B}{300\,000}$ \$/kW.

5. a) Max. : $I(0) = \frac{1}{2}A$ et min. : $I(60) = \frac{1}{8}A$

b) Max. : $I'(60) = \frac{-1}{640}$ A/ohm et min. : $I'(0) = \frac{-1}{40}$ A/ohm

6. $A = \sqrt{k^2+1} - k$ rad (On peut montrer que cette quantité est inférieure à $\frac{\pi}{2}$.)

7. $t = \frac{2n+1}{30}$, où n est un entier plus grand ou égal à 0.

8. a) $d\left(\frac{\pi}{10}\right) = 6$ m

b) $v(0) = 30$ m/s

c) $a\left(\frac{\pi}{10}\right) = -150$ m/s²

9. Max. : $T(7) = 12{,}5°$ et min. : $T(1) = -19{,}5°$

10. $A = \frac{\pi}{4}$ et $d\left(\frac{\pi}{4}\right) = 163{,}27$ m

11. Max. : $I(0{,}088 \text{ s}) = 2{,}24\,A$ et min. : $I(0{,}338 \text{ s}) = -2{,}24\,A$

Section 9.2

12. 75 m de largeur et 75 m de longueur

13. La longueur (relative au côté non clôturé) est de 1,73 km et la largeur est de 0,866 km.

14. Hauteur de $10\sqrt{\frac{5}{3}}$ cm, largeur de $20\sqrt{\frac{5}{3}}$ cm et longueur de $\frac{100}{3\sqrt{\frac{5}{3}}}$ cm

15. $x = 4{,}098$ cm

16. **a)** Une base de $\sqrt[3]{200}$ cm d'arête et une hauteur de $\sqrt[3]{200}$ cm

b) Une base de $\sqrt[3]{400}$ cm d'arête et une hauteur de $\frac{\sqrt[3]{400}}{2}$ cm

17. **a)** Une base de $\sqrt[3]{200}$ cm d'arête et une hauteur de $\sqrt[3]{200}$ cm

b) Une base de $\sqrt[3]{100}$ cm d'arête et une hauteur de $2\sqrt[3]{100}$ cm

18. 35 personnes

19. Un prix de 217,50 $

20. **a)** 340 $ par nuit **b)** 390 $ par nuit

21. **a)** Une largeur de 23,5 cm et une hauteur de 25,5 cm

b) Une largeur de 24,5 cm et une hauteur de 24,5 cm

22. **a)** Une base de $\frac{250}{3}$ cm d'arête et une hauteur de $\frac{500}{3}$ cm

b) Un rayon de $\frac{500}{3\pi}$ cm et une hauteur de $\frac{500}{3}$ cm

23. Une largeur de $\sqrt{529} = 23$ cm et une hauteur de 39,84 cm

24. **a)** Une largeur de $\frac{16}{8 - \pi}$ m et une hauteur de $\frac{4(4 - \pi)}{8 - \pi}$ m

b) Une largeur de $\frac{8}{4 - \sqrt{3}}$ m et une hauteur de $\frac{4(2 - \sqrt{3})}{4 - \sqrt{3}}$ m

25. La largeur (relative aux côtés adjacents aux demi-cercles) est de $\frac{200}{\pi}$ m et la longueur est de 100 m.

26. Un rayon de $\sqrt[3]{\frac{568}{4\pi}} \approx 3{,}56$ cm et une hauteur de 7,12 cm

27. Pour minimiser la surface totale, il faut que la capsule ait la forme d'une sphère de rayon $\sqrt[3]{\frac{3}{8\pi}} \approx 0{,}49$ cm.

28. Un cylindre de rayon $r\sqrt{\frac{2}{3}}$ unités et d'une hauteur de $\frac{2r}{\sqrt{3}}$ unités

29. Dans 1,24 heure (soit dans un peu plus de 1 heure 14 minutes).

30. En partant du point A, on se rend à la rivière de façon perpendiculaire, puis on se déplace de 3 kilomètres vers la droite (si on se fie au dessin). On installe la pompe à cet endroit.

31. **a)** À 0,074 km du point B

b) À 0,074 km du point B

32. 45 733,47 $

33. 9,87 m

34. $A = \frac{2\pi}{3}$

35. $d = \sqrt{126} \approx 11{,}22$ m

36. Un rayon de $2\sqrt{10}$ m et un angle de 2 rad

Auto-évaluation (p. 298)

1. Une largeur et une longueur de 112,5 m

2. 260 pommiers au total

3. Une profondeur de 50 cm, une largeur et une longueur de $\sqrt{200} \approx 14{,}14$ cm

4. Une largeur (qui correspond aux cotés avec trois bouts de clôture parallèles) de 50 m et une longueur de 75 m

5. **a)** Max. : $g(4{,}27) = 194{,}18$ et min. : $g(1) = 27$

b) Max. et min. inexistants

c) Max. : $g(4{,}27) = 194{,}18$ et min. : $g(0) = 0$

d) Max. inexistant et min. : $g(0) = 0$

6. $d = 10{,}58$ m

7. À 36,67 km de l'usine A

8. Une hauteur de 6,74 cm et un rayon de 4,76 cm

Chapitre 10 (p. 299)

Avant d'aller plus loin (p. 301)

Préalables

1. **a)** $g'(t) = 4t^3 + 18t^2 - 2$ **c)** $h'(z) = \frac{z}{\sqrt{z^2 - 3}}$

b) $f'(x) = \frac{-5}{(x - 5)^2}$ **d)** $k'(u) = 5e^{(5u + 7)}$

2. **a)** 3720 **b)** 920,80

3. **a)** $C = 2\pi r$ unités et $A = \pi r^2$ unités²

b) $V = t^3$ unités³ et $A = 6t^2$ unités²

c) $V = \frac{4}{3}\pi r^3$ unités³ et $A = 4\pi r^2$ unités²

d) $V = \frac{\pi r^2 h}{3}$ unités³

e) $V = \pi r^2$h unités³

4. **a)** [2, 3] **b)** [-3, -2]

Langages mathématique et graphique

1. **a)** (0,6) et (0, -6)

b) Les quadrants I et III

c) Deux tangentes au cercle sont définies. Elles ont des pentes égales en valeur absolue.

2. Plusieurs schémas sont possibles.

La taille de la personne et la hauteur du lampadaire sont constantes. La distance entre le lampadaire et la personne ainsi que la longueur de l'ombre varient.

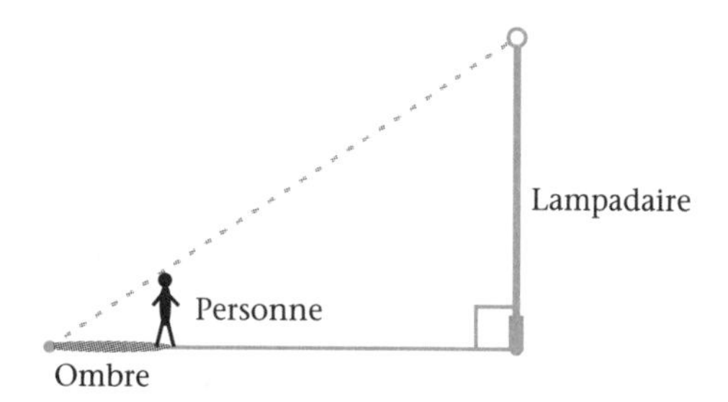

3. Plusieurs graphiques sont possibles. Par exemple :

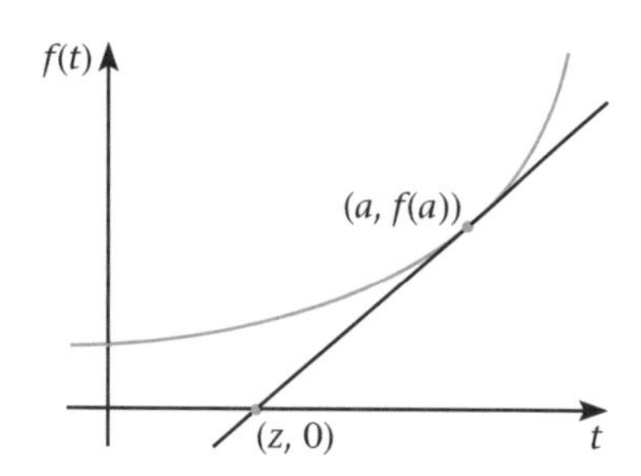

a) $\frac{f(a) - 0}{a - z} = f'(a)$ ou $f(a) = f'(a)(a - z)$

b) On a $z = a - \frac{f(a)}{f'(a)}$, si $f'(a) \neq 0$.

Exercices 10.1 (p. 307-308)

1. a) On a $\frac{d}{dt}(t^4y + y^4t) = \frac{d}{dt}(14t)$

et donc $4t^3\frac{dy}{dt} + t^4\frac{dy}{dt} + 4y^3t\frac{dy}{dt} + y^4 = 14$

ou $\frac{dy}{dt}(t^4 + 4y^3t) = 14 - 4t^3y - y^4$

et donc $\frac{dy}{dt} = \frac{14 - 4t^3y - y^4}{t^4 + 4y^3t}$

Ainsi, $\left.\frac{dy}{dt}\right|_{(1,-2)} = \frac{14 - 4(1)^3(-2) - (-2)^4}{(1)^4 + 4(-2)^3(1)} = \frac{-6}{31}$

b) Premièrement, on peut remarquer que lorsque $y = 0$, $5(0)^2 + x^4(0) + 3x = 6$. Donc $x = 2$.

On a $\frac{d}{dx}(5y^2 + x^4y + 3x) = \frac{d}{dx}(6)$

et donc $10y\frac{dy}{dx} + 4x^3y + x^4\frac{dy}{dx} + 3 = 0$

ou $\frac{dy}{dx}(10y + x^4) = -3 - 4x^3y$

et donc $\frac{dy}{dx} = \frac{-3 - 4x^3y}{10y + x^4}$

Ainsi, $\left.\frac{dy}{dx}\right|_{(2,\,0)} = \frac{-3 - 4 \cdot (2)^3 \cdot 0}{10 \cdot 0 + 2^4} = \frac{-3}{16}$

2. a) $\frac{dy}{dt} = -10t$

b) $\frac{dy}{dt} = \frac{-y}{2t} = \frac{-\sqrt{6}}{2t^{\frac{3}{2}}}$

c) $\frac{dy}{dt} = \frac{-t}{y} = \frac{-t}{\sqrt{81 - t^2}}$

3. a) $\frac{dy}{dx} = \frac{x}{y}$

b) $\frac{dy}{dx} = \frac{1}{2y - 1}$

c) $\frac{dy}{dx} = \frac{-xy}{x^2 + 1}$

d) $\frac{dy}{dx} = \frac{-2 - 5y - 16x}{5x - 32y}$

e) $\frac{dy}{dx} = \frac{-\sqrt{y} - y - \frac{y}{2\sqrt{x}}}{\frac{x}{2\sqrt{y}} + \sqrt{x} + x}$

f) $\frac{dy}{dx} = \frac{-y^3 - 18x^2}{3xy^2 + 3}$

g) $\frac{dy}{dx} = \frac{-2xy - 2y^2}{4xy + x^2 - 6}$

h) $\frac{dy}{dx} = \frac{-3x^2 - 5 - 3x^2y^3}{3x^3y^2}$

i) $\frac{dy}{dx} = \frac{\sqrt{y^2 + 2y + 2}}{y + 1}$

j) $\frac{dy}{dx} = \frac{2y + 3}{3y^2 - 2x} = \frac{(2y + 3)^2}{4y^3 + 9y^2 + 6}$

k) $\frac{dy}{dx} = \frac{-\sqrt{y}(14y\sqrt{x} + 1)}{\sqrt{x}(14x\sqrt{y} + 1)}$

l) $\frac{dy}{dx} = \frac{16 - 2xy}{1 + x^2}$

4. a) $\frac{3}{4}$ **b)** -1 **c)** -1 **d)** 0,8

5. Impossible en (0, 0). La pente en (2, 2) est $\frac{1}{2}$.

6. $\frac{dw}{dx} = \frac{-4x\sqrt{w} - 4x^3}{\frac{x^2}{\sqrt{w}} + 5w^4}$ et $\left.\frac{dw}{dx}\right|_{x=0} = 0$

7. L'équation du cercle est $x^2 + y^2 = r^2$.

On a alors $2x + 2y\frac{dy}{dx} = 0$ et $\frac{dy}{dx} = \frac{-x}{y}$.

Donc, la pente de la tangente au point (a, b) est $\frac{-a}{b}$.

La pente du rayon est, quant à elle, $\frac{b - 0}{a - 0} = \frac{b}{a}$.

Puisque le produit des deux pentes obtenues est $\frac{-a}{b} \cdot \frac{b}{a} = -1$, la tangente et le rayon sont perpendiculaires.

8. a) $\frac{dy}{dt} = \frac{1}{t(1 - e^y)}$

b) $\frac{dy}{dt} = \frac{-y}{t}$

c) $\frac{dy}{dt} = \frac{y(t - 1)}{2t(1 - y^2)}$

d) $\frac{dy}{dt} = \frac{y^2t - e^y}{t(e^y \ln t - 2yt)}$

e) $\frac{dy}{dt} = \frac{-2t - y2^{ty} \ln 2}{t2^{ty} \ln 2 + 1}$

f) $\frac{dy}{dt} = \frac{y(t \ln 5 - 1)}{t(1 - y \ln 5)}$

9. a) $\left.\frac{dy}{dz}\right|_{(\ln 4,\, 4 \ln 4)} = 4(1 + \ln 16)$ **b)** $\left.\frac{dy}{dz}\right|_{(1,\,0)} = e$

10. a) $\frac{dy}{dz} = \frac{1}{\cos y}$

b) $\frac{dy}{dz} = \frac{-\cos z}{\sin y}$

c) $\frac{dy}{dz} = \frac{y \cos (yz)}{1 - z \cos (yz)}$

d) $\frac{dy}{dz} = \frac{\sin z (\sin y - 1)}{\cos y (\cos z - 1)}$

e) $\frac{dy}{dz} = \frac{2z \cos z - z^2 \sin z}{-12y^2 \operatorname{cosec}^2 (4y^3)}$

f) $\frac{dy}{dz} = \frac{45y - \sec (z + y) \operatorname{tg} (z + y)}{\sec (z + y) \operatorname{tg} (z + y) - 45z}$

g) $\frac{dy}{dz} = \frac{z \sec^2 z + \operatorname{tg} z}{\operatorname{cotg} y - y \operatorname{cosec}^2 y}$

h) $\frac{dy}{dz} = \frac{z^2(8z - 15y^5)}{5y^2(5z^3y^2 - 3 \sin (5y^3))}$

i) $\frac{dy}{dz} = \frac{2z\sqrt{1 - y^2}}{1 - 2y\sqrt{1 - y^2}}$

j) $\frac{dy}{dz} = \frac{-\sqrt{1 - y^4z^2}}{2yz|z|\sqrt{z^2 - 1}} - \frac{y}{2z}$

11. a) $\left.\frac{dy}{dx}\right|_{(0,\,\pi)} = 0$ **b)** $\left.\frac{dy}{dx}\right| = \frac{2 - \pi}{2}$

12. a) $f'(x) = (x + 1)^{\left(\frac{2}{x} - 1\right)}\left(\frac{2x - 2(x + 1)\ln(x + 1)}{x^2}\right)$ si $x > -1$ et $x \neq 0$

b) $h'(u) = 4^u u^{(4u - 1)}(u \ln 4 \ln u + 1)$ si $u > 0$

c) $g'(x) = (x^4 + 3)^{\ln x}\left(\frac{\ln(x^4 + 3)}{x} + \frac{4x^3 \ln x}{x^4 + 3}\right)$ si $x > 0$

d) $f'(t) = t^{\cos t}\left(\frac{\cos t}{t} - \sin t \ln t\right)$ si $t > 0$

13. a) $\frac{d^2y}{dt^2} = \frac{-2y(2y + t^2)^2 - 4t(1 - 2ty)(2y + t^2) - 2(1 - 2ty)^2}{(2y + t^2)^3}$

b) $\frac{d^2y}{dt^2} = \frac{2(e^y + t)^2 - 2(2t - y)(e^y + t) - e^y(2t - y)^2}{(e^y + t)^3}$

c) $\frac{d^2y}{dt^2} = \frac{-\sin t\,(1 + \sin y)^2 - \cos y \cos^2 t}{(1 + \sin y)^3}$

Exercices 10.2 (p. 311-312)

1. a) i) On cherche $\frac{dr}{dt} = 0{,}07$ kilomètre par jour. Ce taux est le même quelle que soit la valeur de t.

ii) On a $C = 2\pi r$ et donc

$\frac{dC}{dt} = \frac{dC}{dr} \times \frac{dr}{dt} = (2\pi) \cdot 0{,}07 = 0{,}14\pi$ km/jour

Ce taux est le même quelle que soit la valeur de t.

iii) On a $A = \pi r^2$ et donc

$\frac{dA}{dt} = \frac{dA}{dr} \times \frac{dr}{dt} = (2\pi r) \cdot 0{,}07 = 0{,}14\pi r$ km²/jour

Or, lorsque $t = 14$ jours,
$r = 0{,}5 + 0{,}07(14) = 1{,}48$ km

et donc $\frac{dA}{dt} = 0{,}14\pi(1{,}48) = 0{,}65$ km²/jour

b) On a $\frac{dA}{dt} = 0{,}14\pi r = 1{,}1$ lorsque $r = \frac{1{,}1}{0{,}14\pi} = 2{,}501$ km.

Dans ce cas, $2{,}501 = 0{,}5 + 0{,}07t$

et si on isole t, on a $t = \frac{2{,}501 - 0{,}5}{0{,}07} = 28{,}59$ jours.

2. a) 12 **b)** 35 **c)** 8 **d)** -15 **e)** $\frac{-4}{3}$ **f)** -6 **g)** 6 **h)** $\frac{5}{2}$

3. a) 900 cm²/min **b)** 300 cm²/min

4. a) 1,76 cm²/min **b)** 6,78 cm²/min

5. a) -0,185 cm/s **b)** -0,109 cm/s

6. a) 0,845 cm/min **b)** 7,659 cm²/min

7. a) -43,30 cm/min **b)** -1250 cm²/min

8. a) 0,485 cm/h **b)** 0,490 cm/h

9. a) 35,69 cm²/cm **b)** 2 cm² **c)** 0,2 cm/cm³ **d)** 2,5 cm³/cm²

Exercices 10.3 (p. 316-317)

1. a) On a $\Delta t = dt = 0{,}1$ et $\Delta y = f(0 + \Delta t) - f(0) = (3(0{,}1)^2 + 5(0{,}1) + 1) - (3(0)^2 + 5(0) + 1) = 0{,}53$

Puisque $dy = f'(t)dt = (6t + 5)dt$

$dy = (6 \cdot 0 + 5) \cdot 0{,}1 = 0{,}5$

b) On a $\Delta t = dt = -0{,}3$ et $\Delta y = g(6 + \Delta t) - g(6) = \left(\frac{5}{5{,}7 - 1}\right) - \left(\frac{5}{6 - 1}\right) = 0{,}063\,8$

Puisque $dy = g'(t)dt = \frac{-5}{(t - 1)^2}\,dt$

$dy = \frac{-5}{(6 - 1)^2} \cdot (-0{,}3) = 0{,}06$

c) On a $\Delta t = dt = \sqrt{5} - 2 = 0{,}236$ et
$\Delta y = h(2 + \Delta t) - h(2) = (\sqrt{14 - 5}) - (\sqrt{14 - 4}) = -0{,}162$

Puisque $dy = h'(t)dt = \frac{-t}{\sqrt{14 - t^2}}\,dt$

$dy = \frac{-2}{\sqrt{14 - 4}} \cdot 0{,}236 = -0{,}149$

2. a) $\Delta y = 3\,\Delta t$ et $dy = 3\,dt$

b) $\Delta y = (2t + 4 + \Delta t)\Delta t$ et $dy = (2t + 4)dt$

c) $\Delta y = e^{5t}(e^{5\Delta t} - 1)\Delta t$ et $dy = 5e^{5t}dt$

d) $\Delta y = \cos(t + \Delta t) - \cos t$ et $dy = -(\sin t)dt$

3. a) $\Delta y = 16$ et $dy = 12$ **b)** $\Delta y = 3{,}25$ et $dy = 3$ **c)** $\Delta y = 0{,}060\,1$ et $dy = 0{,}06$

4. a) $dy = 0{,}001\,2$ **b)** $dy = 0{,}06$

5. a) 10,025 **b)** 8,944 **c)** 2,006 7 **d)** 2,963 **e)** 2,005 2 **f)** 8,48 **g)** 16,12 **h)** 3,066 **i)** 1,240 **j)** -0,02 **k)** 0,515 **l)** 0,965

Exercices 10.4 (p. 321-322)

1. a) Soit $f(t) = t^3 - t^2 - 2$, dont on cherche à évaluer un zéro.

On a $f'(t) = 3t^2 - 2t$

Donc, si on prend au départ $t_1 = 2$, puisque $f'(2) = 8 \neq 0$ et $f(2) = 2$,

$t_2 = t_1 - \frac{f(t_1)}{f'(t_1)} = 2 - \frac{f(2)}{f'(2)} = 2 - \frac{2}{8} = 1{,}75$

Puisque $f'(1{,}75) = 5{,}6875 \neq 0$ et $f(1{,}75) = 0{,}296\,9$,

on a $t_3 = t_2 - \frac{f(t_2)}{f'(t_2)} = 1{,}75 - \frac{f(1{,}75)}{f'(1{,}75)} = 1{,}75 - \frac{0{,}296\,9}{5{,}687\,5} = 1{,}697\,8$

Puisque $f'(1{,}697\,8) = 5{,}252\,0 \neq 0$ et $f(1{,}697\,8) = 0{,}011\,43$,

on a $t_4 = t_3 - \frac{f(t_3)}{f'(t_3)} = 1{,}697\,8 - \frac{f(1{,}697\,8)}{f'(1{,}697\,8)} = 1{,}697\,8 - \frac{0{,}011\,43}{5{,}252\,0} = 1{,}695\,6$

Puisque $f'(1{,}695\,6) = 5{,}234\,0 \neq 0$ et $f(1{,}695\,6) = -0{,}000\,11$,

on a $t_5 = t_4 - \frac{f(t_4)}{f'(t_4)} = 1{,}695\,6 - \frac{f(1{,}695\,6)}{f'(1{,}695\,6)} = 1{,}695\,6 - \frac{-0{,}000\,11}{5{,}234\,0} = 1{,}695\,6$

b) Soit $f(t) = t^5 + t^4 + t - 4$, dont on cherche à évaluer un zéro.

On a $f'(t) = 5t^4 + 4t^3 + 1$

Donc, si on prend au départ $t_1 = 1$, puisque $f'(1) = 10 \neq 0$ et $f(1) = -1$,

$$t_2 = t_1 - \frac{f(t_1)}{f'(t_1)} = 1 - \frac{f(1)}{f'(1)} = 1 - \frac{-1}{10} = 1{,}1$$

Puisque $f'(1{,}1) = 13{,}644\,5 \neq 0$ et $f(1{,}1) = 0{,}174\,6$,

$$\text{on a } t_3 = t_2 - \frac{f(t_2)}{f'(t_2)} = 1{,}1 - \frac{f(1{,}1)}{f'(1{,}1)} = 1{,}1 - \frac{0{,}174\,6}{13{,}644\,5} = 1{,}087\,2$$

Puisque $f'(1{,}087\,2) = 13{,}126\,0 \neq 0$ et $f(1{,}087\,2) = 0{,}003\,296$,

$$\text{on a } t_4 = t_3 - \frac{f(t_3)}{f'(t_3)} = 1{,}087\,2 - \frac{f(1{,}087\,2)}{f'(1{,}087\,2)} = 1{,}087\,2 - \frac{0{,}003\,296}{13{,}126\,0} = 1{,}086\,95$$

Puisque $f'(1{,}086\,95) = 13{,}116\,0 \neq 0$ et $f(1{,}086\,95) = 0{,}000\,015\,9$,

$$\text{on a } t_5 = t_4 - \frac{f(t_4)}{f'(t_4)} = 1{,}086\,95 - \frac{f(1{,}086\,95)}{f'(1{,}086\,95)} = 1{,}086\,95 - \frac{0{,}000\,015\,9}{13{,}116\,0} = 1{,}086\,95$$

2. a) Le zéro positif est environ 0,804 et le zéro négatif est environ -1,554.

b) Le zéro positif est environ 0,493 et le zéro négatif est environ -1,230.

c) L'unique zéro positif est environ 2,279.

3. a) $x_5 = 256$ (On s'éloigne du zéro recherché.)

b) $x_5 = 0{,}256$ (On s'éloigne du zéro recherché.)

4. a) 0,653 **b)** -0,532

On constate qu'un léger changement dans la première approximation nous amène à trouver deux zéros différents en (a) et (b).

5. a) $u \approx 0{,}682$ **b)** $x \approx -0{,}946$ **c)** $t \approx 1{,}528$

6. a) $t \approx 1{,}696$ **b)** $x \approx 1{,}442$ **c)** $u \approx -0{,}767$ **d)** $x \approx 1{,}309$ **e)** $v \approx 0{,}739$

7. a) On a $f(t) = K - \frac{1}{t} = 0$ si $\frac{1}{t} = K$ et donc si $t = \frac{1}{K}$.

b) On a $t_{n+1} = t_n - \frac{f(t_n)}{f'(t_n)}$

et puisque $f'(t) = \frac{1}{t^2}$,

$$\text{on a } t_{n+1} = t_n - \frac{K - \frac{1}{t_n}}{\frac{1}{t_n^2}} = t_n - \left(K - \frac{1}{t_n}\right)t_n^2 = t_n - Kt_n^2 + t_n = t_n(2 - Kt_n)$$

c) $\frac{1}{6} \approx 0{,}166\,7$ et $\frac{1}{14} \approx 0{,}071\,43$

8. a) On a $g(x) = K - x^2 = 0$ si $x^2 = K$ et donc si $x = \pm\sqrt{K}$.

Le seul zéro positif est $\sqrt{K}$.

b) On a $x_{n+1} = x_n - \frac{g(x_n)}{g'(x_n)}$

et puisque $g'(x) = -2x$,

$$\text{on a } x_{n+1} = x_n - \frac{K - x_n^2}{-2x_n} = x_n + \frac{K}{2x_n} - \frac{x_n^2}{2x_n} = x_n + \frac{K}{2x_n} - \frac{x_n}{2} = \frac{1}{2}\left(x_n + \frac{K}{x_n}\right)$$

c) $\sqrt{7} \approx 2{,}645\,7$ et $\sqrt{21} \approx 4{,}582\,6$

9. On a $f'(t) = 4t^3 + 2t + 8$ qui s'annule lorsque $t \approx -1{,}128$ et puisque $f''(t) = 12t^2 + 2 > 0$ pour tout t, on a bien un minimum en $t \approx -1{,}128$.

Problèmes (p. 323-327)

Section 10.1

1. a) -0,33 article/$ **b)** -2,88 articles/$ **c)** -1,51 article/$ **d)** -5 articles/$

2. a) 18 lumens/unité

b) Non définie si $T = \frac{1}{\sqrt{8}}$ et $I = \sqrt{8}$

Section 10.2

3. 2700 $/mois

4. -50 $/sem. Quand le nombre d'articles augmente de 10 unités par semaine, le prix de vente baisse de 50 $ par semaine.

5. a) $\frac{20}{3}$ cm/s **b)** $-\frac{15}{4}$ cm/s

6. 99,407 milliers de dollars par année

7. 1759,29 cm²/s

8. a) 4,40 km/jour **b)** 9,68 km²/jour

9. a) -314,16 mm³/jour **b)** -65,63 mm³/jour

10. 0,050 mm/h

11. a) -0,267 cm/h **b)** 225,11 cm³ **c)** 34,81 heures

12. 2350 $/an

13. 600 000 $/2 ans

14. 3201,56 km/h

15. -0,714 km/h. La longueur de l'ombre diminue à une vitesse de 0,714 kilomètre à l'heure.

16. -0,052 m/s

17. -11,37 km/h. La distance diminue à une vitesse de 11,37 kilomètres à l'heure.

18. **a)** 7,81 km/h. La distance augmente à une vitesse de 7,81 kilomètres à l'heure.
b) -0,61 km/h. La distance diminue à une vitesse de 0,61 kilomètre à l'heure.

19. **a)** 1,03 m/min **b)** 0,80 m²/min

20. **a)** -0,013 9 cm/min **b)** -0,045 9 cm/min

21. **a)** Le haut de l'échelle descend à une vitesse de 0,23 mètre par seconde.
b) Le haut de l'échelle descend à une vitesse de 1,27 mètre par seconde.
c) L'angle A augmente à une vitesse de 0,02 radian par seconde.

22. **a)** -429,23 rad/h (ou -7,15 rad/min ou -0,119 rad/s)
b) -220 rad/h (ou -3,67 rad/min ou -0,061 rad/s)

23. **a)** 0,170 km/min **b)** $x = 1{,}055$ km **c)** 1,448 rad/min

24. 8,30 km/h

25. 228 rad/h (ou 3,80 rad/min ou 0,063 rad/s)

26. -804,31 rad/h (ou -13,40 rad/min ou -0,22 rad/s)

Section 10.3

27. **a)** 4000 m² **b)** 4016 m²

28. **a)** 21,36 cm² **b)** 21,49 cm²

29. **a)** 540 cm³ **b)** 543,61 cm³

30. **a)** 188,49 mm³ **b)** 201,06 mm³

Auto-évaluation (p. 327-328)

1. **a)** $\frac{dy}{dx} = \frac{1 - y}{x + 1}$
b) $\frac{dy}{dx} = \frac{13 - 2xy^2 - 3y + 8xy}{2x^2y + 3x - 4x^2 - 4y}$
c) $\frac{dy}{dx} = \frac{-y}{x}$
d) $\frac{dy}{dx} = \frac{y(-y - x \ln y)}{x(y \ln x + x)}$
e) $\frac{dy}{dx} = \frac{2x - 5^{(yx-2)} \ln 5 \cdot y}{5^{(yx-2)} \ln 5 \cdot x}$
f) $\frac{dy}{dx} = \frac{\cos y}{\cos y + x \sin y}$
g) $\frac{dy}{dx} = \frac{-y}{x + \frac{3(1 + x^2y^2)}{\sqrt{1 - y^2}}}$

2. **a)** 8482,30 cm³/min **b)** 196,90 cm³/min **c)** 1507,96 cm²/min

3. **a)** $\frac{3}{4}$ **b)** $-\frac{1}{3}$

4. **a)** -50 $/sem. **b)** -249,95 $/sem.

5. **a)** 0,006 3 m/min **b)** -0,097 6 m²/min **c)** -0,1 m/min

6. 294,12 rad/h (ou 4,90 rad/min ou 0,082 rad/s)

7. 0,010 4 rad/s

8. **a)** 6,283 mm³/°C **b)** 1,257 mm³/°C **c)** 7,54 mm³/°C

9. **a)** $\Delta y = -2$ et $dy = -6$
b) $\Delta y = -1$ et $dy = -1{,}5$
c) $\Delta y = -0{,}002\,997$ et $dy = -0{,}003$

10. **a)** 7,071 4 **b)** 7,071 1

Chapitre 11 (p. 329)

Avant d'aller plus loin (p. 331)

Préalables

1. **a)** $f'(x) = 4x^3 + 6x^2 - 7$
b) $g(t) = 224(2t^3 + 1)(t^4 + 2t)^{111}$
c) $h(z) = e^z + \frac{1}{z}$
d) $k(u) = -\sin u - \cos u$

2. Plusieurs réponses sont possibles. Par exemple :

a) $f(t) = t^4 + 5$
b) $f(a) = \frac{a^4}{4} - 1$
c) $f(z) = \ln z$
d) $f(x) = 7e^x - 3$
e) $f(u) = \sin u + \cos u$
f) $f'(v) = 12 \text{ tg } v + \pi$

3. **a)** x^{-3} **b)** $x^{\frac{5}{2}}$ **c)** $x^{\frac{-7}{5}}$

4. **a)** $dy = (12x + 7)\,dx$
b) $dy = \frac{u^2 - 2u - 1}{(u - 1)^2}\,du$
c) $y = \frac{(5t^4 + 3)\,dt}{t^5 + 3t}$
d) $y = -3 \text{ cosec } (3z + \pi) \text{ cotg } (3z + \pi)\,dz$

5. **a)** 48 unités² **b)** 112 unités² **c)** 26 unités²

Langages mathématique et graphique

1. **a)** $\frac{d}{dx}(F(x) + G(x)) = \frac{d}{dx}F(x) + \frac{d}{dx}G(x)$ ou $F'(x) + G'(x)$
b) $\frac{d}{dx}(aF(x)) = a\frac{d}{dx}F(x)$ ou $aF'(x)$

2. **a)** $\sum_{i=1}^{5} f(x_i)$ **b)** $\sum_{j=1}^{17} g(t_j)$ **c)** $\sum_{i=1}^{n} 3h(z_i)$ **d)** $\sum_{i=1}^{n} ik(w_i)$ **e)** $\sum_{i=1}^{11} (-1)^{i+1} i^2$ **f)** $\sum_{i=1}^{19} \frac{i^3}{i+1}$

Exercices 11.1 (p. 341)

1. a) $\int w^{65}\, dw = \dfrac{w^{65+1}}{65+1} + K = \dfrac{w^{66}}{66} + K$

b) $\int (4t^5 + 5t^3)\, dt = \dfrac{4t^6}{6} + \dfrac{5t^4}{4} + K = \dfrac{2t^6}{3} + \dfrac{5t^4}{4} + K$

c) $\int \left(x^{\frac{2}{3}} - \dfrac{1}{\sqrt[5]{x}} + \dfrac{5}{x}\right) dx$

$= \int \left(x^{\frac{2}{3}} - x^{\frac{-1}{5}} + \dfrac{5}{x}\right) dx = \dfrac{x^{\frac{5}{3}}}{\frac{5}{3}} - \dfrac{x^{\frac{4}{5}}}{\frac{4}{5}} + 5 \ln |x| + K$

$= \dfrac{3}{5}x^{\frac{5}{3}} - \dfrac{5}{4}x^{\frac{4}{5}} + 5 \ln |x| + K$

d) $\int 3u(u^4 - 7u)\, du = \int (3u^5 - 21u^2)\, du$

$= \dfrac{3u^6}{6} - \dfrac{21u^3}{3} + K = \dfrac{u^6}{2} - 7u^3 + K$

e) $\int \dfrac{v^5 + 8v^2}{v^4}\, dv = \int (v + 8v^{-2})\, dv = \dfrac{v^2}{2} + \dfrac{8v^{-1}}{-1} + K$

$= \dfrac{v^2}{2} - \dfrac{8}{v} + K$

f) $\int (2e^n - 7^n + \sqrt{2}n)\, dn = 2e^n - \dfrac{7^n}{\ln 7} + \sqrt{2}\dfrac{n^2}{2} + K$

g) $\int \dfrac{4^{-x} + 1}{4^{-x}}\, dx = \int (1 + 4^x)\, dx = x + \dfrac{4^x}{\ln 4} + K$

h) $\int \left(4 \sin t - 6 \operatorname{cosec} t \operatorname{cotg} t + \dfrac{5}{t^2 + 1}\right) dt$

$= -4 \cos t + 6 \operatorname{cosec} t + 5 \arctan t + K$

2. a) $12x + K$

b) $n^5 + K$

c) $\dfrac{t^{120}}{120} + K$

d) $\dfrac{-1}{9v^9} + K$

e) $u + K$

f) $-6 \ln |w| + K$

g) $\dfrac{3}{4}a^{\frac{4}{3}} + K$

h) $\dfrac{-2}{\sqrt{q^5}} + K$

i) $t^3 + \dfrac{7}{2}t^2 - 3t + K$

j) $\dfrac{4}{7}p^{\frac{7}{4}} - 3p^{\frac{-1}{3}} + K$

k) $\dfrac{16}{5}y^{\frac{5}{4}} + \dfrac{y^{1,4}}{1,4} - 5y^{0,6} + K$

l) $\dfrac{5s^3}{3} + \dfrac{s^2}{2} + \ln |s| + K$

m) $-4u^3 + 13u^2 - 10u + K$

n) $-\dfrac{13}{w} - \dfrac{11w^6}{6} + K$

o) $2a + 3 \ln |a| + K$

p) $\dfrac{3}{2}t^4 + \dfrac{3}{2t^2} + K$

q) $\dfrac{2}{3}\sqrt{z^3} + 2\sqrt{z} + K$

r) $\dfrac{5u^2}{2} - \dfrac{1}{u^3} - \dfrac{1}{4u^4} + K$

3. a) $4e^q + \dfrac{q^4}{4} - 7q + K$

b) $\dfrac{5^x}{\ln 5} + K$

c) $e^y - e^7y + \dfrac{7^y}{\ln 7} + K$

d) $\dfrac{1,1^z}{3,2 \ln 1,1} + K$

e) $\dfrac{6^v}{\ln 6} + \dfrac{\ln v}{\ln 6} + K$

f) $t + e^t + K$

4. a) $-\cos x - \sin x + K$

b) $-17 \operatorname{tg} A + K$

c) $9 \sec z + K$

d) $-5 \operatorname{cotg} y - 4 \operatorname{tg} y + K$

e) $\dfrac{u^2}{2} - 8 \sec u + K$

5. a) $f(x) = 5x - 20$

b) $f(z) = \dfrac{z^3}{3} - z^2 + 5z - \dfrac{7}{3}$

c) $f(s) = \dfrac{2}{3}s^{\frac{3}{2}} - 20$

d) $f(x) = \dfrac{2}{5}x^{\frac{5}{2}} - \dfrac{4}{9}x^{\frac{9}{4}} + 2x^2 - 2 \ln |x| - \dfrac{43}{45}$

e) $f(q) = 6q + e^q + 5 - 6 \ln 3$

f) $f(t) = \sin t - \cos t + 2$

6. a) $y = \dfrac{2}{3}x^3 - 4x + \dfrac{17}{3}$

b) $y = 15u^2 - \dfrac{7}{6}u^3 + \dfrac{291}{2}u - 1865$

c) $y = \dfrac{2}{t^2} + t - 1$

Exercices 11.2 (p. 345-346)

1. a) Posons $u = 3 - 5t$

et donc $du = -5\, dt$ ou $dt = \dfrac{du}{-5}$

On a alors $\int 8(3 - 5t)^5\, dt = 8 \int u^5 \dfrac{du}{-5} = \dfrac{-8}{5}\dfrac{u^6}{6} + K$

$= \dfrac{-4}{15}(3 - 5t)^6 + K$

b) Posons $u = 3z^2 + 13$

et donc $du = 6z\, dz$ ou $z\, dz = \dfrac{du}{6}$

On a alors $\int (3z^2 + 13)^{56}\, 7z\, dz = 7 \int u^{56} \dfrac{du}{6}$

$= \dfrac{7}{6}\dfrac{u^{57}}{57} + K = \dfrac{7}{342}(3z^2 + 13)^{57} + K$

c) Posons $u = 9x + 2$

et donc $du = 9\, dx$ ou $dx = \dfrac{du}{9}$

On a alors $\int \sqrt[5]{9x + 2}\, dx = \int (9x + 2)^{\frac{1}{5}}\, dx$

$= \int u^{\frac{1}{5}} \dfrac{du}{9} = \dfrac{1}{9}\dfrac{u^{\frac{6}{5}}}{\frac{6}{5}} + K = \dfrac{5}{54}(9x + 2)^{\frac{6}{5}} + K$

d) Posons $v = \ln 7u$

et donc $dv = \dfrac{1}{7u} \cdot 7\, du = \dfrac{du}{u}$

On a alors $\int \dfrac{\ln 7u}{4u}\, du = \dfrac{1}{4}\int \dfrac{\ln 7u}{u}\, du = \dfrac{1}{4}\int v\, dv$

$= \dfrac{1}{4}\dfrac{v^2}{2} + K = \dfrac{1}{8}(\ln 7u)^2 + K$

e) Posons $u = t^2 + 4$

et donc $du = 2t\, dt$ ou $t\, dt = \dfrac{du}{2}$

On a alors $\int 9t\, e^{t^2 + 4}\, dt = 9 \int e^{t^2 + 4}\, t\, dt$

$= 9 \int e^u \dfrac{du}{2} = \dfrac{9}{2}e^u + K = \dfrac{9}{2}e^{t^2 + 4} + K$

f) Posons $u = \sin A$

et donc $du = \cos A\, dA$

On a alors $\int \dfrac{\cos A}{\sin A}\, dA = \int \dfrac{1}{u}\, du = \ln |u| + K$

$= \ln |\sin A| + K$

2. a) $\dfrac{(5v + 3)^{13}}{65} + K$

b) $\dfrac{3}{8}(t^2 - 4t + 9)^8 + K$

c) $\dfrac{1}{10}(w^5 + 5w - 18)^2 + K$

d) $\dfrac{3}{7} \ln |7x + 1| + K$

e) $\ln |4z^2 + 2z - 3| + K$

f) $\dfrac{1}{9}(3v^2 - 7)^{\frac{3}{2}} + K$

g) $(t^{\frac{2}{3}} + 7)^{\frac{3}{2}} + K$

h) $\dfrac{1}{14}(\ln 6y)^2 + K$

i) $\dfrac{-6}{7}(\ln q)^{\frac{3}{2}} + K$

3. **a)** $\dfrac{3^{t-1}}{\ln 3} + K$

b) $\dfrac{5}{12}e^{6x^2-8} + K$

c) $\dfrac{-1}{4}e^{\frac{-1}{w^4}} + K$

d) $\dfrac{\ln |5^t - 7|}{\ln 5} + K$

e) $\ln |e^z + e^{-z}| + K$

f) $\ln |\ln |v|| + K$

4. **a)** $\dfrac{\sin 5u}{5} + K$

b) $7 \cos (\pi - v) + K$

c) $\dfrac{-1}{3} \cos (2 + q^3) + K$

d) $-2 \cos \sqrt{s} + K$

e) $\dfrac{2}{3}(\sin t)^{\frac{3}{2}} + K$

f) $\dfrac{1}{2} \sin (x^2 + 4x) + K$

g) $\dfrac{\text{tg } (5s)}{5} + K$

h) $\dfrac{-1}{6} \text{cotg } (3v^2) + K$

i) $\dfrac{-\text{cosec } (3y)}{3} + K$

5. **a)** $g(x) = \dfrac{5}{14}(x^2 + 7)^7 - 294\ 112{,}5$

b) $g(t) = \dfrac{2}{3}(t + 7)^{\frac{3}{2}} - 23$

c) $g(z) = \dfrac{5 \cdot 4^{z^2+7}}{2 \ln 4} - 7\ 563\ 875{,}98$

d) $g(\theta) = \dfrac{\sin (3\theta - \pi) + 2}{3}$

6. $y = \dfrac{e^{5u-8}}{25} + 5u - \dfrac{e^2}{5}u - 6514{,}28.$

Exercices 11.3 (p. 355-356)

1. **a)** Aire $= \displaystyle\int_{-2}^{1} (3 + x^2 - x^3)\, dx = \left(3x + \frac{x^3}{3} - \frac{x^4}{4}\right)\Big|_{-2}^{1}$

$= \left(3 + \dfrac{1^3}{3} - \dfrac{1^4}{4}\right) - \left(3(-2) + \dfrac{(-2)^3}{3} - \dfrac{(-2)^4}{4}\right)$

$= \dfrac{189}{12}$ unités²

b) Aire $= \displaystyle\int_{1}^{4} \sqrt{5u + 3}\, du$

Trouvons d'abord l'intégrale indéfinie $\int \sqrt{5u + 3}\, du$, en posant $v = 5u + 3$ et donc $dv = 5\, du$.

On a alors $\displaystyle\int \sqrt{5u + 3}\, du = \int v^{\frac{1}{2}} \frac{dv}{5} = \frac{1}{5} \frac{v^{\frac{3}{2}}}{\frac{3}{2}} + K$

$= \dfrac{2}{15}(5u + 3)^{\frac{3}{2}} + K$

Donc, l'aire $= \displaystyle\int_{1}^{4} \sqrt{5u + 3}\, du = \left(\frac{2}{15}(5u + 3)^{\frac{3}{2}}\right)\Big|_{1}^{4}$

$= \left(\dfrac{2}{15}(5(4) + 3)^{\frac{3}{2}}\right) - \left(\dfrac{2}{15}(5(1) + 3)^{\frac{3}{2}}\right)$

$= 11{,}69$ unités²

c) Aire $= \displaystyle\int_{0,1}^{1} 6^t\, dt = \left(\frac{6^t}{\ln 6}\right)\Big|_{0,1}^{1} = \frac{6}{\ln 6} - \frac{6^{0,1}}{\ln 6} = \frac{1}{\ln 6}(6 - 6^{0,1})$

$\approx 2{,}68$ unités²

d) Aire $= \displaystyle\int_{0}^{\pi} 4 \sin z\, dz = (-4 \cos z)\Big|_{0}^{\pi}$

$= (-4 \cos \pi) - (-4 \cos 0) = 8$ unités²

2. **a)** $S_4 = 32$ unités² et $S_8 = 30$ unités²

b) $S_4 = 1{,}15$ unité² et $S_8 = 1{,}26$ unité²

c) $S_4 = 125$ unités² et $S_8 = 101{,}25$ unités²

d) $S_4 = 1{,}94$ unité² et $S_8 = 1{,}83$ unité²

3. **a)** 30 unités²

b) 273 unités²

c) 28 unités²

d) 12,5 unités²

e) $\dfrac{\pi}{2}$ unité²

f) 4π unités²

4. **a)** -48

b) -5

c) Impossible à connaître

d) 13

e) Impossible à connaître

f) 25

g) 20

h) -5

i) -16

5. **a)** $\dfrac{13}{2}$

b) 21

c) $\dfrac{-50}{3}$

d) 46 407,33

e) $\dfrac{86}{5}$

f) $\dfrac{1}{3}(7e^3 - 10) \approx 43{,}53$

6. **a)** -130,52 **b)** 1,30 **c)** 195,03

7. **a)** 2 **b)** 2 **c)** $\dfrac{\pi}{2}$

8. **a)** 144 unités² **b)** 72 unités²

c) La fonction $y = 7t^2 + 3$ est symétrique par rapport à l'axe vertical des y et l'aire sous la courbe est donc la même dans l'intervalle [-3, 0] et dans l'intervalle [0, 3].

9. **a)** 16 unités²

b) $\dfrac{124}{5}$ unités²

c) 1370 unités²

d) $\dfrac{100}{3}$ unités²

e) 0,61 unité²

f) 4,40 unités²

g) 396,04 unités²

h) $\dfrac{2}{\pi}$ unité²

10. **a)** 6,25 unités²

b) 5,36 unités²

c) 0,75 unité²

Exercices 11.4 (p. 361-362)

1. **a)** Pour trouver les points d'intersection des deux courbes, on pose $f(t) = g(t)$. Dans ce cas, on a :

$$t + 7 = 9 - t^2$$
$$t^2 + t - 2 = 0$$
$$(t + 2)(t - 1) = 0$$

et donc les deux courbes se coupent lorsque $t = -2$ ou $t = 1$. On peut vérifier que la fonction $g(t)$ est au-dessus de $f(t)$ dans l'intervalle [-2, 1].

On a alors :

Aire entre les courbes de g et f

$= \displaystyle\int_{-2}^{1} (g(t) - f(t))\, dt$

$= \displaystyle\int_{-2}^{1} (9 - t^2 - (t + 7))\, dt$

$= \left(2t - \dfrac{t^2}{2} - \dfrac{t^3}{3}\right)\Big|_{-2}^{1}$

$= \left(2(1) - \dfrac{1^2}{2} - \dfrac{1^3}{3}\right) - \left(2(-2) - \dfrac{(-2)^2}{2} - \dfrac{(-2)^3}{3}\right)$

$= \dfrac{9}{2}$ unités²

b) Pour trouver les points d'intersection des deux courbes, on pose $h(x) = k(x)$. Dans ce cas, on a :

$$3x^3 = 12x$$
$$3x^3 - 12x = 0$$
$$3x(x^2 - 4) = 3x(x - 2)(x + 2) = 0$$

et donc les deux courbes se coupent lorsque $x = 0$, $x = -2$ ou $x = 2$. On peut vérifier que la fonction $h(x)$ est au-dessus de $k(x)$ dans l'intervalle [-2, 0] et que la fonction $k(x)$ est au-dessus de $h(x)$ dans l'intervalle $[0, 2]$.

On a alors :

Aire totale cherchée

$$= \int_{-2}^{0} (h(x) - k(x))\,dx + \int_{0}^{2} (k(x) - h(x))\,dx$$

$$= \int_{-2}^{0} (3x^3 - 12x)\,dx + \int_{0}^{2} (12x - 3x^3)\,dx$$

$$= \left(3\frac{x^4}{4} - 6x^2\right)\Big|_{-2}^{0} + \left(6x^2 - 3\frac{x^4}{4}\right)\Big|_{0}^{2}$$

$$= \left(3\frac{(0)^4}{4} - 6(0)^2\right) - \left(3\frac{(-2)^4}{4} - 6(-2)^2\right) + \left(6(2)^2 - 3\frac{(2)^4}{4}\right) - \left(6(0)^2 - 3\frac{(0)^4}{4}\right)$$

$= 24$ unités²

2. **a)** $\frac{148}{3}$ unités²
b) $\frac{111}{2}$ unités²
c) $\frac{91}{3}$ unités²
d) 3,09 unités²
e) $\frac{83}{4}$ unités²
f) $\frac{17}{3}$ unités²
g) 16,27 unités²
h) $2\sqrt{2}$ unités²

3. **a)** 36 unités²
b) 9 unités²
c) $\frac{343}{6}$ unités²
d) 8 unités²
e) $\frac{16}{15}$ unité²
f) 128 unités²

4. $k = \sqrt[3]{16} \approx 2{,}52$

5. **a)** 3,71 unités² (les courbes se coupent en $x = -1{,}45$, $x = 0$ et $x = 1{,}16$)
b) 10,15 unités² (les courbes se coupent en $t = -1{,}74$, $t = 0$ et $t = 1{,}52$)
c) 42,83 unités² (les courbes se coupent en $u = -2{,}51$, $u = -0{,}22$ et $u = 1{,}03$)
d) 7,50 unités² (les courbes se coupent en $y = -1{,}41$, $y = 0$ et $y = 1{,}18$)

Problèmes (p. 364-367)

Section 11.1

1. **a)** $R(q) = 27q - 0{,}25q^2 + K$ \$
b) $R(q) = 150q^2 - \frac{q^3}{3} + K$ \$
c) $R(q) = \frac{55}{2}q^2 - \frac{q^3}{3} + K$ \$

2. **a)** $C(q) = \frac{q^3}{3} + 75q^2 + K$ \$
b) $C(q) = 5\left(\frac{q^3}{3} + 9q^2 + 45q\right) + K$ \$
c) $C(q) = 1000q - 0{,}1e^q + K$ \$

3. $R(q) = 25q - \frac{3q^2}{2}$ \$

4. 2215 \$

5. **a)** $s(t) = \frac{5}{3}t^3 + t^2 + 10t + 12$ m
b) $s(2) = \frac{148}{3}$ m
c) $s\left(\frac{3}{5}\right) = \frac{468}{25}$ m

6. **a)** $v(t) = -9{,}8t + 12$ m/s
b) $s(t) = -4{,}9t^2 + 12t + 2$ m

7. $s(t) = -4{,}9t^2 + v_0t + s_0$ m

8. $N(t) = 2t + 2\sqrt{t^3} + 5$ personnes et $N(48) = 766{,}11$, donc environ 766 personnes

9. $P(t) = \frac{2{,}7e^{0{,}3t}}{0{,}3} + 300$ lynx et $P(6) = 354{,}45$, donc environ 354 lynx

Section 11.2

10. $D(p) = \frac{3}{2(4p^2 + 1)} + \frac{401}{202}$ articles

11. 15,73 tonnes de métal

12. $N(60) = 48{,}32$, donc environ 48 noms

13. 3,34 millions de dollars

14. $q(t) = \frac{14}{3}(1 - e^{-3t})$ coulombs et $q(0{,}2) = 2{,}11C$

15. 78,75 grammes

16. 269,95 milliers de dollars

17. $P(t) = \frac{2}{0{,}09} \ln |3 + e^{0{,}09t}| - 7{,}31$ milliers de personnes

18. **a)** $E(t) = 32\left(t - \frac{\sin 4\pi t}{4\pi}\right)$ joules
b) 320 joules

Section 11.3

19. **a)** 22 m
b) 137,5 m

20. **a)** 65 m/µs
b) 110,93 m

21. **a)** Oui, elle aura été rentable (économie de 12 500 \$).
b) 4,08 ans
c) 5,29 ans

22. 226,04 articles

23. On ne doit pas acheter l'appareil. (L'épargne n'est que de 2550 \$.)

24. 47,6 articles

25. 236,05 millions de litres

26. **a)** Environ 4521 personnes
b) Non

27. Oui ($E = 54\,037{,}57$ \$)

28. 12 millions de personnes

29. **a)** 972 unités^2

b) $P(q) = -q^2 + 22q - 40$

c) 972 unités^2; le résultat est le même.

Auto-évaluation (p. 367-368)

1. **a)** $\frac{t^8}{8} + K$

b) $\frac{-8}{15x^3} + K$

c) $\frac{12}{5}y^{\frac{5}{4}} - \ln 7\,(\ln |y|) + K$

d) $\frac{2}{9}v^{\frac{9}{2}} - 2\sqrt{v} + K$

e) $35t^6 + \frac{70}{3}\sqrt{8}t^3 + K$

f) $4e^w + K$

g) $\sqrt{7}\ \text{tg}\ u + K$

h) $\frac{-1}{7}(-7x + 13)^5 + K$

i) $\frac{-1}{8(4n^2 + 4n)^6} + K$

j) $\frac{2}{5}\sqrt{t^5 - 9} + K$

k) $\frac{4}{49}(\ln v)^7 + K$

l) $-\frac{1}{4}\ln |3 - e^{4x}| + K$

2. 28 499,38 $

3. **a)** $\frac{195}{2}$

b) $\frac{164}{15}$

c) $\frac{-1256}{15}$

d) 22 110,33

e) $\frac{105\,469}{6}$

f) $\frac{2}{9}(\sqrt{21\,952} - \sqrt{729}) \approx 26{,}92$

4. 1,87 mm^3

5. **a)** $\frac{64}{5}$ unités^2

b) $\frac{1365}{4}$ unités^2

c) $\frac{196}{3}$ unités^2

d) $5 \ln 10 \approx 11{,}51$ unités^2

e) 653 803,47 unités^2

f) $2\sqrt{2} \approx 2{,}83$ unités^2

6. $C(q) = \frac{5q^3}{3} + 2q + 350$ $

7. **a)** $\frac{8}{3}$ unités^2

b) $\frac{1000}{3}$ unités^2

c) $\frac{38}{3}$ unités^2

d) $\frac{3}{4}$ unité^2

8. **a)** $v(t) = 0{,}6t^2 + 2t + 4$ m/s

b) $s(t) = 0{,}2t^3 + t^2 + 4t$ m

9. Environ 6406 personnes

10. On doit avoir $\int_0^T ae^{-bt}\,dt = N$

et donc $\left(\frac{ae^{-bt}}{-b}\right)\Big|_0^T = \frac{a}{-b}(e^{-bT} - e^0) = N$

On a alors $e^{-bT} = 1 - \frac{b}{a}N$

et donc $T = -\frac{\ln\left(1 - \frac{bN}{a}\right)}{b}$

Références bibliographiques

BARUK, Stella. *Dictionnaire de mathématiques élémentaires*, France, Éditions du Seuil, 1992.

BÉLAND, Michel. « Les mathématiques du temps », *Fascinantes et universelles, les mathématiques au quotidien, Math 2000*, Montréal, Centre de recherches mathématiques de l'Université de Montréal, mai 2000, p. 21, 34.

BOUVERESSE, Jacques, Jean ITARD et Émile SALLÉ. *Histoire des mathématiques*, Paris, Librairie Larousse, 1977, coll. « Encyclopoche Larousse ».

BOYER, Marcel. « Les mathématiques au service des affaires », *Fascinantes et universelles, les mathématiques au quotidien, Math 2000*, Montréal, Centre de recherches mathématiques de l'Université de Montréal, mai 2000, p. 26.

CHARBONNEAU, Louis. « Chronique : L'histoire des mathématiques, Première partie : Fonction, du statisme grec au dynamisme du début du XVIIIe siècle », *Bulletin AMQ*, mai 1987, p. 5.

COLLETTE, Jean-Paul. *Histoire des mathématiques 1*, Montréal, Éditions du Renouveau Pédagogique, 1973.

COURTEAU, Bernard et Bernard R. HODGSON. « Mathématiques et société », *Mathématique An 2000*, Montréal, Institut des sciences mathématiques et Association mathématique du Québec, mai 2000.

CRÉPEAU, Claude. « Les nombres et leurs secrets », *Fascinantes et universelles, les mathématiques au quotidien, Math 2000*, Montréal, Centre de recherches mathématiques de l'Université de Montréal, mai 2000, p. 31.

DAHAN-DALMEDICO, Amy et Jeanne PEIFFER. *Une histoire des mathématiques, Routes et dédales*, Paris, Éditions du Seuil, 1986.

DARMON, Henri. « Taureaux, Internet et quanta, l'arithmétique des très grands nombres », *Mathématique An 2000*, Montréal, Institut des sciences mathématiques et Association mathématique du Québec, mai 2000.

DELFOUR, Michel. « Les maths en forme », *Fascinantes et universelles, les mathématiques au quotidien, Math 2000*, Montréal, Centre de recherches mathématiques de l'Université de Montréal, mai 2000, p. 12-13.

DE SERRES Margot et Lucie NADEAU. « Habiletés langagières et réussite en mathématiques », *Actes du 42e congrès annuel de l'Association Mathématique du Québec*, Association Mathématique du Québec, Sainte-Foy, les Éditions Le Griffon d'argile, 2000.

DURAND, Stéphane. « La fascinante efficacité des mathématiques », *Fascinantes et universelles, les mathématiques au quotidien, Math 2000*, Montréal, Centre de recherches mathématiques de l'Université de Montréal, mai 2000, p. 31.

ÉQUIPE PERMAMA. *Fonctions et calculs numériques à l'aide de la calculatrice (PMM 3032-3042)*, Québec, Université du Québec (Télé-université), 1979.

FEIGL, Dorothy M. et John W. HILL. *Chemistry and life (An introduction to General, Organic and Biological Chemistry)*, New York, MacMillan Publishing Company, 1987.

FLEURY, Jean-Marc. « Biomathématiques », *Fascinantes et universelles, les mathématiques au quotidien, Math 2000*, Montréal, Centre de recherches mathématiques de l'Université de Montréal, mai 2000, p. 22, 34.

GARCIA, René. « La formule de Black et Scholes », *Fascinantes et universelles, les mathématiques au quotidien, Math 2000*, Montréal, Centre de recherches mathématiques de l'Université de Montréal, mai 2000, p. 17.

GUYTON, Arthur C. *Physiologie de l'homme*, Montréal, les Éditions HRW, 1974.

HALLIDAY, David et Robert RESNICK. *Électricité et magnétisme (Physique 2)*, Montréal, Éditions du Renouveau Pédagogique, 1979.

HALLIDAY, David et Robert RESNICK. *Mécanique (Physique 1)*, Montréal, Éditions du Renouveau Pédagogique, 1979.

HALLIDAY, David et Robert RESNICK. *Ondes, optique et physique moderne (Physique 3)*, Montréal, Éditions du Renouveau Pédagogique, 1980.

HIRSCH, Alan J. *La physique et le monde moderne*, Montréal, Guérin Éditeur, 1991.

LEFEBVRE, Jacques. « Moments et aspects de l'histoire du calcul différentiel et intégral; problématique générale et antiquité grecque », *Bulletin AMQ*, XXV, n° 4, décembre 1995.

LEFEBVRE, Jacques. « Moments et aspects de l'histoire du calcul différentiel et intégral; Moyen Âge et dix-septième siècle avant Newton et Leibniz », *Bulletin AMQ*, XXXVI, n° 1, mars 1996.

LEFEBVRE, Jacques. « Moments et aspects de l'histoire du calcul différentiel et intégral; Newton et Leibniz », *Bulletin AMQ*, XXXVII, n° 2, mai 1996.

LUSZTIG, Peter, Bernhard SCHWAB et Guy CHAREST. *Gestion financière*, Ottawa, Éditions du Renouveau Pédagogique, inc. et Butterworth & Co., 1983.

MADER, Sylvia S. *Biologie; évolution, diversité et environnement*, Éditions du Trécarré/Reynald Goulet inc., 1987.

MARCOTTE, Patrice et François SOUMIS. « Tous les chemins mènent aux... maths », *Fascinantes et universelles, les mathématiques au quotidien, Math 2000*, Montréal, Centre de recherches mathématiques de l'Université de Montréal, mai 2000, p. 24-25.

MAUDUIT, Christian et Philippe TCHAMITCHIAN. *Mathématiques*, Paris, Éditions Messidor/La farandole, coll. « La science et les hommes; l'univers », 1990.

McKENZIE, Pierre. « La complexité apprivoisée », *Mathématique An 2000*, Montréal, Institut des sciences mathématiques et Association mathématique du Québec, mai 2000.

MERCIER, Guy et Raymond THÉORET. *Traité de gestion financière, une perspective canadienne et québécoise*, Sainte-Foy, Presses de l'Université du Québec, 1997.

MORISSETTE, DENIS et Wilson O'SHAUGHNESSY. *Décisions financières à long terme* (2e édition), Trois-Rivières, Éditions SMG, 1990.

POULIN, Pierre. « Les mathématiques derrière l'image », *Fascinantes et universelles, les mathématiques au quotidien, Math 2000*, Montréal, Centre de recherches mathématiques de l'Université de Montréal, mai 2000, p. 32.

RATHUS, Spencer A. *Psychologie générale* (2e édition), Montréal, Éditions Études Vivantes, 1990.

RÉMILLARD, Bruno. « À l'assaut de l'aléatoire, les prévisions en probabilité et statistique », *Mathématique An 2000*, Montréal, Institut des sciences mathématiques et Association mathématique du Québec, mai 2000, p. 18-20.

ROUSSEAU, Christiane. « La théorie des nœuds », *Fascinantes et universelles, les mathématiques au quotidien, Math 2000*, Montréal, Centre de recherches mathématiques de l'Université de Montréal, mai 2000, p. 15.

WARUSFEL, André. *Les nombres et leurs mystères*, Paris, Éditions du Seuil, 1961, coll. « Points Sciences ».

Index

Aide-mémoire

Règles de dérivation

D1 Si $f(x) = K$, où K est un nombre réel, alors $f'(x) = 0$.

D2 Si $f(x) = x^n$ (où n est un nombre réel), alors $f'(x) = nx^{n-1}$.

Si f et g sont deux fonctions telles que $f'(x)$ et $g'(x)$ existent, alors :

D3 Si $f(x) = K\,g(x)$, où K est un nombre réel, alors $f'(x) = Kg'(x)$.

D4 $(f + g)'(x) = f'(x) + g'(x)$ et $(f - g)'(x) = f'(x) - g'(x)$

D5 $(f \times g)'(x) = f'(x)\,g(x) + f(x)\,g'(x)$

D6 $\left(\dfrac{f}{g}\right)'(x) = \dfrac{f'(x)g(x) - f(x)g'(x)}{g^2(x)}$

D7 $(f \circ g)'(x) = [f(g(x))]' = f'(g(x)) \times g'(x)$

D8 Si n est un nombre réel, alors $((g(x))^n)' = n(g(x))^{n-1} \times g'(x)$.

D9 Si f^{-1} est la fonction réciproque de f et si $f'(x)$ existe, alors $(f^{-1}(x))' = \dfrac{1}{f'(f^{-1}(x))}$.

D10 $(\ln |x|)' = \dfrac{1}{x}$ et $(\ln |h(x)|)' = \dfrac{1}{h(x)} \times h'(x)$

D11 Soit b un nombre réel positif différent de 1. Alors,
$(\log_b |x|)' = \dfrac{1}{x \ln b}$ et $(\log_b |h(x)|)' = \dfrac{1}{h(x) \ln b} \times h'(x)$

D12 $(e^x)' = e^x$ et $(e^{h(x)})' = e^{h(x)} \times h'(x)$

D13 Soit b un nombre réel positif différent de 1. Alors,
$(b^x)' = b^x \ln b$ et $(b^{h(x)})' = b^{h(x)} \ln b \times h'(x)$

D14 $(\sin x)' = \cos x$ et $(\sin (k(x)))' = \cos (k(x)) \times k'(x)$

D15 $(\cos x)' = -\sin x$ et $(\cos (k(x)))' = -\sin (k(x)) \times k'(x)$

D16 $(\text{tg } x)' = \sec^2 x$ et $(\text{tg } (k(x)))' = \sec^2 (k(x)) \times k'(x)$
$(\text{cotg } x)' = -\text{cosec}^2 x$ et $(\text{cotg } (k(x)))' = -\text{cosec}^2 (k(x)) \times k'(x)$
$(\sec x)' = \sec x \text{ tg } x$ et $(\sec (k(x)))' = \sec (k(x)) \text{ tg } (k(x)) \times k'(x)$
$(\text{cosec } x)' = -\text{cosec } x \text{ cotg } x$ et $(\text{cosec } (k(x)))' = -\text{cosec } (k(x)) \text{ cotg } (k(x)) \times k'(x)$

D17 $(\arcsin x)' = \dfrac{1}{\sqrt{1 - x^2}}$ et $(\arcsin (k(x)))' = \dfrac{k'(x)}{\sqrt{1 - (k(x))^2}}$

$(\arccos x)' = \dfrac{-1}{\sqrt{1 - x^2}}$ et $(\arccos (k(x)))' = \dfrac{-k'(x)}{\sqrt{1 - (k(x))^2}}$

$(\text{arctg } x)' = \dfrac{1}{1 + x^2}$ et $(\text{arctg } (k(x)))' = \dfrac{k'(x)}{1 + (k(x))^2}$

$(\text{arccotg } x)' = \dfrac{-1}{1 + x^2}$ et $(\text{arccotg } (k(x)))' = \dfrac{-k'(x)}{1 + (k(x))^2}$

$(\text{arcsec } x)' = \dfrac{1}{|x|\sqrt{x^2 - 1}}$ et $(\text{arcsec } (k(x)))' = \dfrac{k'(x)}{|k(x)|\sqrt{(k(x))^2 - 1}}$

$(\text{arccosec } x)' = \dfrac{-1}{|x|\sqrt{x^2 - 1}}$ et $(\text{arccosec } (k(x)))' = \dfrac{-k'(x)}{|k(x)|\sqrt{(k(x))^2 - 1}}$

Règles relatives aux limites

R1 Si a et k sont deux nombres réels, alors $\lim_{x \to a} k = k$.

R2 Si a est un nombre réel, alors $\lim_{x \to a} x = a$.

R3 Si a et k sont deux nombres réels et si f est une fonction telle que $\lim_{x \to a} f(x) = M$, alors $\lim_{x \to a} kf(x) = k\left(\lim_{x \to a} f(x)\right) = kM$.

Si a est un nombre réel et si f et g sont deux fonctions telles que $\lim_{x \to a} f(x) = M$ et $\lim_{x \to a} g(x) = N$, alors

R4 $\lim_{x \to a} [f(x) + g(x)] = \lim_{x \to a} f(x) + \lim_{x \to a} g(x) = M + N$

R5 $\lim_{x \to a} [f(x) - g(x)] = \lim_{x \to a} f(x) - \lim_{x \to a} g(x) = M - N$

R6 $\lim_{x \to a} [f(x) \times g(x)] = \lim_{x \to a} f(x) \cdot \lim_{x \to a} g(x) = MN$

R7 Si a est un nombre réel et n est un entier positif, alors $\lim_{x \to a} x^n = a^n$.

R8 Si a est un nombre réel et $p(x)$ est une fonction polynomiale, alors $\lim_{x \to a} p(x) = p(a)$.

R9 Si a est un nombre réel et si f et g sont deux fonctions telles que $\lim_{x \to a} f(x) = M$ et $\lim_{x \to a} g(x) = N$, alors $\lim_{x \to a} \left(\frac{f(x)}{g(x)}\right) = \frac{\lim_{x \to a} f(x)}{\lim_{x \to a} g(x)} = \frac{M}{N}$, à condition que $\lim_{x \to a} g(x) = N \neq 0$.

R10 Si a et n sont deux nombres réels et si f est une fonction telle que $\lim_{x \to a} f(x) = M$, alors $\lim_{x \to a} (f(x))^n = \left(\lim_{x \to a} f(x)\right)^n = M^n$, à condition que M^n soit elle-même définie.

R11 Si f et g sont deux fonctions telles que $\lim_{x \to a} f(x) = M$ et $\lim_{t \to M} g(t) = g(M)$, alors $\lim_{x \to a} (g \circ f)(x) = \lim_{x \to a} g(f(x)) = g\left(\lim_{x \to a} f(x)\right) = g(M)$.

Règles relatives à la continuité

C1 Toutes les fonctions constantes et la fonction identité $f(x) = x$ sont continues sur IR.

C2 Si k est un nombre réel et si la fonction f est une fonction continue sur un intervalle I, alors kf est une fonction continue sur l'intervalle I.

Si f et g sont deux fonctions continues sur un même intervalle I, alors :

C3 la fonction $f + g$ est une fonction continue sur l'intervalle I;

C4 la fonction $f - g$ est une fonction continue sur l'intervalle I;

C5 la fonction $f \times g$ est une fonction continue sur l'intervalle I;

C6 Une fonction polynomiale f définie par $p(x)$ est continue sur IR.

C7 Si f et g, définies respectivement par $f(x)$ et $g(x)$, sont telles que f et g sont continues sur un même intervalle I, alors la fonction $\frac{f}{g}$ est continue sur l'intervalle I, à condition que $g(x)$ ne soit jamais nulle sur l'intervalle I.

C8 Si n est un nombre réel et si $f(x)$ est une fonction continue sur un intervalle I, alors la fonction $[f(x)]^n$ est continue sur l'intervalle I, à condition que $[f(x)]^n$ soit définie pour toutes les valeurs de l'intervalle I.

C9 Si f et g, définies respectivement par $f(x)$ et $g(x)$, sont telles que f et g sont des fonctions continues sur un même intervalle I, alors la fonction $f \circ g$ est une fonction continue sur l'intervalle I, à condition que $g(x)$ et $(f \circ g)(x)$ soient définies dans l'intervalle I.

Règles relatives aux intégrales indéfinies

I1 $\int du = \int 1\, du = u + K$

I2 Si n est un nombre réel différent de -1, alors $\int u^n\, du = \frac{1}{n+1} u^{n+1} + K = \frac{u^{n+1}}{n+1} + K$

I3 $\int u^{-1}\, du = \int \frac{du}{u} = \ln |u| + K$

I4 Si a est une constante réelle, alors $\int af(x)\, dx = a \int f(x)\, dx$.

I5 $\int (f(x) + g(x))\, dx = \int f(x)\, dx + \int g(x)\, dx$ et $\int (f(x) - g(x))\, dx = \int f(x)\, dx - \int g(x)\, dx$

I6 $\int e^u\, du = e^u + K$

I7 Si b représente une base positive, alors $\int b^u\, du = \frac{b^u}{\ln b} + K$

I8 $\int \sin u\, du = -\cos u + K$ et $\int \cos u\, du = \sin u + K$

I9 $\int \sec^2 u\, du = \operatorname{tg} u + K$ et $\int \operatorname{cosec}^2 u\, du = -\operatorname{cotg} u + K$

I10 $\int \sec u \operatorname{tg} u\, du = \sec u + K$ et $\int \operatorname{cosec} u \operatorname{cotg} u\, du = -\operatorname{cosec} u + K$

I11 $\int \frac{du}{\sqrt{1 - u^2}} = \arcsin u + K$ et $\int \frac{-du}{\sqrt{1 - u^2}} = \arccos u + K$

I12 $\int \frac{du}{1 + u^2} = \operatorname{arctg} u + K$ et $\int \frac{-du}{1 + u^2} = \operatorname{arccotg} u + K$

I13 $\int \frac{du}{|u|\sqrt{u^2 - 1}} = \operatorname{arcsec} u + K$ et $\int \frac{-du}{|u|\sqrt{u^2 - 1}} = \operatorname{arccosec} u + K$

Propriétés relatives aux intégrales indéfinies

ID1 Si k est un nombre réel, alors $\int_a^b kf(x)\, dx = k \int_a^b f(x)\, dx$.

ID2 $\int_a^b (f(x) + g(x))\, dx = \int_a^b f(x)\, dx + \int_a^b g(x)\, dx$ et $\int_a^b (f(x) - g(x))\, dx = \int_a^b f(x)\, dx - \int_a^b g(x)\, dx$

ID3 $\int_a^a f(x)\, dx = 0$

ID4 $\int_a^b f(x)\, dx = -\int_b^a f(x)\, dx$

ID5 Si $a \leq b \leq c$, alors $\int_a^b f(x)\, dx + \int_b^c f(x)\, dx = \int_a^c f(x)\, dx$

Lois des exposants

Chaque loi qui suit s'applique, *à condition* que chacun des termes de l'égalité soit bien défini dans les réels.

E1 $a^m \cdot a^n = a^{m+n}$, où a, m et n sont des nombres réels quelconques.

E2 $(a^m)^n = a^{mn}$, où a, m et n sont des nombres réels quelconques.

E3 $\frac{a^m}{a^n} = a^{m-n}$, où a, m et n sont des nombres réels quelconques et où $a \neq 0$.

E4 $(a \cdot b)^n = a^n \cdot b^n$, où a, b et n sont des nombres réels quelconques.

E5 $\left(\frac{a}{b}\right)^n = \frac{a^n}{b^n}$, où a, b et n sont des nombres réels quelconques et où $b \neq 0$.

E6 $\sqrt[n]{a^m} = (\sqrt[n]{a})^m$, si m et n sont des entiers positifs, si $n \geq 1$ et si $\sqrt[n]{a}$ est définie dans les réels.

E7 Lorsque $a^m = a^n$ avec $a \neq 1$ et $a \neq 0$, on a nécessairement $m = n$.

Propriétés des logarithmes

Soit $\boldsymbol{x}$ et $\boldsymbol{y}$ deux nombres réels positifs et $\boldsymbol{a}$ et $\boldsymbol{b}$ deux bases supérieures à 0 et différentes de 1.

L1 $\log_b b = 1$

L2 $\log_b 1 = 0$

L3 $b^{\log_b x} = x$

L4 $\log_b b^x = x$

L5 $\log_b (x \cdot y) = \log_b x + \log_b y$

L6 $\log_b x^y = y \log_b x$

L7 $\log_b \left(\frac{x}{y}\right) = \log_b x - \log_b y$

L8 $\log_b x = \frac{\log_a x}{\log_a b}$

L9 Si $\log_b x = \log_b y$, alors nécessairement $x = y$.

Identités trigonométriques

I1 Pour tout angle t, on a $\cos^2 t + \sin^2 t = 1$.

I2 Pour tout angle t tel que $\cos t \neq 0$, on a $\text{tg}^2\, t + 1 = \sec^2 t$.

I3 Pour tout angle t tel que $\sin t \neq 0$, on a $\text{cotg}^2\, t + 1 = \text{cosec}^2\, t$.

I4 Pour tout angle t et u, on a :

$$\sin (t + u) = \sin t \cos u + \cos t \sin u$$
$$\text{et } \sin (t - u) = \sin t \cos u - \cos t \sin u$$

I5 Pour tout angle t et u, on a :

$$\cos (t + u) = \cos t \cos u - \sin t \sin u$$
$$\text{et } \cos (t - u) = \cos t \cos u + \sin t \sin u$$

I6 Pour tout angle t, on a $\sin 2t = 2 \sin t \cos t$.

I7 Pour tout angle t, on a $\cos 2t = \cos^2 t - \sin^2 t$.

Fonction

Le **domaine d'une fonction** f (noté Dom f) est l'ensemble de toutes les valeurs de l'ensemble de départ pour lesquelles f est définie.

L'**image d'une fonction** g (notée Ima g) est l'ensemble de toutes les valeurs y de l'ensemble d'arrivée pour lesquelles il existe une valeur de x dans l'ensemble de départ telle que $g(x) = y$.

L'**ordonnée à l'origine** d'une fonction f est la valeur $f(0)$ (s'il en existe une).

Un **zéro** d'une fonction f est une valeur a telle que $f(a) = 0$.

Table des matières